WIE FUNKTIONIERT DAS?

DIE TECHNIK IM LEBEN VON HEUTE

Herausgegeben und bearbeitet
von der Redaktion
Naturwissenschaft und Technik
des Bibliographischen Instituts
unter der Leitung von
Klaus Thome

3., vollständig überarbeitete Auflage

MEYERS LEXIKONVERLAG
Mannheim/Leipzig/Wien/Zürich

Redaktionelle Mitarbeit:
Hermann Engesser, Norbert Mahninger,
Hans-Heinrich Müller, Ingo Platz, Kurt Dieter Solf

282 zweifarbige Schautafeln
8 mehrfarbige Schautafeln
290 Textseiten
18 Registerseiten

CIP-Kurztitelaufnahme der Deutschen Bibliothek

**Wie funktioniert das? Die Technik im Leben von
heute**/hrsg. und bearb. von der Red. Naturwissenschaft und Technik d. Bibliograph. Inst.
unter der Leitung von Klaus Thome. –
3., vollst. überarb. Aufl. – Mannheim; Wien;
Zürich: Bibliographisches Institut, 1986.
ISBN 3-411-02378-3
NE: Thome, Klaus [Hrsg.]: Die Technik im
Leben von heute

Satz: Bibliographisches Institut (DIACOS Siemens) und
Mannheimer Morgen Großdruckerei und
Verlag GmbH (Digiset 40 T 30)
Druck: Pfälzische Verlagsanstalt GmbH, Landau/Pfalz
Einband: Klambt Buchbinderei GmbH, Speyer
Printed in Germany
ISBN 3-411-02378-3

Vorwort

Wohl in keinem anderen Bereich unseres Lebens taucht die Frage »Wie funktioniert das?« so oft auf wie im Zusammenhang mit technischen Geräten, Anlagen und Verfahren. So ist es verständlich, daß der vor über 20 Jahren unter dem Titel »Wie funktioniert das?« erschienene erste Band dieser erfolgreichen Reihe der Technik gewidmet war. Für diesen Band wurde das später für die ganze Reihe charakteristische Konzept der Gegenüberstellung von Text und dazugehörenden Abbildungen auf jeweils einer Doppelseite entwickelt.

Auch bei der vorliegenden dritten Auflage sind wir diesem bewährten Konzept treugeblieben, ebenso dem Grundsatz, möglichst viele Bereiche aus dem breiten Spektrum der Technik zu erfassen. Hierbei mußten wir den beschleunigten technischen Wandel der letzten Jahre berücksichtigen. Das Gebiet der Datenverarbeitung, die moderne Kommunikationstechnik und die vielfältigen Aspekte der Umwelttechnik sind typische Beispiele. Themen, die noch vor wenigen Jahren kaum ein breites Interesse gefunden hätten, stehen heute vielfach im Mittelpunkt allgemeiner Diskussion, die Frage nach dem »Wie funktioniert das?« drängt sich auf: Abgaskatalysator und Lambdasonde, Rauchgasentschwefelung und -entstickung, Recycling und Wiederaufarbeitung, Datenspeicher und Datenübertragung, Bildschirmtext und Satellitenfernsehen usw.

Doch auch in anderen Bereichen der Technik waren Neuentwicklungen in großer Zahl zu berücksichtigen. Wir haben daher eine Vielzahl von Kapiteln neu gefaßt und mit neuen, ansprechenden graphischen Darstellungen illustriert.

»Wie funktioniert das? Die Technik im Leben von heute« ist auch in seiner Neuauflage als Hausbuch der Technik für jedermann gedacht. In erster Linie für den Nichttechniker geschrieben, wird es jedoch auch dem spezialisierten Techniker in vielen Fällen einen informativen »Blick über den Zaun« seines eigenen Spezialgebietes ermöglichen.

Mannheim, im Frühjahr 1986

VERLAG UND HERAUSGEBER

Wir danken allen Firmen, Institutionen und Privatpersonen, die unsere Arbeit mit fachlichem Rat sowie mit der Überlassung von Bildvorlagen und Informationsmaterial unterstützten.

Inhalt

7

Kraft, Masse, Impuls, Drehmoment I

Überall in der Natur und in der Technik, wo frei bewegliche Körper ihren Bewegungszustand ändern (also beschleunigt oder verzögert werden) oder festgehaltene Körper eine Verformung erfahren, ist die Ursache dafür die Einwirkung einer *physikalischen Kraft.* Erfahrungsgemäß sind beide Wirkungen bereits mit der menschlichen *Muskelkraft* erzielbar. Man denke z. B. an das Werfen eines Balles, an das Spalten von Holz mit der Axt, an die Formgebung von metallischen Gegenständen durch Hämmern (Abb. 1 und 2). An der Muskelkraft läßt sich auch schon ein Kennzeichen einer jeden Kraft feststellen, nämlich daß sie eine vektorielle (d. h. gerichtete) physikalische Größe ist: Ihre eindeutige Beschreibung erfordert neben der Angabe ihrer Größe (Stärke) stets die Angabe der Richtung, in der sie wirkt, und der Lage ihrer *Wirkungslinie.* Ein Maß für die Stärke einer Kraft *F* ist das Produkt aus der Beschleunigung *a,* die sie einem Körper der Masse *m* erteilt, und der Masse selbst: $F = m \cdot a.$ Der halbfette Druck der Formelzeichen soll anzeigen, daß es sich um gerichtete (vektorielle) Größen, sogenannte *Vektoren,* handelt. Dieselbe Bedeutung haben über den Formelbuchstaben gesetzte Pfeile, z. B. $\vec{F}, \vec{a}.$ Die *Beschleunigung,* d. h. die zeitliche Änderung der Geschwindigkeit (sie stellt ebenfalls eine gerichtete physikalische Größe dar), erfolgt im allgemeinen in Richtung der Kraft. Voraussetzung dabei ist, daß die Masse als konstant angesehen werden darf, was bei Geschwindigkeiten, die klein gegenüber der Lichtgeschwindigkeit sind, möglich ist. Je größer also die Masse eines Körpers ist, um so kleiner ist die ihm von einer Kraft bestimmter Stärke erteilte Beschleunigung. Die Masse kann daher als Maß für den Widerstand eines Körpers gegen Änderungen seines Bewegungszustandes, also für seine *Trägheit,* angesehen werden.

Die Proportionalität von Kraft und Beschleunigung erlaubt eine dynamische Kraftmessung (Abb. 3), d. h., Kräfte werden durch Vergleich der an der gleichen Masse hervorgerufenen Beschleunigungen gemessen. Eine korrekte Definition der Kraft liefert das *Newtonsche Grundgesetz:* Eine Kraft ist die Ursache der zeitlichen Änderung (Ableitung nach der Zeit *t*) des Impulses *p* eines Körpers und dieser Änderung gleich: $F = dp/dt.$ Der *Impuls* eines Körpers ist dabei durch das Produkt seiner Masse *m* mit seiner Geschwindigkeit *v* gegeben: $p = m \cdot v.$

Wenn die Kraft *F,* die auf einen Körper wirkt, ihren Ursprung in einem anderen Körper hat, dann wirkt auf diesen eine gleich große, entgegengesetzte Kraft $-F.$ Diese Tatsache wird als das *Prinzip von Aktion und Reaktion* bezeichnet.

Eine auf einem ruhenden Wagen stehende Person (gesamte Masse m_1) wirft eine Masse m_2 mit der Geschwindigkeit v_2 in waagerechter Richtung. Sie erfährt dadurch einen Rückstoß und bewegt sich mit der Geschwindigkeit v_1 in der entgegengesetzten Richtung. Vor dem Wurf war das gesamte System in Ruhe, der Gesamtimpuls gleich Null. Nach dem Wurf ist, da keine äußeren Kräfte wirksam waren, der Gesamtimpuls ebenfalls gleich Null, d. h., es gilt $m_1 \cdot v_1 + m_2 \cdot v_2 = 0$ oder $m_2 \cdot v_2 = -m_1 \cdot v_1.$ Diese Gesetzmäßigkeit bezeichnet man als den *Impulserhaltungssatz.*

Wichtige praktische Anwendungen des Prinzips von Aktion und Reaktion sind z. B. die Strahltriebwerke von Düsenflugzeugen und die Raketentriebwerke. Hierbei wird als „Aktion" der Abgasstrahl mit hoher Geschwindigkeit nach hinten ausgestoßen, als „Reaktion" oder „Rückstoß" tritt die Kraft in Erscheinung, die als Schub des Triebwerks genutzt wird.

Eine Kraft wird im allgemeinen an einem Körper in einem bestimmten Punkt, dem *Angriffspunkt,* angreifen. Aber nur bei Formänderungen eines Körpers kommt es auf die Lage des Angriffspunktes auf der Wirkungslinie der Kraft an. Bei Einwirken auf einen starren Körper (in der Praxis können alle Körper, bei denen die Verformung vernachlässigbar klein ist, als starre Körper angesehen werden) kann der Angriffspunkt längs der Wirkungslinie beliebig verschoben werden, ohne daß sich die Wirkung der Kraft auf den Körper ändert, d. h. ohne daß ein bestehendes Gleichgewicht mit anderen Kräften gestört wird bzw. die von der Kraft verursachte Beschleunigung des starren Körpers sich ändert. In Abb. 5 ist das so dargestellt, daß die Muskelkraft an einem Mauerhaken direkt oder aber an irgendeinem Punkt, der in Richtung der Kraftwirkung liegt, mit derselben Wirkung angreifen kann.

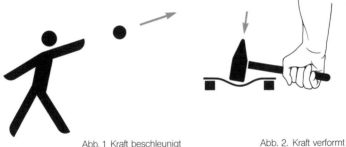

Abb. 1 Kraft beschleunigt   Abb. 2. Kraft verformt

Abb. 3 Dynamische Kraftmessung:
Die Beschleunigung des Wagens ist dem angehängten Gewicht
direkt proportional, der Masse des Wagens umgekehrt proportional

Abb. 4 Einfacher Rückstoßversuch zum Impulserhaltungssatz

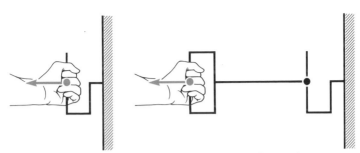

Abb. 5 Der Angriffspunkt einer Kraft kann in Richtung ihrer
Wirkung verschoben werden

11

Kraft, Masse, Impuls, Drehmoment II

Die Zusammensetzung von zwei an einem Körper angreifenden Kräften F_1 und F_2 zu einer resultierenden Kraft *(Resultante oder Gesamtkraft) F* und die Zerlegung einer Kraft *F* in Komponenten (d. h. in Teilkräfte F_1 und F_2, die jeweils in vorgegebene Richtungen wirken) erfolgt wie bei allen gerichteten Größen (Vektoren) mit Hilfe des sogenannten *Kräfteparallelogramms* (Abb. 6). Die beiden zu addierenden Kräfte werden längs ihrer Wirkungslinien so verschoben, daß ihre Angriffspunkte zusammenfallen; sie bilden dann die zwei Seiten eines Parallelogramms, dessen größere (mit einem Richtungssinn versehene) Diagonale gleich der Summe $F_1 + F_2 = F$, dessen kleinere Diagonale gleich der Differenz $F_1 - F_2$ beider Kräfte ist. (Bilden die beiden Kräfte einen rechten Winkel miteinander, so ist die Länge des Differenzvektors gleich der Länge des Summenvektors.)

Man kann auch so verfahren, daß man beide Kräfte aneinander setzt (die Spitze des einen Kraftvektors ist der Fußpunkt des anderen). Bei mehreren im gleichen Angriffspunkt angreifenden Kräften erhält man auf diese Weise zusammen mit der resultierenden Gesamtkraft ein *Krafteck (Kräftepolygon).*

Jede an einem Körper angreifende Kraft steht mit der von ihr verursachten gleich großen, aber entgegengesetzt gerichteten *Reaktionskraft* im Gleichgewicht. Zwei gleich große, entgegengesetzt gerichtete Kräfte, deren Wirkungslinien nicht zusammenfallen, lassen sich hingegen nicht zu einer Resultierenden zusammenfassen; sie bilden ein sogenanntes *Kräftepaar* (Abb. 7), das auf einen starren Körper ein *Drehmoment* ausübt und ihn zu einer Drehung um einen bestimmten Drehpunkt veranlaßt.

Wirkt eine Kraft (Gewicht G) im Abstand *l* vom Drehpunkt eines Körpers, so versucht sie, den Körper zu drehen. Das „Drehbestreben" des Körpers ist um so größer, je größer die Kraft und je größer der Abstand vom Drehpunkt (gemessen senkrecht auf die Wirkungslinie der Kraft) ist. Das Produkt Kraft × Hebelarm nennt man das *Drehmoment.* An Abb. 8 sucht das Drehmoment $G \times l$ den Stab bzw. zweiarmigen Hebel rechtsherum zu drehen. Die Drehung des Stabes kann nur durch ein genauso großes linksdrehendes Moment verhindert werden, z. B. dadurch, daß links vom Drehpunkt im Abstand *l* eine Kraft F angreift, die genauso groß wie das Gewicht G auf der linken Seite ist,

oder auch in doppeltem Abstand $2l$ eine Kraft, die halb so groß ist wie das Gewicht G bzw. F. Um Gleichgewicht zu erhalten, muß das rechtsdrehende gleich dem linksdrehenden Moment sein bzw. Kraft × Kraftarm = Last × Lastarm. Diese Gesetzmäßigkeit bezeichnet man als das *Hebelgesetz.*

Die Nutzanwendung des Hebelgesetzes bei der Seilrolle zeigt Abb. 9; in beiden Fällen herrscht Gleichgewicht, wenn $F \times k = G \times g$ ist, wobei k und g die Senkrechten vom Drehpunkt auf die Wirkungslinien der Kräfte sein müssen. Durch die verschiedenen Hebelarme k und g wird der Kraftaufwand F gegenüber G verkleinert. An Arbeit, die gleich dem Produkt Kraft × Weg ist, wird jedoch nichts eingespart, da die Kraft F am Umfang der Scheibe einen viel größeren Weg zurücklegen muß, als das mit dem Gewicht G belastete Seil am Umfang der dünneren Welle.

Kräfte treten in allen Bereichen der Physik auf. Die wichtigsten Arten sind: 1. die verschiedenen *Reibungskräfte;* 2. die *elastischen Kräfte,* die bei Verformungen von Körpern im Innern als Reaktionskräfte wirksam werden; 3. die *Gravitationskräfte* (Schwerkräfte), die bewirken, daß zwischen allen Körpern fortwährend eine Anziehung besteht. Die Schwerkraft (oder Gravitation) der Erde ist z. B. verantwortlich für den freien Fall eines Körpers, der bei Vernachlässigung des Luftwiderstandes mit der Fallbeschleunigung $g = 9{,}81$ m/s² erfolgt, für die Krümmung der Wurfparabel eines geworfenen Balles bzw. eines abgeschossenen Projektils, für die Bewegung des Mondes und von künstlichen Satelliten (Raumflugkörpern) um die Erde, schließlich auch für das Gewicht $G = m \cdot g$ eines Körpers; 4. die *Coulomb-* oder *elektrostatischen Kräfte,* mit denen sich elektrische Ladungen anziehen oder abstoßen; 5. die *magnetostatischen Kräfte,* die Magnete aufeinander ausüben; 6. die verschiedenen Kräfte, die neben den elektrostatischen Kräften im Bereich der Moleküle, Atome und Atomkerne eine wesentliche Rolle spielen und entweder die Bindung der Atome zu Molekülen und Kristallen oder (als *Kernkräfte*) den Zusammenhalt der Atomkerne bewirken.

Als Maßeinheiten der Kraft wird in der Physik und Technik heute die gesetzliche Einheit Newton (N) verwendet. 1 N ist gleich der Kraft, die einem Körper der Masse 1 kg die Beschleunigung 1 m/s² erteilt: $1 \text{ N} = 1 \text{ kg} \cdot \text{m/s}^2$.

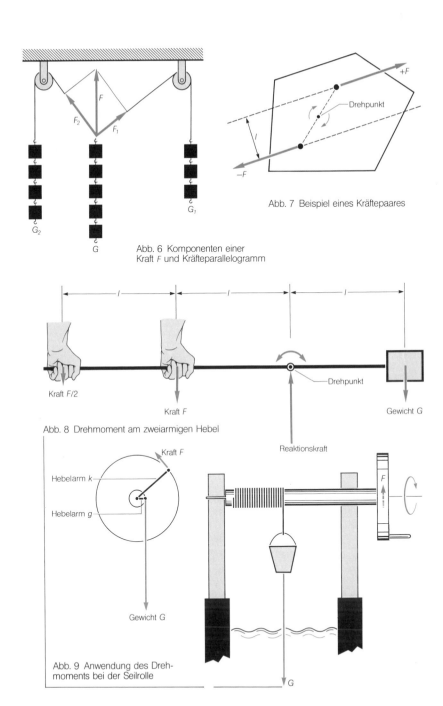

Abb. 7 Beispiel eines Kräftepaares

Abb. 6 Komponenten einer
Kraft F und Kräfteparallelogramm

Kraft F/2

Kraft F

Gewicht G

Drehpunkt

Abb. 8 Drehmoment am zweiarmigen Hebel

Kraft F

Reaktionskraft

Hebelarm k

Hebelarm g

Gewicht G

Abb. 9 Anwendung des Drehmoments bei der Seilrolle

G

Arbeit, Leistung, Energie I

Wird ein Körper gegen eine auf ihn wirkende Kraft um ein bestimmtes Wegstück verschoben, so wird *Arbeit* verrichtet. Sie ist (im physikalischen Sinne) definiert als das Produkt aus dem zurückgelegten Wege s und dem Betrag der Kraftkomponente $F_s = F \cdot \cos \alpha$ in der Wegrichtung: $W = F_s \cdot s$, wobei $\cos \alpha$ der Kosinus des Winkels α zwischen Kraft- und Wegrichtung ist. In dieser vereinfachten Formulierung ist vorausgesetzt, daß die Kraft längs des geradlinig angenommenen Weges konstant bleibt (Abb. 1). Hebt man eine Masse von 1 kg um 1 m, so hat man eine Arbeit von 9,806 65 Nm (Newtonmeter; *früher:* 1 kp m, d. h. Kilopondmeter oder Meterkilopond) verrichtet. Bei dieser Hubarbeit handelt es sich um eine Verschiebungsarbeit gegen die Schwerkraft (Abb. 2). Nach der oben gegebenen Definition stimmt der physikalische Begriff der Arbeit nicht voll mit dem überein, der im täglichen Leben oder in der Volkswirtschaft üblich ist. Ein Mensch, der mit waagerecht ausgestrecktem Arm ein schweres Gewicht einige Zeit hält, wird dies als Anstrengung, als Arbeit empfinden – im physikalischen Sinne wird hierbei jedoch *keine* Arbeit verrichtet.

Als Maßeinheit der Arbeit dienen neben dem Newtonmeter vor allem die Kilowattstunde (kWh) bzw. die Wattsekunde (Ws) und das Joule (J). Für die Umrechnung gilt: 1 kWh = 3 600 000 Ws sowie 1 J = 1 Nm = 1 Ws. Da man mit rund 10 Nm = 10 Ws eine Masse von 1 kg um 1 m heben kann, sieht man, welch gewaltiger Arbeitsvorrat uns durch den elektrischen Strom für wenig Geld ins Haus geliefert wird. Mit 1 kWh könnte man 367 098 kg um einen Meter heben, 367 50-kg-Säcke um 20 m (Abb. 3) oder 1 t – das entspricht etwa der Masse eines Pkws – auf das Empire State Building (Abb. 4).

Je kleiner die Zeitspanne ist, in der eine bestimmte Arbeit verrichtet wird, desto größer ist die *Leistung*. Diese ist in der Physik als der Quotient aus der Arbeit W und der dazu verwendeten Zeit t definiert: $P = W/t$. Auch diese Formulierung ist etwas vereinfacht, da hier vorausgesetzt, daß die Arbeit W während der Zeit t konstant ist. Wird das Gewichtsstück in Abb. 2 in einer Sekunde (1 s) um 1 m gehoben, so beträgt die Leistung 9,806 65 Nm/s. Die Einheit Nm/s wird allgemein als Watt (W) bezeichnet, 1 000 W = 1 kW (Kilowatt). Die Leistung 735,498 75 W wurde in der Technik als eine Pferdestärke (PS) bezeichnet (meist rechnet man mit dem ge-rundeten Wert 1 PS = 736 W = 0,736 kW). Wenn ein Mann, der 75 kg wiegt, eine Treppe hinaufeilt, so daß er pro Sekunde 1 m Höhe gewinnt (das entspricht etwa 6 bis 7 Treppenstufen), so leistet er rund 1 PS, überwindet er in derselben Zeit 1,36 m Höhe (das entspricht etwa 8 Treppenstufen), so leistet er 1 kW = 1 000 W (Abb. 5).

Zum Heben des Gewichtsstückes vom Niveau I auf das Niveau II in Abb. 2 wurde eine bestimmte Arbeit aufgewendet, die nun in ihm durch seine erhöhte Lage als *Energie* (Arbeitsvermögen) aufgespeichert ist. Man sagt, der Körper hat bei II eine höhere *potentielle Energie* (Energie der Lage) als bei I. Die potentielle Energie E_{pot}, die ein auf die Höhe h gehobener Körper vom Gewicht G besitzt, ist gleich der Arbeit, die zum Anheben erforderlich war, also $E_{pot} = G \cdot h$. Kehrt er wieder in die Lage I zurück, so vermag er im Idealfall die gleiche Arbeit zu verrichten, die vorher an ihm geleistet wurde. Dies ist ein Spezialfall des Satzes von der *Erhaltung der Energie*.

Wird ein Körper der Masse m aus der Ruhelage auf eine bestimmte Geschwindigkeit v gebracht, so wird ebenfalls Arbeit geleistet (gegen das Beharrungsvermögen bzw. die Trägheitskraft). In ihm ist daher auch ein bestimmter Vorrat an Arbeitsfähigkeit gespeichert, den man als *kinetische Energie* E_{kin} (Energie der Bewegung) bezeichnet. Für diese gilt die Beziehung $E_{kin} = \frac{1}{2} m \cdot v^2$. Hieraus ist ersichtlich, daß sich z. B. bei Verdopplung der Geschwindigkeit eines Kraftfahrzeuges die „Wucht" bei einem Aufprall vervierfacht.

Die ständige Umwandlung von potentieller Energie in kinetische Energie und umgekehrt wird am Beispiel eines Kindes auf einer Schaukel verdeutlicht (Abb. 6). In den Umkehrpunkten liegt die gesamte ihm zugeführte Energie als potentielle Energie vor, beim Durchgang mit maximaler Geschwindigkeit durch den untersten Punkt der Schaukelbahn insgesamt als kinetische Energie.

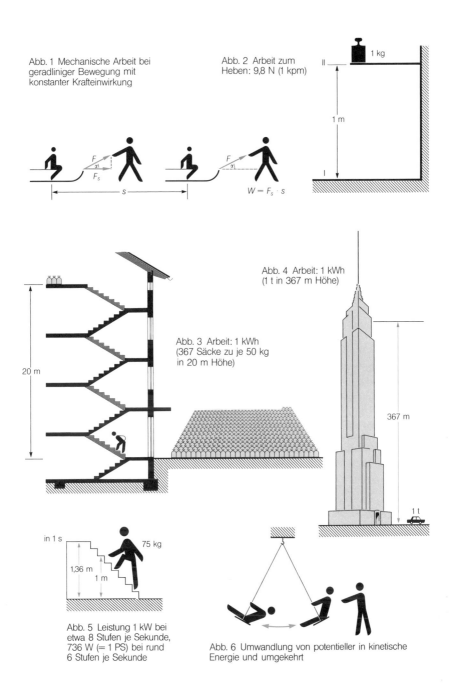

Abb. 1 Mechanische Arbeit bei geradliniger Bewegung mit konstanter Krafteinwirkung

$W = F_s \cdot s$

Abb. 2 Arbeit zum Heben: 9,8 N (1 kpm)

1 kg

1 m

Abb. 4 Arbeit: 1 kWh (1 t in 367 m Höhe)

Abb. 3 Arbeit: 1 kWh (367 Säcke zu je 50 kg in 20 m Höhe)

20 m

367 m

1 t

in 1 s

75 kg

1,36 m

1 m

Abb. 5 Leistung 1 kW bei etwa 8 Stufen je Sekunde, 736 W (= 1 PS) bei rund 6 Stufen je Sekunde

Abb. 6 Umwandlung von potentieller in kinetische Energie und umgekehrt

Arbeit, Leistung, Energie II

Neben den mechanischen Energieformen, zu denen die kinetische und die potentielle Energie gehören, gibt es eine Anzahl anderer: Wärmeenergie, elektrische Energie, chemische Energie, Kernenergie usw. Der Betrag der Energie wird auch hier durch die Arbeit angegeben, die mit ihr verrichtet werden kann. Früher verwendete man bei den verschiedenen Formen auch besondere Maßeinheiten; sie stehen alle in einem festen Umrechnungsverhältnis zu den schon erwähnten Einheiten J und kWh. Die *Wärmeenergie* wurde meist in Kalorien (cal) bzw. Kilokalorien (kcal) angegeben: 1 cal ist die Wärmemenge (Wärmeenergie), die erforderlich ist, um 1 g Wasser bei normalem Atmosphärendruck von 14,5 °C auf 15,5 °C zu erwärmen. Umrechnung: 1 cal = 4,1868 J. Die *elektrische Energie* wird in Kilowattstunden (kWh) gemessen. Im atomaren Bereich ist als Energieeinheit das Elektronvolt (eV) gebräuchlich. 1 eV ist die Energie, die ein Elektron beim freien Durchlaufen einer elektrischen Spannung von 1 Volt (V) gewinnt. Diese Einheit ist im Vergleich zu den bisher erwähnten Einheiten winzig klein; es gilt nämlich: 1 eV = 4,45 · 10^{-26} kWh (10^{-26} bedeutet 1/100..., insgesamt 26 Nullen). Auch bei der *chemischen Energie* findet man häufig diese Einheit. Die bei chemischen Reaktionen pro Molekül bzw. Atom umgesetzte Energie liegt in der Größenordnung von einigen Elektronvolt. Diese Energie ist jedoch nicht gemeint, wenn man von Atomenergie spricht, man meint dann vielmehr die aus Atomkernen bei sog. Kernreaktionen, z. B. bei Kernspaltungen in Kernreaktoren freigesetzte Energie, die man treffend als *Kernenergie* bezeichnet. Diese Energie ist weit größer, sie liegt im Bereich von einigen Millionen Elektronvolt pro Atomkern. Eine Million Elektronvolt nennt man ein Megaelektronvolt (MeV): 1 MeV = 1 000 000 eV. Die verschiedenen Energieformen sind in mannigfacher Weise ineinander umwandelbar, dabei bleibt stets der Betrag der Gesamtenergie erhalten *(Satz von der Erhaltung der Energie).* Strenggenommen gibt es also keine *Energieerzeugung,* man entnimmt die Energie vielmehr einer *Energiequelle* und wandelt sie in eine für Technik und Wirtschaft zweckmäßige Form um.

In einem *Kohlekraftwerk* (Abb. 7) erzeugen die bei der Verbrennung von Kohle entstehenden heißen Rauchgase in einem Dampfkessel aus vorgewärmten Speisewasser Sattdampf unter hohem Druck. Dieser durchströmt eine Dampfturbine und expandiert. Wärmeenergie wird in Strömungsenergie umgesetzt, die den Läufer der Turbine und damit den Läufer des angekoppelten Generators in Rotation versetzt. Die Rotationsenergie wird im Generator in elektrische Energie umgewandelt und ins elektrische Verteilernetz eingespeist. Die chemische Energie der auf diese Weise „verstromten" Kohle läßt sich mit Hilfe elektrischer Leitungen bequem und wirtschaftlich an den jeweiligen Verwendungsort transportieren. Die elektrische Energie kann entsprechend dem Bedarf in mechanische Energie (z. B. mit Hilfe von Elektromotoren), in Wärmeenergie (mit Hilfe elektrischer Heizgeräte), in Licht (mit Hilfe von Glühlampen oder Leuchtstofflampen), zur Herbeiführung chemischer Prozesse (z. B. bei der Elektrolyse) u. a. umgesetzt, gegebenenfalls auch in anderer Form zwischengespeichert und wieder zurückverwandelt werden.

Dem Kessel als Dampferzeuger im Kohlekraftwerk entspricht im *Kernkraftwerk* (Abb. 8) der Reaktor. Die dort auf Grund thermonuklearer Prozesse freigesetzte Wärmeenergie wird durch ein geeignetes Kühlmittel (Wasser bzw. Dampf, flüssiges Natrium, Edelgas) des im Sicherheitsbehälter befindlichen Primärkreislaufs abgeführt. Im Wärmetauscher geht die thermische Energie auf den Sekundärkreislauf über und wird entsprechend dem Kohlekraftwerk in elektrische Energie umgewandelt (vgl. S. 118 ff.).

Hydroelektrische oder *Wasserkraftwerke* (Abb. 9) nutzen die Energie des strömenden Wassers mit Hilfe von Wasserturbinen, die mit Generatoren mechanisch gekoppelt sind. Durch Aufstauen des zur Verfügung stehenden Wassers erreicht man eine weitgehend gleichbleibende Fallhöhe (vgl. S. 482).

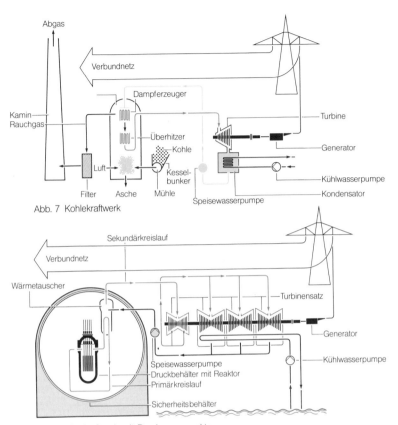

Abb. 7 Kohlekraftwerk

Abb. 8 Kernkraftwerk mit Druckwasserreaktor

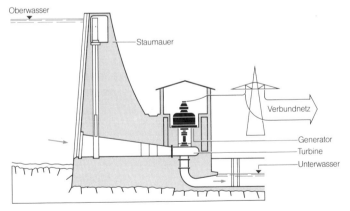

Abb. 9 Wasserkraftwerk

Flaschenzug

Der Flaschenzug ist eine einfache Maschine, mit der man die zu verrichtende Arbeit, d. h. das Produkt aus Kraft und Weg, in ihrer Zusammensetzung zugunsten der Kraft auf Kosten des Weges (oder umgekehrt) verändern kann. Auf diese Weise wird es möglich, große Lasten mit geringerer Kraft zu heben. Sitzen auf einer Seite einer Wippe zwei Personen, die zusammen doppelt so schwer sind wie die Person auf der anderen Seite, und sind die Abstände der Personen vom Auflagepunkt gleich groß, so sinkt die Wippe auf der stärker belasteten Seite ab (Abb. 1 a). Die Gleichgewichtsbedingung

Kraft × Kraftarm = Last × Lastarm

ist in diesem Fall nicht erfüllt. Gleichgewicht ist jedoch vorhanden, wenn die beiden Personen auf der linken Seite ihren Abstand zur Mitte auf die Hälfte verkürzen (Abb. 1 b). Aus Abb. 1 b ist außerdem ersichtlich, daß beim Absenken der einzelnen Person auf der rechten Seite um den Kraftweg s die beiden Personen auf der linken Seite, weil sie näher am Drehpunkt sitzen, nur um den Lastweg s/2 gehoben werden. Auch bei einer Bewegung der Wippe ist also auf beiden Seiten das Produkt aus Kraft und Weg dasselbe. Ähnliche Verhältnisse wie in Abb. 1 a erhält man, wenn man (Abb. 2) ein Seil über eine Rolle legt und die beiden Seilenden mit verschiedenen Lasten belastet. Kraftarm und Lastarm sind beide gleich dem Radius der Rolle. Da beide Lasten an gleich langen Hebelarmen angreifen, wird die stärker belastete Seite absinken.

Die Anordnung in Abb. 2 nennt man eine *feste Rolle*. Bei einer Anordnung wie in Abb. 3 (eine lose und eine feste Rolle) herrscht trotz der verschiedenen Belastungen Gleichgewicht. Die *lose Rolle* hängt an zwei Tragseilen, von denen jedes die halbe Last trägt. Angriffspunkt der Last ist der Mittelpunkt der losen Rolle, und der Lastarm ist gleich dem Rollenradius. Die Kraft greift am Umfang der Rolle an, und der Kraftarm ist gleich dem doppelten Radius der losen Rolle. Die feste Rolle dient hier nur dazu, das Seil und die Kraftrichtung umzulenken. Die Kraft muß am rechten Seilende nur noch halb so groß sein wie die Last an der losen Rolle, um das Gleichgewicht halten zu können. Allerdings wird zum Anheben der Last keine Arbeit eingespart, benötigt man doch am freien Seilende den doppelten Weg, um den die Last angehoben wird. Das Produkt Kraft × Weg bleibt das gleiche.

Abb. 4 zeigt, wie sich die Verhältnisse bei der Verwendung von zwei losen Rollen entwickeln: Hier sind vier tragende Seile vorhanden, die Kraft muß also nur ein Viertel der Last betragen, aber der Kraftweg ist dafür viermal so groß wie der Lastweg.

Die Flaschenzüge der Abb. 3 und 4 nennt man *Potenzflaschenzüge,* da jede weitere lose Rolle die Möglichkeit gibt, bei gleichem Kraftaufwand die Last zu verdoppeln, so daß sich Übersetzungsverhältnisse von der Größe der Potenzen der Zahl 2 ergeben (Last : Kraft bei zwei losen Rollen $2^2 : 1 = 4 : 1$, bei drei losen Rollen $2^3 : 1 = 8 : 1$, bei vier losen Rollen $2^4 : 1 = 16 : 1$ usw.). Der in Abb. 5 dargestellte Flaschenzug besitzt oben zwei fest miteinander verbundene Rollen verschiedenen Durchmessers. Zieht man das Seiltrumm 1 um ein Stück s abwärts, so steigt das Seiltrumm 3 um denselben Betrag aufwärts. Gleichzeitig läuft aber von der kleinen Seilrolle wegen ihres kleineren Durchmessers das Seiltrumm 2 um ein nicht so großes Stück abwärts, so daß sich an der Last nur die Differenz dieser beiden Wege auswirkt. Die Last wird also weniger gehoben als das Seiltrumm 1 abgesenkt wird. Es genügt deshalb am Seiltrumm 1 zum Heben der Last eine entsprechend kleinere Kraft, da ja dort ein größerer Weg zurückgelegt wird. Da sich beim Verhältnis von Lastweg zu Kraftweg und von Kraft zu Last die Differenz der Rollendurchmesser bzw. der Rollenhalbmesser $(R - r)$ auswirkt, nennt man diesen Flaschenzug *Differentialflaschenzug.*

Ein gewöhnlicher Flaschenzug ist eine Kombination von mehreren festen Rollen mit der gleichen Anzahl loser Rollen. Die festen Rollen sind in einer oberen Flasche, die losen Rollen in einer unteren Flasche zusammengefaßt. Bei dem Flaschenzug in Abb. 6 sind sechs tragende Seile vorhanden, so daß sich hier ein Verhältnis der Kraft zur Last und des Lastwegs zum Kraftweg von 1:6 ergibt. In der praktischen Ausführung sind aus Platzgründen meist alle Rollen einer Flasche nebeneinander auf einer Achse angeordnet. An Stelle der Seile, die auf den Rollen gleiten können, verwendet man meist Ketten, deren einzelne Kettenglieder in warzenförmige Vorsprünge der Rollen eingreifen.

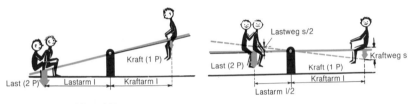

Kraft (1 P)
Last (2 P) — Lastarm l — Kraftarm l

Abb. 1a Kein Gleichgewicht

Lastweg s/2
Last (2 P) — Kraftweg s
Kraft (1 P)
Kraftarm l
Lastarm l/2

Abb. 1b
Gleichgewicht (Kraft x Kraftarm = Last x Lastarm)

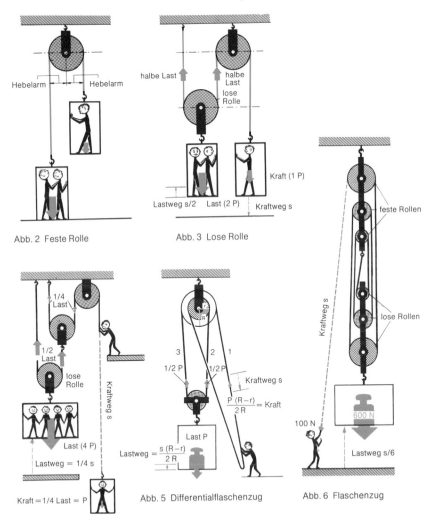

Hebelarm — Hebelarm

Abb. 2 Feste Rolle

halbe Last — halbe Last — lose Rolle

Kraft (1 P)

Lastweg s/2 Last (2 P) Kraftweg s

Abb. 3 Lose Rolle

feste Rollen

Kraftweg s
lose Rollen

1/4 Last
1/2 Last
lose Rolle
Kraftweg s
Last (4 P)
Lastweg = 1/4 s
Kraft = 1/4 Last = P

Abb. 4 Das Verhältnis von Kraft zu Last
und von Kraftweg zu Lastweg

3 2 1
1/2 P 1/2 P
Kraftweg s
$\dfrac{P\,(R-r)}{2\,R}$ = Kraft
Last P
Lastweg = $\dfrac{s\,(R-r)}{2\,R}$

Abb. 5 Differentialflaschenzug

100 N
600 N
Lastweg s/6

Abb. 6 Flaschenzug

Reibung

Unter Reibung versteht man Widerstandskräfte, die zwischen den Berührungsflächen von aneinandergrenzenden Schichten verschiedener *(äußere Reibung)* oder der gleichen Stoffe *(innere Reibung, Viskosität)* als Resultierende makroskopischer oder molekularer Kräfte auftreten und die einer Bewegung der Schichten gegeneinander entgegenwirken *(Reibungswiderstand)*. Die dabei wirksamen makroskopischen Kräfte sind von der Kraft abhängig, mit der die beiden sich berührenden Flächen aufeinandergedrückt werden, und von der Rauhigkeit der Berührungsflächen, die eine Art Verzahnung der Flächen ineinander bewirkt. Es muß daher Energie aufgewandt werden, die diese Verzahnung überwindet. Will man den Reibungswiderstand verkleinern, so kann dies durch sorgsame Glättung der Berührungsflächen geschehen. Zurück bleibt dann eine durch molekulare Haftkräfte bedingte *trockene Reibung* (Abb. 1 a). Den damit verbundenen Reibungswiderstand kann man weiter stark herabsetzen, indem man zwischen die Berührungsflächen einen dünnen Flüssigkeitsfilm, insbesondere Ölfilm, bringt; man spricht dann von *flüssiger Reibung* (Abb. 1 c). An Stellen, an denen der Ölfilm fehlt, tritt halbtrockene Reibung auf (Abb. 1 b), die zu starken Verschleißerscheinungen führen kann.

Auf einem Flüssigkeitsfilm beruht auch die geringe Reibung zwischen Stahlkufe und Eisfläche beim Schlittschuhlauf. Durch den starken Druck, den das Gewicht des Schlittschuhläufers auf der schmalen Berührungsfläche zwischen Kufe und Eis erzeugt, verflüssigt sich das Eis in dieser schmalen Zone zu Wasser und bildet den die Reibung stark herabsetzenden Flüssigkeitsfilm.

In allen Fällen, ob großer oder kleiner Reibungswiderstand, setzt sich die zu seiner Überwindung erforderliche Energie zum größten Teil in Wärme um (Reibungswärme). Reibung und damit verbundene Kraft- und Energieverluste sind bei vielen Bewegungsabläufen unerwünscht, jedoch unvermeidbar. Beim Kraftfahrzeugmotor sind z. B. an zahlreichen Stellen Reibungskräfte zu überwinden (Abb. 3), die trotz des Einsatzes spezieller Lagermetalle sowie von Schmierölen und anderen Schmierstoffen im günstigsten Fall etwa 10 % des gesamten Energieeinsatzes verbrauchen. Allgemein führen Reibung und der damit verbundene Verschleiß bei Maschinen und technischen Anlagen zu erheblichen Kosten; sie werden allein für die Bundesrepublik Deutschland auf rund 15 Milliarden DM pro Jahr geschätzt.

Die bewegungshemmende Funktion des Reibungswiderstandes – den man möglichst niedrig halten will, wenn es darum geht, eine Bewegung aufrechtzuerhalten – benutzt man aber auch umgekehrt, wenn man eine Bewegung abbremsen will. Dann wird man alles daransetzen, die Reibung zwischen den Berührungsflächen zu vergrößern, wie dies zum Beispiel bei den Bremsen eines Kraftfahrzeugs (S. 312 ff.), bei der Klotzbremse an Eisenbahnwagen (Abb. 4) oder bei der Felgenbremse am Fahrrad (Abb. 5) geschieht.

Auch der normale Gang bzw. Lauf von Mensch und Tier setzt Reibungskräfte zwischen Fuß und Boden voraus, wie das „Ausrutschen" beweist, wenn der Reibungswiderstand durch eine Öl- oder Eisschicht am Boden herabgesetzt wird. Schraube und Nagel verbinden Teile dadurch fest miteinander, daß sie durch Reibungskräfte gehindert werden, sich zu lösen. Die Reibung dient aber auch der Kraftübertragung in Reibungsgetrieben (Friktionsgetrieben) und Kupplungen, beispielsweise beim Auto.

Außer der gleitenden Reibung, bei der man zwischen Reibung der Ruhe und Reibung der Bewegung zu unterscheiden hat, gibt es auch noch eine *rollende Reibung,* die beim Abrollen von der elastischen Verformung verursacht wird, welche die Kraft (Gewicht) hervorruft, mit der der abrollende Körper auf seiner Unterlage lastet.

Da der Druck in der vorderen Hälfte der Berührungsfläche (in der Rollrichtung gesehen) größer ist als im hinteren Teil, wo ihn die elastische Nachwirkung zum Teil kompensiert, entsteht ein bremsendes Drehmoment, das der Belastung proportional ist. Je elastischer (d. h. auch härter) die Unterlage ist, desto größer ist die elastische Nachwirkung und damit um so kleiner das bremsende Moment bzw. die rollende Reibung. Dieser Eigenschaft der rollenden Reibung bedient man sich bei den Kugel-, Rollen- und anderen Wälzlagern, in denen man die gleitende Reibung von Achsen und Wellen in Lagern durch die rollende Reibung ersetzt, um die Reibungsverluste auf ein Minimum herabzudrücken.

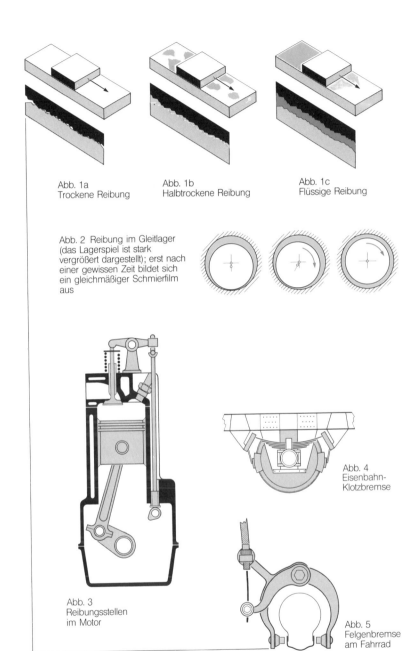

Abb. 1a
Trockene Reibung

Abb. 1b
Halbtrockene Reibung

Abb. 1c
Flüssige Reibung

Abb. 2 Reibung im Gleitlager
(das Lagerspiel ist stark
vergrößert dargestellt); erst nach
einer gewissen Zeit bildet sich
ein gleichmäßiger Schmierfilm
aus

Abb. 4
Eisenbahn-
Klotzbremse

Abb. 3
Reibungsstellen
im Motor

Abb. 5
Felgenbremse
am Fahrrad

Strömung

Strömt Gas oder eine Flüssigkeit durch ein Rohr mit einer Verengung, dann beobachtet man, daß der Druck p des strömenden Mediums auf die Wand des Rohres im Bereich der Verengung kleiner ist als im Bereich des weiten (normalen) Querschnitts. Bestimmt man die Strömungsgeschwindigkeit im weiten und engen Rohrteil, so findet man, daß die Strömungsgeschwindigkeit v im weiten Rohrteil kleiner als im verengten Teil ist. Die Beziehung zwischen Strömungsgeschwindigkeit und Rohrquerschnitt ergibt die sog. *Kontinuitätsgleichung*, die für inkompressible Flüssigkeiten besagt, daß das Produkt aus dem Rohrquerschnitt A und der Strömungsgeschwindigkeit v immer konstant und gleich dem Durchflußvolumen Q pro Zeiteinheit ist: $A \cdot v = \text{const} = Q$. Bei kleinerem Querschnitt muß also die Geschwindigkeit größer sein, damit Q konstant bleibt.

Druck, Strömungsgeschwindigkeit und Dichte bestimmen die Energie des strömenden Mediums. Die Energie darf sich aber (abgesehen von Verlusten durch Reibung) nicht ändern (Gesetz von der Erhaltung der Energie). Es gilt daher die Energiebilanz: Energie an Stelle 1 = Energie an Stelle 2 (Abb. 1). Hieraus folgt für inkompressible (nicht zusammendrückbare) Flüssigkeiten die *Bernoullische Gleichung*

$$p_1 + \tfrac{1}{2} \varrho v_1^2 = p_2 + \tfrac{1}{2} \varrho v_2^2.$$

p_1 bzw. p_2 bezeichnet den *statischen Druck* an der Stelle 1 bzw. 2 (Druck auf die Rohrwand), $\tfrac{1}{2} \varrho v_1^2$ bzw. $\tfrac{1}{2} \varrho v_2^2$ den *Staudruck*. Hierbei ist ϱ die Dichte und v_1 bzw. v_2 die Geschwindigkeit der Flüssigkeit oder des Gases. Die Summe aus statischem Druck und Staudruck nennt man den *Gesamtdruck;* er macht sich in einem der Strömung entgegengerichteten Rohr bemerkbar und kann so gemessen werden *(Pitot-Rohr)*. Aus der Formel erkennt man: Je höher der statische Druck an einer Stelle ist, desto geringer ist dort die Strömungsgeschwindigkeit (und umgekehrt). Liegt das System nicht waagerecht, so muß man noch die verschiedenen Höhenlagen der betrachteten Stellen in die Gleichung einführen.

Eine Anwendungsmöglichkeit dieser Gesetze ist in Abb. 2 dargestellt: Wird der statische Druck in der eingeschnürten Stelle geringer als der äußere Luftdruck, so wird aus dem Gefäß Flüssigkeit angesaugt. Diesen Effekt benützt man auch bei der *Wasserstrahlpumpe* (Abb. 3). Durch die Düse schießt ein Wasserstrahl mit gro-

ßer Geschwindigkeit in einen konischen Rohrstutzen, der an einen Behälter angeschlossen ist. Da der Wasserstrahl die im Rohrstutzen befindliche Luft mitreißt, wird ständig Luft aus dem Behälter abgesaugt, er wird „luftleer" gepumpt (evakuiert). Wirkungsvoller ist die nach demselben Prinzip arbeitende *Dampfstrahlpumpe,* bei der an der Stelle des Wassers unter hohem Druck stehender Dampf verwendet wird.

Gase folgen in gewissem Ausmaße wie Flüssigkeiten der Bernoullischen Gleichung. Läßt man eine Gasströmung mit großer Geschwindigkeit am oberen Ende eines Röhrchens, dessen unteres Ende in eine Flüssigkeit taucht, vorbeistreichen, so steigt die Flüssigkeit in dem Röhrchen auf und wird am oberen Ende von der Gasströmung mitgerissen. Dies ist das Funktionsprinzip des Vergasers und des *Zerstäubers* (Abb. 4).

Zur Be- und Entlüftung von Räumen im Schiffsinnern werden u. a. drehbare *Windhutzen* verwendet. Wird ihre Öffnung direkt in den Wind gedreht, so wird den Räumen Frischluft zugeführt; wird der Öffnungstrichter jedoch auf die dem Wind oder Fahrtwind abgekehrte Seite gedreht, so entsteht durch die Luftströmung ein leichter Unterdruck, wodurch die verbrauchte Luft abgesaugt wird (Abb. 5).

Beim *Bunsenbrenner* (Abb. 6), einem von R. W. Bunsen 1855 erfundenen Leuchtgasbrenner, saugt das aus einer Düse ausströmende Gas die zur Verbrennung erforderliche Luft durch eine verstellbare Öffnung, den Luftregler, an.

Die Kontinuitätsgleichung und die Bernoullische Gleichung sind die grundlegenden Beziehungen der Strömungslehre, insbesondere der *Hydrodynamik,* die sich mit der Strömung inkompressibler Medien (v. a. Flüssigkeiten) befaßt. Die Gesetze der Hydrodynamik sind jedoch auch auf die Strömung von Gasen (insbesondere der Luft) anwendbar, solange deren Kompressibilität vernachlässigbar ist. Dies ist bei Strömungsgeschwindigkeiten der Fall, die klein sind gegenüber der Schallgeschwindigkeit (sie beträgt bei Luft von 15 °C rund 341 m/s oder 1 228 km/h). Die Strömungsvorgänge in diesem „Unterschallbereich" untersucht die klassische *Aerodynamik.* Die Erforschung der Strömungsvorgänge im Bereich der Schallgeschwindigkeit und bei Überschallgeschwindigkeit ist das Aufgabengebiet der *Gasdynamik.*

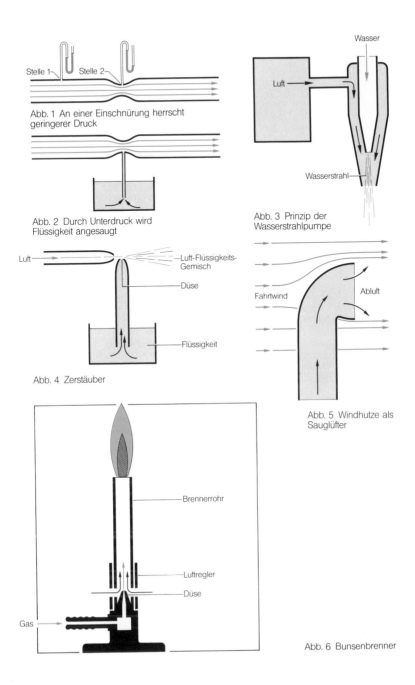

Stelle 1   Stelle 2

Abb. 1 An einer Einschnürung herrscht geringerer Druck

Abb. 2 Durch Unterdruck wird Flüssigkeit angesaugt

Wasser

Luft

Wasserstrahl

Abb. 3 Prinzip der Wasserstrahlpumpe

Luft — Luft-Flüssigkeits-Gemisch

Düse

Flüssigkeit

Abb. 4 Zerstäuber

Fahrtwind   Abluft

Abb. 5 Windhutze als Sauglüfter

Brennerrohr

Luftregler

Düse

Gas

Abb. 6 Bunsenbrenner

23

Verdunstung und Verdunstungskälte

Gießt man sich eine handwarme Flüssigkeit, z.B. Alkohol, über die Hand (Abb. 1), so wird nach einiger Zeit an den feuchten Stellen ein Kälteempfinden ausgelöst. Es kommt dadurch zustande, daß die Flüssigkeit verdunstet, d.h. in den dampfförmigen Zustand übergeht. Die Energie, die erforderlich ist, um die Moleküle aus dem losen Verband des flüssigen Zustandes zu befreien, wird dabei als Wärmeenergie der Umgebung (im Falle der Abb. 1 der Haut) entzogen.

Im einzelnen hat man sich den Vorgang der Verdunstung und der damit verbundenen Abkühlung so vorzustellen, wie es Abb. 2 zeigt. Dort sind die Moleküle, die infolge der Zusammenstöße auf Grund ihrer Wärmebewegung so hohe Bewegungsenergien gewonnen haben, daß sie in der Lage sind, die Oberflächenspannung zu überwinden und die Flüssigkeitsoberfläche zu durchstoßen, rot gekennzeichnet. Sie bilden im Raum über der Flüssigkeitsoberfläche den dampfförmigen Zustand der verdunsteten Substanz. Schwarz hingegen sind die Moleküle niedrigerer Energie gezeichnet, die den flüssigen Zustand bilden. Es ist einleuchtend, daß durch die Abwanderung der Moleküle höherer Energie infolge Verdunstung der durchschnittliche (mittlere) Energiewert der Moleküle des flüssigen Zustandes sinkt. Diesem mittleren Energiewert ist aber eine Größe proportional, die als Maß für unser Wärme- bzw. Kälteempfinden allgemein bekannt ist, die *Temperatur*. Absinken der mittleren Energie bedeutet mithin Sinken der Temperatur und damit Abkühlung. Wenn der Dampfdruck in der Umgebung der verdunstenden Flüssigkeit eine bestimmte Höhe erreicht, kommen je Zeitintervall durchschnittlich ebenso viele Moleküle unter Wärmeabgabe in die Flüssigkeit zurück, wie unter Wärmeaufnahme verdunsten. Wir spüren dies sehr deutlich im Wärmehaushalt unseres Körpers, der durch Wasserabsonderung (Schweiß) und Verdunstung im Wärmegleichgewicht gehalten wird. Ist der Wasserdampfdruck, d.h. die Luftfeuchtigkeit, sehr hoch, so wird diese Regulation gestört und wir empfinden die Umgebung als schwül.

Die bei der Verdunstung auftretende Abkühlung kann man z.B. nutzen, um eine Getränkeflasche durch Umwickeln mit einem feuchten Tuch abzukühlen (Abb. 3). Auch die „Vereisung" durch (Äthylchlorid (Chloräthyl) zur örtlichen Betäubung bei kleinen operativen Eingriffen ist hier anzuführen. Der Kühleffekt, der sich beim Besprengen von Straßen- und Gartenflächen ergibt, beruht gleichfalls auf der Verdunstung des großflächig ausgebreiteten Wassers.

Meßtechnisch wird die Abkühlung durch Verdunstung im *Taupunktmesser* (Abb. 4) und im *Aspirationspsychrometer* (Abb. 5) zur Bestimmung der Luftfeuchtigkeit eingesetzt. Beim Taupunktmesser wird eine polierte, vergoldete Metallfäche durch Verdunstung von Äther abgekühlt und die Temperatur (Taupunkt) bestimmt, bei der sich der erste Anflug eines Feuchtigkeitsbeschlages zeigt. Um die Abkühlung zu beschleunigen, bläst man Luft durch den Äther. Je größer die Luftfeuchtigkeit ist, desto höher liegt die Taupunkttemperatur. Beim Aspirationspsychrometer werden ein trockenes und ein „feuchtes" (mit feuchtem Stoff am unteren Ende umwickeltes) Thermometer dem gleichen Luftstrom ausgesetzt. Je höher die Luftfeuchtigkeit ist, desto weniger Wasser verdunstet am feuchten Thermometer und desto weniger sinkt dessen Temperatur gegenüber der Temperatur des trockenen Thermometers.

Große Bedeutung hat die Verdunstung für den Wärmehaushalt der Erde. Die Energie, die bei der Verdunstung der Umgebung entzogen wird, ist als „latent gebundene Wärme" im Wasserdampf enthalten und wird bei dessen Kondensation zu flüssigem Wasser wieder frei und der Atmosphäre zugeführt. Auch im Kreislauf des Wassers zwischen Meer, Atmosphäre und Festland ist die Verdunstung ein wichtiges Glied. Sie bildet die Grundlage für das gesamte Pflanzenleben, da erst die Wasserverdunstung von den Blättern den Pflanzen die Aufnahme von Nährlösungen aus dem Boden ermöglicht wird.

Reflexion, Brechung und Beugung des Li[chts]

Trifft ein Lichtstrahl auf die Grenzfläche zweier verschiedener durchsichtiger Medien, z. B. aus der Luft auf einen Glasblock, so wird ein Teil des Lichtes in das erste Medium zurückgeworfen (reflektiert), der andere Teil dringt in das zweite Medium ein. Er ändert dabei jedoch seine ursprüngliche Ausbreitungsrichtung, er wird gebrochen (Abb. 1). Man bezeichnet diese beiden Erscheinungen als Reflexion und Brechung (Refraktion). Der Strahl r wird so reflektiert, daß er mit dem Einfallslot s (der Senkrechten auf der Grenzfläche) den gleichen Winkel α bil[det] wie der einfallende Strahl e (Einfalls... kel = Reflexionswinkel). Einfall... Strahl e, Einfallslot s, reflektierte[r] und gebrochener Strahl g liege[n in] einer Ebene.

Die mathematische Bezie[hung zwi]schen dem Einfallswinkel [und dem Bre]chungswinkel β besteh[t ...] Brechungsgesetz: sin [...] ist n die sog. Brech[ungs] index).

Weißes Licht [wird in] verschiedene F[arben] zerlegt (Abb. [...] (Abb. 3). R[...] am stärks[ten ...] einigt [...] ent[...]

[... förmigen Zustand ... Spektrum; es läß[t ...] (Spektralanaly[se ...] 1859). Zum [...] apparat. D[...] Prismens[...] Schirm [...] schni[tt ...] R[...] Li[...]

Abb. 2 Molekü[le] gehen in den dampfförm[ig ...]

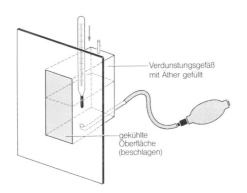

Verdunstungsgefäß
mit Äther gefüllt

gekühlte
Oberfläche
(beschlagen)

Abb. 4 Taupunktmeßgerät

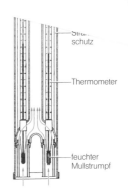

Stra[hlungs]schutz

Thermometer

feuchter
Mullstrumpf

Abb. 5 Aspirationspsychrometer zur
Bestimmung der Luftfeuchtigkeit

ein charakteristisches
...t sich damit nachweisen
...e; Kirchhoff und Bunsen,
...achweis dient ein *Spektral-*
...e Abb. 4 zeigt das Prinzip eines
...ektralapparats, bei dem auf dem
...ein kleiner, weit gespreizter Aus-
...t aus dem Spektrum erscheint.

...ringt man in den Strahlengang des
...chtes einen Gegenstand von hinrei-
...hend kleinen Dimensionen, so beobachtet man keinen scharfen geometrischen
Schatten (wie es der geradlinigen Ausbreitung des Lichtes entspricht), sondern eine
bestimmte Anordnung heller und dunkler
Gebiete (z. B. Streifen) im geometrischen
Schattenbereich. Eine derartige Abweichung vom geradlinigen Strahlengang bezeichnet man als *Beugung (Diffraktion).*
Sie läßt sich nur mit Hilfe der Wellentheo-
rie des Lichtes erklären (Überlagerung
von einzelnen Lichtwellen [Interferenz]).
Eine regelmäßige Anordnung sehr schmaler, eng benachbarter Spalte oder durchlässiger Streifen ist ein *Beugungsgitter*
(Abb. 5). Fällt weißes Licht auf ein Beugungsgitter, dann beobachtet man beiderseits des hellen, weißen Mittelbildes eine
rasch verblassende Folge von sog. *Beu-
gungsspektren* 1., 2., ... Ordnung. Im Gegensatz zur Brechung wird jedoch bei
der Beugung das rote, längerwellige Licht
stärker aus seiner ursprünglichen Richtung abgelenkt als das violette, kürzerwellige.

Die ringförmigen *Höfe* um Sonne und
Mond sind Beugungserscheinungen an
kleinen Wassertröpfchen der Atmosphäre.
Der äußere Rand eines Hofes erscheint
daher (schwach) rot gefärbt. *Halos* hingegen sind Brechungs- und Spiegelungs-
erscheinungen an Eiskristallen (meist in
dünnen Zirruswolken). Die Farbfolge der
Ringe erscheint, falls sie überhaupt erkennbar ist, in umgekehrter Anordnung
(Rot innen, Violett außen). Am Zustande-
kommen eines *Regenbogens* wirken Bre-
chungs-, Reflexions- und Beugungserscheinungen mit. Das *Blau des Himmels*
beruht auf einer Ablenkung (Streuung)
des Sonnenlichtes an den Luftmolekülen
auf seinem Weg durch die Atmosphäre,
wobei das kürzerwellige (blaue) Licht stärker aus seiner Richtung abgelenkt wird als
das längerwellige (rote), das v. a. bei Son-
nenauf- und -untergang als *Morgen-* bzw.
Abendrot in Erscheinung tritt.

...et
win-
...ender
...Strahl *r*
...ferner in

...ung, die zwi-
...α und dem Bre-
..., beschreibt das
...$/\sin \beta = n;$ hierin
...ahl (der Brechungs-

...ird bei der Brechung in
...arben, die Spektralfarben,
...2); es entsteht ein *Spektrum*
...ot wird am wenigsten, Violett
...en gebrochen *(Dispersion).* Ver-
...an die Lichtstrahlen der verschie-
...Spektralfarben mit einer Linse, so
...teht wiederum weißes Licht. Dies ist
...ch bei Verwendung von zwei Spektral-
...arben (in bestimmtem Intensitätsverhält-
nis) zu beobachten, wenn sie zueinander
komplementär sind *(Komplementärfarben).* Jeder Spektralfarbe entspricht eine
bestimmte Wellenlänge des Lichtes. Das
Spektrum glühender fester oder flüssiger
Stoffe und sehr stark verdichteter Gase ist
kontinuierlich, es enthält alle Wellenlängen (die Farben Rot bis Violett). Daß dennoch einzelne Wellenlängen im Spektrum
der Sonne fehlen (es erscheinen einzelne
dunkle Linien, die sog. *Fraunhoferschen
Linien*), beruht auf der Absorption dieser
Wellenlängen im äußeren, gasförmigen
Teil (Photosphäre) der Sonne.

Glühende Gase emittieren unter normalen Bedingungen Licht von einzelnen,
ganz bestimmten Wellenlängen; es erscheint ein *Linienspektrum,* bestehend aus
einzelnen Spektrallinien (bei Atomen),
oder ein *Bandenspektrum* (bei Molekülen), das eine Vielzahl eng benachbarter
Spektrallinien aufweist. Diese von einem
Gas emittierten Wellenlängen können umgekehrt auch vom Gas absorbiert werden.
Jedes chemische Element zeigt im gas-

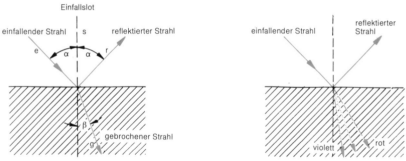

Einfallslot

einfallender Strahl   s   reflektierter Strahl

e   α   α   r

β
g   gebrochener Strahl

Abb. 1 Reflexion und Brechung

einfallender Strahl   reflektierter Strahl

violett   rot

Abb. 2 Zerlegung des Lichtes bei der Brechung

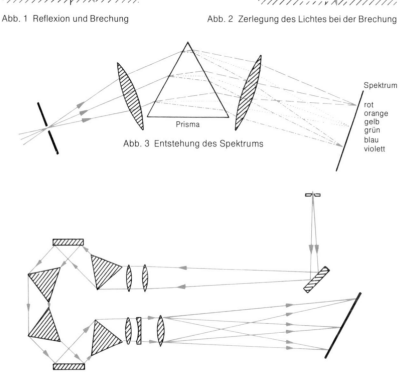

Prisma

Abb. 3 Entstehung des Spektrums

Spektrum

rot
orange
gelb
grün
blau
violett

Abb. 4 Prinzip eines Spektralapparates

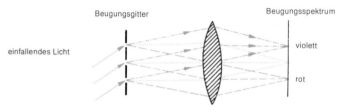

Beugungsgitter

Beugungsspektrum

einfallendes Licht

violett

rot

Abb. 5 Entstehung eines Beugungsspektrums

Linsen

Beim Durchgang durch ein Prisma ändern die Lichtstrahlen ihre Richtung, und zwar werden sie immer von der brechenden Kante weg abgelenkt. Man kann sich nun eine Anzahl wie in Abb. 1a angeordneter Prismen vorstellen, deren brechende Flächen nach der Mitte zu immer weniger gegeneinander geneigt sind: Lichtstrahlen durch die äußersten Prismen werden dann am stärksten zur Mitte hin gebrochen, während in der mittleren Platte mit den zwei parallelen Flächen überhaupt keine Ablenkung erfolgt. Damit werden parallele Strahlen beim Durchgang durch diese Anordnung nach der Achse hin gebrochen und in einem Punkt, dem *Brennpunkt (F')*, zusammengeführt. Auch von einem Punkt *P* ausgehende Strahlen werden durch diese Prismen so abgelenkt, daß sie sich wieder in einem Punkt *P'* vereinigen. Setzt man sehr viele Prismen dicht aneinander, so werden schließlich die vielen kleinen geneigten Flächen zu einer Kugelfläche. Man spricht dann von einer *sphärischen Linse*. Da die Strahlen zusammengeführt werden, heißt der brechende Körper *Sammellinse*. Eine Sammellinse ist also in der Mitte dicker als am Rand (konvex), man bezeichnet sie auch als *Konvex-, Plus-* oder *Positivlinse*.

Ist eine Linse in der Mitte dünner als am Rand (konkav), kann man entsprechende Überlegungen anstellen (Abb. 1b) und feststellen, daß alle Strahlen von der Mitte weg auseinanderlaufen; solche Linsen heißen *Zerstreuungslinsen (Konkav-, Minus-* oder *Negativlinsen)*. Nach der Brechung sieht es so aus, als ob vorher parallele Strahlen nun von einem Punkt *F* herkämen, während von einem Punkt ausgehende Strahlen von einem anderen Punkt zu stammen scheinen (vgl. Abb. 3b). Abb. 2 zeigt die verschiedenen Formen von Sammel- und Zerstreuungslinsen. Die jeweils letzte Linse in der Gruppe mit zwei gleichsinnig, aber verschieden stark gekrümmten Flächen wird als *Halbmuschel-* oder *Meniskuslinse* bezeichnet; diese Form wird besonders für *Brillengläser* bevorzugt.

Die Eigenschaften der Linsen beschreibt das *Brechungsgesetz:* Zur Achse parallele Strahlen werden nach der Brechung durch eine Sammellinse in einem Punkt, dem Brennpunkt *F*, vereinigt. Umgekehrt werden Strahlen durch den Brennpunkt nach der Brechung achsenparallel. Strahlen durch den Linsenmittelpunkt behalten ihre Richtung bei. Bei Zerstreuungslinsen heißt der erste Satz entsprechend: Zur Achse parallele Strahlen verlaufen nach der Brechung so, als ob sie vom Brennpunkt herkämen. Zwei von den drei Aussagen des Brechungsgesetzes genügen bereits, um die Abbildung eines Punktes von *G* durch eine Linse zu konstruieren (Abb. 3a und 3b). Sammellinsen geben ein *reelles* Bild, das im Vereinigungspunkt der Strahlen auf einer Mattscheibe, einem Schirm oder einer photographischen Platte sichtbar gemacht werden kann. Dies ist bei der Abbildung durch Zerstreuungslinsen nicht möglich; es entsteht nur das scheinbare, *virtuelle* Bild, von dem die Strahlen auszugehen scheinen.

Die Abbildung mit einer dünnen Linse läßt sich berechnen nach der Formel:

$$\frac{1}{g} + \frac{1}{b} = \frac{1}{f} = D.$$

Hierbei ist *g* die Gegenstandsweite in Metern, *b* die Bildweite in Metern und *f* die Brennweite in Metern. Statt der Brennweite wird für eine Linse häufig auch ihre Brechkraft *D* in Dioptrien (Einheitenzeichen dpt) angegeben, d. h. als der in Metern gemessene reziproke Wert der Brennweite *f*. Je kürzer die Brennweite einer Linse ist, desto größer ist ihre Brechkraft *D*. Eine Linse von z. B. *f* = 20 cm = 0,2 m hat also eine Brechkraft von 5 dpt. Bei Zerstreuungslinsen ist *f* bzw. *D* negativ; das führt dann auch zu negativem *b*, da das virtuelle Bild auf der gleichen Seite der Linse wie der Gegenstand liegt.

Einzelne Linsen haben physikalisch bedingte Fehler, sogenannte *Abbildungsfehler*, die eine ganz punktscharfe Vereinigung der Strahlen verhindern. Solche Abbildungsfehler treten insbesondere dann auf, wenn die Strahlen, die zur optischen Abbildung beitragen, nicht mehr unmittelbar der optischen Achse (die durch die beiden Brennpunkte verläuft) benachbart sind. Man unterscheidet dabei die sphärische Aberration (Abweichung), die auch als Öffnungsfehler bezeichnet wird, den Astigmatismus (Punktlosigkeit) schiefer Bündel und die Bildfeldwölbung, die Koma, die Verzeichnung oder Distorsion und die chromatische (farbige) Abweichung. Die Abbildung läßt sich verbessern, wenn man Linsen mit entgegengesetzten Abweichungen kombiniert. Solche Linsenkombinationen findet man bei nahezu allen optischen Geräten, z. B. bei Ferngläsern, Mikroskopen und photographischen Apparaten (vgl. S. 244).

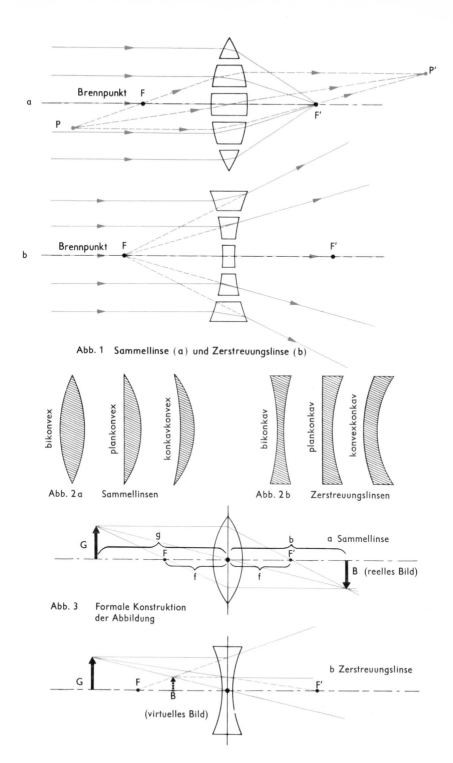

Abb. 1 Sammellinse (a) und Zerstreuungslinse (b)

Abb. 2a Sammellinsen

bikonvex plankonvex konkavkonvex

Abb. 2b Zerstreuungslinsen

bikonkav plankonkav konvexkonkav

Abb. 3 Formale Konstruktion der Abbildung

a Sammellinse

B (reelles Bild)

b Zerstreuungslinse

(virtuelles Bild)

Spiegel

Spiegelung findet an glatten Oberflächen statt; diese werfen auffallendes Licht nicht gestreut, sondern gerichtet zurück. Über die Richtung des reflektierten Strahls sagt das *Reflexionsgesetz:* Der einfallende Strahl, die Senkrechte auf der spiegelnden Fläche und der reflektierte Strahl liegen in einer Ebene. Der Ausfallswinkel ist gleich dem Einfallswinkel (Abb. 1).

Ebene Spiegel

Von einem Gegenstandspunkt gehen Strahlen in alle Richtungen. Wird solch ein Strahlenbündel von einem ebenen Spiegel reflektiert, so streben die Strahlen auch nach dieser Richtungsänderung weiter auseinander. Sie werden sich also nicht mehr vereinigen und können daher auch kein reelles Bild ergeben; aber sie scheinen alle von einem Punkt hinter dem Spiegel herzukommen, von dem virtuellen Bild des Gegenstandspunktes. Das virtuelle Bild liegt im gleichen Abstand hinter der spiegelnden Fläche wie der Gegenstand vor ihr.

Gewölbte Spiegel

Denkt man sich die innere oder äußere Oberfläche einer Kugel in kleine ebene Flächenelemente aufgeteilt, dann steht der Radius auf jeder dieser kleinen Flächen senkrecht. Damit kann man das Reflexionsgesetz auch auf einen Spiegel anwenden, dessen Oberfläche die Form einer Kugelschale hat *(sphärischer Spiegel, Kugelspiegel).* Ein Strahl durch den Krümmungsmittelpunkt M wird also in sich selbst zurückgeworfen. Alle Strahlen schließen nach der Reflexion wieder den gleichen Winkel mit dem Radius ein, so daß zur Hauptsache parallele Strahlen in einem Achsenpunkt genau in der Mitte zwischen Krümmungsmittelpunkt und Spiegel vereinigt werden. Dieser Punkt ist der Brennpunkt F des Hohlspiegels; die Brennweite ist halb so groß wie der Krümmungsradius. Umgekehrt werden Strahlen durch den Brennpunkt nach der Reflexion zu Parallelen zur Hauptachse. Abb. 2 zeigt die Bildkonstruktion beim *Hohlspiegel (Konkavspiegel, Sammelspiegel).* Für die Rechnung gilt die Gleichung:

$$\frac{1}{g} + \frac{1}{b} = \frac{1}{f} = \frac{2}{r}$$

(g = Gegenstandsweite, b = Bildweite, f = Brennweite [$= \frac{1}{2}$ Krümmungsradius r]). Beim *Wölbspiegel (Konvexspiegel, Zerstreuungsspiegel)* entsteht ein virtuelles (scheinbares) Bild hinter dem Spiegel. Brennweite und Bildweite sind in der Gleichung negativ.

Anwendungen des Spiegels

Beim *Rückspiegel* des Autos (Beispiel 1) gibt ein Wölbspiegel ein verkleinertes virtuelles Bild von einem größeren Bereich hinter dem Fahrzeug; in einer besonders breitformatigen Ausführung wird er auch als *Panoramaspiegel* bezeichnet. Ein *Rasierspiegel* oder *Kosmetikspiegel* (Beispiel 2) ist ein Hohlspiegel, bei dem sich der Benutzer innerhalb der Brennweite bewegt, so daß er im Spiegel sein virtuelles, aufrechtes und vergrößertes Bild sieht. Für die formale Konstruktion wurden in den Beispielen wieder zwei besonders geeignete Strahlen gewählt, nämlich der Strahl parallel zur Hauptachse und der Strahl durch den Brennpunkt. Tatsächlich zur Wirkung kommt aber immer nur das Strahlenbündel, das ins Auge gelangt. Als Reflektoren in Scheinwerfern von Kraftfahrzeugen finden sogenannte *Parabolspiegel* Verwendung; ihr Querschnitt hat die Form einer Parabel. Das Licht einer punktförmigen Lichtquelle im Brennpunkt wird vom Scheinwerfer als besonders gut gebündeltes achsenparalleles Strahlenbündel abgestrahlt (vgl. S. 336 f.).

Spiegelherstellung

Einfache Glasspiegel werden durch Abscheiden von Silber aus Silbersalzlösungen (Badversilberung) oder anderer Metalle auf der Rückseite von Glasplatten hergestellt *(Rückflächenspiegel).* Die Spiegelschicht kann galvanisch verstärkt und durch galvanische Verkupferung und zusätzlichen Lacküberzug geschützt werden. Bei *Oberflächen-* oder *Vorderflächenspiegeln,* wie sie z. B. bei Scheinwerfern und Spiegelteleskopen verwendet werden, wird die Spiegelschicht auf die Vorderseite des Trägermaterials aufgebracht, bei hochwertigen Spiegeln z. B. durch Kathodenzerstäubung im Hochvakuum. Bei Rückflächenspiegeln kann man die Reflexionsverluste an der Glasoberfläche, die 4 bis 8 % betragen, durch Aufbringen reflexionsvermindernder Schichten stark verringern.

Abb. 1 Reflexion am ebenen Spiegel

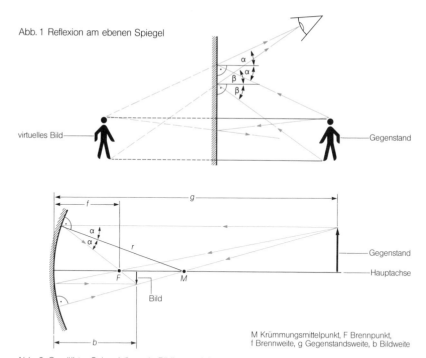

virtuelles Bild — Gegenstand

Gegenstand

Hauptachse

Bild

M Krümmungsmittelpunkt, F Brennpunkt,
f Brennweite, g Gegenstandsweite, b Bildweite

Abb. 2 Gewölbter Spiegel (formale Bildkonstruktion)

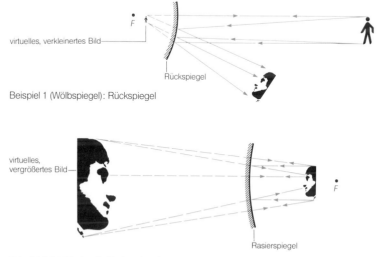

virtuelles, verkleinertes Bild

Rückspiegel

Beispiel 1 (Wölbspiegel): Rückspiegel

virtuelles,
vergrößertes Bild

Rasierspiegel

Beispiel 2 (Hohlspiegel): Rasierspiegel

Elektrostatik I

Die Elektrostatik ist die Lehre von den ruhenden elektrischen Ladungen und den von ihnen ausgehenden Kräften und Wirkungen. Es gibt negative und positive Ladungen. Träger negativer elektrischer Ladung sind die Elektronen, Träger positiver Ladung die Protonen; Neutronen dagegen sind elektrisch neutral. Die Elektronen sind die Elementarteilchen der Elektrizität mit folgenden Eigenschaften:
Ladung $e = 1,602189 \cdot 10^{-19}$ Coulomb,
Ruhmasse $m_0 = 0,910953 \cdot 10^{-27}$ g,
sogenannter klassischer Elektronenradius
$r_e = 2,817938 \cdot 10^{-15}$ m.
Elektronen sind im metallischen Leiter die einzigen beweglichen Ladungsträger.

Die Materie besteht aus Atomen der verschiedenen chemischen Elemente, das Atom aus Atomkern und Elektronenhülle, der Kern selbst aus Protonen und Neutronen. Ein Atom besitzt ebenso viele Elektronen wie Protonen; nach außen hin erscheint es elektrisch neutral, da negative und positive Ladungen sich gegenseitig kompensieren. Werden ein oder mehrere Elektronen aus einem Atom entfernt, dann bleiben entsprechend viele positive Ladungen unkompensiert; das betreffende Atom bzw. Material ist elektrisch positiv geladen. Das Atom bzw. Material, das die Elektronen aufgenommen hat, ist demgegenüber elektrisch negativ geladen. Negative Aufladung bedeutet Elektronenüberschuß, positive Aufladung bedeutet Elektronenmangel.

Auf Grund unterschiedlicher Konzentration oder Beweglichkeit der Ladungsträger in verschiedenen, sich berührenden Materialien, insbesondere in Nichtleitern (Isolatoren), findet im Bereich ihrer Berührungsflächen eine Elektronenwanderung statt, die im Endeffekt dazu führt, daß nach der Trennung beider Materialien eines durch Elektronenabgabe positiv, das andere entsprechend negativ geladen ist. Diese elektrischen Erscheinungen erklären die sog. Berührungselektrizität, die aus historischen Gründen meist Reibungselektrizität genannt wird. Sie wird z. B. beobachtet, wenn man einen Glasstab mit einem Seidentuch reibt (Abb. 1 a) oder einen Hartgummistab mit einem Wollappen (Abb. 1 b). Glas lädt sich dabei positiv auf, Hartgummi negativ. Lädt man zwei pendelförmig aufgehängte Kügelchen gleichnamig auf (indem man beispielsweise die Ladung eines durch Reibung aufgeladenen Stabes durch Berühren überträgt), so beobachtet man abstoßende Kräfte (Abb. 2 a und b). Ungleichnamige Aufladung führt zum Auftreten von Anziehungskräften (Abb. 2 c) und bei Berührung der ungleichnamig geladenen Kügelchen zur Neutralisation (Abb. 2 d).

Eine positive Ladung ist Ausgangspunkt (Quelle), eine negative Ladung ist Endpunkt (Senke) elektrischer Feldlinien. Die Ladungsträgerdichte und damit die Feldliniendichte ist ein Maß für die elektrische Feldstärke am betreffenden Ort. Eine Probeladung erfährt eine Kraft in Richtung der Feldlinien.

Befindet sich ein metallischer Leiter im elektrischen Feld oder trägt er auf seiner Oberfläche Ladungen, so ist die Feldstärke im Innern des Körpers nur von der Verteilung der Ladungen auf seiner Oberfläche abhängig. Daraus ergibt sich bei einem metallischen Hohlkörper (Metallkugel, Konduktor), der keine Ladungen umschließt, daß die Feldstärke im Innern gleich Null ist. Umgibt man daher einen Raum mit metallischen Wänden, so kann er dadurch von elektrischen Feldern abgeschirmt werden; meist genügt schon ein engmaschiges Drahtnetz zur Abschirmung. Man nennt eine solche Anordnung einen Faraday-Käfig.

Bringt man einen geladenen Leiter in die Nähe eines ungeladenen (neutralen), so tritt auf letzterem eine Ladungstrennung ein (Abb. 3 a). Ist der erste Leiter negativ geladen, so lädt sich der ursprünglich neutrale Leiter auf der dem geladenen Leiter zugewandten Seite positiv auf, während die abgewandte Seite die entsprechende negative Ladung trägt. Leitet man diese Ladung ab (Abb. 3 b), so bleibt der zweite, vorher neutrale Leiter positiv geladen zurück (Abb. 3 c). Man nennt diese Art von Aufladung Influenz oder elektrostatische Induktion.

Auf einer aufgeladenen Hohlkugel sind die sich gegenseitig abstoßenden Ladungsträger aus Symmetriegründen gleichmäßig an der Oberfläche verteilt. Die Abstoßung gleichnamiger Ladungen kann auf unregelmäßig geformten Körpern an stark gekrümmten Oberflächen (Spitzen) zu so hohen Abstoßungskräften führen, daß die Ladungsträger (Elektronen) den Leiter verlassen (Abb. 4) und z. B. auf einen neutralen Leiter aufgesprüht werden können (Spitzenwirkung, Spitzeneffekt), der sich dann entsprechend dem Vorzeichen der aufgesprühten Ladung (in unserem Fall negativ) auflädt.

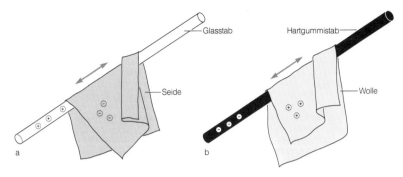

Abb. 1 Reibungselektrizität

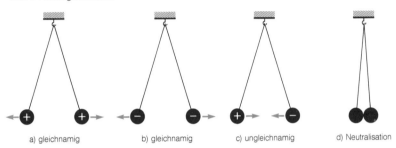

a) gleichnamig   b) gleichnamig   c) ungleichnamig   d) Neutralisation

Abb. 2 Kraftwirkungen zwischen Ladungen

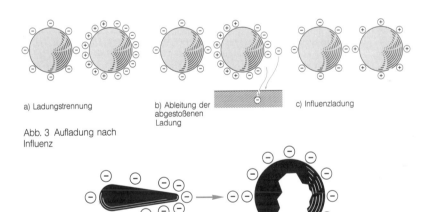

a) Ladungstrennung   b) Ableitung der   c) Influenzladung
                         abgestoßenen
                         Ladung

Abb. 3 Aufladung nach
Influenz

Abb. 4 Spitzenwirkung

Elektrostatik II

Der elektrostatische *Bandgenerator* dient bei wissenschaftlichen Experimenten zur Erzeugung sehr hoher Gleichspannungen durch Trennung elektrischer Ladungen. Nach seinem Erfinder wird er auch *Van-de-Graaff-Generator* genannt. Ein Bandgenerator (Abb. 5) besteht aus einer auf einem Isolator befestigten metallischen Hohlkugel und einem Endlosband aus Gummi, das über mehrere Metallwalzen läuft. Die Erregerwalze (z. B. aus Plexiglas) lädt sich durch das sich fest anpressende und sogleich wieder loslösende laufende Band positiv auf. Der Erregerwalze gegenüber befindet sich der Spitzenkamm. Durch Influenz werden negative Ladungen, d. h. Elektronen in die Kammspitzen gesaugt, die durch die Spitzenwirkung auf das nach oben laufende Gummiband übertreten. Die beiden mit der Hohlkugel leitend verbundenen Metallwalzen lassen die Ladungen des Bandes auf die äußere Oberfläche der Metallkugel abfließen, die sich so immer stärker negativ auflädt. Der sich jeweils nach unten bewegende Teil des Bandes ist entladen, während das aufsteigende Band kontinuierlich Ladung nach oben transportiert. Die mit dem Bandgenerator erreichbaren elektrischen Spannungen liegen in der Größenordnung von 1 Million Volt, beim Betrieb in einem Drucktank mit Schutzgasfüllung noch um ein Mehrfaches darüber.

Das Fassungsvermögen eines Leiters an elektrischer Ladung bezeichnet man als seine *Kapazität*. Ein System aus zwei voneinander isolierten Leitern bzw. Platten nennt man einen *Kondensator*. Die Abb. 6 zeigt einen einfachen *Plattenkondensator* mit veränderbarem Plattenabstand zu Demonstrationszwecken. Seine Kapazität ist der Plattengröße *A* direkt und dem Plattenabstand *d* umgekehrt proportional, d. h., es wird um so mehr Ladung durch Influenz gebunden, je größer die Fläche und je kleiner der Abstand ist. Kondensatoren großer Kapazität erhält man durch Aufeinanderwickeln von dünnen Metallfolien, die z. B. durch paraffingetränktes Papier (als sog. Dielektrikum) getrennt sind. Im Vergleich zu Vakuum oder Luft als Dielektrikum vergrößert sich die Kapazität um den Faktor 2 bei Verwendung von Papier als Dielektrikum, um 4 bis 8 bei Glimmer, um 100 und mehr bei keramischen Spezialmassen.

Bringt man an einem Leiter ein kleines Kugelpendel an, so beobachtet man beim Aufladen des Leiters eine mit der Stärke der Aufladung zunehmende Abstoßung

des Kugelpendels; auf diesem Prinzip beruht auch die Funktionsweise des Elektrometers (Abb. 7), dessen Nadel sich entsprechend der Aufladung bzw. der angelegten Gleichspannung dreht. Dieser Vorgang entspricht einem hydraulischen, bei dem man die Wasserdruck in einem Behälter erhöht und diesen Druck mit einem Quecksilbermanometer mißt. Dem Druck im hydraulischen Falle entspricht im elektrischen die *elektrische Spannung* (gemessen in Volt). Mit der elektrischen Ladung *Q* (gemessen in Coulomb) und der elektrischen Kapazität *C* eines Leiters (gemessen in Farad) hängt die elektrische Spannung (*U*) nach folgender Beziehung zusammen: $U = Q/C$. In dem Raum, der einen elektrisch geladenen Körper umgibt (Abb. 8), tritt eine elektrische Spannung auf, die proportional der Ladung *Q* und umgekehrt proportional der Entfernung *r* vom Körpermittelpunkt ist ($U \sim Q/r$). Den elektrischen Zustand, in dem der Raum durch die Anwesenheit elektrisch geladener Körper versetzt wird, bezeichnet man als *elektrisches Feld* (Abb. 9). Verbindet man die Punkte gleicher Spannung bzw. gleichen Potentials, so ergeben sich Flächen gleichen Potentials (Äquipotentialflächen, Niveauflächen). Kräfte treten dann stets in Richtung des Potentialgefälles auf. Die Kraft, die im elektrischen Feld auf eine kleine „Probeladung" ausgeübt wird, dividiert durch diese Ladung, nennt man die *elektrische Feldstärke*. Sie ist stets senkrecht zu den Äquipotentialflächen gerichtet. Die Wirkungslinien der Feldstärke bzw. Kraft verbindet man zu Feld- bzw. Kraftlinien. Mittels der Äquipotentialflächen und Feldlinien läßt sich das elektrische Feld beschreiben. Positive Ladungen sind Quellen, negative sind Senken von Feldlinien. Die Feldlinien sind also anschauliche Hilfsmittel. Sie beschreiben Richtung und Stärke des Feldes, wobei grundsätzlich durch jeden Punkt eine Feldlinie geht.

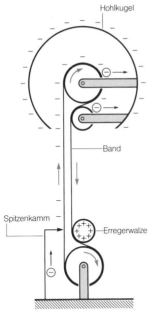

Hohlkugel

Band

Spitzenkamm

Erregerwalze

Abb. 5 Bandgenerator

Abb. 6 Kondensator. Plattenkondensator mit veränderbarem Plattenabstand

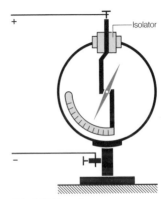

Isolator

Abb. 7 Elektrometer

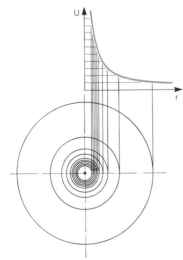

Abb. 8 Äquipotentialflächen einer Punktladung

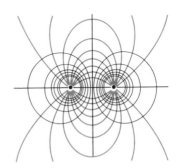

Abb. 9 Elektrisches Feld zweier ungleichnamiger Punktladungen mit Äquipotentialflächen und Feldlinien (rot)

Elektrodynamik I

Die Elektrodynamik ist die Lehre von den zeitlich veränderlichen elektromagnetischen Feldern und ihren Wechselwirkungen mit ruhenden und bewegten elektrischen Ladungen.

Verbindet man zwei elektrostatisch auf verschieden hohe Spannungen ($U_1 > U_2$) aufgeladene Leiter bzw. Konduktoren durch einen metallischen Draht miteinander, so tritt ein Ladungsausgleich in Form eines zeitlich rasch abnehmenden *elektrischen Stromes* ein, bis beide Leiter das gleiche Potential angenommen haben (Abb. 1). Diesem elektrodynamischen Vorgang entspricht im hydrodynamischen Vergleich ein Flüssigkeitsaustausch zwischen zwei in Verbindung stehenden Gefäßen mit anfänglich verschieden hohem Flüssigkeitsstand bzw. statischen Druck (Abb. 2).

Die Aufrechterhaltung einer Elektrizitätsströmung bzw. eines elektrischen Stroms erfordert die Aufrechterhaltung der Spannungsdifferenz. Hierfür sorgen bei der öffentlichen Stromversorgung die Generatoren in den Kraftwerken, im Kraftfahrzeug der Akkumulator bzw. die Lichtmaschine, bei der Fahrradbeleuchtung der durch das Vorder- oder Hinterrad angetriebene Dynamo. Im hydrodynamischen Vergleichsfall würde eine Pumpe für die Aufrechterhaltung des unterschiedlichen Wasserstandes und damit der Druckdifferenz sorgen („hydraulischer Generator").

Abweichend vom Verhalten einer Flüssigkeitsströmung ruft ein elektrischer Strom in einem Leiter in dem ihn umgebenden Raum ein Magnetfeld hervor. Die sogenannte *Korkenzieherregel* oder *Schraubenregel* beschreibt den Zusammenhang zwischen positiver oder technischer Stromrichtung und Magnetfeldrichtung (Abb. 3): Zeigt der Daumen der rechten Hand in Stromrichtung, dann weisen die gekrümmten Finger in Richtung der magnetischen Feldlinien, die den stromdurchflossenen Leiter kreisförmig umgeben. Der Nordpol eines kleinen Probemagneten zeigt ebenfalls in Richtung der Finger.

Wickelt man einen Draht zu einer Spule auf, so überlagern sich die kreisförmigen Feldlinien zu einem Magnetfeldverlauf, der dem eines Stabmagneten gleicht (Abb. 4). Über die Richtung der magnetischen Feldlinien gibt die sogenannte *Rechtehandregel* Auskunft: Legt man die rechte Hand mit der Innenfläche so auf eine Spule, daß der Strom (bei technischer Stromrichtung) von der Handwurzel zu den Fingerspitzen fließt, so zeigt der abgespreizte Daumen in die Richtung des Magnetfeldes. Das Magnetfeld im Innern einer langen, eng gewickelten Zylinderspule (Solenoid) ist besonders homogen, d. h. gleichmäßig und frei von Störungen.

Die magnetische Wirkung einer Spule läßt sich noch verstärken, wenn man den magnetischen Feldlinienfluß durch eine Substanz leitet, die einen geringeren magnetischen Widerstand zeigt als Luft. Die geeignetste Substanz ist Eisen. Eine Spule mit Eisenkern nennt man einen Elektromagneten (vgl. S. 46).

Die Quelle der magnetischen Feldlinien ist der Nordpol, der Südpol ist ihre Senke; magnetische Feldlinien sind in sich geschlossen, sie verlaufen innerhalb des Magneten vom Süd- zum Nordpol. Der Magnetismus tritt stets in Gestalt von Doppelpolen (Dipolen) auf; freie positive und negative magnetische Ladungen, vergleichbar wie im elektrischen Falle, gibt es nicht bzw. konnten bislang noch nicht entdeckt werden.

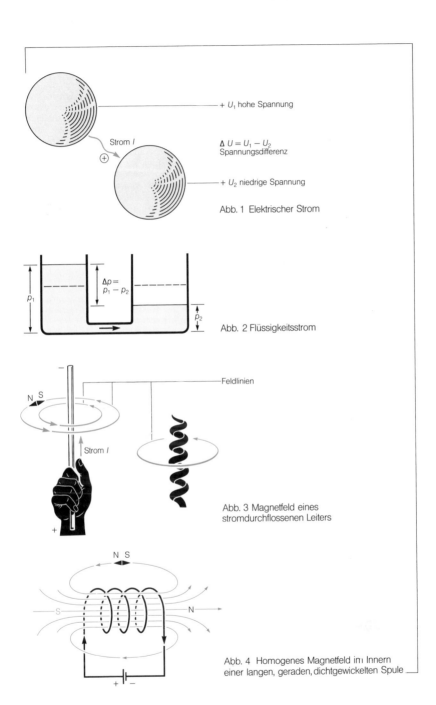

+ U_1 hohe Spannung

Strom I

$\Delta U = U_1 - U_2$
Spannungsdifferenz

+ U_2 niedrige Spannung

Abb. 1 Elektrischer Strom

$\Delta p = p_1 - p_2$

p_1

p_2

Abb. 2 Flüssigkeitsstrom

Feldlinien

N S

Strom I

Abb. 3 Magnetfeld eines
stromdurchflossenen Leiters

N S

S   N

Abb. 4 Homogenes Magnetfeld im Innern
einer langen, geraden, dichtgewickelten Spule

Elektrodynamik II

Ein elektrischer Strom in einem metallischen Leiter ist gleichbedeutend mit dem Fließen von negativen Ladungsträgern, d. h. von freien Elektronen. Ihre Fließrichtung verläuft von Minus (Elektronenüberschuß) nach Plus (Elektronenmangel), was der wirklichen oder *physikalischen Stromrichtung* entspricht. Unter Stromrichtung versteht man im allgemeinen jedoch die positive oder *technische Stromrichtung* von Plus nach Minus und legt dabei bewegte positive Ladungsträger zu Grunde.

Die Vorgänge bei der Elektrizitätsströmung in metallischen Leitern lassen sich mit Hilfe der Wechselwirkung des Elektrons mit den Atomen der Metalle erklären. Man nimmt dabei vereinfachend an, daß das Elektron kugelförmige Gestalt besitzt.

Als Beispiel für einen metallischen Leiter soll Kupfer gewählt werden, das den am häufigsten verwendeten Elektrizitätsleiter darstellt. Kupfer besitzt eine kristalline Struktur (Abb. 5); der Atomkern des Kupfers enthält 29 positive Elementarladungen, die von 29 Elektronen neutralisiert werden. Das 29. Elektron ist nur ganz locker an den Atomkern gebunden. Da bereits bei Zimmertemperatur die Wärmeenergie groß genug ist, um die Kupferatome Schwingungen um ihre Ruhelage im Kristallgitter ausführen zu lassen, werden dabei diese locker gebundenen Elektronen gewissermaßen abgeschüttelt und stehen als freie negative Ladungsträger für die Elektrizitätsleitung zur Verfügung. Sie sind *quasifrei,* d. h., sie werden hin und wieder eingefangen, aber auch wieder freigemacht. Sie verhalten sich im Kristallgitter wie ein Gas in einem Behälter; man spricht daher auch vom „Elektronengas" (Abb. 6). Beim Anlegen einer Spannung bewegen sich die Elektronen vom negativen zum positiven Pol (Abb. 7). Das Verhalten eines Elektronenstroms im Magnetfeld zeigt Abb. 8. Dort ist angenommen, daß ein einzelnes Elektron (etwa glühelektrisch im Vakuum ausgelöst) ein konstantes Magnetfeld durchquert. Die Überlagerung dieses Feldes mit dem des Elektrons führt unter den gezeichneten Verhältnissen oberhalb der Elektronenbahn zu einer Vergrößerung, unterhalb zu einer Verringerung der magnetischen Feldstärke. Dieses Feldstärkegefälle führt zu einer Krümmung der Elektronenbahn. Innerhalb eines Metalles tritt dadurch eine Spannungsdifferenz ΔU zwischen oberer und unterer Kante auf (Abb. 9). Man

bezeichnet diese Erscheinung nach ihrem Entdecker, dem amerikanischen Physiker E. H. Hall, als *Hall-Effekt.*

Mittels der Elektronentheorie der metallischen Leitfähigkeit ergibt sich auch eine anschauliche Erklärung der *Induktion.* Man versteht darunter das Auftreten elektrischer Spannungen und Ströme durch mechanische Bewegungen von Leitern im Magnetfeld. Nach Abb. 10 stellen wir uns ein Metallstück als einen mit Elektronengas gefüllten Behälter vor, den wir durch ein konstantes Magnetfeld bewegen. Dabei wird sich nach der Abb. die Elektronenkonzentration am unteren Ende gegenüber der am oberen erhöhen und damit eine Induktionsspannungsdifferenz mit dem negativen Wert am unteren Ende auftreten, weil die Elektronen – mechanisch mit der Geschwindigkeit v bewegt – nach unten gekrümmte Bahnen einschlagen. Verbindet man die Enden des Metallstückes durch eine Leiterschleife, die weit außerhalb des Magnetfeldes verläuft, so fließt in dieser – solange der Leiter durch das Magnetfeld bewegt wird – ein Induktionsstrom. Er fließt, solange sich der magnetische Fluß durch die Fläche der Stromschleife ändert. Man kann den Magnetfluß durch Änderung der durchflossenen Fläche (Anwendung beim elektrischen Generator) oder durch Änderung der magnetischen Feldstärke variieren (s. Transformator S. 48).

Die prinzipielle Wirkungsweise eines elektrischen *Generators* veranschaulicht Abb. 11 a: Die vom konstanten Magnetfeld durchflossene Fläche der rotierenden Stromschleife ändert sich periodisch von 0 bis zu ihrem vollen Wert. Es entsteht eine Elektrizitätsströmung wechselnder Richtung, ein *Wechselstrom,* der über Schleifringe (Abb. 11 b) einem äußeren Stromkreis zugeführt wird. Eine Gleichrichtung, d. h. eine Umformung in einen (pulsierenden) *Gleichstrom,* kann mittels eines in Lamellen (Abb. 11 c) aufgeteilten Kollektors erfolgen. Primär wird demnach in einem elektrischen Generator stets Wechselstrom erzeugt.

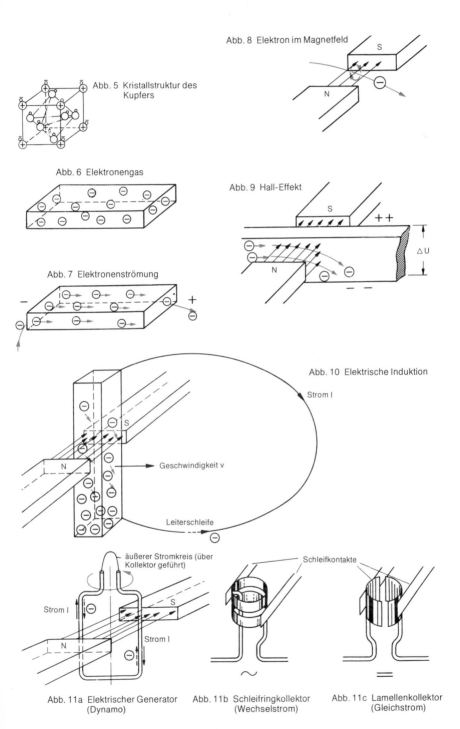

Abb. 8 Elektron im Magnetfeld

Abb. 5 Kristallstruktur des Kupfers

Abb. 6 Elektronengas

Abb. 9 Hall-Effekt

Abb. 7 Elektronenströmung

Abb. 10 Elektrische Induktion

Strom I

Geschwindigkeit v

Leiterschleife

äußerer Stromkreis (über Kollektor geführt)

Schleifkontakte

Strom I

Strom I

Abb. 11a Elektrischer Generator (Dynamo)

Abb. 11b Schleifringkollektor (Wechselstrom)

Abb. 11c Lamellenkollektor (Gleichstrom)

Wechselstrom, Drehstrom, elektromagnetische Wellen I

Bei der Gewinnung elektrischer Energie durch Induktion im elektrischen Generator entsteht primär eine Wechselspannung, die in einem äußeren Stromkreis mit nur ohmschen Widerständen einen Wechselstrom fließen läßt, wobei Strom und Spannung in Phase sind (Abb. 1 a). Durch Kondensatoren und Spulen (kapazitive und induktive Widerstände) im Stromkreis können Phasenverschiebungen zwischen Spannung und Strom auftreten (Abb. 1 b). Das Produkt aus Spannung U und Stromstärke I ist dabei die elektrische Leistung P. Dort, wo Spannung und Strom gleiches Vorzeichen haben, ist die Leistung positiv (Abb. 1 a). Beim Auftreten einer Phasenverschiebung zwischen Spannung und Strom entstehen immer dann, wenn Spannungen und Strom verschiedene Vorzeichen haben, negative Leistungen, so daß die Wirkleistung (nutzbare Leistung) bei nicht in Phase liegendem Strom wegen der negativen Anteile kleiner ist (Abb. 1 b) als bei in Phase liegendem Strom. Ist der Strom um eine Viertelperiode gegenüber der Spannung verschoben, so wird überhaupt keine Wirkleistung erbracht, obwohl die Leitungen durch die sog. Blindströme belastet sind. Die Verschlechterung der Leistung bei phasenverschobenen Strömen drückt man durch den Leistungsfaktor cos φ aus (elektrische Leistung $P = U \cdot I \cdot \cos\varphi$), wobei φ der Phasenwinkel ist.

Drei gleich große Wechselströme, die in der Phase um jeweils 120° gegeneinander verschoben sind, zeichnen sich dadurch aus, daß die Summe ihrer Ströme bzw. ihrer Spannungen in jedem Zeitmoment Null ist (Abb. 2 a). Man braucht zu ihrer Fortleitung statt sechs Leitungen nur deren drei, wenn man sie entweder im Stern (Abb. 2 b) oder im Dreieck (Abb. 2 c) verkettet. Bei kreisförmiger Anordnung der von einem solchen Strom gespeisten Elektromagnete (Abb. 2 d) nehmen die Ströme in den einzelnen Spulen (Elektromagneten) nacheinander um 120° phasenverschoben (vgl. Abb. 2 a) ihren größten Wert an, so daß sich in ihnen ein mit dem Strommaximum wanderndes und dadurch drehendes Magnetfeld aufbaut (daher nennt man diesen dreifach verketteten Wechselstrom Drehstrom oder auch Dreiphasenstrom; umgekehrt induziert ein rotierender Magnet in den drei Spulen einen Drehstrom; Abb. 2 d). In diesem magnetischen Drehfeld kann man z. B. einen geschlossenen Käfiganker sich drehen lassen; dies ermöglicht eine einfache

Konstruktion von *Drehstrommotoren.* Sie werden wegen ihrer Einfachheit, Betriebssicherheit und Wirtschaftlichkeit für elektromotorische Antriebe in der Industrie am meisten verwendet und z. B. auch zum Antrieb moderner Drehstromlokomotiven eingesetzt.

Man unterscheidet Wechselströme nach der Zeitdauer ihrer Periode bzw. deren reziprokem Wert, der Frequenz (d. h. der Wechselzahl je Sekunde; Einheit: 1 Hertz [Hz]). Man spricht von niederfrequentem Wechselstrom bis zu Frequenzen von 10 000 Hz. Der gebräuchliche Wechselstrom im Netz der Energieversorgung hat 50 Hz, die Bundesbahn verwendet Wechselstrom vom $16^2/_3$ Hz. Wechselströme hoher Frequenz bis zu einigen GHz (1 Gigahertz = 10^9 Hz = 1 Milliarde Hertz) finden in der Funktechnik Verwendung. Dies hat seine Ursache darin, daß ein Wechselstrom ein mit seiner Frequenz in Richtung und Stärke schwankendes Magnetfeld erzeugt und selbst von einem elektrischen Feld derselben Frequenz erzeugt wird. Dieses *elektromagnetische Feld* wandert mit Lichtgeschwindigkeit in den Raum, d. h. mit rund 300 000 km je Sekunde; gleichzeitig wird Energie als *elektromagnetische Strahlung* in den Raum abgestrahlt. Wegen des periodischen Charakters dieser Strahlung spricht man von einer *elektromagnetischen Schwingung* und wegen der Ähnlichkeit der Ausbreitung mit der einer Wasserwelle von einer *elektromagnetischen Welle.* Unter elektromagnetischen Wellen versteht man alle im Vakuum bzw. in einem Medium sich wellenförmig ausbreitenden, räumlich und zeitlich periodischen elektromagnetischen Felder, unabhängig von ihrer Erzeugungsweise und Wellenlänge bzw. Frequenz. Sie treten immer dann auf, wenn elektrische Ladungsträger (insbes. Elektronen) sich beschleunigt bewegen und damit elektrische Strom- und Ladungsdichten sich räumlich und zeitlich ändern. Sie entstehen z. B. beim Fließen hochfrequenter Wechselströme in Antennen und in Schwingkreisen, als Abstrahlung eines Hertzschen Dipols, durch Abbremsung von Elektronen im Feld von Atomkernen oder durch Quantensprünge der Elektronen in angeregten atomaren Systemen (Emission von Licht, Infrarot-, Ultraviolet- oder Röntgenstrahlung) bzw. der Protonen in angeregten Atomkernen (Emission von Gammastrahlen). Ihre Frequenzen bzw. Wellenlängen bilden das sog. *elektromagnetische Spektrum.*

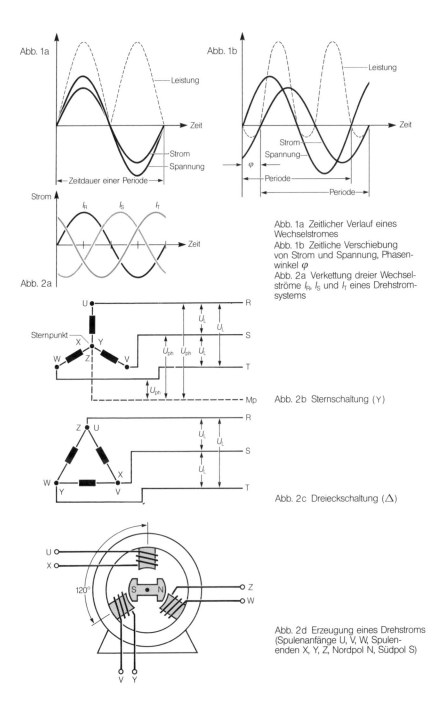

Abb. 1a Zeitlicher Verlauf eines Wechselstromes

Abb. 1b Zeitliche Verschiebung von Strom und Spannung, Phasenwinkel φ

Abb. 2a Verkettung dreier Wechselströme I_R, I_S und I_T eines Drehstromsystems

Abb. 2b Sternschaltung (Y)

Abb. 2c Dreieckschaltung (Δ)

Abb. 2d Erzeugung eines Drehstroms (Spulenanfänge U, V, W, Spulenenden X, Y, Z, Nordpol N, Südpol S)

41

Wechselstrom, Drehstrom, elektromagnetische Wellen II

Die Entstehung der in der Funktechnik genutzten elektromagnetischen Wellen geht stets auf hochfrequente Wechselströme zurück. Der Abstrahlungsvorgang ist am deutlichsten am Hertzschen Dipol zu veranschaulichen (Abb. 3). Dies ist ein Leiterstück, dessen Länge zur Periodenlänge der entstehenden elektromagnetischen Welle in einer bestimmten Beziehung steht. Man erhält diese auch *Wellenlänge* genannte Größe, wenn man die Ausbreitungsgeschwindigkeit (Weg je Sekunde) durch die Frequenz (Schwingungszahl je Sekunde) dividiert. Wird dieses Leiterstück von einem hochfrequenten Wechselstrom durchflossen (den man z. B. durch Induktion in ihm erzeugen kann), so bildet sich darum ein hochfrequentes elektromagnetisches Wechselfeld aus. Die elektrischen Feldlinien, die mit wachsendem Moment des schwingenden Dipols sich in den umgebenden Raum mit Lichtgeschwindigkeit ausbreiten, kehren nicht zurück, während das Dipolmoment abnimmt. Nach einer halben Periode haben sie sich vom Dipol gelöst. Nun quellen erneut elektrische Feldlinien aus dem Dipol, jedoch mit umgekehrter Richtung, da die Ladung zum anderen Dipolende geflossen ist. Nach jeder Halbperiode löst sich so ein Bündel elektrischer Feldlinien ab. Die zwischenzeitlich hin- und herfließende Ladung bzw. der oszillierende Strom ruft ein Magnetfeld hervor, dessen Feldlinien durch konzentrische Kreise dargestellt werden; auch ihre Richtung ändert sich nach jeder halben Periode. Die nierenförmigen elektrischen Feldbündel und die kreisförmigen Magnetfelder breiten sich – miteinander verkettet – gemeinsam als elektromagnetisches Feld bzw. Welle senkrecht zur Dipolachse aus.

Einen Stromkreis, der in bezug auf seine elektrischen (Kapazität) und magnetischen (Selbstinduktion) Eigenschaften auf die Frequenz des Wechselstromes abgestimmt, d. h. mit ihm in Resonanz ist, nennt man einen *Schwingkreis* (Abb. 4). Dieser besteht aus einem Kondensator und einer Selbstinduktionsspule. Einmal aufgeladen, entlädt sich der Kondensator über die Spule, seine elektrische Energie setzt sich in magnetische um. Nach Entladung des Kondensators bricht das Magnetfeld zusammen und induziert in der Spule einen Strom, der den Kondensator umgekehrt auflädt. Wären keine Verluste vorhanden, so würde die Ladung unbegrenzt hin- und herpendeln. Die Frequenz dieses Vorgangs und damit des entstehen-

den Wechselstromes ist um so höher, je kleiner die Kapazität C des Kondensators und die Selbstinduktion L der Spule sind. Für die Schwingungsdauer T (Zeitdauer einer Periode) gilt die *Thomsonsche Gleichung* $T = 2\pi \cdot \sqrt{LC}$, für die Frequenz $f = 1/T$.

Für die Erzeugung höchstfrequenter Schwingungen ist der *Hohlraumresonator* ein wichtiges Bauelement. In Abb. 5 ist gezeigt, wie man sich einen Hohlraumresonator aus einem Schwingkreis kleinster Kapazität und Selbstinduktion entstanden denken kann. Dabei entsprechen jeweils die Mäntel der Spule und die Deckel den Platten eines Kondensators, d. h. einer Kapazität.

Schwingkreise dienen als Abstimmungsvorrichtung in Rundfunkempfängern, als offene Schwingkreise in Gestalt von Antennen als Sende- und Empfangsvorrichtungen für elektromagnetische Wellen. Da die Abstrahlung von elektromagnetischen Wellen beim Sender dessen Schwingkreis laufend Energie entzieht, ihn also dämpft, muß ihm fortwährend Energie zugeführt werden. Dies geschieht mittels einer Triode oder eines Transistors in Rückkopplungsschaltung. Mit Hilfe eines geeignet geschalteten Mikrophons wird die abgestrahlte Welle amplituden- bzw. frequenzmoduliert.

Unter *Modulation* versteht man in der Funktechnik das Überlagern der vom Sender erzeugten Trägerschwingungen mit den zu übertragenden Signalen (Sprache, Musik usw.). Während bei der *Amplitudenmodulation* die Schwingungsweite der hochfrequenten Trägerschwingungen beeinflußt wird, ändert sich bei der *Frequenzmodulation* die Frequenz der Trägerschwingungen.

In der Antenne eines Empfängers bringen die einfallenden elektromagnetischen Wellen zahlreicher Sender Ladungen zum Schwingen. Ein spezieller Eingangsschwingkreis wählt aus dem Gemisch die Trägerschwingung eines bestimmten Senders aus. Dazu wird dessen Eigenfrequenz mit einem Drehkondensator eingestellt. Das Signal wird anschließend demoduliert, verstärkt und einem Lautsprecher zugeführt.

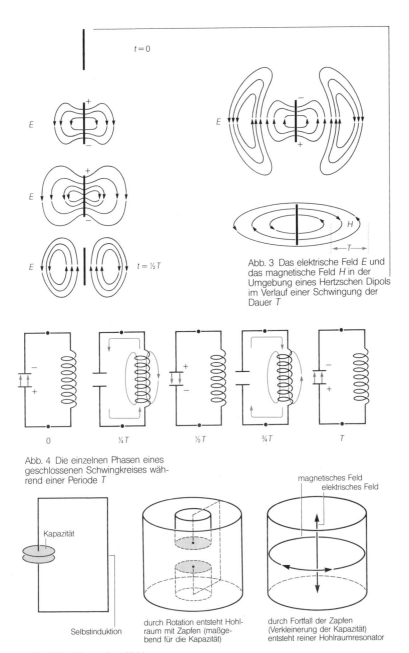

$t = 0$

E

E

E

E $t = \frac{1}{2}T$

H

$\leftarrow T \rightarrow$

Abb. 3 Das elektrische Feld E und das magnetische Feld H in der Umgebung eines Hertzschen Dipols im Verlauf einer Schwingung der Dauer T

0      $\frac{1}{4}T$ $\frac{1}{2}T$ $\frac{3}{4}T$ T

Abb. 4 Die einzelnen Phasen eines geschlossenen Schwingkreises während einer Periode T

magnetisches Feld
elektrisches Feld

Kapazität

Selbstinduktion

durch Rotation entsteht Hohlraum mit Zapfen (maßgebend für die Kapazität)

durch Fortfall der Zapfen (Verkleinerung der Kapazität) entsteht reiner Hohlraumresonator

Abb. 5 Entstehung eines Hohlraumresonators aus einem Schwingkreis

43

Batterie, Akkumulator

Taucht man zwei verschiedene Metalle in eine den elektrischen Strom leitende wäßrige Lösung (z. B. verdünnte Schwefelsäure), so haben sie eine unterschiedliche Tendenz, in Lösung zu gehen; dabei laden sie sich verschieden elektrisch auf. Auf Grund dieses chemischen Vorganges tritt eine Spannungsdifferenz auf, weil das eine Metall gegenüber dem anderen negativ oder positiv erscheint. Es läßt sich daher eine *elektrochemische Spannungsreihe* der Metalle aufstellen, in der das jeweils vorhergehende Metall (bzw. der elektrische Leiter) beim Eintauchen in eine wäßrige Lösung stets positiver erscheint als das folgende: Kohle, Gold, Quecksilber, Silber, Kupfer, Blei, Zinn, Nickel, Kobalt, Cadmium, Eisen, Zink, Mangan, Aluminium.

Eine Kombination zweier Metalle in wäßriger Lösung zur Gewinnung elektrischer Energie aus chemischer nennt man ein *galvanisches* oder *elektrochemisches Element*. Beim *Voltaschen Element* (Abb. 1) tauchen Kupfer (+) und Zink (−) in verdünnte Schwefelsäure. Schließt man an die Pole z. B. eine Glühlampe an, so fließt ein elektrischer Strom. Der Stromkreis, der außen über die Glühlampe läuft, wird im Innern durch die leitende Flüssigkeit, den Elektrolyten, geschlossen. Der Strom im Innern des Elementes führt zum Auftreten von Gasschichten an den Elektroden (Polarisation), die den inneren Widerstand erhöhen und dadurch die chemisch erzeugte elektrische Spannung und damit die Stromausbeute herabsetzen. Insbesondere ist es der am Pluspol (Anode) entstehende Wasserstoff, der unschädlich gemacht werden muß. Dies geschieht beim *Leclanché-Element* (auch Salmiakelement genannt; Abb. 2) mittels eines Gemisches aus Braunstein (Manganoxid) und Graphit als Depolarisatoren, das die Kohleanode umgibt. Ein solches Element besteht aus einer Kohleanode mit Depolarisator, einem Minuspol (Kathode) aus Zink und einer wäßrigen Salmiak-(Ammoniumchlorid-)Lösung als Elektrolyt. Das Leclanché-Element wird heute vorwiegend als sogenanntes *Trockenelement* gebaut, wobei die Elektrolytlösung durch Zusatz geeigneter Quellungs- und Verdickungsmittel pastenartig verdickt ist. Es liefert eine Spannung von 1,5 Volt. Die Größe des Elementes ändert nichts an seiner Spannung, hat jedoch entscheidenden Einfluß auf die Stromstärke, die man ihm entnehmen kann. Beim Betrieb wird die chemische Energie, die sich in elektrische umsetzt, dadurch gewonnen, daß Zink in Lösung übergeht. Daher wird die Zinkelektrode zersetzt. Dieser Vorgang kann nicht rückgängig gemacht werden.

Elemente, bei denen die Elektroden verbraucht werden, nennt man *Primärelemente,* im Gegensatz zu den *Sekundärelementen,* bei denen durch Zufuhr elektrischer Energie (Aufladen) der ursprüngliche Zustand wieder hergestellt werden kann, die Elektroden also regeneriert werden. Man nennt solche Elemente meist *Akkumulatoren.*

Beim *Bleiakkumulator* (Abb. 3 und 4), der am häufigsten verwendeten Art, dient verdünnte Schwefelsäure als Elektrolyt. Im geladenen Zustand besteht die Kathode (−) aus reinem Blei (Pb), die Anode (+) aus Bleidioxid (PbO_2); beim Entladen bildet sich an beiden Elektroden Bleisulfat ($PbSO_4$), das beim Ladevorgang wieder in Blei und Bleidioxid umgewandelt werden. Eine einzelne Blei-Bleidioxid-Zelle liefert eine Spannung von etwa 2 Volt (maximal 2,75 Volt). Schaltet man mehrere solcher Zellen in Reihe (Hintereinanderschaltung, Abb. 5), so erhält man eine *Batterie* und erzielt höhere Spannungen. Die in Kraftfahrzeugen verwendeten Batterien *(Autobatterien)* bestehen heute meist aus 6 Zellen, liefern also eine Spannung von 12 Volt. – Andere Sekundärelemente sind z. B. der *Nickel-Eisen-Akkumulator* und die (auch als Rund- und Knopfzellen hergestellten) *Nickel-Cadmium-Akkumulatoren;* beide enthalten als Elektrolyten Kalilauge (Kaliumhydroxid).

Die als „Batterien" für Taschenlampen, Transistorradios u. a. verwendeten Trockenelemente (Rundzellen mit 1,5 Volt Spannung) arbeiten meist nach dem Prinzip des erwähnten Leclanché-Elements. Dazu gehört auch das *Luftsauerstoffelement,* bei dem anstelle von Braunstein Luftsauerstoff den beim Entladevorgang entstehenden Wasserstoff am Kohlestab oxidiert; als Elektrolyt wird z.T. auch eine Manganchloridlösung, Natron- oder Kalilauge verwendet. – Für Hörgeräte, Taschenrechner u. a. werden kleine *Knopfzellen* verwendet, z. B. Silberoxid-Zink-Zellen (Kalilauge als Elektrolyt) oder Quecksilberoxidzellen mit einer amalgamierten Zinkanode, Quecksilberoxidkathode und zinksalzhaltiger Kalilauge als Elektrolyten.

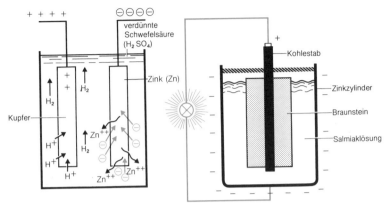

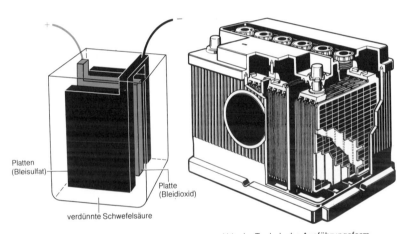

Abb. 1 Voltasches Element

Abb. 2 Salmiakelement

Abb. 3 Akkumulator (Prinzip)

Abb. 4 Technische Ausführungsform eines Akkumulators (Autobatterie)

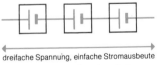

dreifache Spannung, einfache Stromausbeute

Abb. 5 Hintereinanderschaltung

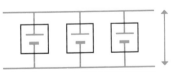

einfache Spannung, dreifache Stromausbeute

Abb. 6 Parallelschaltung

Elektromagnet

Die Wirkung eines Eisenmagneten beruht auf einer teilweisen Ausrichtung von kleinen, magnetisierten Gebieten in seinem Innern, den sogenannten Weissschen Bezirken. Da diese Ausrichtung mit steigender Temperatur immer schwieriger wird (Wärmebewegung der Atome), erhält man bei Zimmertemperatur nur Magnetfelder in der Größenordnung 1 Tesla. Stärkere Magnetfelder lassen sich nur mit Elektromagneten erzielen. Ihre Wirkungsweise beruht auf der Tatsache, daß ein Strom in seiner Umgebung ein Magnetfeld erzeugt. Wickelt man einen isolierten Kupferdraht in Schraubenwindungen einlagig oder in mehreren Lagen übereinander, z. B. auf ein Kunststoffrohr, und läßt dann durch den Draht einen Gleichstrom fließen, so hat man einen Elektromagneten. Da jede einzelne Drahtwindung als kreisförmiger Leiter angesehen werden darf, kann das Magnetfeld einer derartigen stromdurchflossenen Drahtspule als die Überlagerung der Magnetfelder von lauter Kreisströmen (Abb. 1) aufgefaßt werden: Im Innern der Spule ist es ziemlich homogen, d. h. überall von gleicher Stärke und Richtung (Abb. 2), und zwar auf einem um so größeren Bereich, je länger die Spule ist (und je dichter die Wicklungen liegen). Die magnetische Feldstärke H hat hier ihren stärksten Wert: $H = N \cdot I/l = n \cdot I$ (in A/m), wobei I die Stromstärke (in Ampere), l die Länge der Spule (in m), N die Gesamtzahl der Windungen bzw. $n = N/l$ die Zahl der Windungen pro m ist. Die magnetischen Feldlinien verlaufen hier fast geradlinig und parallel zueinander. Außerhalb der Spule entfernen sie sich voneinander, so daß mit wachsendem Abstand das Magnetfeld rasch schwächer wird. Alle Kraftlinien des Magnetfeldes einer Spule sind in sich geschlossen. Das Feld im Außenraum stimmt mit dem Feld eines stabförmigen Dauermagneten überein: Der Südpol dieses Elektromagneten liegt auf der Seite, von der aus gesehen der Strom in den Wicklungen im Uhrzeigersinn fließt.

Sobald das Magnetfeld irgendein Material durchsetzt, hat man außer der magnetischen Feldstärke H noch die magnetische Induktion $B = \mu H$ zur Beschreibung heranzuziehen: Sie hat überall die gleiche Richtung wie H, unterscheidet sich aber von der magnetischen Feldstärke um einen Faktor μ, die relative Permeabilität. Diese ist für Luft sowie für paramagnetische Stoffe nur sehr wenig größer als Eins, während sie für ferromagnetische Werkstoffe sehr stark von der Feldstärke abhängt und Werte von der Größenordnung 10^4 annehmen kann. Sie ist ein Maß für die Erhöhung der Dichte der magnetischen Feldlinien in einem Material infolge Ausrichtung gewisser Elementarmagnete (im Eisen sind dies die Weissschen Bezirke). Wenn man daher in das Innere einer Spule einen Vollzylinder aus Weicheisen einschiebt – oder den (isolierten) Kupferdraht von vornherein auf diesen Eisenzylinder wickelt – und jetzt einen Strom durch die Wicklungen fließen läßt, so wird der Eisenzylinder für die Dauer des Stromflusses zu einem kräftigen Magneten: Unter der magnetischen Wirkung des Stromes werden bereits bei verhältnismäßig kleinen Stromstärken sehr viele Weisssche Bezirke im Eisenstab ausgerichtet. Wir haben jetzt einen Elektromagneten mit Eisenkern vor uns (Abb. 3). Da im Eisenkern die magnetische Induktion um das μ-fache größer ist als das von der Spule erzeugte Feld und die magnetischen Induktionslinien alle in sich geschlossen sind, muß die magnetische Induktion außerhalb des Eisenkerns unmittelbar vor seinen Endflächen (Polflächen) denselben Wert wie im Eisenkern besitzen. Da der Permeabilität der Luft den Wert $\mu = 1$ hat, ist gemäß der Beziehung $B = \mu H$ auch die magnetische Feldstärke an diesen Stellen sehr groß. Dieses Prinzip wird auch bei hufeisenförmigen Elektromagneten (Abb. 4) angewendet. Die erreichbaren Feldstärken liegen bei 5 000 kA/m. Lasthebemagnete (Hubmagnete) zum Heben und Bewegen schwerer Eisen- und Stahlteile entwickeln eine Tragfähigkeit bis zu 100 t (bei einer Leistungsaufnahme von 35 kW; Abb. 5).

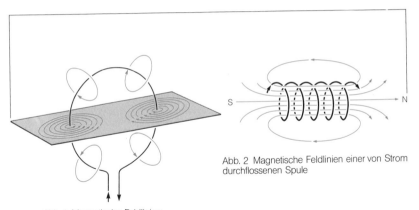

Abb. 1 Magnetische Feldlinien
eines Kreisstromes

Abb. 2 Magnetische Feldlinien einer von Strom
durchflossenen Spule

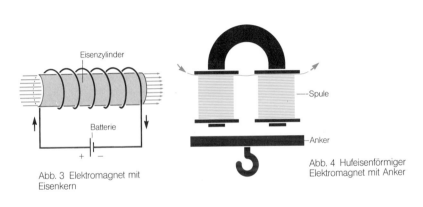

Abb. 3 Elektromagnet mit
Eisenkern

Abb. 4 Hufeisenförmiger
Elektromagnet mit Anker

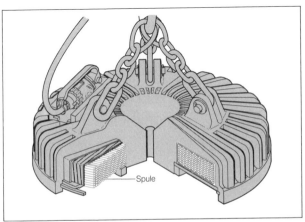

Abb. 5 Lasthebemagnet

Transformator

Transformatoren (Wandler, Umspanner) dienen einerseits zur Transformierung von Wechsel- bzw. Drehstrom auf hohe Spannungen, um bei der Fortleitung über große Entfernungen die relativen Spannungsverluste niedrig zu halten, andererseits der Herabsetzung der Spannung an den Orten des Verbrauchs.

Die physikalische Grundlage der Funktionsweise der Transformatoren ergibt sich aus dem *Faradayschen Induktionsgesetz*. Es besagt, daß bei Änderung des magnetischen Flusses durch eine Leiterschleife in dieser eine der Änderungsgeschwindigkeit proportionale Elektrizitätsströmung entsteht (Induktionsstrom, Induktionsspannung). Erzeugt man die magnetische Flußänderung mittels eines durch Wechselstrom erregten Elektromagneten (*Primärspule* des Transformators), so läßt sich in einer zweiten vom magnetischen Wechselfeld durchfluteten Spule wieder elektrische Energie gewinnen (*Sekundärspule* des Transformators). Die Umwandlung geschieht mit sehr hohem Wirkungsgrad (98 bis 99 %), da als einziger Energieverlust bei niederfrequentem Wechselstrom nur die Erwärmung des den magnetischen Fluß aufnehmenden Eisenkernes durch Wirbelströme auftritt. Durch Lamellierung des Eisenkernes läßt sich aber auch dieser Energieverlust wirksam herabsetzen. Im Idealfalle gilt dann: $U_1 \cdot I_1 = U_2 \cdot I_2$ (Eingangsspannung × Eingangsstrom = Ausgangsspannung × Ausgangsstrom). Das Verhältnis $U_1 : U_2$ hängt dabei nur von dem Windungszahlverhältnis der induktiv über einen Eisenkern gekoppelten Spulen ab (Abb. 1).

Zum Heraufsetzen der Spannung besitzt die Sekundärwicklung des Transformators mehr Windungen als die Primärwicklung. In der Nähe des Verbrauchers wird die ankommende hohe Spannung im Transformatorhaus auf eine niedrige Spannung transformiert. Die hierzu verwendeten Transformatoren besitzen eine Primärwicklung mit hoher, dagegen eine Sekundärwicklung mit niedriger Windungszahl. So wird in der Regel im Verteilungsnetz der Städte die Spannung auf 6 000 Volt heruntertransformiert und dann durch bezirksweise aufgestellte Transformatoren, unter Umständen auch durch Einzeltransformatoren (als sogenannte Freilufttransformatoren am Hochspannungsmast montiert) für einzelne Gehöfte auf die Spannungsnorm von 220 bzw. 380 Volt gebracht. Auch die verschiedenen Klingelanlagen beziehen ihre elektrische Energie aus diesem normierten Netz, und zwar über einen Klingeltransformator, der in der Regel eine Betriebsspannung von 4 bis 8 Volt liefert.

Der durch beide Wicklungen verlaufende Eisenkern kann unterschiedlich geformt sein. Abb. 2 zeigt einen *Kerntransformator* mit geschlossenem Eisenjoch, Abb. 3 einen *Manteltransformator*, bei dem der Eisenkern die auf dem Mittelschenkel angeordneten Wicklungen umschließt. – In Abb. 4 ist ein Transformator in Sparschaltung wiedergegeben. Bei dieser Bauart sind die beiden Wicklungen galvanisch nicht getrennt. Ein Transformator dieser Art besitzt nur eine einzige Wicklung, die an einer Stelle angezapft ist. Wegen der Einsparung der selbständigen Sekundärwicklung und eines Teiles der Stromwärmeverluste spricht man auch von einem *Spartransformator*. Die Zündspule der Zündanlage eines Kraftfahrzeuges arbeitet nach diesem Prinzip. Da dort eine niedrige Spannung in die hohe Zündspannung umgewandelt werden muß, wird die Zündspannung an der Gesamtlänge der Wicklung entnommen, die niedrige Spannung jedoch an das angezapfte Wicklung gelegt. Dieser Transformatortyp darf jedoch für Klingelanlagen und für elektrische Kinderspielzeuge nicht verwendet werden.

Transformatoren kleiner Leistung werden als *Lufttransformatoren* ausgeführt, bei denen Wicklungen und Kern vollständig von Luft als Isolier- und Kühlmittel umgeben sind. Leistungstransformatoren werden hingegen meist als *Öltransformatoren* gebaut: Kern und Wicklungen sind vollständig von Transformatorenöl umgeben, das als Isolation und zugleich als Kühlmittel zur Abführung der durch Leistungsverluste entstehenden Wärme dient. Hierfür wurden früher polychlorierte Biphenyle (PCB) verwendet. Da sich aus ihnen bei Temperaturen von etwa 270 °C extrem giftige Stoffe bilden können, werden sie heute durch andere schwer brennbare, alterungsbeständige Substanzen (Siliconöle, z. B. Polydimethylsiloxan) ersetzt.

Abb. 1 Schema eines Ringkerntransformators

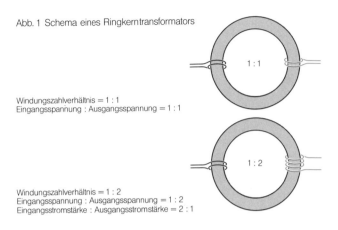

Windungszahlverhältnis = 1 : 1
Eingangsspannung : Ausgangsspannung = 1 : 1

Windungszahlverhältnis = 1 : 2
Eingangsspannung : Ausgangsspannung = 1 : 2
Eingangsstromstärke : Ausgangsstromstärke = 2 : 1

magnetisches Wechselfeld

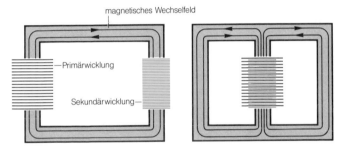

Primärwicklung

Sekundärwicklung

Abb. 2 Kerntransformator

Abb. 3 Manteltransformator

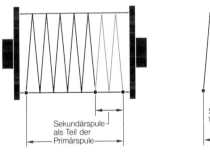

Sekundärspule
als Teil der
Primärspule

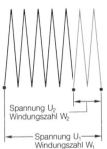

Spannung U_2
Windungszahl W_2

Spannung U_1
Windungszahl W_1

Abb. 4 Transformator in Sparschaltung
(Spartransformator)

Halbleiter

Als *Halbleiter* bezeichnet man Stoffe, die sich bei tiefen Temperaturen wie Isolatoren verhalten, d. h. keine elektrische Leitfähigkeit besitzen, dagegen mit zunehmender Temperatur immer stärker leiten, jedoch bei Zimmertemperatur erst eine um etwa das 10^5fache geringere Leitfähigkeit als die Metalle besitzen. Die mit der Temperatur exponentiell zunehmende Leitfähigkeit der Halbleiter beruht darauf, daß in ihnen die für die chemische Bindung der Atome zum Kristallgitter verantwortlichen Valenzelektronen der Atome zwar immer noch beträchtlich stärker als bei Metallen, aber nicht so stark wie bei Isolatoren an die Atome gebunden sind, so daß bei zunehmender Temperatur- bzw. Wärmeeinwirkung, aber auch bei Einwirkung von Strahlung, mehr und mehr homöopolare Bindungen gelöst und Elektronen frei werden, die sich dann quasifrei durch das Kristallgitter bewegen können (Abb. 1 und 2). Wichtige Beispiele für halbleitende Stoffe sind die Elemente Silicium (Si) und Germanium (Ge), aber auch Verbindungen von Elementen aus der III. und V. Hauptgruppe des Periodensystems der chemischen Elemente (s. S. 66 ff.), wie z. B. Galliumarsenid (GaAs) und Indiumantimonid (InSb).

Man kann nun durch Einbau von Fremdatomen geringerer oder höherer Valenz in das Kristallgitter die Leitfähigkeiten der Halbleiter gezielt in weiten Grenzen verändern. Als *Donatoren* („Elektronenspender") bezeichnet man dabei Fremdatome, die durch Abgabe von (negativen) Elektronen die Elektronenleitung *(n-Leitung)* erhöhen oder überhaupt erst bewirken, als *Akzeptoren* („Elektronenfänger") hingegen solche, die Elektronen binden und damit die n-Leitung vermindern oder eine sog. p-Leitung von positiven, als Löcher oder Defektelektronen bezeichneten Ladungsträgern bewirken. In Silicium und Germanium können leicht Atome der III. Hauptgruppe (z. B. Bor) als Akzeptoren und Atome der V. Hauptgruppe (z. B. Phosphor) als Donatoren mit variabler Konzentration eingebaut werden *(Dotierung).* Die Leitfähigkeit eines mit Bor dotierten Siliciumkristalls, in dem auf etwa 100 000 Siliciumatome ein Boratom kommt, ist bei Zimmertemperatur um den Faktor 1 000 größer als die eines reinen Siliciumkristalls.

Die Verhältnisse in einem Halbleiter übersieht man am besten im sog. *Energiebändermodell,* bei dem die Energieniveaus eines Festkörpers in Abhängigkeit vom Ort (Abb. 3; repräsentiert durch die Längsausdehnung x) bzw. von den Wellenzahlen k der Elektronen (Abb. 4) dargestellt wird. Alle Energieniveaus bilden mehr oder weniger breite *Energiebänder,* die meist durch mehr oder weniger breite *verbotene Zonen (Energielücken)* getrennt sind, sich jedoch auch überlappen können. Während in Metallen die Valenzelektronen das sog. *Valenzband* nur unvollständig besetzen und daher leicht in freie Zustände bzw. Energieniveaus angeregt werden können, besetzen in Halbleitern und Isolatoren die Elektronen das Valenzband vollständig. Erst bei Zuführung einer Energie vom Betrage ΔE der Energielücke zwischen Valenz- und Leitfähigkeitsband (bei Silicium 1,14 eV, bei Germanium 0,67 eV, bei Indiumantimonid nur 0,23 eV) gelangen sie ins Leitfähigkeitsband, sind dort frei beweglich und bewirken eine n-Leitung. Die im Valenzband zurückbleibenden *Löcher (Defektelektronen)* verhalten sich wie quasifrei bewegliche positive Ladungsträger und bewirken eine p-Leitung. Der Einbau von Donatoren liefert elektronenspendende Energieniveaus dicht unterhalb des Leitungsbandes, der von Akzeptoren elektroneneinfangende Energieniveaus dicht über dem Valenzband.

Da keine der beiden Ladungsträgerarten allein vorliegt (Abb. 5), nennt man die in der Überzahl vorhandenen und damit den Leitungstyp bestimmenden Ladungsträger *Majoritätsträger,* die in der Minderzahl vorhandenen *Minoritätsträger.* – Stoßen nun in einem Halbleiterkristall infolge unterschiedlicher Dotierung n- und p-leitende Gebiete zusammen, so tritt an der Grenzfläche eine Verarmungszone an Ladungsträgern beiderlei Vorzeichens, d. h. eine Schicht hohen elektrischen Widerstands *(Sperrschicht),* auf (Abb. 6). Je nach Polung einer angelegten Spannung wird die Breite, v. a. aber der Widerstand dieser etwa 0,1 μm breiten, als *p-n-Übergang* bezeichneten Übergangszone vergrößert *(Sperrichtung)* oder verkleinert *(Durchlaßrichtung, Flußrichtung).* Diese Ventilwirkung wird in Halbleiterbauelementen ausgenutzt.

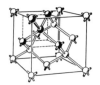

Abb. 1 Kristallstruktur einer
halbleitenden Substanz

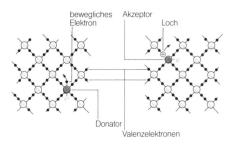

bewegliches   Akzeptor
Elektron   Loch

Donator
Valenzelektronen

Abb. 2 Kristallgitter von n-Silicium
(links), mit Phosphoratomen
(rot) dotiert, und von p-Silicium
(rechts), mit Boratomen (rot) dotiert

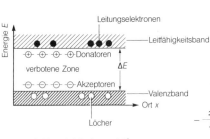

Energie E

Leitungselektronen

Leitfähigkeitsband

⊕ ⊕ ⊕ ⊕ Donatoren

verbotene Zone ΔE

⊖ ⊖ ⊖ ⊖ Akzeptoren

Valenzband
Ort x

Löcher

Abb. 3 Energiebändermodell
eines Halbleiters mit Störleitung

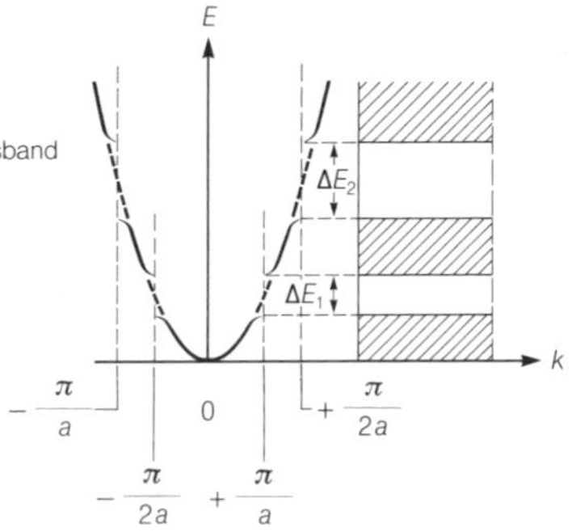

E

ΔE_2

ΔE_1

$-\dfrac{\pi}{a}$ 0 $+\dfrac{\pi}{2a}$ k

$-\dfrac{\pi}{2a}$ $+\dfrac{\pi}{a}$

Abb. 4 Energieverlauf als Funktion der
Wellenzahl k für quasifreie Elektronen

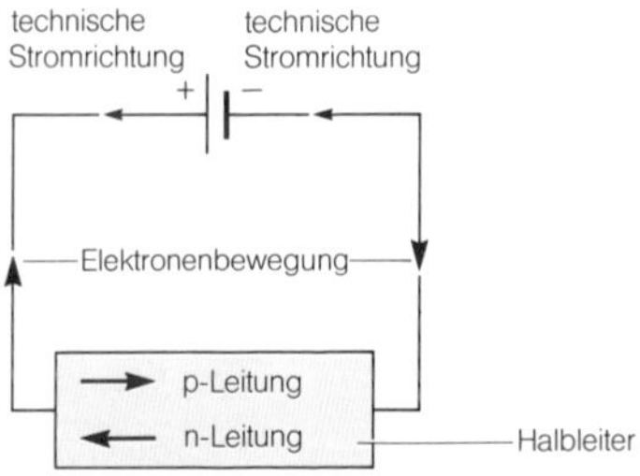

technische   technische
Stromrichtung   Stromrichtung
+ | −

Elektronenbewegung

→ p-Leitung
← n-Leitung   Halbleiter

Abb. 5 Ladungsträgerbewegung
im Halbleiter

Abb. 6 Verlagerung der Energiebänder
in der Sperrschicht bei Änderung der
äußeren Spannung U für den p-n-Übergang;
a) stromloser Zustand,
b) Polung in Sperrichtung,
c) Polung in Durchlaßrichtung
(+ Donatoren, − Akzeptoren, ○ Löcher,
● Elektronen)

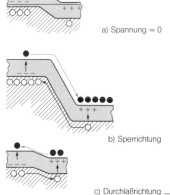

a) Spannung = 0

b) Sperrichtung

c) Durchlaßrichtung

Halbleiterbauelemente

Als *Halbleiterbauelemente* bezeichnet man Bestandteile elektronischer Baugruppen, deren Eigenschaften durch die Verwendung halbleitender Werkstoffe bestimmt sind. Ihre Vorteile liegen v. a. in den geringen Betriebsspannungen und Leistungsverlusten sowie darin, daß sie keine Heizleistung erfordern, sofort betriebsbereit sind und lange Lebensdauern, kleine Abmessungen und eine hohe Stoßfestigkeit besitzen. Nachteilig ist v. a. ihre Temperaturempfindlichkeit. Halbleiterbauelemente aus einheitlichem, meist homogen dotiertem Material sind die als veränderliche Widerstände dienenden Heißleiter, Kaltleiter, Varistoren und Photowiderstände sowie der zur Magnetfeldmessung und als Modulator verwendbare Hall-Generator. Aus zwei unterschiedlichen Halbleitermaterialien bestehende Thermoelemente dienen zur direkten Umwandlung von Wärme in elektrische Energie bzw. zur thermoelektrischen Kühlung (sog. Peltier-Elemente).

Als *Halbleiterdioden* (Abb. 1) bezeichnet man Bauelemente mit einem p-n-Übergang zwischen zwei unterschiedlich dotierten n- bzw. p-leitenden Gebieten gleichen Grundmaterials und zwei Anschlüssen (Elektroden). Sie dienen zur Gleichrichtung und Demodulation, zur Schwingungserzeugung und Umwandlung von Licht- in Strom- und Spannungsschwankungen, als elektronische Schalter, steuerbare Kapazitäten oder Widerstände sowie als Strahlungs- und Teilchendetektoren. Ausgenutzt wird dabei die Ventilwirkung des p-n-Übergangs, durch die bei Polung der angelegten Spannung in Durchlaßrichtung (Pluspol am p-Gebiet) ein Strom relativ hoher Stromstärke *(Durchlaßstrom)* fließt, während bei entgegengesetzter Polung in Sperrichtung nur der *Sperrstrom* von beträchtlich geringerer Stromstärke fließen kann.

Transistoren sind als Verstärker, Schalter, Gleichrichter, Schwingungserzeuger, Strahlungsdetektoren u. a. verwendete Halbleiterbauelemente mit mindestens drei Anschlüssen, die als kompakte Reihenschaltung von zwei oder mehr gegeneinander geschalteten Halbleiterdioden angesehen werden können. Die *Bipolar-* oder *Injektionstransistoren,* in denen sowohl Elektronen als auch Löcher am Stromfluß beteiligt sind, bestehen jeweils aus drei verschieden dotierten n- bzw. p-leitenden Bereichen eines Halbleiterkristalls (heute meist ein Siliciumeinkristall) mit zwei dazwischen befindlichen p-n-

Übergängen (Abb. 2): Die beiden äußeren Bereiche von gleichem Leitungstyp nennt man *Emitter- und Kollektorzone,* den höchstens einige µm dicken mittleren Bereich *Basiszone;* die an sie angebrachten Elektroden werden als *Emitter, Basis* und *Kollektor* bezeichnet. Bei entgegengesetzter Polung von Emitter-Basis- und Kollektor-Basis-Spannung sind die beiden p-n-Übergänge in Durchlaßrichtung oder – bei Umkehr beider Spannungen – in Sperrichtung gepolt, d. h., der Transistor wirkt als Schalter. Ist bei gleicher Polung beider Spannungen (Abb. 3) der p-n-Übergang zwischen Emitter- und Basiszone in Durchlaßrichtung und der andere als Sperrschicht geschaltet, so kann ein dem Emitter zugeführtes Signal verstärkt am Kollektor-Basis-Außenkreis abgenommen werden: Die aus dem Emitter- in die Basiszone „injizierten" Ladungsträger diffundieren nämlich als Minoritätsträger durch die Sperrschicht in die Kollektorzone und steuern bzw. verstärken den im Kollektor-Basis-Stromkreis fließenden Strom.

Durch die als *Emitter-, Basis-* und *Kollektorschaltungen* (Abb. 4) bezeichneten Grundschaltungen eines Bipolartransistors werden unterschiedliche Verstärkerwirkungen erzielt (mit der Emitterschaltung z. B. bis zu 1 000fache Spannungs- und bis zu 100fache Stromverstärkungen).

Bei den *Unipolar-* oder *Feldeffekttransistoren* ist nur eine Ladungsträgerart am Verstärkungsmechanismus beteiligt; der Stromfluß wird allein von den Majoritätsträgern im sog. Kanal zwischen den als *Quelle (Source)* und *Senke (Drain)* bezeichneten Elektroden besorgt (Abb. 5 und 6) und über den sog. Feldeffekt mit Hilfe eines elektrischen Feldes gesteuert, dessen Feldlinien quer zum Kanal zwischen den beiden als *Tor (Gate)* bezeichneten Steuerelektroden verlaufen. Man unterscheidet auch hier drei Grundschaltungen (Abb. 7), die *Source-, Gate-* und *Drain-Schaltung.* Die Feldeffekttransistoren *(FET)* werden meist in Planartechnik (s. S. 56), insbesondere in MOS-Technik als sog. *MOSFET* hergestellt. – Als *Thyristoren* oder als *Vierschichttransistoren* bezeichnet man gleichrichtende und steuerbare Halbleiterbauelemente, die vier unterschiedlich dotierte n- und p-leitende Bereiche (Reihenfolge npnp), zwei äußere Anschlüsse und eine oder zwei Steuerelektroden an den inneren Bereichen aufweisen. Sie werden in Gleichrichteranlagen höchster Leistung und zur stufenlosen Motorendrehzahlregelung verwendet.

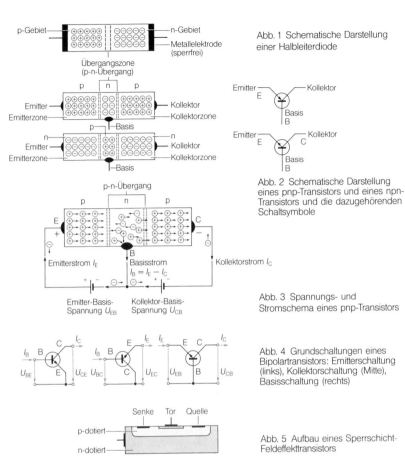

p-Gebiet — Übergangszone (p-n-Übergang) — n-Gebiet — Metallelektrode (sperrfrei)

Abb. 1 Schematische Darstellung einer Halbleiterdiode

p — n — p
Emitter — Kollektor
Emitterzone — Kollektorzone
p — Basis

n — n
Emitter — Kollektor
Emitterzone — Kollektorzone
Basis

Emitter — E — Kollektor
Basis — B

Emitter — E — C — Kollektor
Basis — B

Abb. 2 Schematische Darstellung eines pnp-Transistors und eines npn-Transistors und die dazugehörenden Schaltsymbole

p-n-Übergang
p — n — p
E — C
B
Emitterstrom I_E
Basisstrom $I_B = I_E - I_C$
Kollektorstrom I_C

Emitter-Basis-Spannung U_{EB}
Kollektor-Basis-Spannung U_{CB}

Abb. 3 Spannungs- und Stromschema eines pnp-Transistors

I_B — B — C — I_C
U_{BE} — E — U_{CE}
I_B — B — E — I_E
U_{BC} — C — U_{EC}
I_E — E — C — I_C
U_{EB} — B — U_{CB}

Abb. 4 Grundschaltungen eines Bipolartransistors: Emitterschaltung (links), Kollektorschaltung (Mitte), Basisschaltung (rechts)

Senke — Tor — Quelle
p-dotiert
n-dotiert

Abb. 5 Aufbau eines Sperrschicht-Feldeffekttransistors

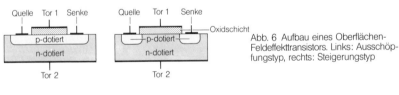

Quelle — Tor 1 — Senke
p-dotiert
n-dotiert
Tor 2

Quelle — Tor 1 — Senke — Oxidschicht
p-dotiert
n-dotiert
Tor 2

Abb. 6 Aufbau eines Oberflächen-Feldeffekttransistors. Links: Ausschöpfungstyp, rechts: Steigerungstyp

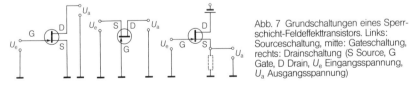

U_a
G — D — S
U_e

U_e — S — D — U_a
G

U_e — G — S — U_a
D

Abb. 7 Grundschaltungen eines Sperrschicht-Feldeffekttransistors. Links: Sourceschaltung, mitte: Gateschaltung, rechts: Drainschaltung (S Source, G Gate, D Drain, U_e Eingangsspannung, U_a Ausgangsspannung)

Miniaturisierung I

Als *Miniaturisierung* bezeichnet man eine Entwicklungsrichtung im Bereich der Elektronik mit dem Ziel, kleinste elektronische Geräte möglichst hoher Zuverlässigkeit und Lebensdauer, die dennoch eine Vielzahl elektronischer Bau- bzw. Schaltelemente enthalten, in großen Mengen billig durch weitgehend automatisierte Verfahren herzustellen. Ausgelöst wurde das Miniaturisierungsbestreben durch den wachsenden Bedarf an elektronischen Einrichtungen, insbesondere aber durch die Anforderungen der Raumfahrt-, Luftfahrt- und Militärtechnik sowie durch das Anwachsen der Bauelementezahl bei elektronischen Datenverarbeitungsanlagen, die zu einer drastischen Verkleinerung der elektronischen Bauteile zwangen. Neben der Raum- und Gewichtsersparnis sowie der beträchtlichen Verringerung der Signallaufzeiten, des Energiebedarfs und der Wärmeentwicklung ist bei der Miniaturisierung auch die Steigerung der Fertigungsproduktivität und Zuverlässigkeit (trotz zunehmender Zahl der miteinander verbundenen Schaltelemente in den elektronischen Bauteilen) von großer Bedeutung.

Der erste Schritt zur Miniaturisierung (Abb. 1) war die *Miniatur-* und *Subminiaturtechnik,* gekennzeichnet durch die Anordnung diskreter aktiver (Miniatur- bzw. Subminiaturröhren und -transistoren) oder passiver Bauelemente mit stark reduzierten Abmessungen auf sog. Leiterkarten, in Kompakt- oder Blockbauweise oder nach der *Modul-* bzw. *Mikromodulbauweise* auf Keramikplättchen von etwa 25 bzw. 10 mm Kantenlänge, die dann übereinander gestapelt, leitend verbunden und mit Kunstharz luftdicht vergossen wurden (Abb. 2; sog. *Module* bzw. *Mikromodule*). In der Stufe der sog. *Mikrominiaturisierung* bzw. der *Mikrominiaturtechnik* werden vornehmlich zweidimensionale Verbindungen von Materialbereichen mit Eigenschaften herkömmlicher und neuer Bauelemente zu untrennbaren, irreparablen Grundschaltungen und Systemen hergestellt (sog. *integrierte Schaltungen* oder *ICs* [von englisch: *integrated circuits*]). Durch Anwendung von Drucktechniken, z.B. des Siebdrucks bei der *Dickfilm-* oder *Dickschichttechnik* (Abb. 3; Dicke der aufgedruckten Schichten zwischen 10 und 100 μm), und Aufdampfmethoden bei der *Dünnfilm-* oder *Dünnschichttechnik* (Abb. 4; Schichtdicke 0,01 bis 1 μm) erhält man mit Hilfe von Masken auf Trägerplatten aus isolierendem Material sog. *[integrierte] Filmschaltkreise* (Abb. 5), die einer sehr stark verkleinerten gedruckten Schaltung entsprechen, auf der die Bauelemente streifen- oder flächenhaft vorliegen; aktive Subminiaturbauelemente werden hier z.T. getrennt eingesetzt. Als Material für Widerstände nimmt man in der Dickschichttechnik Glasuren oder Cermets (metallkeramische Werkstoffe), in der Dünnschichttechnik Chrom-Nickel-Verbindungen, Tantal, Titan und Zinnoxid, als Kondensatordielektrikum ebenfalls Glasuren oder ferroelektrische Keramiken. Oxide von Silicium, Aluminium, Tantal und Titan.

Eine weitere erhebliche Verkleinerung erbrachte die *Halbleiterblocktechnik (integrierte* oder *monolithische Halbleitertechnik),* bei der mit Hilfe der auch bei der Herstellung von Transistoren üblichen Planartechnik (s. S. 56) die elektrische Leitfähigkeit bestimmter Bereiche in einem halbleitenden Trägermaterial (z.B. Siliciumeinkristallscheibchen) durch Eindiffundieren von Dotierungsstoffen von der Oberfläche her gezielt verändert wird, so daß die in mehreren aufeinanderfolgenden Schritten entstehenden p-n-Übergänge die aktiven und passiven Schaltelemente von vollständigen Schaltungen bilden. Durch Aufdampfen metallischer Leiterbahnen werden die einzelnen Schaltelemente dieser sog. *Festkörper-* oder *Halbleiterschaltkreise (Mikroschaltkreise)* miteinander verbunden. Fertigungstechnisch geht man von weit größeren als für die Herstellung einer bestimmten Schaltung notwendigen Siliciumscheiben aus und benutzt für die Formierung der abdeckenden Oxidstrukturen, die das Eindiffundieren der Dotierungsstoffe an nicht gewünschten Stellen verhindern, ein schachbrettartiges Muster mit einem Rasterabstand von etwa 2 mm; bei der Verarbeitung einer Siliciumscheibe (sogenannter *Wafer*) entstehen so gleichzeitig 50 bis 100 Festkörperschaltkreise. Erst nach dem Aufdampfen der Leiterbahnen wird die Siliciumscheibe in die einzelnen Schaltkreise geteilt, die anschließend gefaßt und kontaktiert werden. Die in Gehäuse gefaßten Schaltkreise werden auf Leiterplatten durch gedruckte Leiterbahnen untereinander und mit der Steckerleiste verbunden.

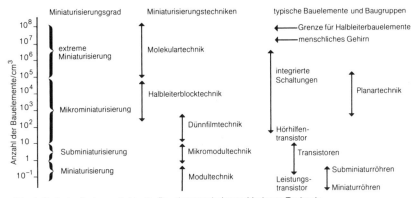

Abb. 1 Skala der Packungsdichte der Bauelemente bei verschiedenen Technologien der Miniaturisierung

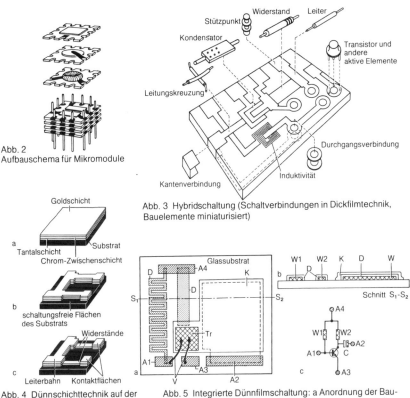

Abb. 2
Aufbauschema für Mikromodule

Abb. 3 Hybridschaltung (Schaltverbindungen in Dickfilmtechnik, Bauelemente miniaturisiert)

Abb. 4 Dünnschichttechnik auf der Basis von Sandwichplatten: a Sandwichplatte, b erste Bearbeitungsstufe; c passive Dünnschichtschaltung mit den von der Leiterschicht freigeätzten Widerständen

Abb. 5 Integrierte Dünnfilmschaltung: a Anordnung der Bauelemente auf dem Glassubstrat, b Schnittbild zur Veranschaulichung des Schichtaufbaus, c Schaltbild (A Anschlußkontakte, V Verbindungsleitungen, W Widerstandsbahn bzw. Kondensatorelektrode aus Tantal, D Isolator- bzw. Passivierungsschicht aus Tantaloxid, K Kondensatorelektrode aus Gold, C Kapazität, Tr Planartransistor)

Miniaturisierung II

Mit der *integrierten Hybridtechnik,* einer Kombination von Dünnfilm- und Halbleiterblocktechnik bzw. von Film- oder Festkörperschaltkreisen mit diskreten Bauelementen, werden v. a. analog arbeitende Schaltungen (z. B. Verstärkerschaltungen) gefertigt (Abb. 6). Man unterscheidet dabei die *Halbleiter- oder Festkörper-Hybridtechnik* (teilweises Aufbringen von Dünnschichtkomponenten auf Halbleiterblockschaltungen), *Dünnschicht-Hybridtechnik* (Einsetzen von Halbleiterbauelementen auf integrierte Dünnschichtschaltungen) und die *Multichip-Hybridtechnik* (Vereinigung von mindestens zwei Funktionsblöcken, den sog. *Chips,* auf einem „gemeinsamen Träger in einem gemeinsamen Gehäuse"). Als *extreme Miniaturisierung* wird eine Technik der Mikroelektronik bezeichnet, bei der extrem kleine elektronische Schaltungen hergestellt und verwendet werden. Hierzu gehört die *Funktionsblockmethode,* bei der die elektrischen Funktionen der einzelnen Schaltungen oder Baugruppen (z. B. Gleichrichtung, Verstärkung, logische Schaltungen) durch sog. *morphologisch integrierte Funktionsblöcke* verrichtet werden, in denen sich keine elektronischen Bauelemente oder Schaltkreise mehr unterscheiden lassen. Jeder Funktionsblock besteht aus Festkörpermaterialien, die in bestimmten Bereichen in aufeinanderfolgenden Arbeitsschritten so behandelt werden, daß die gewünschte Funktion durch Zusammenwirken physikalischer Elementarprozesse (z. B. verschiedener elektrischer, optischer und magnetischer Effekte) in Halbleitern erreicht wird.

Die *Planartechnik* ist eines der wichtigsten Verfahren zur Herstellung von miniaturisierten Halbleiterbauelementen (bis zu mehreren tausend gleichzeitig) und von integrierten Schaltungen (Abb. 7 und 8). Bei diesem Verfahren werden die erforderlichen p-n-Übergänge im Halbleitersubstrat durch gezielte Eindiffusion von Dotierungsstoffen von der Oberfläche her in mehreren aufeinanderfolgenden Schritten erzeugt. Man geht meist von 0,1 mm dünnen, entweder n- oder p-leitenden Siliciumeinkristallscheibchen von 1–10 mm² Oberfläche aus (Abb. 9), die mit einer Schutzschicht aus sehr widerstandsfähigem, für die Dotierungsstoffe undurchlässigem Siliciumdioxid (SiO_2) überzogen sind; in diese Schutzschicht werden „Fenster" eingeätzt, durch die anschließend Akzeptor- bzw. Donatorstoffe (z. B. Bor bei n-leitendem, Phosphor bei p-leiten-

dem Siliciumsubstrat) eindiffundieren und p- bzw. n-leitende Bereiche mit einem p-n-Übergang zum Grundmaterial ergeben. Bei der Herstellung von sog. *Planartransistoren* bilden diese Bereiche jeweils deren Basiszone, bei der Herstellung von sog. *MOS-Feldeffekttransistoren* jeweils paarweise deren als Quelle und Senke bezeichneten Anschlußbereiche. Im ersten Falle werden die Fenster durch eine weitere SiO_2-Schicht teilweise geschlossen, durch die freibleibenden oder neu eingeätzten Öffnungen diffundieren dann Donator- bzw. Akzeptorstoffe ein, die eine Umkehr des Leitungstyps (Inversion) hervorrufen und die n- bzw. p-leitenden Emitterzonen sowie den p-n-Übergang zwischen jeder Basis- und Emitterzone erzeugen. Nach erneutem Abdecken mit SiO_2 werden nochmals kleine Fenster für die notwendigen elektrischen Anschlüsse eingeätzt und auf die freigewordenen Stellen die metallischen Basis- und Emitterkontakte aufgedampft. Bei der *MOS-Technik* (zu engl.: *m*etal-*o*xid-*s*ilicon bzw. *-s*emiconductor) hingegen werden das zur Maskierung erforderliche Oxid (Dicke 1 µm) über dem „Kanal" zwischen einer Quelle und einer Senke entfernt, eine dünne Isolator- bzw. Oxidschicht (Dicke 0,1 µm) an dieser Stelle aufgebracht, Fenster für die Quellen- und Senkenkontakte eingeätzt und anschließend durch Metallisierung diese Kontakte sowie die Steueroder Torelektrode auf die Isolatorschicht angebracht. Die Anschlüsse selbst müssen in allen Fällen nach Sonderverfahren (z. B. durch Thermokompression) angebracht werden, da bei den geringen Flächen der Kontakte Löten und Schweißen nicht möglich ist. – Bei der Herstellung der Fenster bedient man sich der aus der Photolithographie stammenden Maskentechnik (Abb. 10): Die SiO_2-Schicht wird mit lichtempfindlichem Lack überzogen und durch eine Photoschablone hindurch belichtet, auf der die Fensterbereiche Dunkelzonen sind. Der an diesen Stellen unbelichtete und darum dort nicht härtende Lack wird beseitigt, die freiwerdenden SiO_2-Stellen werden weggeätzt, anschließend wird auch der gehärtete Lack beseitigt.

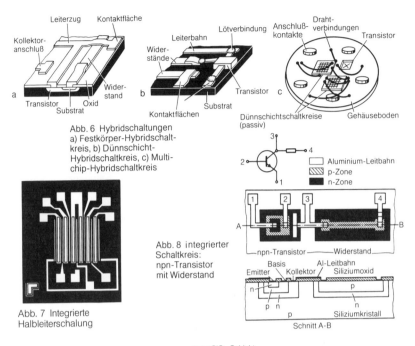

Abb. 6 Hybridschaltungen
a) Festkörper-Hybridschalt-
kreis, b) Dünnschicht-
Hybridschaltkreis, c) Multi-
chip-Hybridschaltkreis

Aluminium-Leitbahn
p-Zone
n-Zone

Abb. 8 integrierter
Schaltkreis:
npn-Transistor
mit Widerstand

npn-Transistor — Widerstand

Schnitt A-B

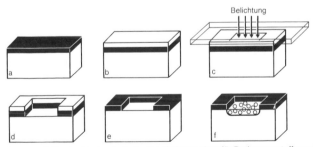

Abb. 7 Integrierte
Halbleiterschalung

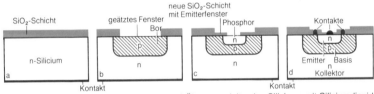

Abb. 9 Fertigung eines npn-Planartransistors, a) Überzug n-leitenden Siliciums mit Siliciumdioxid,
b) Einätzung eines Fensters und Eindiffundieren von Boratomen, c) Einätzung eines weiteren Fensters (Emitterfenster), in das Phosphoratome eindiffundieren, d) Aufbau des fertigen Planartransi-
stors mit aufgedampften metallischen Kontakten

Abb. 10 Verfahrensschritte der Maskentechnik. a) Aufbringen einer für Dotierungsstoffe undurchlässigen SiO$_2$-Schicht auf einem n-leitenden Siliciumeinkristall, b) Aufbringen einer lichtempfindlichen
Lackschicht, c) Belichtung der Lackschicht durch eine Photoschablone mit Dunkelzone, d) nichtbelichtete Lackschicht wird durch Entwicklungsprozeß gelöst, freigewordene SiO$_2$-Schicht wird weggeätzt, e) Lackschicht wird ganz entfernt, f) Ausbildung einer p-leitenden Diffusionsschicht durch Eindiffundieren von Akzeptoren

57

Photozellen, Photoelemente

Trifft Licht auf Materie, so können die einzelnen Lichtquanten (Photonen) ihre Energie auf die in der Materie vorhandenen Elektronen übertragen. Die Energie kann dabei z. B. die Elektronen des Valenzbandes eines Halbleiters (vgl. S. 50) in das Leitungsband heben (*innerer Photoeffekt*; Abb. 1), wo sie frei beweglich sind und zu einer erhöhten elektrischen Leitfähigkeit des Halbleiters führen. Sie kann aber auch die Elektronen (z. B. eines Metalls) vollständig aus dem Material herauslösen, so daß diese in ein das Material umgebendes Vakuum austreten (*äußerer Photoeffekt,* Abb. 2). Die Energiebilanz des photoelektrischen Elementaraktes wird durch die Einsteinsche Gleichung wiedergegeben:

$$h\nu = A + \tfrac{1}{2}m_e v^2.$$

Hierin bedeuten: $h\nu$ die Energie des Lichtquants, mit der Frequenz ν des Lichtes und dem Planckschen Wirkungsquantum ($h = 6{,}626 \cdot 10^{-34}\,\text{J} \cdot \text{s}$), A die Austrittsarbeit, d. h. jene Energie, die das ausgelöste Elektron benötigt, um den Weg vom Orte der Auslösung durch die Oberfläche hindurch ins Vakuum zurückzulegen, m_e die Masse des Elektrons und v seine Geschwindigkeit im Vakuum. Der äußere Photoeffekt findet seine Anwendung in der *Photozelle* (Abb. 3). Als lichtempfindliche Photokathode, die sich zumeist in einem evakuierten Glaskolben befindet, kann eine auf einer oxidierten Silberunterlage aufgedampfte, sehr dünne Cäsiumschicht dienen. Die Photoelektronen werden von der an einer positiven Spannung (Batterie) liegenden Anode „abgesaugt". Dadurch entsteht ein der Lichtintensität proportionaler elektrischer Strom im Außenkreis.

Der innere Photoeffekt wird im Photowiderstand und im Photoelement ausgenutzt. Der *Photowiderstand* (Abb. 4) ist ein elektrischer Widerstand, dessen Widerstandswert von der Lichteinstrahlung abhängt (je stärker die Lichteinstrahlung, desto geringer der Widerstandswert). Als photoleitendes (bei Lichteinstrahlung leitendes) Material verwendet man Cadmiumsulfid (CdS), Bleisulfid (PbS), Bleiselenid (PbSe) u. a., denen geringe Beimengungen anderer Stoffe zur Steigerung der Lichtempfindlichkeit zugegeben werden. Der Hellwiderstand üblicher Photowiderstände (bei einer Beleuchtungsstärke von 1 000 Lux) liegt meist zwischen 100 Ω und 2 kΩ, der Dunkelwiderstand zwischen 1 MΩ und 100 MΩ.

Findet der innere Photoeffekt im Verarmungsbereich des als Sperrschicht wirkenden p-n-Überganges eines Halbleiters (s. S. 50) oder an der Grenzfläche Halbleiter/Metall statt, so tritt eine selbständige photoelektrische Spannung auf, die sich äquivalent der Differenz der Spannungsabfälle in Sperr- und Flußrichtung erweist. Dieser Effekt wird in *Photoelementen (Sperrschichtphotozellen)* ausgenutzt, wobei die Lichtenergie in elektrische Energie umgewandelt wird. Abb. 5 zeigt den Aufbau eines *Selenphotoelements,* bei dem sich zwischen der Selenschicht und der Cadmiumoxidschicht (CdO) eine Sperrschicht ausgebildet hat. Die durch Lichteinstrahlung freigesetzten Elektronen wandern in den neutralen (raumladungsfreien) Bereich der Cadmiumoxidschicht, die im Valenzstand zurückbleibenden „Löcher" (Defektelektronen) in den neutralen Bereich der Selenschicht. Zwischen beiden Bereichen bildet sich eine elektrische Spannung aus, die sich zwischen Grundplatte und Abdeckring abgreifen läßt (bis zu 0,3 Volt) und in einem äußeren Leiterkreis einen Stromfluß bewirkt. Da die spektrale Empfindlichkeit von Selenphotoelementen stark der des menschlichen Auges ähnelt, werden diese Photoelemente u. a. als Belichtungsmesser verwendet.

Ein anderer Typ sind die *Siliciumphotoelemente.* Sie bestehen aus einem p-leitenden Siliciumeinkristall, in den eine n-leitende Zone eindotiert wurde (vgl. S. 50). Auch hier bildet sich eine Sperrschicht aus, wobei der sperrschichtfreie Bereich der n-Zone bei Lichteinstrahlung als negativer Pol des Photoelements, der sperrschichtfreie Bereich der p-Zone als positiver Pol wirkt (Abb. 6). Siliciumphotoelemente liefern Spannungen bis zu 0,6 Volt und dienen u. a. als Solarzellen zur Gewinnung elektrischer Energie in sogenannten Solarbatterien.

Die *Photodiode* ist eine in Sperrichtung vorgespannte spezielle Halbleiterflächendiode, die ihre elektrischen Eigenschaften bei Belichtung der p-n-Übergangsschicht stark ändert; z. B. wird der elektrische Strom in Sperrichtung wesentlich vergrößert, da infolge inneren Photoeffekts zusätzliche Ladungsträgerpaare in der Schicht erzeugt werden. Die Photodioden werden als empfindliche Photowiderstände, z. B. zu Lichtmeß- und Lichtsteuerungszwecken, verwendet. In geschlossenen Stromkreisen ohne Spannungsquelle wirken Photodioden als Photoelemente.

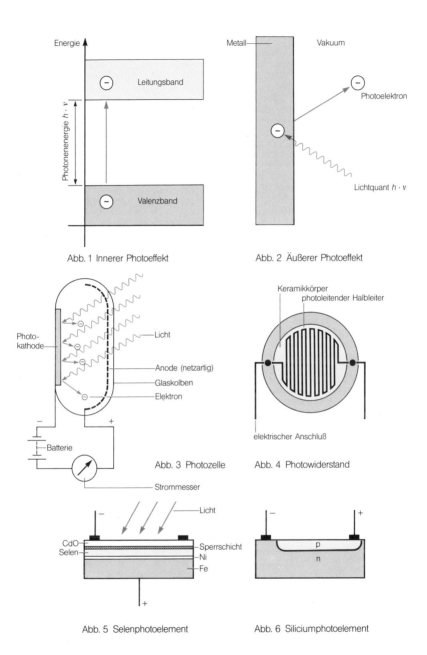

Energie

Leitungsband

Photonenenergie $h \cdot \nu$

Valenzband

Abb. 1 Innerer Photoeffekt

Metall   Vakuum

Photoelektron

Lichtquant $h \cdot \nu$

Abb. 2 Äußerer Photoeffekt

Photo-
kathode

Licht

Anode (netzartig)

Glaskolben

Elektron

Batterie

Abb. 3 Photozelle

Strommesser

Keramikkörper
photoleitender Halbleiter

elektrischer Anschluß

Abb. 4 Photowiderstand

Licht

CdO
Selen

Sperrschicht
Ni
Fe

Abb. 5 Selenphotoelement

Licht

p
n

Abb. 6 Siliciumphotoelement

Braunsche Röhre

Die Braunsche Röhre ist eine nach ihrem Erfinder K. F. Braun benannte Elektronenstrahlröhre. Sie besteht aus der sog. Elektronenkanone mit Strahlerzeugungs- und Strahlbündelungssystem, aus dem Strahlablenksystem und dem Leuchtschirm in einem evakuierten Glaskolben. Die aus der Kathode austretenden Elektronen werden zu einem feinen Strahl gebündelt und beschleunigt. Die Stelle, an der der Strahl auf dem Schirm auftrifft, leuchtet auf. Der Strahl kann in waagrechter und senkrechter Richtung abgelenkt werden. Mit Hilfe des nahezu trägheitslos steuerbaren Elektronenstrahls lassen sich die exakten zeitlichen Verläufe von Spannungen und Strömen auf dem Schirm sichtbar machen, z. B. bei der Oszilloskopröhre (Abb. 1). Man kann den Elektronenstrahl auch zeilenweise so ablenken und in seiner Intensität bzw. Helligkeit so steuern, daß auf dem Schirm bewegte Bilder entstehen, z. B. bei der Fernsehbildröhre.

Das *Strahlerzeugungssystem* besteht aus der Elektronen emittierenden Kathode, die vom Wehnelt-Zylinder mit einer Lochblende auf der Stirnseite umgeben ist. Die negative Betriebsspannung am Wehnelt-Zylinder steuert die Intensität des Elektronenstrahls. Vor dem Wehnelt-Zylinder befindet sich eine kreisförmige Beschleunigungselektrode, an der eine gegenüber der Kathode positive Spannung liegt. Sie „saugt" Elektronen von der Kathode ab und bildet einen noch wenig gebündelten Elektronenstrahl. Ein System aus elektrostatischen Linsen (*Elektronenoptik* genannt) in Form metallischer Hohlzylinder (Fokussierelektroden) auf unterschiedlichem Potential fokussiert die Elektronen zu einem äußerst feinen Strahl.

Die *Strahlablenkung* erfolgt elektrostatisch, z. B. bei der Oszilloskopröhre, oder elektromagnetisch, z. B. bei der Fernsehbildröhre. Das stets im Innern des Glaskolbens befindende elektrostatische Ablenksystem besteht aus einem Paar waagrecht angeordneter Platten (Y-Ablenkplatten) zur Vertikalablenkung und einem senkrechten Plattenpaar (X-Ablenkplatten) zur Horizontalablenkung (beim Oszilloskop die Zeitablenkung). Der negative Elektronenstrahl wird zur jeweils positiven Platte hin abgelenkt. Für die elektrostatische Ablenkung ist fast keine Leistung erforderlich. Sie arbeitet daher äußerst schnell, d. h. erlaubt höchste Ablenkfrequenzen; da jedoch nur verhältnismäßig kleine Ablenkwinkel möglich sind, haben Oszilloskopröhren im Ver-

hältnis zur Schirmdiagonalen eine große Baulänge. Bei der Fernsehbildröhre benötigt man wegen der Größe des Bildschirms relativ große Ablenkwinkel (z. B. 110°, gemessen in der Bilddiagonalen) bei verhältnismäßig geringen Ablenkfrequenzen. Diese Forderung erfüllt die elektromagnetische Ablenkeinheit (Abb. 2 a). Sie besteht aus je einem Paar von Sattelspulen (Abb. 2 b) zur Horizontalablenkung und Toroidspulen (Abb. 2 c) zur Vertikalablenkung.

Die *Leuchtstoffschicht* befindet sich auf der Innenseite der Schirmfläche. Ihre chemische Zusammensetzung bestimmt u. a. Leuchtfarbe und Nachleuchtdauer. Die als gebündelter Strahl auf den Leuchtschirm auftreffenden Elektronen müssen wieder abfließen. Entstehende Sekundärelektronen fliegen zur leitfähigen Innenbeschichtung (z. B. aus Graphit), die auf einem hohen positiven Potential liegt; Fernsehbildröhren weisen deshalb einen Hochspannungsanschluß auf dem Röhrenkonus auf. Moderne Bildröhren besitzen eine dünne Aluminiumschicht auf der Leuchtstoffschicht. Die Metallschicht läßt die Elektronen leicht abfließen und wirkt gleichzeitig als Spiegel, indem sie das Licht der Leuchtstoffe nach außen abstrahlt. Der Bildschirm der Oszilloskopröhre ist außen mit einem Linienraster versehen, um das Ablesen der Meßwerte zu erleichtern.

Schwarzweißbildröhren und Einstrahl-Oszilloskope haben nur ein Strahlerzeugungssystem. Farbbildröhren enthalten dagegen drei Systeme für die Farben Rot, Grün und Blau und – unmittelbar vor der Leuchtschicht – zusätzlich eine Schattenmaske. Bei der Deltaröhre mit Lochmaske bilden die Strahlsysteme ein Dreieck (Abb. 3), bei der In-Line-Schlitzmaskenröhre liegen sie nebeneinander (Abb. 4). Die Leuchtschicht besteht entweder aus senkrechten Streifentripeln oder aus Mustern aus im Dreieck angeordneten Punktetripeln, wobei die Streifen oder Punkte beim Auftreffen des Elektronenstrahls in den Farben Rot, Grün bzw. Blau aufleuchten. Jedem Tripel ist in der Schattenmaske genau eine Öffnung (Schlitz oder Loch) zugeordnet, durch die gleichzeitig drei Elektronenstrahlbündel unter leicht verschiedenen Winkeln hindurchgehen. Bei übereinstimmender Intensität der einzelnen Elektronenstrahlen entstehen die unbunten Farben Schwarz, Grau und Weiß, bei unterschiedlichen Strahlintensitäten alle bunten Farben.

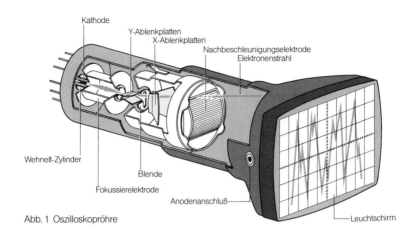

Kathode
Y-Ablenkplatten
X-Ablenkplatten
Nachbeschleunigungselektrode
Elektronenstrahl

Wehnelt-Zylinder
Blende
Fokussierelektrode
Anodenanschluß
Leuchtschirm

Abb. 1 Oszilloskopröhre

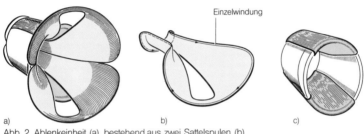

Einzelwindung

a)   b)   c)

Abb. 2 Ablenkeinheit (a), bestehend aus zwei Sattelspulen (b)
und zwei Toroidspulen (c)

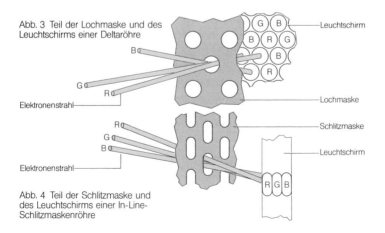

Abb. 3 Teil der Lochmaske und des
Leuchtschirms einer Deltaröhre

Leuchtschirm

B
G
R
Elektronenstrahl

Lochmaske

R
G
B
Elektronenstrahl

Schlitzmaske

Leuchtschirm

Abb. 4 Teil der Schlitzmaske und
des Leuchtschirms einer In-Line-
Schlitzmaskenröhre

61

Flüssigkristall- und Leuchtdiodenanzeige

Zur Digitalanzeige (Ziffernanzeige) der Uhrzeit bei elektronischen Uhren, zur Anzeige von Rechendaten bei Taschen- und Tischrechnern sowie von Meßdaten bei vielen modernen Meßgeräten werden zwei Methoden angewandt: die *Flüssigkristallanzeige* mit Hilfe sogenannter flüssiger Kristalle (Flüssigkristalle), nach der englischen Bezeichnung *Liquid Crystal Display* auch *LCD-Anzeige* genannt, und die *Leuchtdiodenanzeige* mit Hilfe von Elektrolumineszenzdioden, nach der englischen Bezeichnung *Light Emitting Diodes* für die dabei verwendeten lichtemittierenden Halbleiterdioden auch *LED-Anzeige* genannt.

Flüssigkristallanzeige: Die Digitalanzeige durch elektrisch beeinflußte Flüssigkristallanzeigeelemente (LCD) erfolgt v. a. mit Hilfe verdrillter Schichten *nematischer Flüssigkristalle* (Abb. 1), das sind organische Verbindungen im flüssigen Aggregatzustand, deren langgestreckte, stab- oder lattenförmigen Moleküle innerhalb kleinerer oder größerer Bereiche mit ihren Längsachsen parallel ausgerichtet sind, wobei sie jedoch in Richtung dieser Achse beliebig gegeneinander verschoben und um diese Achse gegeneinander verdreht sein können. Die Flüssigkristalle befinden sich dabei in Zellen, die aus zwei planparallelen, seitlich hermetisch verschmolzenen Glasplättchen im Abstand von etwa $^1/_{100}$ mm bestehen (Abb. 2). Die inneren Oberflächen der Glasplatten sind ganz oder teilweise mit durchsichtigen Dünnschichtelektroden (z. B. aus Zinndioxid) versehen und außerdem so behandelt, daß die Flüssigkristallmoleküle an den Oberflächen feste, gegen diese leicht geneigte Vorzugsorientierungen einnehmen, die ihrerseits einen Winkel von 90° miteinander bilden. Dadurch wird bewirkt, daß sich die Vorzugsorientierungen der Flüssigkristallmoleküle in der Schicht kontinuierlich von einer Platte zur anderen drehen und sich eine verdrillte Struktur ausbildet. Bei Anlegen einer elektrischen Spannung an die Elektroden entsteht in dieser *nematischen Drehzelle* dort, wo sich die Elektrodenflächen beider Glasplatten überdekken, ein senkrecht zu den Platten gerichtetes elektrisches Feld, das die Moleküle in Feldrichtung dreht; aus dem feldorientierten Zustand kehren sie nach Abschalten der Spannung in die verdrillte Struktur zurück. Da der Flüssigkristall sowohl im verdrillten Zustand als auch im feldorientierten Zustand vollkommen transparent ist, wird mit Hilfe von Polarisatoren, die in Form von Polarisationsfolien auf jeder Seite der Zelle aufgeklebt sind, der feldorientierte Zustand durch Lichtabsorption sichtbar gemacht. Farbige Anzeigen erhält man mit Hilfe farbiger Polarisatoren, gefärbter Reflektoren oder Farbfilter. Die Flüssigkristallanzeige zeichnet sich durch niedrige Ansteuerspannungen (einige Volt) und geringen Leistungsbedarf (einige Millionstel Watt pro cm^2 angesteuerte Fläche) aus. Für die Ziffernanzeige sind die Elektroden so gestaltet, daß sich Gruppen von je sieben balkenartigen Segmenten ergeben, die jeweils in Form einer stilisierten Acht angeordnet sind (Abb. 3). Indem die elektrische Spannung an alle oder einen Teil der Segmente angelegt wird, können alle Ziffern von Null bis Neun dargestellt werden.

Leuchtdiodenanzeige: Bei dieser vor allem in Taschen- und Tischrechnern angewendeten Leuchtanzeige wird die Erzeugung von Licht im p-n-Übergang geeigneter Halbleiterdioden (s. S. 52) beim Stromdurchgang ausgenutzt (Abb. 4). Diese auch als *Elektrolumineszenz* bezeichnete direkte Umwandlung von elektrischer Energie in Lichtenergie kommt dadurch zustande, daß in einer lichtemittierenden Diode *(LED)* bei Anlegen einer elektrischen Spannung in Durchlaßrichtung Elektronen aus dem n-Gebiet und Löcher aus dem p-Gebiet den p-n-Übergang überschwemmen (Abb. 5), dort miteinander rekombinieren (d. h. die Elektronen füllen die Löcher im Valenzband auf) und dabei die bei dieser Vereinigung freiwerdende Energie als Lichtquanten abstrahlen. Die Farbe des abgestrahlten Lichts hängt vom verwendeten Halbleiterwerkstoff und dem Dotiermaterial ab (Abb. 6). Während mit Stickstoff (N) dotiertes Galliumphosphid, GaP(N), beispielsweise grüngelbes Licht emittiert, ergibt Leuchtdiodenmaterial aus Galliumarsenphosphid, GaAsP, eines rotes Licht. Zur Erhöhung des Kontrastes zur Umgebung werden LEDs häufig in einem Gießharz der Farbe eingegossen, die ihrer Lichtfarbe entspricht.

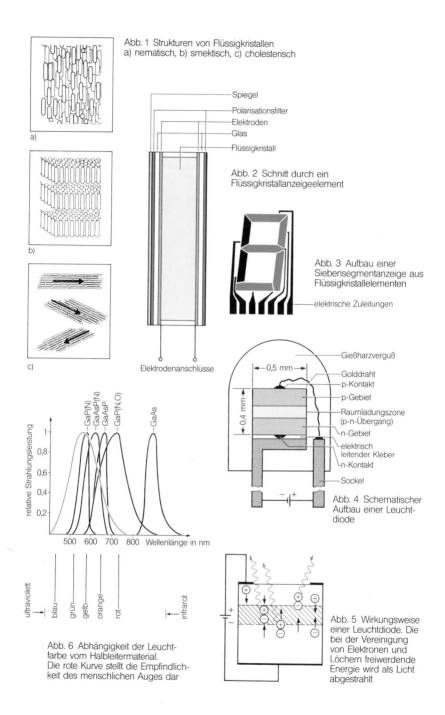

Abb. 1 Strukturen von Flüssigkristallen
a) nematisch, b) smektisch, c) cholesterisch

a)

b)

c)

Spiegel
Polarisationsfilter
Elektroden
Glas
Flüssigkristall

Abb. 2 Schnitt durch ein Flüssigkristallanzeigeelement

Abb. 3 Aufbau einer Siebensegmentanzeige aus Flüssigkristallelementen

elektrische Zuleitungen

Elektrodenanschlüsse

relative Strahlungsleistung

1
0,8
0,6
0,4
0,2

GaP(N)
GaAsP(N)
GaAsP
GaP(N,O)
GaAs

500   600   700   800   Wellenlänge in nm

ultraviolett
blau
grün
gelb
orange
rot
infrarot

Abb. 6 Abhängigkeit der Leuchtfarbe vom Halbleitermaterial. Die rote Kurve stellt die Empfindlichkeit des menschlichen Auges dar

Gießharzverguß
Golddraht
p-Kontakt
p-Gebiet
Raumladungszone (p-n-Übergang)
n-Gebiet
elektrisch leitender Kleber
n-Kontakt
Sockel

0,5 mm
0,4 mm

Abb. 4 Schematischer Aufbau einer Leuchtdiode

Abb. 5 Wirkungsweise einer Leuchtdiode. Die bei der Vereinigung von Elektronen und Löchern freiwerdende Energie wird als Licht abgestrahlt

Digitaltechnik

Die Digitaltechnik ist ein modernes Teilgebiet der Informationsverarbeitung und Elektronik, das die Erfassung, Darstellung und Speicherung digitaler Signale sowie die Umwandlung von analogen in digitale Signale mit geeigneten elektronischen Bauelementen, Funktionseinheiten und Geräten umfaßt.

Analoge Signale stellen eine sich stetig verändernde Größe (z. B. den Schalldruck eines Tones) durch eine sich in gleicher Weise stetig ändernde Größe (z. B. elektrische Wechselspannung) dar. *Digitale Signale* können hingegen nur bestimmte (diskrete) Werte annehmen, z. B. die Werte 0 und 1 bzw. „Spannung" oder „keine Spannung".

Die großen Fortschritte bei der Herstellung elektronischer Bauelemente, insbesondere hoch- und höchstintegrierter Schaltungen, ermöglichten zunehmend die Anwendung der *Pulscodemodulation* (PCM) in der Nachrichtentechnik und in der Elektronik, vor allem auch in der Unterhaltungselektronik, z. B. bei der Bildplatte und bei der digitalen Schallplatte (Compact Disc; vgl. S. 206). Bei der Pulscodemodulation werden die zu verarbeitenden Signale (z. B. Töne) nicht in Form von Schwingungen dargestellt bzw. aufgezeichnet, sondern in Form von aus mehreren Bits bestehenden Dualzahlen (binären Zahlen; vgl. S. 134), die als Ergebnis der Abtastung des Schwingungsvorgangs gewonnen werden (Abb. 1).

Die Abtastung erfolgt meist mit einer sogenannten *Sample-and-hold-Schaltung* (Abtast-und-Halte-Schaltung), die in regelmäßigen, sehr kurzen Zeitabständen Merkmale der analogen Eingangsgröße (z. B. Spannungswerte einer elektrischen Schwingung) registriert. Das bei der Abtastung entstehende Signal wird dann durch eine weitere elektronische Funktionseinheit, den *Analog-Digital-Wandler* (A-D-Wandler) in eine digitale Ausgangsgröße umgewandelt (Abb. 2). Die Abtastung des analogen, in seiner Bandbreite begrenzten Signals und dessen Zerlegung bzw. Zusammenstellung mit Hilfe digitaler Daten muß nach Überlegungen des amerikanischen Informationstheoretikers Claude Shannon mit einer Zerlegungsfrequenz erfolgen, die mindestens doppelt so groß ist wie die größte im Signal vorhandene Frequenz: Für Musik, deren Frequenzbereich zwischen 20 und 20000 Hertz liegt, benötigt man also mindestens 40000 Abtastungen pro Sekunde. Für die Compact Disc (vgl. S. 206) wird das Signal z. B. 44100mal pro Sekunde abgetastet, und somit werden ebenso viele Werte pro Sekunde gespeichert.

Die notwendige Annäherung an den Schwingungsvorgang erfordert eine feine Abstufung der bei der Abtastung gewonnenen Meßwerte und damit relativ lange Bitfolgen (Wortlängen). So können bei einer Wortlänge von 4 Bit Schwingungsvorgänge nur auf etwa 7 % wiedergegeben werden. In Abb. 1 ist die Digitalisierung eines analogen Signals mit einer Wortlänge von 3 Bit dargestellt, so daß bei einer Messung eine Abstufung von $2^3 = 8$ Werten zur Verfügung steht. Bei digitalen Schallplatten verwendet man daher meist Wortlängen mit 16 Bit, wodurch mindestens $2^{16} = 65\,536$ unterschiedliche Abstufungen pro Meßwert codiert werden können. Die Abweichung vom ursprünglich analogen Schallsignal ist dann äußerst gering. Zugleich ergibt sich ein großer Abstand von aufgezeichnetem Signal und Störgeräuschen und damit eine fast rauschfreie Wiedergewinnung des Signals. – Mit der Pulscodemodulation ist es außerdem möglich, Übertragungsfehler bei Signalübertragungen zu erkennen, zu verdecken oder zu korrigieren. Fehlerhafte Werte können von der Signalverarbeitung ausgeschlossen und durch den Mittelwert benachbarter korrekter Werte ersetzt werden.

Die Übertragung und Verarbeitung pulscodemodulierter Signale erfordert allerdings Kanäle, deren Bandbreite je nach Qualitätsanforderung zehn- bis 1000fach größer ist als bei den herkömmlichen Verfahren. So erfordert ein 3100 Hertz breiter Fernsprechkanal 64 kBit (Kilobit) je Sekunde, ein Fernsehkanal mit 5 Megahertz Breite 140 MBit (Megabit) je Sekunde (vgl. auch S. 188).

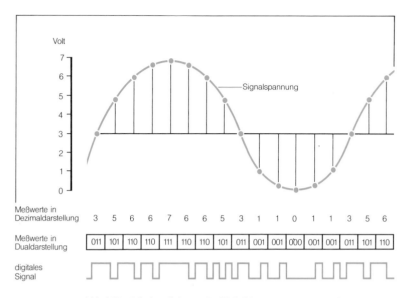

Meßwerte in Dezimaldarstellung	3	5	6	6	7	6	6	5	3	1	1	0	1	1	3	5	6
Meßwerte in Dualdarstellung	011	101	110	110	111	110	110	101	011	001	001	000	001	001	011	101	110

digitales Signal

Abb. 1 Vereinfachtes Schema der Digitalisierung von analogen Signalen durch Abtasten der Signalspannung

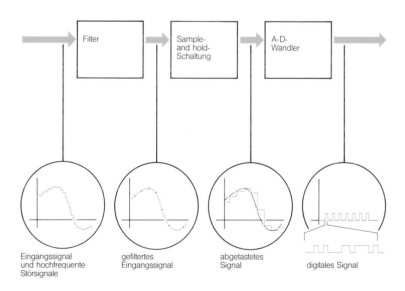

Eingangssignal und hochfrequente Störsignale

gefiltertes Eingangssignal

abgetastetes Signal

digitales Signal

Abb. 2 Schaltungselemente bei der Digitalisierung

Periodensystem der chemischen Elemente I

Das Periodensystem der chemischen Elemente (Abkürzung PSE) stellt eine systematische Anordnung der chemischen Elemente in einer Tafel dar, der die Gesetzmäßigkeiten des atomaren Aufbaus der Elemente und die davon abhängigen physikalischen und chemischen Eigenschaften zugrunde liegen.

Eine gewisse Periodizität in den Eigenschaften der chemischen Elemente wurde schon 1817 von J. W. Döbereiner erkannt. Aber erst 1869 schlugen D. I. Mendelejew und J. L. Meyer (unabhängig voneinander) umfassende Periodensysteme vor. Das System Mendelejews, in dem Plätze für damals noch nicht entdeckte Elemente freigehalten wurden, gilt mit einigen Verbesserungen und Ergänzungen bis heute.

Die Einordnung der Elemente in das PSE erfolgt einerseits nach steigender Ordnungszahl (Zahl der Protonen im Atomkern der Atome eines Elements) und andererseits nach der Anordnung der durch die Anzahl der Protonen bedingten Elektronen in der Atom- oder Elektronenhülle, die sich schalenartig in meist auch energiemäßig voneinander getrennten *Elektronenschalen* um den Atomkern gruppieren und die chemischen und physikalischen Eigenschaften eines Elements bestimmen. Das PSE gliedert sich in *Perioden (Reihen)* und *Gruppen (Spalten)*. In den Gruppen sind (bedingt durch ähnliche Elektronenanordnung) Elemente mit weitgehend gleichen chemischen Eigenschaften zusammengefaßt. Das Atomgewicht nimmt dabei in jeder Gruppe von oben nach unten zu. Man unterscheidet zwischen Hauptgruppen (a) und Nebengruppen (b), wobei v. a. die Hauptgruppen nach ihren charakteristischen Vertretern besondere Namen tragen. In der ersten Hauptgruppe stehen die Alkalimetalle (Lithium, Natrium, Kalium, Rubidium, Cäsium und Francium), in der zweiten Hauptgruppe die Erdalkalimetalle (Beryllium, Magnesium, Calcium, Strontium, Barium, Radium), die dritte Hauptgruppe wird als Borgruppe bezeichnet, die vierte als Kohlenstoffgruppe, die fünfte als Stickstoffgruppe, die Elemente der sechsten Hauptgruppe sind die Chalkogene („Erzbildner"), die siebente Hauptgruppe umfaßt die Halogene („Salzbildner"), die achte die Edelgase.

Aufbau der Elektronenschalen: Das am einfachsten gebaute Atom, das Wasserstoffatom, besteht im elektrisch neutralen Zustand aus einem Proton, das von einem Elektron umkreist wird. Dieses Elektron befindet sich im Grundzustand in der 1. Schale (auch K-Schale genannt). Die Atome des Heliums als nächstfolgendes Element mit zwei Protonen in den Atomkernen haben zwei Elektronen, die sich ebenfalls in der K-Schale befinden. Mit diesen zwei Elektronen ist die K-Schale bereits gefüllt und die erste Periode abgeschlossen, es beginnt beim Lithium (mit der Ordnungszahl 3) der Aufbau der 2. Schale (L-Schale), wobei vom Lithium zum Neon fortschreitend jeweils ein Elektron mehr in der L-Schale angeordnet wird. Beim Neon ist auch die bis zu 8 Elektronen aufnehmende L-Schale gefüllt.

Jede Schale kann maximal $2n^2$ Elektronen aufnehmen (n = Nummer der Schale), so daß die 1. Schale nach 2, die 2. nach 8, die 3. nach 18, die 4. nach 32 Elektronen ihr maximales Fassungsvermögen erreicht haben. Bei der 5., 6. und 7. Schale wird das mögliche Elektronenaufnahmevermögen nicht mehr voll ausgenutzt. Nach dem Ausbau der 2. Schale beim Edelgas Neon beginnt mit dem Alkalimetall Natrium (Ordnungszahl 11) der Ausbau der 3. Schale (M-Schale), der beim Edelgas Argon mit acht Elektronen ein vorläufiges Ende findet. Das auf das Argon folgende Alkalimetall Kalium (Ordnungszahl 19) beginnt den Ausbau der 4. Schale (N-Schale), der jedoch nach dem Element Calcium unterbrochen wird. In den folgenden zehn Nebengruppenelementen (Scandium bis Zink) wird – bei theoretisch gleichbleibender, in Wirklichkeit jedoch wegen Umbesetzungen schwankender Elektronenanordnung der äußersten Schale – die 3. Schale auf 18 Elektronen aufgefüllt. Erst bei den auf das Zink folgenden Hauptgruppenelementen Gallium bis Krypton wird die 4. Schale weiter mit Elektronen aufgefüllt, bis beim Edelgas Krypton mit 8 Außenelektronen wieder eine mit chemischer Inaktivität verbundene *Edelgaskonfiguration* erreicht ist. Die 4. Periode umfaßt somit insgesamt 18 Elemente (8 Hauptgruppenelemente und 10 Nebengruppenelemente).

PERIODENSYSTEM DER CHEMISCHEN ELEMENTE

(angegeben Ordnungszahl, Elementsymbol, Name, Atomgewicht sowie in kursiver Schrift die Anzahl der Elektronen in den jeweils im Aufbau befindlichen Schalen; Nebengruppenelemente 1. und 2. Art rot schraffiert)

Periode	aufgebaute Schalen	Gruppe I (a / b)	Gruppe II (a / b)	Gruppe III (a / b)	Gruppe IV (a / b)	Gruppe V (a / b)	Gruppe VI (a / b)	Gruppe VII (a / b)	Gruppe VIII (b)	Gruppe 0 (Gruppe VIII a)
1	1. (K)	1 H Wasserstoff 1,008								2 He Helium 4,003
2	2. (L)	3 Li Lithium 6,940	4 Be Beryllium 9,013	5 B Bor 10,82	6 C Kohlenstoff 12,011	7 N Stickstoff 14,006	8 O Sauerstoff 16,000	9 F Fluor 19,00		10 Ne Neon 20,183
3	3. (M)	11 Na Natrium 22,990	12 Mg Magnesium 24,32	13 Al Aluminium 26,982	14 Si Silicium 28,09	15 P Phosphor 30,975	16 S Schwefel 32,066	17 Cl Chlor 35,457		18 Ar Argon 39,944
4	3. (M), 4. (N)	a: 19 K Kalium 39,100 · b: 29 Cu Kupfer 63,540	a: 20 Ca Calcium 40,08 · b: 30 Zn Zink 65,38	b: 21 Sc Scandium 44,96 · a: 31 Ga Gallium 69,72	b: 22 Ti Titan 47,90 · a: 32 Ge Germanium 72,60	b: 23 V Vanadin 50,95 · a: 33 As Arsen 74,91	b: 24 Cr Chrom 52,01 · a: 34 Se Selen 78,96	b: 25 Mn Mangan 54,94 · a: 35 Br Brom 79,916	26 Fe Eisen 55,85 · 27 Co Kobalt 58,94 · 28 Ni Nickel 58,71	36 Kr Krypton 83,80
5	4. (N), 5. (O)	a: 37 Rb Rubidium 85,48 · b: 47 Ag Silber 107,880	a: 38 Sr Strontium 87,63 · b: 48 Cd Cadmium 112,41	b: 39 Y Yttrium 88,92 · a: 49 In Indium 114,82	b: 40 Zr Zirkonium 91,22 · a: 50 Sn Zinn 118,70	b: 41 Nb Niob 92,91 · a: 51 Sb Antimon 121,76	b: 42 Mo Molybdän 95,95 · a: 52 Te Tellur 127,61	b: 43 Tc Technetium (99) · a: 53 J Jod 126,91	44 Ru Ruthenium 101,1 · 45 Rh Rhodium 102,91 · 46 Pd Palladium 106,4	54 Xe Xenon 131,30
6	5. (O), 6. (P)	a: 55 Cs Cäsium 132,91 · b: 79 Au Gold 197,00	a: 56 Ba Barium 137,36 · b: 80 Hg Quecksilber 200,61	b: 57 La* Lanthan 138,92 · a: 81 Tl Thallium 204,39	b: 72 Hf Hafnium 178,50 · a: 82 Pb Blei 207,21	b: 73 Ta Tantal 180,95 · a: 83 Bi Wismut 209,00	b: 74 W Wolfram 183,86 · a: 84 Po Polonium (210)	b: 75 Re Rhenium 186,22 · a: 85 At Astat [210]	76 Os Osmium 190,2 · 77 Ir Iridium 192,2 · 78 Pt Platin 195,09	86 Rn Radon [222]
7	6. (P), 7. (Q)	87 Fr Francium [223]	88 Ra Radium [226,05]	89 Ac** Actinium [227]	104 Kurtschatovium (Rutherfordium)	105 Hahnium (Nielsbohrium)	106	107	108 · 109	

*) Lanthanoide (Nebengruppe zweiter Art)

aufgebaute Schalen														
O / P / N	58 Ce Cer 140,13	59 Pr Praseodym 140,92	60 Nd Neodym 144,27	61 Pm Promethium (147)	62 Sm Samarium 150,35	63 Eu Europium 152,0	64 Gd Gadolinium 157,26	65 Tb Terbium 158,93	66 Dy Dysprosium 162,51	67 Ho Holmium 164,94	68 Er Erbium 167,27	69 Tm Thulium 168,94	70 Yb Ytterbium 173,04	71 Lu Lutetium 174,99

**) Actinoide (Nebengruppe zweiter Art)

aufgebaute Schalen														
P / Q / O	90 Th Thorium 232,05	91 Pa Protactinium [231]	92 U Uran 238,07	93 Np Neptunium [237]	94 Pu Plutonium (242)	95 Am Americium [243]	96 Cm Curium [247]	97 Bk Berkelium [247]	98 Cf Californium (249)	99 Es Einsteinium [254]	100 Fm Fermium [253]	101 Md Mendelevium [256]	102 No Nobelium (254)	103 Lr Lawrencium (257)

Periodensystem der chemischen Elemente II

Der gleiche Vorgang wie in der 4. Periode tritt auch in der 5. Periode beim Aufbau der 5. Schale (O-Schale) auf. Auch hier wird nach den zwei Anfangselementen (Rubidium und Strontium) eine Reihe von zehn Nebengruppenelementen (Yttrium bis Cadmium) eingeschoben, die die 4. Schale auf 18 (von 32 möglichen) Elektronen auffüllen. Auch die 5. Periode umfaßt dadurch 18 Elemente.

In der 6. Periode beginnt zunächst mit den Elementen Cäsium und Barium der Aufbau der 6. Schale (P-Schale), das darauffolgende Lanthan beginnt den Ausbau der 5. Schale. Die auf das Lanthan folgenden 14 Elemente (Cer bis Lutetium), die als *Lanthanoide* bezeichnet werden, vollenden jedoch erst den Aufbau der 4. Schale bis zum maximalen Fassungsvermögen von 32 Elektronen. Beim Element Hafnium (Ordnungszahl 72) setzt sich der Aufbau der 5. Schale fort. Beim Element Quecksilber (Ordnungszahl 80) einen vorläufigen Abschluß erreicht. Bei den Hauptgruppenelementen Thallium bis Radon erfolgt der Ausbau der 6. Schale auf acht Elektronen. Die 6. Periode umfaßt somit 32 Elemente (8 Hauptgruppenelemente, 10 Nebengruppenelemente und 14 Lanthanoide). Der Verlauf des Elektronenschalenaufbaus der 7. Periode (7. Schale, Q-Schale) entspricht dem der 6. Schale. Die hier nach dem Actinium (Ordnungszahl 89) folgenden 14 Elemente, die den Ausbau der 5. Schale auf 32 Elektronen besorgen (Thorium bis Lawrencium), werden als *Actinoide* bezeichnet.

Von den im PSE angeführten chemischen Elementen kommen 93 Elemente in der Natur vor, wobei sich allerdings einige Isotope der Elemente 93 (Neptunium) und 94 (Plutonium) aus Uran durch Neutroneneinfangprozesse sowie anschließenden Betazerfall lediglich in sehr geringen Mengen bilden. Die Elemente mit den Ordnungszahlen 95 bis 109 sowie das Element 43 (Technetium) sind ausschließlich durch Kernreaktionen künstlich darstellbar. Von den Elementen mit Ordnungszahlen über 100 konnten auf diese Weise zum Teil nur wenige Atome hergestellt werden. – Die Elemente mit Ordnungszahlen über 92 werden als *Transurane* bezeichnet. Sie sind sämtlich radioaktiv und zerfallen rasch.

Durch den sich stetig in gesetzmäßiger Reihenfolge wiederholenden Aufbau der Elektronenschalen sind auch die physikalischen und chemischen Gesetzmäßigkeiten des Periodensystems bestimmt. Grundlage aller chemischen Reaktionen der Atome eines Elements ist das Bestreben, durch die Bildung von Verbindungen die energetisch begünstigten Achterschalen zu erreichen, wie sie bei den Edelgasen vorliegt und deren chemische Reaktionsträgheit begründet. Zur Erlangung dieser Achterschalen können die Atome entweder Elektronen in ihre Schale aufnehmen, abgeben oder Elektronen gemeinsam mit anderen Atomen besitzen.

Die Elemente der 1., 2. und 3. Hauptgruppe des Periodensystems besitzen jeweils ein, zwei oder drei Elektronen in ihren Außenschalen. Durch Abgabe dieser Elektronen und Bildung ein- bis dreiwertiger positiver Ionen sind sie befähigt, die Achterschale des jeweils vorangehenden Edelgases zu erreichen. Die Atome des Natriums erreichen durch Abgabe ihres einen Außenelektrons z.B. die Achterschale des Neons (unter Bildung positiver Natriumionen), die Atome des Calciums durch Abgabe ihrer zwei Außenelektronen die Achterschale des Argons unter Bildung zweiwertig positiver Calciumionen. Die Atome der Elemente der 6. bis 7. Hauptgruppe können durch Aufnahme von Elektronen anderer Atome die Achterschale des nächstfolgenden Edelgases erreichen unter Bildung ein- bis zweiwertig negativ geladener Ionen. Die Atome des Chlors gehen z.B. unter Aufnahme eines Elektrons in die Achterschale des Argons über (unter Bildung einwertig negativer Chlorionen), die Atome des Selens erreichen durch die Aufnahme von zwei Elektronen die Achterschale des Kryptons (unter Bildung zweiwertig negativ geladener Selenionen). Bei den Elementen der 4. und 5. Hauptgruppe werden keine Ionen gebildet; diese Elemente erreichen ihre Achterschalen durch gemeinsamen Besitz der Elektronen anderer Elemente.

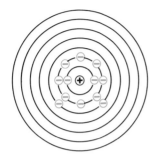

Anordnung der Elektronen beim Magnesium

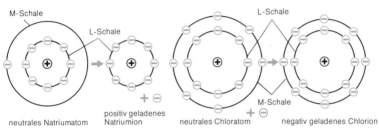

M-Schale

L-Schale

neutrales Natriumatom

positiv geladenes Natriumion

L-Schale

M-Schale

neutrales Chloratom

negativ geladenes Chlorion

Elemente der 1. bis 3. Hauptgruppe erreichen die Achterschale durch Abgabe ihrer Valenzelektronen (unter Bildung positiv geladener Ionen)

Elemente der 6. bis 7. Hauptgruppe erreichen die Achterschale durch Aufnahme von Elektronen in ihrer Außenschale (unter Bildung negativ geladener Ionen)

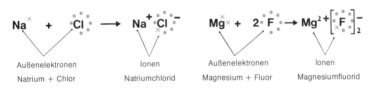

Außenelektronen

Ionen

Außenelektronen

Ionen

Natrium + Chlor

Natriumchlorid

Magnesium + Fluor

Magnesiumfluorid

Beispiele aus Ionen aufgebauter Verbindungen, entstanden durch Elektronenabgabe bzw. -aufnahme der beteiligten Atome

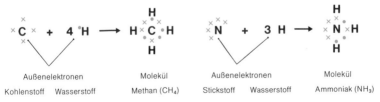

Außenelektronen

Molekül

Außenelektronen

Molekül

Kohlenstoff Wasserstoff

Methan (CH_4)

Stickstoff Wasserstoff

Ammoniak (NH_3)

Beispiele aus Atomen aufgebauter Verbindungen, entstanden durch gemeinsame Benutzung von Außenelektronen der beteiligten Atome

Periodensystem der chemischen Elemente III

Die Reaktionsfähigkeit der Elemente einer Hauptgruppe nimmt in den vorderen Gruppen von oben nach unten zu, in den hinteren Gruppen dagegen ab: Durch die zunehmende Anzahl der Elektronenschalen in ihren Atomen und den wachsenden Atomradius wird die Anziehungskraft des Atomkerns, die auf die äußeren, an chemischen Reaktionen teilnehmenden Elektronen wirkt und sie an ihn bindet, immer schwächer. Dadurch werden sie nach unten zu in den vorderen Gruppen leichter abgegeben, in den hinteren Gruppen hingegen weniger stark von den Atomen aufgenommen. Die reaktionsfähigsten Elemente befinden sich in der 1. Hauptgruppe des Periodensystems (Alkalimetalle), da hier nur ein relativ lockeres Außenelektron vorhanden ist. Innerhalb einer Periode nimmt die Reaktionsfähigkeit zunächst bis etwa zur 4. Gruppe ab, steigt dann jedoch wieder von der 5. bis zur 7. Gruppe an, da deren Atome in immer stärkerem Maße dazu neigen, Elektronen aufzunehmen und dadurch ihre Achterschale aufzufüllen. Der Atomradius nimmt innerhalb einer Periode ab, da die zunehmende Anzahl der Außenelektronen und die wachsende Kernladungszahl durch gegenseitige Anziehungskräfte eine Verkleinerung des Atoms bewirken. Verbunden mit der abnehmenden Neigung der Elemente innerhalb einer Periode zur Bildung positiver Ionen ist auch ein gesetzmäßiger Übergang vom Metall zum Nichtmetall. In jeder Periode steht am Anfang ein Metall, in den mittleren Gruppen befinden sich die sogenannten Halbmetalle, die sich je nach Reaktionsbedingungen metallisch oder nichtmetallisch verhalten können, am Ende einer jeden Periode steht ein Nichtmetall. Innerhalb der Gruppen nimmt der metallische Charakter der Elemente von oben nach unten zu, da mit wachsendem Atomradius die Anziehungskräfte auf die Außenelektronen nachlassen und die Neigung zur Elektronenabgabe in das Kristallgitter steigt (diese Elektronen stehen dann als sogenannte *Leitungselektronen* für die elektrische Leitung zur Verfügung).

Durch die Anzahl der Außenelektronen ist auch die Wertigkeit der Elemente festgelegt. Gegenüber dem einwertigen Wasserstoff nimmt sie von der 1. bis zur 4. Hauptgruppe zu, dann von der 5. bis zur 7. Hauptgruppe wieder ab. Sie wird durch die Zahl der Wasserstoffatome in den zugehörigen Hydriden (z. B. in der zweiten Periode: LiH, BeH$_2$, BH$_3$, CH$_4$, NH$_3$, OH$_2$, FH) gegeben. Die Wertigkeit gegenüber dem zweiwertigen Sauerstoff nimmt innerhalb einer Periode zu (z. B. dritte Periode: Na$_2$O, MgO, Al$_2$O$_3$, SiO$_2$, P$_2$O$_5$, SO$_3$, Cl$_2$O$_7$).

Die Neigung zur Bildung von Wasserstoffverbindungen nimmt innerhalb einer Periode zu (verursacht durch die Neigung des Wasserstoffs zur Elektronenabgabe und die Neigung der Elemente der 5. bis 7. Hauptgruppe zur Elektronenaufnahme), die Neigung zur Bildung von Sauerstoffverbindungen nimmt innerhalb einer Periode ab (verursacht durch die Neigung des Sauerstoffs zur Elektronenaufnahme). Innerhalb einer Gruppe nimmt dagegen die Neigung zur Bildung von Wasserstoffverbindungen ab, die Neigung zur Bildung von Sauerstoffverbindungen zu. Je weiter zwei Elemente im PSE voneinander entfernt sind, um so größer ist ihre Neigung zur Bildung von Verbindungen mit Ionencharakter (durch Elektronenaufnahme des einen und Elektronenabgabe des anderen Elements), daher besitzen die Verbindungen der Elemente der 1. bzw. 2. Hauptgruppe mit den Elementen der 6. bzw. 7. Hauptgruppe des PSE überwiegend Ionencharakter, d. h., sie bilden Salze, deren Kristalle aus positiven Metallionen (Kationen) und negativen Nichtmetallionen (Anionen) bestehen, die sogenannten Ionenkristalle.

Da hier die auch als *Übergangselemente* oder *-metalle* bezeichneten Elemente der Nebengruppen nicht die äußersten Elektronenschalen, sondern (bei gleichbleibender Außenschale) weiter innen liegende Schalen aufgefüllt werden, zeigen diese Elemente untereinander große physikalische und chemische Übereinstimmung (ausschließlich Metalle, Neigung zur Bildung positiver Ionen). Diese Übereinstimmung gilt v. a. für die Lanthanoide und Actinoide, da bei ihnen nur die drittäußersten Schalen aufgefüllt werden.

	I. Gruppe	II. Gruppe	III. Gruppe	IV. Gruppe	V. Gruppe	VI. Gruppe	VII. Gruppe	VIII. Gruppe
1. Periode	Wasserstoff H							Helium He
2. Periode	Lithium Li	Beryllium Be	Bor B	Kohlenstoff C	Stickstoff N	Sauerstoff O	Fluor F	Neon Ne
3. Periode	Natrium Na	Magnesium Mg	Aluminium Al	Silicium Si	Phosphor P	Schwefel S	Chlor Cl	Argon Ar
4. Periode	Kalium K	Calcium Ca	Gallium Ga	Germanium Ge	Arsen As	Selen Se	Brom Br	Krypton Kr
5. Periode	Rubidium Rb	Strontium Sr	Indium In	Zinn Sn	Antimon Sb	Tellur Te	Jod J	Xenon Xe
6. Periode	Cäsium Cs	Barium Ba	Thallium Tl	Blei Pb	Wismut Bi	Polonium Po	Astat At	Radon Rn
7. Periode	Francium Fr	Radium Ra						

Verteilung von Metallen (rot schraffiert), Halbmetallen (schwarz schraffiert) und Nichtmetallen (weiß) innerhalb der Hauptgruppen des Periodensystems

Gesetzmäßigkeit von Atomradius und Reaktionsfähigkeit innerhalb der Hauptgruppen des Periodensystems (ohne Edelgase)

Neigung zur Bildung positiver oder negativer Ionen innerhalb des Periodensystems (ohne Edelgase)

Systematik der Wasserstoffverbindungen (ohne Edelgase)

Systematik der Sauerstoffverbindungen (ohne Edelgase)

71

Chemische Formeln und chemische Reaktionsgleichungen

Um die chemische Zusammensetzung von Molekülen und den Verlauf chemischer Reaktionen kurz und unmißverständlich ausdrücken zu können, wurde eine international gültige Schreibweise geschaffen. Jedes chemische Element wird dabei mit einem eigenen Symbol belegt (ein oder zwei Buchstaben), wobei sich die Symbole meist von dem lateinischen Namen der einzelnen Elemente herleiten (Abb. 1).

Bei der Darstellung chemischer Verbindungen werden die Elementsymbole der am Aufbau der Verbindung beteiligten Elemente ohne Interpunktion aneinandergereiht, wobei die Anzahl der Atome eines bestimmten chemischen Elements in einer Verbindung durch eine tiefgestellte arabische Ziffer (hinter dem chemischen Symbol) angegeben wird (Abb. 2). Man gelangt auf diese Weise zur *Brutto-* oder *Summenformel,* die nur über die Mengenverhältnisse der an der Verbindung beteiligten Elemente Auskunft gibt, über die Art der chemischen Bindung unter den einzelnen Atomen jedoch nichts aussagt.

Besteht ein Molekül aus einer größeren Anzahl verschiedener Elemente, so bilden diese meist Gruppen mit stärkerer Zusammengehörigkeit; diese Gruppen tragen oft eine elektropositive oder elektronegative Ladung. Die Kurzzeichen der Gruppen werden in der chemischen Formel gewöhnlich direkt nacheinander und in einer bestimmten Reihenfolge angegeben. Ist eine Gruppe in einem Molekül mehrfach vorhanden, so erscheint sie in runder Klammer, rechts unten nach der Klammer wird in arabischen Ziffern die Zahl ihrer Häufigkeit angegeben (Abb. 3).

Chemisch verwandte Stoffe sind vielfach nach einem einheitlichen Formeltypus gebaut. So lautet die allgemeine Formel für Basen (Laugen) $M_m(OH)_n$, wobei M das den Laugen zugrunde liegende Metall, OH die für Laugen charakteristische Hydroxylgruppe bedeutet, die in wäßriger Lösung als negatives Hydroxidion (OH^-) abdissoziiert; die Buchstaben m und n stehen für die Häufigkeit der Anteile. Oft werden durch weitere Zeichen Angaben über die Bindung zwischen Elementgruppen, über deren Wertigkeit und über die Verteilung der positiven und negativen Ladung innerhalb des Moleküls gemacht. Bei komplizierter gebauten Molekülen werden zur leichteren Übersicht stabile Komplexe in eckigen Klammern zusammengefaßt; die Anzahl dieser Komplexe kann ebenfalls durch tiefgestellte arabi-

sche Ziffern angegeben werden. Wertigkeiten eines Atoms oder Moleküls werden durch hochgestellte arabische oder römische Ziffern angezeigt. Auch für die Reihenfolge der Elemente oder Gruppen innerhalb eines Moleküls bestehen bestimmte Vorschriften. So stellt man z. B. die positiv geladenen Atome oder Gruppen meist voran (Abb. 4).

Man unterscheidet in der Chemie zwei große Gruppen von Verbindungen: diejenigen der *anorganischen Chemie* (z. B. Salze, Minerale) und diejenigen der *organischen Chemie* (z. B. Fette, Eiweiße, Kohlenhydrate). Die Verbindungen der anorganischen Chemie sind wesentlich einfacher gebaut als diejenigen der organischen Chemie. Dementsprechend ist die Zahl der Verbindungen der anorganischen Chemie mit etwa 60 000 wesentlich geringer als die der organischen Verbindungen (über 6 Millionen). Allen organischen Verbindungen liegt ein Skelett von Kohlenstoffatomen zugrunde, an das bestimmte Elemente oder Gruppen von Atomen gebunden sind. Dabei ist es entscheidend, wie die einzelnen Bausteine zusammengefügt sind, ob das Kohlenstoffgerüst z. B. kettenförmig (acyclisch) oder ringförmig (cyclisch) gebaut ist, und an welchen Stellen des Moleküls weitere Verzweigungen hängen. Zwei Moleküle mit gleicher Bruttoformel können in ganz verschiedenen Strukturen auftreten, man spricht hier von *Isomeren* mit gleicher Bruttoformel. Während es in der anorganischen Chemie meist genügt, zur Beschreibung eines Moleküls die Bruttoformel anzugeben, wird in der organischen Chemie vor allem die *Strukturformel (Konstitutionsformel)* angegeben, d. h. eine Formel, die symbolhaft Aufschluß über die Verknüpfung der Atome und Gruppen gibt. Je nach Bedarf kann sie mehr oder weniger vereinfacht wiedergegeben werden. Abb. 5 zeigt die Möglichkeit der Isomerie anhand der relativ einfachen Bruttoformel C_5H_{12}.

In Abb. 6 sind vier Beispiele für einfache chemische Reaktionsgleichungen dargestellt. Die chemischen Gleichungen bestehen stets aus zwei quantitativ gleichwertigen Seiten, die durch einen den Reaktionsablauf anzeigenden Richtungspfeil (gelegentlich auch durch ein Gleichheitszeichen) getrennt sind. Auf beiden Seiten einer solchen Gleichung müssen die gleiche Anzahl und die gleichen Arten von Atomen vorliegen.

Abb. 1
Kurzzeichen einiger Elemente:

Wasserstoff (Hydrogenium) = H
Kohlenstoff (Carboneum) = C
Sauerstoff (Oxygenium) = O
Stickstoff (Nitrogenium) = N
Natrium (Natrium) = Na

Abb. 2
Schreibung chem. Formeln:

1 Atom H + 1 Atom Cl = HCl
(Salzsäure)
2 Atome H + 1 Atom O = H_2O
(Wasser)
1 Atom C + 2 Atome O = CO_2
(Kohlendioxid)

Abb. 3

Verbindung	Gruppen	richtig	falsch
Bittersalz	Mg^{++} + SO_4^{--}	$MgSO_4$	$SMgO_4, O_4MgS$
Soda	$2Na^+$ + CO_3^{--}	Na_2CO_3	CNa_2O_3, O_3Na_2C
Ammonsalpeter	NH_4^+ + NO_3^-	NH_4NO_3	$NNH_4O_3, O_3N_2H_4,$
Ammonium-carbonat	$2NH_4^+$ + CO_3^{--}	$(NH_4)_2CO_3$	$C(NH_4)_2O_3, O_3(NH_4)_2C$

Abb. 4
Beispiel für eine komplizierte Formel:

$[Na_2 Fe_3^{II} Fe_2^{III} (OH)_2]^{6+} [Si_8O_{22}]^{6-}$, eine Hornblende (Riebeckit), bestehend aus einem positiv geladenen Komplex mit zwei- und dreiwertigem Eisen und einem negativ geladenen Komplex.

Abb. 5 Mögliche Strukturen der Summenformel C_5H_{12}:

```
H H H H H   Strukturformel = CH₃–CH₂–CH₂–CH₂–CH₃
HC–C–C–C–CH  vereinfacht    = CH₃–(CH₂)₃–CH₃
H H H H H
```

Pentan (n–Pentan)

= CH_3–CH_2–CH$\langle \begin{smallmatrix} CH_3 \\ CH_3 \end{smallmatrix}$

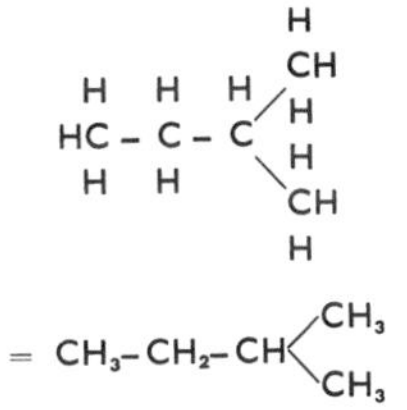

2-Methyl-butan

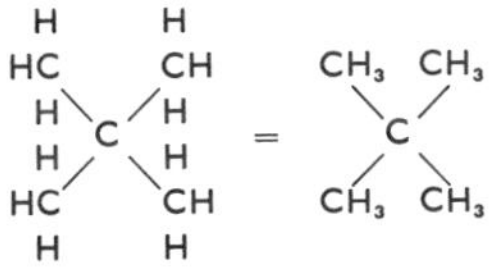

2,2-Dimethyl-propan

Abb. 6 Schreibung chemischer Reaktionsgleichungen:

NaOH + HCl → NaCl + H_2O (→ zeigt Reaktionsrichtung)
Natronlauge Salzsäure Kochsalz Wasser

2K + $2H_2O$ → 2KOH + ↑H_2 (↑ Reaktionsprodukt entweicht gasförmig)
Kalium Wasser Kalilauge

$Ca(OH)_2$ + CO_2 → $CaCO_3$↓ + H_2O (↓ Reaktionsprodukt fällt aus)
Calciumhydroxid Kohlendioxid Kalk

H_2 + J_2 ⇄ 2HJ (⇄ Reaktion ist umkehrbar)
Wasserstoff Jod Jodwasserstoff

Extraktion, Filtration, Destillation

Extraktion, Filtration und Destillation sind drei Grundverfahren zur Trennung von Substanzgemischen. Die *Extraktion* beruht darauf, daß aus Substanzgemischen durch ein Lösungsmittel *(Extraktionsmittel)* bestimmte Bestandteile selektiv herausgelöst werden, die sich dann durch Entfernen des Lösungsmittels isolieren lassen. Je nachdem, ob feste oder flüssige Substanzgemische vorliegen, unterscheidet man die *Fest-flüssig-Extraktion* und die *Flüssig-flüssig-Extraktion.* Einfache, diskontinuierliche Extraktionsverfahren beruhen darauf, daß man das Lösungsmittel mit dem Extraktionsgut in einem Gefäß in Kontakt bringt und dabei den Extraktionseffekt durch Schütteln oder Rühren bzw. durch Erhöhen der Temperatur erhöht (Ausschütteln, Auslaugen, Auskochen, Digerieren). Eine Intensivierung des Extraktionsprozesses erreicht man im Laboratorium im sog. *Soxhlet-Extraktionsapparat* (Abb. 1). Er besteht aus drei miteinander verbundenen Teilen: dem Destillationskolben mit dem Lösungsmittel, dem eigentlichen Extraktionsteil, in dem sich der zu extrahierende Stoff in einer Extraktionshülse (meist aus Papier) befindet, und dem Rückflußkühler. Wird das Lösungsmittel erhitzt, so steigen die Dämpfe über das Dampfrohr in den Kühler; das kondensierte Lösungsmittel tropft von dort in die Extraktionshülse, extrahiert die zu lösenden Stoffe und fließt durch ein Rohr in den Destillationskolben zurück. Da aus dem Kolben nur reines Lösungsmittel verdampft, reichern sich die gelösten Substanzen im Destillationskolben an. Im technischen Maßstab wird die Extraktion dadurch intensiviert, daß man möglichst viele Extraktionsstufen hintereinanderschaltet und das Extraktionsgut mit dem Lösungsmittel im Gegenstrom behandelt. Ein Beispiel für eine technische Anlage ist die in Abb. 2 gezeigte Batteriegegenstromextraktion.

Bei der *Filtration* werden aus festen und flüssigen Stoffen bestehende Substanzgemische durch Aufgeben auf eine poröse Schicht *(Filter)*, die nur die Flüssigkeiten hindurchläßt, in ihre festen und flüssigen Bestandteile (den *Filterkuchen* und das *Filtrat)* getrennt. Die treibende physikalische Kraft bei der Filtration ist der durch das Gewicht der über dem Filter stehenden Flüssigkeitssäule hervorgerufene Druckunterschied zwischen Zulauf- und Ablaufseite des Filters; er kann durch Pressen auf der Zulaufseite oder Anlegen von Unterdruck an der Ablaufseite *(Druck-* bzw.

Vakuumfiltration) oder auch durch Zentrifugieren verstärkt werden. Feststoffe mit einem größeren Durchmesser als die Poren des Filtermaterials werden durch *Oberflächenfiltration* (Siebwirkung) zurückgehalten; *Tiefenfiltration* liegt dann vor, wenn kleinere Feststoffteile an den Porenwänden festgehalten werden und durch Porenverengung erst das Filtermaterial ausbilden. Im Laboratorium werden für einfache Filtrationen meist in Glastrichter eingelegte Papierfilter oder (für Vakuumfiltration) aus porösem Glas, Quarz oder Porzellan bestehende Filter *(Nutschen, Filtertiegel)* verwendet. Als Filtermaterialien in der Technik dienen Siebe und Gewebe aus Metall, Natur- und Kunstfasern, Papier, Filz und Leder, ferner lose Schichten aus Kies, Sand, Sägemehl usw. Als Beispiel für einen technischen Filterapparat ist in Abb. 3 das Prinzip eines für die Wasserreinigung verwendeten Schnellfilters dargestellt.

Die *Destillation* ist ein thermisches Trennverfahren, das darauf beruht, daß eine Substanz durch Verdampfen und anschließendes Kondensieren (Wiederverflüssigen) aus einem Gemisch entfernt werden kann; durch die Destillation lassen sich leichter verdampfende von weniger leicht verdampfenden Stoffen trennen. Der durch Kondensieren erhaltene Anteil wird *Destillat,* der nicht verdampfende Anteil *Destillationsrückstand* genannt. Voraussetzung für eine gute Trennung der Substanzen durch Destillation ist, daß die Siedepunkte der Komponenten weit genug auseinanderliegen; haben die Substanzen sehr ähnliche Siedepunkte, so ist eine exakte Trennung der Komponenten nur durch mehrmalige Destillation *(Rektifikation)* bzw. durch Destillieren über eine Trennsäule *(Rektifizierkolonne)* möglich. Komplizierte Substanzgemische werden meist nur in Destillate mit bestimmten Siedebereichen *(Fraktionen)* zerlegt. Das Prinzip eines im Laboratorium verwendeten Destillationsapparats ist in Abb. 4, das Prinzip einer in der Technik verwendeten Destillationsanlage in Abb. 5 dargestellt.

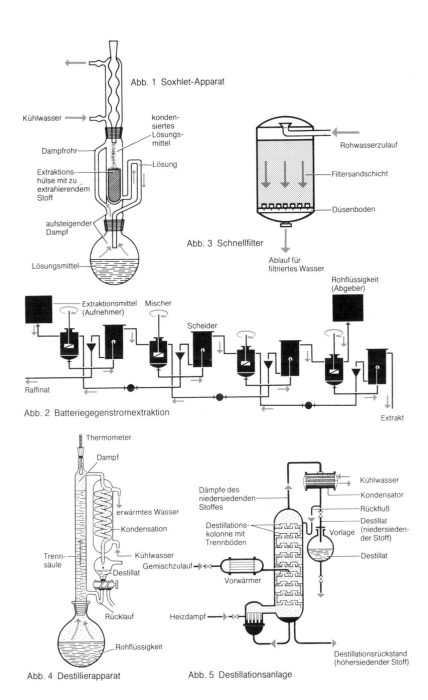

Abb. 1 Soxhlet-Apparat

Kühlwasser

kondensiertes Lösungsmittel

Dampfrohr

Lösung

Extraktionshülse mit zu extrahierendem Stoff

aufsteigender Dampf

Lösungsmittel

Rohwasserzulauf

Filtersandschicht

Düsenboden

Abb. 3 Schnellfilter

Ablauf für filtriertes Wasser

Rohflüssigkeit (Abgeber)

Extraktionsmittel (Aufnehmer)

Mischer

Scheider

Raffinat

Abb. 2 Batteriegegenstromextraktion

Extrakt

Thermometer

Dampf

erwärmtes Wasser

Kondensation

Trennsäule

Kühlwasser

Destillat

Gemischzulauf

Rücklauf

Rohflüssigkeit

Abb. 4 Destillierapparat

Dämpfe des niedersiedenden Stoffes

Destillationskolonne mit Trennböden

Vorwärmer

Heizdampf

Kühlwasser

Kondensator

Rückfluß

Destillat (niedersiedender Stoff)

Vorlage

Destillat

Destillationsrückstand (höhersiedender Stoff)

Abb. 5 Destillationsanlage

Temperaturmeßgeräte

1. Beim gewöhnlichen *Thermometer* wird die Eigenschaft der Stoffe, sich bei Temperaturerhöhung auszudehnen bzw. bei Temperaturerniedrigung zusammenzuziehen, ausgenützt. Diese Eigenschaft weisen die meisten gasförmigen, festen und flüssigen Stoffe auf.

Das gebräuchlichste Thermometer ist das *Quecksilberthermometer*. Es besteht aus einem Kapillarröhrchen (Röhrchen mit sehr kleinem Durchmesser), das am oberen Ende zugeschmolzen, am unteren Ende aber kugel- oder zylinderförmig erweitert ist; diese Erweiterung ist mit Quecksilber gefüllt. Bei Erwärmung dehnt sich das Quecksilber aus und kann nur in die enge Kapillare ausweichen. Eine kleine Volumenvergrößerung bei Erwärmung hat daher schon einen merklichen Anstieg in der Kapillare zur Folge. Zur Eichung des Thermometers benutzt man zwei *Fixpunkte*. Der untere ist der Gefrierpunkt, der obere der Siedepunkt des Wassers bei dem Normaldruck von 1013,25 mbar (= 1013,25 hPa). Die Differenz der Höhe der Quecksilbersäule zwischen diesen beiden Punkten teilt man nach Celsius in 100 Teile und nennt einen Teil 1 °C. Unterhalb und oberhalb dieser Punkte trägt man die Grade in gleichen Abständen weiter auf. Andere Gradeinteilungen sind die nach Reaumur in 80 Teile (unterer Fixpunkt 0 °R, oberer Fixpunkt 80 °R; heute kaum noch gebräuchlich) und die nach Fahrenheit in 180 Teile, wobei hier der Gefrierpunkt des Wassers bei 32 °F und sein Siedepunkt bei 212 °F liegt. Die Fahrenheit-Skala ist vor allem in angelsächsischen Ländern in Gebrauch.

Bei Thermometern, die vorwiegend zur Messung von Temperaturen weit unter 0 °C verwendet werden, kann man Quecksilber als Füllung nicht benutzen, da dieses schon bei −39 °C erstarrt. Man füllt sie deshalb mit gefärbtem Alkohol, der einen wesentlich tieferen Gefrierpunkt hat. Die niedrigste Temperatur ist der sog. absolute Nullpunkt. Er liegt bei −273,15 °C oder 0 K (0 Kelvin).

2. *Thermoelement:* Lötet man zwei Drähte aus unterschiedlichen Metallegierungen (z. B. Kupfer und Konstantan oder Kupfer und Eisen) an ihren beiden Enden zusammen und hält eine Lötstelle auf konstanter Temperatur, während man die andere Lötstelle erwärmt (Abb. 2a), so entsteht zwischen den beiden Stellen eine thermoelektrische Spannung, die um so größer ist, je mehr sich die Temperaturen der Lötstellen unterscheiden, je größer also die Temperaturdifferenz zwischen den Lötstellen ist; diese Anordnung nennt man ein Thermoelement. Die entstandene Spannung kann an einem Voltmesser abgelesen werden (Abb. 2b). Nach Eichung des Instrumentes kann ein Thermoelement zur Messung der Temperatur verwendet werden (die Eichung geschieht dadurch, daß man die Höhe der Spannung bei einer bekannten Temperaturdifferenz feststellt). Da die Spannung an einem Thermoelement nur wenige Millivolt beträgt, schaltet man mehrere Elemente hintereinander (Abb. 3). So entsteht eine *Thermosäule* (Lötstellen abwechselnd warm und kalt).

3. Bei einem *Widerstandsthermometer* (Abb. 4) wird die Eigenschaft der meisten Metalle ausgenützt, bei höheren Temperaturen den Strom weniger gut zu leiten als bei niedrigeren, d. h. ihren Widerstand bei Temperaturzunahme zu erhöhen, und zwar in guter Näherung proportional zur Temperaturzunahme. Der Meßwiderstand eines Widerstandsthermometers besteht aus Platin- oder Nickeldraht und ist so bemessen, daß er bei 0 °C einen Widerstand von 100 Ohm hat. Damit seine von der Temperatur abhängigen veränderlichen Widerstandswerte gemessen werden können, muß an das Widerstandsthermometer eine Hilfsspannung angelegt werden. Zur Messung dient z. B. ein Kreuzspulinstrument. Sein Meßwerk spricht auf das Verhältnis der Ströme in den beiden Spulen an. Während der Strom in der einen Spule durch einen temperaturunabhängigen Widerstand konstant gehalten wird, wird der Strom in der anderen Spule vom Widerstand des Drahtes bestimmt, der der Temperatur ausgesetzt ist. Schwankungen der Spannung des Hilfsstromes beeinflussen die Meßgenauigkeit nicht, da ihnen beide Spulen gleichermaßen ausgesetzt sind.

4. *Bimetallthermometer* bestehen aus zwei aufeinandergelöteten Blechstreifen aus verschiedenen Metallen, die sich bei gleicher Erwärmung verschieden stark ausdehnen. Abb. 5 zeigt die Funktionsweise eines Meßgerätes mit einer Bimetallspirale, die sich bei Erwärmung krümmt. Ein Gerät dieser Art wird vorher geeicht, indem man den Zeigerausschlag bei einer bekannten Temperatur feststellt und an der Skala anschribt.

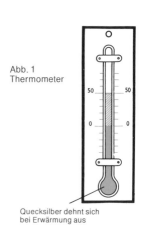

Abb. 1
Thermometer

Quecksilber dehnt sich
bei Erwärmung aus

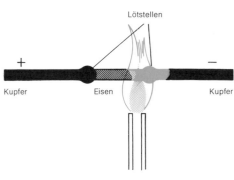

Lötstellen

+ Kupfer Eisen Kupfer −

Abb. 2a Thermoelement

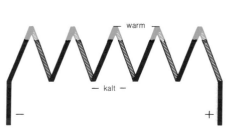

warm

− kalt −

−   +

Abb. 3 Thermosäule

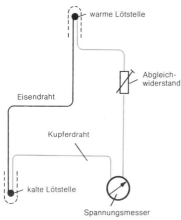

warme Lötstelle

Abgleich-
widerstand

Eisendraht

Kupferdraht

kalte Lötstelle

Spannungsmesser

Abb. 2b Schaltung zur Temperatur-
messung mit Thermoelementen

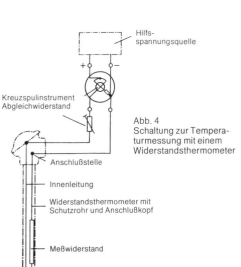

Hilfs-
spannungsquelle

+   −

Kreuzspulinstrument
Abgleichwiderstand

Abb. 4
Schaltung zur Tempera-
turmessung mit einem
Widerstandsthermometer

Anschlußstelle

Innenleitung

Widerstandsthermometer mit
Schutzrohr und Anschlußkopf

Meßwiderstand

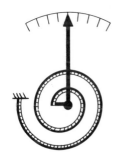

Abb. 5 Bimetallspirale als Thermometer

77

Thermostat

Thermostate oder *Temperaturregler* sind Vorrichtungen, die eine gewünschte Temperatur auf konstanter Höhe halten. Sie erreichen das mit Hilfe eines sog. Temperaturfühlers, der die Abweichung von der gewünschten Temperatur „erfühlt" und Informationen darüber an ein Organ weitergibt, das die Schwankung ausgleicht. Als Temperaturfühler finden u.a. mit Flüssigkeit gefüllte Rohre, Bimetallstreifen oder Federbälge Verwendung.

Das einfachste Gerät ist der *unmittelbar* wirkende Thermostat: Er nutzt die Tatsache aus, daß sich fast alle Flüssigkeiten ausdehnen, wenn sie erwärmt werden (Abb. 1). Der Thermostat selbst besteht aus einem Rohr, das mit einer Flüssigkeit gefüllt ist, die sich bei Erwärmung besonders stark ausdehnt (Abb. 2). Die Verbindung zum Steuerkörper des Ventils in einer Heizrohrleitung wird z. B. durch ein Kapillarrohr hergestellt, das ebenfalls mit Flüssigkeit gefüllt ist. Wird nun die Luft- und damit die Raumtemperatur höher als gewünscht, so dehnt sich die Flüssigkeit im Fühler aus, überwindet die Gegenkraft einer Feder am Ventil und drosselt oder schließt dieses. Hierdurch wird der Strom des Heizmittels verringert und damit auch die Wärmeabgabe. Dadurch sinkt nach einiger Zeit die Raumtemperatur, so daß sich die Flüssigkeit wieder abkühlt und zusammenzieht. Dies hat zur Folge, daß die Federkraft am Ventil wieder größer als der Druck der Flüssigkeit wird und das Ventil sich wieder öffnet. So wird die Raumtemperatur innerhalb kleiner Grenzen konstant gehalten. Die gewünschte absolute Größe der Raumtemperatur stellt man an einer Skala ein, die beim Hersteller geeicht wurde. Durch Drehung der Schraube an der Reguliervorrichtung wird die Feder am Ventil durch die Flüssigkeit mehr oder weniger zusammengedrückt und demzufolge das Ventil mehr oder weniger geöffnet. Hierdurch wird die Durchflußmenge des Heizmittels größer oder kleiner, die Raumtemperatur stellt sich höher oder niedriger ein.

Einen anderen Typ stellen die *mittelbar* wirkenden Thermostate dar, die zur Übertragung des Impulses, der zur Temperaturveränderung führt, Hilfsenergie (etwa elektrischen Strom oder Druckluft) benötigen. Bei diesen Geräten betätigt der Fühler einen Kontakt, d. h., er schließt einen Stromkreis (Abb. 3); dadurch werden die Regelorgane der Heizung betätigt (ein Ventil wird z. B. durch einen Elektromagneten geöffnet oder geschlossen).

Verwendet man beispielsweise den oben beschriebenen, mit Flüssigkeit gefüllten Ausdehnungsfühler, so schließt die sich bei steigender Temperatur ausdehnende Flüssigkeit den Kontakt; das Ventil erhält dann durch den elektrischen Strom den Befehl zum Schließen. Bei Abkühlung läuft der Vorgang entsprechend gegenläufig ab. Wenn dann die eingestellte Mindesttemperatur erreicht ist, die Flüssigkeit sich also bis zu einem gewissen Grad zusammengezogen hat, wird der Stromkreis geöffnet, so daß der Elektromagnet das Ventil nicht mehr in der Schließstellung festhalten kann und dem Heizmittel der Weg freigegeben wird.

Als Temperaturfühler verwendet man neben den mit Flüssigkeit gefüllten Fühlern sog. Bimetallfühler (Abb. 4a). Das sind zusammengefügte dünne Streifen zweier verschiedener Metalle, die sich bei Erwärmung verschieden stark ausdehnen; an einem Ende ist ein solcher Bimetallstreifen befestigt. Steigt nun die Temperatur, so dehnt sich ein Metall stark, das andere nur schwach aus. Damit krümmt sich der Bimetallstreifen und kann mit seinem freien Ende den Kontakt betätigen (Abb. 4b).

Die dritte Art der Fühler sind sogenannte Balgfühler, das sind Bälge, die mit einer leicht verdampfenden Flüssigkeit oder mit einem Gas gefüllt sind (Abb. 4c). Steigt hier die Temperatur, so führt die Volumenvergrößerung der Balgfüllung zu einer Ausdehnung des Balgs, wodurch ein Kontakt betätigt wird. Bei sinkender Temperatur zieht sich der aus federndem Material gefertigte Balg infolge der Volumenverkleinerung seiner Füllung wieder zusammen, wodurch der Kontakt wieder geöffnet und/oder ein anderer Kontakt geschlossen wird.

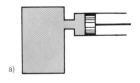 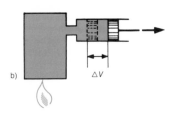

a) b) $\triangle V$

Abb. 1 Grundlage der Thermostatsteuerung:
Zunahme des Volumens V einer Flüssigkeitsmenge
um den Betrag $\triangle V$ bei Erwärmung.

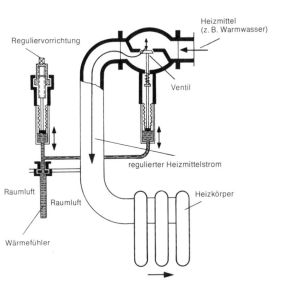

Reguliervorrichtung

Heizmittel
(z. B. Warmwasser)

Ventil

regulierter Heizmittelstrom

Raumluft

Raumluft

Heizkörper

Wärmefühler

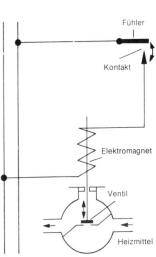

Fühler

Kontakt

Elektromagnet

Ventil

Heizmittel

Abb. 2 Thermostat für eine Raumheizung
(unmittelbare Wirkung)

Abb. 3 Schema eines mittelbar
wirkenden Thermostaten

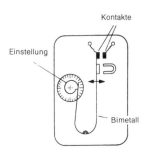

Kontakte

Einstellung

Bimetall

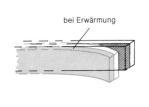

bei Erwärmung

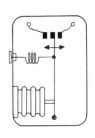

Abb. 4 a Bimetallfühler

Abb. 4 b Prinzip des Bimetallstreifens

Abb. 4 c Balgfühler

Druckmessung I

Als *Druck* bezeichnet man den Quotienten aus dem Betrag F einer senkrecht und gleichmäßig auf eine Fläche wirkenden Kraft F, der sog. *Druckkraft* (gemessen in Newton), und der Größe A dieser Fläche: $p = F/A$. Er wird in Bar (bar), N/m² oder Pascal (Pa) gemessen (1 bar = 10^5 N/m² = 10^5 Pa), gelegentlich auch noch in den nicht mehr gesetzlichen Einheiten Atmosphäre (atm), Torr und Millimeter Quecksilbersäule (mm Hg) bzw. Wassersäule (mm WS). Die zur Messung des Druckes, insbes. des von einem Gas oder einer Flüssigkeit auf die Wand eines Gefäßes ausgeübten Druckes, verwendeten Geräte bezeichnet man allgemein als *Manometer*. Für die Praxis ist es ausreichend, den Unterschied zwischen dem Druck eines Gases oder einer Flüssigkeit und dem atmosphärischen Druck, auch Bezugsdruck genannt, zu kennen. Der gemessene Unterschied wird als relativer Druck bezeichnet. Den absoluten Druck – bezogen auf das absolute Vakuum – erhält man, wenn man bei Überdruckmessungen den gemessenen Druck und den Bezugsdruck addiert, bei Unterdruckmessungen den gemessenen Druck vom Bezugsdruck subtrahiert. Die Zusammenhänge veranschaulicht Abb. 1.

Das im Aufbau einfachste Druckmeßgerät ist das *U-Rohr-Manometer* (Abb. 2). Es kann entweder als beidseitig offenes Rohr (a) oder als Vakuummeßgerät (b) mit einseitig abgeschlossenem und bis auf den Dampfdruck der Sperrflüssigkeit evakuiertem Schenkel verwendet werden. Bei Über- oder Unterdruckmessungen mit Form a wirkt der atmosphärische Druck als Bezugsdruck p_b auf den einen, der zu messende Druck p auf den anderen Schenkel. Der Höhenunterschied H (mm Sperrflüssigkeitssäule) ist direkt proportional der zu messenden Druckdifferenz: $H = (p - p_b)/\gamma_s$, wobei γ_s das spezifische Gewicht der Sperrflüssigkeit ist. Bei Differenzdruckmessungen in Strömungen wird der Druck eines Gases oder einer Flüssigkeit vor einem Strömungswiderstand in einer Rohrleitung auf den einen, der Druck nach dem Strömungswiderstand (anstelle des Bezugsdrucks p_b) auf den anderen Schenkel geleitet. Form c zeigt ein umgekehrtes U-Rohr-Manometer; es ermöglicht bei Flüssigkeiten das unmittelbare Messen der Druckdifferenz in mm Flüssigkeitssäule.

Eine Kombination von U-Rohr-Manometer und Waage ist die *Ringwaage* (Abb. 3), die besonders für Differenzdruckmessungen geeignet ist. Auf die feste Trennwand im ringförmigen Manometerrohr (Querschnitt A, mittlerer Radius R) wirkt die Druckdifferenz $p_1 - p_2$ und ruft ein Drehmoment $M_p = (p_1 - p_2) \cdot A \cdot R$ um den Drehpunkt hervor. Das im Abstand a von diesem befindliche Gegengewicht G bewirkt ein Gegenmoment $M_G = G \cdot \sin \alpha \cdot a$. Sind beide im Gleichgewicht ($M_P = M_G$), so liegt die Trennwand in einem bestimmten Winkel α zur Senkrechten, der dem Differenzdruck direkt proportional ist.

Eine für die Druckmessung wichtige Rolle spielen die sogenannten *Federmanometer*. Das Meßprinzip beruht darauf, daß sich unter dem Einfluß des Druckes ein elastisches Meßglied verformt. Diese Verformung wird durch einen Übertragungsmechanismus in die drehende Bewegung eines Zeigers umgewandelt. Sie können für Über- und Unterdruckmessungen, aber auch zur Messung von Differenzdrücken verwendet werden.

Das *Rohrfedermanometer* (Abb. 4) hat hier weiteste Verbreitung gefunden. Das elastische Meßglied besteht aus einem kreisförmigen, am Ende verschlossenen Hohlrohr von ovalem oder elliptischem Querschnitt. Wird der Innenraum des Rohres dem Meßdruck ausgesetzt, so vergrößert sich die Krümmung, das Rohr windet sich ein wenig auf (Bourdon-Effekt), und auch der Querschnitt des Rohres verändert sich etwas. Bei Unterdruckmessung bewegt sich die Feder in der entgegengesetzten Richtung.

Das *Plattenfedermanometer* (Abb. 5) weist als Meßglied eine zwischen Flanschen eingespannte Plattenfeder, das *Kapselfedermanometer* (Abb. 6) eine aus zwei Membranen gebildete, geschlossene Kapsel auf. Bei Einwirkung eines Drucks biegen sich Platten- bzw. Kapselfeder durch.

Das Meßprinzip des *Kolbenmanometers* (Abb. 7) besteht darin, daß dem zu messenden Druck durch Ändern des Gewichts ein gleich großer Gegendruck entgegengesetzt wird. Kolbenmanometer sind sehr genaue Geräte; sie werden deshalb oft zur Eichung anderer Druckmeßgeräte verwendet.

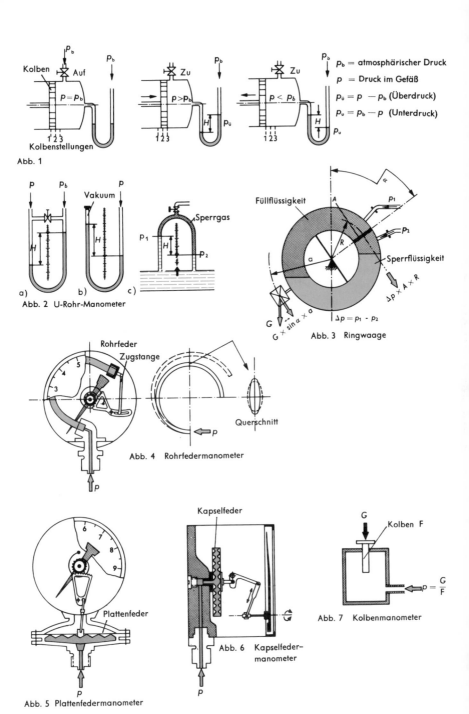

Abb. 1

p_b = atmosphärischer Druck
p = Druck im Gefäß
$p_{ü} = p - p_b$ (Überdruck)
$p_u = p_b - p$ (Unterdruck)

Kolben, Auf, $P = P_b$, Kolbenstellungen
Zu, $P > P_b$, $p_{ü}$
Zu, $P < P_b$, p_u

Abb. 2 U-Rohr-Manometer
a) b) Vakuum c) Sperrgas

Abb. 3 Ringwaage
Füllflüssigkeit, Sperrflüssigkeit
$\Delta p = p_1 - p_2$
$G \times \sin \alpha \times a$
$\Delta p \times A \times R$

Abb. 4 Rohrfedermanometer
Rohrfeder, Zugstange, Querschnitt

Abb. 5 Plattenfedermanometer
Plattenfeder

Abb. 6 Kapselfedermanometer
Kapselfeder

Abb. 7 Kolbenmanometer
$p = \dfrac{G}{F}$
Kolben F

81

Druckmessung II

Auf einem ganz anderen Prinzip beruht die Wirkungsweise der *elektrischen Manometer*, bei denen sich unter Druckeinwirkung die elektrischen Eigenschaften von Stoffen ändern, z. B. bei *Widerstandsmanometern* der elektrische Widerstand von Manganin, Kohle u. a. Zur Messung sehr schnell veränderlicher Drücke dienen *piezoelektrische Manometer (Quarzdruckgeber):* Ein als Dielektrikum zwischen die Platten eines Kondensators gebrachter Quarzkristall lädt sich bei Druckeinwirkung oberflächig auf (piezoelektrischer Effekt); am Kondensator läßt sich eine dem Druck proportionale elektrische Spannung abnehmen und an einem (in Druckeinheiten geeichten) Meßgerät anzeigen.

Gemessene Drücke lassen sich nicht nur auf vorbeschriebene Weise elektrisch abgreifen und auf elektrische Anzeige- oder Schreibgeräte fernübertragen, sondern auch mittels eines am Manometer angebauten Fernsenders. Weitere Anwendungsgebiete für Manometer sind die Höhenstands- und Durchflußmeßtechnik. Die Abb. 1, 2 und 3 zeigen Beispiele aus der Höhenstandsmeßtechnik. Bei der Anlage nach Abb. 1 wird der hydrostatische Druck der Flüssigkeit bzw. deren Höhe von einem *Quecksilber-Schwimmermanometer* (Abb. 4) angezeigt. Dieses Gerät entspricht im Aufbau einem U-Rohr-Manometer mit Quecksilber als Sperrflüssigkeit: Der Plusdruckraum wird durch den veränderlichen Flüssigkeitsdruck, der Minusdruckraum durch den Atmosphärendruck beaufschlagt. Der Hub des auf dem Quecksilberspiegel aufgesetzten Schwimmers ist dem Flüssigkeitsstand verhältnisgleich; er wird über Zahnstange und Zahnrad in eine Drehbewegung umgeformt und auf den Zeiger übertragen.

Eine andere Methode zeigt Abb. 2. Unter Druck wird Gas (Luft, Stickstoff, Kohlensäure) in die Meßleitung eingeführt, so daß es aus der Tauchrohrmündung ständig in Blasen austritt; der Gasdurchfluß wird durch ein Dosiergerät konstant gehalten. Das Gas in der Meßleitung nimmt den Druck an, welcher der Höhe des jeweiligen Flüssigkeitsstandes entspricht; dieser Druck wird auf das Schwimmermanometer übertragen.

Bei einem unter Druck stehenden Behälter (Abb. 3) nimmt das Gas den Druck der Höhe des Flüssigkeitsstandes zuzüglich des Druckes des über dem Flüssigkeitsspiegel vorhandenen Sattdampfes an. Der Sattdampfdruck muß deshalb kompensiert, das heißt unwirksam gemacht werden. Er wird in den Minusdruckraum geleitet, so daß das Schwimmermanometer lediglich den Flüssigkeitsdruck bzw. die Höhe der Flüssigkeit anzeigt.

Die aus der Bernoullischen Gleichung und der Kontinuitätsgleichung (vergleiche S. 22) gewonnenen Erkenntnisse werden für die Durchflußmeßtechnik mit Drosselgeräten benutzt. Sie besagen, daß die Differenz der vor und hinter einem Drosselgerät gemessenen Drücke ein Maß für den Durchfluß ist. Die Beziehung zwischen dem (meist in m³/h gemessenen) Durchflußvolumen pro Zeiteinheit Q und dieser als Wirkdruck bezeichneten Druckdifferenz Δp lautet: $Q = C\sqrt{\Delta p}$, wobei C eine auf dem Typenschild des Meßgeräts angegebene Konstante ist. Man erkennt die quadratische Abhängigkeit des Wirkdrucks vom Durchfluß. Wird ein Schwimmermanometer nach Abb. 4 als Meßgerät benutzt, ist die Skalenteilung nicht linear, sondern quadratisch. Durch entsprechende Formgebung der Gefäße für die Sperrflüssigkeit erreicht man, daß der Hub des Schwimmers proportional der Wurzel aus dem Wirkdruck und die Skalenteilung linear ist. Man bezeichnet solche Geräte als *Schwimmermanometer mit Gefäßradizierung* (Abb. 5). Eine Durchflußmeßanlage nach dem Wirkdruckprinzip mit Drosselgerät und U-Rohr-Manometer als Kontrollgerät für das Schwimmermanometer zeigt die Abb. 6.

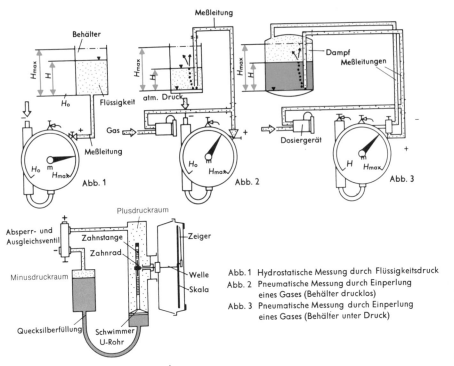

Abb. 1

Abb. 2

Abb. 3

Abb. 4 Quecksilberschwimmermanometer

Abb. 1 Hydrostatische Messung durch Flüssigkeitsdruck
Abb. 2 Pneumatische Messung durch Einperlung
eines Gases (Behälter drucklos)
Abb. 3 Pneumatische Messung durch Einperlung
eines Gases (Behälter unter Druck)

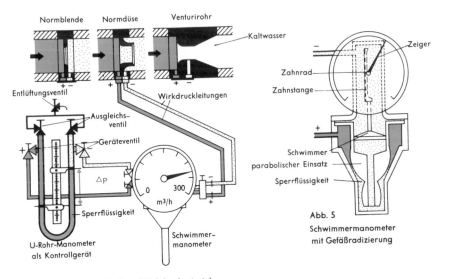

Abb. 5
Schwimmermanometer
mit Gefäßradizierung

Abb. 6   Durchflußmeßanlage (Wirkdruckprinzip)

Regelung I

Als *Regelung* wird jeder Vorgang in einem abgegrenzten System bezeichnet, bei dem eine oder mehrere physikalische, technische (insbesondere verfahrenstechnische) oder andere Größen, die *Regelgrößen x,* fortlaufend von einer Meßeinrichtung erfaßt und durch Vergleich ihrer jeweiligen Augenblickswerte, der *Ist-Werte* x_i, mit den vorgegebenen Soll-Werten x_s bestimmter vorgegebener *Führungsgrößen w* auf diese Werte gebracht (im Sinne einer Angleichung) und dann auf ihnen gehalten werden. Im Gegensatz zur *Steuerung* von Größen bzw. Vorgängen wird bei einer *Regelung* das Ergebnis der Verstellung ihrer Größen durch fortwährende Messung kontrolliert und, wenn erforderlich, korrigiert. Der hierzu nötige Wirkungsablauf vollzieht sich – ebenfalls im Unterschied zur Steuerung – in einem geschlossenen, als *Regelkreis* bezeichneten Wirkungskreis. Er wird im allgemeinen eingeteilt in die *Regelstrecke* mit den entsprechend der Aufgabenstellung zu beeinflussenden Teilen des Systems und der Regelgröße *x* als Ausgangsgröße, die *Stelleinrichtung* (das *Stellglied*) zur unmittelbaren Beeinflussung der Regelstrecke gemäß der an ihrem Eingang einwirkenden sog. *Stellgröße y* und schließlich die *Regeleinrichtung* als Gesamtheit der Systemglieder zur Beeinflussung der Regelstrecke über die Stelleinrichtung (ihre Ausgangsgröße ist die Stellgröße *y*). Hierzu gehören in technischen Anlagen vor allem ein der Regelstrecke angepaßter *Regler* als Steuerteil des Regelungssystems, aber auch die Meßeinrichtung samt Meßgrößenumformer, der Sollwertgeber (mit der Führungsgröße *w* am Eingang) und ein die *Regelabweichung* $e = w - x$ feststellendes Vergleichsglied.

Man unterscheidet die *selbsttätige* oder *automatische Regelung,* bei der alle Vorgänge im Regelkreis selbsttätig, nur durch Geräte ausgeführt werden, und die *nichtselbsttätige Regelung (Handregelung),* bei der die Aufgabe mindestens eines Regelkreisglieds vom Menschen übernommen wird.

Regelvorgänge kommen in allen Bereichen der Naturwissenschaften und der Technik, in der Biologie, Medizin u. a. vor. Als Regelgrößen treten z. B. Temperaturen, Drücke, Konzentrationen oder Drehzahlen in technischen Anlagen auf, aber auch z. B. der Blutdruck und die Herzschlagfrequenz im menschlichen Organismus. Die *Regelungstechnik* löst eine oder beide der folgenden Aufgaben: 1. die *Ausregelung* störender äußerer Einflüsse (durch *Störgrößen z* beschrieben), die an der Regelstrecke oder an der Regeleinrichtung angreifen; 2. die *Folgeregelung* der Regelgröße bei zeitlicher Änderung der Führungsgröße. Ein Beispiel für eine Folgeregelung und einen einschleifigen Regelkreis liefert die Aufgabe, als Regelgröße den Flüssigkeitsstand in einem Behälter zu regeln (Abb. 1). Ein Schwimmer stellt als Meßgerät den Ist-Wert des Flüssigkeitsstandes fest; über den Hebel 1 wird die Meßgröße auf den Hebel 2 im Regler übertragen. Dort findet der Vergleich mit dem gewünschten Soll-Wert des Flüssigkeitsstandes (als Wert der Führungsgröße) statt; ferner wird dort die Stellgröße gebildet, die auf das Stellventil als Stelleinrichtung wirkt.

Als äußerer Einfluß kann z. B. eine Druckänderung im Zu- oder Ablauf die zu- oder ablaufende Flüssigkeitsmenge verändern; die Folge dieser Störgröße ist das Ansteigen oder Absinken des Flüssigkeitsspiegels. Bei ansteigendem Spiegel wird der Schwimmer angehoben, das Stellventil über das Hebelgestänge stärker geöffnet, so daß mehr Flüssigkeit abfließen kann; die Stellung des Ventils gibt den jeweiligen Wert der Stellgröße an. Sinkt nun der Flüssigkeitsspiegel, so schließt der absinkende Schwimmer das Ventil ein wenig, verkleinert infolge dessen die Stellgröße und damit den Durchfluß. Es liegt ein geschlossener Wirkungskreis vor, in dem die Regelabweichung $e = w - x$ sich selbst entgegenwirkt (eine negative Rückkopplung im Sinne der Nachrichtentechnik). Will man einen anderen Flüssigkeitsstand geregelt haben, so ist der Soll-Wert x_s zu verstellen. Dies geschieht durch Änderung der Führungsgröße *w* mittels einer einfachen Spindel im Regler, bei deren Verdrehen der Schwimmer über das Hebelsystem auf den anderen Flüssigkeitsstand einregelt.

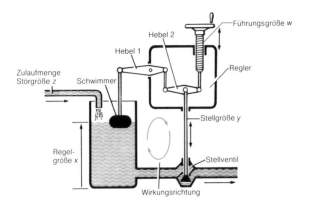

Abb. 1 Flüssigkeitsstandregelung als Beispiel eines Regelkreises

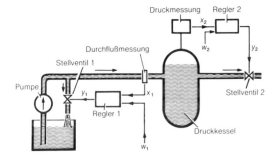

Abb. 2 Durchfluß- und Druckmessung als Beispiel für eine Zweigrößenregelung

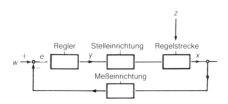

Abb. 3 Blockschaltbild eines einschleifigen Regelkreises

Regelung II

Neben den Regelungen in einschleifigen Regelkreisen kennt man *Mehrfach-* oder *Mehrgrößenregelungen,* bei denen mehrere Regelgrößen gleichzeitig vorhanden und zu regeln sind. Abb. 2 auf S. 85 zeigt eine Durchfluß- und Druckregelung als Beispiel einer *Zweigrößenregelung;* man erkennt dabei zwei vollständige Regelkreise, die durch die gekoppelte Regelstrecke miteinander verbunden sind, sich also gegenseitig beeinflussen. Derartige Mehrgrößenregelungen treten oft in der Verfahrenstechnik auf. Ferner kennt man vermaschte Regelkreise mit Ein- oder Mehrgrößenregelung. Hier sind zusätzliche Einrichtungen vorhanden, die meist die Aufgabe haben, stabilisierend auf den Regelkreis zu wirken.

Ein Regelkreis wird üblicherweise durch ein sog. *Blockschaltbild* (Abb. 3 auf S. 85) dargestellt; aus diesem ist der Wirkungsablauf zu entnehmen. Die verschiedenen Regelkreisglieder werden durch rechteckige Kästchen dargestellt und diese *Blöcke* durch gerichtete Wirkungslinien miteinander verbunden, wobei an diese die verschiedenen Regelkreisgrößen angetragen werden. Verzweigungen werden durch volle Punkte, Summationsstellen durch kleine Kreise dargestellt, wobei die Vorzeichen der aufsummierten Größen angegeben werden. Die Eingangsgrößen wirken jeweils nur auf die Ausgangsgrößen und nicht umgekehrt (Rückwirkungsfreiheit), der ganze Kreis wird demnach in vorgeschriebener Richtung durchlaufen. Da Regelvorgänge in sehr vielen Fachbereichen vorkommen, existieren die verschiedenartigsten Typen von Regelstrekken. Jene der Druck-, Durchfluß- und Flüssigkeitsstandregelung gehören ebenso dazu wie z.B. Dampfturbinen in Kraftwerken, chemische Reaktoren und elektrische Maschinen. In der Regelungstechnik klassifiziert man sie danach, in welcher mathematischen Form man ihr Verhalten beschreiben kann.

In einem Regelkreis (Abb. 4) ist stets eine Meßeinrichtung vorhanden, an deren Eingang die Regelgröße anliegt und deren Ausgangssignale der Regelgröße proportional sind; man verwendet meist Meßgeräte mit elektrischen oder pneumatischen Ausgangssignalen, da diese leicht zu übertragen und zu verarbeiten sind. Meist bewirkt ein Meßumformer die Übertragung der Meßergebnisse und die Erzeugung einer genormten Eingangsgröße für den Regler. Als Stelleinrichtungen (Stellglieder) dienen z.B. elektrisch oder pneu-

matisch bewegte Ventile, spezielle Elektromotoren (sog. Stellmotoren), Stelltransformatoren, Potentiometer und hydraulische Stellzylinder. Das wesentliche Glied eines Regelkreises ist jedoch der Regler: Er vergleicht die vom Meßgerät und Meßumformer eingehende Regelgröße x mit dem von der Führungsgröße w festgelegten Soll-Wert x_s. Bei einer Abweichung der Regelgröße x von dem festgelegten Soll-Wert wird daraus die Stellgröße y gebildet, die der Regler entsprechend verstärkt, so daß der Stellantrieb des Stellgliedes ausreichend Energie zum Einstellen der Stellgröße y erhält. Man unterscheidet stetige und unstetige Regler, lineare, nicht lineare und Abtastregler sowie Regler mit und ohne Hilfsenergie.

Der *stetige Regler* wandelt jeden eingehenden Wert der Regelgröße x in einen entsprechenden Wert der Stellgröße y um, während der *unstetige Regler* auf eine Regelabweichung e keine stetige, ihr entsprechende Veränderung der Stellgröße y bewirken kann, sondern nur mit einigen wenigen Stellgrößeneinstellungen reagiert (Abb. 5). Der einfachste stetige Regler antwortet auf jede Regelabweichung e mit einer proportionalen (verhältnisgleichen) Änderung der Stellgröße y. Ein derartiger *Proportional-* oder *P-Regler* ist z.B. der in Abb. 6 dargestellte Füllstandsregler: Das Hebelverhältnis kennzeichnet die Übersetzung oder Verstärkung zwischen Regelabweichung e und der Änderung der Stellgröße $y = (L_2/L_1) \cdot e = C_1 \cdot e$. Steigt der Druck in der Zuflußleitung infolge einer Störgröße z an, so wird bei gleicher Öffnung des Ventils die Zuflußmenge zunehmen und der Füllstand ansteigen. Der angehobene Schwimmer schließt das Ventil ein wenig, so daß eine geringere Flüssigkeitsmenge zufließt. Der Flüssigkeitsspiegel steigt nicht weiter an, bleibt aber über dem Soll-Wert: Ein P-Regler kann daher eine Regelabweichung nicht beseitigen. Durch Verschieben des Hebeldrehpunktes D läßt sich das Hebelarmverhältnis $L_2/L_1 = C_1$ und damit die Empfindlichkeit des Reglers vergrößern. Eine kleine Regelabweichung bedingt dann eine größere Veränderung der Stellgröße y.

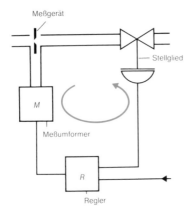

Abb. 4 Regelkreis

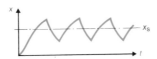

Abb. 5 Unstetiger Regler

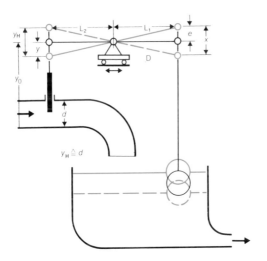

Abb. 6 P-Regler

Regelung III

Bei einem vorgegebenen größtmöglichen Stellbereich y_H des Ventils gibt es je nach Lage des Drehpunktes D einen Bereich der Regelgröße x, in dem der Regler proportional arbeitet. Dies ist der Proportionalbereich x_p. Eine sprunghafte Änderung der Regelabweichung e hat eine verzögerungsfreie Veränderung der Stellgröße y zur Folge (Abb. 7b).

Der *Integralregler* oder *I-Regler* reagiert auf jede Regelabweichung e mit einer bestimmten Änderungsgeschwindigkeit der Stellgröße y. Solange eine Regelabweichung besteht, ist also das Stellglied (z. B. das Ventil) ständig in Bewegung und verändert die Regelgröße (den Ist-Wert x_i) so lange, bis dieser mit dem Soll-Wert x_s übereinstimmt. Ist die Regelabweichung $e = 0$, dann ist die Stellgeschwindigkeit 0 und das Stellglied in Ruhe.

Bei der Flüssigkeitsstandregelung gemäß Abb. 8 ist anstelle des mechanischen Reglers ein hydraulischer Regler getreten. Stimmen Ist- und Soll-Wert überein, $x_s = x_i$, so ist das Drucköl beiderseits des Stellkolbens im Stellzylinder eingeschlossen: Die Stellgröße verändert ihren Wert y_0 nicht mehr. Eine Störung, durch die sich der Zufluß und damit der Flüssigkeitsstand erhöht, läßt den Schwimmer ansteigen, wodurch die beiden miteinander verbundenen Steuerkolben im Regler nach oben gehen. Dadurch fließt Drucköl in die obere Kammer des Stellzylinders. Da aus dessen unterer Kammer Öl über den Regler in den Ölvorratsbehälter abfließen kann, bewegt sich der Kolben nach unten und verkleinert die Durchflußöffnung im Ventil (Stellglied). Als Folge des geringeren Zulaufes sinkt der Flüssigkeitsspiegel und damit der Ist-Wert x_i etwas unter den Soll-Wert x_s. Der absinkende Schwimmer steuert die Steuerkolben im Regler so um, daß der Kolben des Stellzylinders über die Mittellage nach oben geht, das Stellglied eine größere Durchflußöffnung freigibt und der Flüssigkeitsspiegel wieder ansteigt.

Eine weitere Reglergrundform ist der *Differential-* oder *D-Regler*, der die Stellgröße y proportional zur Änderungsgeschwindigkeit der Regelabweichung e verändert. Die Wirkungsweise eines solchen Reglers ist schematisch in Abb. 9 dargestellt. Der Regler ist ähnlich dem P-Regler aufgebaut, nur wirkt der Schwimmer über eine stoßdämpferähnliche Dämpfvorrichtung auf das Hebelsystem des Reglers ein. Ändert sich der Flüssigkeitsstand, der Ist-Wert x_i, so langsam, daß bei ansteigendem Schwimmer Öl aus der oberen Kammer durch die im Kolben angeordnete Ausgleichsbohrung in die untere Kammer der Dämpfvorrichtung fließen kann, dann bleibt die Stellgröße y unverändert. Ändert sich der Flüssigkeitsstand so rasch, daß Öl nicht über die Ausgleichsvorrichtung abfließen kann, dann wird das Hebelsystem des Reglers verdreht und die Stellgröße y verändert. Kommt nun der Anstieg des Flüssigkeitsspiegels zum Stillstand, so kann Öl in der Dämpfvorrichtung über die Ausgleichsbohrung von der oberen in die untere Kammer fließen. Das Hebelsystem geht in die waagrechte Ausgangslage zurück, und obgleich der Flüssigkeitsstand über dem Soll-Wert steht, kehrt das Ventil in seine Grundstellung y_0 zurück: Es wird also keine bleibende Änderung der Stellgröße y erzeugt. Die Reglerfunktion wird durch die Gleichung $y = C_3 \cdot \Delta e / \Delta t$ oder $y = C_3 \cdot de/dt$ angegeben. Ein D-Regler ist für sich allein zur Regelung von Vorgängen unbrauchbar und kann nur in Verbindung mit anderen Reglertypen verwendet werden; sein zeitliches Verhalten gibt Abb. 10b wieder.

Durch die Kombination der beschriebenen Reglergrundformen lassen sich verschiedene Reglereigenschaften erreichen.

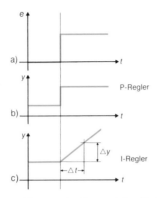

Abb. 7 Übergangsfunktionen stetiger Regler

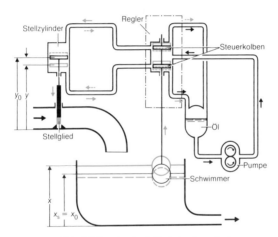

Abb. 8 Integralregler (I-Regler) schematisch

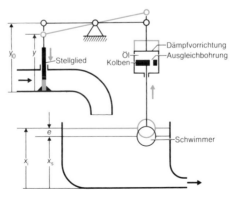

Abb. 9 Differentialregler (D-Regler) schematisch

Ein *Proportional-Integral-Regler,* kurz PI-Regler genannt, reagiert auf eine sprunghafte Änderung der Regelabweichung e (Abb. 10a) zunächst wie ein P-Regler durch sprunghafte Änderung der Stellgröße y (Abb. 10c); dadurch wird der größte Teil der Regelabweichung e ausgeglichen. Die noch verbleibende Regelabweichung gleicht der Integralteil des Reglers langsam aus; dabei ändert sich die Stellgröße y über der Zeit, was der geneigte Teil der Geraden in Abb. 10c darstellt. Der PI-Regler vereint schnelles Ansprechen mit großer Regelgenauigkeit; er findet daher bei Regelstrecken mit großer Anforderung an Genauigkeit Verwendung.

Bei Regelkreisen mit langer Verzögerungszeit, z.B. bei der Temperaturregelung eines mit Flüssigkeit gefüllten Behälters, kommen PD- oder auch PID-Regler zum Einsatz. Der *Proportional-Differential-Regler (PD-Regler)* reagiert auf eine schnell auftretende Regelabweichung wie ein P-Regler mit einer sprunghaften Änderung der Stellgröße y, wobei der D-Teil eine stärkere Veränderung der Stellgröße y bewirkt, als die Regelabweichung erfordert. Die Veränderung der Stellgröße y und damit des Stellgliedes ist von der Änderungsgeschwindigkeit der Regelabweichung e abhängig (Abb. 10d): Schnell auftretende Regelabweichungen führen zu einer größeren Veränderung der Stellgröße y und damit des Stellgliedes als langsam auftretende Regelabweichungen. Nach diesem „Vorhalt" geht die Stellgröße y wie bei einem D-Regler zurück, wobei sie jedoch auf einen Wert absinkt, den ein reiner P-Regler eingeregelt hätte.

Der *Proportional-Integral-Differential-Regler (PID-Regler)* verhält sich auf eine sprunghafte Regelabweichung zunächst wie der PD-Regler (Abb. 10e). Nach dem Vorhalt wird aber die Stellgröße y zurückgenommen und dann wie bei einem I-Regler stetig über die Zeit verändert. In der Praxis wird der PID-Regler meist als Regler mit elektrischer oder pneumatischer Hilfsenergie ausgeführt. Elektrische PID-Regler (Abb. 11) sind entsprechend geschaltete Verstärker mit sehr hohem Verstärkungsfaktor. Der ohmsche Widerstand R_1 in der Rückführung bewirkt das P-Verhalten, die Kapazität C_1 das I-Verhalten, und die kapazitive Ankopplung mit C_2 ruft das D-Verhalten hervor.

Die Klasse der *nichtlinearen Regler* wird durch eine nichtlineare Kennlinie charakterisiert; sie zeigen kein Zeitverhalten, arbeiten also weitgehend verzögerungsfrei. Die wesentlichen Typen sind die Zweipunkt- und Dreipunktregler. Der *Zweipunktregler* bildet aus der Regelabweichung ein Stellsignal, das nur zwei Zustände annehmen kann (z. B. eingeschaltet oder nicht). Dazu gehören alle Regler, die einen Bimetallfühler oder ein Relais enthalten. Beim *Dreipunktregler* kann die Stellgröße drei Zustände annehmen. Ihr unstetiges Verhalten führt jedoch zu Schwingungen der Regelgröße um den Soll-Wert; die Regelungsgenauigkeit ist demnach nicht besonders gut, in sehr vielen Fällen jedoch ausreichend.

Eine weitere wichtige Klasse von Reglern sind die *Abtastregler.* Hier dominiert der *Fallbügelregler,* dessen Wirkungsweise die Abb. 12 veranschaulicht. Die stetige Regelgröße x wird periodisch abgetastet, das entsprechende Stellsignal y wird gebildet und bis zum nächsten Abtastzeitpunkt konstantgehalten. Dazu wird der Bügel 1 periodisch angehoben. Stimmt der Ist-Wert nicht mit dem Soll-Wert überein, wird der linke Bügel 2 angehoben und schließt kurzzeitig den linken Schalter, so daß das Motorventil eine neue Stellung einnimmt und dort bis zur nächsten Abtastperiode verharrt. Derartige Regler haben, von ihrer Besonderheit abgesehen, P-Verhalten. Sie eignen sich besonders für Regelstrecken mit Totzeit, d. h. für Systeme, bei denen erst nach einer Totzeit am Ausgang eine Veränderung bemerkbar ist, wenn am Eingang eine Veränderung vor sich ging.

Die zuletzt beschriebenen Regler benötigen alle Hilfsenergie. Daneben kennt man *Regler ohne Hilfsenergie.* Sie sind dadurch ausgezeichnet, daß zum Regler eine Meßeinrichtung für die Regelgröße gehört, die gleichzeitig die nötige Energie zur Bildung des Stellsignals liefert. Derartige Regler können linear sein, wobei nur P-Verhalten möglich ist, oder nichtlinear mit Zweipunktverhalten. Beispiele dafür sind die Meßeinrichtungen mit Schwimmer zur Ermittlung eines Flüssigkeitsstandes (der Schwimmer bringt die notwendigen Stellkräfte zur Betätigung einer Absperrvorrichtung auf) sowie einfache Temperaturregler oder Thermostate (s. S. 78).

Abb. 10
Übergangsfunktion
stetiger Regler

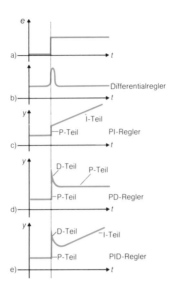

a)

b) Differentialregler

c) P-Teil — I-Teil — PI-Regler

d) D-Teil — P-Teil — P-Teil — PD-Regler

e) D-Teil — I-Teil — P-Teil — PID-Regler

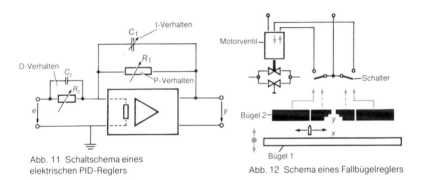

Abb. 11 Schaltschema eines
elektrischen PID-Reglers

Abb. 12 Schema eines Fallbügelreglers

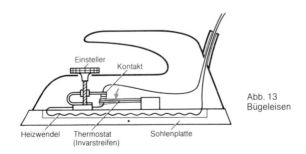

Abb. 13
Bügeleisen

Einsteller Kontakt

Heizwendel Thermostat Sohlenplatte
(Invarstreifen)

Quarzuhr

Jede Art der Zeitmessung besteht im Vergleich des Ablaufs eines beliebigen Vorganges mit dem eines periodisch verlaufenden Prozesses, sei es im primitivsten Falle der Vergleich mit dem Auslaufen eines Gefäßes, das man dann regelmäßig füllen oder – wie bei der Eiersanduhr bzw. dem Stundenglas – umdrehen muß, sei es der Vergleich mit dem Schwingungsvorgang eines Pendels bzw. einer Spiralfeder, wie sie zur Steuerung des Zeitablaufes mechanischer Uhren im Perpendikel bzw. in der Unruh verwendet wird.

Grundsätzlich kann man jeden periodisch verlaufenden Prozeß (Schwingungsvorgang) zur Steuerung eines Zeitmessers (Uhr) verwenden.

Bei der Quarzuhr sind es mechanische Schwingungen, die ein Quarzkristall unter bestimmten Bedingungen ausführt. Man bedient sich dabei des *piezoelektrischen Effekts,* der darin besteht, daß an den Oberflächen bestimmter Kristalle (z. B. Quarz) als Folge einer Deformierung (bei Beanspruchung auf Druck, Zug, Biegung, Scherung oder Torsion) elektrische Ladungen auftreten. Umgekehrt ändern sich die äußeren Abmessungen eines solchen Kristalls beim Anlegen eines elektrischen Feldes. Bringt man einen solchen Kristall in ein elektrisches Hochfrequenzfeld eines Kondensators, so wird er zu elastisch-mechanischen Schwingungen angeregt, die eine hohe Frequenzkonstanz aufweisen. Die Schwingungszahl (Frequenz) kann dabei in weiten Grenzen – je nach Form und Abmessungen des Kristalls und nach der Art der angeregten Schwingungen – mehr oder weniger willkürlich oder als höhere Potenz von 2 gewählt werden. Stimmgabelförmige Biegeschwinger, die z. B. vielfach in Quarzarmbanduhren verwendet werden, arbeiten meist mit einer Frequenz von 2^{15} Hz = 32,768 kHz, sogenannte Scherschwinger z. B. bei 2^{22} Hz = 4,1943 MHz; letztere werden v. a. in Präzisionsuhren verwendet, da sie weniger temperaturempfindlich sind als die stimmgabelförmigen Quarze. Für höchste Anforderungen besteht ferner die Möglichkeit der elektronischen Temperaturkompensation.

Die Anregung der Schwingungen erfolgt durch einen Oszillator, der seine Energie aus einer Batterie oder dem Stromnetz bezieht. Die sich durch Einbeziehung des Schwingquarzes (Rückkopplung mit dem Oszillatorschwingkreis) ergebende hochfrequente Wechselspannung wird zunächst einem Frequenzteiler (Frequenzuntersetzerschaltung) zugeführt, der die Frequenz z. B. bis zu 1 Hz herabsetzt und damit eine Sekundenanzeige ermöglicht. Die Frequenzuntersetzung erfolgt mit Hilfe sogenannter bistabiler Multivibratoren (Flipflops), die jeweils nur jeden zweiten elektrischen Impuls passieren lassen (Frequenzteilung durch 2). Durch n geeignet hintereinandergeschaltete Flipflops läßt sich so eine Frequenzteilung durch 2^n erreichen, 10 Flipflops ergeben also z. B. eine Frequenzteilung durch 1 024. Sind die Schwingungen auf eine hinreichend niedrige Frequenz gebracht, so läßt sich damit eine optoelektronische Anzeige (Ziffernanzeige, Digitalanzeige, als Flüssigkristall- oder LCD-Anzeige oder als Leuchtdioden- oder LED-Anzeige) steuern oder auch ein kleiner Motor zur Analoganzeige durch einen Uhrzeiger.

Quarzuhren – ursprünglich mit Hilfe aufwendiger Röhrenschaltungen nur in wissenschaftlichen Instituten betrieben – konnten mit Hilfe der Miniaturisierung elektronischer Schaltungen seit etwa 1970 auch als Kleinuhren gebaut werden und haben die mechanischen Uhren inzwischen weitgehend verdrängt. Die heute für Quarzuhren vorwiegend angewandte Halbleitertechnologie ist die *CMOS-Technologie* (Abkürzung für *c*omplementary *m*etal-*o*xide *s*emiconductor), eine Variante der MOS-Technik (vgl. S. 56), die sich durch geringen Leistungsbedarf, geringe Störanfälligkeit und hohe Temperaturstabilität auszeichnet. Die integrierten Schaltungen mit rund 500 Transistoren sind hierbei auf einem weniger als 5 mm² großen Siliciumplättchen (Chips) untergebracht und enthalten den Oszillatorteil, den Frequenzteiler und den Steuerkreis zur Steuerung der Digitalanzeige bzw. des Motors.

Ein weiterer Schritt in der Entwicklung der Quarzuhren war die Einführung der Mikroprozessortechnik, mit deren Hilfe Standardzähler für Sekunden, Minuten, Stunden, Tage usw. durch Datenspeicher mit direktem Zugriff (RAM; vgl. S. 140) ersetzt werden.

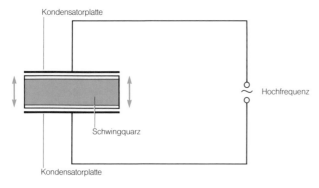

Kondensatorplatte

Schwingquarz

Kondensatorplatte

Hochfrequenz

Abb. 1 Anregung von elastischen Schwingungen eines
Quarzkristalls durch ein hochfrequentes elektrisches Feld

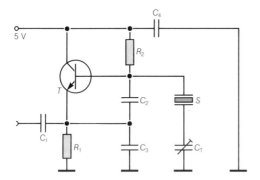

5 V

C_4

R_2

T

C_2

S

C_1

R_1

C_3

C_T

Abb. 2 Schaltbild eines Quarzoszillators
($C_1, \ldots, C_4$ Kondensatoren, R_1 und R_2 Widerstände, T Transistor,
S Schwingquarz)

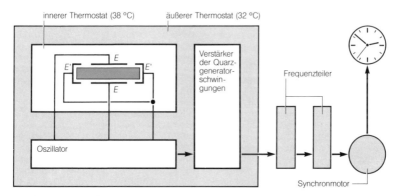

innerer Thermostat (38 °C)   äußerer Thermostat (32 °C)

E' E E'

E

Verstärker
der Quarz-
generator-
schwin-
gungen

Frequenzteiler

Oszillator

Synchronmotor

Abb. 3 Prinzip einer Quarzuhrenanlage
(E Elektroden zur Schwingungsanregung, E' Rückkopplungselektroden)

Atomuhren

Eine völlig neue Art der Zeitmessung begann 1955 mit der Einführung der *Atomuhren*. Diese Zeitmeßgeräte höchster Genauigkeit sind Hochfrequenzapparaturen, in denen ein elektrisches oder magnetisches Hochfrequenzfeld bestimmter Frequenz in geeigneten Atomen oder (bei *Moleküluhren*) Molekülen durch Resonanzabsorption Atom- oder Molekülschwingungen bzw. -übergänge hervorruft, deren Resonanzfrequenz als Vergleichsmaß dient. In der Regel wird eine solche von äußeren Einflüssen praktisch unabhängige Atomuhr (Abb. 1) zur Frequenzkontrolle und Steuerung angeschlossener Quarzuhren benutzt.

Von allen Atomuhren ist die *Cäsiumuhr* bei langzeitigem Betrieb die genaueste. Ihre Funktion und Genauigkeit beruhen auf einem ständigen Reproduzieren der Schwingungsfrequenz der von Atomen des Cäsiumisotops Cs 133 bei einem bestimmten Hyperfeinstrukturübergang ihres Leuchtelektrons emittierten Mikrowellenstrahlung. Diese Übergangsfrequenz von 9 192 631 770 Hz ist in hohem Maße von äußeren Faktoren wie Temperatur, Luftdruck u. a. unabhängig. Die höchste mit einer Cäsiumuhr erreichte Genauigkeit beinhaltet eine Abweichung von 1 Sekunde in 3 Millionen Jahren.

Der wichtigste Bestandteil der Cäsiumuhr ist eine *Atomstrahlresonanzapparatur* (Abb. 2), in der ein Strahl elektrisch neutraler, sich aber (wegen ihres Spins und des damit verknüpften magnetischen Moments) wie kleine Magnete verhaltener Cäsiumatome im Hochvakuum zwei starke inhomogene Magnetfelder (der „Sortiermagneten" A und B) entgegengesetzter Ablenkwirkung und dazwischen einen Hohlraumresonator sowie ein schwaches homogenes Magnetfeld (C-Magnet) durchquert. Die sich in den Magnetfeldern mit ihren magnetischen Momenten in oder entgegen der Feldrichtung ausrichtenden, um diese kreiselnden Cäsiumatome erfahren im Hohlraumresonator durch ein von einem Hochfrequenzgenerator erzeugtes hochfrequentes magnetisches Wechselfeld Quantenübergänge zwischen den von der Spineinstellung abhängigen Hyperfeinstruktur-Energieniveaus ihres Grundzustandes, wenn die Wechselfeldfrequenz mit der Frequenz der dabei emittierten Mikrowellenstrahlung übereinstimmt. Das in diesem Resonanzfall gleichzeitig erfolgende Umklappen der atomaren Magnete bewirkt eine veränderte Ablenkung der Strahlenteilchen, was an einem Detektor registriert wird und eine sehr stabile Einhaltung des Resonanzfalles ermöglicht. Die dazu nötige Einstellung der Frequenz des magnetischen Wechselfeldes bzw. seiner erzeugenden Wechselspannung wird durch Vervielfachung der ständig nachgeregelten Frequenz eines Quarzoszillators erreicht. Eine elektronische Zähleinrichtung zählt die Zahl der Schwingungsperioden und bringt sie zur Anzeige. – Cäsiumatomstrahluhren werden als primäre Zeitnormale *(Primäruhren)* zur Festlegung der Zeiteinheit *(Atomsekunde)* sowie des genauen Zeitablaufs *(Internationale Atomzeit)* verwendet und dienen zur Kontrolle sekundärer Zeitmesser, deren Schwingungen mehr oder weniger stark äußeren Einflüssen unterliegen.

Große praktische Bedeutung als sekundäre Zeitnormale, z. B. bei physikalischen Experimenten, haben die Rubidium- und die Wasserstoffatomuhren. Die *Rubidiumuhr* enthält eine Rubidiumdampflampe, mit deren Licht Rubidiumatome des Isotops Rb 87, die sich zusammen mit einem Puffergas in einem Glasgefäß im Innern eines Mikrowellenresonators befinden, in den höheren der beiden Hyperfeinstrukturniveaus ihres Grundzustandes gebracht („gepumpt") werden. Wird der Mikrowellenresonator mit der Übergangsfrequenz von etwa 6,83 GHz (Gigahertz) erregt, so erfolgt eine Entleerung dieses Zustandes, die sich in einer mit einer Photozelle nachweisbaren erhöhten Absorption der Pumpstrahlung bemerkbar macht (Abb. 3).

Die *Wasserstoffatomuhr* (kurz: *Wasserstoffuhr*) ist ihrem Prinzip nach ein Maser, bei dem der zur 21-cm-Spektrallinie (Frequenz etwa 1,42 GHz) des atomaren Wasserstoffs gehörende Hyperfeinstrukturübergang ausgenutzt wird: Durch eine Hochfrequenzentladung erzeugter atomarer Wasserstoff tritt als Atomstrahl in ein von einem Hohlraumresonator umgebenes Hochvakuumgefäß ein, wobei vorher alle Wasserstoffatome, die sich im niedrigeren Hyperfeinstrukturniveau ihres Grundzustandes befinden, durch ein inhomogenes Magnetfeld abgetrennt werden. Die von den bis ins Gefäß eingebrachten Wasserstoffatomen bei Hyperfeinstrukturübergängen emittierte Mikrowellenstrahlung von 1,42 GHz regt den auf diese Frequenz eingestellten Resonator an, so daß er zum Mikrowellengenerator dieser mit sehr großer Konstanz einhaltbaren Frequenz wird.

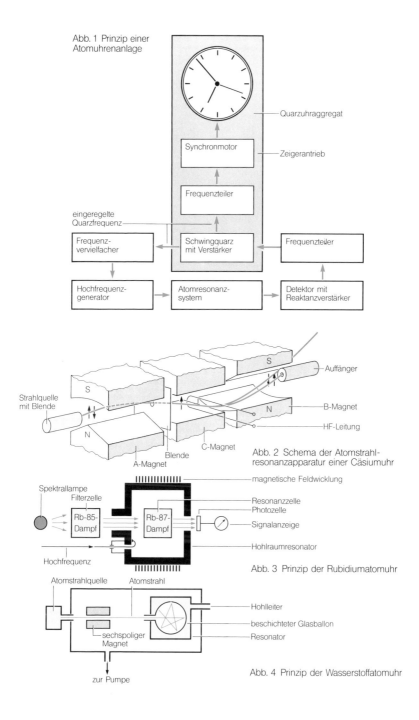

Abb. 1 Prinzip einer Atomuhrenanlage

Quarzuhraggregat

Synchronmotor — Zeigerantrieb

Frequenzteiler

eingeregelte Quarzfrequenz

Frequenz-vervielfacher

Schwingquarz mit Verstärker

Frequenzteiler

Hochfrequenz-generator

Atomresonanz-system

Detektor mit Reaktanzverstärker

Auffänger

Strahlquelle mit Blende

S

S

N

B-Magnet

HF-Leitung

N

Blende

C-Magnet

A-Magnet

Abb. 2 Schema der Atomstrahl-resonanzapparatur einer Cäsiumuhr

Spektrallampe
Filterzelle

magnetische Feldwicklung

Rb-85-Dampf

Rb-87-Dampf

Resonanzzelle
Photozelle

Signalanzeige

Hohlraumresonator

Hochfrequenz

Abb. 3 Prinzip der Rubidiumatomuhr

Atomstrahlquelle

Atomstrahl

Hohlleiter

beschichteter Glasballon

sechspoliger Magnet

Resonator

zur Pumpe

Abb. 4 Prinzip der Wasserstoffatomuhr

95

Lupe und Mikroskop

Wie gut sich Einzelheiten an einem Gegenstand erkennen lassen, hängt davon ab, unter welchem Sehwinkel sie dem Auge erscheinen. Weit entfernte Gegenstände erscheinen sehr klein, deshalb benutzt man ein „Fernrohr", das den Sehwinkel vergrößert (s. S. 98 ff.). Bei sehr kleinen Gegenständen ist auch aus kurzer Betrachtungsentfernung der Sehwinkel noch zu gering. Er vergrößert sich zwar, wenn man das Auge noch näher hinführt, jedoch endet das Akkommodationsvermögen (Fähigkeit zum Scharfstellen) des Auges bei etwa 40 bis 15 cm. Mit Hilfe von Lupe und Mikroskop aber sieht man je nach Einstellung in dieser Entfernung oder auch im Unendlichen ein Bild des Gegenstandes unter stark vergrößertem Sehwinkel. Für die Angabe der Vergrößerung wurde eine „deutliche Sehweite von 25 cm" vereinbart; eine Lupe mit achtfacher Vergrößerung zeigt also den Gegenstand achtmal so groß, wie ihn das unbewaffnete Auge aus 25 cm Abstand sieht.

Die *Lupe* (Abb. 1) besteht aus einer Sammellinse (oder einem sammelnden System) kurzer Brennweite. Bei der Betrachtung befindet sich der Gegenstand innerhalb der Brennweite, so daß ein vergrößertes, aufrechtstehendes virtuelles Bild im Abstand von etwa der deutlichen Sehweite entsteht.

Beim *Mikroskop* (Abb. 2) erfolgt die Vergrößerung in zwei Stufen: Beim Fernrohr ist der Gegenstand sehr weit entfernt, das vom Objektiv mit langer Brennweite entworfene reelle Bild etwa im hinteren Brennpunkt. Beim Mikroskop dagegen ist die Objektivbrennweite sehr kurz (etwa 46 bis 1,6 mm), der Gegenstand kommt so nahe an den vorderen Brennpunkt, daß die Bildweite viel größer als die Brennweite ist. Die Bildweite ist durch die Tubuslänge von meist 160 mm vorgegeben; damit ist das reelle Zwischenbild (bei den obigen Brennweiten) etwa 2,5- bis 100mal größer als das Objekt (anstelle der Brennweite wird allgemein bei Mikroskopobjektiven gleich die Vergrößerung angegeben). In der Zwischenbildebene befinden sich Gesichtsfeldblende und gegebenenfalls Maßstäbe, Netzeinteilungen o. ä. Das Zwischenbild wird nun mit einer Lupe, dem Okular, betrachtet und dabei noch nochmals vergrößert. Verwendet man z. B. in einem Mikroskop ein Objektiv 40:1 und ein Okular 10 ×, so ist die Gesamtvergrößerung 400:1. Ein Objektiv 100:1 und ein Okular 25 × ergäben eine Vergrößerung 2 500:1, die aber nicht mehr sinnvoll ist.

Denn durch die Wellennatur des Lichts können nur Einzelheiten bis etwa zur Größe der Lichtwellenlänge (0,4 bis 0,7 Tausendstel Millimeter) wiedergegeben werden. Das entspricht bei großer Apertur (d. h. großer Lichtstärke, wodurch die Beugung gering bleibt) einer „förderlichen Vergrößerung" um das Tausendfache. Eine wichtige Rolle für das Funktionieren des Mikroskops spielt auch der Kondensor, der das kleine Objekt in der Weise intensiv und gleichmäßig beleuchten soll, daß das Licht möglichst vollständig in das Objektiv übergeführt wird.

Für die unterschiedlichen Verwendungszwecke in Biologie, in Medizin und Technik wurde eine Vielzahl von Spezialmikroskopen entwickelt. Ein Mikroskop mit zwei Okularen (zum Beobachten mit beiden Augen) wird als *Binokularmikroskop* bezeichnet. Die Beleuchtung des Objekts auf dem Objekttisch (Mikroskoptisch) kann durch eingespiegeltes Tageslicht erfolgen oder durch eine getrennt aufgestellte oder im Stativ eingebaute Mikroskopierleuchte. Im *Durchlichtmikroskop* werden dünne, durchsichtige Objekte von unten mit Licht durchstrahlt, beim *Auflichtmikroskop* werden undurchsichtige Objekte von oben oder von der Seite her beleuchtet. Zur Untersuchung von durchsichtigen, doppelbrechenden Substanzen (v. a. Kristallen) verwendet man polarisiertes Licht. Man bezeichnet die hierfür eingerichteten Mikroskope, die meist mit einer Anzahl zusätzlicher Meßu. a. Einrichtungen versehen sind, als *Polarisationsmikroskope*.

Eine moderne Entwicklung ist das *Laserscanmikroskop (optisches Rastermikroskop)*. Hier wird ein feiner Laserstrahl von Punkt zu Punkt über das zu beobachtende Objekt geführt. Die Verstärkung der sich ergebenden Bildpunktsignale mit Hilfe eines Photoelektronenvervielfachers und eine nachträgliche Videoverstärkung ermöglichen eine breite Variation der Bildhelligkeit und des Kontrasts, ferner eine Bildwiedergabe im Ultraviolett sowie eine Weiterverarbeitung der Bildsignale in einer Datenverarbeitungsanlage.

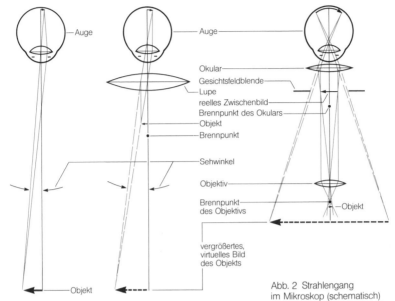

Auge

Auge

Okular
Gesichtsfeldblende
Lupe
reelles Zwischenbild
Brennpunkt des Okulars
Objekt
Brennpunkt

Sehwinkel

Objektiv

Brennpunkt
des Objektivs — Objekt

vergrößertes,
virtuelles Bild
des Objekts

Objekt

Abb. 1 Vergrößerung des Sehwinkels
durch eine Lupe

Abb. 2 Strahlengang
im Mikroskop (schematisch)

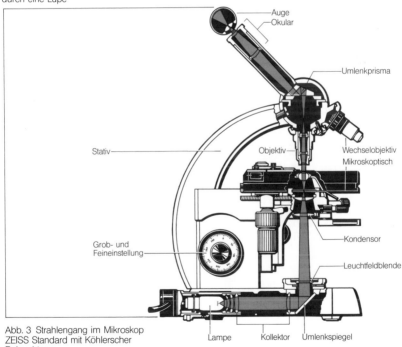

Auge
Okular

Umlenkprisma

Stativ

Objektiv

Wechselobjektiv
Mikroskoptisch

Kondensor

Grob- und
Feineinstellung

Leuchtfeldblende

Abb. 3 Strahlengang im Mikroskop
ZEISS Standard mit Köhlerscher
Beleuchtung

Lampe   Kollektor   Umlenkspiegel

Fernrohre I

Von Fernrohren wird häufig gesagt, daß sie „die Dinge vergrößern" oder „die Ferne heranholen" – ihre tatsächliche Wirkung besteht darin, daß sie den Sehwinkel vergrößern. Wir sind gewohnt, die Größe oder die Entfernung von Gegenständen danach abzuschätzen, unter welchen Winkeln sie uns erscheinen (in Abb. 1 die Winkel W und W').

Im Prinzip bestehen alle Linsenfernrohre (Refraktoren) aus einem dem Objekt zugewandten *Objektiv* und einem dem Auge zugewandten *Okular*. Die Strahlen von dem fernen Gegenstand treten etwa parallel in das Objektiv ein und werden in seinem Brennpunkt vereinigt (vgl. Linsen S. 28 f.). An der gleichen Stelle hat das Okular ebenfalls seinen Brennpunkt, so daß die Strahlen das Okular wieder parallel verlassen; man sieht den Gegenstand also weiterhin im Unendlichen, aber unter größerem Winkel. Die Vergrößerung ist gleich dem Verhältnis Objektivbrennweite f_1 zu Okularbrennweite f_2.

Beim *holländischen (Galilei-)Fernrohr* (Abb. 2) ist das Okular eine Zerstreuungslinse. Dieses System liefert ein aufrechtstehendes Bild, es wird besonders für Theatergläser mit geringer Vergrößerung (meist 2,5fach) verwendet.

Das *astronomische (Keplersche) Fernrohr* (Abb. 3) hat als Okular ein sammelndes Linsensystem. Daß hier bei der Zwischenabbildung ein reelles Bild entsteht, hat einen großen Vorteil: Alles, was sich in dieser Ebene befindet, erscheint dem Auge scharf und im Unendlichen liegend. Deshalb bringt man hier eine Gesichtsfeldblende an, die dem übersehbaren Raum im Unendlichen eine scharfe Begrenzung gibt, dazu entsprechend dem Verwendungszweck gegebenenfalls auch ein Fadenkreuz, einen Glasmaßstab o. ä. Das kopfstehende Bild stört bei der Himmelsbeobachtung nicht, für die Beobachtung von Erdzielen muß es durch eine weitere Zwischenabbildung umgekehrt werden. Zu diesem Zweck hat das „terrestrische Fernrohr" zwischen Objektiv und Okular noch eine weitere Sammellinse (Abb. 4). Bildet die Umkehrlinse im Maßstab 1:1 ab, so sind Gegenstandsweite und Bildweite beide gleich der doppelten Brennweite dieser Linse (f_u), das ganze Fernrohr wird infolge dessen sehr lang: es hat die Länge $l = f_1 + 4f_u + f_2$. Für den Handgebrauch baute man es deshalb mit ineinanderschiebbaren Rohren; das Prismenfernglas (s. S. 100) hat diese Bauart ersetzt.

Da sich Linsen nur bis zu Durchmessern von etwa 1 m herstellen lassen, wird bei größeren astronomischen Fernrohren ein Hohlspiegel als Objektiv verwendet. Man bezeichnet solche Fernrohre daher als *Spiegelteleskope* (Spiegeldurchmesser des Teleskops auf dem Mount Palomar 5 m, des Teleskops bei Selentschuk im Kaukasus 6 m). Das parallel einfallende Strahlenbündel trifft auf den konkaven, meist parabolisch geschliffenen Hauptspiegel und wird vor der Vereinigung im Brennpunkt von einem ebenen Fangspiegel um 90° abgelenkt, so daß der Brennpunkt seitlich aus dem Fernrohr herausverlegt wird (seitlicher *Newton-Fokus*; Abb. 5). Andere Systeme arbeiten mit einem konvexen Fangspiegel; er ist so geschliffen, daß die Strahlen erst zu einem Bild vereinigt werden, nachdem sie durch eine Durchbohrung in der Mitte des Hauptspiegels getreten sind *(Cassegrain-Fokus)*. Will man eine Durchbohrung des Hauptspiegels vermeiden, so läßt sich durch einen bzw. zwei zusätzliche ebene Spiegel der Brennpunkt seitlich neben das Teleskoprohr legen (*Coude-Fokus;* Abb. 6). Der Abbildungsfehler, der schon bei relativ geringer Abweichung der Strahlen von der Parallelität zur optischen Achse auftritt (sogenannte Koma), wird mit dem *Schmidt-Spiegel* vermieden, einem sphärischen Spiegel, dessen Öffnungsblendenebene durch den Krümmungsmittelpunkt der Spiegelfläche geht. Der Abbildungsfehler der sphärischen Aberration, der bei sphärischen Spiegeln auftritt, wird durch eine spezielle Korrektionsplatte mit asphärischem Schliff korrigiert. Die Bildfläche ist hier keine Ebene, sondern eine zur Spiegelfläche konzentrische Kugelfläche (Krümmungsradius gleich dem halben Krümmungsradius des Kugelspiegels).

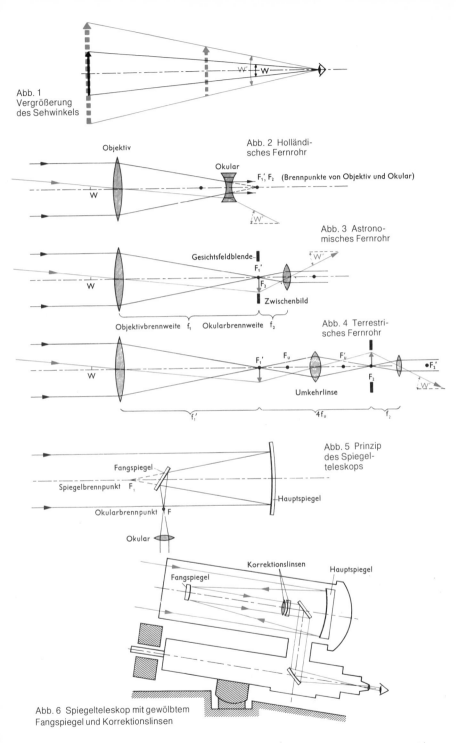

Abb. 1
Vergrößerung
des Sehwinkels

Abb. 2 Holländisches Fernrohr

Objektiv

Okular

F_1', F_2 (Brennpunkte von Objektiv und Okular)

W

W'

Abb. 3 Astronomisches Fernrohr

Gesichtsfeldblende

F_1'

F_2

W

W'

Zwischenbild

Objektivbrennweite f_1 Okularbrennweite f_2

Abb. 4 Terrestrisches Fernrohr

F_1'

F_u

F_u'

F_2'

W

F_2

W'

Umkehrlinse

f_1'

$4f_u$

f_2

Abb. 5 Prinzip des Spiegelteleskops

Fangspiegel

Spiegelbrennpunkt F_1

Hauptspiegel

Okularbrennpunkt F

Okular

Korrektionslinsen

Hauptspiegel

Fangspiegel

Abb. 6 Spiegelteleskop mit gewölbtem Fangspiegel und Korrektionslinsen

Fernrohre II

Das *Prismenfernglas* (Prismenfernrohr, Feldstecher) besteht wie das astronomische Fernrohr aus Objektiv und Okular. Das astronomische Fernrohr allein ergibt aber ein kopfstehendes Bild; zur Umkehrung dieses Bildes werden nun Prismen benutzt. Abb. 1 zeigt, wie ein Strahlenbündel durch Totalreflexion in einem Prisma zweimal im rechten Winkel abgelenkt wird, so daß danach Oben und Unten vertauscht sind. Da bei dem kopfstehenden Bild im Fernrohr auch Links und Rechts vertauscht waren, muß der Strahlengang noch ein zweites Prisma durchlaufen (Abb. 2), damit auch die Seitenrichtigkeit wiederhergestellt ist. Diese Prismenanordnung bringt gegenüber dem terrestrischen Fernrohr durch den dreifach nebeneinandergelegten Strahlengang eine wesentlich verkürzte Baulänge. Der gegenüber dem Augenabstand vergrößerte Objektivabstand ist für das räumliche Sehen von Vorteil. In dem Schnittbild Abb. 4 ist an der Vereinigung des Strahlenbündels der Ort der Zwischenabbildung kurz vor dem Okular erkennbar. Hier befindet sich auch die Gesichtsfeldblende, die beim Blick durch das Fernglas als scharfer Rand des Bildfeldes im Unendlichen gesehen wird.

Die *Vergrößerung* wird auf jedem Fernglas angegeben, z. B. 8 × (achtmal). Daß die nächste wichtige Zahlenangabe daran angeschlossen ist, ist etwas irreführend; diese zweite Angabe nennt nämlich den Objektivdurchmesser in Millimetern, z. B. „8 × 30". Dies bedeutet aber nicht, daß eine Multiplikation durchzuführen wäre. Im Gegenteil, den interessierenden Wert erhält man durch Division: 30/8 = 3,75. Er besagt, daß das Strahlenbündel mit 3,75 mm Durchmesser aus der Austrittspupille, die ja das Bild der achtmal größeren Eintrittspupille ist, kommt. Beide Pupillen kann man sehen, wenn man aus etwa 30 cm Abstand in das Okular oder das Objektiv blickt. Auch beim Auge wird die Lichtstärke durch die Pupille geregelt; bei schwachem Licht kann sie 8 mm Durchmesser haben. bei heller Sonne wird sie bis auf 1,5 mm verkleinert. Die Lichtstärke eines Fernglases wird also am besten ausgenutzt, wenn das Strahlenbündel gerade den Durchmesser der Augenpupille hat. Ein sogenanntes *Nachtglas* hat z. B. die Daten 7 × 50, also siebenfache Vergrößerung und eine Eintrittspupille von 50 mm Durchmesser (die Austrittspupille hat dementsprechend 7,14 mm Durchmesser. Bei Mondbeleuchtung geht das Bündel vollständig ins Auge über (Abb. 3 a). Be-

nutzt man aber das Glas am hellen Nachmittag, dann hat die Augenpupille vielleicht 2 mm Durchmesser (Abb. 3 b), und nur $1/_{13}$ der Lichtstärke wird ausgenützt. Da die durchtretende Lichtmenge der Fläche der Öffnung proportional ist, bezeichnet man die Lichtstärke beim Fernglas mit dem Quadrat des Durchmessers der Austrittspupille, z. B. 7,14 × 7,14 = 51,0.

In der Dämmerung werden Gegenstände um so besser erkannt, je größer und je heller sie erscheinen. Nach der Erfahrung steigt die Erkennbarkeit etwa mit der Wurzel aus dem Produkt von Objektivdurchmesser und Vergrößerung; die Wurzel aus dem Produkt beider Werte wird deshalb gelegentlich als „Dämmerungszahl" D angegeben. In den beiden zuvor angeführten Beispielen hat die Dämmerungszahl den Wert $D = \sqrt{30 \times 8} = 15{,}5$ bzw. $D = \sqrt{50 \times 7} = 18{,}7$.

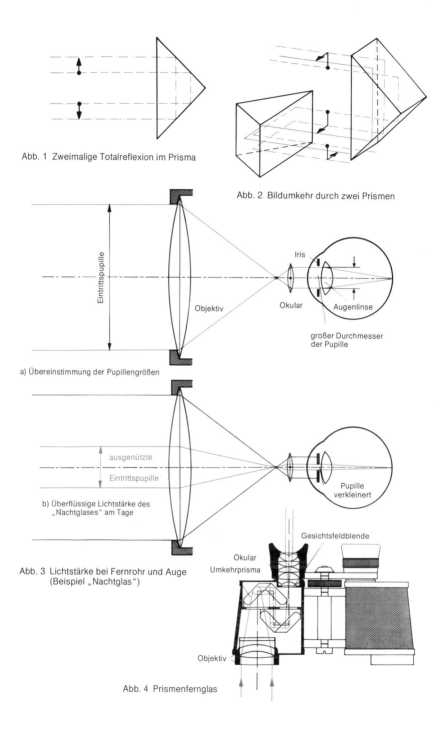

Abb. 1 Zweimalige Totalreflexion im Prisma

Abb. 2 Bildumkehr durch zwei Prismen

Eintrittspupille

Iris

Objektiv

Okular

Augenlinse

großer Durchmesser der Pupille

a) Übereinstimmung der Pupillengrößen

ausgenützte
Eintrittspupille

Pupille
verkleinert

b) Überflüssige Lichtstärke des
„Nachtglases" am Tage

Abb. 3 Lichtstärke bei Fernrohr und Auge
(Beispiel „Nachtglas")

Gesichtsfeldblende

Okular
Umkehrprisma

Objektiv

Abb. 4 Prismenfernglas

Glasfaseroptik

Die auch als *Fiberoptik* bezeichnete Glasfaseroptik ist ein Teilgebiet der modernen Optik, das sich mit der Übertragung von Licht durch vielfache Totalreflexion in Glasfasern beschäftigt. Dünne Fasern aus hochtransparenten optischen Gläsern geeigneter Brechzahl n_1 sind dabei von einem wenige tausendstel Millimeter dicken Mantel eines anderen Glases niedrigerer Brechzahl n_2 umgeben. Ein Lichtstrahl, der auf die polierte Eingangsfläche einfällt, wird im Innern dieser *Lichtleitfaser* durch Totalreflexion weitergeleitet; er folgt allen Biegungen der Faser und tritt am Ende wieder in den freien Raum aus (Abb. 1). Durch den Mantel ist die Lichtleitfaser von der Umgebung (Brechzahl n_0) optisch isoliert, so daß auch bei optischem Kontakt mit anderen Materialien kein Licht aus der Mantelfläche austreten kann. Lichtleitfasern werden in Durchmessern von 0,005 bis 0,5 mm hergestellt und zu faseroptischen Bauteilen weiterverarbeitet. *Lichtleitkabel* (Abb. 2) bestehen aus einem Bündel flexibler Lichtleitfasern, die an den Enden gefaßt und miteinander verklebt sind. Die Stirnfläche ist geschliffen und poliert. Zum Schutz gegen mechanische Beschädigung befindet sich das Faserbündel in flexiblen Metall- oder Kunststoffschläuchen. Durch Zerteilen erhält man daraus mehr oder weniger lange flexible *Lichtleiter*.

Licht kann durch flexible Lichtleiter einfach und raumsparend zu beliebigen Orten geleitet werden. Für Bildübertragungen werden Lichtleitfasern an den Enden oder über die ganze Länge in genau paralleler Anordnung verbunden. Das auf die Eingangsfläche entworfene Bild wird durch die einzelnen Fasern zerlegt und zum anderen Ende übertragen; hier wird das Bild rasterförmig (über 10 000 Bildpunkte pro mm^2) wieder zusammengesetzt. Flexible *Bildleiter* sind geordnete Faserbündel, die nur an den Enden gefaßt und verklebt sind. Es lassen sich Bilder hoher Auflösung auf flexiblen Wegen übertragen. Bei *Faserstäben* sind die Lichtleitfasern in der ganzen Länge miteinander parallel verschmolzen; sie sind starr, können aber durch glasbläserische Bearbeitung um scharfe Ecken in beliebige Richtungen gebogen werden. *Faserplatten* bestehen aus vakuumdicht miteinander verschmolzenen geordneten Lichtleitfasern, wobei die Faserlänge gleich der Plattendicke ist; hierbei werden 40 000 Bildpunkte pro mm^2 erreicht. In *Gradientenfasern*, bei denen die Brechzahl von der Faserachse in radialer Richtung nach einer quadratischen Funktion abnimmt, wird das Licht nicht im Zickzack reflektiert, sondern durchläuft die Faser auf einer wellenförmigen Bahn (Abb. 3). Wegen der gleichen optischen Weglänge für alle Lichtstrahlen ist dadurch eine Bildübertragung durch einzelne Fasern möglich.

Die Glasfaseroptik findet wegen der einfachen Handhabung vielseitige Anwendung in Wissenschaft, Medizin und Technik. Flexible Licht- und Bildleiter werden z. B. in Endoskopen zur Kaltlichtbeleuchtung innerer Organe für die Beobachtung, Photographie und Fernsehübertragung verwendet (Abb. 4); Lichtleitfasern leiten das sichtbare Licht einer externen Lichtquelle an das Objekt, ein Bildleiter überträgt das Bild zum Auge des untersuchenden Arztes. Vielseitig sind die Anwendungen von flexiblen Lichtleitern, die die große Leuchtdichte in der Nähe von Lichtquellen aufnehmen und über viele Meter übertragen. Dadurch können von einer Lichtquelle viele Objekte (Armaturenbretter, Schalttafeln u. a.) beleuchtet werden. Bei Bildröhren bilden Faserplatten die Frontscheiben, die Leuchtphosphorschicht wird auf die gekrümmte Rückseite der Faserplatte aufgebracht (Abb. 5); ein hier entstehendes Bild wird durch die Frontscheibe auf die Oberfläche der Röhre geleitet und kann dort photographiert werden. Bei mehrstufigen Bildverstärkern (Nachtsichtgeräte) sind sowohl Kathodenseite wie Leuchtschirmseite der Röhre mit Faserplatten abgeschlossen, so daß Einzelröhren kaskadenförmig hintereinandergeschachtelt werden können.

In der *Lichtleiterübertragungstechnik* werden Lichtleiterkabel zur Informationsübertragung verwendet. Mit dämpfungsarmen Glasfasern (Dämpfung unterhalb 5 dB/km) lassen sich Übertragungskanäle sehr hoher Bandbreite (Übertragungskapazität von über 100 Mbit pro Sekunde; entspricht der von etwa 2 000 digitalen Fernsprechkanälen) über größere Entfernungen aufbauen. Elektrooptische bzw. optoelektronische Wandler an beiden Enden des Lichtleiters setzen dabei analoge Signale (z. B. Sprache bzw. Sprechstrom im Fernsprechbereich) oder digitale Signale (z. B. bei der Datenübertragung) in Lichtschwankungen oder -impulse um und umgekehrt. Lichtverstärker (Regeneratoren) in Abständen von 20 km und mehr sorgen dafür, daß auf sehr großen Strecken kein Intensitätsverlust eintritt.

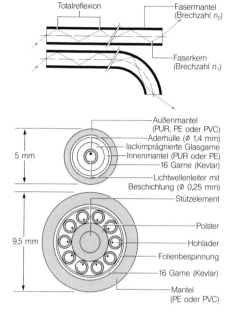

Totalreflexion

Fasermantel
(Brechzahl n_2)

Faserkern
(Brechzahl n_1)

Abb. 1 Strahlengang in einer geraden und einer gebogenen mehrwelligen Lichtleitfaser mit stufenförmigem Brechzahlprofil

Außenmantel
(PUR, PE oder PVC)
Aderhülle (∅ 1,4 mm)
lackimprägnierte Glasgarne
Innenmantel (PUR oder PE)
16 Garne (Kevlar)
Lichtwellenleiter mit Beschichtung (∅ 0,25 mm)

5 mm

Stützelement

Polster

Hohlader

Folienbespinnung

16 Garne (Kevlar)

Mantel
(PE oder PVC)

9,5 mm

Abb. 2 Beispiele für Grundelemente von Lichtleitkabeln

Abb. 3 Mehrwellige Gradientenfaser (oben) mit stetigem Brechzahlverlauf und einwellige Glasfaser mit stufenförmigem Brechzahlprofil

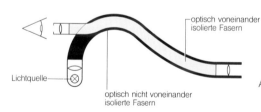

optisch voneinander isolierte Fasern

Lichtquelle

optisch nicht voneinander isolierte Fasern

Abb. 4 Endoskop mit Glasfasern

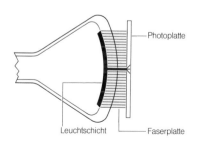

Photoplatte

Leuchtschicht

Faserplatte

Abb. 5 Glasfaserplatte als Hilfsmittel bei der Photographie von Kathodenstrahloszillogrammen

Laser

Als Laser (Abkürzung von engl.: *l*ight *a*mplification by *s*timulated *e*mission of *r*adiation = Lichtverstärkung durch angeregte Strahlungsemission) bezeichnet man Vorrichtungen zur Erzeugung und Verstärkung von äußerst monochromatischem und kohärentem sichtbarem Licht. Dieses Licht hoher Energiedichte besteht also aus Lichtwellen nahezu einer einzigen Frequenz bzw. Wellenlänge und schwankt in seiner Phase nicht statistisch völlig ungeordnet wie gewöhnliches Licht, sondern weist feste Phasenbeziehungen zwischen allen Punkten des von ihm gebildeten Strahlungsfeldes auf. Die Emission dieses Lichtes kommt durch Wechselwirkung geeigneter atomarer Systeme mit den Photonen (Lichtquanten) zustande: Befinden sich geeignete Atome, Ionen oder Moleküle, aber auch Festkörperkristalle u. a., in einem elektromagnetischen Strahlungsfeld, so können sie aus diesem Photonen absorbieren und aus einem Zustand z. B. der Energie E_1 in einen energetisch höher liegenden Zustand der Energie E_2 angeregt werden (Abb. 1), wenn im Strahlungsfeld elektromagnetische Wellen der Frequenz $v_{12} = (E_2 - E_1)/h$ bzw. Photonen der Energie $h v_{12}$ enthalten sind ($h = 6{,}626 \cdot 10^{-34}\,\text{J} \cdot \text{s}$ = Plancksches Wirkungsquantum). Meistens kehren sie nach sehr kurzer Zeit ganz von selbst unter *spontaner Emission* von Photonen der Energie $h v_{12}$ in den Zustand der Energie E_1 zurück. Das Strahlungsfeld bewirkt jedoch zusätzliche „induzierte" Übergänge gleicher Art, verbunden mit einer sog. *induzierten* oder *stimulierten Emission* von Photonen der Energie $h v_{12}$. Die so entstehende Strahlung ist *kohärent* (in gleicher Phase) mit dem verursachenden Anteil des Strahlungsfeldes, während die auf den zufällig und ungeordnet erfolgenden spontanen Emissionen beruhende Strahlung völlig inkohärent ist.

Normalerweise befindet sich ein Medium, das eine große Zahl von derartig anregbaren atomaren Systemen enthält, im thermischen Gleichgewicht, d. h., es gibt viel mehr Systeme, die sich im niedrigeren Energieniveau E_1 befinden, als solche im Energieniveau E_2 (Abb. 2). Dadurch werden bei Einstrahlung mehr Photonen absorbiert als induziert emittiert, d. h., das Strahlungsfeld wird geschwächt. Wenn aber durch Einstrahlung von Photonen einer Energie $h v_{13} = (E_3 - E_1)/h$ sehr viele Systeme in einen energetisch noch höher liegenden Zustand der Energie E_3 angeregt werden (sog. *optisches Pumpen*), aus dem sie laufend in den Zustand der Energie E_2 übergehen, so wird dieses Energieniveau „überbesetzt" (sog. *Inversion* der Besetzungszahlen; formal mit Hilfe einer negativen absoluten Temperatur T beschreibbar). In einem derartigen „aktiven Medium" kann dann der Fall eintreten, daß die Anzahl der induzierten Emissionen größer ist als die Absorptionsrate: Es findet eine Vermehrung an Photonen der Energie $h v_{12}$ statt.

Ein Laser hat nun folgenden Aufbau: Zwischen zwei sich gegenüberstehenden planparallelen oder sphärischen Spiegeln, von denen wenigstens einer für die entstehende Lichtstrahlung eine gewisse Durchlässigkeit besitzt, ist das „aktivierbare" Lasermedium mit den zur Emission von Photonen einer bestimmten Frequenz fähigen atomaren Systemen angeordnet. Nach Aktivierung des Mediums und verstärkter induzierter Emission von Photonen der Energie $h v_{12}$ bewirken die Spiegelflächen eine fortwährende Rückkopplung der entstehenden Strahlung in das aktive Medium. Sobald die Erzeugung von Photonen mit Bewegungsrichtungen senkrecht zu den Spiegelflächen die Verluste der zwischen den Spiegeln hin- und herlaufenden Lichtwellen übersteigt, tritt eine Resonanzverstärkung des Lichtes auf. Die Auskopplung des äußerst kohärenten Lichtes erfolgt meist durch den etwas durchlässigen Spiegel. Die ausgesandte Strahlung ist nahezu monochromatisch (spektrale Breite $\Delta v/v \approx 10^{-14}$) und außerdem äußerst scharf gebündelt.

Je nach Art des verwendeten aktiven Mediums unterscheidet man *Festkörperlaser* (Abb. 3), *Flüssigkeits-* und *Gaslaser* (insbesondere *Gasentladungslaser,* Abb. 4) und *Halbleiterlaser* (auch *Injektionslaser* genannt; Abb. 5), nach Betriebs- und Strahlungsweise *Impulslaser* (Emission von Lichtblitzen) und *Dauerstrichlaser* (kontinuierliche Emission). Der bekannteste Festkörperlaser ist der rotes Licht liefernde *Rubinlaser,* bei dem das aktive Medium aus einem synthetisch hergestellten Rubineinkristall besteht. Das optische Pumpen geschieht mit Hilfe intensiver Lichtblitze, die durch periodische Entladung eines Kondensators über eine Gasentladungslampe gewonnen werden. Halbleiterlaser bestehen z. B. aus n- und p-dotiertem Galliumarsenid; die Lichtemission erfolgt im p-n-Übergang.

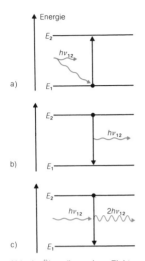

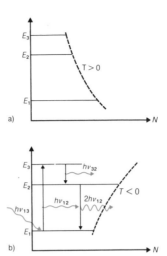

Abb. 1 Übergänge eines Elektrons zwischen den Energieniveaus eines Atoms; a Absorption eines Lichtquants, b spontane und c induzierte Emission

Abb. 2 Besetzungszahlen N der Energieniveaus im thermodynamischen Gleichgewicht (a) und in einem Dreiniveaulaser bei Besetzungsinversion (b)

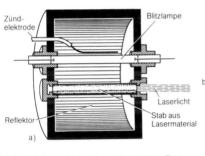

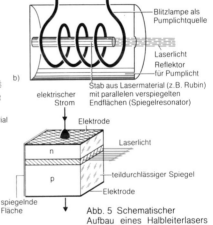

Abb. 3 Schematische Darstellung eines Festkörperlasers (a) mit stabförmiger Blitzlampe in einem Reflektor von elliptischem Querschnitt, (b) mit wendelförmiger Blitzlampe

Abb. 5 Schematischer Aufbau eines Halbleiterlasers

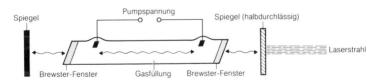

Abb. 4 Anordnung eines Gaslasers mit Anregung durch Elektronenstoß in einer Gasentladungsröhre

105

Holographie

Die optische Wahrnehmung eines Objekts geschieht mit Hilfe des von ihm ausgesandten, hindurchgelassenen, reflektierten oder gebeugten Lichts. Das Auge und die meisten optischen Systeme sind dabei nur für die Amplitude (Hell-Dunkel-Eindruck) und für die Frequenz (Farbeindruck) der Lichtwelle empfänglich. Andere wichtige Welleneigenschaften sind für das menschliche Auge nicht unmittelbar beobachtbar, so die Polarisation und die Phasenlage, d. h. der „Gangunterschied" zwischen verschiedenen, von benachbarten Punkten des Objekts ausgehenden Wellenfronten. Die Phasendifferenzen beinhalten jedoch Informationen über die Dreidimensionalität des Objektes und über seine Oberflächenstruktur, die nur neurophysiologisch (im Gehirn) durch das binokulare Sehen rekonstruiert werden. Könnte man die Phasenverteilung des Lichtbündels in eine sichtbare Intensitätsverteilung umwandeln, erhielte man ein mit dem Objekt völlig übereinstimmendes dreidimensionales „Luftbild" des Objekts, und zwar ohne abbildende optische Systeme wie Linsen oder Spiegel.

Man kann die Gangunterschiede innerhalb eines Wellensystems sichtbar machen, indem man die Wellen zur Interferenz bringt: Wo Wellental und Wellenberg zusammentreffen, löschen sich beide Strahlungsanteile gegenseitig aus, wo zwei Wellenberge zusammentreffen, verstärken sie sich (Abb. 1). Auf diese Weise entsteht ein Strukturmuster aus Hell- und Dunkelpositionen, das auf einer photographischen Platte aufgefangen werden kann und in dem die Phasenlagen des Strahlenbündels „eingefroren" sind. Dazu muß man der vom Objekt ausgehenden Strahlung ein zweites Strahlenbündel, eine sogenannte Referenzstrahlung, überlagern.

Dieses Verfahren war zunächst in der Mikroskopie als sogenanntes *Phasenkontrastverfahren* erfolgreich (F. Zernike, 1934). Im makroskopischen Bereich scheiterte die schon 1948 von D. Gabor vorgestellte Idee einer „Holographie" daran, daß man nur kohärentes Licht (d. h. Licht einer bestimmten Wellenlänge mit fester Phasenbeziehung der Wellen zueinander) zur Interferenz bringen kann, natürliches Licht aber nur auf ganz geringen Weglängen kohärent ist. Erst mit der Entwicklung des Lasers stand eine Lichtquelle zur Verfügung, die kohärentes Licht aussendet. Der scharf begrenzte Laserstrahl muß zur Beleuchtung des Objekts durch geeignete optische Anordnungen aufgefächert werden, außerdem muß von ihm ein Referenzstrahlenbündel abgezweigt werden. Beide Strahlenbündel bringt man am Ort einer Photoplatte zur Interferenz und belichtet diese Platte mit den Interferenzstrukturen (*Hologramm;* Abb. 2).

Beleuchtet man das entwickelte Hologramm mit einem Laserlichtbündel aus der Richtung der ursprünglichen Referenzstrahlung (es sind auch abweichende Beleuchtungsanordnungen möglich), so wird dieses Licht am Hologramm so gebeugt und reflektiert, daß man am ursprünglichen Objektort ein dreidimensionales objektgleiches Luftbild (in der Farbe der Laserstrahlung) erblickt, das man aus verschiedenen Richtungen und unter verschiedenen Sehwinkeln betrachten kann. Anders als beim photographischen Bild wird dabei jeder Objektpunkt durch die gesamte Hologrammschicht repräsentiert, so daß man im Hologramm ohne wesentlichen Informationsverlust in Stücke zerschneiden kann. Die Interferenzstrukturen des Hologramms können auch durch eine weitere Laseraufnahme maskiert und in Form von rillenartigen Vertiefungen codiert werden, die zur Hologrammdarstellung kein Laserlicht mehr erfordern, sondern eine Betrachtung bei natürlichem inkohärentem Licht zulassen (sog. *Weißlichthologramme;* Abb. 3). Damit wird auch die Vervielfältigung von Hologrammen möglich. Weißlichthologramme *(Regenbogenhologramme)* lassen nur eine horizontale Sehparallaxe zu, d. h., sie erscheinen schwarzweiß plastisch nur aus horizontal veränderten Blickrichtungen; betrachtet man sie aus unterschiedlicher Höhe, erscheinen sie in den Regenbogenfarben. Zur Darstellung von farbigen Hologrammen sind drei Laser erforderlich, die blaues, grünes und rotes Licht (die additiven Grundfarben) ausstrahlen.

Die technische Anwendung der Holographie läßt vielfältige Möglichkeiten zu, wobei einmal die Dreidimensionalität der optischen Information (z. B. für die Datenspeicherung), aber auch die Kohärenz der Hologrammstrukturen eine Rolle spielt. Beispiele sind: Sichtbarmachen kleinster Formveränderungen (in der Größenordnung von Lichtwellenlängen) etwa bei der zerstörungsfreien Untersuchung von Flugzeugteilen unter unterschiedlicher Belastung; plastische Darstellung von computergespeicherten Modelldaten; Identifikation bestimmter Strukturen in einem beliebigen Umfeld.

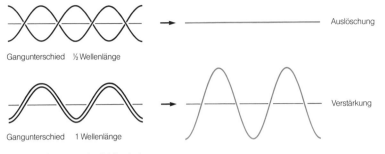

Gangunterschied ½ Wellenlänge

Auslöschung

Gangunterschied 1 Wellenlänge

Verstärkung

Abb. 1 Interferenz zweier Wellen bei unterschiedlichem Gangunterschied

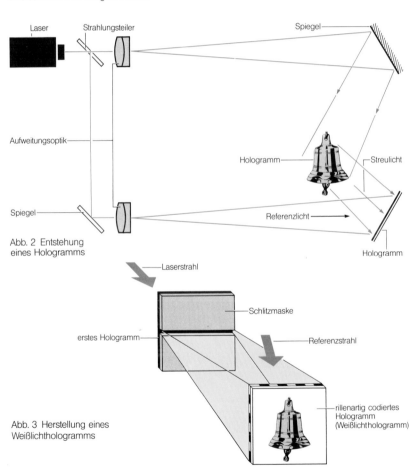

Laser

Strahlungsteiler

Spiegel

Aufweitungsoptik

Hologramm

Streulicht

Spiegel

Referenzlicht

Abb. 2 Entstehung eines Hologramms

Hologramm

Laserstrahl

Schlitzmaske

erstes Hologramm

Referenzstrahl

rillenartig codiertes Hologramm (Weißlichthologramm)

Abb. 3 Herstellung eines Weißlichthologramms

Elektronenmikroskop

Da das Auflösungsvermögen des Lichtmikroskops durch die Wellenlänge des Lichts begrenzt ist (s. S. 96), suchte man nach Strahlen kürzerer Wellenlänge, die sich auch ablenken und damit zur Abbildung verwenden lassen. Diese Möglichkeit bieten Elektronenstrahlen, d. h. beim Durchlaufen eines elektrischen Feldes auf hohe Geschwindigkeit gebrachte freie Elektronen. Je nach ihrer Geschwindigkeit kann man ihnen eine bestimmte Wellenlänge zuordnen, sie verhalten sich unter gewissen Bedingungen wie eine sehr kurzwellige Wellenstrahlung. Da ein Elektron eine negative Ladung trägt, wird es von einem elektrischen Feld beeinflußt: Es wird z. B. zur positiven Platte eines Kondensators (Abb. 1) oder ganz allgemein zu Orten höherer Spannung (höheren Potentials) hin beschleunigt, bei Bewegung in der entgegengesetzten Richtung wird es hingegen abgebremst. Bei der Darstellung eines elektrischen Feldes werden alle Punkte, die auf gleicher Spannung liegen, durch „Äquipotentiallinien" verbunden. Fliegt ein Elektron schräg durch ein elektrisches Feld (z. B. zwischen zwei geladenen Drahtnetzen; Abb. 2), so erfährt es eine zusätzliche Beschleunigung auf die Linien höheren Potentials zu, es ändert seine Richtung und wird folglich abgelenkt. Aufgrund dieser „Brechung" baute man – analog zu den Glaslinsen für Licht – für Elektronen elektrostatische Linsen aus kugelig gewölbten Drahtnetzen (Abb. 3). Solche Netze im Strahlengang haben einen Nachteile, deshalb verwendet man elektrostatische Linsen, die aus kurzen Rohrstücken (Abb. 4) oder Lochblenden (Abb. 5) zusammengesetzt sind. Daß sich bei dem symmetrischen Verlauf der Potentiallinien zerstreuende und sammelnde Wirkung nicht aufheben, kommt daher, daß die Elektronen das zerstreuende Gebiet mit höherer Geschwindigkeit durchlaufen, wodurch sich die Ablenkung geringer auswirkt. Neben den elektrostatischen Linsen gibt es auch magnetische Elektronenlinsen. Bei ihnen nutzt man die Tatsache aus, daß bewegte Elektronen von Magnetfeldern beeinflußt und abgelenkt werden, und zwar um so mehr, je höher ihre Geschwindigkeit und je höher die Feldstärke ist. Um große Feldstärken zu erreichen, verwendet man als magnetische Linsen von Eisen umgebene Spulen mit schmalem Spalt (Abb. 6).

Den prinzipiellen Aufbau eines magnetischen und eines elektrostatischen Elektronenmikroskops zeigen Abb. 7 b und c:

Die Elektronen werden von der Glühkathode ausgesandt, beschleunigt und dann durch den Kondensor auf das zu untersuchende Objekt gebündelt. Je nach Dicke und Zusammensetzung des Objekts werden die Elektronenstrahlen unterschiedlich geschwächt, das Objektiv vereinigt sie zum vergrößerten Zwischenbild. Von diesem wird durch die Projektionsoptik ein weiter vergrößertes Bild zur Sichtbarmachung auf einem Fluoreszenzschirm oder einer für Elektronen empfindlichen Photoplatte entworfen. Neben diesen Durchstrahlungselektronenmikroskopen, bei denen die Objekte von den Elektronenstrahlen durchsetzt und direkt abgebildet werden, hat das Rasterelektronenmikroskop zunehmend Bedeutung erlangt. Bei diesem erzeugt man mittels vor dem Objekt angeordneter Elektronenlinsen einen äußerst schmalen Elektronenstrahl (Durchmesser meist etwa 10 nm) und führt diesen zeilenweise (rasterförmig) über das Objekt. Die Signale der durch das Objekt hindurchgehenden oder von ihm rückgestreuten Elektronen (einschließlich der in der Oberfläche ausgelösten Sekundärelektronen) werden mit Hilfe eines Szintillators oder Sekundärelektronenvervielfachers verstärkt und zur Helligkeitssteuerung einer Braunschen Röhre herangezogen, in der ein starker Elektronenstrahl im gleichen Ablenkrhythmus über den Leuchtschirm geführt wird. Es entstehen ohne störende Abbildungsfehler vergrößerte Bilder, die große Tiefenschärfe besitzen und einen plastischen Eindruck vermitteln.

Im Vergleich zu grünem Licht mit einer Wellenlänge von rund 1/2 000 mm haben mit 50 000 Volt beschleunigte Elektronen eine 100 000mal kleinere Wellenlänge. Die Apertur (ein Maß für Auflösungsvermögen und Bildhelligkeit) ist zwar 1 000mal kleiner als beim Lichtmikroskop, die Beugungsunschärfe entsprechend 1 000mal größer, aber es bleibt ein Faktor 100 als Gewinn an Auflösung: Elektronenmikroskope erlauben zusammen mit der photographischen Nachvergrößerung der Photoplatte Vergrößerungen bis 1 : 500 000.

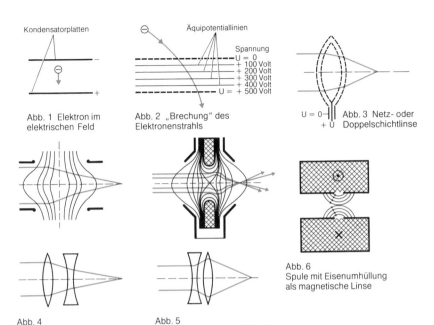

Abb. 1 Elektron im
elektrischen Feld

Kondensatorplatten

Abb. 2 „Brechung" des
Elektronenstrahls

Äquipotentiallinien

Spannung
U = 0
+ 100 Volt
+ 200 Volt
+ 300 Volt
+ 400 Volt
U = + 500 Volt

U = 0
+ U

Abb. 3 Netz- oder
Doppelschichtlinse

Abb. 6
Spule mit Eisenumhüllung
als magnetische Linse

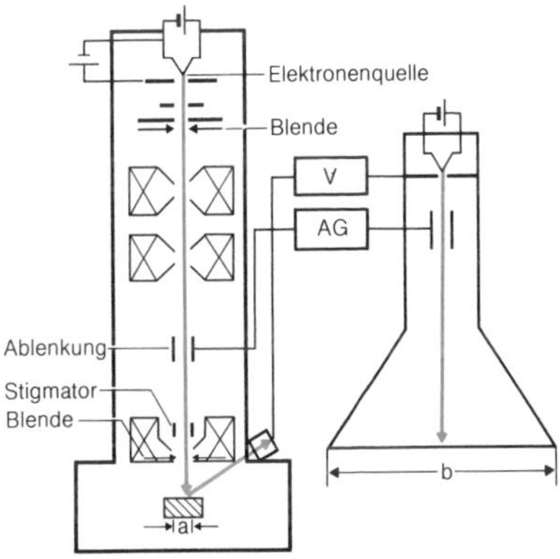

Abb. 4
Elektronenlinse in Rohrform im
Vergleich mit entsprechenden
optischen Linsen

Abb. 5
Elektronenlinse in Lochblenden-
form im Vergleich mit entsprechenden optischen Linsen

Elektronenquelle

Blende

V

AG

Ablenkung

Stigmator
Blende

a

b

Abb. 7a
Rasterelektronenmikroskop
(V Verstärker, AG Ablenkgenerator)

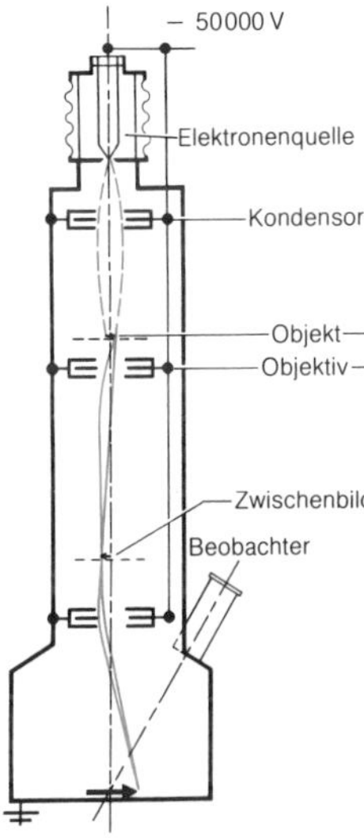

− 50000 V

Elektronenquelle

Kondensor

Objekt
Objektiv

Zwischenbild

Beobachter

Abb. 7b Elektrostatisches
Elektronenmikroskop
(mit Lochblendenlinsen)

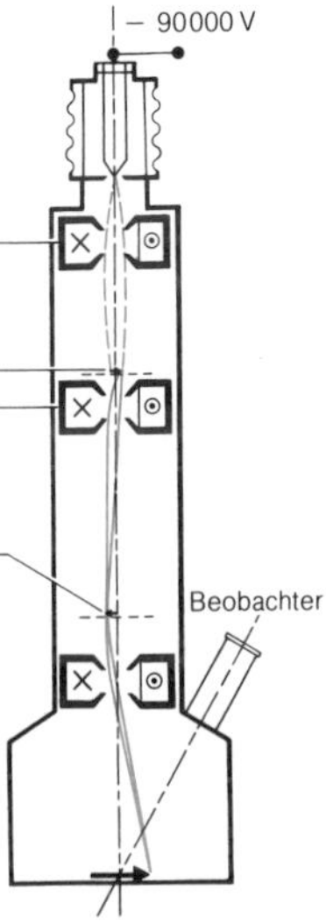

− 90000 V

Beobachter

Abb. 7 c Magnetisches
Elektronenmikroskop
(mit Spulen)

Bildwandler

Bildwandler sind Geräte, die Bilder, die von einer optisch nicht wahrnehmbaren Strahlenart entworfen werden, in Bilder sichtbarer Strahlung umwandeln. Optisch nicht wahrnehmbare Strahlen sind solche, die entweder kürzere Wellenlängen (Ultraviolett, Röntgen- und Gammastrahlen) oder größere Wellenlängen (Infrarot, Radar, Kurzwellen) aufweisen als das sichtbare Licht. Auch Strahlung des sichtbaren Bereichs kann dazugerechnet werden, wenn sie so schwach ist, daß sie zur Wahrnehmung von Objekten nicht mehr ausreicht (z. B. nächtliches „Restlicht" bei bewölktem Himmel). Die einfachsten Bildwandler sind Leuchtstoffe (Phosphore). Sie absorbieren die auftreffende unsichtbare Strahlung und senden ihrerseits sichtbare Strahlung aus. Das bekannteste Beispiel ist die Zinksulfidschicht des Leuchtschirms für Röntgendurchleuchtungen.

Bildwandler im engeren Sinne (Abb. 1) sind jedoch Anordnungen von dünnen großflächigen Halbleiterschichten, aus denen die auftreffende Strahlung vermöge des äußeren photoelektrischen Effekts Elektronen herauslösen kann und die sich als Photokathode in einer Art Elektronenröhre befinden. Die emittierten Elektronen werden durch elektrische (Abb. 2) oder magnetische „Linsen" (Abb. 3) gebündelt und wie die Lichtstrahlen in einem Photoobjektiv abgelenkt, so daß sie ein reelles Bild erzeugen, das auf dem Fluoreszenzschirm der Röhre sichtbar wird. Der *Röntgenbildwandler* enthält eine dünne Aluminiumfolie, die auf der den Strahlenquelle zugewandten Seite den Röntgenleuchtschirm und auf der Röhreninnenseite die Photokathode trägt. Die emittierten Elektronen werden durch eine entsprechende Linsenanordnung beschleunigt, und das Strahlungsbild auf dem Betrachtungsschirm wird in solchem Maße verstärkt, daß die Strahlenbelastung für den Patienten geringgehalten werden kann. Zur weitergehenden Verstärkung kann der Bildwandler mit einem Sekundärelektronenvervielfacher (Photomultiplier) kombiniert werden. Dabei werden die aus der Photoelektrode herausgelösten und durch elektromagnetische Felder beschleunigten Elektronen auf eine Sekundäremissionsfolie gelenkt, z. B. eine Magnesium- oder Cäsiumoxidschicht, bei der das Elektronenbombardement seinerseits Elektronen in verstärktem Maß herauslöst. Man kann mehrere derartige Anordnungen hintereinanderschalten (Kaskadenvervielfacher) und eine Verstärkung bis zum 10^5fachen der Primärstrahlung erhalten. Solche Geräte dienen als Nachtsichtgeräte (Restlichtverstärker, Abb. 4) zu Beobachtungen oder Photoaufnahmen bei völliger Dunkelheit.

Bei *Festkörperbildwandlern* ist die Elektronenröhre durch eine Halbleiterschicht ersetzt (Abb. 5). Der strahlungsempfindliche Halbleiter (Photoleiter) ändert nach Maßgabe der auftreffenden Strahlung seinen elektrischen Widerstand und beeinflußt damit lokal die Strahlung der anliegenden Elektrolumineszenzschicht, die durch eine Wechselspannung zum Leuchten angeregt wird.

Auch Infrarotstrahlung kann durch Bildwandlerröhren sichtbar gemacht werden (sogenanntes „nahes" Infrarot), auch gibt es speziell für Infrarotstrahlen sensibilisiertes photographisches Schwarzweiß- und Farbmaterial („Falschfarbenfilm"). Die photographische Sensibilisierung findet jedoch bei Wellenlängen von 1 300 nm an eine Grenze. Längerwellige Strahlung („fernes Infrarot"), die allgemein als Wärmestrahlung wahrgenommen wird, wird zudem von Photolinsen und ähnlichen Materialien vollkommen absorbiert; sie geht von jedem Gegenstand aus (dessen Temperatur oberhalb des absoluten Nullpunktes 0 K liegt) und würde jede Photoaufnahme in kürzester Zeit verschleiern. Um Infrarotbilder zu erhalten, muß man daher mit Metallspiegelsystemen in einem sehr engen Temperaturbereich arbeiten. Nur bestimmte Halbmetalle, z. B. Germanium in hochreinem Zustand, sind infrarotdurchlässig und als Linsenmaterial geeignet. Als Strahlungsempfänger dient ein „Thermistor", eine Detektordiode aus Indiumantimonid, die mit flüssigem Helium (auf −268 °C) oder Stickstoff (auf −196 °C) gekühlt wird. Die an der Diode abgegriffenen Spannungssignale werden im selben Rhythmus, mit dem das bewegliche Spiegel-Prismen-System das vom Hohlspiegel aufgefangene Wärmebild abtastet, punkt- und zeilenweise auf einem Bildschirm sichtbar gemacht (*Thermograph,* Abb. 6).

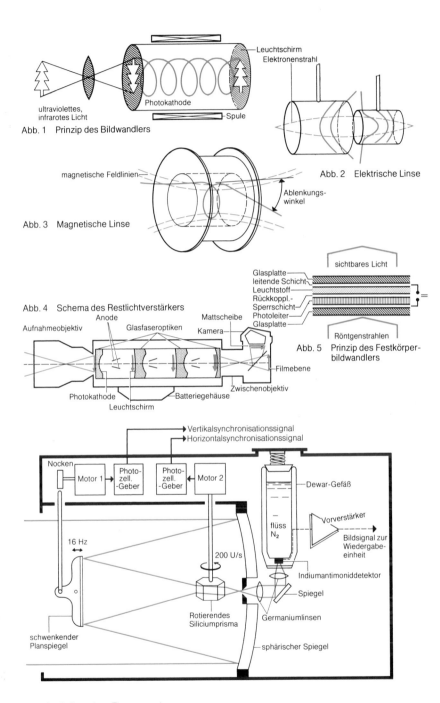

Abb. 1 Prinzip des Bildwandlers

ultraviolettes, infrarotes Licht

Leuchtschirm
Elektronenstrahl
Photokathode
Spule

Abb. 2 Elektrische Linse

magnetische Feldlinien

Ablenkungswinkel

Abb. 3 Magnetische Linse

Abb. 4 Schema des Restlichtverstärkers

sichtbares Licht

Glasplatte
leitende Schicht
Leuchtstoff
Rückkoppl.-
Sperrschicht
Photoleiter
Glasplatte

Röntgenstrahlen

Abb. 5 Prinzip des Festkörperbildwandlers

Aufnahmeobjektiv
Anode
Glasfaseroptiken
Mattscheibe
Kamera
Filmebene
Zwischenobjektiv
Photokathode
Batteriegehäuse
Leuchtschirm

Vertikalsynchronisationssignal
Horizontalsynchronisationssignal

Nocken
Motor 1
Photozell.-Geber
Photozell.-Geber
Motor 2
Dewar-Gefäß
Vorverstärker
flüss N₂
Bildsignal zur Wiedergabeeinheit
16 Hz
200 U/s
Indiumantimoniddetektor
Spiegel
Rotierendes Siliciumprisma
Germaniumlinsen
schwenkender Planspiegel
sphärischer Spiegel

Abb. 6 Aufbau eines Thermographen

Radioaktivität

Unter radioaktivem Zerfall versteht man die von selbst ablaufende Umwandlung von Elementen. Er geht unter Aussendung einer energiereichen Strahlung vor sich (Radioaktivität), die sich unter dem Einfluß eines Magnetfeldes in drei Komponenten, die Alpha-, Beta- und Gammastrahlung (α-, β- und γ-Strahlung), aufspalten läßt (Abb. 1). Die zweifach positiv geladenen *Alphateilchen* bestehen aus zwei Protonen und zwei Neutronen; sie sind also identisch mit dem Kern der Atome des Edelgases Helium. *Betateilchen* sind hochenergetische, d. h. besonders schnelle Elektronen, die durch den Zerfall eines Neutrons im Atomkern in ein Proton und ein Elektron entstehen, wobei das Proton im Kern verbleibt. Beide Strahlungen werden in einem Magnetfeld nach verschiedenen Seiten abgelenkt. Die *γ-Strahlung*, die den Alpha- und Betazerfall begleitet, bleibt hingegen vom Magnetfeld unbeeinflußt; sie stellt eine elektromagnetische Wellenstrahlung extrem kleiner Wellenlänge ($\approx 10^{-12}$ cm) dar und wird von den hochenergetischen Gammaquanten (γ-Quanten) gebildet. Wegen ihrer hohen Energie sind alle drei Strahlungsarten in der Lage, eine photographische Platte zu schwärzen bzw. Gase zu ionisieren; sie lassen sich also mittels photographischer oder elektrischer Meßmethoden nachweisen.

Nach G. Gamow stellt man sich den Alphazerfall folgendermaßen vor: Man schematisiert einen radioaktiven Atomkern durch ein topfartiges Gebilde (Abb. 2). In diesem sogenannten *Potentialtopf* befinden sich als Bausteine des Atomkerns α-Teilchen. Normalerweise können diese nur aus dem Topf heraus, wenn sie eine ausreichend hohe Energie haben. Die α-Teilchen besitzen aber überdies Welleneigenschaften, die es ihnen (in beschränkter Zahl) ermöglichen, die Topfwandung zu durchdringen bzw. zu durchtunneln. Solche Teilchen bilden die α-Strahlung.

In Abb. 3 ist ein Nachweisgerät für radioaktive Strahlung wiedergegeben, das nach seinen Erfindern als *Geiger-Müller-Zählrohr* bezeichnet wird *(Geigerzähler)*. Es beruht auf dem elektrischen Nachweis der radioaktiven Strahlung durch Ionisation. Das Rohr ist mit einem verdünnten, elektrisch neutralen Gas gefüllt, in dem durch die radioaktive Strahlung ein Stoßionisationsprozeß eingeleitet wird. Dadurch wird das Gas kurzzeitig elektrisch leitend, so daß ein Strom fließt, der zu einem Spannungsabfall am äußeren Widerstand führt. Dieser kurze Impuls wird verstärkt und dann der Zählvorrichtung zugeführt. Die hohe Empfindlichkeit des Zählrohrs beruht auf der geometrischen Gestaltung seiner Elektroden. Die dünne, drahtförmige Anode (Pluspol) wird von einer großflächigen, zylindrischen Kathode (Minuspol) konzentrisch umgeben. Die Wahrscheinlichkeit, daß die beim Stoßionisationsvorgang freiwerdenden (negativen) Elektronen sofort zur Anode gelangen, ist gering. Sie fliegen in der Regel zunächst an ihr vorbei und werden durch das starke elektrische Feld der sich an der Anode zusammendrängenden Feldlinien auf eine Spiralbahn gezwungen, auf der sie noch zahlreiche Stoßionisationsvorgänge auslösen, ehe sie schließlich zur Anode gelangen.

Neben der natürlichen Radioaktivität kennt man seit 1934 auch eine *künstliche Radioaktivität*, d. h. Radionuklide, die auf dem Wege der künstlichen Atomumwandlung, z. B. durch Bestrahlen mit Alphateilchen oder Neutronen, radioaktiv gemacht worden sind. Sie entstehen in der modernen Kerntechnik auch beim Reaktorbetrieb. Die Intensität der Strahlung radioaktiver Nuklide nimmt im Lauf der Zeit ab, entsprechend dem radioaktiven Zerfallsgesetz. Ein Maß für die Aktivität einer Strahlenquelle ist das *Becquerel* (Einheitenzeichen Bq): 1 Bq = 1 s^{-1} bedeutet, daß sich im Mittel ein Atomkern eines Radionuklids in einer Sekunde umwandelt bzw. zerfällt. Die *Halbwertszeit* ist die Zeitspanne, nach der die Hälfte der zu Beginn der jeweiligen Zeitmessung vorhandenen Kerne der radioaktiven Atome zerfallen ist.

Radionuklide stellen aus mehreren Gründen eine beträchtliche Gefahr dar. Die Intensität ihrer Strahlung unterliegt entsprechend dem Zerfallsgesetz lediglich einer zeitlichen Abnahme; die Halbwertszeit bzw. die Zerfallsrate kann weder auf chemischem noch auf anderen Weg beeinflußt werden. Den Gefahren der Strahlung kann nur durch eine geeignete, sie absorbierende Abschirmung begegnet werden. Die Strahlung hat eine ionisierende Wirkung. In anorganischer Materie, z. B. in Luft, ist dies weitgehend ohne Bedeutung. In lebendem Gewebe, z. B. im menschlichen Körper, können Mutationen, die die Erbinformation der Zellen verändern, oder krebsige Entartungen von Zellen ausgelöst werden. Die sehr harte, d. h. durchdringende γ-Strahlung dient in der Radiologie Zwecken der Therapie und Diagnose.

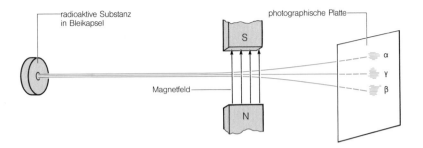

Abb. 1 Radioaktive Strahlung

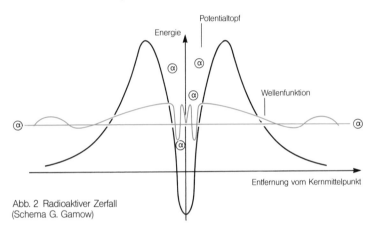

Abb. 2 Radioaktiver Zerfall
(Schema G. Gamow)

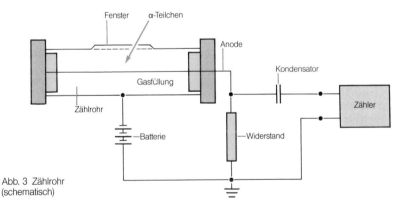

Abb. 3 Zählrohr
(schematisch)

Atomkerne, Kernenergie, Kernspaltung

Die in den Zentren der Atome eines Stoffes befindlichen *Atomkerne*, in denen fast die ganze Masse des Atoms vereinigt ist – ihr Durchmesser beträgt nur einige 10^{-13} cm, ist also 100 000mal kleiner als der Atomdurchmesser selbst (einige 10^{-8} cm) –, bestehen aus Protonen und Neutronen. Als *Protonen* bezeichnet man die positiv elektrisch geladenen Atomkerne des leichten Wasserstoffs (^{1}H), als *Neutronen* nur wenig schwerere Elementarteilchen ohne elektrische Ladung. Zwischen diesen Kernbausteinen, den *Nukleonen*, wirken auf Entfernungen von weniger als 10^{-12} cm sehr starke Anziehungskräfte, die sogenannten *Kernkräfte*, die sie im Kern zusammenhalten (binden). Die Zahl der Protonen legt dabei die Ordnungszahl Z des zugehörigen chemischen Elementes fest ($Z = 1$ beim Wasserstoff, $Z = 92$ beim Uran), während die Neutronenzahl N mit zwei Ausnahmen – beim leichten Wasserstoff oder Protium (^{1}H) und beim leichten Helium (^{3}He) – zumindest gleich der Protonenzahl ist ($N = 1$ beim schweren Wasserstoff ^{2}H und $N = 136$ beim Uranisotop ^{238}U). Die Neutronenzahl ist außerdem in den meisten Fällen nicht bei allen Atomen eines chemischen Elementes gleich; die sich in N und damit in der Massenzahl $A = Z + N$ unterscheidenden Atomsorten eines Elementes bilden die sogenannten *Isotope* dieses Elementes. Zu ihrer Bezeichnung wird die jeweilige Massenzahl entweder links oben an das chemische Symbol oder hinter dieses gesetzt. – Weiter zeigt sich bei mittelschweren und schweren Kernen, daß die Neutronenzahl immer stärker die Protonenzahl überwiegen muß, da sonst die Kernkräfte nicht in der Lage sind, gegen die Wirkung der elektrostatischen Abstoßungskräfte zwischen den geladenen Protonen eine Bindung der Nukleonen zu einem für alle Zeiten stabilen Atomkern zu bewirken. Bei einem ungünstigen N/Z-Verhältnis sowie bei sehr schweren Kernen ($N/Z \approx 1,6$) sind aus diesen Gründen die Kerne *instabil*: Sie zerfallen mit der Zeit unter Ausstoßung von Teilchen, nämlich entweder Elektronen (den Betateilchen) oder Heliumkerne (den Alphateilchen); sie sind *radioaktiv*, wie man sagt.

Bei den Atomkernen des Uranisotops ^{235}U kann nun auf folgende Art eine sogenannte *Kernspaltung* eintreten: Ein freies Neutron geringer kinetischer Energie ($\approx 0,025$ eV) trifft auf einen U-235-Kern und wird von diesem eingefangen (absorbiert). Der entstehende U-236-Kern ist dann aber so instabil, daß er sich nach kurzer Zeit von selbst in zwei ungefähr gleich schwere Bruchstücke (z. B. in einen Barium- und einen Kryptonkern) spaltet, wobei außerdem mehrere Neutronen frei werden. Die als *Spaltprodukte* bezeichneten Kernbruchstücke dieser Kernspaltung fliegen mit sehr großer Geschwindigkeit fort und übertragen ihre kinetische Energie durch Zusammenstöße mit den Atomen der umgebenden Materie auf diese, wodurch der Wärmeinhalt und damit die Temperatur der Umgebung erhöht wird. Die kinetische Energie der beiden Spaltprodukte (im Mittel zusammen 170 MeV), die wegen ihres hohen Neutronenüberschusses ($N - Z$) meist radioaktiv sind, sowie die kinetische Energie der Neutronen stammt nun aus der Bindungsenergie der 235 Nukleonen des U-235-Kerns, die zum Teil bei einer solchen Kernspaltung frei wird.

Die *Bindungsenergie* eines Atomkerns ist dabei diejenige Energiemenge, die man aufbringen muß, um den Kern völlig in seine Bestandteile, d. h. in einzelne Nukleonen, zu zerlegen. Sie beträgt bei Deuteriumkernen 2,2 MeV, bei Heliumkernen 28 MeV, bei Urankernen etwa 1 800 MeV. Unter *Kernenergie* versteht man entweder diese Bindungsenergie oder die bei Kernspaltungen oder anderen Kernreaktionen frei werdende bzw. nutzbar gemachte Energie (meist bezogen auf die Masseneinheit). Gegenüber den Energien, die z. B. bei chemischen Vorgängen, bei Ionisation und Anregung von Atomen in der Elektronenhülle eines Atoms umgesetzt wird (es handelt sich hier höchstens um einige Elektronvolt [eV]), sind die Kernenergien millionenfach höher.

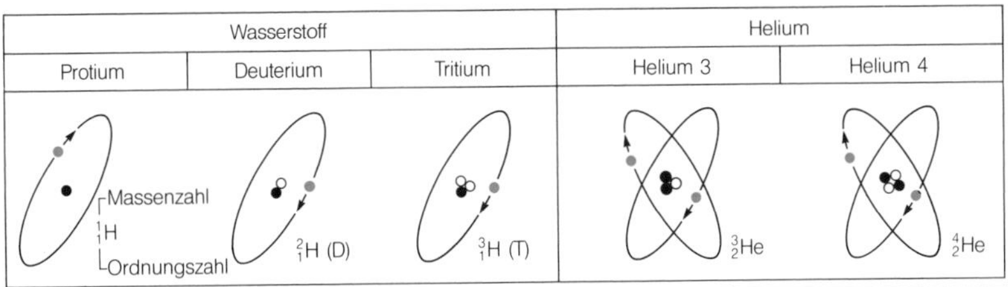

Wasserstoff			Helium	
Protium	Deuterium	Tritium	Helium 3	Helium 4

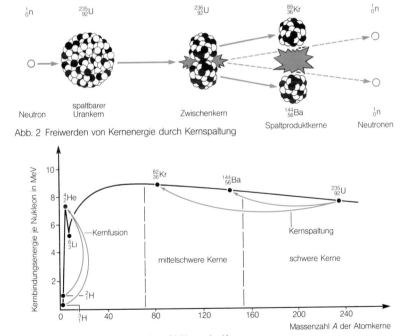

^1_1H (Massenzahl, Ordnungszahl) — ^2_1H (D) — ^3_1H (T) — ^3_2He — ^4_2He

atomare Teilchen	elektrische Ladung (e = Elementarladung)	Masse	
		in atomaren Masseneinheiten	in 10^{-24} Gramm
● Proton ─┐ Nukleonen	+ e	1,0073	1,6726
○ Neutron ─┘	0	1,0087	1,6750
● Elektron	− e	1/1837	0,0009
●○ Deuteron	+ e	2,0129	3,342
⚛ Triton	+ e	3,0145	5,005
⚛ Helium-3-Kern	+ 2 e	3,0149	5,006
⚛ Helium-4-Kern	+ 2 e	4,0015	6,644

Abb. 1 Die Isotope eines Elements unterscheiden sich in der Anzahl der Nukleonen, die den Atomkern bilden. Die Anzahl der Elektronen, die den Kern umkreisen, bleibt gleich. Wasserstoff und Helium sind die beiden einfachsten in der langen Reihe der Elemente

^1_0n $^{235}_{92}U$ $^{236}_{92}U$ $^{89}_{36}Kr$ ^1_0n

Neutron — spaltbarer Urankern — Zwischenkern — $^{144}_{56}Ba$ Spaltproduktkerne — ^1_0n Neutronen

Abb. 2 Freiwerden von Kernenergie durch Kernspaltung

Abb. 3 Mittlere Bindungsenergie eines Nukleons im Kern in Abhängigkeit von der Massenzahl der Atomkerne

115

Kernkettenreaktion

Bei jeder Kernspaltung durch langsame Neutronen werden durchschnittlich zwei oder drei Neutronen frei, d. h. mehr, als für die Kernspaltung selbst verbraucht wurden. Diese Neutronen, die ebenfalls mit großer Geschwindigkeit den sich spaltenden Kern verlassen, können ihrerseits für weitere Kernspaltungen von U-235-Kernen nutzbar gemacht werden, wenn sie vorher durch genügend viele Zusammenstöße mit leichten Atomen (wie sie z. B. im Wasser und im Graphit vorhanden sind) abgebremst werden und ihre ganze kinetische Energie (bis 2 MeV) abgeben, bis sie „thermalisiert" sind, d. h. nur noch die thermische Energie (etwa 0,025 eV) ihrer Umgebung besitzen. Die so abgebremsten *thermischen Neutronen* können dann viel länger mit den U-235-Kernen in Wechselwirkung treten. Die Wahrscheinlichkeit für ihren Einfang und damit für eine Kernspaltung ist gegenüber schnellen Neutronen wesentlich höher.

Dadurch, daß bei jeder Spaltung mehr Neutronen entstehen als verbraucht werden, nimmt die Zahl der Kernspaltungen unter bestimmten Bedingungen sehr rasch zu: Es kommt eine als *Kernkettenreaktion* bezeichnete Folge von Kernspaltungen zustande, deren erste Teilschritte Abb. 1 veranschaulicht. Derartige Kernkettenreaktionen laufen in Atombombenexplosionen unkontrolliert, in den als *Atom*- oder *Kernreaktoren* bezeichneten Anlagen hingegen gesteuert ab (Abb. 2) und setzen Kernenergie in großen Beträgen frei. Bedingung für eine solche Kettenreaktion ist, daß die durch langsame Neutronen spaltbaren Atomkerne in genügender Menge in einem Material enthalten sind, so daß von den bei jeder Kernspaltung entstehenden Neutronen hinreichend viele zu weiteren Kernspaltungen führen und die Reaktion, einmal in Gang gesetzt, von selbst weiterläuft, bis alle spaltbaren Kerne aufgebraucht sind.

Diese Bedingung ist erfüllt, wenn in einem derartigen, als *Kernbrennstoff* oder *Spaltstoff* bezeichneten Material nicht zu viele Neutronen entweder von Atomkernen mit verschwindender Spaltungswahrscheinlichkeit weggefangen werden oder durch die Oberfläche der Kernbrennstoffmenge (die deshalb eine als *kritische Masse* bezeichnete Mindestgröße haben muß) entweichen. Außerdem müssen die Neutronen eine für die Kernspaltung günstigste, im thermischen Energiebereich liegende kinetische Energie haben, also thermische Neutronen sein. Dies wird in Kernreaktoren mit Hilfe von gewissen Bremssubstanzen, den *Moderatoren,* erreicht. Zur möglichst schnellen Abbremsung der Neutronen verwendet man stets solche Bremssubstanzen, in deren Molekülen Atome enthalten sind, die möglichst die gleiche Masse wie die Neutronen haben (vor allem Wasserstoffatome) oder deren Atomkerne keine Neutronen absorbieren. Besonders wirksame Moderatoren sind normales Wasser, schweres Wasser, Kohlenstoff (Graphit) und Beryllium.

Bei einer gesteuerten Kettenreaktion in Kernreaktoren werden durch sogenannte *Absorbermaterialien* (z. B. Bor und Cadmium), deren Atomkerne stark Neutronen einfangen, aus dem ablaufenden Prozeß so viele Neutronen herausgefangen, daß er sich bei einer bestimmten Reaktionsrate stabilisiert, d. h. nicht explosionsartig abläuft. Eine Kettenreaktion erhält man zur Zeit nur mit dem Uranisotop U 235, mit dem Plutoniumisotop Pu 239, das z. B. in sogenannten Brutreaktoren (Brütern) aus dem überwiegend im Kernbrennstoff vorhandenen U 238 erzeugt wird, indem die U-238-Kerne die aus Kernspaltungen von U 235 stammenden schnellen Neutronen einfangen und sich dann radioaktiv umwandeln, oder mit dem in ähnlicher Weise aus dem Thoriumisotop Th 232 gewonnenen Uranisotop U 233.

Die in Kernreaktoren in Form von Wärme anfallende Kernenergie wird (in sogenannten *Leistungsreaktoren*) überwiegend in elektrische Energie umgewandelt (der Kernreaktor übernimmt die Rolle der Feuerung des Dampfkessels bei konventionellen Wärmekraftwerken) oder dient zur Erzeugung von mechanischer Antriebsenergie in Schiffen mit Kernenergieantrieb. Sie soll aber in Zukunft auch als Prozeßwärme zur großtechnischen Durchführung chemischer Reaktionen (z. B. bei der Kohlevergasung) genutzt werden. In *Forschungs*- und *Prüfreaktoren* wird hingegen die anfallende Wärme meist ungenutzt abgeführt und der hohe Neutronenfluß zu Forschungs- und Prüfzwecken (etwa zur Materialprüfung) verwendet.

116

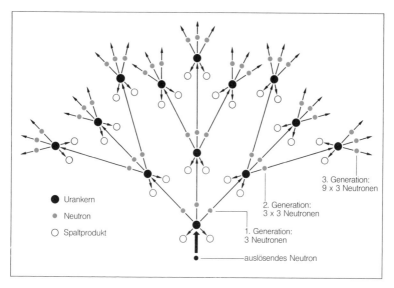

Abb. 1 Ingangsetzung einer unkontrolliert ablaufenden
Kernkettenreaktion

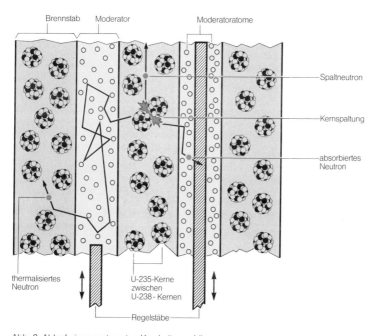

Abb. 2 Ablauf einer gesteuerten Kernkettenreaktion
im Kernreaktor

117

Kernreaktor I (Grundlagen)

Die meisten der in der Welt gebauten Kernreaktoren sind sogenannte *thermische Reaktoren,* bei denen die Kernspaltung fast ausschließlich durch Neutronen thermischer Energie bewirkt wird. Die im Kernbrennstoff durch Kernspaltung entstehenden Neutronen fliegen aber, ebenso wie die Spaltprodukte, mit großer Geschwindigkeit davon. Um sie auf thermische Energien zu bringen, müssen die Neutronen nach Verlassen des Kernbrennstoffs, der in den zu *Brennelementen* gebündelten Brennstäben enthalten ist, im umgebenden Moderator durch Zusammenstöße mit Atomkernen des Moderators abgebremst werden, bis sie die mittlere Energie dieser Kerne, d. h. deren thermische Energie, angenommen haben. Diese thermischen Neutronen gelangen dann mit einer gewissen Wahrscheinlichkeit wieder in die mit dem Kernbrennstoff angefüllte Reaktionszone – diese bildet zusammen mit dem Moderator den als *Core* bezeichneten Reaktorkern – und können dort weitere Spaltungen bewirken. Um Neutronenverluste zu vermeiden, wird das Core außerdem mit einem besonderen *Neutronenreflektor* umgeben. Besonders wirksame Moderatoren sind normales Wasser, schweres Wasser und Kohlenstoff (in Form von Graphit), wobei schweres Wasser wegen seines geringen Neutroneneinfangquerschnitts am günstigsten ist, normales Wasser wegen seines höheren Einfangquerschnitts nur in Verbindung mit vermehrt (d. h. über 0,7 %) U 235 enthaltendem *angereichertem Uran* verwendet werden kann. Wird die Kernkettenreaktion auf konstantem Leistungsniveau aufrechterhalten, so ist der Zustand des Kernreaktors *stationär.* Wenn das Verhältnis der Neutronenzahlen in zwei aufeinanderfolgenden Spaltungsgenerationen, der sogenannte Multiplikationsfaktor, größer als 1 ist, nennt man das System *überkritisch;* die Spaltungsrate und daher auch die Neutronendichte und die Leistung nehmen ständig zu. Wenn der Multiplikationsfaktor kleiner als 1 ist, d. h., wenn der Kernreaktor *unterkritisch* ist, nehmen Neutronendichte und Leistung ständig ab.

Die Steuerung der im Kernreaktor ablaufenden Kernkettenreaktion und damit eine Leistungsregelung kann z. B. durch Änderung der Menge des spaltbaren Materials im Reaktorkern oder der Anordnung von Moderator und Brennstoff erfolgen. Praktisch nutzt man fast ausschließlich die Tatsache aus, daß die Atomkerne mancher Stoffe einen sehr hohen Einfangsquerschnitt für Neutronen haben. Man baut also in den Kernreaktor Regel- und Steuerstäbe, z. B. aus Cadmium, Bor oder Hafnium, ein, die von außen mehr oder weniger weit in die Reaktionszone eingeschoben werden können. Ihre Eintauchtiefe muß gerade so groß sein, daß pro Kernspaltung im Mittel nur ein entstehendes Neutron für eine neue Spaltung übrig bleibt.

Die bei der Kernspaltung entstehenden Spaltprodukte sind normalerweise nicht stabil, sondern wandeln sich durch eine Folge von radioaktiven Zerfällen unter Aussendung von Beta- und Gammastrahlung mehr oder weniger schnell in stabile Atomkerne um: Sie sind Radionuklide bzw. Radioisotope, d. h. radioaktiv zerfallende Nuklide bzw. Isotope verschiedener mittelschwerer chemischer Elemente. Ein Kernreaktor ist daher nicht nur eine sehr starke Neutronenquelle, sondern auch Großerzeuger von Radionukliden und damit eine ebenso intensive Quelle radioaktiver Strahlung. Er wird deshalb mit einer die Strahlen absorbierenden Schutzwand, umgeben, um das *Abschirmschild,* umgeben, um Bedienungspersonal und Umgebung vor den gefährlichen Strahlen zu schützen. In der Praxis haben sich Beton, Schwerspat, Wasser, Eisen und Blei sehr gut als Abschirmmaterialien bewährt. Die sich im „abbrennenden" Kernbrennstoff allmählich ansammelnden Radionuklide müssen aus diesem nach einiger Zeit chemisch abgetrennt werden, was nach Herausnahme der mit Kernbrennstoff gefüllten Brennelemente bzw. -stäbe in sogenannten Wiederaufarbeitungsanlagen erfolgt.

Die zur Zeit am meisten in Kernkraftwerken zur Erzeugung von elektrischem Strom verwendeten Typen von thermischen Kernreaktoren sind der Druckwasserreaktor und der Siedewasserreaktor, deren schematischen Aufbau samt dem konventionellen Kraftwerksteil mit Turbine und Generator zur Stromerzeugung die Abb. 1 und 2 zeigen.

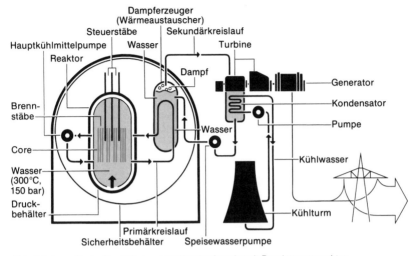

Abb. 1 Schematische Darstellung eines Kernkraftwerks mit Druckwasserreaktor.
Das im Core als Moderator und Kühlmittel dienende und dadurch radioaktiv
kontaminierte Wasser im Primärkreislauf erhitzt und verdampft das Wasser
eines Sekundärkreislaufs

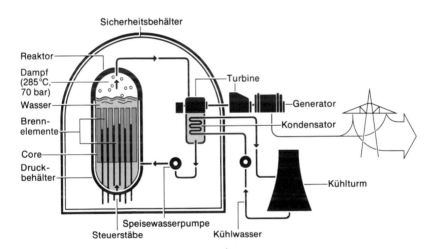

Abb. 2 Schematische Darstellung eines Kernkraftwerks mit Siedewasserreaktor.
Der im Reaktorgefäß entstehende, radioaktiv kontaminierte Frischdampf
wird unmittelbar der Turbine zugeführt

Kernreaktor II (Bauweisen und Typen)

Der *Druckwasserreaktor* (engl.: *pressurized water reactor*; Abk. *PWR*) ist ein einfacher thermischer Reaktor, in dem normales Wasser (H_2O) oder auch schweres Wasser (D_2O) bei Drücken von 120 bis 160 bar als Kühlmittel und zugleich als Moderator dient. Der hohe Druck im Primärkreislauf und die dadurch verursachte Siedepunktserhöhung verhindern eine Dampfbildung im Core. Als Brennstoff wird schwach (im Mittel auf 3%) mit U 235 angereichertes Uran (in Form von Urandioxid, UO_2) verwendet, das sich (in Form von „Brennstofftabletten", UO_2-Pellets) in gasdicht verschlossenen, über 3 m langen Metallrohren (Durchmesser 10–12 mm) befindet und zusammen mit diesen die sogenannten *Brennstäbe* bildet. Diese sind in einer regelmäßigen Anordung zu einem Brennelement zusammenmontiert (Abb. 3). Das Wasser des Primärkreises wird ständig umgepumpt. Die im Core vom Wasser aufgenommene Wärme gelangt über einen Wärmeaustauscher zum Sekundärkreis; dort wird sie über Dampferzeuger, Dampfturbine und Generator in elektrische Energie umgewandelt.

Ein Beispiel für diesen Reaktortyp ist der im Kernkraftwerk Obrigheim am Nekkar (KWO) errichtete Druckwasserreaktor, der bei einer thermischen Leistung von 907,5 MW eine elektrische Leistung von 283 MW liefert (Abb. 4). Der Reaktorkern ist in einem Druckbehälter mit einem Innendurchmesser von 3,27 m untergebracht. Das Kühlwasser tritt mit einer Temperatur von 283 °C in den Reaktor ein und verläßt den Druckbehälter mit einer Temperatur von 310 °C. Im Dampferzeuger wird Sattdampf von 50 bar/263 °C erzeugt. Der Reaktorkern wird von 121 Brennelementen gebildet, die aus jeweils 180 Brennstäben bestehen. Für kurzfristige Regelvorgänge sind 27 gleichmäßig über den Reaktorkern verteilte Regelstäbe vorgesehen, die von oben in den Kern eingefahren werden. – Sehr große Druckwasserreaktoren mit thermischen Leistungen um 3 800 MW und elektrischen Leistungen um 1 200 MW befinden sich in der Bundesrepublik Deutschland in den Kernkraftwerken Biblis (Bilblis A und B), Esensham (KKU) und Grafenrheinfeld (KKG), Grohnde (KWG) und Philippsburg (KKP-2).

Der *Siedewasserreaktor* (engl.: *boiling water reactor*; Abk. *BWR*) ist in seinem Aufbau und in seinen Brennelementen dem Druckwasserreaktor ähnlich; er arbeitet jedoch nur bei Drücken um 70 bar, so daß es in ihm zu einem Sieden des Kühlwassers kommt. Das Reaktorgefäß (Abb. 5) besitzt in der Regel oberhalb des Wasserspiegels einen Dampfdom, durch den kleinere Druckschwankungen ausgeglichen werden. Im Reaktor wird normalerweise Sattdampf erzeugt, der entweder in einem *direkten Einkreislauf* direkt zur Turbine geleitet wird oder in einem *indirekten Kreislauf* zur Erzeugung von sekundärem Dampf in einen Dampfumformer gelangt. Bei einem sogenannten *Zweikreissystem* (Abb. 6) gelangt aus dem Druckbehälter ein Gemisch aus Dampf und Wasser in den Wasserabscheider. Der Dampf strömt weiter über ein Ventil zur Turbine, das abgeschiedene Wasser wird über eine Pumpe und über den Wärmeaustauscher in den Reaktorkessel zurückbefördert. Auf der Sekundärseite des Wärmeaustauschers entsteht Dampf niedrigen Druckes, der über ein Ventil ebenfalls zur Turbine befördert wird. Nach diesem System arbeiten die in den Kernkraftwerken Brunsbüttel (KKB), Gundremmingen (KRB-B und KRB-C), Krümmel (KKK), Ohu (KKI-1), Philippsburg (KKP-1) und Würgassen (KWW) befindlichen Kernreaktoren. Der KWW-Reaktor z. B. liefert bei einer thermischen Leistung von 1912 MW eine elektrische Leistung von 640 MW; die thermischen Leistungen des KKK-Reaktors und der KRB-Reaktoren liegen bei 3 700 MW, ihre elektrischen Leistungen bei 1 250 MW.

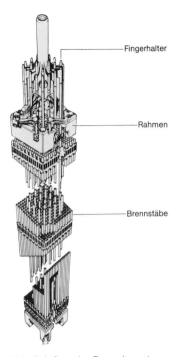

Fingerhalter

Rahmen

Brennstäbe

Abb. 3 Aufbau des Brennelements
eines Druckwasserreaktors

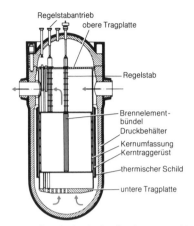

Regelstabantrieb
obere Tragplatte

Regelstab

Brennelement-
bündel
Druckbehälter
Kernumfassung
Kerntraggerüst

thermischer Schild

untere Tragplatte

Abb. 4 Schnitt durch den Druckwasserreaktor
in Obrigheim/Neckar

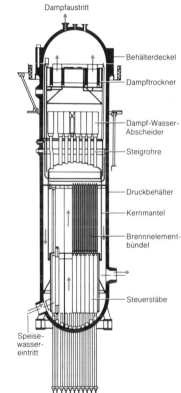

Dampfaustritt

Behälterdeckel

Dampftrockner

Dampf-Wasser-
Abscheider

Steigrohre

Druckbehälter

Kernmantel

Brennelement-
bündel

Steuerstäbe

Speise-
wasser-
eintritt

Abb. 5 Schnitt durch einen Siedewasserreaktor

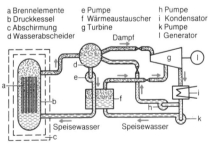

a Brennelemente   e Pumpe   h Pumpe
b Druckkessel   f Wärmeaustauscher   i Kondensator
c Abschirmung   g Turbine   k Pumpe
d Wasserabscheider   l Generator

Dampf

Speisewasser   Speisewasser

Abb. 6 Kreislaufschema eines Siedewasserreaktors
(Zweikreissystem)

Kernreaktor III (Bauweisen und Typen)

Gasgekühlte Reaktoren: Zu den erprobten Reaktortypen zählen die Reaktoren, in denen mit einem Gas das Core gekühlt wird; sie haben gegenüber den flüssigkeitsgekühlten Reaktoren den Vorteil, daß keine Korrosionsprobleme auftreten. Beim *Gas-Graphit-Reaktor* (Abk.: *GGR*) wird Kohlendioxid (CO_2) als Kühlmittel und Graphit als Moderator verwendet (Kreislaufschema Abb. 7). Zu diesem Typ zählt der britische *Calder-Hall-Reaktor,* bei dem natürliches Uran als Brennstoff dient. Das Core besteht aus einem großen zylindrischen Graphitklotz (Abb. 8), der in 58 000 Blöcke unterteilt ist und von fast 1 700 senkrechten Kanälen durchzogen wird. Die etwa 1 m langen und 30 mm dikken stabförmigen Brennelemente sind in diesen Kanälen so angeordnet, daß zwischen Brennelement und Kanalwand ein freier Spalt bleibt, durch den das Kühlgas strömt. Die vom Gas im Reaktorkern aufgenommene Wärmemenge, die es auf 345 °C aufheizt, wird in einem außerhalb des Reaktordruckbehälters angeordneten Wärmeaustauscher an den sekundären Wasser-Dampf-Kreislauf übertragen. In diesem Dampferzeuger wird Sattdampf erzeugt, der eine Turbine antreibt. Der Calder-Hall-Reaktor liefert seit Inbetriebnahme (1956) störungsfrei bei einer thermischen Leistung von 180 MW eine elektrische Leistung von 34,5 MW. – Der *fortgeschrittene Gas-Graphit-Reaktor* (engl.: Advanced Gas-cooled Reactor, Abk.: *AGR*) enthält in seinen edelstahlumhüllten Brennelementen gesintertes Urandioxid (UO_2), dessen U-235-Gehalt auf 1,6 bis 2,5 % angereichert ist, als Brennstoff; er besitzt höhere Betriebstemperaturen und damit auch höhere Kühlmitteltemperaturen (über 600 °C), wodurch die Frischdampfzustände und Wirkungsgrade herkömmlicher Dampfkraftwerke erreicht werden. Zwei derartige Reaktoren sind im Kernkraftwerk von Dungeness in Großbritannien in Betrieb; sie liefern zusammen 1 200 MW. Der *Hochtemperaturreaktor* (engl.: *h*igh *t*emperature *g*as-cooled *r*eactor, Abk.: *HTGR*) ist ein graphitmoderierter, mit Heliumgas gekühlter Reaktor hoher Leistungsdichte (etwa 10 MW/m³). Die Brennelemente sind kugel- oder blockförmig und bestehen aus einer Mischung von Graphit und kleinen kugelförmigen, von einer 0,1 mm starken Schicht aus pyrolytischem Kohlenstoff umhüllten Brennstoffteilchen, den sogenannten *Coated particles* (Abb. 9). Als Brennstoff dient ein Gemisch aus Uran- und Thoriumcarbid, wobei das bis zu 92 % angereicherte Uran als Spaltstoff, das Thorium als Brutstoff dient. Wegen der hohen Temperaturen besteht die Umhüllung der Brennelemente nicht aus Metall, sondern aus keramischen Materialien (z. B. Siliciumcarbid, SiC), die – neben den Kohlenstoffumhüllungen der Brennstoffteilchen – eine weitere Barriere gegen die Freisetzung der meisten Spaltprodukte bilden. Die vom Helium umströmten Brennelemente erhitzen dieses auf Temperaturen von über 750 °C, wodurch der Einsatz moderner Turbogeneratoren (530 °C Heißdampftemperatur) ermöglicht wird. Die bei hoher Temperatur verfügbare Wärme kann aber auch als Prozeßwärme (z. B. bei der Kohlevergasung) genutzt werden.

In Betrieb befindliche Hochtemperaturreaktoren sind der in Colorado (USA) bei Fort Saint Vrain (elektrische Leistung 330 MW) und die beiden deutschen *Kugelhaufenreaktoren* mit kugelförmigen Brennelementen, die sich während des Betriebs einführen und entfernen lassen: Der seit 1956 stromliefernde AVR-Versuchsreaktor bei Jülich (Abb. 10; thermische Leistung 46 MW, elektrische Leistung 15 MW) und der seit Ende 1985 stromliefernde Thorium-Hochtemperaturreaktor (Abk. THTR-300) bei Hamm-Uentrop (thermische Leistung 768 MW, elektrische Leistung 296 MW). Sein Core ist aus Graphit- und Kohlensteinblöcken zu einem Hohlzylinder mit trichterförmigem Boden aufgebaut und mit rund 675 000 Brennelementkugeln gefüllt, die im Laufe eines halben Jahres von oben nach unten hindurchwandern. In dem im umgebenden Spannbetonbehälter untergebrachten Primärkreis strömt Helium bei einem Druck von 40 bar von oben nach unten durch das Core, wird dabei auf 750 °C erwärmt und erzeugt in den ebenfalls im Spannbetonbehälter befindlichen Dampferzeugern Frischdampf von 530 °C und 178 bar, der durch Leitungen zur Turbine im Maschinenhaus geführt wird. Der mit einer Zwischenüberhitzung gestaltete Kraftwerksprozeß ermöglicht einen Nettowirkungsgrad von 39 %, wobei die Abwärme über einen Trockenkühlturm an die Luft abgegeben wird.

Abb. 7 Kreislaufschema eines gasgekühlten Reaktors vom Typ Calder Hall

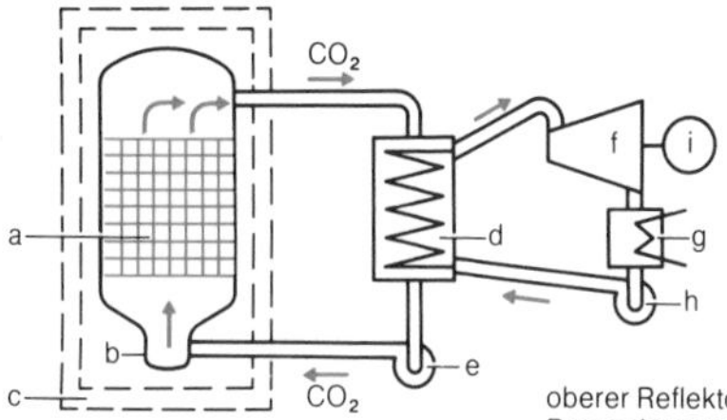

a Reaktorkern
b Druckbehälter
c Abschirmung
d Wärmeaustauscher
e Kühlgasgebläse
f Turbine
g Kondensator
h Speisewasserpumpe
i Generator

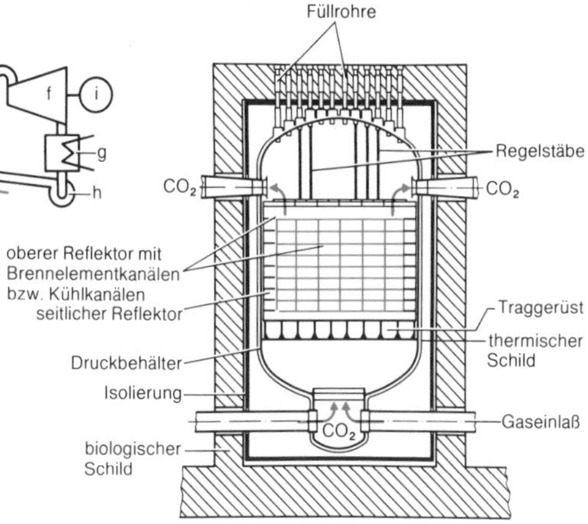

Abb. 8 Schnitt durch den Reaktor von Calder Hall

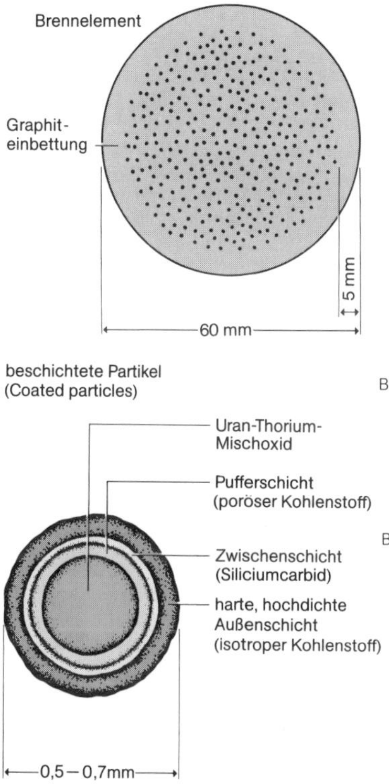

Füllrohre
Regelstäbe
CO_2
Traggerüst
thermischer Schild
Druckbehälter
Isolierung
Gaseinlaß
biologischer Schild
oberer Reflektor mit Brennelementkanälen bzw. Kühlkanälen seitlicher Reflektor

Brennelement
Graphit-einbettung
60 mm
5 mm

beschichtete Partikel (Coated particles)

Uran-Thorium-Mischoxid
Pufferschicht (poröser Kohlenstoff)
Zwischenschicht (Siliciumcarbid)
harte, hochdichte Außenschicht (isotroper Kohlenstoff)

0,5 – 0,7mm

Abb. 9
Aufbau eines kugelförmigen Brennelements für Hochtemperaturreaktoren; darunter Querschnitt durch ein darin enthaltenes Coated particle

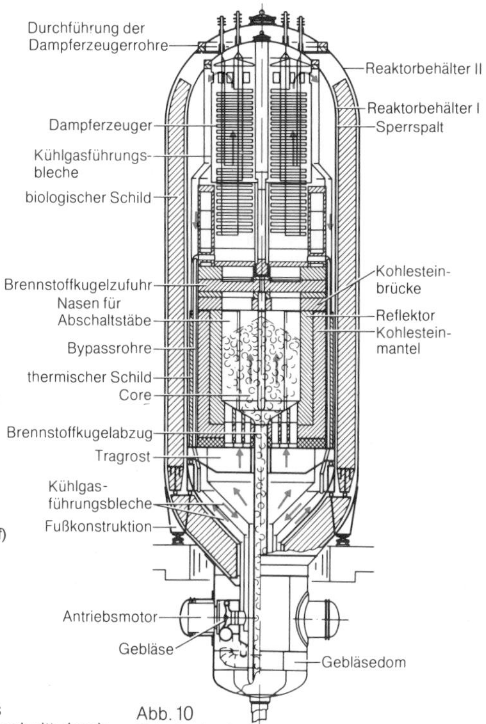

Durchführung der Dampferzeugerrohre
Reaktorbehälter II
Reaktorbehälter I
Sperrspalt
Dampferzeuger
Kühlgasführungs-bleche
biologischer Schild
Kohlestein-brücke
Brennstoffkugelzufuhr
Nasen für Abschaltstäbe
Reflektor
Kohlestein-mantel
Bypassrohre
thermischer Schild
Core
Brennstoffkugelabzug
Tragrost
Kühlgas-führungsbleche
Fußkonstruktion
Antriebsmotor
Gebläse
Gebläsedom

Abb. 10
Schnitt durch den Kugelhaufen-reaktor in Jülich

123

Kernreaktor IV (Bauweisen und Typen)

Im Schwerwasserreaktor (engl. heavy water reactor, abgekürzt: *HWR*) werden die Neutronen durch Stöße mit dem Wasserstoffisotop Deuterium (Massenzahl 2) abgebremst. Wegen der geringen Neutronenabsorption des als Moderator verwendeten *schweren Wassers* (D_2O) wird kein so hoher Spaltstoffanteil benötigt. Deshalb kann der Schwerwasserreaktor mit natürlichem Uran (0,7% U-235-Anteil) betrieben werden. Allerdings muß das Moderatorvolumen größer sein. Die Leistungsdichte im Reaktorkern beträgt nur etwa 20% von der des Leichtwasserreaktors.

Die zwei wichtigsten Typen von Schwerwasserreaktoren verwenden D_2O sowohl für die Moderation als auch für die Kühlung. Im Reaktortank ist der Moderator durch Rohre vom Kühlmittel getrennt. In den Kühlkanälen befinden sich die Brennelemente, die bei hohem Druck gekühlt werden müssen, um ein Sieden des Kühlmittels zu vermeiden. Die beiden Reaktortypen unterscheiden sich hauptsächlich in der Aufnahme der Druckkräfte: Der in Kanada entwickelte *Kanadische Deuterium-Uran-Reaktor* (abgekürzt: *CANDU-Reaktor*) besitzt druckführende Rohre in einem drucklosen Moderatortank *(Druckröhrenreaktor)*. In der Bundesrepublik Deutschland wurde der *Druckkesselreaktor* (Prototyp ist der *Mehrzweck-Forschungsreaktor MZFR* in Karlsruhe) entwickelt, der ähnlich wie der Druckwasserreaktor mit einem Reaktordruckbehälter ausgerüstet ist, dessen vertikale Kühlkanäle jedoch nur der Strömungsführung dienen. Moderator und Kühlmittel stehen beide unter gleich hohem Druck. Nach diesem Prinzip wurde ein Kernkraftwerk mit 320 MW elektrischer Leistung in Atucha in Argentinien gebaut. Ein weiteres mit 700 MW ist im Bau.

Brutreaktoren (Brüter): Die Tatsache, daß bei der Kernspaltung durch ein Neutron jeweils mehr als ein neues Neutron freigesetzt wird, ermöglicht nicht nur die Aufrechterhaltung einer Kernkettenreaktion, sondern unter bestimmten Bedingungen auch das „Brüten" von neuem spaltbarem Material; es wird dadurch mehr spaltbares Material erzeugt als gleichzeitig zur Energieerzeugung verbraucht wird. Für diesen Prozeß eignen sich das Uranisotop U 238 sowie das Thoriumisotop Th 232. Beim *Uran-Plutonium-Brutprozeß* oder *-Zyklus* bewirken bei der Spaltung des U 235 entstehende Neutronen die Um-

wandlung von U-238-Kernen in spaltbare Pu-239-Kerne. Die Verwendung schneller Neutronen bringt hier Vorteile, da die Neutronenenergiebigkeit für Pu 239 im schnellen Energiebereich höher liegt als bei thermischen Energien. Dies wird durch Fortlassen des für die Neutronenabbremsung notwendigen Moderators erreicht. Der sich dadurch ergebende sogenannte *schnelle Brutreaktor* hat einen kompakten Reaktorkern, der nur die notwendigen Brennelemente und das Kühlmittel enthält. Im Gegensatz zum U-Pu-Zyklus arbeitet der *Thorium-Uran-Zyklus* (Th-U-Zyklus), bei dem durch Kernspaltung von U-235-Kernen entstehende Neutronen eine Umwandlung von Th-232-Kernen in spaltbare U-233-Kerne bewirken, im thermischen Energiebereich günstiger. Der auf diesem Brutprozeß basierende *thermische Brutreaktor* ist durch einen kleineren Brutgewinn, einen kleineren Spaltstoffbedarf sowie durch das Fehlen besonderer Sicherheitsprobleme gekennzeichnet.

Wesentlich für den Einsatz des Brutprozesses ist, daß der Übergang vom normalen Kernreaktor zum Brutreaktor beim U-Pu-Zyklus eine 50fach bessere Ausnutzung der Uranvorräte ermöglicht und beim Th-U-Zyklus die Ausnutzung der großen in der Natur vorkommenden Thoriumreserven gestattet. Während die thermischen Brüter aus vorhandenen Typen (Druck- oder Siedewasserreaktor mit D_2O-Kühlung, Hochtemperaturreaktor) entwickelt werden können, stellen die schnellen Brüter einen weitgehend neuen Weg der Technik dar. Alle schnellen Brutreaktoren verwenden stabförmige Brennelemente und Natrium als Kühlmittel (sog. *schnelle natriumgekühlte Reaktoren*, Abk.: *SNR*). In ihnen ist das Core von Brutzonen umgeben, in denen die aus dem Core entweichenden Neutronen vom Brutstoff aufgefangen werden. In Betrieb befindliche SNR sind in Frankreich der Phénix (233 MW elektrische Leistung; seit 1973) und der Super-Phénix (1 200 MW; seit 1985), in Großbritannien der PFR (250 MW; seit 1975), in der UdSSR der BN-350 (150 MW; seit 1973) und der BN-600 (600 MW; seit 1980). In der Bundesrepublik Deutschland ist der SNR-300 bei Kalkar (Abb. 11) im Bau.

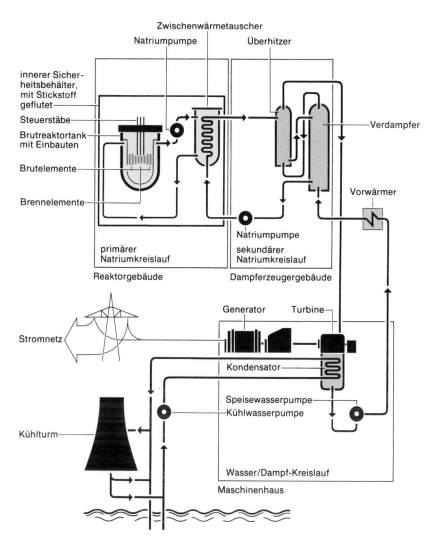

Abb. 11 Schematische Darstellung des bei Kalkar am Niederrhein im Bau befindlichen Kernkraftwerks mit dem schnellen, natriumgekühlten Brutreaktor SNR-300 (thermische Leistung 762 MW, elektrische Leistung 295 MW)

125

Wiederaufarbeitung von Kernbrennstoffen

Abgebrannte Brennelemente enthalten neben den beiden Uranisotopen U 235 und U 238 auch Plutonium (in Form eines Gemisches aus mehreren Plutoniumisotopen) und verschiedene Spaltprodukte. Es ist nun Aufgabe der *Wiederaufarbeitung,* den Spaltstoff Uran, den Brutstoff Plutonium und die radioaktiven Abfallstoffe durch geeignete mechanische und chemische Behandlungsschritte zu trennen. Hohe Anforderungen werden dabei an die Abtrennung der Spalt- und Aktivierungsprodukte von den Brenn- und Brutstoffen gestellt. Die Wiederaufarbeitung erfolgt wegen der z. T. hohen und langlebigen Radioaktivität einiger Spalt- und Aktivierungsprodukte in *heißen Zellen;* das sind Zellen mit dicken Stahl- und Betonabschirmungen, in die nur indirekt über Manipulatoren eingegriffen werden kann. Die heißen Zellen befinden sich ihrerseits in einem gegen Flugzeugabsturz, Erdbeben und chemische Explosionen gesicherten Komplex einer *Wiederaufarbeitungsanlage.*

Den Ablauf bei der Wiederaufarbeitung zeigt Abb. 1. Die Brennelemente werden dem Lagerbecken entnommen und in der ersten Zelle zersägt oder mit einer hydraulisch betätigten Schere zerkleinert. Die Stücke fallen im zweiten Verfahrensschritt in einen Behälter mit heißer Salpetersäure, die Uran, Plutonium und die anderen Produkte aus den Brennelementhüllen aus Zircaloy (spezielle Zirkonlegierung) herauslöst. Dabei werden die freiwerdenden gasförmigen und leichtflüchtigen Spaltprodukte abgezogen. Nach der Auflösung in Salpetersäure werden dann im sogenannten *PUREX-Prozeß* (PUREX ist Abkürzung für: *Plutonium-Uran-Reduktion und -Extraktion*) das Uran und Plutonium mit Hilfe einer weiteren Folge von Reduktions- und Extraktionsschritten getrennt. Die Spaltprodukte verbleiben in der Salpetersäure; Uran und Plutonium werden einer Feinreinigungs- und einer Nachbehandlung unterzogen, danach werden sie wieder dem Brennstoffkreislauf zugeführt. Aus der Spaltproduktlösung wird die Salpetersäure zurückgewonnen und das enthaltene Wasser weitestgehend verdampft. Das Extraktionsmittel aus den vorhergehenden Arbeitsschritten ist begrenzt rückgewinnbar, weil es während der Extraktionsprozesse durch die radioaktive Strahlung zum Teil zerstört wird. Überhaupt müssen in den Prozeßablauf immer wieder Wasch- und Reinigungsschritte eingefügt werden, um die chemischen Arbeitsmedien von radioaktiven Verunreinigungen zu befreien. Dies führt zu einem nicht unerheblichen Anfall an mittel- und schwachaktiven Abfällen.

Die Wiederaufarbeitung weist vor allem zwei Risikobereiche auf: Einerseits besteht die Gefahr einer unzulässigen Entwendung von Plutonium. Um dieser Gefahr vorzubeugen, werden Wiederaufbeitungsanlagen im Rahmen der europäischen Atomgemeinschaft EURATOM und der internationalen Atomenergieorganisation der UN (IAEO) mit ausgeklügelten technischen Sicherheitssystemen ausgestattet und durch Kontrollen international überwacht. Andererseits besteht die Gefahr, daß radioaktive Stoffe aus der Wiederaufarbeitungsanlage unkontrolliert entweichen. Die dieser Gefahr entgegenwirkenden Sicherheitsmaßnahmen beruhen wesentlich auf der Wirksamkeit mehrfacher *Barrieren* (Abb. 2). Die radioaktiven Stoffe sind in Behälter und Rohrleitungen eingeschlossen (erste Barriere). Diese befinden sich in einer mit Edelstahl ausgekleideten Betonzelle (zweite Barriere). Die Betonzelle wird von einer Halle umgeben (dritte Barriere). Zufuhr und Abfuhr der verschiedenen Stoffe sowie Zuluft und Abluft werden über mehrere Schleusen und voneinander unabhängige Filtersysteme geleitet und kontrolliert. Außerdem wird ein gestaffelter Unterdruck aufrechterhalten, so daß die Luft z. B. bei Leckagen stets von außen in die Anlage strömt und nicht umgekehrt.

In der Bundesrepublik Deutschland ist seit 1971 auf dem Gelände des Kernforschungszentrums Karlsruhe eine kleine Wiederaufarbeitungsanlage als Versuchsanlage in Betrieb. Ihre Kapazität reicht nur für die Entsorgung eines Kernkraftwerks aus. Im westlichen Ausland liegen Erfahrungen über die großtechnische Aufarbeitung von Brennstoffen aus Anlagen in den USA, Großbritannien, Japan und Frankreich vor.

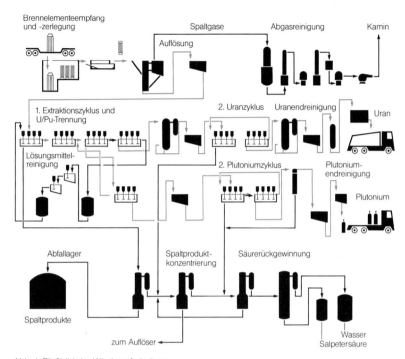

Abb. 1 Fließbild der Wiederaufarbeitung

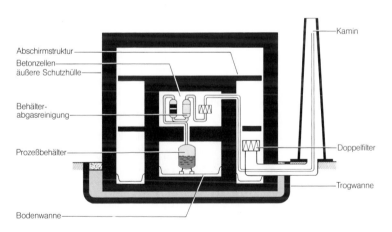

Abb. 2 Einschluß der radioaktiven Stoffe bei der Wiederaufarbeitung

Teilchenbeschleuniger

Teilchen sehr hoher Energie benötigt man einerseits in der Kernphysik als „Sonden" zur Aufklärung der Struktur der Atomkerne und ihrer Bausteine, andererseits zur Erzeugung von sehr energiereichen Röntgenstrahlen, die in der Technik z. B. zur Werkstoffprüfung und zur Herstellung der Strukturen von Halbleiterchips, in der Medizin zur Strahlentherapie verwendet werden. Als kernphysikalische Untersuchungsmittel sind besonders stabile Elementarteilchen wie das Elektron und das Proton geeignet, aber auch Atomkerne selbst: Da sie eine elektrische Ladung tragen, kann man sie durch elektrische Felder bzw. Spannungen beschleunigen. Aus Isolationsgründen sind höhere Spannungen als einige Millionen Volt nicht aufrechtzuerhalten, deshalb muß zur Erzielung höherer Energien das Prinzip der Vielfachbeschleunigung in Linear- bzw. Kreisbeschleunigern angewendet werden.

In *Linearbeschleunigern* durchlaufen die geladenen Teilchen in einem Vakuumgefäß ein vielfach unterteiltes Metallrohr, dessen einzelne als Driftröhren bezeichnete Abschnitte alternierend mit den Polen (Anschlüssen) eines Hochfrequenzgenerators verbunden sind (Abb. 1). Die Beschleunigung erfolgt jeweils an den Spalten, sofern die Teilchen immer dann ankommen, wenn die im Takte der Hochfrequenz (z. B. 500 MHz und mehr) periodisch wechselnde Polung der Spannung beschleunigend wirkt. Während der umgekehrten Polung müssen sich die Teilchen im feldfreien Innenraum der Driftröhren befinden. Wegen der zunehmenden Geschwindigkeit der Teilchen muß daher die Länge der einzelnen Driftröhren immer größer werden. Für Elektronen, die auf Grund ihrer geringen Masse schon bei niedrigen Energien nahezu Lichtgeschwindigkeit besitzen, hat sich das Prinzip des *Wanderwellenbeschleunigers* (Wellenreiterprinzip) durchgesetzt: Eine hochfrequente Wanderwelle (Frequenz etwa 3 000 MHz) breitet sich so aus, daß ihre Phasengeschwindigkeit an jedem Ort gleich der Elektronengeschwindigkeit ist und die in richtiger Phase vor einem ihrer Wellenberge „reitenden" Elektronen dauernd beschleunigt werden, was sich bei diesen Geschwindigkeiten in einer Massenzunahme auswirkt.

In *Kreisbeschleunigern* werden die geladenen Teilchen durch ein magnetisches Führungsfeld auf Kreis- oder Spiralbahnen gehalten und gewinnen bei jedem Umlauf in einer oder mehreren Beschleunigungsstrecken einen relativ kleinen Energiezuwachs. Ein nach dem Prinzip des Transformators arbeitendes Gerät zur Beschleunigung von Elektronen ist das *Betatron* (Abb. 2): Ein zylindrischer Eisenkern wird (an Stelle einer Sekundärspule) von einer auf Hochvakuum evakuierten Ringröhre aus Glas oder Porzellan umschlungen. Bei Fließen eines Wechselstroms (Frequenz 50 bis 1 000 Hz) in zwei Erregerspulen (sie entsprechen der Primärwicklung des Transformators) entsteht in der Ringröhre infolge magnetischer Induktion ein elektrisches Wechselfeld mit kreisförmigen Feldlinien. Dieses Wirbelfeld wirkt auf eingeschossene Elektronen, die durch das magnetische Führungsfeld der Steuerspulen auf eine feste Kreisbahn gezwungen und auf ihr gehalten werden, während etwa ein Viertel der Wechselstromperiode beschleunigend. Am Ende dieser Beschleunigungsperiode, in der die Elektronen mindestens 10^6 Umläufe machen und Energien bis zu 50 MeV erreichen, werden sie ausgeschleust und z. B. zur Erzeugung äußerst energiereicher Röntgenstrahlen verwendet.

Zur Beschleunigung von Atomkernen wie Protonen und Heliumkerne sowie von Ionen dient das *Zyklotron* (Abb. 3): Zwei flache, D-förmige, durch einen Schlitz getrennte Metallschachteln (sog. Duanten oder Dees) sind im Hochvakuum zwischen den Polen eines starken Magneten angeordnet. Die in der Mitte der Vakuumkammer eintretenden Teilchen laufen in dessen homogenem Magnetfeld auf Spiralbahnen von innen nach außen, wobei sie jeweils beim Passieren des Schlitzes durch das zwischen den beiden Duanten herrschende elektrische Hochfrequenzfeld beschleunigt werden.

Zur Beschleunigung von Teilchen, deren Geschwindigkeit bereits nahe der Lichtgeschwindigkeit liegt, dient das *Synchrotron* (Abb. 4), bei dem die Teilchen während des ganzen Beschleunigungsvorganges wie beim Betatron auf einer Kreisbahn von konstantem Radius umlaufen; dies wird durch eine der Energiezunahme der Teilchen angepaßte Steigerung der Frequenz des beschleunigenden elektrischen Hochfrequenzfeldes und der Stärke des magnetischen Führungsfeldes erreicht. Das Synchrotronprinzip läßt sich nicht nur auf Protonen anwenden (Endenergie bis 1 000 GeV), sondern im Gegensatz zum Zyklotronprinzip auch auf Elektronen (Endenergien bis 50 GeV).

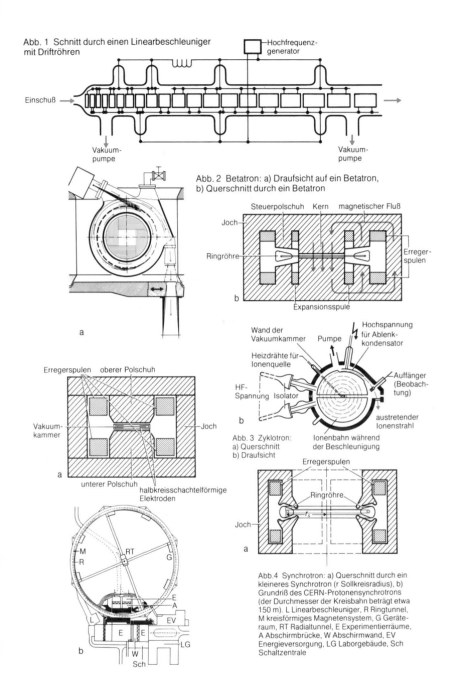

Abb. 1 Schnitt durch einen Linearbeschleuniger mit Driftröhren

Hochfrequenz-generator

Einschuß

Vakuum-pumpe

Vakuum-pumpe

Abb. 2 Betatron: a) Draufsicht auf ein Betatron, b) Querschnitt durch ein Betatron

Steuerpolschuh Kern magnetischer Fluß

Joch

Ringröhre

Erreger-spulen

b

Expansionsspule

a

Erregerspulen oberer Polschuh

Vakuum-kammer

Joch

a

unterer Polschuh

halbkreisschachtelförmige Elektroden

Wand der Vakuumkammer Pumpe

Hochspannung für Ablenk-kondensator

Heizdrähte für Ionenquelle

HF-Spannung Isolator

Auffänger (Beobach-tung)

b

austretender Ionenstrahl

Abb. 3 Zyklotron: a) Querschnitt b) Draufsicht

Ionenbahn während der Beschleunigung

Erregerspulen

Ringröhre

Joch

r_s

a

M R RT G E A EV E E LG b W Sch

Abb.4 Synchrotron: a) Querschnitt durch ein kleineres Synchrotron (r Sollkreisradius), b) Grundriß des CERN-Protonensynchrotrons (der Durchmesser der Kreisbahn beträgt etwa 150 m). L Linearbeschleuniger, R Ringtunnel, M kreisförmiges Magnetensystem, G Geräte-raum, RT Radialtunnel, E Experimentierräume, A Abschirmbrücke, W Abschirmwand, EV Energieversorgung, LG Laborgebäude, Sch Schaltzentrale

Kernfusion

Die Deckung jeglichen Energiebedarfs wäre möglich, wenn in absehbarer Zukunft die „Zähmung der Wasserstoffbombe" gelänge, d. h., wenn in kontrollier- und steuerbarer Weise in einem sog. *Fusionsreaktor* durch Zusammenlagerung (Verschmelzung, Fusion) von Atomkernen der leichtesten chemischen Elemente Energie gewonnen wird. Auf diese Weise werden in der Sonne und in den Sternen die riesigen Energiemengen produziert, die sie ständig in dem Raum abstrahlen. Auch die verheerende Wirkung einer Wasserstoffbombenexplosion beruht auf der bei solchen Fusionsprozessen freiwerdenden Energie: Mit einer Atombombe als Zünder wird eine explosiv, d. h. unkontrolliert ablaufende Kettenreaktion von Kernverschmelzungsprozessen in Gang gesetzt. – Derartige *Kernverschmelzungen* treten z. B. auf, wenn in einem Gasgemisch von Deuterium und Tritium (schwerer und überschwerer Wasserstoff, ^{2}H und ^{3}H) die positiv geladenen Atomkerne mit so hoher Energie aufeinandertreffen, daß die zwischen ihnen wirksame elektrostatische Abstoßung (vgl. Abb. 1) überwunden wird: Die Kerne verschmelzen dann miteinander, wobei einzelne Kernbausteine, entweder ein Proton (p) oder ein Neutron (n), freigesetzt werden und mit hoher kinetischer Energie fortfliegen. Die wichtigsten der in einem Deuterium-Tritium-Gemisch möglichen Prozesse sind:

$$D + D \rightarrow {}^3He + n + 3,25 \text{ MeV,}$$
$$^3He + D \rightarrow {}^4He + p + 18,3 \text{ MeV,}$$
$$D + D \rightarrow T + p + 4 \text{ MeV,}$$
$$T + D \rightarrow {}^4He + n + 17,6 \text{ MeV.}$$

Dabei bedeutet D einen Deuteriumkern (Deuteron), T einen Tritiumkern (Triton), ^{3}He bzw. ^{4}He einen Heliumkern mit der Massenzahl 3 bzw. 4; die freiwerdende Energie ist in Megaelektronvolt angegeben (1 MeV = $4,45 \cdot 10^{-20}$ kWh). Bei Verwendung von reinem Deuterium als „Brennstoff" ließe sich aus der in den Gewässern der Erde vorhandenen Menge von schwerem Wasser (Deuteriumoxid) eine Energie von rund 10^{25} kWh gewinnen.

Fusionsprozesse treten nur auf, wenn die Atomkerne mit hoher Geschwindigkeit aufeinandertreffen. Dazu muß das als Brennstoff dienende Deuterium-Tritium-Gasgemisch auf so extrem hohe Temperaturen T erhitzt werden, daß die mittlere Energie kT der Teilchen (k Boltzmann-Konstante) mindestens 10 keV beträgt (dies ist die Energie, bei der Fusionsprozesse bereits infolge des quantenmecha-

nischen Tunneleffekts mit hinreichender Häufigkeit eintreten) und genügend viele Kerne bei „thermischen Zusammenstößen" (in sog. *thermonuklearen Reaktionen*) miteinander reagieren. Die benötigten Temperaturen liegen bei $T \approx 100 \cdot 10^6$ K; sie sind auch genügend hoch, daß die freiwerdenden Energien die unvermeidlichen Energieverluste durch Abstrahlung (v. a. Bremsstrahlung) decken. Gelingt es, die freiwerdende Energie eine gewisse Zeit lang zusammenzuhalten, so kann selbsttätig eine Aufheizung des Gases einsetzen. Da dieses in Form eines *vollionisierten Plasmas* vorliegt – sämtliche Atome sind in frei bewegliche Elektronen und „nackte" Atomkerne zerlegt –, läßt es sich mit Hilfe starker Magnetfelder (Flußdichte etwa 10 Tesla) geeigneten Feldlinienverlaufs auf ein kleines Raumgebiet komprimieren und dadurch „einsperren". Am aussichtsreichsten dafür erscheinen solche „magnetischen Flaschen", die torusförmig sind, insbesondere die als *Tokamak* bezeichneten, nach dem Prinzip des Transformators arbeitenden Anlagen (Abb. 5): Eine vakuumdichte, metallene Ringröhre (Torus) umgibt den mittleren Schenkel eines großen dreischenkligen Eisenkerns, der auf den anderen Schenkeln die Primärwicklung trägt. Wird das im Torus befindliche Gas durch Hochfrequenz ionisiert und damit elektrisch leitend, so wird in diesem Plasma bei der Entladung einer Kondensatorbatterie über die Primärwicklung ein starker Strom (Stromstärke bis über 200 000 A) induziert, in dem sich die Ladungsträger auf kreisförmigen Bahnen durch den Torus bewegen. Diese „Stromfäden" ziehen sich – wie alle parallel fließenden elektrischen Ströme – gegenseitig an, wodurch sich der stromführende Plasmaring immer stärker zusammenzieht (sog. *Pincheffekt*); die hierdurch bewirkte Komprimierung des Plasmas zu einem *toroidalen Pinch* ist mit einer starken Temperaturerhöhung verbunden.

Seitdem Lichtquellen extrem hoher Strahlungsflußdichte in Form von Lasern zur Verfügung stehen, versucht man, Kernfusionsplasmen kurzzeitig (im sog. *Trägheitseinschluß*) herzustellen, indem man kleine, aus einem (mit flüssigem Helium gefrorenen) Deuterium-Tritium-Gemisch bestehende Kügelchen mit Laserstrahlimpulsen bestrahlt. Die hohen Temperaturen werden hierbei durch sich ausbildende Stoßwellen erzeugt, die ins Innere der Kügelchen laufen *(Laserfusion)*.

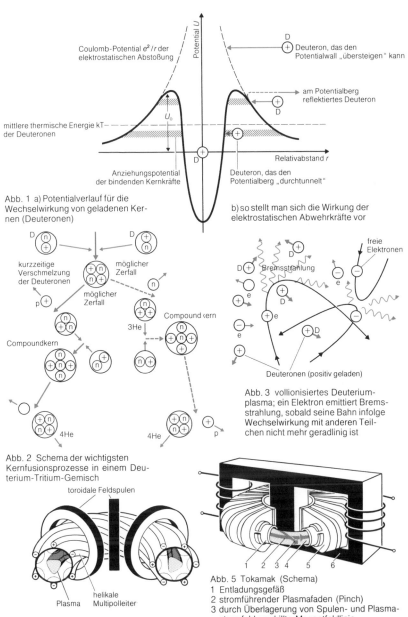

Coulomb-Potential e^2/r der elektrostatischen Abstoßung

Potential U

D (+) Deuteron, das den Potentialwall „übersteigen" kann

am Potentialberg reflektiertes Deuteron (+) D

mittlere thermische Energie kT der Deuteronen

U_0

Relativabstand r

Anziehungspotential der bindenden Kernkräfte

Deuteron, das den Potentialberg „durchtunnelt"

Abb. 1 a) Potentialverlauf für die Wechselwirkung von geladenen Kernen (Deuteronen)

b) so stellt man sich die Wirkung der elektrostatischen Abwehrkräfte vor

kurzzeitige Verschmelzung der Deuteronen

möglicher Zerfall

möglicher Zerfall

Compoundkern

3He

Compound kern

Compoundkern

4He

4He

Abb. 2 Schema der wichtigsten Kernfusionsprozesse in einem Deuterium-Tritium-Gemisch

freie Elektronen

Bremsstrahlung

Deuteronen (positiv geladen)

Abb. 3 vollionisiertes Deuteriumplasma; ein Elektron emittiert Bremsstrahlung, sobald seine Bahn infolge Wechselwirkung mit anderen Teilchen nicht mehr geradlinig ist

toroidale Feldspulen

Plasma

helikale Multipolleiter

Abb. 4 Einschluß eines Plasmas in einer toroidalen Magnetfeldkonfiguration

Abb. 5 Tokamak (Schema)
1 Entladungsgefäß
2 stromführender Plasmafaden (Pinch)
3 durch Überlagerung von Spulen- und Plasmastromfeld verdrillte Magnetfeldlinie
4 Plasma
5 Magnetfeldspule
6 Transformator mit Primärwicklung

Grundlagen der Informationsverarbeitung

Information ist die naturwissenschaftlich-technische Bezeichnung für den Inhalt einer Beschreibung oder Nachricht, auch für angelieferte Daten (besonders wenn diese eine logisch in sich abgeschlossene Einheit bilden). Sie kann sich auf sehr verschiedenartige Objekte beziehen, z. B. auf die Größe einer Zahl, auf den Wohnsitz eines Menschen oder irgendeinen anderen Sachverhalt.

Aus Informationen können Schlüsse gezogen werden. So folgt aus den Informationen „A ist volljährig" und „A ist deutscher Staatsbürger" auf Grund des Wahlgesetzes die Information „A ist wahlberechtigt" (Abb. 1); entsprechend folgt aus den Informationen „A ist nicht Arbeitnehmer" und „A hat seinen 1. Wohnsitz in dieser Gemeinde" die Information „A erhält keine Lohnsteuerkarte". Dieses Aussondern des interessierenden Informationen nennt man *Informations-* oder *Datenverarbeitung*. Sind viele Informationen nach den gleichen Regeln zu verarbeiten, so kann dies maschinell geschehen. Für eine Vielzahl von Sachgebieten ist jede Beschreibung durch eine Anzahl von Fragen, die mit „Ja" oder „Nein" beantwortet werden können, ersetzbar (Informationsdarstellung mit Hilfe des Dualsystems; sogenannte Binärdarstellung, vgl. S. 134). Nach einem solchen Verschlüsselungsschema (Code) kann Information in Form von Daten technisch dargestellt und gespeichert werden. Dazu sind Bauelemente mit zwei leicht unterscheidbaren Zuständen notwendig, z. B. elektrische Relais (sie wurden in den ersten programmgesteuerten Rechenanlagen verwendet) oder Transistoren im sperrenden oder leitenden Zustand. Je nach der Geschwindigkeit, mit der „Ja"- und „Nein"-Zustände eingeschrieben und wieder abgefragt werden sollen, benutzt man gelochte Karten oder Papierstreifen, Magnetbänder, Magnetplatten, optische Speicher, Halbleiter und Transistoren sowie elektrische Impulse zur technischen Darstellung der Information.

Die Informationseinheit 1 *bit* ist die in einer Entscheidung zwischen „Ja" und „Nein" enthaltene Information. In einer *Datenverarbeitungsanlage* werden meist mehrere *Bit*-Informationen (Binärentscheidungen) zu einem Maschinenwort zusammengefaßt. Die zugehörigen Speicherelemente der Anlage bilden eine Speicherzelle. Zellen zur kurzzeitigen Speicherung eines Maschinenwortes während seiner Verarbeitung heißen auch Register.

Verarbeitung von Informationen bedeutet, daß aus dem Inhalt eines oder mehrerer Register nach bestimmten Regeln ein neues Maschinenwort gebildet wird. Dazu sind sog. Verknüpfungsschaltungen notwendig. Man kann zeigen, daß alle nur denkbaren Regeln zur Informationsverarbeitung aus wenigen einfachen (elementaren) logischen Verknüpfungen wie z. B. „UND" (Zeichen ∧), „ODER" (Zeichen ∨) und „NEGATION" (Zeichen ¬) aufgebaut werden können (Abb. 3). Im eingangs angeführten Beispiel (Abb. 1) genügt zur Feststellung der Wahlberechtigung aus einer Einwohnerkartei eine einfache „UND"-Schaltung. Sie liefert dann am Ausgang ein „Ja", wenn an beiden Eingängen ein „Ja" vorliegt. Ist dies – wie im Beispiel der Lohnsteuerkarte – nicht der Fall, so liefert diese Schaltung am Ausgang ein „Nein". Eine Schaltung, die den Inhalt einer bestimmten Speicherzelle als Zahl im Dualsystem zum Inhalt eines Registers addiert, ist wesentlich komplizierter, sie läßt sich jedoch aus einfachen Verknüpfungsschaltungen kombinieren.

Innerhalb eines Computers werden die Verarbeitung und der Vergleich von logischen Verknüpfungen vom Rechenwerk (ALU; Abkürzung für arithmetic logic unit), also dem Prozessor, übernommen. Hierbei werden die entsprechend vorgeschriebenen Verknüpfungen rein formal verarbeitet. Die benutzten Informationen werden also nicht inhaltlich miteinander verglichen, was voraussetzt, daß die zu verarbeitenden Informationen geprüft und in sinnvoll vorbereiteter Form vorliegen müssen.

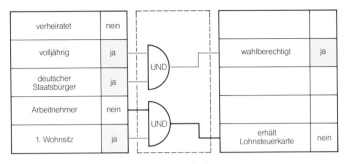

verheiratet	nein				
volljährig	ja		wahlberechtigt	ja
deutscher Staatsbürger	ja	UND		
Arbeitnehmer	nein			
1. Wohnsitz	ja	UND	erhält Lohnsteuerkarte	nein

Eintrag in einer Einwohnerkartei   Informationsverarbeitung

Abb. 1 Zerlegung verschiedenartiger Informationen in elementare Aussagen

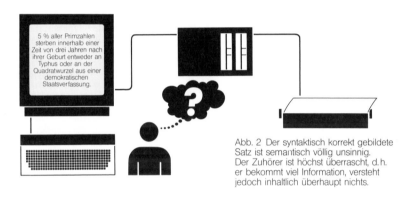

5 % aller Primzahlen sterben innerhalb einer Zeit von drei Jahren nach ihrer Geburt entweder an Typhus oder an der Quadratwurzel aus einer demokratischen Staatsverfassung.

Abb. 2 Der syntaktisch korrekt gebildete Satz ist semantisch völlig unsinnig. Der Zuhörer ist höchst überrascht, d. h. er bekommt viel Information, versteht jedoch inhaltlich überhaupt nichts.

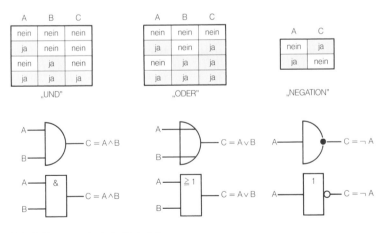

A	B	C
nein	nein	nein
ja	nein	nein
nein	ja	nein
ja	ja	ja

„UND"

A	B	C
nein	nein	nein
ja	nein	ja
nein	ja	ja
ja	ja	ja

„ODER"

A	C
nein	ja
ja	nein

„NEGATION"

$C = A \wedge B$

$C = A \wedge B$

$C = A \vee B$

$C = A \vee B$

$C = \neg A$

$C = \neg A$

Abb. 3 Elementare logische Verknüpfungen und dafür übliche Symbole

133

Binärsystem

Beim *binären Zahlensystem (Dualsystem)* stehen nur zwei Zeichen („0" und „1") zur Beschreibung der Zahlenwerte zur Verfügung. Im Vergleich mit dem herkömmlichen *Dezimalsystem,* das zehn Zeichen – die Ziffern „0" bis „9" – zu Hilfe nimmt, ergibt sich daraus einerseits eine längere Schreibweise, andererseits eine einfachere und schnellere Verarbeitung, z. B. in Computern.

Zum Verständnis der Verschlüsselung der Werte im Dualsystem betrachten wir zunächst die Systematik des geläufigen Dezimalsystems: Nachdem alle Zeichen (0 bis 9) für die einstellige Darstellung der Werte Null bis Neun aufgebraucht sind, wird eine weitere „Stelle" hinzugefügt, wodurch schließlich bis zum Wert 99 gezählt werden kann; durch Hinzufügen weiterer Stellen wird also der auf zehn Zeichen (Ziffern) begrenzte Zeichenvorrat fähig, größere Zahlenwerte zu verschlüsseln.

Bei dem auf zwei Zustände (ein/aus, 0/1) beschränkten Dualsystem wird die Grenze des Zeichenvorrats bereits beim Wert „1" erreicht. Die einstellige Null des Dualsystems entspricht wie die Null des Dezimalsystems der Null des Wertesystems. Durch Hinzufügen einer weiteren Stelle wird jetzt, wie beim Dezimalsystem, auch die Darstellung größerer Werte ermöglicht: dem Wert „2" entspricht also die Zeichenfolge „10" (sprich: Eins Null) des Dualsystems. Sogleich wird erkennbar, daß entsprechend den Zehnerpotenzwertigkeiten der Stellen im Dezimalsystem beim Dualsystem jeder Stelle ein Potenzwert zur Basis 2 entspricht (Abb. 1). Dreistellige Dualzahlen reichen also bereits aus, um $2^3 = 8$ verschiedene Werte (dezimal 0 bis 7) zu verschlüsseln, vierstellige sind für sechzehn Werte hinlänglich (Abb. 2). Pro zusätzlicher Stelle verdoppeln sich also die Verschlüsselungsmöglichkeiten, im Dezimalsystem verzehnfachen sie sich. Die Umrechnung von Dezimal- in Dualzahlen und umgekehrt zeigen Abb. 3a und 3b. Entsprechend den Rechenregeln des Dezimalsystems werden auch im Dualsystem *Rechenvorschriften* festgelegt. Abb. 4 veranschaulicht die Addition im Dualsystem. Die weiteren Grundrechenarten (Subtraktion, Multiplikation und Division) werden meist auf die Addition zurückgeführt.

Für die Eingabe eines Computers werden außer den zehn Ziffern auch noch die Buchstaben des Alphabets und verschiedene Sonderzeichen bzw. Befehle (+, !)

benötigt. Zur entsprechenden Verschlüsselung der Tastatur werden meist siebenstellige Dualzahlen verwendet, so daß sich 128 Tastenkombinationen (Befehle, Zeichen, Ziffern) codieren lassen. Zur Vermeidung von Übertragungsfehlern zwischen den einzelnen Hardwarekomponenten wird oft eine achte Stelle zur Kontrolle angefügt (Prüfbit), so daß sich eine Darstellungsform ergibt, die aus *acht binären Zeichen (Bits = binary digits)* besteht, was einem *Byte* (1 Byte = 8 bits) entspricht. Die Bits ganz links und rechts innerhalb eines Bytes werden mit MSB (most significant bit) und LSB (least significant bit) bezeichnet, woraus ihre Wertigkeit im Dualsystem ersichtlich ist.

Da die verschlüsselte Darstellung mit Dualzahlen in Byte-Schreibweise vom Computer optimal gelesen und verarbeitet werden kann, jedoch für den Menschen etwas langwierig und fehleranfällig zu handhaben ist, wird das Byte oft in zwei *Halbbytes* (Nibbles) unterteilt, wodurch ein Byte mit den Ziffern des *Sedezimalsystems* (Abb. 5) zu beschreiben ist. Das Sedezimalsystem stellt sechzehn Zeichen zur Verfügung, so daß die Dualwerte 0000 bis 1111 in einem einzigen Zeichen verkürzt dargestellt werden können.

Dezimaltabelle				dezimale Wertigkeit
1000	100	10	1	
(10^3)	(10^2)	(10^1)	(10^0)	
7	2	3	4	$= 7 \times 10^3 + 2 \times 10^2 + 3 \times 10^1 + 4 \times 10^0$
				$= 7 \times 1000 + 2 \times 100 + 3 \times 10 + 4 \times 1$
				$= 7234$

Binärtabelle						dezimale Wertigkeit
32	16	8	4	2	1	
(2^5)	(2^4)	(2^3)	(2^2)	(2^1)	(2^0)	
		1	0	1	1	$= 1 \times 2^3 + 0 \times 2^2 + 1 \times 2^1 + 1 \times 2^0$
						$= 1 \times 8 + 0 \times 4 + 1 \times 2 + 1 \times 1$
						$= 11$

Abb. 1 Stellenwert im Dualsystem und Dezimalsystem

Wert	dezimal	binär	hexadezimal
–	0	0	0
▫	1	1	1
▫▫	2	10	2
▫▫▫	3	11	3
▫▫▫▫	4	100	4
▫▫▫▫▫	5	101	5
▫▫▫▫▫▫	6	110	6
▫▫▫▫▫▫▫	7	111	7
▫▫▫▫▫▫▫▫	8	1000	8
▫▫▫▫▫▫▫▫▫	9	1001	9
▫▫▫▫▫▫▫▫▫▫	10	1010	A
▫▫▫▫▫▫▫▫▫▫▫	11	1011	B
⋮	12	1100	C
⋮	13	1101	D
⋮	14	1110	E
⋮	15	1111	F

Abb. 2 Wertedarstellung in verschiedenen Zahlensystemen

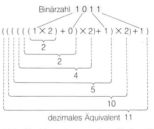

Binärzahl 1 0 1 1

$((((((1 \times 2) + 0) \times 2) + 1) \times 2) + 1)$

Division		Quotient	Rest	
11 : 2	=	5	1 LSB	2^0
5 : 2	=	2	1	2^1
2 : 2	=	1	0	2^2
1 : 2	=	0	1 MSB	2^3

Dezimalzahl   binäres Äquivalent
11 → 1011

11 → $1 \times 2^3 + 0 \times 2^2 + 1 \times 2^1 + 1 \times 2^0$

dezimales Äquivalent 11

Abb. 3a Umrechnung einer Dezimalzahl in ihr
binäres Äquivalent.
LSB = least significant bit
MSB = most significant bit

Abb. 3b Umrechnung einer Binärzahl
in ihr dezimales Äquivalent

				Dual	dezimal
0	1	0	1	100	4
+ 0	+ 0	+ 1	+ 1	+ 110	+ 6
= 0	= 1	= 1	= 10	+ 1010	= 11

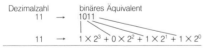

„+" → binär: 0010 : 1011   sedezimal: 2 : B

Nibble

Byte

Abb. 4 Rechenregeln und Beispiel für
die Addition im Dualsystem

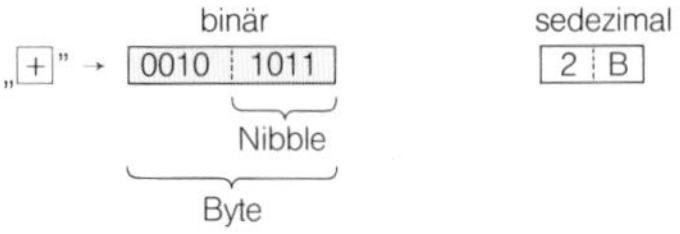

Abb. 5 Verschlüsselung des Befehls
„addiere" im Sedezimalsystem

Computer

Ganz gleich, welche Computersysteme man betrachtet, ob Groß-, Mikro- oder Personalcomputer, prinzipiell lassen sie sich alle hardwaremäßig in Zentraleinheit mit internem Speicher, Ein- und Ausgabegeräte und externe Speicher unterteilen. Die *Hardware* repräsentiert dabei die sichtbaren Bestandteile (entsprechend den Instrumenten eines Orchesters), wohingegen die unsichtbaren Bestandteile, wie z. B. Programme und Betriebssystem (entsprechend den Musiknoten und Dirigentenanweisungen), zur *Software* gezählt werden.

Bei der Ausführung der jeweiligen Computersysteme können die einzelnen Hardwarebestandteile als Einzelkomponenten separat vorhanden oder in einem oder mehreren Gehäusen zusammengefaßt sein (Abb. 1), so daß sich bei gleicher Ausstattung oft die unterschiedlichsten Erscheinungsformen ergeben. Als übergeordnetes Unterscheidungsmerkmal kann die *Wortlänge* für eine Einteilung der Computer herangezogen werden (Abb. 2). Unter der Wortlänge versteht man die Anzahl der binären Informationen (Bits), die der Prozessor eines Computers gleichzeitig verarbeiten kann. Man unterscheidet 8-Bit-, 16-Bit-, 32-Bit-Rechner usw., wobei die Wortlänge in den einzelnen Klassen, besonders bei den Mikrocomputern, sich zu immer größeren Werten hin entwickelt.

Trotz der stark unterschiedlichen Verarbeitungskapazitäten, Erscheinungsformen und Ausstattungen funktionieren alle Computer nach den gleichen Regeln. Die Grundlage bildet dabei die Verarbeitung von Informationen mit Hilfe des Dual- bzw. Binärsystems (s. S. 134).

Das Kernstück eines jeden Computers bildet die *Zentraleinheit* (Abb. 3). Hier werden im *Rechenwerk* in seinen Operandenregistern (OP-Reg.) die Daten, die aus dem *Arbeitsspeicher* gelesen werden, nach den vorgeschriebenen Rechenregeln miteinander verknüpft und verglichen. Im internen Speicher, dem aus löschbaren, „flüchtigen" Schreib-Lese-Speicher (*RAM* = random access memory) besteht und oft durch einen nur lesbaren, „nicht flüchtigen" Festspeicher (*ROM* = read only memory) ergänzt wird, sind die Daten und Programme in Speicherzellen binär codiert abgelegt. Jede Speicherzelle hat dabei eine Adresse, die vom Steuerwerk mit Steuersignalen (Einschreiben, Ausschreiben, Löschen) angesprochen werden kann. Beim flüchtigen RAM gehen alle darin gespeicherten Informationen beim Abschalten der Versorgungsspannung verloren, im ROM bleiben auch dann noch alle Werte erhalten. Das Steuerwerk überwacht und steuert die Zusammenarbeit von Rechenwerk und Arbeitsspeicher und regelt gleichzeitig auch den Datenaustausch mit der Umwelt über Peripheriegeräte (z. B. Eingabetastaturen, Bildschirme, Drucker). Die dazu notwendigen Vereinbarungen und Regeln sind in der *Betriebssystemsoftware* festgelegt. Die Verbindungsleitungen der einzelnen Bestandteile der Zentraleinheit bilden das *Bussystem* (Daten-, Adreß-, Steuerbus).

Anhand der einfachen Aufgabe 6 + 3 wollen wir die grundsätzlichen Zusammenhänge der wichtigsten Bestandteile des Computers kennenlernen: Beim Drücken der Taste „6" wird in der *Tastatur* ein Signal ausgelöst, das über eine *Codetabelle* dem Arbeitsspeicher mitteilt, daß die Zahl 6 = 0110 eingegeben wurde. In der Codetabelle wird jeder Taste (+, 6) bzw. Tastenkombination (Groß- bzw. Kleinbuchstaben) die zugehörige *Binärdarstellung* zugeordnet, d. h. in diesem Beispiel: 6 = 0110, und an den internen Arbeitsspeicher weitergeleitet. Der Arbeitsspeicher gibt die Dualzahl 0110 an das Rechenwerk weiter. Genauso gelangen die codierten Darstellungen für den Befehl „ + " in das Steuerwerk und die Zahl 3 in das Rechenwerk. Das Steuerwerk veranlaßt nun das Rechenwerk, die beiden Dualzahlen zu addieren und das Ergebnis 1001 wieder in den Arbeitsspeicher zurückzuschreiben. Mit Hilfe der Codetabelle wird nun das binäre Rechenergebnis wieder in Signale umgewandelt, die auf den Ausgabegeräten die Zahl 9 erscheinen lassen.

Wie in diesem Beispiel werden auch die kompliziertesten Berechnungen durchgeführt. Programme, in denen logische Entscheidungen vom Rechenwerk verlangt und mit Sprungbefehlen zu weiteren Adressen verknüpft werden, machen den Computer schließlich unabhängig von der gespeicherten Befehlsabfolge.

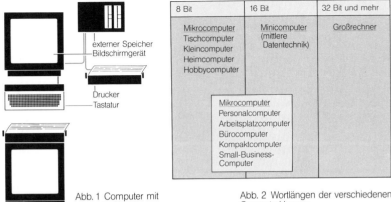

8 Bit	16 Bit	32 Bit und mehr
Mikrocomputer Tischcomputer Kleincomputer Heimcomputer Hobbycomputer	Minicomputer (mittlere Datentechnik)	Großrechner
	Mikrocomputer Personalcomputer Arbeitsplatzcomputer Bürocomputer Kompaktcomputer Small-Business-Computer	

Abb. 1 Computer mit separater Tastatur und separatem Drucker(oben) und als Kompaktgerät (unten)

Abb. 2 Wortlängen der verschiedenen Computerklassen

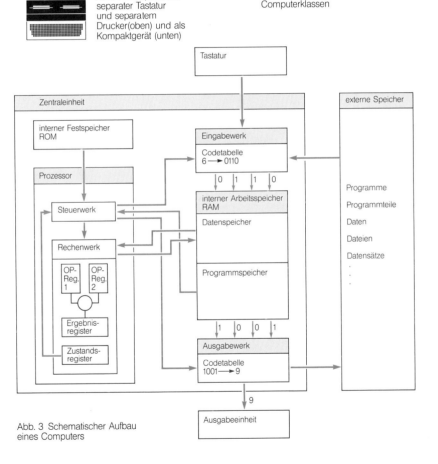

Abb. 3 Schematischer Aufbau eines Computers

Mikroprozessor

Ein *Mikroprozessor* ist ein in hochintegrierter Halbleitertechnik ausgeführter Baustein eines *Mikrocomputers,* der die Rechen- und Steuerfunktion dieses auf einer nicht viel mehr als etwa handgroßen Platine aufgebauten Rechners in sich vereint. Die Kombination des Mikroprozessors mit ebenfalls hochintegrierten Speicherbausteinen und Eingabe-Ausgabe-Einheiten zum Mikrocomputer stellt ein programmierbares und damit programmgesteuertes System dar, das für alle möglichen Rechen- und Steuerungsaufgaben eingesetzt werden kann.

Der Mikroprozessor ist ein standardisierter Baustein, der aus einem mit Hilfe der MOS-Technik (s. S. 56) hergestellten integrierten Halbleiterschaltkreis (Chip) besteht, in dessen Substrat (ein dotierter Siliciumeinkristall) mehrere tausend aktive (Transistoren, Dioden) und passive Schaltelemente (Widerstände, Kapazitäten u. a.) auf einer Fläche von weniger als 1 cm² untergebracht sind. In dem von einem Teil des integrierten Schaltkreises gebildeten *Rechenwerk* (ALU; Abkürzung für arithmetic logic unit) werden die programmierbaren Rechenoperationen, zu denen die arithmetischen Operationen (Addition, Multiplikation usw.) und die logischen Verknüpfungen (Konjunktion, Disjunktion, Negation usw.) gehören, sowie Verschiebe-, Vergleichs- und andere Operationen ausgeführt. Es enthält meist mehrere Register, die digitale Daten vorübergehend aufnehmen, insbesondere einen Befehlszähler, ein Befehlsregister und ein Adressenregister sowie ein akkumulatives Register (Akkumulator) als speziellen Speicher, der zunächst einen Operanden und später das Resultat einer Operation aufnimmt. Die Steuerung des Rechenwerks erfolgt über die sog. Operationssteuerung durch den das *Leitwerk (Steuer-* oder *Kommandowerk)* bildenden Teil des integrierten Schaltkreises. Das Leitwerk steuert den Abruf der Programmbefehle aus dem Arbeitsspeicher, entschlüsselt und modifiziert die Befehle, nimmt Änderungen und Substitutionen von Adressen vor, löst die Ausführung der Befehle aus und führt weitere Steuerungs- und Überwachungsaufgaben durch.

Der interne Ablauf im Mikroprozessor ist in der Regel von außen mit Hilfe eines im Mikrocomputer befindlichen *Lesespeichers* mit festem Inhalt (ROM; Abkürzung für read only memory) oder eines programmierbaren *Festwertspeichers* (PROM; Abkürzung für programmable read only memory) beeinflußbar. Der Anwender kann daher durch geschicktes Programmieren des Festwertspeichers für jede spezielle Aufgabe ein passendes Logiknetzwerk innerhalb des Mikroprozessors selbst zusammenstellen. Daher ist ein Mikroprozessor – eingebaut in einen Mikrocomputer – universell einsetzbar, und zwar v. a. dort, wo Daten aufgenommen, gespeichert, verglichen und verarbeitet, Rechenoperationen durchgeführt oder Steuer- und Regelsignale erzeugt werden müssen und wo Entscheidungen nach vorgegebenen Regeln zu fällen sind. Generell kann ein Mikroprozessor überall dort eingesetzt werden, wo früher größere Logikschaltungen in fester Verdrahtung (je nach auszuführender Operation mindestens 30 bis 90 Logikbausteine) verwendet wurden. Der Mikroprozessor ist daher einsetzbar u. a. in Bordcomputern von Autos, Flugzeugen, Schiffen und Lenkwaffen, in der Datenverarbeitung, in Fakturiergeräten, Registrierkassen, elektronischen Waagen und programmierbaren Taschenrechnern, bei der Steuerung von Aufzügen, Werkzeugmaschinen und Automaten, bei Produktions- und Prozeßkontrollen, in auswertenden Meß- und Prüfgeräten, in Diagnosegeräten, bei der Kernreaktorüberwachung sowie in Verkehrsleitsystemen. Im Gegensatz zu den fest verdrahteten Logikschaltungen, bei der viele Vorgänge parallel ablaufen, ist die Verarbeitung in einem herkömmlichen Mikroprozessor seriell, d. h. in bestimmter Reihenfolge nacheinander ablaufend. Er benötigt daher längere Rechenzeiten. Moderne 16-Bit-Chips arbeiten jedoch mit Taktfrequenzen von 4 bis 8 MHz, d. h., Befehle werden in einer Zykluszeit von 250 bis 125 ns verarbeitet. Sogenannte Vektorprozessoren, wie sie in Großrechnern eingesetzt werden, können sogar mehrere voneinander unabhängige Prozeßschritte parallel verarbeiten, wodurch noch höhere Verarbeitungsgeschwindigkeiten erreicht werden.

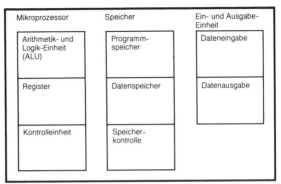

Abb. 1 Baugruppen eines Mikrocomputers

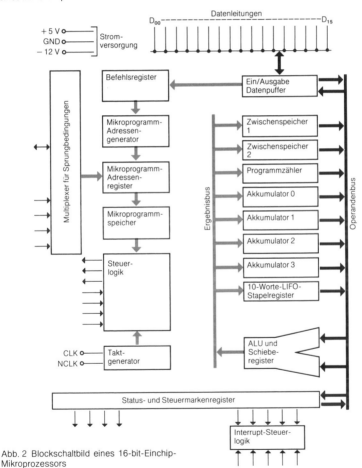

Abb. 2 Blockschaltbild eines 16-bit-Einchip-Mikroprozessors

Halbleiterspeicher I

Zur Speicherung von Informationen, auf die ein schneller Zugriff notwendig ist, werden in einem Computer Halbleiterspeicher eingesetzt. So besteht z. B. der interne Arbeitsspeicher aus einem Schreib-Lese-Speicher (*RAM* = random *a*ccess *m*emory), der einen *wahlfreien Zugriff* erlaubt. Dies bedeutet, daß Daten und Programme über eine Adresse beliebig oft eingeschrieben und wieder ausgelesen werden können. Die Halbleiterspeicher werden sowohl in bipolarer als auch in MOS-Technik (vgl. S. 56) ausgeführt.

Beim *wortorganisierten* Schreib-Lese-Speicher kann nur jeweils ein ganzes Wort, das aus 8, 16 oder mehr Bits besteht, angesteuert werden, beim *bitorganisierten* Speicher hingegen kann jedes einzelne Speicherelement über seine Spalten- bzw. Reihenadresse, die zusammen die Speichermatrix bilden, aufgerufen werden. Die Speichermatrix besteht aus Speicherelementen, die zur Speicherung der binären Einheit 1 Bit („0" oder „1") dienen. Speicherelemente, die 1 Bit über integrierte Kondensatoren speichern *(dynamische Speicherelemente),* benötigen im Gegensatz zu *statischen Speicherelementen* (Flipflopspeicherung) einen sogenannten Auffrischzyklus zur Erhaltung der gespeicherten Information, da sich durch Entladung der Kondensatoren nicht eindeutige Signalzustände ergeben könnten.

Statische Speicherelemente werden in bipolarer Technik (TTL, ECL), NMOS-Technik oder CMOS-Technik ausgeführt. Speicher, die in bipolarer Technik ausgeführt sind (TTL = Transistor-Transistor-Logik), enthalten als Speicherelement zwei zu einem Flipflop geschaltete *Vielfach-Emitter-Transistoren* (Abb. 1 und 2) und sind durch kurze Zugriffszeiten, aber großen Leistungsbedarf gekennzeichnet, da auch im Speicherzustand immer ein Strom fließt. Dabei dienen die Emitter X und Y der Transistoren T_1 und T_2 beim bitorganisierten Speicher (Abb. 1) zur Adressierung der Zelle, der dritte Emitter wird beim Schreiben oder Lesen benötigt. Ist z. B. der Transistor T_2 durchgeschaltet, wird T_1 gesperrt, so daß über den Widerstand R_4 ein Strom fließt und am Widerstand R_3 kein Spannungsabfall stattfindet. Wird jetzt ein Emitter von T_1 an 0 Volt gelegt, schaltet T_1 durch, da seine Basis an positiver Spannung liegt. Hierdurch liegt auch am Kollektor von T_1 die Spannung 0 Volt, so daß T_2 gesperrt wird. Die zwei Speicherzustände entsprechen also den durchgeschalteten Transistoren.

Statische MOS-Speicher (MOS = *me*tal*o*xid *s*emiconductor) bestehen wie bipolare Speicher aus Transistor-Flipflop-Elementen, die in NMOS-Technik oder CMOS-Technik ausgeführt sind. In Abb. 3 wird das Speicherflipflop von den Transistoren T_1 und T_2 gebildet, T_3 und T_4 entsprechen Arbeitswiderständen, T_5 und T_6 sind Steuertransistoren. Bei diesem wortorganisierten Speicherelement ist der Feldeffekttransistor (FET) T_2 bei 0 Volt (entsprechend Signal „0") am Gate gesperrt, wobei gleichzeitig T_1 durchgeschaltet ist. Wird jetzt an die Wortleitung w eine positive Spannung gelegt (entsprechend dem Signal „1"), schalten die Steuertransistoren T_5 und T_6 auf die Bitleitungen b_1 und b_2 durch. Zum Schreiben werden also zuerst T_5 und T_6 über w angesteuert und dann das Flipflop T_1/T_2 über die Bitleitungen, die entgegengesetzte Signale führen müssen, gesetzt. Bei z. B. 0 Volt an b_1 liegt diese Spannung auch über T_5 am Gate des Transistors T_2, der dadurch gesperrt wird. Zum Lesen werden die Leseverstärker der beiden Bitleitungen hochohmig an U geschaltet, so daß sie keine entgegengesetzten Signale führen. Wird nun Spannung (Signal „1") an die Wortleitung w gelegt, werden T_5 und T_6 leitend, und die Bitleitung desjenigen Transistors (T_1 oder T_2) liegt an 0 Volt (Signal „0"), dessen Drainanschluß 0 Volt führt. Die eindeutige Aussage über den Zustand des Flipflops wird also über die Bitleitungen ermöglicht.

Bei statischen Speicherelementen, die in *CMOS-Technik* ausgeführt sind, werden meist vier N-Kanal-MOSFET und zwei P-Kanal-MOSFET pro Speichereinheit (Abb. 4) verwendet. Ein Adressendecoder steuert die Speicherzelle an, wobei das *Speicherflipflop* aus den beiden Invertern T_2/T_3 und T_4/T_5 besteht. Über die Transistoren T_1 und T_6 wird die Information in das Speicherelement geschrieben bzw. gelesen. CMOS-Speicherelemente haben kurze Zugriffszeiten bei gleichzeitig kleinem Leistungsverbrauch.

Bei statischen Speicherelementen in *ECL-Technik* (ECL = *e*mitter-*c*oupled *l*ogic) ist je ein Emitter der beiden Transistoren T_1 und T_2 über eine Konstantstromquelle mit der negativen Betriebsspannung verbunden, wobei der Strom vom Emitter des jeweils leitenden Transistors kommt (Abb. 5). Da die Transistoren nicht in der Sättigung betrieben werden, können sie sehr schnell umgesteuert werden und haben Zugriffszeiten unter 10 ns.

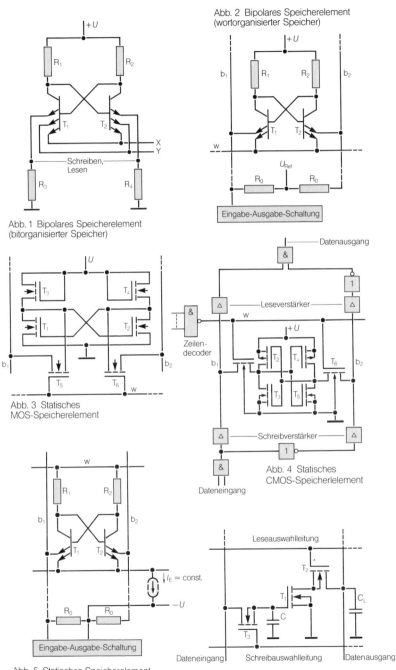

Abb. 2 Bipolares Speicherelement
(wortorganisierter Speicher)

Abb. 1 Bipolares Speicherelement
(bitorganisierter Speicher)

Abb. 3 Statisches
MOS-Speicherelement

Abb. 4 Statisches
CMOS-Speicherlelement

Abb. 5 Statisches Speicherelement
in ECL-Technik

Abb. 6 Dynamisches MOS-Speicherelement

141

Halbleiterspeicher II

Dynamische MOS-Speicher (*DRAM* = *d*ynamic *RAM*) mit meist drei Transistoren pro Speicherelement haben kleine Verlustleistungen, große Zykluszeiten, aber große Integrationsdichte. Der Gatekondensator C von T_1 (Abb. 6, S. 141) wird dabei zur Speicherung der Information („0" bzw. „1") verwendet. Dabei wird z. B. ein Signal „0" gespeichert, wenn T_1 gesperrt ist, ein Signal „1", wenn der Gatekondensator so weit aufgeladen ist, daß T_1 leitet. Soll ein Signal „1" eingeschrieben werden, wird an den Dateneingang und die Schreibauswahlleitung eine positive Spannung gelegt. Dadurch wird T_3 leitend, und der Gatekondensator von T_1 lädt sich positiv auf. Anschließend wird die Schreibauswahlleitung wieder an Masse gelegt, so daß T_3 gesperrt ist und das Signal „1" gespeichert bleibt. Zum Lesen wird die Kondensatorleitung C_L der Datenausgangsleitung positiv aufgeladen und dann die Leseauswahlleitung an positive Spannung gelegt, so daß T_2 leitend ist. Ist jetzt T_1 ebenfalls leitend (Signal „1" gespeichert), entlädt sich der Kondensator des Datenausgangs C_L über T_2 und T_1 gegen Masse. Falls T_1 sperrt (Signal „0" gespeichert), bleibt die Ladung erhalten, und bei Ansteuerung der Leseauswahlleitung hat der Datenausgang jetzt positive Spannung. Da sich der Gatekondensator nach kurzer Zeit von selbst entlädt, muß etwa alle 2 ms ein *Auffrischungszyklus* erfolgen, d. h. ein vereinfachter Lese-Schreib-Zyklus. Die normale Zykluszeit für einen einzelnen Lese-Schreib-Vorgang hingegen beträgt 300 bis 600 ns.

Im Gegensatz zu den Halbleiterspeichern, die einen wahlfreien Schreib-Lese-Zugriff erlauben (RAM), enthalten *Festwertspeicher* (*ROM* = *r*ead *o*nly *m*emory) nach ihrer Fertigstellung einen Inhalt, der nicht mehr verändert, sondern nur noch gelesen werden kann. Wie die Schreib-Lese-Speicher haben die Festwertspeicher wahlfreien Zugriff zu den einzelnen Speicherelementen, die meist wortorganisiert sind. Die eigentlichen Speicherelemente sind *Koppelelemente,* die an den Kreuzungspunkten einer Speichermatrix eine Verbindung zwischen Wortleitung (Zeilenleitung) und Bitleitung (Datenleitung) herstellen oder nicht herstellen (Abb. 7).

Festwertspeicher werden als *bipolare Speicher* und auch als *MOS-Speicher* hergestellt, die entweder im Herstellerwerk nach einer Maske programmiert werden (maskenprogrammierbare Festwertspeicher) oder vom Anwender mit Hilfe eines Programmiergerätes selbst programmiert werden (*PROM* = *p*rogrammable *r*ead *o*nly *m*emory). *Maskenprogrammierbare bipolare Festwertspeicher* bestehen z. B. aus einer Dioden- oder Transistormatrix, bei der durch gezielte hohe Ströme die Anoden- oder Basisanschlüsse unterbrochen werden, so daß bei Anlegen einer Spannung an die ausgewählte Wortleitung nur dann Strom zu den Bitleitungen fließt, wenn noch eine leitende Verbindung besteht.

Programmierbare bipolare Festwertspeicher (PROM) enthalten Dioden, deren Anoden über einen Sicherungsdraht, der beim Programmieren abgeschmolzen wird, mit den Bitleitungen verbunden sind (Abb. 8).

In *maskenprogrammierbaren MOS-Festwertspeichern* ist zwischen Wort- und Bitleitung entweder ein Transistor vorhanden, d. h., beim Anlegen einer Spannung an die Wortleitung (Signal „1") leitet dieser und zieht die Datenleitung auf Nullpegel, oder er fehlt, d. h. es fließt kein Strom und die Datenleitung behält das Signal mit dem Wert 1 (Abb. 9).

Programmierbare MOS-Festwertspeicher (Abb. 10) können mehrfach programmiert werden (*REPROM* = *re*programmable *ROM*), da UV-Bestrahlung (*EPROM* = *e*rasable *PROM*) oder elektrische Impulse (*EEPROM* = *e*lectrically *e*rasable *PROM*) einen Löschvorgang hervorrufen, so daß der ursprüngliche Zustand wieder hergestellt wird. Hierzu wird meist ein Speicherelement verwendet, das zwei Gates enthält (*FAMOS* = *f*loating gate *a*valanche injection *MOS*). Das eine „schwebende Gate" (floating gate) speichert Elektronen und somit die Information, das andere ist das Steuergate für das Speicherelement. Durch Injektion energiereicher Elektronen aus dem Leitungskanal kann die Speicherzelle programmiert werden.

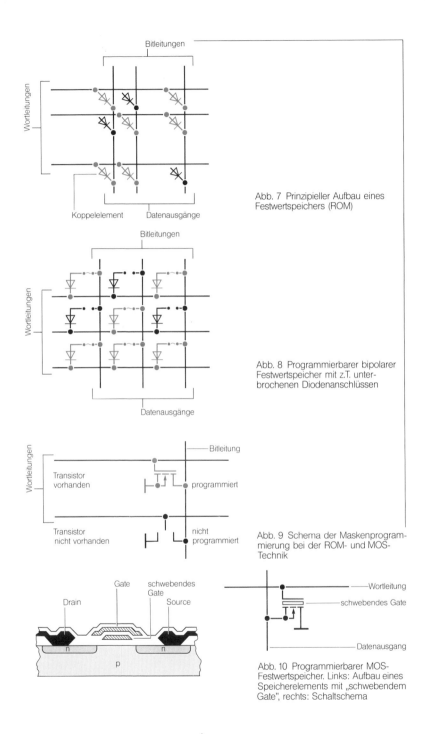

Abb. 7 Prinzipieller Aufbau eines Festwertspeichers (ROM)

Abb. 8 Programmierbarer bipolarer Festwertspeicher mit z.T. unterbrochenen Diodenanschlüssen

Abb. 9 Schema der Maskenprogrammierung bei der ROM- und MOS-Technik

Abb. 10 Programmierbarer MOS-Festwertspeicher. Links: Aufbau eines Speicherelements mit „schwebendem Gate", rechts: Schaltschema

Externe Datenspeicher I

Der externe Speicher eines Computers hat einerseits die Aufgabe, die begrenzte Speicherkapazität des internen Speichers zu erweitern, und andererseits für die dauerhafte Speicherung der Informationen zu sorgen, da der flüchtige Arbeitsspeicher (RAM) beim Ausschalten gelöscht wird. Ein externer Speicher besteht üblicherweise aus Datenträger, Schreib-Lese-Gerät und Controller. Der *Datenträger* speichert die Informationen meist magnetisch oder optisch, aber auch mechanische Speicher in Form von Lochkarten oder Lochstreifen werden noch benutzt. Allen Datenträgern eigen ist die Fähigkeit, zwei gut unterscheidbare Zustände speichern zu können. Somit lassen sich die binär codierten Daten und Informationen entsprechend aufbewahren. Das Schreib-Lese-Gerät liest oder verändert den Zustand der Speicherbereiche, gesteuert vom *Controller,* der die Organisation und Verwaltung des externen Speichers übernimmt. Der Controller ist ein Systemprogramm, also Software, das meist in einem Chip (ROM) untergebracht ist.

Zu den magnetischen externen Speichern gehören u. a. Magnetband und Magnetplatte sowie Diskette und Blasenspeicher. Hierbei werden die beiden unterschiedlichen Orientierungsmöglichkeiten eines Magnetfeldes (Nord-/Südpol, Süd-/Nordpol) zur Speicherung der binär codierten Informationen verwendet.

Magnetbänder, gleich ob als Kassette oder Spule verwendet, speichern die Informationen hintereinander und erlauben deshalb nur einen langsamen, seriellen Zugriff. Die unterschiedlich orientierten, magnetisierten Bereiche stehen dabei in einer langen Kette, die nur als Ganzes verändert werden kann. *Disketten,* auch Floppy disks genannt, bestehen aus einer flexiblen Scheibe als eigentlichem Datenträger, der in eine quadratische, mit einem weichen Vlies ausgelegte Hülle drehbar eingelegt ist (Abb. 1). Die flexible Scheibe besteht aus Polyesterfolie, auf die eine hauchdünne magnetisierbare Schicht aufgebracht ist. Durch eine ovale Öffnung in der Schutzhülle kann der Schreib-Lese-Kopf durch radiales Hin- und Herfahren jede Stelle der flexiblen Scheibe erreichen, da diese gleichzeitig durch den Antrieb des Diskettenlaufwerkes über die Einspannöffnung in Drehung versetzt wird. Standarddisketten (8 Zoll), Minidisketten ($5\frac{1}{4}$ Zoll) oder Mikrodisketten (3 oder $3\frac{1}{2}$ Zoll) benutzen eine feste *Formatierung.* Darunter versteht man eine Aufteilung der Diskette in Felder (Sektoren, Spuren), die als Speicherbereiche zugeordnet werden (Abb. 3 und 4). Die Formatierung der Diskette ist abhängig vom Betriebssystem und Hersteller, so daß selbst äußerlich gleich aussehende Disketten oft nicht austauschbar (kompatibel) sind. Das Formatieren selbst besorgt der Computer über ein besonderes Programm des Betriebssystems, wobei durch radiale Sektoren und konzentrische Spuren kleine Speicherbereiche gebildet werden, die der Controller leicht verwalten kann. Bei dieser sogenannten *Softsektorierung* orientiert sich das Formatierungsprogramm am Indexloch und unterteilt, von dort ausgehend, die Diskette in gleich große Sektoren. Bei der *Hardsektorierung* werden alle Trennungslinien zwischen den Sektoren durch sog. Indexlöcher gekennzeichnet (Abb. 2). Jeder der kleinen Speicherbereiche erhält beim Formatieren eine Adressenmarkierung und verschiedene Merkmale, die zur Verwaltung des Diskettenspeichers notwendig sind und auch mit auf die Diskette geschrieben werden. Durch diese Markierungen und die Verwaltungsübersicht (Inhaltsverzeichnis) der Diskette geht beim Formatieren ein großer Teil (bis zu 40%) der Bruttospeicherkapazität verloren, so daß allein die Nettospeicherkapazität zur freien Datenspeicherung zur Verfügung steht. Beim Übertragen von Daten aus dem internen Speicher auf die Diskette sieht der *Controller* zunächst im Inhaltsverzeichnis der Diskette nach, welche Speicherbereiche noch nicht belegt sind, bewegt dann den Schreib-Lese-Kopf an die entsprechende Adresse und speichert dort die binär codierten Daten nach einem festgelegten Protokoll. Abschließend werden die beschriebenen Speicherbereiche im Inhaltsverzeichnis als belegt gekennzeichnet.

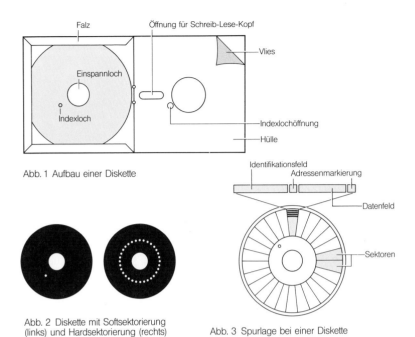

Abb. 1 Aufbau einer Diskette

Abb. 2 Diskette mit Softsektorierung
(links) und Hardsektorierung (rechts)

Abb. 3 Spurlage bei einer Diskette

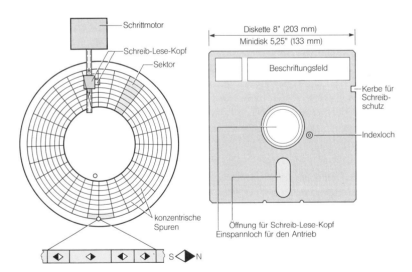

Abb. 4 Formatierung einer Diskette

Abb. 5 Bestandteile einer Diskette

Externe Datenspeicher II

Im Gegensatz zur flexiblen Floppy disk besteht die sogenannte *Harddisk* aus starren Aluminiumscheiben, auf die eine magnetisierbare Schicht aufgebracht wurde. Durch wesentlich höhere Drehgeschwindigkeit (ca. 3 600 U/min; bei der Floppy disk nur etwa 300 U/min) und größere Speicherdichte erzielt die Magnetplatte sehr große Speicherkapazitäten. In einem Plattenlaufwerk werden oft mehrere Platten übereinander angeordnet (Stapel), so daß in einer einzigen Position des so entstandenen Schreib-Lese-Kammes ein zylinderförmiger Zugriffsbereich zu den gespeicherten Daten entsteht (Abb. 1). Hierdurch reduziert sich die Zugriffszeit erheblich. Die Schreib-Lese-Köpfe liegen nicht mehr, wie bei der Diskette, auf der Datenträgerschicht auf, da sie sonst bei der hohen Geschwindigkeit bereits nach kurzer Zeit zerstört wären. Die winzigen Magnetisierungsköpfe (Abb. 2) „fliegen" auf einem Luftpolster in einem Abstand von 0,001 mm = 1 µm über die Platten, die sich zum Schutz gegen Staubpartikel in einem hermetisch abgeschlossenen Gehäuse befinden. Bei der Auslagerung der Daten aus dem internen Speicher auf die externe magnetische Speicherplatte werden – vom Controller gesteuert – zunächst die Speicherbereiche belegt, die sich räumlich gesehen übereinander befinden, d.h. sich in der gleichen Position des Schreib-Lese-Kammes ansprechen lassen. Dabei übernimmt der Controller die Funktion, freie Speicherbereiche zu suchen, dort die Daten unterzubringen und abschließend die neu belegten Speicherbereiche im Inhaltsverzeichnis zu markieren.

Der *Magnetblasenspeicher* speichert die Informationen ebenfalls mit Hilfe von Magnetfeldern. Mikroskopische, magnetische Bezirke (Domänen) werden dabei mittels äußerem Magnetfeld H an einem ruhenden Schreib-Lese-Kopf vorbeibewegt, wobei die kettenförmige Aufeinanderfolge von Zuständen (Magnetblase oder keine Magnetblase) den Informationsgehalt darstellt (Abb. 3). Der Blasenspeicher ist also ein Festkörperbauteil ohne mechanisch bewegliche Teile, bei dem die gespeicherten Daten nur nacheinander (seriell) zugänglich sind und nicht wie etwa beim direkten Zugriffsspeicher (RAM) willkürlich herausgegriffen werden können. Sehr hohe Speicherdichten ermöglichen dennoch ein rasches Auffinden der gewünschten Informationen. Die Speicherung der binär codierten Daten erfolgt als Vorhandensein einer Blase (stellt Zustand „1" dar) bzw. Abwesenheit einer solchen (stellt Zustand „0" dar). Diese magnetisierten kleinen Bezirke bleiben auch beim Ausschalten des Stromes aufgrund der Materialeigenschaften erhalten, so daß eine dauerhafte Speicherung möglich ist.

Bei den *optischen Speichermedien* wie z. B. der optischen Speicherplatte werden die im internen Speicher des Computers binär codiert vorliegenden Informationen ähnlich wie bei der Compact Disc (vgl. S. 206) in Form verschieden langer Vertiefungen oder Erhöhungen, sogenannter *Pits*, gespeichert, die mit einem Laserstrahl abgetastet werden. Die formatierten optischen Platten besitzen aufgrund ihrer engen Spurlage (einige tausendstel Millimeter) eine sehr große Speicherdichte bzw. Speicherkapazität, wobei zusätzlich noch der schnelle Datenzugriff durch formatabhängige Adressierbarkeit der Speicherbereiche ermöglicht wird. *Löschbare optische Speicherplatten* (Abb. 4) benutzen oft eine kombinierte Technik aus magnetischer und optischer Speicherung. Dabei wird die mit einer speziellen Magnetschicht überzogene Platte vor dem Beschreiben einheitlich magnetisiert. Der Laserstrahl erhitzt diejenigen Beschichtungsstellen, die verändert, d. h. gelöscht oder beschrieben werden sollen. Nur die so erwärmten Stellen können dann anschließend mit einer Magnetspule umgepolt werden. Gelesen wird mit einem schwächeren Laserstrahl, wobei aufgrund eines physikalischen Effektes (Kerr- und Faraday-Polarisation) unterschieden werden kann, ob der Laserstrahl von einer positiv oder negativ gepolten Stelle der Plattenoberfläche reflektiert wurde.

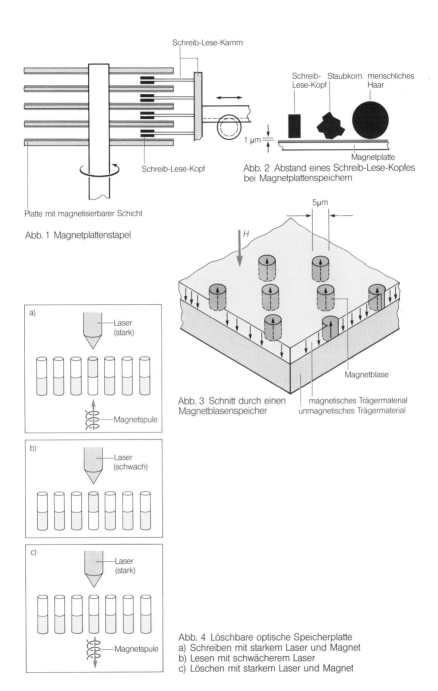

Schreib-Lese-Kamm

Schreib-Lese-Kopf

Platte mit magnetisierbarer Schicht

Abb. 1 Magnetplattenstapel

Schreib-Lese-Kopf   Staubkorn   menschliches Haar

1 μm

Magnetplatte

Abb. 2 Abstand eines Schreib-Lese-Kopfes bei Magnetplattenspeichern

5μm

H

Magnetblase

Abb. 3 Schnitt durch einen Magnetblasenspeicher

magnetisches Trägermaterial
unmagnetisches Trägermaterial

a)
Laser (stark)
Magnetspule

b)
Laser (schwach)

c)
Laser (stark)
Magnetspule

Abb. 4 Löschbare optische Speicherplatte
a) Schreiben mit starkem Laser und Magnet
b) Lesen mit schwächerem Laser
c) Löschen mit starkem Laser und Magnet

147

Bildschirme I

Die herkömmlichen Bildschirmgeräte enthalten eine Elektronenröhre, die nach dem Prinzip der Braunschen Röhre (vgl. S. 60) arbeitet und in ähnlicher Form in jedem Fernsehgerät zu finden ist. Dabei werden Elektronen von einer Kathode aus beschleunigt, abgelenkt und treffen schließlich auf einen gekrümmten Leuchtschirm. Diese Bauart bedingt eine große Bautiefe oder eine starke Krümmung des Bildschirms, da sonst aufgrund der unterschiedlichen Wegstrecken von der Elektronenquelle zur Frontseite des Bildschirms nur die Darstellung der Zeichen in der Mitte scharf, am Rand jedoch verzerrt erscheinen würden. Bei der Entwicklung von *flachen Bildschirmen* konkurrieren mehrere Prinzipien. Man unterscheidet dabei zwischen aktiven und passiven Systemen.

Der *Flüssigkristallbildschirm* (liquid crystal display, LCD) ist ein *passives* Anzeigesystem, d. h., es leuchtet nicht selbst, sondern nutzt das Umgebungslicht. Dabei wird die Tatsache ausgenutzt, daß die langgestreckten Moleküle in dem organischen Flüssigkristall beim Anlegen einer Spannung, also eines elektrischen Feldes, ihre optischen Eigenschaften verändern. Das Umgebungslicht fällt zunächst durch ein *Polarisationsfilter* (Abb. 1), das nur Licht einer bestimmten Schwingungsrichtung hindurchläßt, durchläuft die zwischen zwei parallelen Glasplatten eingeschlossene Flüssigkristallschicht und anschließend ein zweites Polarisationsfilter. An einem *Spiegel* wird es schließlich reflektiert und durchquert die Polarisationsfilter und den Flüssigkristall in umgekehrter Reihenfolge.

Die Flüssigkristallschicht ist beidseitig mit *transparenten Elektroden* belegt, so daß eine versetzte, netzartige Leitermatrix entsteht. Hierdurch kann an den jeweiligen Kreuzungspunkten durch Anlegen einer Spannung an die sich überlagernden Elektroden das elektrische Feld dort so gesteuert werden, daß die Polarisationsrichtung des durchgehenden Lichtes gerade so gedreht wird, daß dies nicht mehr in der Durchlaßrichtung der Polarisationsfilter schwingt, also nicht mehr hindurchlaufen kann (Abb. 2). Die entsprechende Zone bleibt dunkel. Je größer hierbei die Feldänderung, also die Spannung ist, desto stärker ändert sich die Polarisationsebene. Dabei muß jedoch bedacht werden, daß sich Flüssigkristalle bei höheren Gleichströmen elektrolytisch zersetzen. Für eine hohe Auflösung des Bildschirms (hohe Punktanzahl) werden viele Elektroden benötigt. Je größer dabei die Anzahl der Spalten und Zeilen der Elektrodenmatrix wird, desto kleiner wird aber bei gleicher maximal möglicher Spannung der Spannungsunterschied je Punkt, so daß der Kontrast geringer wird.

Zur Erhöhung des Bildkontrastes wird z. B. eine mechanische Vorspannung des Flüssigkristalls vorgenommen, um schon bei geringer Änderung der elektrischen Spannung eine große Richtungsänderung der Moleküle im Flüssigkristall zu erzielen. Eine andere Möglichkeit besteht darin, für jeden einzelnen Bildpunkt die Spannung über durchsichtige Dünnfilmtransistoren zu regeln. Bei Zwischenschaltung verschiedener Filter in den Grundfarben Rot, Grün und Blau kann der Flüssigkristallbildschirm auch farbige Zeichen darstellen. Die Moleküle der Flüssigkristallschicht reagieren relativ träge auf die Änderung der angelegten Spannung, so daß auch der Bildaufbau bzw. -wechsel relativ lange dauert, wodurch sich die Darstellung bewegter Bilder schwierig gestaltet.

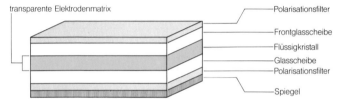

transparente Elektrodenmatrix — Polarisationsfilter
— Frontglasscheibe
— Flüssigkristall
— Glasscheibe
— Polarisationsfilter
— Spiegel

Abb. 1 Schnitt durch einen
Flüssigkristallbildschirm

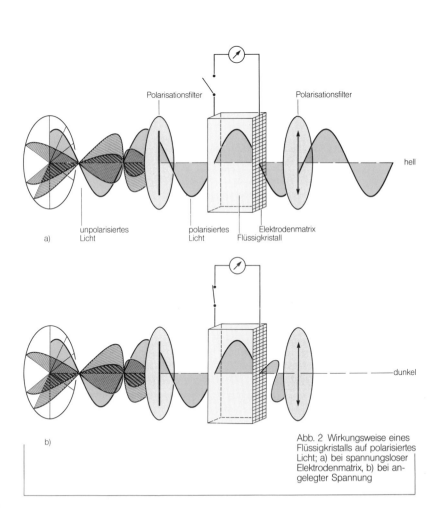

Polarisationsfilter   Polarisationsfilter

hell

a)   unpolarisiertes   polarisiertes   Elektrodenmatrix
     Licht   Licht   Flüssigkristall

dunkel

b)

Abb. 2 Wirkungsweise eines
Flüssigkristalls auf polarisiertes
Licht; a) bei spannungsloser
Elektrodenmatrix, b) bei an-
gelegter Spannung

149

Bildschirme II

Zu den *Flachbildschirmen* mit *aktivem Verfahren,* bei denen der Bildschirm nicht mit dem Licht der Umgebung arbeitet, sondern selbst leuchtet, gehören der Plasma-, der Elektrolumineszenz- und der Vakuumlumineszenzbildschirm.

Der *Plasmabildschirm* (Abb. 3) arbeitet nach dem Prinzip der Leuchtstoffröhre (vgl. S. 574). In einer hermetisch abgeschlossenen, dünnen Glasröhre, die mit einem Gas (z. B. Neon) gefüllt ist, sind Anoden- und Kathodendrähte gitterförmig angeordnet. Zwischen den in eingefrästen Rillen liegenden Anodendrähten und den senkrecht dazu verlaufenden Kathodendrähten kann die elektrische Spannung genau so gesteuert werden, daß an den Kreuzungspunkten eine Gasentladung stattfindet. Das dadurch entstehende leuchtende Gasplasma zeichnet sich durch die Lochplatte nach vorn durch die Frontglasscheibe als Leuchtpunkt ab. Die örtlich begrenzte Gasentladung ermöglicht so eine sehr kontrastreiche, leuchtende Bildwiedergabe, die außerdem ruhig und flimmerfrei ist. Durch das rasche Ansprechen der einzelnen, begrenzten Bereiche der Gasladungen auf die Steuerspannung ist ein schneller Bildwechsel und damit die Darstellung bewegter Bildschirminhalte möglich.

In einem *Elektrolumineszenzbildschirm* (Abb. 4) leuchtet kein ionisiertes Gas wie im Plasmabildschirm, sondern ein Halbleitermaterial, in dem durch Einwirkung elektrischer Felder entweder Elektronen beschleunigt oder Elektron-Loch-Paare erzeugt oder rekombiniert werden. Die transparenten Elektroden sind streifenförmig auf die Frontglasplatte aufgebracht und werden wie die senkrecht dazu angeordneten Rückelektroden mit Isolierfolien vom Halbleitermaterial getrennt. Bei entsprechender Ansteuerung der Elektrodenmatrix wird ein elektrisches Feld erzeugt, das den Halbleiter (z. B. Zinksulfid) zum Leuchten anregt. Der Elektrolumineszenzbildschirm erlaubt durch schnelles Ansprechen der einzelnen Bildelemente auf die Änderung der Steuerspannung den raschen Aufbau eines neuen Bildes. Das leuchtende Bild erreicht dabei die Helligkeit von Bildern herkömmlicher Bildröhren, wobei der Bildschirm jedoch im Gegensatz zu diesen wesentlich unempfindlicher gegen mechanische Beanspruchung ist.

Der große Platzbedarf der Braunschen Röhre wird dadurch verursacht, daß alle Elektronen aus einer einzigen Kathode bereitgestellt werden und über Ablenkeinheiten auf die gewünschte Stelle der Frontglasplatte gebracht werden und so für alle Bildpunkte zuständig sind. Bei der *Flachbildröhre* (Abb. 5) werden die Elektronen in mehreren Drahtkathoden erzeugt und sind dadurch nur für jeweils wenige Bildpunkte verantwortlich. In dem luftleer gepumpten, flachen Glashohlkörper liegen an der Rückwand die Kathodendrähte, aus denen die Elektronen „abgesaugt" werden, wobei eine Lochmaske die Elektronenquelle punktförmig erscheinen läßt. Vertikale und horizontale Ablenkung werden wie die Strahlintensität über entsprechende Elektroden gesteuert. Beim Auftreffen der Elektronen auf die *Lumineszenzschicht* des Bildschirms leuchtet der entsprechende Bereich auf. Bei der Flachbildröhre läßt sich wie bei der herkömmlichen Bildröhre auch eine farbige Darstellung erreichen. Aufgrund des hohen Glasanteils ist diese Bildröhre jedoch relativ schwer und empfindlich gegen mechanische Beanspruchung.

150

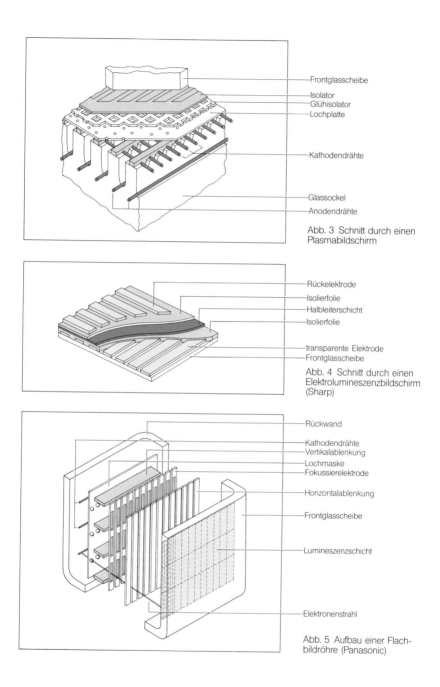

Frontglasscheibe
Isolator
Glühisolator
Lochplatte

Kathodendrähte

Glassockel
Anodendrähte

Abb. 3 Schnitt durch einen
Plasmabildschirm

Rückelektrode
Isolierfolie
Halbleiterschicht
Isolierfolie

transparente Elektrode
Frontglasscheibe

Abb. 4 Schnitt durch einen
Elektrolumineszenzbildschirm
(Sharp)

Rückwand

Kathodendrähte
Vertikalablenkung
Lochmaske
Fokussierelektrode

Horizontalablenkung

Frontglasscheibe

Lumineszenzschicht

Elektronenstrahl

Abb. 5 Aufbau einer Flachbildröhre (Panasonic)

151

Drucker

Für die Ausgabe von Computerdaten einer Datenverarbeitungsanlage in Klarschrift auf Papier spielt der Drucker eine entscheidende Rolle.

Unter den Druckermodellen, die mit ganzen Typen (Zeichen) arbeiten, sind die Typenrad-, Kugelkopf- und Kettendrukker die bekanntesten. Der *Typenraddrukker* schreibt einzelne Zeichen auf einmal auf das Papier. Das sogenannte Typenrad wird von einem Schrittmotor so weit gedreht, bis der gewünschte Buchstabe sich vor dem Hammer befindet und dieser von hinten die Type über das Farbband auf das Papier druckt. Das Typenrad (Abb. 1) ist eine Scheibe, auf der die Zeichen am Ende kleiner, sternförmig angeordneter Typenarme eingeprägt sind. Bei *Kugelkopfdruckern* handelt es sich meist um umgebaute elektronische Schreibmaschinen, die mit einer sogenannten Schnittstelle bestückt wurden und somit als Ausgabegerät dienen können. Der *Kettendrucker* (Abb. 2) verwendet anstelle des Typenrades eine Kette, auf der die Drucktypen nebeneinander aufgereiht sind. Dabei ist meist jedes Zeichen mehrmals vorhanden. Über zwei Führungsräder wird die Kette an den Druckhämmern vorbeigeführt, die von der elektronischen Steuerung ausgelöst werden, wenn sich das richtige Zeichen an der gewünschten Stelle befindet. Sie pressen dabei das Papier und das Farbband gegen die Typen.

Zu den Druckermodellen, die ihre Zeichen aus einzelnen Punkten zusammensetzen, zählen Nadel-, Tintenstrahl- und Thermodrucker. Bei diesen sogenannten *Matrixdruckern* wird der Druckkopf, der aus mehreren, senkrecht übereinander angeordneten Druckelementen besteht, horizontal bewegt, wodurch eine Punktematrix entsteht. Beim Drucken wird also immer eine senkrechte Punktreihe auf einmal zu Papier gebracht, dann rückt der Druckkopf einige zehntel Millimeter weiter und setzt die nächste Punktreihe. Die elektronische Ansteuerung des Druckkopfes erlaubt dabei jedes der übereinanderliegenden Druckelemente einzeln anzusteuern, so daß die darstellbaren Zeichen sehr variabel sind. Beim *Nadeldrucker* (Abb. 3) bestehen die Druckelemente aus Nadeln, die meist mit Hilfe eines Elektromagneten gegen ein Farbband und dann gegen das Papier gepreßt werden.

Beim *Tintenstrahldrucker* werden die Zeichen wie beim Nadeldrucker als Punktematrix aufgebaut. Hier besteht der Druckkopf jedoch aus übereinanderliegenden kleinen Tintenbehältern, aus denen winzige Tröpfchen auf das saugfähige Papier „geschossen" werden. Beim *Unterdruckverfahren* (Abb. 4) ist jeder Düsenkanal konzentrisch von einem Piezokeramikröhrchen umschlossen. Wird an diese Röhrchen eine elektrische Spannung angelegt, ziehen sie sich zusammen und erzeugen so in der Flüssigkeitssäule einen Druckanstieg, wodurch ein winziges Tröpfchen aus der Düse geschleudert wird. Beim *Blasenstrahlprinzip* (Abb. 5) wird die Tinte durch eine kleine Dampfblase aus der Düse gedrückt und auf das Papier gespritzt. Durch Anordnung von mehreren Düsenreihen nebeneinander mit jeweils eigenem Tintenreservoir kann auch mehrfarbig gedruckt werden.

Der *Thermodrucker* (Abb. 6) benutzt untereinanderliegende, punktförmige Druckelemente, die sich schnell erwärmen und abkühlen. Diese Heizplättchen sind flache Widerstände, die einzeln ansteuerbar sind. Die relativ lange Abkühlzeit der Widerstände begrenzt die mögliche Schreibgeschwindigkeit. Der Thermodrucker benutzt wärmeempfindliches Spezialpapier. Mit einem wärmeempfindlichen Spezialfarbband (beim *Thermotransferdrucker*), das eine schmelzfähige Farbschicht auf einem stabilen Trägermaterial besitzt, kann auch normales Papier bedruckt werden.

Das xerographische Verfahren des *Laserdruckers* (Abb. 7) erlaubt hohe Ausgabegeschwindigkeit bei gleichzeitig sehr gutem Schriftbild. Die Oberfläche der sich drehenden, lichtempfindlichen Trommel wird zunächst elektrisch positiv aufgeladen. Der vom Modulator gesteuerte Laserstrahl wird über einen rotierenden Polygonspiegel auf die Trommel gelenkt, wo er Zeile für Zeile ablichtet. Dort, wo der Laserstrahl auf die Trommel trifft, entlädt er deren Oberfläche. Das zu druckende Bild entsteht somit aus winzigen, nicht geladenen Punkten. Anschließend wird der pulverförmige Toner, der zuvor elektrostatisch positiv aufgeladen wurde, zur Trommel gebracht, wo er nur an den Stellen haftet, die zuvor vom Laserstrahl entladen wurden. Die nicht entladenen, positiven Stellen der Trommel stoßen das positiv geladene Tonerpulver ab. Danach wird das seinerseits negativ geladene Papier mit der Trommel in Kontakt gebracht. Das jetzt mit Tonerstaub eingefärbte Papier durchläuft abschließend eine Fixiereinrichtung, in der bei etwa 200 °C der Toner in das Papier einschmilzt.

Abb. 1 Typenrad eines
Typenraddruckers

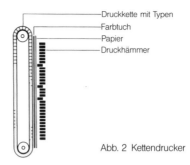

Druckkette mit Typen
Farbtuch
Papier
Druckhämmer

Abb. 2 Kettendrucker

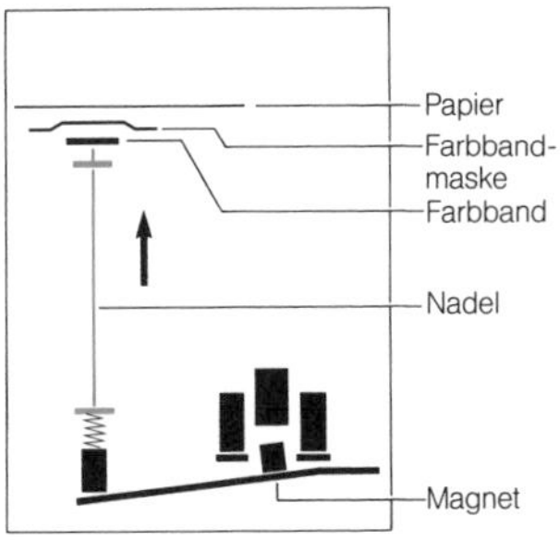

Papier
Farbband-
maske
Farbband

Nadel

Magnet

Abb. 3 Prinzip des Nadel-
druckers

Abweisblech

piezoelektrisches Röhrchen

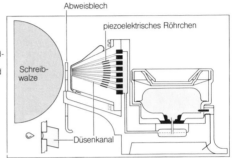

Schreib-
walze

Düsenkanal

Abb. 4 Tintenstrahldrucker
(Unterdruckverfahren)

Papier
Tintentropfen
Dampfblase

Abb. 5 Tintenstrahldrucker
(Blasenstrahlprinzip)

Papierablage
einbrennen
übertragen

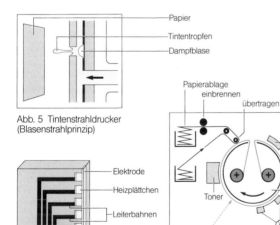

reinigen

aufladen

Trommel

Toner

Modulator
Laser

Spiegel

Elektrode
Heizplättchen
Leiterbahnen

Abb. 6 Druckkopf eines
Thermodruckers

Abb. 7 Schema eines Laserdruckers

Modem

Sollen zwei Computer über eine größere Entfernung in Verbindung treten und Daten austauschen, so kann dies über verschiedene Fernmeldeeinrichtungen (z. B. Telefon, TELEX, DATEX; vgl. S. 180) geschehen. Bei der Verwendung normaler Telefonleitungen muß zwischen dem digital arbeitenden Computer und dem analogen Telefonsystem ein Bindeglied, das sogenannte Modem, zwischengeschaltet werden. Modem ist ein aus „Modulator" und „Demodulator" zusammengesetztes Wort. Die Aufgabe eines Modems besteht darin, die *binär* codierten elektrischen Signale (Datenbits) der Senderseite (Computer) in *analoge Tonfrequenzsignale* umzusetzen. Die Datenbits liegen dabei in Form von Rechtecksignalen vor, die Informationen auf der Grundlage der binären Speicherung als Folge von Einsen für „ein" und Nullen für „aus" darstellen. Die Töne hingegen sind veränderliche, sinusförmige Signale, die Informationen auf der Grundlage der Modulation übermitteln. Auf der Empfängerseite wandelt ein Modem diese Tonfrequenzsignale wieder in binäre, elektrische Signale um, die dann an den empfangenden Computer weitergeleitet werden. Die Umwandlung der *digitalen Rechtecksignale* ist notwendig, da die Verstärker und Filter des Telefonsystems das ursprüngliche Signal so verändern würden, daß der Empfänger sie nicht mehr verstehen könnte. Für andere Übertragungssysteme, z. B. das DATEX-P-Netz, sind unter Einhaltung bestimmter Übertragungsprotokolle keine Modems erforderlich. Eine besondere Form eines Modems stellt der *Akustikkoppler* dar, bei dem eine entsprechend ausgebildete Auflage als Gegenstück zu einem Telefonhörer dient.

Das eigentliche Datensignal kann mit verschiedenen Verfahren auf einen niederfrequenten Hilfsträger aufmoduliert werden (Abb. 1): Bei der *Amplitudenmodulation (AM)* wird jedem Signalzustand („0" bzw. „1") ein bestimmter Amplitudenwert zugeordnet. Aufgrund des geringen Unterschieds zwischen Nutz- und Störsignalamplitude und der kleinen, möglichen Übertragungsgeschwindigkeit wird die AM heute nur noch selten benutzt.

Für mittlere Übertragungsgeschwindigkeiten, z. B. 1 200 Baud (1 Baud = 1 bit/s), wird oft die *Frequenzmodulation* verwendet: Von der Frequenz des Hilfsträgers wird im Takt der beiden Bitzustände „0" und „1" entweder eine bestimmte Frequenz subtrahiert oder zu ihr addiert, so daß jedem Signal genau eine bestimmte Summenfrequenz entspricht, d. h., die Tonhöhe schwankt im Takt des Datenstroms, so daß – je nachdem ob eine „0" oder „1" vorliegt – der eine oder andere Ton erzeugt wird. Zur gleichzeitigen Übertragung in beiden Richtungen, d. h. vom Sender zum Empfänger und umgekehrt, im sogenannten *Duplexbetrieb*, werden zwei Frequenzpaare verwendet, die je nach Übertragungsgeschwindigkeit verschiedene Modulations- und unterschiedliche Trägerfrequenzen besitzen (Abb. 2). Bei einer mittleren Übertragungsgeschwindigkeit von 1 200 Baud in eine Richtung steht z. B. für die Rückverbindung aufgrund der begrenzten Kanalbreite nur noch ein schmalbandiger Kanal mit 75 Baud für Quittierungsmeldungen zur Verfügung (Abb. 3).

Bei höheren Übertragungsraten, ab etwa 1 200 Baud, werden verschiedene Varianten der bandbreitesparenden *Phasenmodulation* benutzt, da sonst der Telefonkanal (3 kHz Bandbreite) nicht ausreicht. Die Frequenz des Signals ist dabei konstant, aber der Anfangspunkt des sinusförmigen Signals ändert sich. Beim *Phasensprungverfahren* wird im Augenblick der Signalzustandsänderung (z. B. von „0" auf „1") zwischen zwei Zeitschritten die Phase der Trägerspannung um 180 Grad verschoben (Abb. 1).

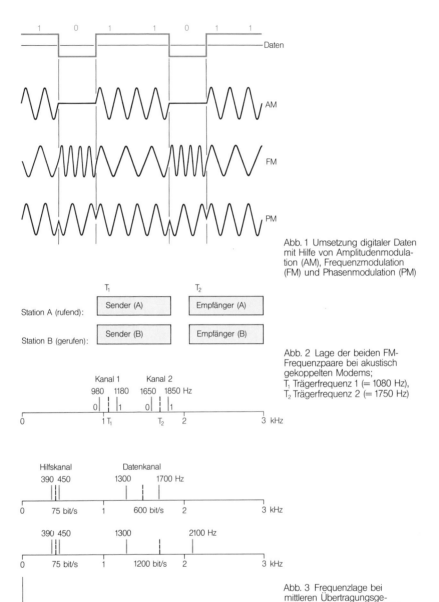

| 1 | 0 | 1 | 1 | 0 | 1 | 1 |

Daten

AM

FM

PM

Abb. 1 Umsetzung digitaler Daten mit Hilfe von Amplitudenmodulation (AM), Frequenzmodulation (FM) und Phasenmodulation (PM)

T_1 T_2

Station A (rufend): Sender (A)   Empfänger (A)

Station B (gerufen): Sender (B)   Empfänger (B)

Abb. 2 Lage der beiden FM-Frequenzpaare bei akustisch gekoppelten Modems;
T_1 Trägerfrequenz 1 (= 1080 Hz),
T_2 Trägerfrequenz 2 (= 1750 Hz)

Kanal 1   Kanal 2
980 1180   1650 1850 Hz
0 | |1   0 | |1
0   1 T_1 T_2 2   3 kHz

Hilfskanal   Datenkanal
390 450   1300   1700 Hz
0   75 bit/s   1   600 bit/s   2   3 kHz

390 450   1300   2100 Hz
0   75 bit/s   1   1200 bit/s   2   3 kHz

Abb. 3 Frequenzlage bei mittleren Übertragungsgeschwindigkeiten. Für den Rückkanal stehen nur 75 bit/s für Quittierungsmeldungen zur Verfügung

155

Software I

Ein Computer besteht einerseits aus den physikalisch real vorhandenen Bauteilen (Hardware) und andererseits aus den nichtapparativen Funktionsbestandteilen (Software), die eine optimale Nutzung des Computers ermöglichen sollen. Die Software, ohne die eine Hardware nicht zu benutzen wäre, besteht aus einer Vielzahl von *Befehlen,* die zu Programmen zusammengefaßt sind. Die einzelnen Befehle sagen dem Prozessor, wie und welche Information er bearbeiten soll. Zur Formulierung der einzelnen Datenverarbeitungsprozesse in den Programmen wird eine Anzahl von Symbolen *(Code)* und Festlegungen verwendet, die als *Programmiersprache* bezeichnet wird.

Die *Programmiersprachen* stellen die Verbindung dar zwischen dem vom Programmierer beabsichtigten Ablauf eines Programms und den von dem Prozessor hierzu auszuführenden Schritten. Da der Prozessor nur binär codierte Anweisungen durchführen kann, müssen alle anders codierten Befehle in diese Binärdarstellung übersetzt werden. Von den Hardwareherstellern wird jeweils eine Auswahl von Maschinenbefehlen zur Verfügung gestellt, die in ihrer Gesamtheit die sogenannte *Maschinensprache* bilden.

Die *maschinen-* oder *systemorientierten Programmiersprachen* sind in ihrem Aufbau den Maschinensprachen sehr ähnlich und erfordern nur sehr einfache Übersetzungsarbeiten. Zu diesen Sprachen gehören alle *Assemblersprachen,* bei denen statt der direkten Adressierung der Maschinenbefehle (absolute Festlegung von Speicherplätzen für Befehle und sonstige Informationen) eine symbolische Adressierung und Schreibweise der Befehle sowie die Einführung von Makrobefehlen als Unterprogramme möglich sind. Die Übersetzung in die Maschinensprache erfolgt hierbei im sogenannten Assembler der Datenverarbeitungsanlage.

Die *problemorientierten* bzw. *höheren Programmiersprachen* erlauben eine einfachere, maschinenunabhängige Formulierung von Programmen. Bei operativen oder verfahrensorientierten Programmiersprachen wird die Problemlösung in Algorithmen oder Verfahrensschritten angegeben, und ihre Übersetzung in die Maschinensprache erfolgt mit Hilfe von Compilern. Hierzu zählen z. B. die Programmiersprachen ADA, ALGOL, C, COBOL, FORTRAN, PASCAL, PL/1. In *beschreibenden Programmiersprachen* hingegen werden nur die Parameter und Bedingungen eines Problems angegeben und mit Hilfe von Interpretern bei jedem Programmaufruf erneut in die Maschinensprache umgesetzt. Die bekannteste Programmiersprache dieser Kategorie ist BASIC, das jedoch auch als Compilerversion anzutreffen ist.

Der *Compiler* ist ein Programm, das aus einem in einer höheren Programmiersprache geschriebenen *Quellprogramm* ein entsprechendes *Maschinenprogramm* macht (Abb. 2). Bei der Programmausführung ist der Compiler dann nicht mehr beteiligt. Ein *Interpreter* hingegen übersetzt nicht das gesamte Programm auf einmal, sondern analysiert jeweils zeilenweise den anstehenden Befehl, interpretiert ihn und führt ihn dann sofort aus.

Jede Programmiersprache stellt ein Werkzeug dar, mit dem bestimmte Aufgaben je nach Auslegung und Eignung besser oder schlechter zu bewältigen sind. Allen gemeinsam ist jedoch, daß sie zur Herstellung von Programmen, also von Software dienen. Hierzu sind immer Analyse und Spezifikation der Aufgabenstellung, Planung, Realisierung und Test (Abb. 3) sowie eine in allen Phasen projektbegleitende Dokumentation nötig. Ziel der *Analysenphase* ist das vollständige und genaue Verständnis des gesamten sich stellenden Problems, so daß in der *Spezifikationsphase* die Prozeß- und Rechenabläufe im einzelnen festgelegt werden können. In der *Planungsphase* wird versucht, das oft sehr mächtige und komplizierte Gesamtproblem in einzelne kleinere, leicht zu handhabende Teilprobleme aufzuspalten, die dann unabhängig voneinander bearbeitet werden können. Die Umsetzung der Anweisungsfolge in eine zuvor ausgewählte, geeignete Programmiersprache geschieht dann in der *Realisierungsphase,* in der abschließend das jeweilige Teilprogramm in den Rechner eingegeben und mit einem Übersetzungsprogramm in die dem Computer verständliche Maschinensprache umgewandelt wird. Die *Testphase* beinhaltet zum einen die formale Überprüfung und die richtige logische Abfolge, zum anderen die inhaltliche Übereinstimmung mit dem Anforderungskatalog und die Handhabung sowohl der einzelnen Teile als auch des Gesamtprogrammpaketes.

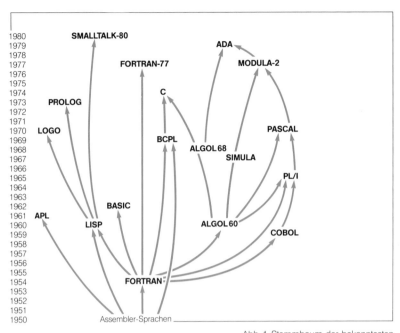

Abb. 1 Stammbaum der bekanntesten Programmiersprachen.
Die Jahreszahlen bezeichnen ungefähr das Geburtsjahr der Sprache.
Die Pfeile kennzeichnen die wichtigsten Einflüsse.

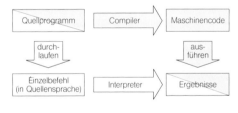

Abb. 2 Schematische Darstellung der Verfahrensweise von Compiler und Interpreter

Phase	Anteil am Gesamtprojekt	Dokumentation
Analyse und Spezifikation	20 %	Pflichtenheft Benutzerhandbuch Projektplan
Planung	25 %	Spezifikation der Module
Realisierung	30 %	Programmablaufpläne oder Struktogramme
Test	25 %	Testdaten Beispiele

Abb. 3 Software-Entwicklungsphasen

Software II

Neben den speziell entwickelten Programmen für Einzelanwendungen, die in den verschiedenen höheren Programmiersprachen geschrieben sein können, werden sogenannte *Programmwerkzeuge* (Tools) angeboten, mit denen der Anwender nach kürzerer Einarbeitungszeit seine eigenen *Anwendungsprogramme* erstellen kann. Hierzu zählen vor allem Tabellenkalkulationsprogramme sowie Textverarbeitungs- und Programmierhilfen, aber auch Datenbanksysteme. Während bei diesen Programmwerkzeuge und Anwendungsprogramme leicht zu verändern und anzupassen sind, ist dies bei *abgeschlossenen Anwendungsprogrammen* wie Computerspielen oder branchenspezifischen, gewerblichen Programmen nur schwer oder gar nicht möglich.

Die höheren Programmiersprachen können nach ihren hauptsächlichen Einsatzgebieten in prozedurorientierte (prozedurale), problemorientierte, interaktive, listenorientierte und zeichenkettenorientierte Sprachen untergliedert werden. *Prozedurale Programmiersprachen* arbeiten nach Vorschriften, d. h., ein in einer solchen Sprache geschriebenes Programm gibt an, *wie* man schrittweise ein Ergebnis erreicht. Hierzu zählen z. B. die Computersprachen FORTRAN, COBOL und PASCAL. *Problemorientierte Sprachen* sind meist beschreibende Sprachen, mit denen in einem Programm erklärt wird, welches Ergebnis gewünscht ist, aber nicht gesagt wird, wie es erreicht werden soll. In diesem Programm ist also nur die Beziehung der einzelnen Sprachelemente, aber nicht der Programmablauf festgelegt. Zu diesen beschreibenden Sprachen gehören vor allem Tabellenkalkulationsprogramme. *Interaktive Sprachen* erlauben den direkten Dialog mit dem Computer, d. h., der Benutzer kann die Reaktion des Rechners auf die Eingabe unmittelbar feststellen. Die Interpretersprachen BASIC, LISP, LOGO gehören zu dieser Kategorie.

In Abb. 4 bis Abb. 8 wird anhand eines einfachen Problems gezeigt, wie unterschiedlich in den einzelnen Programmiersprachen ein und dasselbe Problem formuliert wird. Das Problem, die Summe der ungeraden Zahlen in einer Menge von ganzen Zahlen zu berechnen, verdeutlicht die Prinzipien, nach denen Variable und Prozeduren definiert sowie Iterationen und bedingte Anweisungen zur Steuerung des Programmablaufs eingesetzt werden.

BASIC (*b*eginners *a*ll-purpose *s*ymbolic *i*nstruction *c*ode) hat sich bei Home- und Mikrocomputern als Einsteigersprache bewährt. Jede Zeile ist numeriert, und der Programmablauf wird weitgehend durch Bezugnahme auf diese *Zeilennummern* gesteuert. Im Beispielprogramm (Abb. 4) bildet ein Unterprogramm (ab Zeilennummer 1100) das Kernstück der Berechnung, wobei in einer Schleife, die mit einer FOR-Anweisung (Zeilennummer 1300) beginnt und mit einer NEXT-Anweisung (Zeilennummer 1600) endet, mit dem Zuweisungsbefehl LET der Variablen jeweils ein neuer Wert zugeordnet wird. In dem *PASCAL*-Beispiel (Abb. 5) wird zu Beginn des Programms die jeweiligen im Programmbereich verwendeten Variablen gefordert, wobei gleichzeitig ihr Typ festgelegt wird. Die Übersichtlichkeit des *blockorientierten* PASCAL wird noch dadurch unterstützt, daß die einzelnen Funktionen und Prozeduren durch ihren Namen anstatt durch ihre Zeilennummer angesprochen werden und das Programm sich aus einer Reihe unabhängiger *Module* aufbauen läßt. Die zur Verarbeitung umfangreicher Datenmengen im kommerziellen Bereich verwendete Sprache *COBOL* (*c*ommon *b*usiness *o*riented *l*anguage) besteht üblicherweise aus dem Erkennungs-, dem Maschinen-, dem Daten- und dem Prozedurteil, von denen in Abb. 6 nur die beiden letzten Teile wiedergegeben sind. Die starke Anlehnung an den englischen Wortschatz sowie die wortreiche Programmierung sind deutlich zu erkennen. In der Programmiersprache *FORTH* ist der sogenannte „Keller" bzw. „Stapel" das zentrale Element des Computers: Hierbei handelt es sich um einen Teil des Speicherbereichs, der wie ein Stapel von Tellern organisiert ist, bei dem der zuletzt auf den Stapel gelegte Teller als erster wieder weggenommen wird. In dem FORTH-Beispielprogramm (Abb. 7) werden alle Berechnungen auf dem Stapel selbst ausgeführt, und der Wert der Funktion wird am Ende wieder ganz oben auf dem Stapel abgelegt. Variable werden dabei keine definiert.

Charakteristisch für *APL* (*a* *p*rogramming *l*anguage) ist, daß hier mit einem ganzen Zahlenfeld genauso leicht gearbeitet werden kann wie mit einem einzelnen Wert. Das APL-Beispielprogramm (Abb. 8) benötigt nur eine einzige Anweisung zur Aufsummierung der ungeraden Elemente, die am Divisionsrest 1 bei der Division durch 2 erkannt, dann aus dem Feld herausgezogen und addiert werden.

```
100 DIM ZAHL (100)
200 READ N
300     FOR I = 1 TO N
400     READ ZAHL (I)
500     NEXT I
600 GOSUB 1100
700     PRINT SUM
800 GOTO 2000
900 DATA 4
1000 DATA 23, 34, 7, 9
1100 REM SUM entspricht der Summe
1200 LET SUM = 0
1300     FOR K = 1 TO N
1400         IF NOT ODD (ZAHL (K)) THEN GOTO 1600
1500         LET SUM = SUM + ZAHL (K)
1600     NEXT K
1700 RETURN
1800 END
```

Abb. 4 BASIC-Programmbeispiel

```
SUMODDS
0 SWAP 0
    DO
        SWAP DUP 2 MOD
        IF +
        ELSE DROP
        THEN
    LOOP
;
23 34 7 9 4 SUMODDS.
```

Abb. 8 FORTH-Programmbeispiel

```
program SumOddNumbers ;
type TermIndex = 1..100;
    TermArray = array [TermIndex] of integer;
var myTerms: TermArray;
function SumOdds(n: TermIndex; terms: TermArray): integer;
    var i: TermIndex;
        sum: integer;
    begin
        sum: = 0
        for i: = 1 to n do
            if Odd(terms[i])then
                sum: = sum + terms[i];
        SumOdds: = sum;
    end;
begin
    myTerms[1]: = 23; myTerms[2]: = 34; myTerms[3]: = 7, myTerms[4]: = 9;
    WriteLn(SumOdds(4, myTerms))
end.
```

Abb. 5 PASCAL-Programmbeispiel

```
DATA DIVISION.
WORKING-STORAGE SECTION.
01 NUMERIC-VARIABLES USAGE IS COMPUTATIONAL.
    02 TERMS PICTURE 9999 OCCURS 100 TIMES INDEXED BY I.
    02 N PICTURE 999.
    02 SUM PICTURE 999999.
    02 HALF-TERM PICTURE 9999.
    02 RMDR PICTURE 9.
PROCEDURE DIVISION.
EXAMPLE:
    MOVE 23 TO TERMS(1).
    MOVE 34 TO TERMS(2).
    MOVE  7 TO TERMS(3).
    MOVE  9 TO TERMS(4).
    MOVE  4 TO N.
    PERFORM SUM-ODDS.
SUM-ODDS.
    MOVE 0 TO SUM.
    PERFORM CONSIDER-ONE-TERM VARYING I FROM 1 BY 1 UNTIL 1 > N.
CONSIDER-ONE-TERM.
    DIVIDE 2 INTO TERMS(I) GIVING HALF-TERM REMAINDER RMDR.
    IF RMDR IS EQUAL TO 1; ADD TERMS(I) TO SUM.
```

Abb. 6 COBOL-Programmbeispiel

```
        ▽SUM ← SUMODDS TERMS
[1]    ▽SUM ← +/(2 I TERMS)/TERMS
SUMODDS 23 34 7 9
            TERMS ← 23  34      7       9   Zuweisung der Ausgangswerte
        (2 I TERMS) ←  1   0    1       1   Feld der Teilungsreste
  (2 I TERMS)/TERMS ← 23          7     9   Komprimierung zweier Felder
+/(2 I TERMS)/TERMS ← 23   +      7  +  9   Reduzierung durch Addition
                SUM ← 39               Zuweisung des Ergebnisses
```

Abb. 7 APL-Programmbeispiel

159

Telekommunikation

Mit dem Begriff Telekommunikation bezeichnet man den Nachrichtenaustausch zwischen Menschen oder Menschen und Maschinen unter Inanspruchnahme nachrichtentechnischer Mittel zur Überbrückung von räumlichen Entfernungen. Urformen der Telekommunikation sind beispielsweise die Rauchzeichen der Indianer, die Läuferstafetten im alten Griechenland, die Briefpost usw. Von besonderer Bedeutung ist die elektrische Nachrichtenübertragung, die Mitte des 19. Jahrhunderts mit der Telegrafie ihren Anfang nahm.

In den letzten Jahren ist der Stand der modernen Telekommunikation, deren Entwicklung von der immer leistungsfähiger werdenden Mikroelektronik geprägt wird, zu einem Gradmesser für die Leistungsfähigkeit der Volkswirtschaften der Industrienationen geworden. Für Industrie und Wirtschaft ist die schnelle Verfügbarkeit von Informationen notwendige Voraussetzung zur Entscheidungsfindung. Neben Boden, Kapital und Arbeit wird der Information inzwischen der Rang eines Produktionsfaktors zuerkannt. Auch unser Privatleben ist ohne die vielfältigen Informations- und Kommunikationsmöglichkeiten wie Fernsehen, Telefon, Bildschirmtext, Videotext usw. kaum noch denkbar. Nebenstehendes Schaubild zeigt die Entwicklung der heute sehr breitgefächerten öffentlichen Telekommunikationsdienste, die in ihrer Vielfalt in absehbarer Zukunft noch zunehmen werden.

Nach der Art der übertragenen Informationen lassen sich die Telekommunikationsdienste unterteilen in Träger von Sprach-, Text-, Daten- und Bewegtbildinformationen (Abb. 1). Eine weitere Unterscheidung der Dienste läßt sich nach der Kommunikationsart vornehmen, nämlich in Individual- und Massenkommunikation (Abb. 2). Bei der *Individualkommunikation,* auch *Zweiwegekommunikation* genannt, findet ein wechselseitiger Nachrichtenaustausch zwischen den Kommunikationspartnern statt. Im Gegensatz hierzu findet bei der *Massenkommunikation* ein Informationsfluß nur in eine Richtung statt, und zwar vom Sender zum Empfänger (z. B. Rundfunk, Kabelfernsehen).

Dieser Unterschied der möglichen Richtungen im Informationsfluß (einseitig oder zweiseitig) setzt auch unterschiedliche *Netzstrukturen* voraus (Abb. 3). Individualkommunikation wie beim Telefon bedingt ein aufwendiges, in *Sternstruktur* aufgebautes Netz. Alle Teilnehmer sind mit einer individuellen Leitung an den Vermittlungsknoten angeschaltet. Durch solch einen Netzaufbau kann im Netzknoten eine eindeutige Verbindung zwischen zwei Teilnehmern hergestellt werden. Da jeder Teilnehmer seine eigene Anschlußleitung besitzt gibt es so viele einzelne Leitungen (jeweils zwei Kupferdrähte) wie Teilnehmer angeschlossen sind. Diese Leitungen sind in Kabeln geführt, die zum Vermittlungsknoten immer stärker werden und bis zu 2 000 Doppeladern, d. h. 4 000 Einzeldrähte umfassen können.

Im Gegensatz hierzu hat das *Baumnetz* wie es z. B. beim Kabelfernsehen realisiert ist, eine völlig andere Struktur. Von einer Zentrale geht ein Kabel aus, das sich ähnlich wie ein Baum immer weiter verzweigt. Gasleitungs- und Wasserleitungsnetze sind ihrer Struktur nach ebenfalls Baumnetze, bei denen der „Stamm" von den angeschlossenen Teilnehmern gemeinsam genutzt wird.

Die Dienste der Individualkommunikation werden heute noch über zwei öffentliche Netze übertragen:
1. *Fernsprechnetz* (Fernsprechen, Dateldienste, TELETEX, Bildschirmtext),
2. *Integriertes Text- und Datennetz* (Telegrafie, TELEX, TELEFAX, DATEX-L und DATEX-P).

Die Massenkommunikation wird über das *Tonrundfunknetz* (Tonrundfunk im Lang-, Mittel-, Kurz- und Ultrakurzwellenbereich, Kabelanschluß) sowie über das *Fernsehrundfunknetz* (Fernsehrundfunk, Videotext, Kabelanschluß) abgewickelt.

Sich heute bereits abzeichnende Entwicklungen lassen die Dienste der Individualkommunikation aufgehen in einem gemeinsamen *diensteintegrierenden Fernmeldenetz* (*ISDN;* Abkürzung für Integrated Services Digital Network).

In einem weiteren Schritt, wenn der Einsatz der Glasfaser im Ortsnetz rentabel wird, können aufgrund der hohen Übertragungsleistungsfähigkeit über dieses neu aufzubauende Netz alle heute vorhandenen und auch zukünftig möglichen Dienste übertragen werden. Damit steht ein Universalnetz zur Verfügung, dessen Leistungsvermögen die heutigen Möglichkeiten um ein Vielfaches übersteigen wird.

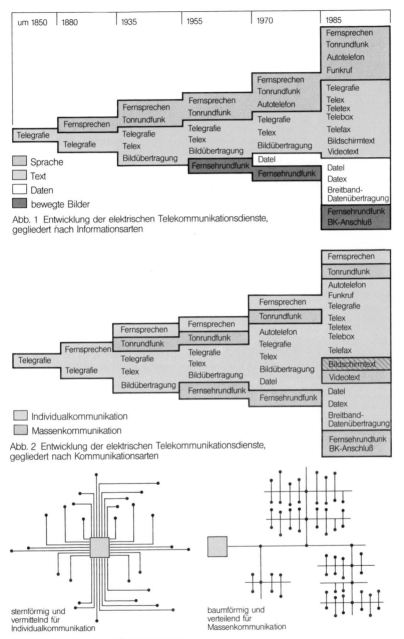

um 1850 | 1880 | 1935 | 1955 | 1970 | 1985

Telegrafie
Fernsprechen
Telegrafie
Fernsprechen
Tonrundfunk
Telegrafie
Telex
Bildübertragung
Fernsehrundfunk
Fernsprechen
Tonrundfunk
Telegrafie
Telex
Bildübertragung
Fernsehrundfunk
Fernsprechen
Tonrundfunk
Autotelefon
Telegrafie
Telex
Bildübertragung
Datel
Fernsehrundfunk
Fernsprechen
Tonrundfunk
Autotelefon
Funkruf
Telegrafie
Telex
Teletex
Telebox
Telefax
Bildschirmtext
Videotext
Datel
Datex
Breitband-Datenübertragung
Fernsehrundfunk
BK-Anschluß

◻ Sprache
◻ Text
◻ Daten
◼ bewegte Bilder

Abb. 1 Entwicklung der elektrischen Telekommunikationsdienste, gegliedert nach Informationsarten

Telegrafie
Fernsprechen
Telegrafie
Fernsprechen
Tonrundfunk
Telegrafie
Telex
Bildübertragung
Fernsehrundfunk
Fernsprechen
Tonrundfunk
Telegrafie
Telex
Bildübertragung
Fernsehrundfunk
Fernsprechen
Tonrundfunk
Autotelefon
Telegrafie
Telex
Bildübertragung
Datel
Fernsehrundfunk
Fernsprechen
Tonrundfunk
Autotelefon
Funkruf
Telegrafie
Telex
Teletex
Telebox
Telefax
Bildschirmtext
Videotext
Datel
Datex
Breitband-Datenübertragung
Fernsehrundfunk
BK-Anschluß

◻ Individualkommunikation
◻ Massenkommunikation

Abb. 2 Entwicklung der elektrischen Telekommunikationsdienste, gegliedert nach Kommunikationsarten

sternförmig und vermittelnd für Individualkommunikation

baumförmig und verteilend für Massenkommunikation

Abb. 3 Netzstrukturen von Fernmeldenetzen

Telefon

Das Prinzip der Telefonie beruht auf der Umwandlung der Sprache in elektrische Signale und umgekehrt. Die der Sprache entsprechenden Luftdruckschwankungen treffen auf das *Mikrophon* auf, das sie in analoge Stromschwankungen umwandelt. Bisher wurden dafür meist sogenannte *Kohlemikrophone* verwendet (Abb. 1). Die sich aufgrund der Schallwellen bewegende Membran verdichtet über die Kugelelektrode die Kohlekörnchen im Rhythmus der Schallschwingungen. Diese setzen dem Stromfluß in dem genannten Rhythmus einen stärkeren oder schwächeren Widerstand entgegen. Die Schwankungen des Stromverlaufs entsprechen genau den Schalldruckschwankungen.

Seit 1982 werden verstärkt piezoelektrische und elektrodynamische Mikrophone eingesetzt. *Piezoelektrische Mikrophone* nutzen den piezoelektrischen Effekt aus, bei dem bestimmte Kristalle eine elektrische Spannung erzeugen, wenn durch mechanische Verformung Ladungsverschiebungen im Kristallgitter hervorgerufen werden. Die erzeugten Spannungen entsprechen auch hier dem Verlauf der ankommenden Schallwellen. Der im Kapselgehäuse eingebaute Transistorverstärker macht die kleinen Spannungsschwankungen für die Übertragung nutzbar. – Das *elektrodynamische Mikrophon* ist mit dem unten beschriebenen Fernhörer, der die elektrischen Schwankungen wieder in Schallwellen zurückverwandelt, im Grunde identisch. Auch hier ist jedoch ein Transistorverstärker erforderlich.

Der *Fernhörer* besteht aus einem Dauermagneten, der in einem ihn umgebenden Weicheisengehäuse derart untergebracht ist, daß eine um den Magneten gelegte Schwingspule sich in einem Luftspalt dazwischen frei bewegen kann (Abb. 2, rechts). Die Schwingspule ist an der Membran befestigt. Fließt der ankommende Sprechwechselstrom durch die Spule, so baut diese entsprechend diesen Stromschwankungen ein veränderliches Magnetfeld auf. Die Kräfte dieses Magnetfeldes lassen die Spule in entsprechende Schwingungen geraten und damit auch die Membran. Die Umsetzung in Schalldruckschwankungen ist somit vollzogen.

Der einfachste Fernsprechkreis besteht aus einer Batterie, einem Mikrophon und einem Fernhörer, die durch eine zweiadrige Leitung miteinander verbunden sind (Abb. 2). Mikrophon und Fernhörer müssen galvanisch getrennt sein, da sonst der Batteriestrom die Membran des Fernhörers vorspannen würde, was ein Verzerren der Sprache zur Folge hätte. Beim Sprechen auf das Mikrophon ändert sich der Mikrophonstrom in der beschriebenen Weise. Im *Übertrager* wird eine Magnetfeldänderung erzeugt, die eine Wechselspannung in der anderen Wicklung induziert. Der in Fernhörerkreis dadurch entstehende Wechselstrom bewirkt eine Schwingung der Fernhörermembran.

Außer der Umsetzung der Schallwellen in Stromschwankungen kommt dem Telefon die Aufgabe zu, die *Rufnummer* des gewünschten Teilnehmers auszusenden. Beim Abheben des Hörers wird der Gabelschalter G geschlossen und somit eine Verbindung zwischen Telefon und Vermittlungsstelle hergestellt (Abb. 3). Die Stromversorgung für das Mikrophon erfolgt von der zentralen Stromversorgung aus der Vermittlungsstelle. Die Schaltglieder, die die Verbindung zum gewünschten Teilnehmer herstellen (vgl. S. 164), werden von der Nummernscheibe oder vom Tastwahlblock gesteuert.

Die *Nummernscheibe* besteht aus der Wählscheibe, einem Fliehkraftregler, der nach dem Aufzug für eine gleichmäßigen Rücklauf sorgt, und einem Impulskontakt nsi, der beim Rücklauf den Stromkreis der Teilnehmerleitung je nach der gewählten Ziffer ein- bis zehnmal für jeweils 40 ms unterbricht und dabei ebenso oft das Relais der Vermittlungseinrichtung betätigt. Während dieser Zeit werden durch den Kontakt nsa Hör- und Sprechkapsel kurzgeschlossen, damit der Teilnehmer nicht durch Knackgeräusche belästigt wird. Der *Tastwahlblock* moderner Telefongeräte bildet diese der gedrückten Zifferntaste entsprechenden Unterbrechungen elektronisch nach. Fernsprecher, die an neue elektronische Wählvermittlungen angeschlossen sind, enthalten eine Tastatur, die die gewählten Ziffern als Frequenzkombinationen aussenden.

Zur Signalisierung eines ankommenden Rufes dient ein sogenannter *Wecker*. Er ist über einen Kondensator angeschlossen und wird mit einer Wechselspannung betrieben, die in der Vermittlungsstelle an die Leitung gelegt wird.

Neue Telefonapparate verfügen vielfach über zusätzliche Leistungsmerkmale, z. B. das Speichern von Rufnummern, die Wahlwiederholung, ein Display, das die gewählte Rufnummer und die auflaufenden Gebühren anzeigt, usw.

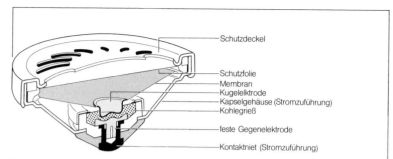

Schutzdeckel

Schutzfolie
Membran
Kugelelktrode
Kapselgehäuse (Stromzuführung)
Kohlegrieß

feste Gegenelektrode

Kontaktniet (Stromzuführung)

Abb. 1 Kohlemikrophon (Sprechkapsel)

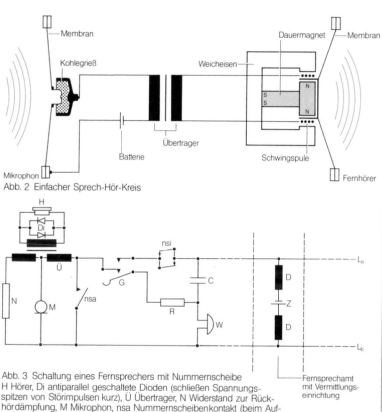

Membran

Kohlegrieß

Dauermagnet   Membran

Weicheisen

Übertrager

Batterie

Schwingspule

Mikrophon

Fernhörer

Abb. 2 Einfacher Sprech-Hör-Kreis

Abb. 3 Schaltung eines Fernsprechers mit Nummernscheibe
H Hörer, Di antiparallel geschaltete Dioden (schließen Spannungs-
spitzen von Störimpulsen kurz), Ü Übertrager, N Widerstand zur Rück-
hördämpfung, M Mikrophon, nsa Nummernscheibenkontakt (beim Auf-
ziehen der Wählscheibe geschlossen), nsi Impulskontakt (periodischer
Unterbrecher zur Erzeugung der Wählimpulse), G Gabelschalter in Ruhestellung (Anrufbereitschaft), R Widerstand, C Kondensator, W Wecker,
L_a und L_b Leitungen, D Drosselspule, Z zentrale Stromversorgung

Fernsprechamt
mit Vermittlungs-
einrichtung

Telefonvermittlungstechnik I

In der Bundesrepublik Deutschland werden jährlich über 26 Milliarden Telefongespräche in den Orts- und Fernvermittlungsstellen der Deutschen Bundespost vollautomatisch vermittelt. Das bundesweite Telefonnetz besteht aus rund 3 800 *Ortsnetzen,* die sich durch die Ortsnetzkennzahl (Vorwahl) unterscheiden. Die Ortsnetze bestehen je nach Größe aus einer oder mehreren *Ortsvermittlungsstellen (OVSt),* an die die Telefonteilnehmer über Anschlußkabel angeschaltet sind (Abb. 1). Über diese Netzknoten wird der örtliche Telefonverkehr abgewickelt.

Für Verbindungen über das Ortsnetz hinaus ist ein in seiner Grundstruktur hierarchisch angelegtes *Fernnetz* in vier Ebenen aufgebaut (Abb. 2).

Zentralvermittlungsstellen (ZVSt), die alle miteinander verbunden (vermascht) sind, bilden die oberste Ebene. Sie sind durch die erste Ziffer (nach der 0) der Vorwahl gekennzeichnet. Die Wahl der Ziffer 0 signalisiert dem System, daß eine Fernverbindung aufgebaut werden soll und kann demnach nicht für einen Zentralvermittlungsbereich vergeben werden. Man nennt sie deshalb auch Verkehrsausscheidungsziffer.

An jede Zentralvermittlungsstelle können entsprechend unserem dekadischen System sternförmig bis zu zehn *Hauptvermittlungsstellen (HVSt)* angeschlossen werden. Heute sind dies 68, an die in gleicher Weise 525 angeschlossene *Knotenvermittlungsstellen (KVSt)* die nächste Ebene bilden. Den untersten Bereich bilden die *Endvermittlungsstellen (EVSt)* auf der Ebene der Ortsnetze. Aufgrund internationaler Vereinbarungen darf die nationale Rufnummer (Vorwahl und Teilnehmernummer) 10 Stellen nicht überschreiten. In großen Ortsnetzen, bei denen aufgrund der hohen Zahl der geschäftlichen und privaten Teilnehmer für die Teilnehmernummer sechs Stellen nicht mehr ausreichen, muß die Vorwahl verkürzt werden; Beispiel Frankfurt 069 oder München 089.

Je nachdem, ob der Verkehr von der niederen zur höheren Netzebene fließt oder umgekehrt, spricht man vom aufsteigenden oder absteigenden Kennzahlenweg. Damit aber nicht alle Fernverbindungen über die Zentralvermittlungsstellenebene gelenkt werden müssen, was insgesamt sehr lange Leitungswege bedeutet, hat man diesem ein sog. *Querleitungsnetz* überlagert. Damit kann der „Nachbarschaftsverkehr" über kürzere Wege geführt werden. Querwege gehen von der HVSt oder KVSt aus und führen zu anderen KVStn, HVStn und unter Umständen auch zu den ZVStn und EVStn, zu denen ein starkes Verkehrsinteresse besteht. Im aufsteigenden Kennzahlenweg sind deshalb Registersysteme in der KVSt und HVSt eingebaut, die die Ziffern der oberen drei Ebenen speichern. Ein Rufnummernspeicher nimmt die Kennziffer der EVSt und die Teilnehmernummer auf. Nach der Einspeisung der 3 Kennziffern schaltet sich das Register an den sog. *Umwerter* und fordert von diesem die Informationen über den günstigsten Verbindungsweg (Querweg oder Kennzahlenweg) an. Aufgrund der Aussage des Umwerters wird nun die Verbindung aufgebaut. Sind alle möglichen Querleitungen zum Zielort von der Knotenvermittlungsstelle aus belegt, wird zur Hauptvermittlungsstelle im aufsteigenden Kennzahlenweg weitergeschaltet, wo erneut die möglichen Querwege geprüft werden. Erst wenn auch hier die kurzen Wege belegt sind, wird die Verbindung über die Zentralvermittlungsebene geschaltet.

Der Umwerter ist eine zentrale Einrichtung in den Fernvermittlungsstellen, der seine Aussagen über festverdrahtete Logikschaltungen trifft. Pro Anfrage eines Registers ist der Umwerter für 80 ms belegt. Aus Sicherheitsgründen ist er in zweifacher Ausführung vorhanden.

Grundbaustein der elektromechanischen Vermittlungstechnik ist der *Edelmetall-Motor-Drehwähler (EMD).* Er wird durch die Wahlimpulse, die von der Nummernscheibe oder der Tastatur des Telefons ausgehen, gesteuert. Er verbindet dabei eine Eingangsleitung mit einer von 100 Ausgangsleitungen (Abb. 4, S. 167). Die wichtigsten Bestandteile sind Laufwerk, Kontaktbank und Schaltarme. Zum Laufwerk gehören zwei Motormagnete, ein wicklungsloser Anker, Motorkontakte mit Nockenscheibe und eine Zahnradübersetzung. Durch abwechselnde elektrische Erregung der Motormagnete wird der Läufer in Drehbewegung versetzt und damit gleichzeitig die Kontaktarme auf einen der 100 Ausgänge eingestellt. Da für eine Sprechverbindung 2 Kontaktarme und für Prüf- und Steuerzwecke nochmals 2 Kontaktarme benötigt werden, hat jeder Wähler 4 × 100 Kontaktpunkte.

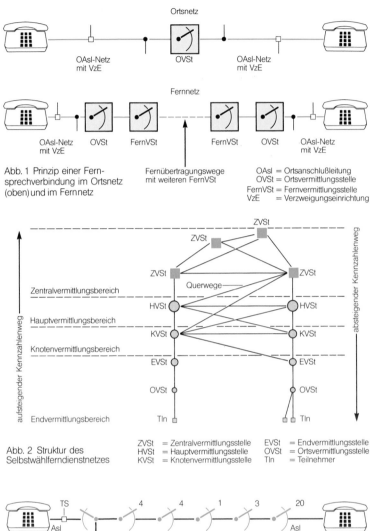

Abb. 1 Prinzip einer Fern-
sprechverbindung im Ortsnetz
(oben) und im Fernnetz

Fernübertragungswege
mit weiteren FernVSt

OAsl = Ortsanschlußleitung
OVSt = Ortsvermittlungsstelle
FernVSt = Fernvermittlungsstelle
VzE = Verzweigungseinrichtung

Abb. 2 Struktur des
Selbstwählferndienstnetzes

ZVSt = Zentralvermittlungsstelle
HVSt = Hauptvermittlungsstelle
KVSt = Knotenvermittlungsstelle
EVSt = Endvermittlungsstelle
OVSt = Ortsvermittlungsstelle
Tln = Teilnehmer

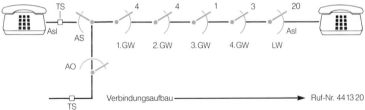

Abb. 3 Ortsvermittlungsstelle
in elektromechanischer
EMD-Technik

Asl = Anschlußleitung
TS = Teilnehmerschaltung
AO = Anrufordner
AS = Anrufsucher
GW = Gruppenwähler
LW = Leitungswähler

165

Telefonvermittlungstechnik II

Im Fernverkehr eingesetzte EMD-Wähler haben doppelt soviel Schaltarme, da im Gegensatz zum Ortsverkehr Hin- und Rückrichtung auf getrennten Leitungen geführt werden. Dies ist notwendig, weil die Sprachsignale in bestimmten Abständen verstärkt werden müssen und ein Verstärker nur in eine Richtung verstärkend wirken kann. Die der Sprechverbindung dienenden Schaltarme haben Edelmetall-Kontaktflächen und werden zu ihrer Schonung erst nach der Einstellung an die entsprechenden Kontaktpunkte angelegt. Die Kontaktpunkte sind halbkreisförmig in zwei Ebenen angeordnet. Dabei wird zwischen Hauptrasten und Zwischenrasten unterschieden. Zu jeder der 10 Hauptrasten gehören 10 Zwischenrasten. Bei der ersten gewählten Ziffer wird der Wähler so gesteuert, daß er im Schnellgang je Impuls von Hauptrast zu Hauptrast weiterschaltet und damit die 10 Zwischenrasten überspringt. Danach schaltet er auf Einzelschrittsteuerung. Mit der nächsten Ziffer wird dann die Zwischenrast ausgewählt. Die Prüfarme stellen jetzt fest, ob der angewählte Anschluß frei ist. Wenn ja, legen Relaisschaltungen den Rufstrom an, schalten die Sprechleitung durch, trennen nach Gesprächsende die Verbindung und führen den Wähler in seine Ruhestellung zurück. Mit diesem Aufbau können 100 Teilnehmer angewählt werden.

Die Zahl der an eine Ortsvermittlungsstelle angeschlossenen Teilnehmer ist im allgemeinen jedoch weit höher. Aus diesem Grund sind vor diesen *Leitungswähler (LW)*, der die letzten beiden Ziffern der Rufnummer verarbeitet, weitere Wahlstufen, sog. *Gruppenwähler (GW)* geschaltet (Abb. 3, S. 165). Außerdem werden *Anrufsucher (AS)* benötigt, an dessen Kontakt vielfach die Teilnehmer angeschaltet sind. Die Schaltarme der Anrufsucher sind direkt mit den Schaltarmen der 1. GW verbunden. An diese Kontaktbank können bis zu 100 Teilnehmer angeschlossen werden. Je nach erwartetem Gleichzeitigkeitsverkehr dieser 100er Gruppe wird nun eine entsprechende Anzahl von Anrufsuchern parallelgeschaltet. Bei diesem Aufbau mit Anrufsuchern muß nicht für jeden Teilnehmer ein 1. GW bereitgehalten werden, was unwirtschaftlich wäre. Erfahrungsgemäß genügen etwa 10 Gruppenwähler für jeweils 100 Teilnehmer.

Durch Abheben des Telefonhörers wird die Anschlußleitung durchverbunden und die im Fernsprechamt für jeden Teilneh-mer vorhandene *Teilnehmerschaltung (TS)* betätigt. Diese schaltet einen *Anrufordner (AO)*, ebenfalls ein Wähler, der einen noch nicht belegten Anrufsucher ansteuert und zur Suchwahl veranlaßt. Nachdem der Anrufsucher die Verbindung zum Teilnehmer hergestellt hat, erhält dieser aus dem 1. GW Speisestrom und Wählton. Mit Wahl der ersten Ziffer, z. B. 4, läuft dieser bis zur 4. Hauptrast. Im Freilauf sucht der 1. GW nun den nächsten freien 2. GW innerhalb der zur 4. Hauptrast gehörenden 10 Zwischenrasten. Der 2. GW verarbeitet die 2. Ziffer. Dadurch, daß dem System die Möglichkeit gegeben ist, sozusagen selbständig freie Schaltglieder (Gruppenwähler) auszuwählen, kann die Zahl der Schaltglieder entsprechend dem erwarteten Verkehr bemessen werden. Der Leitungswähler (LW) legt den Rufstrom an die Leitung des angerufenen Teilnehmers. Hebt dieser den Hörer ab, wird der Rufstrom abgeschaltet und es kann telefoniert werden.

Die technische Innovation auf den Gebieten der Halbleiter- und Computertechnik, die Fortschritte in der Mikroelektronik, insbesondere die Großintegration von Schaltelementen, eröffneten neue Möglichkeiten für die Realisation von rechnergesteuerten *elektronischen Vermittlungssystemen*. Die Deutsche Bundespost setzt seit 1985 solche neuen Vermittlungssysteme in ihrem Netz ein, bei denen bis auf die Magnetplatten bzw. Bandgeräte keine mechanischen Teile mehr enthalten sind. Für die Vermittlung dienen Halbleiterbausteine, die im Zeitmultiplex genutzt werden, d. h. für mehrere gleichzeitige Verbindungen. Vorteile gegenüber den elektromechanischen Systemen sind die erheblichen Raumeinsparungen sowie die drastische Reduzierung der mechanischen Verdrahtung, die sich in geringeren Investitions- und Betriebskosten niederschlagen. Die digitale Vermittlungstechnik ist wie die digitale Übertragungstechnik Voraussetzung für das künftig alle Dienste integrierende Fernmeldenetz ISDN (Abkürzung für Integrated Services Digital Network).

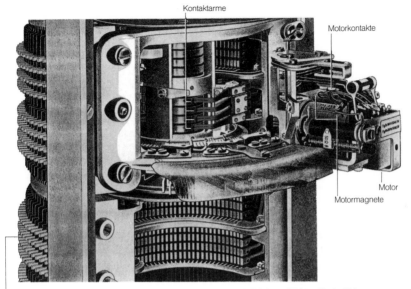

Kontaktarme

Motorkontakte

Motor

Motormagnete

Kontaktbank

Abb. 4 Edelmetall-Motor-Drehwähler

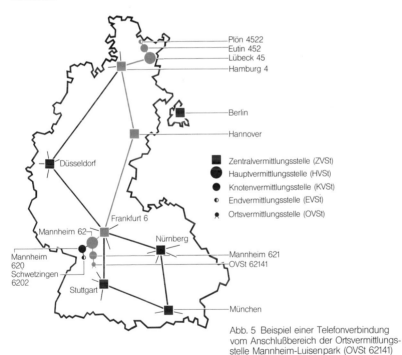

Plön 4522
Eutin 452
Lübeck 45
Hamburg 4

Berlin

Hannover

Düsseldorf

■ Zentralvermittlungsstelle (ZVSt)
● Hauptvermittlungsstelle (HVSt)
● Knotenvermittlungsstelle (KVSt)
◗ Endvermittlungsstelle (EVSt)
⚹ Ortsvermittlungsstelle (OVSt)

Frankfurt 6

Mannheim 62

Nürnberg

Mannheim
620
Schwetzingen
6202

Mannheim 621
OVSt 62141

Stuttgart

München

Abb. 5 Beispiel einer Telefonverbindung
vom Anschlußbereich der Ortsvermittlungsstelle Mannheim-Luisenpark (OVSt 62141)
nach Plön (EVSt 4522)

167

Fernschreiber I

Die ersten druckenden Telegrafen wurden Mitte des vorigen Jahrhunderts gebaut und in den folgenden Jahrzehnten ständig verbessert. Technische Probleme bei der Synchronisation von Sender und Empfänger wurden jedoch erst Mitte der 20er Jahre durch Einführung des *Start-Stop-Systems* überwunden. Bei diesem Verfahren wird jedes Fernschreibzeichen durch einen sogenannten Startschritt eingeleitet und durch einen Stopschritt beendet. Der Startschritt initialisiert den Sendevorgang, während des Stopschritts laufen Sender und Empfänger in eine definierte Ruhelage.

Für die Darstellung und Übertragung der Fernschreibzeichen benutzt man einen *Fünfercode*. Dabei werden die einzelnen Zeichen durch jeweils fünf aufeinander folgende Impulse gleicher Länge (20 ms) gebildet. Jeder dieser Impulse kann als Strom- oder Pausenschritt ausgebildet sein. Ein solcher Code bietet $2^5 = 32$ Kombinationsmöglichkeiten. Diese reichen für die Darstellung aller Buchstaben, Satzzeichen und Ziffern nicht aus. Man belegt deshalb die vorhandenen Kombinationen doppelt, einmal mit Buchstaben, einmal mit Zahlen oder Satzzeichen (z. B. e und 3, b und ?) und verwendet zwei Kombinationen für die Ziffern-Buchstaben-Umschaltung (Shift). Jedes Zeichen wird durch einen Startschritt (20 ms) eingeleitet und durch einen Stopschritt (30 ms) beendet und hat somit eine Dauer von 150 ms. Daraus ergibt sich eine maximale Schreibleistung von 400 Zeichen/min. Dieser Code ist weltweit als Internationales Telegrafenalphabet Nr. 2 bekannt (vgl. Abb. 4, S. 171).

Eine *elektromechanische Fernschreibmaschine* besteht aus Tastatur, Sender, Empfänger, Drucker und Antrieb. Weitere Bauelemente sind: Kennungsgeber, Lochstreifensender und Empfangslocher.

Die *Tastatur* besteht aus den einzelnen Tasten, den zugehörigen Tastenhebeln, fünf quer darunter liegenden sägezahnförmig ausgefrästen Sendewählschienen und den Sperrklinken. – Der *Sender* besteht aus fünf parallel geschalteten Sendekontakten, einem Start-Stop-Kontakt und sechs Kontakthebeln, die über eine Nokkenwelle (Nutenscheibe) angesteuert werden. – Der *Empfänger* besteht aus dem Empfangsmagnet mit seinem Steueranker, mehreren Steuerhebeln und fünf sogenannten Empfangswählschienen. – Der *Drucker* besteht aus dem Typenkorb, dem Typenkorbwagen, der nach dem Abdruck eines jeden Zeichens automatisch um eine Druckposition weiterbewegt wird, und der Druckerfalle. Der Typenkorb selbst wird aus den einzelnen Typenhebeln und den zugehörigen Zugstangen, die – von der Druckerfalle angetrieben – die Typenhebel betätigen, gebildet. Als zentraler *Antrieb* dient ein Asynchronmotor.

Im Zustand der Schreibruhe sind die Start-Stop-Kontakte zweier miteinander verbundener Fernschreibmaschinen geschlossen, die fünf Sendekontakte geöffnet, es fließt ein Haltestrom über die Empfangsmagnete der beiden Maschinen. Durch Niederdrücken einer Taste werden zunächst die quer unter der Tastatur liegenden Sendewählschienen entsprechend dem Bitmuster des Zeichens gegeneinander verschoben und die Stellung der Sendewählschienen auf die zugehörigen Sperrklinken übertragen. Durch weiteres Niederdrücken wird die Sendewelle für die Dauer eines Zeichens eingekuppelt. Sie öffnet zunächst den Start-Stop-Kontakt für 20 ms und unterbricht damit den Haltestromkreis. Die umlaufende Sendewelle bietet dann den fünf Kontakthebeln nacheinander für die Dauer von jeweils 20 ms eine „Einfallsnut“ an. Freigegebene Kontakthebel können der angebotenen Einfallsnut folgen und schließen für die Dauer von 20 ms den zugehörigen Sendekontakt (Stromschritt). Verklinkte Kontakthebel können der Einfallsnut nicht folgen, der zugehörige Sendekontakt bleibt geöffnet (Pausenschritt). Nach fünf mal 20 ms wird der Start-Stop-Kontakt wieder geschlossen, der Sendevorgang des Zeichens ist beendet.

Durch den Startschritt wurden über den abfallenden Anker des Empfangsmagneten auch die Empfangswellen der beiden Maschinen eingekuppelt. Die Empfangsmagnete werden im Rhythmus der von den Sendekontakten erzeugten Stromstöße erregt und betätigen im gleichen Rhythmus ihre Anker. Die Stellung des Ankers wird von der Empfangswelle gesteuert, alle 20 ms abgetastet und auf die Empfangswählschienen übertragen. Nach 5×20 ms ist das empfangene Zeichen in der Stellung der fünf Empfangswählschienen eingespeichert. Sie werden so gegeneinander verschoben, daß für den Zugstab des empfangenen Zeichens eine „Einfallsgasse“ gebildet wird, in die er einfallen kann. Er wird nun von der Druckerfalle erfaßt und das Zeichen wird zum Abdruck gebracht.

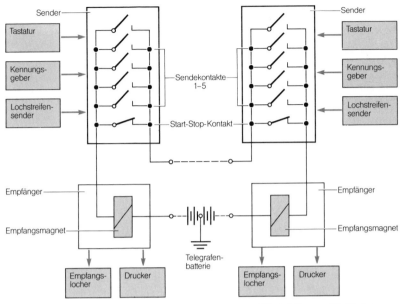

Abb. 1 Aufbau und Verbindung
zweier Fernschreibmaschinen

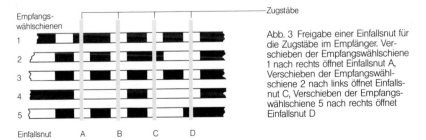

Abb. 2 Pausenschritt (links) und
Stromschritt (rechts) bei einer
elektromechanischen Fernschreibmaschine

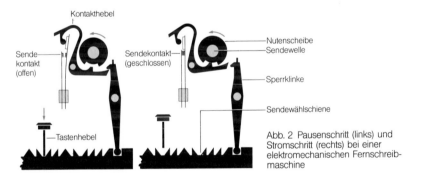

Abb. 3 Freigabe einer Einfallsnut für
die Zugstäbe im Empfänger. Verschieben der Empfangswählschiene
1 nach rechts öffnet Einfallsnut A,
Verschieben der Empfangswählschiene 2 nach links öffnet Einfallsnut C, Verschieben der Empfangswählschiene 5 nach rechts öffnet
Einfallsnut D

169

Zur besseren Unterscheidung abgehender und ankommender Texte sind die Fernschreiber mit einer Schwarz-Rot-Umschaltung ausgerüstet. Dabei wird ein zweifarbiges Farbband – vom Sender bzw. Empfänger der Maschine gesteuert – gehoben oder gesenkt und somit einmal rot (ankommend) und einmal schwarz (abgehend) gedruckt.

Im TELEX-Netz (vgl. S. 172) ist jeder Fernschreiber durch eine sogenannte *Kennung* eindeutig bestimmt. Die Kennung besteht aus der TELEX-Rufnummer, dem Firmenkürzel und dem Landeskennzeichen. Die Kennung der gerufenen Maschine kann über die „Wer-da-Taste" abgerufen, die eigene Kennung über die „Hier-ist-Taste" ausgesendet werden. Die Kennung wird über den Kennungsgeber der Maschine, der die Sendekontakte steuert, erzeugt.

Abzusendende Fernschreiben können im Lokalbetrieb über die Tastatur eingegeben und in einen Lochstreifen eingestanzt werden. Anschließend wird er in den Lochstreifensender eingelegt, der gewünschte Partner angewählt und der Lochstreifen nach dem Austausch der Kennungen der beiden Maschinen gestartet. Der Lochstreifen wird ruckweise von Zeichen zu Zeichen bewegt, von fünf Abfühlhebeln auf „Loch" oder „kein Loch" abgetastet und der vorgelochte Text mit der maximal möglichen Geschwindigkeit von 400 Zeichen/min gesendet. Ankommende Fernschreiben können mitgelocht, als Lochstreifen aufbewahrt und bei Bedarf über den Lochstreifenleser eingelesen und ausgedruckt werden.

Seit Mitte der 70er Jahre werden die elektromechanischen Fernschreiber zunehmend durch *elektronische Fernschreiber* ersetzt. Bei diesem neuen Gerätetyp übernehmen elektronische Funktionsgruppen die Aufgaben der bisherigen mechanischen Bauelemente. Mechanische Bauteile sind auf ein Minimum begrenzt. Wesentliche Funktionsgruppen sind: zentrale Steuereinheit (CPU), Programm- und Datenspeicher, Tastatur mit Tastatursteuerung, Drucker mit Druckersteuerung, Bildschirm mit Bildschirmsteuerung, Locher/Leser oder Floppy disk mit zugehöriger Steuerung und Leitungsanpassungsteil (Kommunikationsbaustein).

Alle Funktionsabläufe im Innern des Geräts erfolgen programmgesteuert. Die einzelnen Funktionsgruppen sind über interne Schnittstellen mit dem Systembus und damit mit der Zentraleinheit verbunden. Die Zuordnung von „Tastenplätzen" und „Shiftbelegungen" zu den zugehörigen Codekombinationen sind im Programmspeicher festgelegt. Der Anschlag einer Taste wird – je nach Bauart der Maschine – entweder direkt an die Zentraleinheit gemeldet oder der Zustand der Tastatur in regelmäßigen Abständen von der Zentraleinheit abgefragt, die die Generierung der betreffenden Codekombinationen veranlaßt.

Abgehende Fernschreiben können unmittelbar ausgesendet oder zunächst im Lokalspeicher erstellt, korrigiert – gegebenenfalls mit gespeicherten Textbausteinen ergänzt – und unmittelbar nach ihrer Fertigstellung oder zu einem vorprogrammierbaren Zeitpunkt automatisch abgeschickt werden. Mittels eines Schlüsselschalters oder eines Paßwortes läßt sich der Fernschreiber gegen unbefugten Betrieb sperren.

Die seriell ankommenden Fernschreibzeichen werden zunächst in einen internen Code (USASCII) umgewandelt und an die Speichereinheit oder an den Drucker weitergegeben. Die interne Umcodierung erfolgt, weil für alle in der Rechnertechnik anfallenden Aufgaben bereits geeignete 7-Bit-orientierte Chips, Mikroprozessoren und andere erforderliche Bauteile in allen möglichen Varianten bereitstehen. Die zwischengespeicherten Zeichen werden in Steuerbefehle für den Drucker umgewandelt. Je nach Arbeitsprinzip unterscheidet man zwischen Typenraddruckern und Matrixdruckern (vgl. S. 152). Nach dem Druck eines Zeichens bzw. einer Spalte wird der Druckkopf durch einen Schrittmotor um eine Druckposition weiterbewegt. Weitere Schrittmotoren steuern Zeilenvorschub und Farbband.

Die elektronischen Fernschreiber bieten neben den reinen Fernschreiberfunktionen weitere zusätzliche Leistungsmerkmale, z. B. Kurzwahl, Wahlwiederholung, zeitversetztes Senden, Editierfunktionen, Bedienerführung und Texterstellung über Bildschirm, Speichermöglichkeit für Textbausteine, Laufnummerngeber, Datum- und Uhrzeitgeber, Sende- und Empfangsjournal, Nachrichtenabruf von gespeicherten Nachrichten (mittels Paßwort geschützt).

Die elektronischen Fernschreiber sind leise, komfortabel, bedienungs- und wartungsfreundlich. Sie werden die elektromechanischen Maschinen mehr und mehr verdrängen.

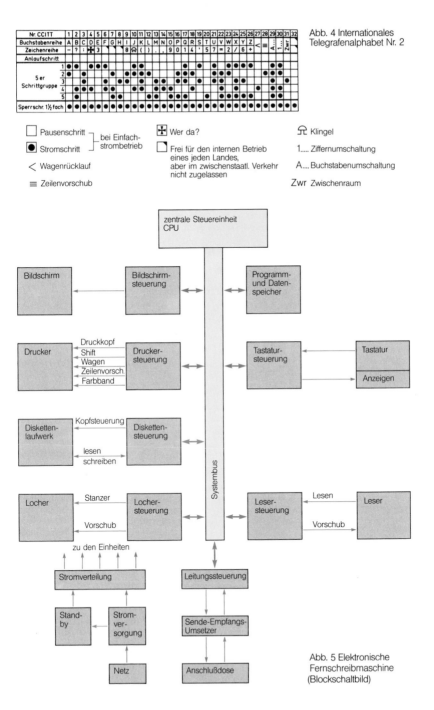

Abb. 4 Internationales Telegrafenalphabet Nr. 2

Nr. CCITT	1	2	3	4	5	6	7	8	9	10	11	12	13	14	15	16	17	18	19	20	21	22	23	24	25	26	27	28	29	30	31	32
Buchstabenreihe	A	B	C	D	E	F	G	H	I	J	K	L	M	N	O	P	Q	R	S	T	U	V	W	X	Y	Z	<	≡	A	1	Zwr	
Zeichenreihe	-	?	:	✠	3			8	𝄢	(	)	.	,	9	0	1	4	'	5	7	=	2	/	6	+							

Legende:

☐ Pausenschritt ⎤ bei Einfach-
● Stromschritt ⎦ strombetrieb
< Wagenrücklauf
≡ Zeilenvorschub

✠ Wer da?
☐ Frei für den internen Betrieb eines jeden Landes, aber im zwischenstaatl. Verkehr nicht zugelassen

𝄢 Klingel
1..... Ziffernumschaltung
A.... Buchstabenumschaltung
Zwr Zwischenraum

Abb. 5 Elektronische Fernschreibmaschine (Blockschaltbild)

171

TELEX

TELEX ist ein erprobtes Medium für die weltweite fernschriftliche Korrespondenz. Das TELEX-Netz wird gebildet aus den bei den Teilnehmern stehenden Fernschreibmaschinen, den Anschlußleitungen und den miteinander verbundenen (vermaschten) Vermittlungsstellen der Post. Die Deutsche Bundespost unterhält mit 165 000 Anschlüssen das größte einheitliche TELEX-Netz der Welt. In der Bundesrepublik werden täglich 960 000 TELEX-Verbindungen hergestellt, von denen rund 300 000 ins Ausland gehen. Der weltweite Nachrichtenaustausch ist durch die einheitliche Konzeption der Fernschreibmaschinen und eine standardisierte Vermittlungtechnik möglich. Der Verkehr wurde zunächst über elektromechanische Vermittlungsstellen abgewickelt. Ab 1975 erfolgte in Deutschland ein stufenweiser Übergang auf das *elektronische, programmgesteuerte Vermittlungssystem EDS*. Das TELEX-Netz der Deutschen Bundespost wird aus 24 miteinander verbundenen Vermittlungsstellen an 19 Orten gebildet. An besonders wichtigen Verkehrsknoten, z. B. Hamburg, Frankfurt und München sind jeweils zwei Vermittlungsstellen installiert.

Die Durchschaltung einer Verbindung von Teilnehmer zu Teilnehmer erfolgt in automatischer Wahl, gesteuert von der vom Teilnehmer eingegebenen Rufnummer. Das deutsche TELEX-Netz arbeitet mit Tastaturwahl. Nach Drücken der Anruftaste läuft die Maschine des Rufenden an, die Rufnummer des gewünschten Teilnehmers wird über die Tastatur der Fernschreibmaschine eingetippt, abgedruckt und zur Vermittlungsstelle übertragen. Eine Verbindung innerhalb des deutschen Netzes wird in weniger als einer Sekunde aufgebaut. Ist der angewählte Anschluß frei, wird von der Vermittlungsstelle die Kennung (Rufnummer, Namenskürzel, Landeskennzeichen) der erreichten Fernschreibmaschine abgerufen und automatisch dem Rufenden zugeschrieben. Dieser stellt sich durch Drücken der „Hier-ist-Taste" mit seiner Kennung dem Kommunikationspartner vor und der Nachrichtenaustausch kann beginnen. Konnte eine Verbindung nicht hergestellt werden, teilt das System durch geschriebene Kurzzeichen die Ursache hierfür mit. So bedeuten z. B. „occ", der gewünschte Anschluß ist besetzt.

Ausländische TELEX-Partner erreicht man bei Selbstwahl durch Eingabe der Zugangskennziffer „0", der Landeskennzahl und der Teilnehmerrufnummer. Verbindungen zu Auslandsteilnehmern, die noch nicht in Selbstwahl erreichbar sind, werden von handbedienten TELEX-Plätzen hergestellt.

Die Elektronik der Vermittlungsstellen ermöglicht neue Leistungsmerkmale. So können z. B. häufig benötigte Rufnummern in der Vermittlungsstelle gespeichert und durch ein- oder zweistellige Kurzrufnummern ersetzt werden (Kurzwahl). Sollen gleiche Texte an verschiedene Empfänger abgesandt werden, so wird die Rundsendeeinrichtung der Vermittlungsstelle angewählt, die Rufnummern der gewünschten Empfänger und der Text werden eingegeben und EDS erledigt alles weitere. Eine „Hinweisgabe" erlaubt das Einspeichern eines kurzen Textes in der Vermittlungsstelle und die ankommende Sperre des eigenen Anschlusses. Jeder Anrufer erhält dann an Stelle des gewünschten Partners den gespeicherten Hinweistext, z. B. „Betriebsferien von ... bis ...". Das Vermittlungssystem EDS kann einem Teilnehmer – auf Antrag – sowohl zu Beginn wie auch am Ende einer Verbindung automatisch Datum und Uhrzeit zuschreiben.

Fernschreiben werden in den meisten Fällen nicht von Hand, sondern mittels eines vorher erstellten Lochstreifens ausgesendet, um die maximale Übermittlungsgeschwindigkeit der Fernschreibmaschine auszunutzen und damit Verbindungsgebühren zu sparen.

Bei der neuen Generation der *elektronischen Fernschreiber* ist das Speichermedium Lochstreifen durch einen elektronischen Speicher – meist eine Diskette – ersetzt. Die Elektronik macht auch das sogenannte zeitversetzte Senden möglich. Die einzelnen Fernschreiben werden, so wie sie gerade anfallen, in die Maschine eingegeben, gespeichert und zu einem vorbestimmbaren späteren Zeitpunkt – z. B. nach Beginn des günstigen Nachttarifs – automatisch ausgesendet.

1980 wurde der neue Fernmeldedienst TELETEX eingeführt (vgl. S. 174). Mit TELETEX werden elektronische Speicherschreibmaschinen, Textbe- und -verarbeitungssysteme kommunikationsfähig. Über einen TELETEX-TELEX-Umsetzer, kurz TTU genannt, ist ein Übergangsverkehr von TELEX nach TELETEX und umgekehrt möglich. Der TTU spielt dabei die Rolle eines „technischen Dolmetschers" zwischen den beiden Netzen.

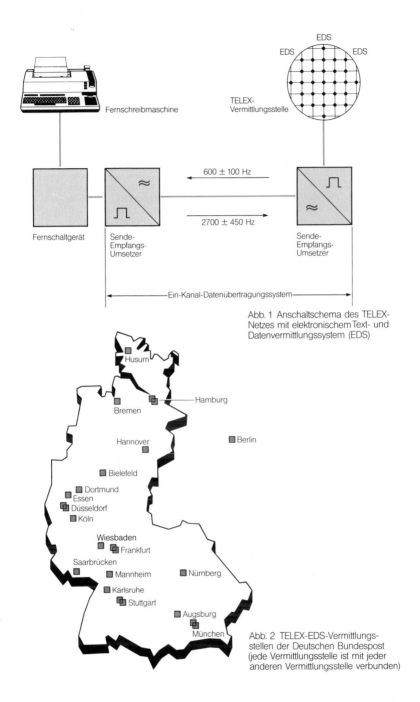

Fernschreibmaschine

TELEX-
Vermittlungsstelle

EDS
EDS   EDS

Fernschaltgerät

Sende-
Empfangs-
Umsetzer

600 ± 100 Hz

2700 ± 450 Hz

Sende-
Empfangs-
Umsetzer

Ein-Kanal-Datenübertragungssystem

Abb. 1 Anschaltschema des TELEX-
Netzes mit elektronischem Text- und
Datenvermittlungssystem (EDS)

Husum

Hamburg

Bremen

Hannover

Berlin

Bielefeld

Dortmund
Essen
Düsseldorf
Köln

Wiesbaden
Frankfurt

Saarbrücken
Mannheim   Nürnberg

Karlsruhe
Stuttgart

Augsburg
München

Abb. 2 TELEX-EDS-Vermittlungs-
stellen der Deutschen Bundespost
(jede Vermittlungsstelle ist mit jeder
anderen Vermittlungsstelle verbunden)

173

TELETEX

TELETEX ist ein internationaler Fernmeldedienst für eine schnelle elektronische Textkommunikation.

Briefe und Texte aller Art werden heute in zunehmendem Maße elektronisch erstellt, be- und verarbeitet und – meist auf einer Diskette – gespeichert. Die hierfür eingesetzten elektronischen Speicherschreibmaschinen und Textbe- und -verarbeitungssysteme können die Texterstellung und -bearbeitung wesentlich erleichtern und beschleunigen, sie sind jedoch nicht unmittelbar kommunikationsfähig, wie z. B. die an das TELEX-Netz angeschlossenen Fernschreibmaschinen. Dem Fernschreiber wiederum fehlt der Bedienkomfort – neueste elektronische Maschinen mit Speicher und Bildschirm ausgenommen – sein Zeichenvorrat ist gering, die Übertragungsgeschwindigkeit niedrig.

Das weltweite Zusammenarbeiten von TELETEX-Einrichtungen der verschiedensten Hersteller erfordert genaue Absprachen – auch *Protokolle* genannt – über die Strukturierung der zu übermittelnden Texte, die Art der Datensicherung, den Aufbau und Austausch der Stationskennungen und vieles mehr. Diese Protokolle wurden 1980 vom CCITT genormt. Bei Einhaltung dieser Normen können über das TELETEX-Netz sowohl speziell hierfür konzipierte TELETEX-Endgeräte als auch Text- und Datenverarbeitungssysteme sowie Personalcomputer (PC) miteinander kommunizieren.

Das TELETEX-Netz wird aus den bei den Teilnehmern stehenden TELETEX-Stationen, den zugehörigen Datenfernschaltgeräten, den Anschlußleitungen und den miteinander verbundenen Vermittlungsstellen der Deutschen Bundespost gebildet (Abb. 1). Eine TELETEX-Station besteht aus einem Lokal- und einem Kommunikationsteil (Abb. 2). Beide Teile können als separate Einheiten ausgeführt oder in einem Gerät integriert sein. Die Trennung in Lokal- und Kommunikationsteil ermöglicht eine gleichzeitige Texterstellung und Bearbeitung im Lokalteil und einen ungestörten Empfang von Nachrichten.

Der *Lokalteil* enthält alle für die Texterstellung und Bearbeitung sowie Speicherung (Ortsdiskette) erforderlichen Elemente und einen teletexfähigen Drucker, der alle TELETEX-Zeichen darstellen kann. Der bei TELETEX angewendete Achtercode ermöglicht $2^8 = 256$ Kombinationsmöglichkeiten, der TELETEX-Zeichenvorrat umfaßt dagegen 309 Zeichen. Dies ist möglich, weil ein Teil dieser Zeichen als „Kombi-Zeichen", z. B. ¨a = ä, gesendet wird.

Der *Kommunikationsteil* besteht aus dem Kommunikationsspeicher (Ferndiskette) und der zugehörigen Steuereinheit. Lokal- und Kommunikationsteil sind durch eine interne Schnittstelle miteinander verbunden.

Das von der Deutschen Bundespost beigestellte *Datenfernschaltgerät (DFG)* bildet den Netzabschluß der Post. Es arbeitet als Signalwandler, der die vom Kommunikationsteil kommenden Gleichstromimpulse in entsprechende Signale umwandelt, die zur Vermittlungsstelle übertragen werden können, und umgekehrt.

Für die Abwicklung des TELETEX-Verkehrs kann nach den CCITT-Empfehlungen das Telefonnetz oder das paket- oder leitungsvermittelte DATEX-Netz genutzt werden. Die Deutsche Bundespost hat sich für das DATEX-L-Netz, Geschwindigkeitsstufe 2 400 bit/s entschieden. Damit kann eine DIN-A4-Seite in rund 12 Sekunden übertragen werden. Die TELETEX-Verbindungen werden über die vollelektronischen EDS-Vermittlungsstellen der Post abgewickelt. Diese Vermittlungsstellen dienen – in ihrem 50-Baud-Teil – auch als Netzknoten für das deutsche TELEX-Netz. Über die in den EDS-Vermittlungsstellen installierten *TELETEX-TELEX-Umsetzer (TTU)* ist auch eine Textübermittlung zwischen TELETEX- und TELEX-Anschlüssen und umgekehrt möglich. Seine Aufgaben sind v. a. das Zwischenspeichern der zu übertragenden Texte, das Umsetzen der TELETEX-Zeichen (Achtercode) in Fernschreibzeichen (Fünfercode) und die Umsetzung der „TELETEX-Geschwindigkeit" (2 400 bit/s) in die „TELEX-Geschwindigkeit" (50 bit/s).

Die Übermittlung von TELETEX nach TELETEX erfolgt mit einem besonderen Sicherungsverfahren, *HDLC* genannt. Hierbei werden die Texte in einzelne Blöcke zerlegt. Nach einem mathematischen Bildungsgesetz wird aus dem Bitmuster eines jeden Blocks eine Prüfzahl gebildet und mit dem zugehörigen Block zur Gegenstation übertragen. Dort wird nach dem gleichen Bildungsgesetz wiederum eine Prüfzahl ermittelt und mit der empfangenen verglichen. Stimmen beide überein, gilt der Block als fehlerfrei übertragen. Weichen beide voneinander ab, wird der beanstandete Block so lange angefordert, bis er als richtig akzeptiert ist.

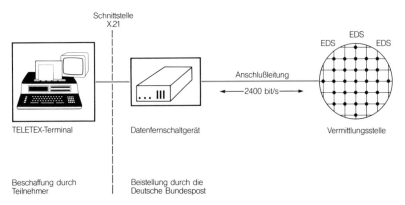

Abb. 1 TELETEX-Anschaltschema

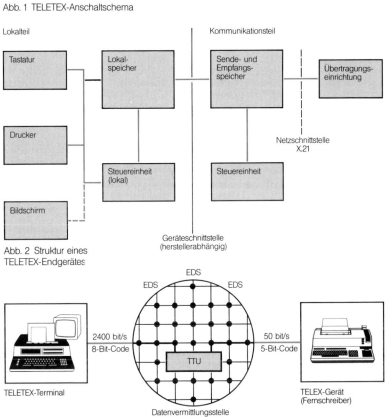

Abb. 2 Struktur eines
TELETEX-Endgerätes

Abb. 3 Verkehrsabwicklung von TELETEX
über TELETEX-TELEX-Umsetzer (TTU) zu TELEX

TELEBOX

Unter der Bezeichnung TELEBOX bietet die Deutsche Bundespost eine Dienstleistung zum elektronischen Speichern, Versenden und Abrufen von schriftlichen Mitteilungen an. TELEBOX eignet sich besonders für Kommunikationspartner, die häufig Mitteilungen austauschen, jedoch schwer erreichbar sind, weil z. B. der eine Partner oft auf Reisen ist. Das Auslesen von empfangenen Mitteilungen oder das gezielte Versenden von beliebigen Texten an andere TELEBOX-Partner ist Tag und Nacht möglich.

Für die Nutzung des TELEBOX-Dienstes benötigt man:
- für die Verbindung mit dem System: einen Telefonanschluß mit Modem oder Akustikkoppler oder einen DATEX-L- oder einen DATEX-P-Anschluß,
- für den Dialog mit dem System: ein Datenterminal und eine Boxadresse mit Paßwort.

Das TELEBOX-System ist in einzelne Arbeits- und Speicherbereiche – sogenannte Boxen – unterteilt. Jeder Teilnehmer des Dienstes erhält von der Post eine eigene Boxadresse, unter der er Mitteilungen anderer Boxinhaber empfangen oder an andere Boxen versenden kann. Die Verknüpfung des TELEBOX-Systems mit ähnlich arbeitenden Mitteilungs-Übermittlungssystemen in anderen Ländern macht einen weltweiten Informationsaustausch möglich.

Der Eintritt in das System und der Zugriff zur eigenen Box sind nur mit der Boxadresse und dem zugehörigen persönlichen Paßwort möglich. Die Systembenutzer können über das Fernsprechnetz, das DATEX-P-Netz und das DATEX-L-Netz das TELEBOX-System anwählen und mit Hilfe von einfachen Datenendgeräten Verbindung mit ihren Boxen aufnehmen. Das TELEBOX-System kann auch über die über das Fernsprechnetz anwählbaren PADs (Paketier-Depaketier-Einrichtungen) und damit über das DATEX-P-Netz erreicht werden (Abb. 1).

Der Zugriff über das Fernsprechnetz kann sowohl mit fest angeschalteten Modems als auch mittels Akustikkoppler erfolgen. In der Praxis spielt sich ein Dialog mit dem System etwa wie folgt ab: Das TELEBOX-System wird z. B. über das Telefonnetz angewählt und meldet sich mit einem Pfeifton. Bei Verwendung eines Modems wird die Verbindung zum Datenendgerät des Teilnehmers durch Druck auf die Datentaste des Telefons, bei Verwendung eines Akustikkopplers durch Einlegen des Telefonhörers in die dafür vorgesehene Mulde hergestellt. Nach Drücken der Wagenrücklauftaste des Terminals meldet sich TELEBOX schriftlich: „TELEBOX-System ... Bitte vorstellen:"

Der Teilnehmer gibt nun seine Boxadresse und sein Paßwort ein. Nach positiv verlaufener Prüfung des Paßwortes teilt das System dem Benutzer mit, wann er das letzte Mal das System benutzt hat und wieviel gelesene und ungelesene Mitteilungen für ihn vorliegen. Er ist damit vom System als berechtigter Nutzer akzeptiert und hat jetzt Zugriff zu allen Möglichkeiten, die TELEBOX bietet, z. B.

- Mitteilungen versenden oder auslesen,
- mit Hilfe des Datenendgeräts Texte erstellen oder bearbeiten,
- sich gespeicherte Texte, Tabellen usw. ausgeben lassen,
- Informationen für alle oder für besondere Teilnehmergruppen am „Schwarzen Brett" auslesen oder einschreiben,
- sich über den Info-Zweig ausführliche Informationen über das System verschaffen.

Im Mitteilungszweig kann sich der Boxbenutzer die Kopfzeilen (Laufnummer, Absender, Datum, Uhrzeit, Betreff) der gespeicherten Mitteilungen auflisten lassen und sich so leicht einen Überblick über den Inhalt seines „Eingangskorbs" verschaffen. Durch Eingabe des Befehls „Lesen" und der Laufnummer der betreffenden Mitteilung kann die Eingangspost gezielt ausgelesen und bearbeitet werden. Eine gelesene Mitteilung kann man jederzeit löschen, ergänzen und weiterschicken oder im System ablegen (elektronische Ablage). Suchkriterien wie Absender, Datum oder Betreff erleichtern das Wiederfinden gespeicherter Mitteilungen.

Ein Sendevorgang wird durch den Befehl „Senden" eingeleitet. Der Boxbenutzer gibt der Reihe nach die Boxadresse des Empfängers, den Betreff und den Text ein, der durch beliebige, in der TELEBOX gespeicherte Textbausteine ergänzt werden kann, und gibt nochmals den Befehl zum Senden. Das System schickt die „elektronische Post" ab und bestätigt die Erledigung des Sendeauftrags. Der gleiche Text kann auch an mehrere Empfänger gesendet werden.

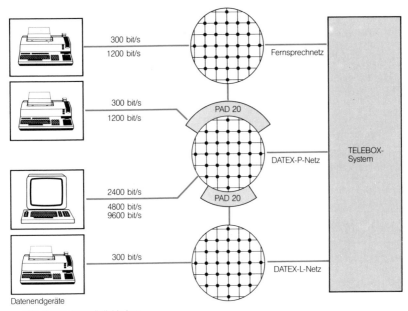

300 bit/s
1200 bit/s

Fernsprechnetz

300 bit/s
1200 bit/s

PAD 20

2400 bit/s
4800 bit/s
9600 bit/s

PAD 20

DATEX-P-Netz

TELEBOX-System

300 bit/s

DATEX-L-Netz

Datenendgeräte

Abb. 1 Zugangsmöglichkeiten
zum TELEBOX-System

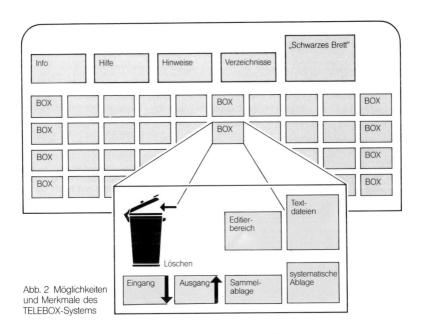

„Schwarzes Brett"

Info   Hilfe   Hinweise   Verzeichnisse

BOX   BOX   BOX
BOX   BOX   BOX
BOX   BOX
BOX   BOX

Text-
dateien

Editier-
bereich

Löschen

Eingang   Ausgang   Sammel-
ablage

systematische
Ablage

Abb. 2 Möglichkeiten
und Merkmale des
TELEBOX-Systems

177

TELEFAX

TELEFAX ist ein Dienst der Deutschen Bundespost zum schnellen Übermitteln von *Fernkopien* über das öffentliche Fernsprechnetz. Möglich ist die originalgetreue Übertragung von Formularen, Zeichnungen, Schaltplänen, Texten usw. Die zu übermittelnden Unterlagen werden beim Sender auf photoelektrischem Weg in entsprechende „Strombilder" umgewandelt und als Töne über das Fernsprechnetz übertragen. Der Empfänger wandelt die ankommenden „Bildtöne" in entsprechende Stromimpulse zurück, die das Bildaufzeichnungssystem steuern. Die hierbei verwendeten *Fernkopierer* können schwarzweiße, aber auch farbige Vorlagen abtasten. Farben werden nach ihrem Helligkeitsgrad als Schwarz- oder Weißwerte übertragen und wiedergegeben.

Je nach Aufbau und Wirkungsweise der Fernkopierer unterscheidet man Trommel- und Flachbettgeräte. Die *Trommelgeräte* sind die ältesten Fernkopierer. Die Sendevorlage wird auf eine Walze (Trommel) aufgespannt, die mit konstanter Drehzahl umläuft. Die Umwandlung der schwarzweißen „Bildelemente" in entsprechende Stromimpulse ist Aufgabe der Abtasteinrichtung, deren photoelektrischer Sensor die reflektierten Schwarzweißwerte der Sendevorlage in entsprechende elektrische Spannungswerte umsetzt. Die Sendevorlage wird spiralförmig abgetastet, und aus dem räumlichen Nebeneinander von hellen und dunklen Bildpunkten der Sendevorlage entsteht ein zeitliches Nacheinander von entsprechenden elektrischen Spannungswerten. Sie werden im Modemteil des Senders in entsprechende „Töne" umgesetzt (Modulation) und zum Empfänger gesendet. Der Modem des Empfängers wandelt die ankommenden „Bildtöne" in entsprechende Gleichstromimpulse zurück (Demodulation), die den „Schreibkopf" steuern, der auf dem auf der Empfangswalze aufgespannten Papier die „Fernkopie" aufzeichnet.

Bei den *Flachbettgeräten* wird das zu sendende Original plan am Abtastsystem vorbeigeführt und zeilenweise quer zur Vorschubrichtung gelesen. Bei Geräten mit stehendem Abtastsystem wird die Sendevorlage über die ganze Bildbreite ausgeleuchtet. Ein optisches System projiziert jeweils eine Bildzeile auf eine sogenannte CCD-Zeile (charge coupled device), die aus 1 728 in einer Reihe (215 mm) angeordneten Photodioden besteht. Es werden somit in einem Lesevorgang gleichzeitig 1 728 Bildpunkte abgefragt und eingespeichert. Die zwischengespeicherten Werte werden seriell ausgelesen und mittels eines Modems in entsprechende Töne umgesetzt.

Die Fernkopierer sind vom CCITT genormt und können bei Einhaltung dieser Normen weltweit miteinander kommunizieren. Nach der für die Übertragung einer DIN-A4-Seite erforderlichen Übermittlungsdauer unterscheidet man: Gruppe 1 (sechs Minuten), Gruppe 2 (drei Minuten) und Gruppe 3 (etwa eine Minute). Für den TELEFAX-Dienst sind Kopierer der Gruppen 2 und 3 zugelassen.

Bevorzugt werden heute Geräte der Gruppe 3. Sie sind nicht nur schneller, sie bieten meist auch hohen Bedienkomfort. Durch Anwendung der Lauflängencodierung kann man die aus jeweils 1 728 Bildpunkten bestehenden Zeilen durch wenige Codeworte ersetzen, die über die Fernsprechleitung übertragen und beim Empfänger in die ursprüngliche Schwarzweißfolge zurückgewandelt werden.

Für die Wiedergabe der empfangenen Fernkopien verwendet man in immer stärkerem Maße das *thermische Aufzeichnungsverfahren*. Thermopapier besteht aus einem Träger, der mit einer dünnen hitzeempfindlichen Schicht überzogen ist. Sie enthält zwei Komponenten, deren Trennschicht unter Hitzeeinwirkung schmilzt. Die beiden Komponenten fließen zusammen und färben durch ihre chemische Reaktion das Papier ein. – Die ankommenden, demodulierten und decodierten Bildsignale steuern die Aufzeichnungseinrichtung, *Thermokamm* genannt. Er besteht – analog zur CCD-Zeile – aus 1 728 in einer Reihe liegenden Wärmedioden und ermöglicht die Aufzeichnung jeweils einer Zeile in einem Arbeitsgang.

Das Thermoverfahren erfordert nur geringen technischen Aufwand, man benötigt aber Spezialpapier und die aufgezeichnete Fernkopie ist nur begrenzt haltbar. Dauerhafte Kopien liefert das elektrostatische Verfahren. Das Papier wird über eine Zeile von 1 728 „Schreibstiften" hinweggeführt, die ein elektrostatisches Ladungsbild auf dem Papier erzeugen. Tonerpartikelchen – durch eine umlaufende Bürste aufgebracht – bleiben haften und werden durch Wärmeeinwirkung fixiert.

Personen, die keinen eigenen Fernkopierer besitzen, können über die bei vielen Postämtern installierten Geräte am TELEFAX-Dienst teilnehmen *(Telebrief)*.

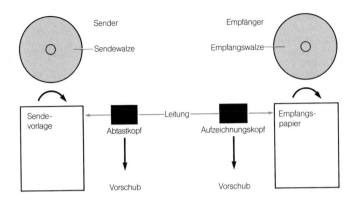

Abb. 1 Schematische Darstellung
eines Trommelgeräts

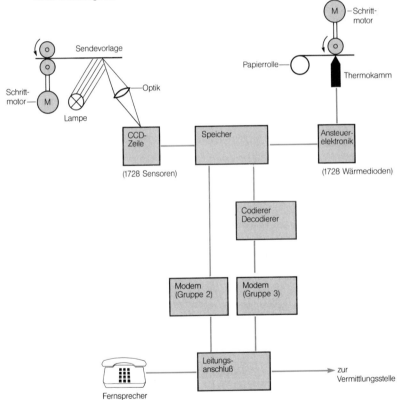

Abb. 2 Fernkopierer der Gruppe 3
(Grundschema)

Dateldienste I

Unter dem Sammelbegriff Dateldienste versteht man das gesamte Dienstleistungsangebot der Deutschen Bundespost für die Datenübertragung.

Industrie, Handel und Behörden nutzen bei der Abwicklung der jeweils anfallenden Aufgaben in ständig steigendem Maß die Unterstützung der modernen Rechnertechnik. Eine Vielzahl der täglich anfallenden Daten wird unmittelbar vor Ort, z. B. in einen Personalcomputer (PC), eingegeben und ausgewertet. In vielen Fällen müssen aber auch dezentral anfallende Daten in einem zentralen Rechner verarbeitet oder zentrale Datenbanken von weit her um Rat gefragt werden.

Für den elektronischen Transport von Daten, also die Datenübertragung, stellt die Post das Telefonnetz und das sogenannte *integrierte Text- und Datennetz,* kurz *IDN* genannt, zur Verfügung. IDN ist ein Sammelbegriff für das TELEX-, das DATEX-L-, das DATEX-P- und das Direktrufnetz. Den schematischen Aufbau einer Datenverbindung zeigt die Abb. 1. Die beiden zu verbindenden Einrichtungen werden als *Datenendeinrichtungen (DEE)* bezeichnet. Solche DEE können einfache, schreibmaschinenähnliche Endgeräte – meist als Terminal bezeichnet – oder komplette Datenverarbeitungsanlagen – auch Host genannt – sein. Die Anpassung an die Netze der Post übernehmen sogenannte *Datenübertragungseinrichtungen (DÜE),* die in öffentlichen Netzen von der Post gestellt werden. Die Datenübertragungseinrichtung hat die Aufgabe eines Signalwandlers, der die von der Endeinrichtung kommenden Gleichstromimpulse in Signale umsetzt, die über das Netz der Post übertragen werden können und umgekehrt. Die Datenübertragungseinrichtung bildet mit einer definierten Übergabestelle *(Schnittstelle)* zum Endgerät den Netzabschluß der Post. Hier endet ihr Zuständigkeits- und Verantwortungsbereich, jenseits beginnt der „private Teil". Die Normung der Schnittstelle, auch *Interface* genannt, ermöglicht die Anschaltung der unterschiedlichsten Endeinrichtungen der verschiedensten Hersteller an die Netze der Post.

Das Zusammenarbeiten von verschiedenen Datenendeinrichtungen mit einem Rechner erfordert genaue Absprachen – auch *Protokolle* genannt – zwischen Sender und Empfänger über die Struktur der zu übermittelnden Daten, die Art der Datensicherung und vieles mehr. Diese Protokolle sind in 7 übereinanderliegende Ebenen, auch Schichten genannt, gegliedert und von der ISO und vom CCITT international genormt.

Das *TELEX-Netz* wurde als erstes Netz für die Datenübertragung genutzt. Die Übertragung der Fernschreib- und Datenzeichen erfolgt im Internationalen Telegrafenalphabet Nr. 2. Nach der Aussendung des internationalen Datenbeginnsignals „ssss" können auch andere Fünfercodes (z. B. der Zahlen-Sicherheits-Code) benutzt werden. Das TELEX-Netz ist mit rund 165 000 Anschlüssen das größte digitale Netz der Deutschen Bundespost (weltweit etwa 1,6 Millionen Anschlüsse). Es ist jedoch wegen der niedrigen Übertragungsgeschwindigkeit (400 Zeichen/min) und des geringen Zeichenvorrates (maximal 64 Zeichen) nur bedingt für die Datenübertragung geeignet. – Beispiele für Datenübertragung im TELEX-Netz sind Börsenauskünfte und die TELEX-TELETEX-Auskunft der Deutschen Bundespost.

Das *Telefonnetz* kann mit Hilfe sogenannter *Modems* (vgl. S. 154) für die Übertragung von Daten mitbenutzt werden (Abb. 2), die Fehlersicherheit ist jedoch nicht für alle Betriebserfordernisse der Datenübertragung ausreichend. Im Telefonnetz sind Übertragungsgeschwindigkeiten von 10 bis 400 Zeichen/min und von 300 bis 4 800 bit/s möglich. Die Verbindung kann sowohl mit manueller Wahl als auch automatisch mit Hilfe einer von der Datenendeinrichtung DEE gesteuerten sogenannten *automatischen Wähleinrichtung für Datenverbindungen" (AWD)* hergestellt werden. Die Anschaltung einer Datenendeinrichtung an das Telefonnetz kann auch mit Hilfe eines sogenannten Akustikkopplers erfolgen. Möglich sind hierbei Übertragungsgeschwindigkeiten von 300 bis 1 200 bit/s.

Besondere technische Einrichtungen der Deutschen Bundespost ermöglichen einen Übergang vom Telefonnetz zum DATEX-P-Netz (mit Hilfe einer *Paketier-Depaketier-Einrichtung, PAD*) und zum DATEX-L-Netz *(Verbindungsweiterschaltung, VWS).* Diese Netzübergänge ermöglichen einen breitgestreuten Zugang vom Telefonnetz auch zu den an die anderen Netze angeschlossenen Servicerechenzentren und Datenbanken.

Abb. 1 Aufbau einer Datenverbindung
(DEE = Datenendeinrichtung,
DÜE = Datenübertragungseinrichtung)

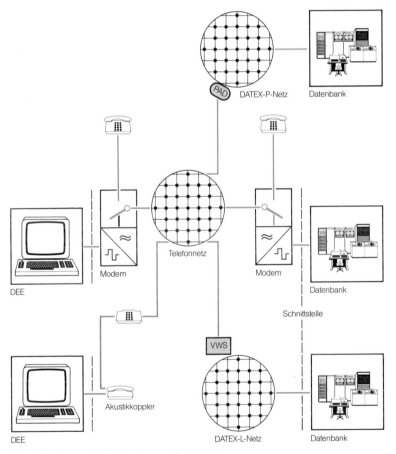

Abb. 2 Benutzung des Telefonnetzes zur Datenübertragung
(DEE = Datenendeinrichtung, PAD = Paketierungs-Depaketie-
rungseinrichtung, VWS = Verbindungsweiterschaltung)

Dateldienste II

Das *DATEX-L-Netz* ist ein speziell für die Belange der Datenübertragung entwikkeltes digitales Netz mit hoher Betriebssicherheit (Abb. 3). Es wurde 1967 – zunächst nur für Übertragungsgeschwindigkeiten von 50 bis 200 Baud geeignet – in Betrieb genommen. „L" bedeutet Leitungsvermittlung. Bei dieser Vermittlungsart wird über die Datenvermittlungsstellen *(DVST-L)* der Post ein Leitungsweg vom Sender bis zum Empfänger durchgeschaltet, über den die anfallenden Daten in einem kontinuierlichen Fluß – quasi wie eine Perlschnur – übertragen werden. Über eine DATEX-L-Verbindung können nur Geräte der gleichen Geschwindigkeitsklasse und der gleichen Betriebsart miteinander kommunizieren. – 1976 wurde das Netz auf die elektronische EDS-Vermittlungstechnik umgestellt, und Zug um Zug wurden weitere Geschwindigkeitsstufen von 300 bis 64 000 bit/s eingeführt. Die Elektronik macht neue besondere Leistungsmerkmale wie Kurzwahl, Direktruf, Gebührenübernahme, Anschlußkennung und Teilnehmerbetriebsklassen möglich. Die Wahl des Partners kann über die Zifferntasten des von der Post beigestellten Datenfernschaltgeräts oder automatisch (von der Datenendeinrichtung gesteuert) erfolgen.

Das deutsche DATEX-L-Netz ist mit DATEX-L-Netzen anderer Länder verknüpft und ermöglicht so einen Datenaustausch auch über Ländergrenzen hinweg.

Das *DATEX-P-Netz* wurde ebenfalls speziell für die Datenübertragung entwickelt und 1980 von der Deutschen Bundespost in Betrieb genommen. „P" bedeutet Paketvermittlung. Bei dieser Vermittlungsart (Abb. 4) werden die zu übertragenden Daten vom Sender in Form von kleinen Datenpaketen – jeweils bestehend aus einem Paketkopf (quasi der Anschrift des Empfängers) und einem Datenfeld – zur nächsten Datenvermittlungsstelle (DVST-P) geschickt. Fehlerfrei empfangene Pakete werden von der Vermittlungsstelle – bei DATEX-P spricht man meist von Vermittlungsknoten – als gut quittiert, fehlerhaft empfangene Datenpakete müssen vom Sender so lange wiederholt werden, bis sie als gut erkannt und quittiert sind. An Hand der Paketadresse ermittelt der Knoten den für die weitere Vermittlung des Datenpaketes zuständigen Knoten und gibt das Paket dorthin weiter. Auch hier wird das Datenpaket auf richtigen Empfang geprüft, die Adresse gelesen und das Paket dem Empfänger zugestellt.

Die einzelnen Datenpakete werden also abschnittsweise über das aus einzelnen Vermittlungsknoten bestehende Netz geschickt und in jedem Knoten kurz zwischengespeichert *(Teilstreckentechnik).*

Eine DATEX-P-Verbindung, bei der Sender und Empfänger nicht physikalisch, sondern nur logisch (über die Adressen des Senders und Empfängers) miteinander „verbunden" sind, bezeichnet man auch als *virtuelle Verbindung.* Über eine solche Verbindung können auch langsame und schnelle Datenendeinrichtungen miteinander zusammenarbeiten. Das Netz übernimmt dabei die Aufgabe der Geschwindigkeitsanpassung.

Datenendeinrichtungen, die Daten in „paketierter Form" senden und empfangen können (Endgeräte mit Schnittstelle X.25) lassen sich unmittelbar an die DATEX-P-Vermittlungsstellen anschließen. Teilnehmer mit an sich „nicht paketfähigen" Endeinrichtungen, die dennoch die Vorteile des DATEX-P-Netzes in Anspruch nehmen wollen, können die Anpassung an DATEX-P entweder mit einem privaten, dem Endgerät vorgeschalteten Konverter durchführen oder sich der Paketier-Depaketier-Einrichtung *(PAD)* der Post bedienen. Die PAD wandelt die vom Endgerät kommenden Daten in Datenpakete, die über das Paketnetz übertragen werden können, um, und umgekehrt. Datenendeinrichtungen können entweder fest an die PAD angeschlossen werden oder die PAD über das Telefon- oder DATEX-L-Netz anwählen.

DATEX-P gewährleistet eine hohe Übertragungssicherheit (HDLC-Prozedur) und eignet sich besonders für Dialoganwendungen. Es wird in großem Umfang als Medium für Recherchen in in- und ausländischen Datenbanken genutzt.

Das *Direktrufnetz* bietet festgeschaltete Leitungen (Standleitungen) zwischen Hauptanschlüssen für Direktruf (HDF). Eine Direktrufverbindung ist immer dann sinnvoll, wenn täglich große Datenmengen zu übertragen und ein Sofortzugriff erforderlich ist. Hauptanschlüsse für Direktruf sind möglich für Übertragungsgeschwindigkeiten von 50 bis 48 000 bit/s. Sie werden z. B. für die Verbindung zwischen den Terminals in den Reisebüros und den zugehörigen Zentralrechnern genutzt. Weite Verbreitung haben sie auch im Sparkassenwesen für die Verbindung von Schalterterminals der Zweigstellen mit der Datenverarbeitungsanlage der Hauptstelle gefunden.

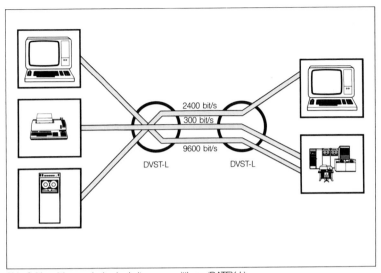

Abb. 3 Vermittlungsprinzip der Leitungsvermittlung (DATEX-L)

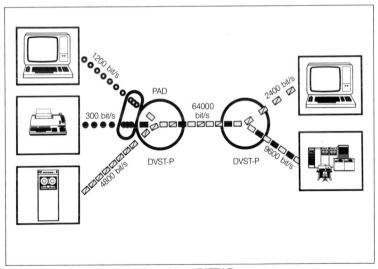

Abb. 4 Vermittlungsprinzip der Paketvermittlung (DATEX-P)

Bildschirmtext

Bildschirmtext, kurz Btx genannt, ist ein neuer Informations- und Dialogdienst für jedermann, der am 1. September 1983 offiziell von der Deutsche Bundespost aufgenommen wurde. Mit diesem Dienst ist das Abrufen und Absenden von Text- und Graphikinformationen aber auch ein Dialogverkehr mit den entsprechenden Informationsanbietern möglich. Das Telefonnetz dient dabei als Transportweg für die Informationen, die als Textseiten, gegebenenfalls graphisch ergänzt, auf dem Bildschirm des Fernsehgerätes dargestellt werden. Dazu ist ein *Decoder* notwendig, der in neueren Fernsehgeräten bereits eingebaut ist, sowie eine *Anschlußbox (Modem),* über die Fernsehgerät und Telefonleitung miteinander verbunden sind. Der Teilnehmer benutzt für den Dialog mit dem System die Fernbedienung seines Fernsehgeräts oder eine Tastatur zur Eingabe von Buchstaben, Ziffern und Steuerzeichen.

Beim Einstieg in das System stellt die Anschlußbox die Verbindung automatisch her. Sie wählt selbständig den nächsten Btx-Zugangspunkt (Btx-Vermittlungsstelle) an. Nachdem sich das System gemeldet hat, sendet die Anschlußbox ihre individuelle Kennung und schaltet zum Fernsehgerät durch. Der Teilnehmer muß sich dann noch mit seinem persönlichen Kennwort zu erkennen geben.

Die analog über das Telefonnetz übertragenen Informationen werden in der Anschlußbox, in für den Decoder verarbeitbare Digitalsignale umgesetzt und umgekehrt. Der Decoder entschlüsselt die ihm von der Anschlußbox angelieferten Signale und sorgt dafür, daß die übermittelte Seite auf dem Bildschirm erscheint. Die *Übertragungsgeschwindigkeit* von der Btx-Vermittlungsstelle zum Teilnehmer beträgt 1 200 bit/s, das entspricht 120 Zeichen; die Absendegeschwindigkeit beträgt 75 bit/s. Damit ein länderübergreifender Ausbau dieses Dienstes möglich ist, haben sich die europäischen Fernmeldeverwaltungen auf einen gemeinsamen Standard, den *CEPT-Standard* geeinigt. In diesem Standard sind 335 genormte Zeichen vorgesehen, der alle lateinischen Schrift- und Sonderzeichen abdeckt. Für einfache Graphiken stehen 152 Mosaik-Schrägflächen- und Linienzeichen zur Verfügung. Mit 32 aus 4 096 frei wählbaren Farbtönen können Vorder- und Hintergrundfarben gestaltet werden. Außerdem lassen sich bis zu 94 Zeichen individuell herstellen.

Die Textinformationen sind entweder in der Btx-Vermittlungsstelle der Deutschen Bundespost oder in externen Rechenzentren, die über das Datex-P-Netz an das Btx-System angeschlossen sind, abgespeichert. Kernstück des Btx-Systems ist die *Btx-Leitzentrale* in Ulm, in der sämtliche Btx-Seiten der Anbieter gespeichert sind. Die Informationen erhalten die Teilnehmer jedoch nicht direkt aus dieser Leitzentrale, sondern aus regionalen *Btx-Vermittlungsstellen.* Diese enthalten nur die Seiten als Ulmer „Kopie", die in diesem Bereich am stärksten nachgefragt werden. Damit können rund 98 % aller Anfragen mit Seiten aus der regionalen Btx-Vermittlungsstelle bedient werden. Für die restlichen 2 % wird eine Kopie aus Ulm geholt, die gleichzeitig mit der Weitergabe an den Teilnehmer in der regionalen Btx-Vermittlungsstelle gespeichert werden und damit die am wenigsten abgerufenen Seiten verdrängen.

Die Btx-Vermittlungsstelle besteht aus bis zu 6 Teilnehmerrechnern, die jeweils bis zu 100 Teilnehmerverbindungen gleichzeitig bedienen können. Die Teilnehmerrechner können alle auf den übergeordneten und gedoppelten Datenbankrechner in der Leitzentrale zurückgreifen. Teilnehmerrechner und Datenbankrechner verfügen über einen eigenen Speicher für etwa 60000 bis 100000 Btx-Seiten. Über das Datex-P-Netz der Bundespost können externe Rechner von Anbietern an die Verbundrechner von Btx-Vermittlungsstellen angeschaltet werden. Im Gegensatz zu den vorbereiteten Btx-Seiten in den Postrechnern eröffnen sich hier mannigfache Möglichkeiten für die Datenfernverarbeitung. Beispielsweise kann der Teilnehmer direkt Bestell- und Buchungsvorgänge durchführen. Er kann vielfältige Informationen von angeschlossenen Datenbanken abrufen oder programmgeführte Unterweisungen nutzen.

Die Informationssuche gestaltet sich als ein Nacheinander von Suchschritten nach bestimmten Regeln. Für den Suchvorgang stehen dem Teilnehmer drei verschiedene Wege zur Verfügung: ein Sachgebietsverzeichnis, ein Schlagwortverzeichnis und ein alphabetisches Anbieterverzeichnis. Ist die Kennziffer des Anbieters oder die gesuchte Seitennummer bekannt, können diese Seiten direkt angewählt werden. Die auf dem Bildschirm dargestellten Seiten können mit entsprechenden Zusatzgeräten auch ausgedruckt oder auf Datenträgern gespeichert werden.

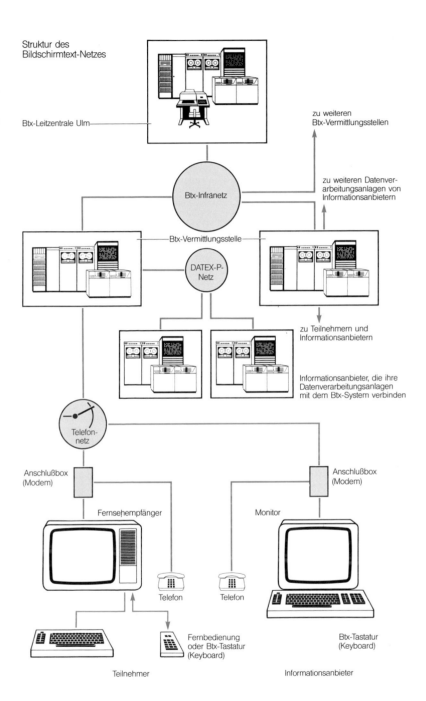

Struktur des
Bildschirmtext-Netzes

Btx-Leitzentrale Ulm

zu weiteren
Btx-Vermittlungsstellen

Btx-Infranetz

zu weiteren Datenver-
arbeitungsanlagen von
Informationsanbietern

Btx-Vermittlungsstelle

DATEX-P-
Netz

zu Teilnehmern und
Informationsanbietern

Informationsanbieter, die ihre
Datenverarbeitungsanlagen
mit dem Btx-System verbinden

Telefon-
netz

Anschlußbox
(Modem)

Anschlußbox
(Modem)

Fernsehempfänger

Monitor

Telefon

Telefon

Fernbedienung
oder Btx-Tastatur
(Keyboard)

Btx-Tastatur
(Keyboard)

Teilnehmer

Informationsanbieter

Trägerfrequenztechnik

Die Trägerfrequenztechnik (TF-Technik) ist ein Verfahren zur Mehrfachausnutzung von Nachrichtenübertragungswegen für den Fernverkehr. Während im Orts- und Nahbereich für jedes Telefongespräch eine eigene Leitung allein zur Verfügung steht, wird bei längeren Übertragungsstrecken aus technischen und wirtschaftlichen Gründen eine Vielzahl von Telefongesprächen zusammengefaßt und gemeinsam über denselben Übertragungsweg übertragen, ohne daß sie sich gegenseitig beeinflussen oder gar stören. Die TF-Technik ermöglicht diese Zusammenfassung durch Umsetzung jedes Telefongesprächs in einen anderen Frequenzbereich, man spricht deshalb auch von einem *Frequenzmultiplexverfahren*.

Gesprochene Sprache besteht aus einem Frequenzgemisch, dessen Zusammensetzung den individuellen Klang einer Stimme ausmacht. Man hat jedoch herausgefunden, daß es für eine ausreichend gute Übertragungsqualität genügt, sich auf den Frequenzbereich von 300 Hz bis 3,4 kHz zu beschränken, was dem Aufbau leistungsfähiger Übertragungssysteme mit nicht zu hohem technischen Aufwand sehr entgegenkommt.

Will man nun eine große Zahl an Telefongesprächen übertragen, werden die einzelnen Sprachsignale mit jeweils 3,1 kHz Bandbreite durch sogenannte Trägerfrequenzen in einen höheren Frequenzbereich umgesetzt. Jede Trägerfrequenz wird mit dem Frequenzgemisch eines Telefongesprächs moduliert; d. h., die Amplitude der hohen Trägerfrequenz wird im Sinne der niedrigeren Sprachfrequenz verändert und trägt gleichsam das Sprachsignal in einen höheren Frequenzbereich. Jedem Telefongespräch ist in der höheren Frequenzlage ein ganz bestimmter Platz zugeordnet – ein *Kanal* – der eine etwas höhere Bandbreite von 4 kHz hat. Zwölf frequenzmäßig hintereinanderliegende Kanäle werden zu einer sogenannten Primärgruppe in ihrer Grundfrequenzlage zusammengefaßt.

Der gleiche Vorgang wie bei der Frequenzumsetzung mehrerer Sprachsignale wird anschließend mit fünf Primärgruppen wiederholt, wodurch eine Sekundärgruppe mit nun schon 60 Kanälen gebildet wird. Wenn man dieses Spiel entsprechend fortsetzt, entstehen immer umfangreichere Gruppen mit 300, 900 und 2 700 Kanälen. Schließlich erhält man durch das frequenzmäßige Hintereinanderlegen mehrerer gleicher Gruppen TF-Übertra-

gungssysteme mit unterschiedlich großer Übertragungskapazität und Frequenzbreite, je nachdem wie groß das Verkehrsaufkommen zu einem bestimmten Zielort ist. Bei der Deutschen Bundespost sind TF-Systeme mit 12, 60, 120, 300, 900, 2 700 und 10 800 Kanälen im Einsatz.

Die Bildung der TF-Gruppen und -Systeme geschieht nach festen, international festgelegten Regeln, die sicherstellen, daß jedes einzelne Telefongespräch im TF-Übertragungssystem seinen ganz bestimmten Platz hat und am Zielort wieder in seine ursprüngliche Frequenzlage zurückversetzt und in verständliche Sprache zurückverwandelt werden kann. Dazu ist es von großer Wichtigkeit, daß die Trägerfrequenzen äußerst genau eingehalten werden, weil es sonst zu einer Frequenzverschiebung bei der Wiedergewinnung der Sprachsignale am Empfangsort kommt, die zu einer Verfälschung der Sprache oder gar zu Unverständlichkeit führt.

TF-Systeme werden entweder über Richtfunk oder über besondere TF-Kabel übertragen. Für Systeme mit 300 und mehr Kanälen sind wegen der hohen Frequenzen Koaxialkabel erforderlich, die anstelle von einzelnen Drähten dünne Kupferröhrchen mit einem konzentrisch befestigten Innendraht enthalten. Zum Ausgleich der Dämpfungseigenschaften des Kabels, die zu einer Abschwächung des übertragenen TF-Signals führen, müssen in bestimmten Abständen ferngespeiste unterirdische Zwischenverstärker eingesetzt werden.

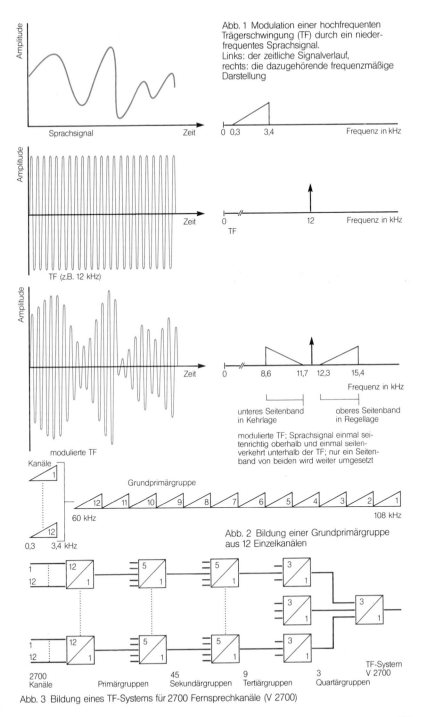

Abb. 1 Modulation einer hochfrequenten Trägerschwingung (TF) durch ein niederfrequentes Sprachsignal.
Links: der zeitliche Signalverlauf, rechts: die dazugehörende frequenzmäßige Darstellung

Sprachsignal — Zeit — 0 0,3 3,4 — Frequenz in kHz

TF (z.B. 12 kHz) — Zeit — 0 TF 12 — Frequenz in kHz

modulierte TF — Zeit — 0 8,6 11,7 12,3 15,4 — Frequenz in kHz

unteres Seitenband in Kehrlage — oberes Seitenband in Regellage

modulierte TF; Sprachsignal einmal seitenrichtig oberhalb und einmal seitenverkehrt unterhalb der TF; nur ein Seitenband von beiden wird weiter umgesetzt

Kanäle

Grundprimärgruppe

12 11 10 9 8 7 6 5 4 3 2 1

60 kHz — 108 kHz

0,3 3,4 kHz

Abb. 2 Bildung einer Grundprimärgruppe aus 12 Einzelkanälen

2700 Kanäle — Primärgruppen — 45 Sekundärgruppen — 9 Tertiärgruppen — 3 Quartärgruppen — TF-System V 2700

Abb. 3 Bildung eines TF-Systems für 2700 Fernsprechkanäle (V 2700)

187

Digitale Übertragungstechnik

Zur gleichzeitigen Übertragung einer Vielzahl von Telefongesprächen über denselben Übertragungsweg kann anstelle der herkömmlichen Trägerfrequenztechnik auch die digitale Übertragungstechnik angewandt werden. Hierbei steht der Übertragungsweg einer Anzahl von Telefonteilnehmern nacheinander in bestimmten Abständen ganz kurz zur Übertragung der Sprache zur Verfügung. Die Unterbrechungen der einzelnen Ferngespräche sind dabei so kurz, daß sie von den Teilnehmern nicht bemerkt werden. Wegen der zeitlich nacheinander erfolgenden Durchschaltung des Übertragungswegs zwischen je zwei Telefongesprächspartnern spricht man bei der digitalen Übertragungstechnik von einem *Zeitmultiplexverfahren.*

Dem Zeitmultiplexverfahren liegt die Erkenntnis zugrunde, daß man ein analoges Sprachsignal in seinem gesamten kontinuierlichen Verlauf lückenlos zum Empfang übertragen muß, sondern daß es genügt, Stichproben daraus zu übertragen, aus denen auf der Empfangsseite das ursprüngliche Sprachsignal wiedergewonnen werden kann. Die Stichproben werden dem Signal durch Abtastung der Amplitudenhöhe entnommen, was mit mindestens der doppelten höchsten Frequenz im abzutastenden Sprachsignal geschehen muß. Da in der Fernsprechtechnik der Frequenzbereich von 300 Hz bis 3,4 kHz übertragen wird, hat man eine Abtastfrequenz von 8 kHz international festgelegt. Das bedeutet, das Sprachsignal wird 8 000mal in jeder Sekunde abgetastet, d. h., zwischen zwei Abtastverfahren liegen 125 µs. Diese relativ große Pausen werden zur Übertragung der Abtastproben weiterer Fernsprechsignale benutzt, und zwar in der Weise, daß die Abtastwerte der verschiedenen Fernsprechsignale in immer wiederkehrender Reihenfolge zeitlich nacheinander übertragen werden.

Da sich die gewonnenen Abtastwerte viel besser in digitaler Form weiterverarbeiten lassen, werden sie nicht in der Form unterschiedlich hoher Impulse übertragen, sondern gemäß ihrer Amplitude mit einem Binärcode codiert. Dabei muß man sich auf eine begrenzte Zahl von möglichen Amplitudenwerten beschränken, weil mit wachsender Zahl der technische Aufwand immer mehr zunimmt, ohne am Ende noch eine spürbare Verbesserung der Übertragungsqualität zu erreichen. International hat man sich auf 256 mögliche Amplitudenwerte, sog. Quantisierungsintervalle, festgelegt. Jedes Quantisierungsintervall ist durch ein 8-bit-Codewort gekennzeichnet, so daß jede Abtastprobe nach Quantisierung und Codierung einem 8-bit-Codewort entspricht. Den gesamten Vorgang der Umwandlung des analogen Sprachsignals in eine Folge von 8-bit-Codewörtern nennt man *Pulscodemodulation (PCM).* Aus einem Sprachsignal entsteht so bei 8 000 Abtastungen pro Sekunde ein PCM-Signal mit 64 kbit/s.

Die Zahl der zeitmäßig ineinandergeschachtelten Fernsprechsignale ist gemäß einer internationalen Empfehlung in der Bundesrepublik Deutschland auf 30 festgesetzt. Das kleinste digitale Übertragungssystem ist somit das PCM-30-System, bei dem ein digitales Zeitmultiplexsignal mit einer Bitrate von 2 Mbit/s erzeugt wird.

Wie bei der Trägerfrequenztechnik gibt es auch bei den PCM-Systemen mehrere Hierarchieebenen mit unterschiedlicher Übertragungskapazität. Jeweils vier PCM-Systeme werden zeitlich nochmals ineinandergeschachtelt und ergeben das nächsthöhere System:

PCM 30 für 30 Fernsprechkanäle; Bitrate 2 Mbits/s
PCM 120 für 120 Fernsprechkanäle; Bitrate 8 Mbit/s
PCM 480 für 480 Fernsprechkanäle; Bitrate 34 Mbit/s
PCM 1920 für 1920 Fernsprechkanäle; Bitrate 140 Mbit/s
PCM 7680 für 7680 Fernsprechkanäle; Bitrate 565 Mbit/s.

PCM-Systeme werden über Richtfunk und Kabel übertragen, wobei für PCM-480- und höherkanalige PCM-Systeme Koaxialkabel notwendig sind. Seit neuerer Zeit findet auch die Glasfaser immer mehr Anwendung.

Da das PCM-Zeitmultiplex-Signal im Verlauf des Übertragungswegs durch Dämpfung und Störspannung verfälschend beeinflußt wird, muß es in bestimmten Abständen regeneriert, d. h. in seiner ursprünglichen Form wiederhergestellt werden. Hier liegt einer der Vorteile der digitalen Übertragungstechnik: Da das PCM-Zeitmultiplex-Signal nur die beiden Zustände 0 und 1 kennt, brauchen zur Regeneration nur die Zustände der einzelnen Bits abgefragt zu werden, worauf ein völlig neues PCM-Zeitmultiplex-Signal gebildet wird, das genau dem ursprünglichen entspricht. Störende Einflüsse während der Übertragung werden so vollständig beseitigt.

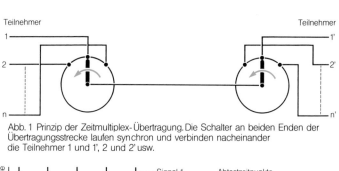

Teilnehmer 1 — 1'
2 — 2'
n — n'

Abb. 1 Prinzip der Zeitmultiplex-Übertragung. Die Schalter an beiden Enden der Übertragungsstrecke laufen synchron und verbinden nacheinander die Teilnehmer 1 und 1', 2 und 2' usw.

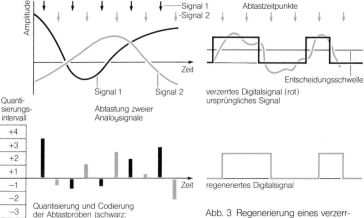

3-Bit-Code	Quanti-sierungs-intervall
111	+4
110	+3
101	+2
100	+1
000	−1
001	−2
010	−3
011	−4

Abtastzeitpunkte

Entscheidungsschwelle
verzerrtes Digitalsignal (rot)
ursprüngliches Signal

Signal 1   Signal 2
Abtastung zweier Analogsignale

Quantisierung und Codierung der Abtastproben (schwarz: Signal 1, rot: Signal 2)

regeneriertes Digitalsignal

Abb. 3 Regenerierung eines verzerrten PCM-Zeitmultiplex-Signals

Codewort für Signal Nr.

| 1 | 2 | 1 | 2 | 1 | 2 | 1 | 2 | 1 | 2 |

PCM-Zeitmultiplex-Signal

Abb. 2 Bildung eines PCM-Zeitmultiplex-Signals aus zwei Analogsignalen (Verwendung von nur acht Quantisierungsintervallen und einem 3-Bit-Binärcode)

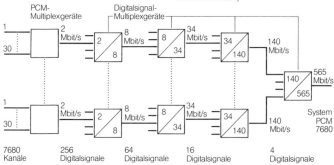

Abb. 4 Bildung eines PCM-Systems für 7680 Fernsprechkanäle (PCM 7680)

Rundfunkempfänger

Der einfachste Rundfunkempfänger besteht aus dem Eingangskreis zur Abstimmung auf die Frequenzen (Trägerfrequenzen) der zu empfangenden Sender, dem Demodulator zur Rückgewinnung der tonfrequenten Schwingungen aus dem Hochfrequenzband, einem Niederfrequenzverstärker und dem Lautsprecher. Zur Energieversorgung dienen Trockenelemente oder eine eingebaute Gleichrichterschaltung, die über einen Transformator den Anschluß an das elektrische Stromversorgungsnetz ermöglicht.

Rundfunksender arbeiten in unterschiedlichen Frequenzbereichen: im

Langwellenbereich	148,5–	283,5 kHz
Mittelwellenbereich	526,5–	1 606,5 kHz
Kurzwellenbereich	3 950	–26 100 kHz
UKW-Bereich	87,5–	108 MHz

Der große Kurzwellenbereich steht jedoch nicht allein dem Rundfunk zur Verfügung. In diesem Bereich arbeiten z. B. auch die Funktelegrafie, der Schiffsfunk, Flugfunk, Amateurfunk u. a. Nur einzelne Frequenz- (bzw. Wellenlängen-)Bänder sind der Ausstrahlung von Hörfunksendungen vorbehalten:

75 m =	3 950–	4 000 kHz
49 m =	5 950–	6 200 kHz
41 m =	7 100–	7 300 kHz
31 m =	9 500–	9 775 kHz
25 m =	11 700–	11 975 kHz
19 m =	15 100–	15 450 kHz
16 m =	17 700–	17 900 kHz
13 m =	21 450–	21 750 kHz
11 m =	25 600–	26 100 kHz

Im Lang- und Mittelwellenbereich beträgt der Senderabstand z. Z. 9 kHz, im Kurzwellenbereich 5 kHz; es wird Amplitudenmodulation (AM) verwendet. Im UKW-Bereich arbeitet man mit Frequenzmodulation (FM) und einem erweiterten Tonfrequenzbereich (30 bis 15 000 Hz); der Kanalabstand beträgt hier 300 kHz. Die Qualität der Rundfunkübertragung ist im UKW-Bereich besser als in den anderen Bereichen, weil die hohen Tonfrequenzen das Klangbild stark beeinflussen und durch die Frequenzmodulation Störungen, die meist amplitudenmodulierenden Charakter haben, unterdrückt werden können. Rundfunkempfänger sind daher heute v. a. für den Empfang des UKW-Bereichs ausgestattet, der auch den Empfang von stereophon ausgestrahlten Sendungen ermöglicht (zur Wiedergabe von Stereosendungen bedarf es jedoch eines besonderen Stereobausteins und zweier Lautsprecher). Die meisten Empfänger sind ferner für den Empfang des Mittelwellenbereichs ausgerüstet, z. T. auch des Langwellenbereichs, und des Kurzwellenbereichs (häufig auch nur eines Kurzwellenbandes, in Europa meist des 49-m-Bandes, des sogenannten Europabandes).

Die Ausbreitungsverhältnisse in den vier Frequenzbereichen bestimmen ihren Verwendungszweck: Lang- und Mittelwellensender strahlen eine Bodenwelle entlang der Erdoberfläche und eine Raumwelle ab. Die Bodenwelle reicht bis zu einigen hundert Kilometern, die in der Ionosphäre umgelenkte Raumwelle erlaubt weit größere Reichweiten (Fernempfang auf Mittelwellen bei Nacht). Im Kurzwellenbereich wird nur mit Raumwellen gearbeitet. Ultrakurzwellen breiten sich quasioptisch (geradlinig) aus; sie erzielen deshalb nur verhältnismäßig geringe Reichweiten (Aufstellung der Sender auf Bergen oder hohen Sendetürmen).

Je mehr Abstimmkreise im Empfänger vorhanden sind, desto größer ist seine Trennschärfe. Der Superheterodynempfänger („Super"), 1918 von E. H. Armstrong, USA, erfunden, ermöglicht hohe Trennschärfe bei vereinfachter Handabstimmung. In einem derartigen Gerät wird eine Hochfrequenzschwingung erzeugt (Oszillator) und mit dem Empfangssignal gemischt. Oszillatorkreis und Eingangskreis werden mit einem auf einer gemeinsamen Achse laufenden Doppel-Drehkondensator abgestimmt, und zwar in der Form, daß die Differenz der beiden Frequenzen immer gleich ist. Alle folgenden Kreise (Zwischenfrequenzbandfilter, Zf) sind fest auf diese Differenzfrequenz eingestellt. Man erreicht so eine hohe Selektivität, braucht aber nur zwei Kreise abzustimmen.

Die Einführung von integrierten Schaltungen (IS) hat die Rundfunk- (und Fernseh)empfänger völlig verändert. Betrachtet man das Innere eines Gerätes, so fällt auf, daß man heute viel weniger einzelne Bauteile benötigt (Abb. 2). – Vgl. auch Wechselstrom, Drehstrom, elektromagnetische Wellen II, S. 42.

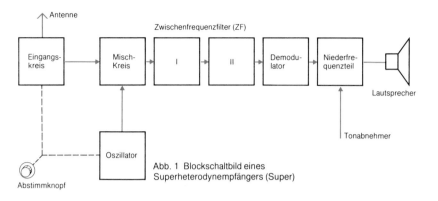

Abb. 1 Blockschaltbild eines
Superheterodynempfängers (Super)

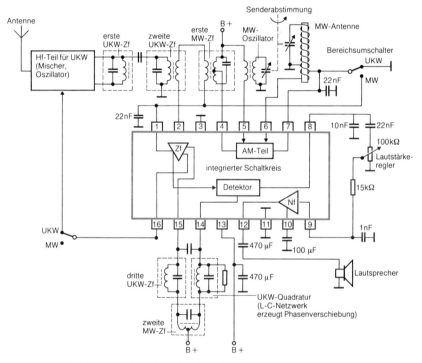

Abb. 2 Nur wenige externe Bauelemente
sind neben der IS noch erforderlich
für ein komplettes Radio

UKW-Stereophonie (Pilottonverfahren)

Bei UKW-Rundfunk wird die Frequenz der vom Sender ausgestrahlten Welle im Takte der akustischen Schwingung, die übertragen werden soll, erhöht und vermindert (Frequenzmodulation).

Beim stereophonen UKW-Rundfunk müssen die beiden vorzugsweise für das rechte bzw. linke Ohr bestimmten Schwingungen R bzw. L unabhängig voneinander übertragen werden. Eine Übertragung mit zwei Sendern und zwei Empfängern ist nicht möglich, da die Stereophonie in der Rundfunktechnik kompatibel sein muß, d.h., sie muß auch eine einkanalige Wiedergabe erlauben. Im Gegensatz zur Kunstkopfstereophonie kann man also nicht zwei Mikrophonen je einen Kanal und einem Lautsprecher zuordnen. Man muß vielmehr über den einen Kanal, den Hauptkanal, die gesamte Information für monophone (einkanalige) Wiedergabe und über den zweiten Kanal, den Nebenkanal, die zusätzliche Information für die stereophone Wiedergabe, die den Richtungssinn vermittelt, übertragen. Dies leistet das *Pilottonverfahren*.

Bei der *Intensitätsstereophonie (MS-System)* wird das Mittensignal von einem Kugelmikrophon und das Seitensignal von einem darüber angeordneten Achtermikrophon geliefert. Beim *XY-System (RL-System)* liefern zwei entgegengesetzt ausgerichtete, übereinander angeordnete Nierenmikrophone ein Linkssignal L und ein Rechtssignal R, aus denen durch Summen- und Differenzbildung das Mitten- und das Seitensignal gewonnen wird. Man erhält also zwei Wechselspannungen R und L, aus denen zunächst das Summensignal (R + L) und das Differenzsignal (R − L) gebildet werden.

Zur Rundfunkübertragung des Mitten- und Seitensignals auf derselben Trägerfrequenz, die wegen des großen Frequenzbedarfs nur im UKW-Bereich stattfinden kann, wird ein Multiplexsignal verwendet (Abb. 1).

Die Amplitude einer 38-kHz-Schwingung wird wie beim Mittelwellenrundfunk proportional zum Signal (R − L) verändert (Amplitudenmodulation). Dadurch entsteht eine Wechselspannung (C), die im 38-kHz-Rhythmus schwankt. Die Wechselspannung (C) wird zum Signal (R + L) hinzuaddiert.

Dieses Multiplexsignal wird wie beim gewöhnlichen UKW-Rundfunk zur Frequenzmodulation des Senders benutzt und steht im Empfänger am Ausgang des Demodulators zur Verfügung. In einem gewöhnlichen UKW-Empfänger wird es lediglich verstärkt und dem Lautsprecher zugeführt.

Das Multiplexsignal (D) enthält die vom Summensignal herrührenden Frequenzen bis ca. 15 000 Hz und zusätzlich den Frequenzbereich zwischen (38 − 15) kHz = 23 kHz und (38 + 15) kHz = 53 kHz, der vom Signal (R − L) herrührt (Abb. 2 a). Im oberen Frequenzbereich ist die Frequenz 38 kHz besonders stark vertreten, da sie auch dann auftritt, wenn das Differenzsignal (R − L) vorübergehend verschwindet (Schallquelle in der Mitte). Die exakte Übertragung eines solchen Frequenzgemisches durch einen UKW-Sender würde einen großen Frequenzhub, d. h. große Änderungen der Senderfrequenz, erfordern. Man kommt bei gleicher Übertragungsgüte mit geringerem Frequenzhub aus, wenn man die 38-kHz-Träger völlig unterdrückt und stattdessen einen konstanten 19-kHz-Ton, den Pilotton, mitüberträgt. Dieser 19-kHz-Ton wird im Decoder durch einen Resonanzkreis ausgesiebt und nichtlinear verstärkt. Die dabei entstehende 38-kHz-Oberwelle wird nochmals in einem 38-kHz-Resonanzkreis ausgesiebt, verstärkt und dem Multiplexsignal als Ersatz für den unterdrückten Träger hinzugefügt.

Die UKW-Stereophonie ist auch auf die Tonübertragung bei stereophonen Fernsehsendungen ausgedehnt worden.

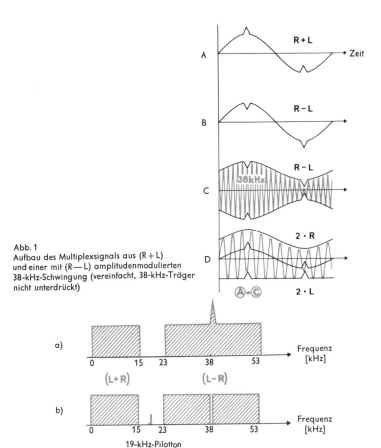

Abb. 1
Aufbau des Multiplexsignals aus (R + L)
und einer mit (R — L) amplitudenmodulierten
38-kHz-Schwingung (vereinfacht, 38-kHz-Träger
nicht unterdrückt)

Abb. 2   Frequenzverteilung im Multiplexsignal
a) 38-kHz-Träger vorhanden
b) 38-kHz-Träger unterdrückt und durch 19-kHz-Pilotton ersetzt

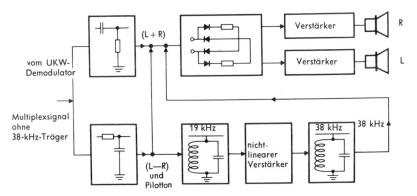

Abb. 3   Blockschaltbild eines Stereodecoders mit
nachgeschalteten Niederfrequenzverstärkern

Mikrophone I

Mikrophone sind elektroakustische Wandler, sie dienen zur Umwandlung von Schall in tonfrequente Spannungen und Ströme. Sie enthalten wie die Lautsprecher (S. 196) eine Membran als aktives Element; diese wird durch die Schallwellen der Luft in mechanische Schwingungen versetzt, die in geeigneter Weise in elektrische Schwingungen verwandelt werden. Eine verzerrungsarme Umwandlung ist wegen der nur geringen zu verarbeitenden Leistungen schon mit einer einzigen Membran für den gesamten Hörbereich (16 Hz bis 20 kHz) zu erreichen. Für Hi-Fi-Zwecke kommen jedoch nur bestimmte Arbeitsprinzipien und Mikrophontypen in Betracht:

1. Das *elektrodynamische Mikrophon* (*Tauchspulenmikrophon*, Abb. 1): An der Membran ist eine Tauchspule befestigt, die im Luftspalt eines Topfmagneten schwingt und in deren Windungen tonfrequente Wechselspannungen induziert werden. Eine Variante des dynamischen Mikrophons ist das *Bändchenmikrophon* (Abb. 2), bei dem Membran und Tauchspule durch ein geriffeltes Aluminiumbändchen ersetzt sind, das im Rhythmus der Schallwellen im Magnetfeld schwingt. Dieses Mikrophon besitzt hohe Schalldruckempfindlichkeit und eine Achtercharakteristik (Abb. 4).

2. Das *elektrostatische Mikrophon* (*Kondensatormikrophon*, Abb. 3): Die straff eingespannte Membran ist gewissermaßen eine Platte eines Plattenkondensators, d. h. ein Metallplättchen, das vor einer Gegenelektrode schwingt. An Membran und Gegenelektrode liegt eine Spannung an. Infolge der Schwingungen ändert sich der Abstand der beiden Kondensatorplatten periodisch und damit die Kapazität des Kondensators; entsprechende Wechselspannungen können an einem parallel geschalteten Widerstand abgenommen werden. Da die Membran nicht mit einer Tauchspule und ihren Anschlüssen belastet ist, kann sie auch sehr schwachen und sehr schnellen Luftschwingungen folgen, Frequenzgang und -umfang sind nahezu ideal (nur zu hohe Schalldrücke führen zu Verzerrungen). Störeinflüsse elektromagnetischer Felder (Leitungen, Transformatoren, Hochspannungsanlagen) haben auf die elektrostatische Arbeitsweise keinen Einfluß (dynamische Mikrophone benötigen zur Vermeidung von Brummeinstreuungen Kompensationsspulen). Der kompakte Bau ohne bewegliche Teile führt dazu, daß Kondensatormikrophone wenig Körperschall (vom Mikrophonkörper auf die Membran übertragene Schalleinflüsse wie Kabelbewegung, Reiben auf der Kleidung) aufnehmen.

Es gibt drei Typen von Kondensatormikrophonen: *Niederfrequenz-(NF)Mikrophone,* die im Bereich der Schallfrequenzen arbeiten und eine hohe Polarisationsgleichspannung (100 bis 150 V) benötigen; *Hochfrequenz-(HF-)Mikrophone,* die weit niedrigere Polarisationsspannungen (ca. 10 V) benötigen, diese jedoch in Form hochfrequenter Wechselspannungen (mit der von einem Quarzoszillator erzeugten, weit über den Tonfrequenzen liegenden Frequenz von 8 MHz); *Elektretmikrophone,* die keine externe Speisespannung benötigen; bei ihnen ist die Kondensatorspannung sozusagen „eingefroren", da Membran und Gegenelektrode aus Elektretmaterial (Kunststoff mit dielektrischen Eigenschaften, den man in einem starken elektrischen Feld aus der Schmelze erstarren läßt) bestehen. Elektretmikrophone sind wesentlich einfacher und billiger als NF-Kondensatormikrophone, in Empfindlichkeit und Leistung ihnen jedoch gleichwertig. Bei NF-Kondensatormikrophonen müssen die am Parallelwiderstand abgenommenen niedrigen Wechselspannungen auf jeden Fall vorverstärkt werden, für Elektret- und HF-Mikrophone gelten dagegen ähnliche Bedingungen wie für dynamische Mikrophone.

Nach dem Innenwiderstand (Quellimpedanz) teilt man Mikrophone ein in hoch-, mittel- und niederohmige Typen. Mittel- und niederohmige Mikrophone sind an alle modernen Tonbandgeräte anzuschließen und erlauben Kabellängen bis zu 200 m (abgeschirmtes, zweiadriges Kabel). Hochohmige Mikrophone, wie sie für ältere Tonbandgeräte erforderlich sind, benötigen ab 2 m Kabellänge einen Übertrager (kleiner Transformator bzw. „Telefonspule" zur Heraufsetzung der Signalspannung). Auch niederohmige Mikrophone sind oft mit einem Übertrager versehen, damit sie an Geräte mit hochohmigem Eingangswiderstand angeschlossen werden können. Als Regel soll die Eingangsimpedanz eines Tonbandgeräts um den Faktor 10 über der Quellimpedanz des Mikrophons liegen.

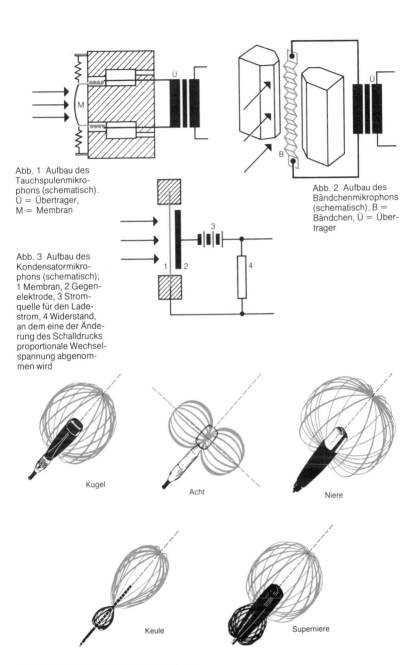

Abb. 1 Aufbau des Tauchspulenmikrophons (schematisch). Ü = Übertrager, M = Membran

Abb. 2 Aufbau des Bändchenmikrophons (schematisch). B = Bändchen, Ü = Übertrager

Abb. 3 Aufbau des Kondensatormikrophons (schematisch); 1 Membran, 2 Gegenelektrode, 3 Stromquelle für den Ladestrom, 4 Widerstand, an dem eine der Änderung des Schalldrucks proportionale Wechselspannung abgenommen wird

Kugel

Acht

Niere

Keule

Superniere

Abb. 4 Richtcharakteristiken von Mikrophonen

Mikrophone II, Lautsprecher

Wirkt der Schalldruck nur auf die Vorderseite der Membran ein, ist das Mikrophon ein Druckempfänger; es ist allseitig empfindlich, d. h., es nimmt Schall aus allen Richtungen auf und besitzt eine sogenannte Kugelcharakteristik (Abb. 4, S. 195). Läßt man den Schalldruck auch auf die Rückseite der Membran einwirken, so wird die Membran nicht von den Druckschwingungen, sondern von den Druckdifferenzen der Schwingungen an Vorder- und Rückseite bewegt; es handelt sich um einen Druckgradientenempfänger. Dessen Richtungsempfindlichkeit läßt sich durch geeignete Anordnung und Dimensionierung der Schalleintrittsöffnungen und -wege so auslegen, daß der Schall aus bestimmten Richtungen bevorzugt und aus anderen Richtungen nur gedämpft aufgenommen wird (Richtcharakteristik). So ist ein Achtermikrophon (z. B. das Bändchenmikrophon) nach zwei Seiten gleich empfindlich (Abb. 4, S. 195), Nieren-(Kardioid-) und Supernierenmikrophone nehmen Schall von rückwärts (z. B. Raumschall, Nachhall) nicht auf. Eine sehr enge Schallbündelung erreicht das Punktrichtmikrophon (Keulenmikrophon), mit dem sich auch entfernte Schallquellen unbeeinflußt vom Umgebungsschall anpeilen lassen. Dieses Mikrophon erhält seine Charakteristik durch ein aufgesetztes Richtrohr mit einer Vielzahl von Schalleintrittsöffnungen und auf sie abgestimmten Dämpfungselementen, durch die der Schall aus seitlichen Richtungen zur Interferenz gebracht und dadurch ausgelöscht wird (Interferenzempfänger).

Über die frequenzabhängige Nutzschalleistung gibt das Richtdiagramm (Abb. 5 und Abb. 6) Auskunft. Es stellt die Richtungsempfindlichkeiten als Bruchteile der Direktschallempfindlichkeit (in dB) dar.

Zur Vermeidung des sogenannten Nahbesprechungseffekts, der die Baßfrequenzen verstärkt, soll der normale Aufsprechabstand von 30 cm nicht unterschritten werden (es gibt Mikrophone mit regelbaren Baßblenden). Wind- und „Popp"-Geräuschen (verstärkte Zischlaute beim Sprechen) verhindert ein Windschutzkörbchen aus Schaumstoff o. ä. den Zugang zur Membran. Kabelgeräusche vermeidet man, wenn man das mikrophonnahe Kabel als Schlaufe festhält (Abb. 7).

Stereomikrophone sind ausgewählte „Pärchen" gleichen Typs. Räumlich-lebendigen Stereoschall fangen Mikrophone in „Kunstkopf"-Anordnung auf, bei der der Schall durch den menschlichen Gehörgängen nachgebildete Kanäle mit integrierten Wandlersystemen die Membranen erreicht, wodurch das menschliche Hören vollkommen imitiert wird (Abb. 8).

Lautsprecher: Für Hi-Fi-Anlagen werden fast ausschließlich elektrodynamische Lautsprecher (Abb. 9) verwendet, deren Arbeitsweise sich als Umkehrung derjenigen des Tauchspulenmikrophons ergibt. Nur vereinzelt werden für hohe Frequenzen elektrostatische und Bändchenlautsprecher (Aufbau wie die entsprechenden Mikrophone) oder die trägheitslosen Ionenlautsprecher (durch Lichtbogen ionisierte Luftmoleküle schwingen im Magnetwechselfeld) eingesetzt.

Die Übertragung tiefer Frequenzen ist um so besser, je größer die schallabstrahlende Membranfläche ist, die aber so steif sein muß (Kolbenmembran), daß sie keine Partialschwingungen ausführt (Verzerrungen). Da aber eine Membran, deren Umfang in der Größenordnung der Schallwellenlängen liegt, die Abstrahlung stark bündelt (richtet), müssen für hohe und teilweise für mittlere Frequenzen kleine Membranen verwendet werden, die die Form von Kugelkalotten haben (Kalottenhoch- bzw. -mitteltöner zur Verbreiterung des Abstrahlungswinkels). Um das ganze Tonfrequenzspektrum abzustrahlen, sind also Zweiwege- oder Dreiwegeboxen (Abb. 10) erforderlich, wobei die Frequenzbereiche mit Hilfe geeigneter Frequenzweichen, die aus Kondensatoren, Drosseln und Widerständen bestehen, den Lautsprechern zugeteilt werden. Zur Dämpfung der Resonanzfrequenzen besonders der Tieftöner (Baßlautsprecher) müssen die Boxen luftdicht abgeschlossen bzw. geeignet bedämpft sein. Aktive, mit Transistoren bestückte Frequenzweichen können auch zwischen Entzerrer-Vorverstärker und drei getrennten Endstufen des Verstärkers angeordnet werden, die den Lautsprechern der Box nur die für sie bestimmten Frequenzen zuführen.

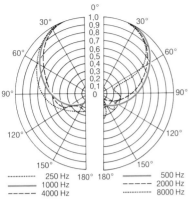

Abb. 5 Richtdiagramm
einer Kugelcharakteristik

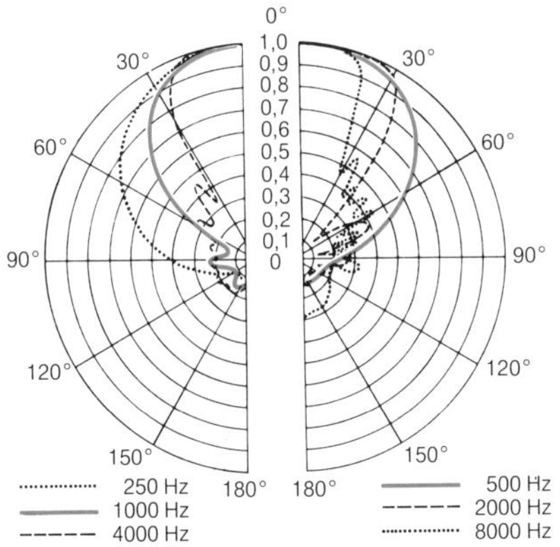

Abb. 6 Richtdiagramm einer
Keulencharakteristik

Abb. 7 So hält man ein Mikrophon

Abb. 8 Dynamischer Stereo-Kunstkopf

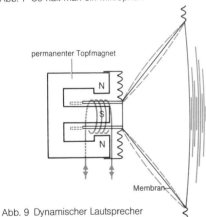

permanenter Topfmagnet

N

S

N

Membran

Abb. 9 Dynamischer Lautsprecher

Abb. 10 Dreiwegebox

Tonbandgerät I

Spulentonbandgeräte für den Amateur sind heute weitgehend durch die einfacher zu bedienenden und erheblich kleineren Kassettenrecorder verdrängt worden. Halbprofessionelle Tonbandmaschinen mit „mischbaren Eingängen", die u. a. auch das Schneiden und Kleben des Bandes gestatten, bieten aber nach wie vor die vielfältigsten Möglichkeiten.

Aufnahme- und Wiedergabeprinzip: Der vom Signalwandler (z. B. Mikrophon) kommende Sprechstrom (d. h. tonfrequente Spannungs- bzw. Stromschwankungen) wird über Verstärker- und Entzerrerglieder einem Ringmagneten (Aufnahme-, Sprechkopf) zugeführt. Zwischen den Polen dieses Magneten, die zwischen sich einen Spalt von Schichtdicke (ca. 0,01 mm) freilassen, entsteht ein magnetisches Wechselfeld, das die Schicht des vorbeilaufenden Bandes im Rhythmus der Sprechsignale magnetisiert. Das Tonband, in der Anfangszeit ein massiver Stahldraht bzw. ein Stahlband, besteht aus einem PVC- oder Polyesterträger von 0,012 bis 0,039 mm Stärke, auf den z. B. eine 0,005 bis 0,0135 mm dicke Eisenoxidschicht (Gamma-Eisen(III)-oxid, γ-F_2O_3) aufgegossen oder mit einer Haftschicht aufgebracht ist. Bei der Wiedergabe induziert seine Magnetisierung in der Wicklung eines weiteren Ringmagneten, des Hör- oder Wiedergabekopfes, entsprechende Wechselspannungen und -ströme, die über Wiedergabeverstärker Lautsprechern zugeführt werden. Sprech- und Hörkopf können zu einem sogenannten Kombikopf mit einer Spaltbreite um 0,003 mm vereinigt sein. Vor einer Aufnahme wird das Tonband durch den Löschkopf von früheren Aufzeichnungen u. a. Magnetisierungen befreit, und zwar durch hochfrequente Umpolarisierungen über einen relativ breiten Kopfspalt (0,1 bis 0,3 mm), die die Magnetisierungen sozusagen einebnen.

Voraussetzung für eine qualitativ befriedigende Tonaufzeichnung ist die Konstanz der Bandgeschwindigkeit, deren Abweichungen von der Sollgeschwindigkeit über 30 Sekunden gemittelt für Heimstudiogeräte höchstens $\pm 1,5\%$ betragen darf. Läuft das Band bei der Wiedergabe schneller oder langsamer als bei der Aufnahme, ändert sich die Tonhöhe. Ist der Bandlauf unregelmäßig, kommt es zu „Flutter" oder zu „Wow" (kurz- bzw. langzeitige Tonhöhenschwankungen).

Der *Bandtransport* wird durch eine präzise geschliffene Tonwelle (Capstan) bewerkstelligt, an die das Band durch eine Gummiandruckrolle (Gegencapstan) gepreßt wird. Die Achse der Andruckrolle ist etwas in Laufrichtung versetzt, so daß das Band die Tonwelle teilweise umschlingt. Läßt man das Tonband den Capstan um 180° umschlingen (Omegaumschlingung), kann man auf die Bandanpressung durch den Gegencapstan verzichten (Abb. 3).

Für den Antrieb sorgt ein elektronisch gesteuerter Asynchronmotor (oder ein Synchronmotor mit Anlaßhilfe) entweder direkt oder über eine Untersetzung, die Tonwelle besitzt eine letzte Unregelmäßigkeiten ausgleichende Schwungmasse. Die Spulenteller werden über Peesen mit Rutschkupplungen oder durch eigene Gleichstrommotoren (deren Geschwindigkeit durch Bandzugregler dem Wickeldurchmesser angepaßt wird und die ein schnelleres Umspulen gestatten) angetrieben. Die üblichen Bandgeschwindigkeiten sind 19 cm/s und 9,5 cm/s (als Unterteilungen der Studiogeschwindigkeit 15 inches per second (ips) = 38,1 cm/s) für Musik- und 4,75 cm/s für Sprachaufzeichnungen.

Das 6,25 mm breite Magnetband wird spurenweise mit Aufnahmen beschrieben, üblicherweise in Halbspur (Zweispur-) oder Viertelspur-(Vierspur-)Technik. Die Spurbreiten gehen aus Abb. 4 hervor. Damit sich nebeneinanderliegende Aufzeichnungen nicht gegenseitig beeinflussen („Übersprechen"), sind neutrale Zonen („Rasen") zwischen ihnen angeordnet. Die Zweispurtechnik erlaubt Stereobetrieb oder im Monobetrieb die Nutzung der doppelten Bandlänge (durch Wenden des abgelaufenen Bandes), die Vierspurtechnik im Stereobetrieb die Nutzung der doppelten Bandlänge, im Monobetrieb die Nutzung der vierfachen Bandlänge.

Die Aufzeichnung verläuft, etwas vereinfacht dargestellt, in der Weise, daß die rhythmisch wechselnden Umpolarisierungen am Kopfspalt des Sprechkopfes entsprechende Nord- oder Südmagnetisierungen in der Bandschicht hervorrufen. Welche Magnetisierung in der Schicht verbleibt, bestimmt der momentane Wert des Feldes an der vom Band zuletzt berührten Spaltkante. Eine einzelne Sinusschwingung wird in Form von zwei Magnetzonen (Dipolen) festgehalten, deren gleichnamige Pole einander zugekehrt sind (Abb. 8, S. 201).

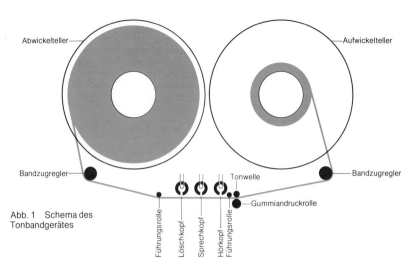

Abbildungsbeschriftungen:
- Abwickelteller
- Aufwickelteller
- Bandzugregler
- Tonwelle
- Bandzugregler
- Gummiandruckrolle
- Führungsrolle
- Löschkopf
- Sprechkopf
- Hörkopf
- Führungsrolle

Abb. 1 Schema des Tonbandgerätes

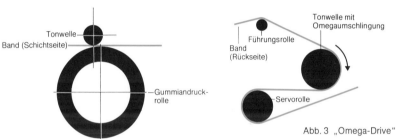

- Tonwelle
- Band (Schichtseite)
- Gummiandruck-rolle

Abb. 2 Bandantrieb (Capstanantrieb)

- Tonwelle mit Omegaumschlingung
- Führungsrolle
- Band (Rückseite)
- Servorolle

Abb. 3 „Omega-Drive"

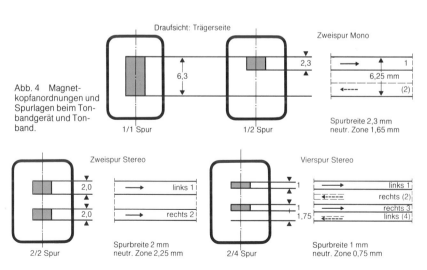

Abb. 4 Magnet-kopfanordnungen und Spurlagen beim Ton-bandgerät und Ton-band.

Draufsicht: Trägerseite

2,3
6,3

1/1 Spur

1/2 Spur

Zweispur Mono

1
6,25 mm
(2)

Spurbreite 2,3 mm
neutr. Zone 1,65 mm

Zweispur Stereo

2,0
2,0

2/2 Spur

links 1
rechts 2

Spurbreite 2 mm
neutr. Zone 2,25 mm

Vierspur Stereo

1
1
1,75

2/4 Spur

links 1
rechts (2)
rechts 3
links (4)

Spurbreite 1 mm
neutr. Zone 0,75 mm

199

Tonbandgerät II

Infolge der Koerzitivkraft der magnetischen Partikeln der Schicht kann die Magnetisierung nur analog einer Hysteresisschleife (Abb. 5) erfolgen, d. h., die Magnetisierung ist der einwirkenden magnetischen Feldstärke nicht proportional, sondern „hinkt hinterher". Wie die Remanenzkennlinie (Abb. 6) zeigt, können schwächere Feldstärken keine Magnetisierung bewirken, Schallschwingungen von geringer Amplitude würden daher nicht aufgezeichnet, sondern verblieben in einem „toten Raum", wie dies Abb. 7 verdeutlicht. Aus diesem Grund muß über den Sprechkopf eine hochfrequente (Löschstrom-)Vormagnetisierung aufgebracht werden, die den toten Raum ausfüllt.

Die Breite der Spuren (und die Schmiegsamkeit des Bandes) haben Einfluß auf die Aufnahmequalität. Je breiter eine Spur ist, um so weniger kann der Band-Kopf-Kontakt (z. B. durch Staub) beeinträchtigt werden („Drop-outs"). Die Bandgeschwindigkeit (v) bestimmt die Bandwellenlänge (λ) einer Frequenz (f) und legt damit fest, welche höchsten Frequenzen noch aufgezeichnet werden können: $\lambda = v/f$. Eine Schwingung von 10 000 Hz hat z. B. bei einer Bandgeschwindigkeit von 9,5 cm/s die Bandwellenlänge 9,5 μm; da die Sinusschwingung in Form von zwei Dipolen in der Schicht aufgezeichnet wird, kommt dem Dipol eine Länge von 4,75 μm zu. Die kleinstmöglichen Dipollängen werden durch die Größe der Eisenoxidnadeln bestimmt; da diese Nadeln zwar in möglichst dichter Packung und in Längsrichtung ausgerichtet, jedoch mehr oder weniger versetzt angeordnet sind, ist die kleinste Dipollänge ein Mehrfaches der Nadellänge. Bei den geringen Bandgeschwindigkeiten sind hohe Frequenzen dadurch benachteiligt, daß die magnetische Kraft kleiner Dipole geringer ist als die der größeren Dipole niedrigerer Frequenzen, die mehr magnetisierbares Material erfassen (sogenannte Bandflußdämpfung).

Weitere dämpfende Einflüsse ergeben sich aus der „Band-Kopf-Geometrie", z. B. der Hörspaltbreite (ungedämpft wird nur eine Frequenz abgegriffen, deren Dipol- bzw. halbe Bandwellenlänge gleich der Spaltbreite ist), den Phasendifferenzen bei der Durchmagnetisierung der Schicht, den Hystereseverlusten, den Kopfspiegelresonanzen u. a. mehr. Sie betreffen in der Mehrzahl die hohen Frequenzen und müssen durch entsprechende Entzerrungs-

maßnahmen bei der Aufnahme und der Wiedergabe (Abb. 10 und 11) kompensiert werden. Durch die Verwendung von Chromdioxid (Chrom(IV)-oxid, CrO_2), das eine viel höhere Koerzitivkraft als Gamma-Eisen(III)-oxid besitzt und infolge der glatten und in der Größe verminderten Nadelform eine höhere „Füllung" der Schicht erlaubt, konnte die Aufnahmequalität auch bei geringen Bandgeschwindigkeiten auf Hi-Fi-Niveau gebracht werden. Der erhöhte Füllfaktor ist dabei für die Verringerung des Grund- oder Ruherauschens verantwortlich, das durch die Partikelstruktur der Schicht bedingt ist. Chromdioxidbänder benötigen gegenüber den Eisenoxidbändern einen 2,5mal höheren Vormagnetisierungs- und Löschstrom sowie andere Werte für Vorverzerrung und Wiedergabeentzerrung. Geräte für beide Bandarten haben daher eine manuelle oder automatische Wahlschaltung zur Wahl des Bandartbetriebes. Eisenoxid ist nun im Bereich niedriger Frequenzen aufgrund seiner magnetischen Beschaffenheit und der Schichtstruktur dem Chromdioxid überlegen. Es lag daher nahe, zur Erweiterung des Frequenzbereiches und der Dynamik zwei Schichten zu kombinieren, und zwar muß, da die größeren Dipole niedriger Frequenzen eine tiefere Durchmagnetisierung der Schicht erreichen, eine dickere Eisenoxidschicht im unteren Teil des Bandes und eine dünnere Chromdioxidschicht oben liegen (Ferrochrom-Mehrschichtenband, Abb. 9).

Hi-Fi-Kriterien für Band und Gerät sind Frequenzumfang, d. h. Übertragungsbereich (bei geradlinigem Frequenzgang bzw. möglichst geringem Pegelabfall), und Dynamik (Lautstärkeumfang), die als sogenannter Geräuschspannungsabstand bei Vollaussteuerung in Dezibel (dB) gemessen wird. Je höher aussteuerbar ein Band ist, ohne daß bei großen Lautstärken klirrende Verzerrungen hörbar werden (Klirrgrad: prozentualer Anteil der zweiten und dritten harmonischen Oberschwingungen der Originalfrequenz am Hörschall), um so größer ist der Abstand der Pianolautstärken vom Eigengeräusch bzw. Störpegel des Bandes.

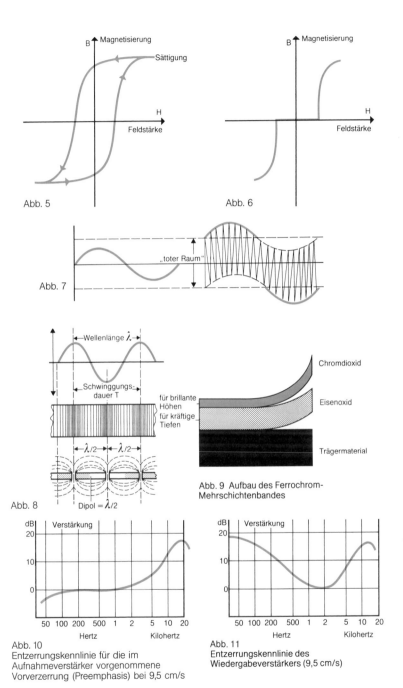

Abb. 5

Abb. 6

Abb. 7 „toter Raum"

Wellenlänge λ

Schwinggungs-
dauer T

$\lambda/2$ $\lambda/2$

Abb. 8 Dipol = $\lambda/2$

für brillante
Höhen
für kräftige
Tiefen

Chromdioxid

Eisenoxid

Trägermaterial

Abb. 9 Aufbau des Ferrochrom-
Mehrschichtenbandes

dB Verstärkung
20
10
0
50 100 200 500 1 2 5 10 20
Hertz   Kilohertz

Abb. 10
Entzerrungskennlinie für die im
Aufnahmeverstärker vorgenommene
Vorverzerrung (Preemphasis) bei 9,5 cm/s

dB Verstärkung
20
10
0
50 100 200 500 1 2 5 10 20
Hertz   Kilohertz

Abb. 11
Entzerrungskennlinie des
Wiedergabeverstärkers (9,5 cm/s)

201

Kassettenrecorder

Bei vielen Tonbandgeräten ist das Einlegen des Tonbandes umständlich und der Betrieb nicht gefeit gegen Pannen beim Bandtransport und bei der Aufzeichnung. Ein Optimum an Bedienungskomfort und Laienfreundlichkeit bietet die Tonbandkassette, bei der das Tonband in einem flachen Kunststoffbehälter untergebracht ist und bei der Transport- und Führungselemente sowie die Magnetköpfe selbsttätig durch Aussparungen an Band und Wickel herangebracht werden (Abb. 1). Löschkopf, Tonkopf (häufig ein Kombikopf; vgl. S. 198) und Gummiandruckrolle werden auf einem „Schlitten" an das Kassettenband herangeschoben (Abb. 2), Transportachsen, Tonwelle und Kassettenführungsstifte werden von unten in die Kassette eingeführt. Herausbrechbare Laschen an der Kassettenrückseite werden von einem Fühlhebel abgetastet; ist die Lasche herausgebrochen, kann die Aufnahme nicht mehr gelöscht werden.

Kassettenrecorder sind einerseits tragbare batteriebetriebene Geräte, meist mit eingebautem (Kondensator-)Mikrophon, andererseits als sogenannte Tapedecks (Abspielgeräte ohne eigene Verstärkerendstufen und Lautsprecher) Bausteine von Stereoanlagen. Kassettenrecorder mit sogenannten Minikassetten werden als Diktiergeräte verwendet. Radiorecorder besitzen darüber hinaus ein Rundfunkempfangsteil.

Tragbare Geräte verfügen zumeist über eine (abschaltbare) Aussteuerungsautomatik, die die vor jeder Aufnahme vorzunehmende manuelle Aussteuerung überflüssig macht. Der Aufnahmepegel muß so ausgesteuert werden, daß Fortissimoschall die Übersteuerungsgrenze (unterhalb des Bereichs der Klirrverzerrungen) nicht überschreitet, Pianissimostellen dagegen genügend hoch über dem Grundgeräusch liegen. Die Aussteuerungsautomatik begrenzt selbsttätig die maximale Signalspannung auf einen Wert unterhalb der Übersteuerungsgrenze (Vollaussteuerung) und stuft leisere Signale entsprechend von diesem Wert ab.

Die Automatik kann auf hohe Lautstärken sofort (innerhalb 0,5 ms) ansprechen, Dynamikdifferenzen aber über eine bestimmte Signalhaltezeit (für Musik etwa 100 s) aufrechterhalten.

Da der Bandinhalt der Kassette begrenzt ist, muß die Bandgeschwindigkeit, um akzeptable Spielzeiten zu ermöglichen, auf 4,75 cm/s herabgesetzt werden. Zusammen mit der geringen Spurbreite der Aufzeichnungen führte dies zu erheblichen Nachteilen, u. a. zur Benachteiligung der hohen Frequenzen, zu größeren Gleichlaufschwankungen und erhöhtem Bandrauschen.

Seit Einführung des Kassettenrecorders auf dem Markt (1967) sind daher zahlreiche Verbesserungen vorgenommen und Rauschunterdrückungsverfahren entwickelt worden, so daß viele Geräte Hi-Fi-Qualität besitzen. Für die Kompaktkassette werden Eisenoxid-, Chromdioxid-, Ferrochrom- oder Reineisenbänder verwendet (Bandbreite 3,81 mm). Da das Magnetisierungsverhalten der verschiedenen Bandarten unterschiedlich ist, besitzen manche Kassettenrecorder Bandwahleinstellungen, um optimale Klangqualität zu ermöglichen. Die Länge des Bandes variiert je nach Spieldauer, die bis zu 120 Minuten (auf zwei Seiten) beträgt.

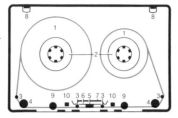

Abb. 1 Die Compact-cassette:
1 Tonbandwickel auf Wickelkernen aus Kunststoff
2 Aussparungen für die Transportachsen
3 Führungsstifte
4 Führungsrollen

5 federnde Andruckplatte (Filz)
6 Andruckfeder
7 Abschirmblech
8 Löschsicherung, zunächst durch Laschen außer Funktion
9 Eingriff der Tonwelle
10 Eingriff der Kassettenführungsstifte

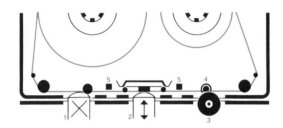

Abb. 2 Löschkopf 1, Kombikopf 2 und Gummiandruckrolle 3 werden auf einem »Schlitten« an das Kassettenband herangeschoben; von unten werden die Kassettenführungsstifte 5 und die Tonwelle 4 in die Kassette eingeführt

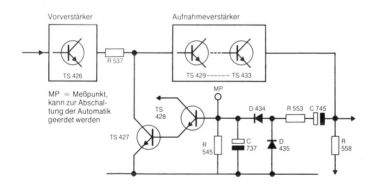

Abb. 3 Prinzipschaltbild einer Aussteuerungsautomatik (Philips N 2209 AV).

203

Rauschunterdrückung

Bei den unterschiedlichen Verfahren, die das bei der Übertragung oder Speicherung von Sprache und Musik auftretende, den Höreindruck in leisen Partien störende Rauschen herabsetzen bzw. unterdrükken, werden leise Töne sendeseitig bzw. bei der Aufnahme verstärkt, um sie gegenüber den Geräuschsignalen, die auf dem Übertragungsweg hinzukommen bzw. bei der Wiedergabe auftreten, genügend hervorzuheben. Dies bedeutet eine Verminderung der Dynamik, die auf der Empfangsseite bzw. bei der Wiedergabe der gespeicherten Tonsignale wieder ausgeglichen wird. Das ursprüngliche Tonsignal erhält damit wieder seine frühere Dynamik zurück, das Störsignal wird jedoch um den Betrag der Dynamikexpansion geschwächt.

Das von dem amerikanischen Physiker R. M. Dolby entwickelte *Dolby-A-Verfahren* wird seit 1966 von der Schallplattenindustrie, von Rundfunkanstalten und in der Tonfilmindustrie zur Geräuschunterdrückung bei Tonaufzeichnungen und Tonwiedergabe angewandt. Die dabei benutzte Schaltung arbeitet als automatischer Signalverformer, der vom Signal selbst gesteuert wird. Der Frequenzgang wird derart als Funktion von Amplitude, Frequenz und Zeit geändert, daß das Signal-Rausch-Verhältnis verbessert wird. Signale mit höherem Pegel werden bei der Aufnahme nicht geändert. Sie erscheinen am Ausgang in gleicher Stärke. Signalanteile mit geringerem Pegel, die ein schlechtes Signal-Rausch-Verhältnis verursachen, werden durch vier parallelgeschaltete Filter geleitet: Einen Tiefpaß für Frequenzen bis 80 Hertz, einen Bandpaß für Frequenzen von 80 bis 3 000 Hertz und je einen Hochpaß für Frequenzen über 3 000 Hertz bzw. über 9 000 Hertz. Jedem Filter folgt ein Kompressor, der unabhängig von den anderen arbeitet und nur auf niedrige Pegel anspricht. Ein entsprechendes Filter- und Kompressornetzwerk wird bei der Wiedergabe durchlaufen. Dadurch wird erreicht, daß der Geräuschpegel um etwa 10 bis 15 Dezibel vermindert wird.

Das *Dolby-B-System* ist eine vereinfachte Version des A-Systems, die es ermöglicht, auch Kassettenrecorder auf Hi-Fi-Niveau zu bringen. Bei diesem System werden ebenfalls niedrige Pegel unterhalb eines bestimmten Schwellenwertes komprimiert und expandiert. Es wird jedoch lediglich ein einziges Frequenzband im Bereich hoher Frequenzen beeinflußt, das aber in seiner Bandbreite variabel ist. Damit wird eine wirkungsvolle Geräuschverringerung für Frequenzen oberhalb 1 000 Hertz erreicht.

Das *Dolby-C-System* ist eine Verbesserung des Dolby-B-Systems. Es wird bereits im Bereich von 100 Hertz wirksam.

Eine unter der Bezeichnung *DNL* (Abkürzung für *Dynamic Noise Limiter*) bekannte Schaltung zur Rauschunterdrückung ist nur bei der Wiedergabe wirksam. Dem Verfahren liegt die Tatsache zugrunde, daß leise Musikstellen obertonarm sind und gerade bei leisen Passagen und Pausen das Bandrauschen besonders hörbar wird.

Häufig kommt es vor, daß schon das ankommende Signal einen merklichen Rauschanteil hat oder daß das beim Abspielen der Kassetten entstehende Rauschen vermindert werden soll. Für diese Anwendungen wurde ein Tiefpaßfilter mit veränderbarer Durchlaßkurve entwickelt, der dem Wiedergabeverstärker nachgeschaltet wird. Mit diesem *DPL-Filter* (Abkürzung für *Dynamic Low Pass*) wird der Rauschabstand bis zu 10 Dezibel verbessert.

Mit dem *High-Com-Verfahren* (Kurzbezeichnung für High-Fidelity-Compander-Verfahren) erreicht man einen Signal-Rausch-Abstand von 20 Dezibel, der sich praktisch über den ganzen Tonfrequenzbereich von 30 Hertz bis 20 Kilohertz erstreckt. Ein Wert von durchschnittlich 20 Dezibel bedeutet, daß der Rauschpegel auf 1 % seines ursprünglichen Leistungspegels herabgesetzt wird. Die hierbei verwendete Kompanderschaltung ist eine integrierte Schaltung, die zwei identische Breitbandverstärker und einen Gleichrichter enthält. Das Ausgangssignal des Gleichrichters, eine Gleichspannung, regelt die Verstärkung des Hauptverstärkers und hält gleichzeitig die Ausgangsspannung des Rückkoppelungsverstärkers konstant.

Ein neues Rauschunterdrückungssystem für Schallplatten ist das *CX-System* (CX Abkürzung für *Compatible Expansion*), bei dem die Lautstärken (wie beim High-Com-Verfahren) bei der Aufzeichnung komprimiert werden. Zur Wiedergabe von CX-Schallplatten ist ein (in manchen Plattenspielern eingebauter) Decoder (CX-Decoder) notwendig.

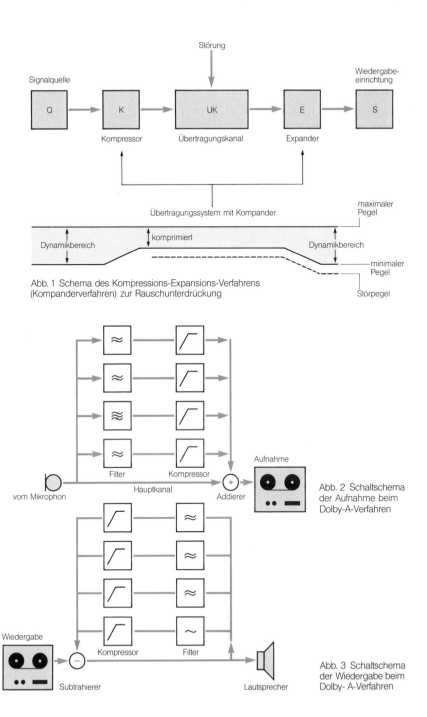

Abb. 1 Schema des Kompressions-Expansions-Verfahrens (Kompanderverfahren) zur Rauschunterdrückung

Abb. 2 Schaltschema der Aufnahme beim Dolby-A-Verfahren

Abb. 3 Schaltschema der Wiedergabe beim Dolby- A-Verfahren

205

Compact Disc

Die Compact Disc (Abkürzung CD) ist ein nur einseitig bespielter, aus metallisiertem Kunststoff (Polycarbonat) bestehender kreisrunder, scheibenförmiger Tonträger (Abb. 1). Die Musikinformation ist unterhalb einer transparenten Kunststoffschutzschicht in Form einer dichten Folge mikroskopisch kleiner Vertiefungen, sogenannter Pits (Länge 0,8 bis 4,6 µm, Breite 0,5 µm, Höhe 0,1 µm, Spurabstand 1,6 µm), enthalten, die spiralig angeordnet sind, im Gegensatz zur konventionellen Schallplatte jedoch von innen nach außen verlaufen (Abb. 2). Diese Vertiefungen stellen die „Bilder" eines digitalen Pulscode-Modulationssignals (PCM-Signal) dar, in das die analoge akustische Information bei der Musikaufnahme umgewandelt wird (vgl. S. 64). Dieses PCM-Signal enthält neben der Musikinformation u. a. die Information für die Trennung der beiden Stereokanäle und einen Adreßteil, der den direkten Zugriff zu einem bestimmten Musikstück auf der Compact Disc ermöglicht.

Beim Abspielen der Compact Disc wird die digitale Information mit Hilfe eines optoelektronischen Tonabnehmersystems gelesen, das die Pits bei Umdrehungszahlen von 200 bis 500 U/min (konstante Datenleserate) berührungslos mit dem fokussierten Lichtstrahl eines Halbleiterlasers abtastet (Abb. 3). Der Laserstrahl wird über ein System aus Spiegeln, Linsen und Prismen auf die Compact Disc geleitet. Wenn er auf ein Pit trifft, wird er anders reflektiert als von der Ebene zwischen den Pits. Der so durch das Informationsmuster der Compact Disc modulierte Laserstrahl wird über ein halbdurchlässiges Prisma auf eine Photodiode geleitet. Dort werden die Lichtimpulse in digitale elektrische Signale umgewandelt, aus denen in einem nachgeschalteten Digital-Analog-Wandler die ursprüngliche Schallinformation, das Stereotonsignal, rekonstruiert wird. Das analoge Stereotonsignal ist dann nach Verstärkung im Lautsprecher hörbar.

Durch eine elektronische Servoschaltung wird erreicht, daß der Laserstrahl immer genau der Spur der Pits folgt und trotz einer gewissen nicht zu umgehenden Unebenheit der Compact Disc jederzeit mit einer Präzision von ± 2 µm auf die Signalebene fokussiert ist.

Die maximale Abspieldauer einer Compact Disc beträgt 74 Minuten. Prinzipiell können bei verkürzter Abspieldauer auch die für quadrophonische Wiedergabe notwendigen Signale gespeichert werden.

Herstellung: Die wesentlichen Fertigungsstufen umfassen Mastering, Galvanisieren, Pressen, Metallisieren, Lackieren, Stanzen und Drucken. Beim Mastering wird eine kreisrunde, vollkommen ebene Glasscheibe (Glas-Vater) mit einer lichtempfindlichen Beschichtung von einem Laserstrahl mit dem Muster der Pits belichtet (Abb. 4). Nach dem Wegätzen der belichteten Teile wird die Scheibe mit Silber beschichtet (Metall-Vater). In einem Nickelbad wird dann galvanisch ein Negativ (Metall-Mutter) hergestellt, von dem mehrere Matrizen angefertigt werden, die als Preßformen beim automatischen Pressen der Compact Disc dienen. Die Seite mit dem Pitmuster wird nach dem Pressen im Vakuum mit Aluminium bedampft, um eine reflektierende Schicht zu erhalten. Danach wird zum Schutz ein Lacküberzug aufgebracht. Sämtliche Bearbeitungsschritte erfordern hohe Präzision und sind nur bei Reinluftbedingungen (Abwesenheit von Staub, Feuchtigkeit u. a.) durchführbar. Die korrekte Position des einzustanzenden Mittellochs wird den Spuren der Compact Disc entsprechend optoelektronisch ermittelt.

Die mit der Compact Disc verbundenen Vorteile gegenüber „normalen" Schallplatten bestehen v. a. in einer wesentlichen Verbesserung von Wiedergabequalität, Dynamik und Rauschunterdrückung. Infolge der berührungslosen Abtastung und spezieller elektronischer Fehlerkorrekturschaltungen haben Staub, Kratzer und Oberflächenschmutz nur geringen Einfluß auf die Wiedergabequalität.

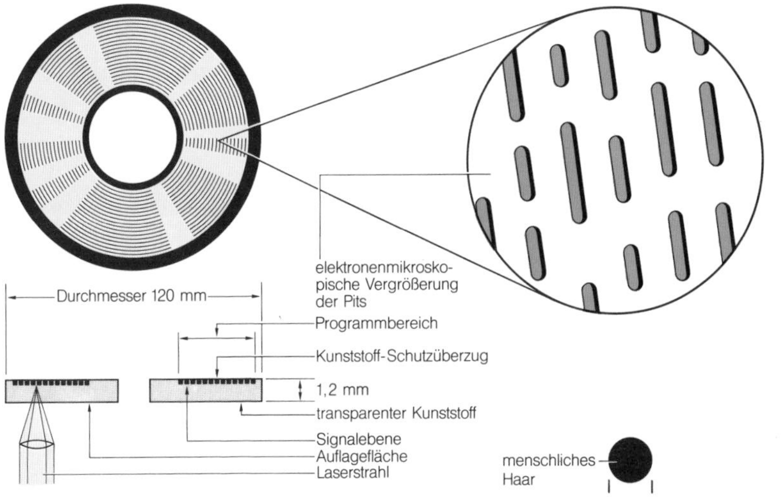

Abb. 1 Aufbau und Abmessungen der Compact Disc

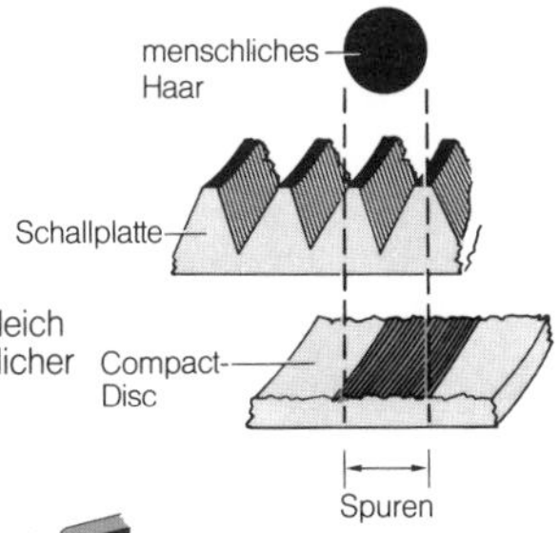

elektronenmikroskopische Vergrößerung der Pits

Durchmesser 120 mm

Programmbereich

Kunststoff-Schutzüberzug

1,2 mm

transparenter Kunststoff

Signalebene

Auflagefläche

Laserstrahl

Glas-Vater

Versilberung

Metall-Vater

Vernickeln

Metall-Mutter

Vernickeln

Matrize

Plattenpressung

Aufdampfen einer reflektierenden Aluminiumschicht

Schutzschichtüberzug

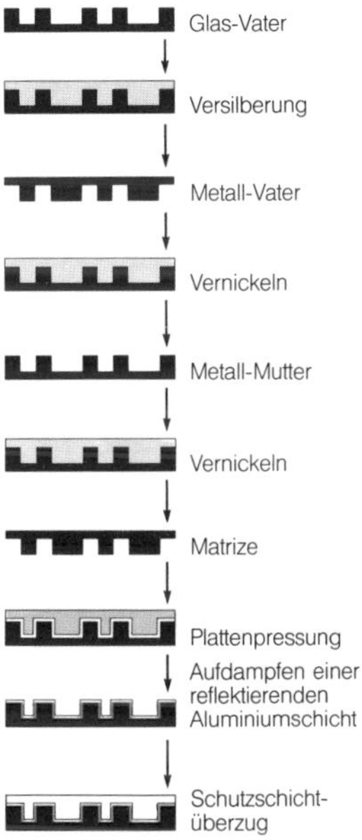

Abb. 4 Herstellungsprozeß einer Compact Disc

menschliches Haar

Schallplatte

Abb. 2 Größenvergleich zwischen herkömmlicher Schallplatte und Compact Disc

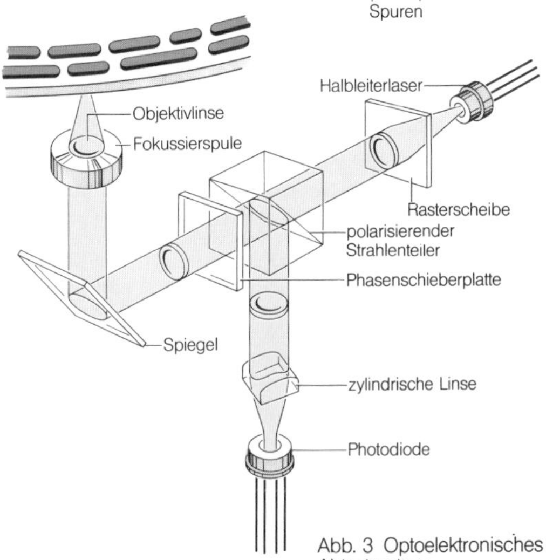

Compact-Disc

Spuren

Objektivlinse

Fokussierspule

Halbleiterlaser

Rasterscheibe

polarisierender Strahlenteiler

Phasenschieberplatte

Spiegel

zylindrische Linse

Photodiode

Abb. 3 Optoelektronisches Abtastsystem

Fernsehkamera

Die heutigen Fernsehkameras nutzen den sogenannten inneren lichtelektrischen Effekt aus, und zwar die Eigenschaft bestimmter Halbleiter, ihren Widerstand bei Belichtung zu verändern.

Das *Vidikon* (Abb. 1) ist eine Aufnahmeröhre, mit der man optische Bilder in elektrische Signale umwandeln kann. Mit einem Objektiv wird dazu das Bild auf die Vorderseite einer dünnen Schicht aus halbleitendem Material (meist Antimontrisulfid) projiziert, die selbst mit einer dünnen, lichtdurchlässigen und leitenden Schicht belegt ist. Durch das optische Bild wird die Leitfähigkeit der Speicherplatte gemäß der Helligkeit verändert. Eine Glühkathode erzeugt einen Elektronenstrahl, der durch elektrische Felder beschleunigt, durch Magnetfelder gebündelt und so abgelenkt wird, daß er die Speicherplatte zeilenweise überstreicht und elektrisch auflädt. Er wird dabei durch ein zwischen der Speicherplatte und dem davor angebrachten Netzgitter (+450 V) entstehendes Bremsfeld so abgebremst, daß er praktisch keine Sekundärelektronen mehr an der Speicherplatte auslösen kann. An den dunklen Stellen des Bildes leitet die halbleitende Schicht schlecht; dort bleibt die Ladung bis zur nächsten Wiederkehr des Elektronenstrahls erhalten. An den belichteten Stellen ist die Ladung inzwischen mehr oder weniger stark abgeflossen, so daß das Ladungsbild ein scharfes Abbild des Lichtbildes ist. Beim erneuten Aufladen der wie ein Kondensator wirkenden Speicherplatte durch den Elektronenstrahl entsteht daher ein der Helligkeit des betreffenden Bildpunktes etwa proportionaler Ladestromstoß, der von der Vorderseite der Speicherplatte über einen Kontaktring als elektrisches Signal abgenommen wird. An sehr hellen Stellen des Bildes reicht die Aufladung durch den Elektronenstrahl nicht aus, um die abgeflossene Ladung zu ersetzen. Es bleibt daher ein Restsignal, das durch andere Dunkelstromeffekte des Halbleiters noch verstärkt wird. Schnell bewegte Bildpartien ziehen deshalb „Fahnen" hinter sich her.

Inzwischen wurde eine andere Aufnahmeröhre, das *Plumbikon* (halbleitende Schicht besteht aus Bleioxid oder Bleisulfid) so weiterentwickelt, daß sie die nachteiligen Eigenschaften des Vidikons, insbesondere seine Trägheit, nicht mehr besitzt. Durch den Aufbau der Bildschicht als p-i-n-Diode (Positiv-intrinsic-negativ-Diode) mit einer eigenleitenden Schicht im p-n-Übergang ist der Dunkelstrom nur sehr gering, die Speicherkapazität des einzelnen Schichtpunktes (Teilkapazität) ist gegenüber dem Vidikon stark vermindert (1 000 pF). Die Spektralempfindlichkeit kann durch geeignete Dotierung (Einbau von Schwefel oder Bleisulfid) den Erfordernissen von Farbaufnahmen angepaßt werden. Das Plumbikon ist heute die in Studiokameras bevorzugt eingesetzte Aufnahmeröhre.

Die Farbfernsehkamera benutzt drei Plumbikons zur Erzeugung der drei Farbauszugssignale (s. Farbfernsehen S. 224 ff.). Dem Bildsignal werden noch die entsprechenden Synchronimpulse hinzugefügt (S. 212), die bei Einzelkameras in der Kamera selbst erzeugt werden. Im Studio werden wegen der notwendigen Gleichlaufs alle Kameras aus einer Impulszentrale versorgt.

Handliche Fernsehkameras (v. a. für Außenaufnahmen) enthalten sogenannte *CCD-Bildwandler* (Festkörper- oder Halbleiterbildsensoren), die in Dünnschichttechnik auf Glassubstraten hergestellt werden. Sie bestehen aus einer Vielzahl von matrixförmig angeordneten Halbleiterbauelementen (z. B. Photodioden, -transistoren oder -widerstände) als photoelektronische Lichtempfänger, die eine Zerlegung der vom Kameraobjektiv entworfenen optischen Bilder in einzelne Bildelemente und ihre Umwandlung in elektrische Signale ermöglichen. Sie sind mit zeilenweise untereinander gekoppelten CCDs (Abkürzung für charge-coupled devices = ladungsgekoppelte Bauelemente) elektrisch leitend verbunden, die die von ihnen kommenden elektrischen Signale vorübergehend speichern (Ladungsbild), ehe sie durch hochfrequente Taktimpulse abgerufen und in Fernsehbildsignale (Videosignale) umgewandelt werden. Ihre Funktion beruht auf der Verschiebung von elektrischen Ladungen im Innern einer CCD-Kette durch von außen an ihre Steuerelektroden angelegte Taktimpulsspannungen sowie einer kapazitiven Auskopplung der sich ergebenden elektrischen Signale an einem gemeinsamen Signalausgang.

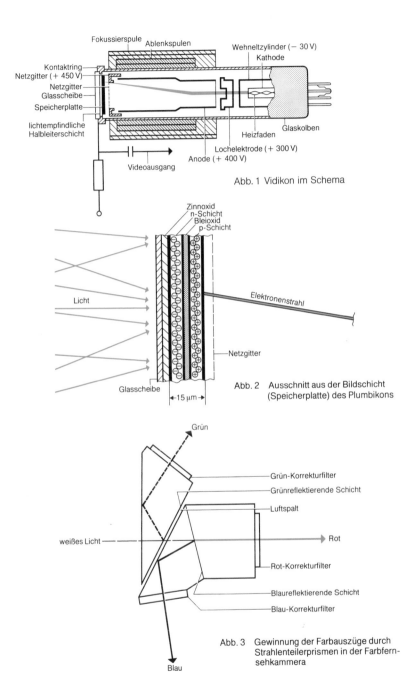

Abb. 1 Vidikon im Schema

Fokussierspule — Ablenkspulen
Wehneltzylinder (− 30 V)
Kathode
Kontaktring
Netzgitter (+ 450 V)
Netzgitter
Glasscheibe
Speicherplatte
lichtempfindliche Halbleiterschicht
Heizfaden
Glaskolben
Videoausgang
Lochelektrode (+ 300 V)
Anode (+ 400 V)

Zinnoxid
n-Schicht
Bleioxid
p-Schicht
Licht
Elektronenstrahl
Netzgitter
Glasscheibe
←15 µm→

Abb. 2 Ausschnitt aus der Bildschicht (Speicherplatte) des Plumbikons

Grün
Grün-Korrekturfilter
Grünreflektierende Schicht
Luftspalt
weißes Licht
Rot
Rot-Korrekturfilter
Blaureflektierende Schicht
Blau-Korrekturfilter
Blau

Abb. 3 Gewinnung der Farbauszüge durch Strahlenteilerprismen in der Farbfernsehkammer

209

Fernsehen (Grundlagen)

Zur Fernübertragung wird das optische Bild in ein Raster zerlegt, dessen Feinheit vom Auflösungsvermögen des menschlichen Auges bestimmt wird. Aus wirtschaftlichen Gründen überträgt man die Helligkeitswerte der einzelnen Rasterpunkte nicht gleichzeitig (simultan), sondern zeilenweise nacheinander (sequentiell). Nimmt man einen Betrachtungsabstand von etwa 2,5 m vom Bildschirm und ein durchschnittliches Auflösungsvermögen des menschlichen Auges von 50–90 Bogensekunden an, so muß das Bild mit mindestens 480 Zeilen dargestellt werden, damit das Zeilenraster unsichtbar bleibt. In Deutschland hat man sich auf 625 Zeilen geeinigt, denen bei einem Verhältnis Breite zu Höhe des Bildschirms von 4:3 gerade 833 Bildpunkte pro Zeile entsprechen.

Für die Darstellung von bewegten Bildern ist wie beim Film die Übertragung von mindestens 25 Bildern pro Sekunde notwendig, damit das Auge den Eindruck einer kontinuierlichen Bewegung erhält. Für sehr helle Bilder genügt eine Auflösung von 25 Bildern pro Sekunde nicht, da solche Bilder merklich flimmern. Ein technischer Trick, das Zeilensprungverfahren, gibt die Bilder nicht in ihrer natürlichen Reihenfolge wieder, sondern in der ersten $\frac{1}{50}$ Sekunde nur die ungeradzahligen Zeilen, in der nächsten $\frac{1}{50}$ Sekunde nur die geradzahligen Zeilen, wodurch man 50 Bilder mit halber Zeilenzahl erzeugt, die ineinander geschachtelt „geschrieben" werden und so flimmerfrei wirken.

Die Umwandlung des Bildes in elektrische Signale gemäß seiner Helligkeit (Luminanz) geschieht in der Fernsehkamera mit Hilfe geeigneter Bildwandler. Zur Darstellung eines Fernsehbildes werden $25 \cdot 625 \cdot 833 = 13\,015\,625 \approx 13$ Millionen Bildpunkte pro Sekunde benötigt, zu deren Übermittlung man mit einer Bandbreite von etwa 5 MHz auskommt. Die Fernsehsender arbeiten in einem Frequenzbereich zwischen 48,25 und 788,75 MHz, also bei Wellenlängen von etwa 6 m bis 0,40 cm (je ein Sender für die Bild- und die Tonsignale). Dabei wird der Bildsender in der Amplitude, der Tonsender wie beim UKW-Rundfunk in der Frequenz moduliert. Da hochfrequente Wellen mit so kurzer Wellenlänge der Erdkrümmung nicht folgen, haben die Sender nur eine begrenzte Reichweite. Es müssen daher Fernsehsender in Abständen von etwa 80 km stehen, um die gleichmäßige Versorgung eines Landes zu gewährleisten. In Großstädten und dicht besiedelten Gebieten wird die Versorgung der Fernsehteilnehmer über ein Kabelnetz eingeführt (vgl. S. 214).

Im Empfänger gewinnt man das Bild- und Tonsignal durch Demodulation. Man trennt beide Signale und führt das verstärkte Tonsignal dem Lautsprecher zu, während das Bildsignal den Steuerelektroden einer Braunschen Röhre zugeleitet wird. Dort beeinflußt es einen im Zeilenrhythmus der Fernsehkamera über den Leuchtschirm gleitenden Elektronenstrahl gemäß der Bildpunkthelligkeit. Auf diese Weise entsteht durch punktweisen Aufbau und durch rasche Bildfolge ein Punktbild auf dem Bildschirm, dessen Rasterung das Auge aus genügendem Abstand nicht mehr wahrnehmen kann. Um einen exakten Gleichlauf der Elektronenstrahlsteuerung in der Fernsehkamera und der Bildröhre zu gewährleisten, wird der Beginn jeder Zeile durch das Zeilensynchronsignal, der Beginn jeden Halbbildes durch das Bildsynchronsignal gekennzeichnet, die im Aufnahmesystem dem Bildsignal zugesetzt werden.

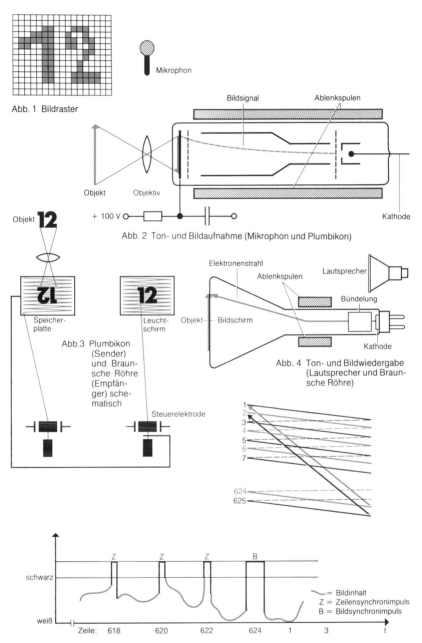

Abb. 1 Bildraster

Mikrophon

Bildsignal Ablenkspulen

Objekt Objektiv

Objekt **12**

+ 100 V Kathode

Abb. 2 Ton- und Bildaufnahme (Mikrophon und Plumbikon)

Speicher-platte

Abb.3 Plumbikon
(Sender)
und Braun-
sche Röhre
(Empfän-
ger) sche-
matisch

Leucht-schirm Objekt Bildschirm

Elektronenstrahl Ablenkspulen Lautsprecher

Bündelung

Kathode

Abb. 4 Ton- und Bildwiedergabe
(Lautsprecher und Braun-
sche Röhre)

Steuerelektrode

schwarz

weiß

Zeile: 618 620 622 624 1 3 t

= Bildinhalt
Z = Zeilensynchronimpuls
B = Bildsynchronimpuls

Abb. 5 Zeilensprungverfahren und Ausschnitt des Bildsignales mit Synchronimpulsen (schematisch)

211

Fernsehbildübertragung, Videotext

Damit das von der Fernsehkamera aufgenommene Bild auf dem Bildschirm des Empfängers reproduziert werden kann, müssen die Elektronenstrahlen in Kamera- und Bildröhre streng synchron laufen. Diese Synchronität wird durch besondere Synchronisierimpulse gewährleistet, die zugleich mit dem Bildsignal übertragen werden. Das vom Sender kommende Signal hat insgesamt drei „Inhalte": 1. die Bildinformation für die einzelne Zeile; 2. die Information für den Strahlrücklauf am Ende der Zeile auf Austastpegel, das Austastsignal; 3. das eigentliche Synchronsignal, das zeitlich in die Austastphase fällt und einen Impuls von 15 625 Hz darstellt, der über eine von einem Sägezahngenerator erzeugte Sägezahnspannung die horizontale Strahlablenkung steuert. Das Sendesignal wird darum auch BAS-Signal genannt (Abb. 1).

Form- und Spannungswerte dieses Signals sind ebenso wie die Zeilenzahl, die Bildfrequenz und die Modulationsart Bestandteil der zugrundeliegenden Sendenorm. Abb. 1 gibt die Verhältnisse der in der Bundesrepublik Deutschland geltenden CCIR-Norm wieder (CCIR Abkürzung für Comité Consultatif International des Radiocommunications). Derzufolge ist das Bildsignal B negativ moduliert, d. h., Weiß entspricht einem geringen (10 %), Schwarz einem hohen Amplitudenwert (73 %). Dazwischen stufen sich die Grauwerte treppenförmig ab. Der Strahlrücklauf, der bei völliger Dunkelheit (Strahlunterdrückung) erfolgt, liegt auf dem Pegel von 75 % (A). Er nimmt genau 18 % der Zeilendauer von 64 Mikrosekunden in Anspruch. Das Zeilensynchronsignal S ist „ultraschwarz" (100 %), es dauert genau 9 % der gesamten Zeilenzeit. Es liegt nicht mitten in der Austastphase, sondern teilt von dieser eine „vordere" und eine „hintere Schwarzschulter" von unterschiedlichen Größen (1 % und 8 %) ab.

Der synchrone Wechsel der Halbbilder wird durch das „vertikale" Synchronsignal aufrechterhalten. Es ist ein 50-Hz-Signal, besitzt also eine Schwingung pro Halbbild, diese entspricht jedoch einer Impulsfolge von 15 Einzelimpulsen und vier leeren Zeilen. Eine der Leerzeilen dient gewöhnlich zu Prüfzwecken; sie kann z. B. eine von der Sendung unabhängige Grautreppe enthalten und damit Kontrastprüfungen in Zeiten, in denen kein Testbild gesendet wird, ermöglichen. Zwei weitere Zeilen werden durch den Videotext in Anspruch genommen. Hier werden gleichzeitig mit der Bildsendung und unabhängig von ihr Schriftsendungen übertragen, die mit einem Decoder statt des Bildes auf dem Schirm sichtbar gemacht werden können. Zwei Zeilen sind hinreichend, um in codierter Form Buchstaben und Zeichen in acht Farben (einschließlich Schwarz und Weiß) zu übertragen.

Für die Funkübertragung von Bildinformationen ist ein Frequenzspektrum (eine „Bandbreite") von 5 Millionen Hz, d. h. 5 Megahertz (MHz), erforderlich. Die Trägerfrequenz für die sogenannte Amplitudenmodulation dieser Bandbreite muß ein Vielfaches höher sein als die höchste Bildfrequenz von 5 MHz, um Detailverluste zu vermeiden. Abb. 3 zeigt das Verhältnis von Trägerfrequenz und aufmodulierten Videosignalen. Es handelt sich, wie schon gesagt, um eine Negativmodulation, bei der der höchste Bildpegel (Weißpegel) der kleinsten Trägerfrequenzamplitude und die Schwarz- und Ultraschwarzwerte der Maximalamplitude der Trägerfrequenz entsprechen (CCIR-Norm). Die Trägerfrequenzen liegen in den Bereichen UKW (in der Fernsehtechnik als VHF [Abkürzung für very high frequency] bezeichnet) und im UHF-Bereich (Abkürzung für ultra high frequency):

Band	Kanäle	Bildträgerfrequenz in MHz
I (VHF)	2 bis 4	48,25 bis 62,25
III (VHF)	5 bis 11	175,25 bis 217,25
IV (UHF)	21 bis 37	471,25 bis 599,25
V (UHF)	38 bis 60	607,25 bis 783,25

Jedes Band ist in mehrere Kanäle unterteilt, die zugehörigen Tonsignale sind frequenzmoduliert, ihre Trägerfrequenzen liegen im festen Abstand von 5,5 MHz über der Bildträgerfrequenz.

Die Amplitudenmodulation bedingt über und unter der Trägerfrequenz sogenannte Seitenbänder, deren Frequenzbreite so groß ist wie der aufmodulierte Signalbereich, also je 5 MHz (Abb. 4). Da nur eines dieser Seitenbänder für die Videoübertragung erforderlich ist, kann z. B. das untere Seitenband zum größten Teil unterdrückt werden. Das übrigbleibende „Restseitenband" umfaßt 7 MHz, schließt also die Tonträgerfrequenz mit ein und wahrt eine gewisse neutrale Zone zum nächsten Kanal hin. Die Kanäle können daher sehr kompakt auf den Bändern angeordnet werden.

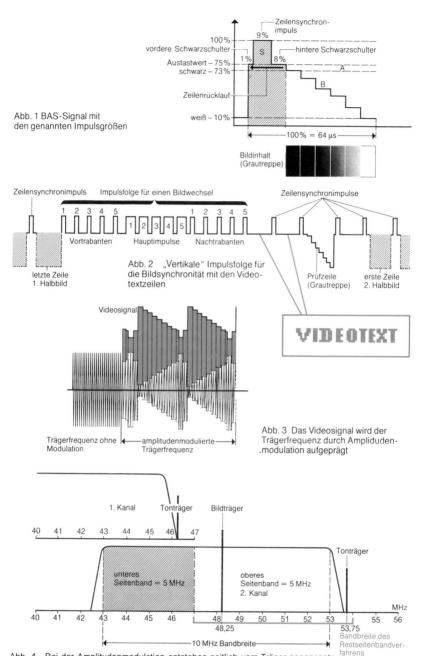

Abb. 1 BAS-Signal mit den genannten Impulsgrößen

Zeilensynchron-impuls

100%

vordere Schwarzschulter

1%

9%

S

8%

hintere Schwarzschulter

Austastwert – 75%

schwarz – 73%

A

B

Zeilenrücklauf

weiß – 10%

100% = 64 µs

Bildinhalt (Grautreppe)

Zeilensynchronimpuls   Impulsfolge für einen Bildwechsel   Zeilensynchronimpulse

1 2 3 4 5   1 2 3 4 5
1 2 3 4 5

Vortrabanten   Hauptimpulse   Nachtrabanten

letzte Zeile
1. Halbbild

Abb. 2 „Vertikale" Impulsfolge für die Bildsynchronität mit den Videotextzeilen

Prüfzeile (Grautreppe)

erste Zeile
2. Halbbild

Videosignal

VIDEOTEXT

Trägerfrequenz ohne Modulation

amplitudenmodulierte Trägerfrequenz

Abb. 3 Das Videosignal wird der Trägerfrequenz durch Ampliduden-.modulation aufgeprägt

1. Kanal   Tonträger   Bildträger

40 41 42 43 44 45 46 47

unteres Seitenband = 5 MHz

oberes Seitenband = 5 MHz
2. Kanal

Tonträger

MHz

40 41 42 43 44 45 46 48 49 50 51 52 53 55 56

48,25   53,75

10 MHz Bandbreite

Bandbreite des Restseitenbandverfahrens

Abb. 4 Bei der Amplitudenmodulation entstehen seitlich vom Träger sogenannte „Seitenbänder". Das untere Seitenband wird unterdrückt, das Restseitenband von 7 MHz wird gesendet.

213

Kabelanschluß und Satellitenfernsehen

Beim Kabelanschluß werden die Rundfunk- und Fernsehprogramme nicht mehr „durch die Luft", sondern über sogenannte Breitbandverteilnetze zum Teilnehmer hin übertragen.

Für terrestrisch übertragene Hörfunk- und Fernsehprogramme sind durch internationale Abkommen der Bundesrepublik Deutschland Frequenzen aus bestimmten Frequenzbereichen zugewiesen.

In der Bundesrepublik Deutschland teilen sich insgesamt 13 Rundfunkanstalten mit meist mehreren Programmen diese Frequenzbereiche. Dadurch sind die vorhandenen Frequenzen sehr stark ausgenutzt und eine Ausweitung des Programmangebotes ist auf diesem Wege praktisch kaum noch möglich. Außerdem begann im innerstädtischen Bereich die immer weiter in die Höhe getriebene Bebauung immer mehr den Empfang in benachbarten Wohngebieten durch Abschattungen und Reflexionen störend zu beeinflussen. Für Satelliten, die man ebenfalls zum Abstrahlen von Rundfunk- und Fernsehprogrammen nutzen kann, mußten Möglichkeiten gesucht werden, um die empfangsseitig hohen Kosten für die Antennenanlagen auf eine Vielzahl von Teilnehmern zu verteilen. Diese Probleme lassen sich durch den Aufbau von Breitbandverteilnetzen lösen, die seit 1979 als sogenannte Inselnetze in der Bundesrepublik aufgebaut werden.

An einem zentralen und empfangstechnisch günstigen Standort, z.B. einem Fernmeldeturm, werden mit aufwendigen Antennenanlagen terrestrische Rundfunk- und Fernsehsendungen empfangen. Mit Hilfe von Parabolspiegeln werden über Richtfunk zusätzlich die Programme herangeführt, die von terrestrischen Sendern abgestrahlt werden, deren Signale aber am Empfangsort für eine normale Antennen-Empfänger-Anlage zu schwach sind. Über weitere Parabolspiegel werden die von Satelliten abgestrahlten Programme aufgenommen. Dabei sind zwei Arten von Satelliten zu unterscheiden. Die *Fernmeldesatelliten*, wie ECS, Intelsat V und (ab 1987) Kopernikus, übertragen vorwiegend Telefongespräche sowie Text- und Datensignale und zusätzlich auch Fernsehprogramme. Aufgrund dieses stärker auf die Individualkommunikation ausgerichteten Einsatzes sind die Fernsehsignalleistungen gering und können nur mit größeren Parabolspiegeln von etwa 4 m Durchmesser empfangen werden. Im Gegensatz dazu ist z.B. der TV Sat (ab 1986) ein direktstrahlender *Rundfunksatellit*. Aufgrund seiner höheren Sendeleistung können die von ihm abgestrahlten Fernseh- und Hörfunkprogramme mit kleineren Parabolspiegeln (etwa 0,8 m Durchmesser) und geeigneten technischen Anlagen von jedermann empfangen werden.

Die empfangenen, für eine Kabeleinspeisung vorgesehenen Signale werden in einer Rundfunkempfangsstelle ausgeregelt, entzerrt und in eine für das Breitbandnetz geeignete Übertragungsfrequenz umgesetzt. Außerdem werden bei ausländischen Programmen die Umsetzungen der Farbfernsehnormen vorgenommen. Die übertragene Bandbreite beträgt 47 bis 300 MHz. Mit Rücksicht auf vorhandene ältere Rundfunk- und Fernsehempfänger und weil bei niederen Frequenzen die Kabeldämpfung nur gering ist, werden die Stereo-Rundfunk- und Fernsehprogramme in den gleichen Frequenzbereichen übertragen, in denen sie auch drahtlos verbreitet werden.

Da die Selektionseigenschaften älterer Geräte noch nicht so gut sind, wurde zur Vermeidung von gegenseitiger Beeinflussung im VHF-Bereich I und III nur jeder 2. Kanal mit einem Fernsehsignal belegt. Damit sind hier 5 bzw. 6 Fernsehprogramme übertragbar. Für alle weiteren werden die Bereiche oberhalb und unterhalb des VHF-Standardbereiches genutzt. Diese Bereiche bilden den Sonderkanalbereich. Bei Belegung aller Kanäle, auch der Nachbarkanäle, können bis zu 30 Fernsehprogramme und 24 Rundfunkprogramme übertragen werden. Durch technische Maßnahmen, z.B. andere Aufbereitung der Signale, Erweiterung des übertragenen Frequenzbereiches, durch Einbau von noch breitbandigeren Verstärkern usw., kann die Zahl der übertragbaren Programme weiter erhöht werden.

Zur Verteilung der Programme dient ein baumförmiges Koaxialkabelleitungsnetz. *Koaxialkabel* bestehen aus einem Kupferleiter, der getrennt durch isolierenden Kunststoff konzentrisch bzw. koaxial von einem Kupferzylinder umgeben ist. Erst dieser besondere Kabelaufbau ermöglicht diese breitbandige (47 bis 300 MHz) Übertragung über größere Entfernungen mit wirtschaftlich vertretbaren Verstärkerabständen (meist zwischen 300 und 400 m).

214

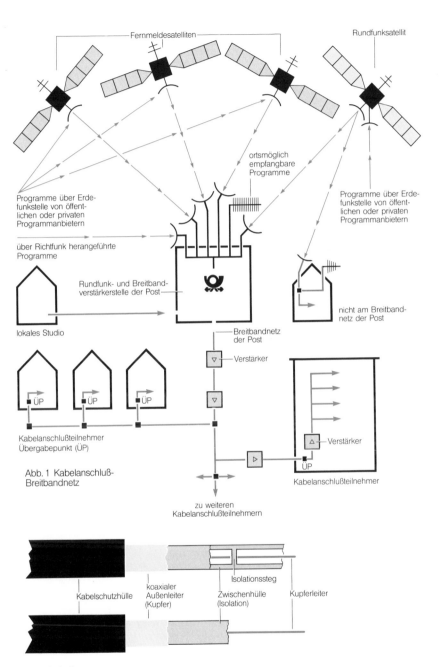

Fernmeldesatelliten

Rundfunksatellit

ortsmöglich
empfangbare
Programme

Programme über Erde-
funkstelle von öffent-
lichen oder privaten
Programmanbietern

Programme über Erde-
funkstelle von öffent-
lichen oder privaten
Programmanbietern

über Richtfunk herangeführte
Programme

Rundfunk- und Breitband-
verstärkerstelle der Post

nicht am Breitband-
netz der Post

lokales Studio

Breitbandnetz
der Post

Verstärker

Kabelanschlußteilnehmer
Übergabepunkt (ÜP)

ÜP   ÜP   ÜP

Verstärker

ÜP

Kabelanschlußteilnehmer

Abb. 1 Kabelanschluß-
Breitbandnetz

zu weiteren
Kabelanschlußteilnehmern

Kabelschutzhülle

koaxialer
Außenleiter
(Kupfer)

Isolationssteg

Zwischenhülle
(Isolation)

Kupferleiter

Abb. 2 Aufbau von
Koaxialkabeln

215

Videosignale lassen sich ähnlich wie Schallereignisse auf einem Magnetband speichern; auch Überspielung und Löschung sind möglich. Der Videokopf übernimmt bei der magnetischen Bildaufzeichnung die Rolle des Tonkopfs bei der magnetischen Tonaufzeichnung. Ein erheblicher Unterschied besteht jedoch in der Anforderung an die Aufzeichnungskapazität: während bei einem Kassettenrecorder bzw. Tonband maximal 20 000 Hertz aufzunehmen sind, beanspruchen Videosignale, die für die Magnetaufzeichnung frequenzmoduliert sein müssen, eine (optimale) Bandbreite von 3,8 bis 4,8 Megahertz (Videorecorder für den Studiobetrieb können bis zu 5 Megahertz aufnehmen, Heimgeräte 3 bis 3,5 Megahertz, was für eine gute Bildqualität ausreicht). Dieser Sachverhalt bedingt bei „halbzölligen" Magnetbändern (12,7 mm breit) bei den üblichen Kopfspaltbreiten von 2 Mikrometern eine Bandlaufgeschwindigkeit von 8,1 Meter pro Sekunde (statt beispielsweise 0,19 Meter pro Sekunde beim Tonband). Eine solch hohe Bandgeschwindigkeit würde zu untragbaren Bandlängen und zu mechanischen Schwierigkeiten führen. Deshalb verwendet man rotierende Videoköpfe. Die erforderliche Aufzeichnungsgeschwindigkeit läßt sich dadurch als Relativgeschwindigkeit zwischen Bandlauf und gleichzeitiger Kopfrotation erreichen.

Handelsübliche Videorecorder für den Heimgebrauch arbeiten mit dem *Schrägspurverfahren*. Das Magnetband (Breite je nach System zwischen $\frac{1}{2}$ Zoll = 12,7 mm und 1 Zoll = 25,4 mm) enthält auf schrägliegenden Spuren die Videosignale ($\frac{1}{2}$ Bild pro Schrägspur) und auf zwei schmalen Randspuren jeweils Ton- bzw. Synchronoder Kontrollsignale in Längsschrift. Bei dieser Schrägspuraufzeichnung läuft das Band schräg an der sich mit 25 Umdrehungen pro Sekunde drehenden Kopftrommel vorbei. Diese trägt zwei Videoköpfe, die bei jeder Umdrehung zwei Halbbilder, d.h. pro Sekunde 50 Halbbilder aufzeichnen bzw. abtasten. Diese Aufzeichnungs- bzw. Abtastgeschwindigkeit entspricht der Fernsehnorm. Dabei bewegen sich Kopf und Band unterschiedlich schnell, aber in derselben Richtung. Die Aufzeichnungsgeschwindigkeit für Videosignale ist gleich der Relativgeschwindigkeit, d.h. gleich der Differenz zwischen Kopfgeschwindigkeit (5–8 m pro Sekunde) und der Bandtransportgeschwindigkeit (beim Betamax-System 1,87 cm/s,

beim VHS-System 2,34 cm/s, beim Video-2000-System 2,44 cm/s). Die Aufzeichnungsgeschwindigkeit für Tonsignale auf der Randspur ist gleich der Bandgeschwindigkeit, da diese in Längsschrift abgespeichert werden. Die Tonqualität ist entsprechend begrenzt. Zur Verbesserung des Störabstands wird ein Rauschunterdrückungssystem verwendet, das bei der Aufzeichnung hohe Frequenzen in der Amplitude anhebt und sie bei der Wiedergabe wieder absenkt. Dabei sorgt eine dynamische Regelung dafür, daß das Band bei der Aufnahme hoher Frequenzen mit großer Amplitude nicht übersteuert wird. Bei neueren Geräten des Betamax-Systems wird das frequenzmodulierte Tonsignal zusätzlich mit dem Farbsignal und dem Videosignal von den Videoköpfen mit einer Aufzeichnungsgeschwindigkeit von 5,83 cm/s im Schrägspurverfahren aufgezeichnet.

Seit 1984 gibt es auch Videorecorder (besonders beim VHS-System), bei denen auf der rotierenden Kopftrommel zusätzlich zwei Tonköpfe montiert sind. Die frequenzmodulierten Tonsignale werden hier ebenfalls im Schrägspurverfahren gespeichert. Durch entsprechende Gestaltung der Tonköpfe wird erreicht, daß die Tonsignale tiefer in der magnetischen Bandbeschichtung abgespeichert werden, während die Videoköpfe nur die Magnetisierung der Schichtoberfläche verändern. Durch dieses Multiplexverfahren wird Hi-Fi-Tonqualität erreicht. Auch die Aufzeichnung von Stereosendungen und zweisprachigen Sendungen ist möglich.

Beim Video-2000-System wird bei der Tonaufzeichnung nicht die Frequenzmodulation, sondern die Pulscodemodulation verwendet, wodurch spezielle Fehlerschutzverfahren ermöglicht werden. Auch das Abspeichern von Kenndaten ist möglich, um bestimmte Musikstücke wiederzufinden. Mit einem zusätzlichen PCM-Prozessor kann ein Videorecorder auch als Hi-Fi-Tonbandgerät benutzt werden. In diesem Fall wird kein Bildsignal abgespeichert. Dafür wird das Tonsignal von den Videoköpfen im Schrägspurverfahren aufgezeichnet.

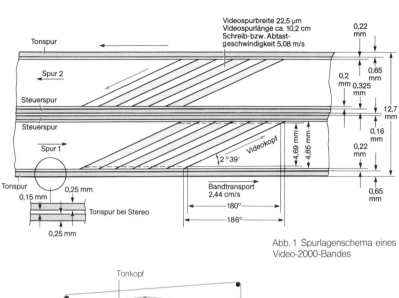

Videospurbreite 22,5 µm
Videospurlänge ca. 10,2 cm
Schreib- bzw. Abtast-
geschwindigkeit 5,08 m/s

Tonspur

Spur 2

Steuerspur

Steuerspur

Spur 1

Videokopf

2°39'

Tonspur

0,15 mm   0,25 mm

Tonspur bei Stereo

0,25 mm

Bandtransport
2,44 cm/s

180°

186°

0,22 mm
0,65 mm
0,2 mm
0,325 mm
12,7 mm
0,16 mm
0,22 mm
0,65 mm

4,69 mm
4,85 mm

Abb. 1 Spurlagenschema eines
Video-2000-Bandes

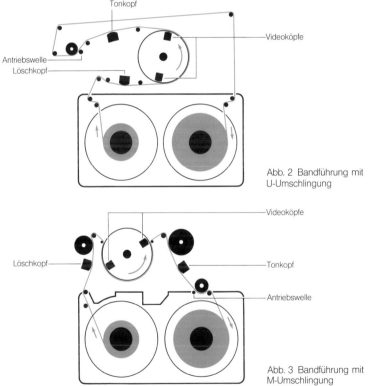

Tonkopf

Videoköpfe

Antriebswelle

Löschkopf

Abb. 2 Bandführung mit
U-Umschlingung

Videoköpfe

Löschkopf

Tonkopf

Antriebswelle

Abb. 3 Bandführung mit
M-Umschlingung

Videotechnik II

Den verschiedenen Videorecordersystemen wie Video 2000, Betamax (japanisch beta = dicht an dicht), VHS (Abkürzung für Video-Home-System) ist also das Schrägspurverfahren gemeinsam. Unterschiede beruhen vor allem auf verschiedenen Aufnahme- bzw. Bandgeschwindigkeiten und auf verschiedenen Arten der Bandführung an der Videokopftrommel. Man unterscheidet die U-Umschlingung und die M-Umschlingung (Abb. 2 und 3, S. 217). Seit 1985 wird ein Videorecordersystem angeboten, das mit einer Norm-Videokassette (9,5 cm lang, 6,2 cm breit, 1,5 cm hoch) mit einem nur 8 mm breiten metallbeschichteten Band arbeitet. Bei diesem 8-mm-System (8-mm-Video, Video-8) werden die Bildsignale im Schrägspurverfahren und die Tonsignale grundsätzlich im Längsspurverfahren aufgezeichnet. Um Hi-Fi-Qualität zu erreichen, sind Tonaufzeichnungen (sowohl frequenzmoduliert als auch pulscodemoduliert) in den Videospuren möglich. Durch eine 216°-Umschlingung wird eine relativ kleine Kopftrommel benötigt. Während eines Abschnitts von 180° werden Bild- und Tonsignale aufgezeichnet. Der restliche 36°-Abschnitt dient zur Abspeicherung von Tonsignalen (falls sie pulscodemoduliert vorliegen) sowie einer Pilotfrequenz für die Videokopfjustierung.

Videorecordersysteme ermöglichen zahlreiche Sonderfunktionen, u. a. Standbild, Zeitlupe, Rückwärtsbetrieb, Zeitraffer und Bildsuchlauf. Zur Wiedergabe eines Standbildes wird der Bandtransport gestoppt. Die an dieser Stelle gespeicherten Videosignale können nun mehrfach abgetastet werden. Durch langsamere bzw. schnellere Geschwindigkeit des Videobandes lassen sich Zeitlupeneffekte und Zeitraffereffekte erzielen.

Bei den heutigen *Videokameras* haben sich die Einröhrenkameras mit Streifenfiltern durchgesetzt. Bei diesem Kameratyp befindet sich direkt vor dem Abtastschirm der Röhre ein Filter, das aus schmalen Streifen besteht. Jeder Streifen läßt nur eine bestimmte Farbe durch. Man unterscheidet Parallelstreifen- und Kreuzfilter.

Abhängig von der Farbe des Lichts, das auf das Filter trifft, liefert die Röhre an ihrem Ausgang verschiedene Rechteckschwingungen, die abgetastet werden. Durch Verarbeitung der Signale erhält man dann das Farbsignal.

Die Aufnahmeröhre besitzt als wesentlichen Bestandteil eine Speicherplatte. Die elektrisch beheizte Kathode sendet Elektronen aus, die durch die Spannungen zwischen den Elektroden gebündelt und beschleunigt werden, bevor sie auf die Speicherplatte treffen. Die Steuerung des Elektronenstrahls – Zeile für Zeile – erfolgt durch Ablenkungsspulen. Die auf der Speicherplatte codierten Videosignale werden dann vom Elektronenstrahl abgetastet. Über ein Kamerakabel ist die Kamera mit dem Videorecorder verbunden. Mit diesem werden die Bild- und Tonsignale sowie die Start-Stop-Informationen zum Videorecorder übertragen. Vom Recorder kommen die Stromversorgung und die Informationen für die Aufnahmebereitschaft des Recorders.

Die Ausrüstung kann ergänzt werden durch ein externes Mikrophon, durch Kopfhörer und Synchronisationseinrichtungen für Videoaufnahmen, die mit zwei oder mehreren Kameras aufgezeichnet werden.

Bei Videokameras ohne Aufnahmeröhre übernimmt ein MOS-Halbleiter-Bildwandler die Funktion der Aufnahmeröhre. Die optischen Signale werden durch den nur briefmarkengroßen Bildwandler direkt in elektrische Signale umgewandelt. Der Bildwandler arbeitet verzerrungsfrei. Die Auflösung ist besser als die vergleichbarer Röhrenkameras, und die Farbwiedergabe ist auch bei schwachem Licht originalgetreu. Außerdem entfällt der Nachzieheffekt bei schnellen Schwenks.

Bei *Kamerarecordern,* kurz *Kamcordern,* ist ein kleines, tragbares Videoaufnahmegerät mit der Kamera verbunden. Allerdings ist die Aufzeichnung begrenzt (bis zu einer halben Stunde).

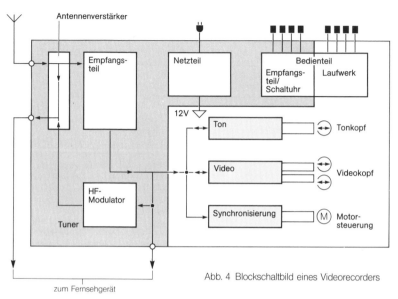

Abb. 4 Blockschaltbild eines Videorecorders

zum Fernsehgerät

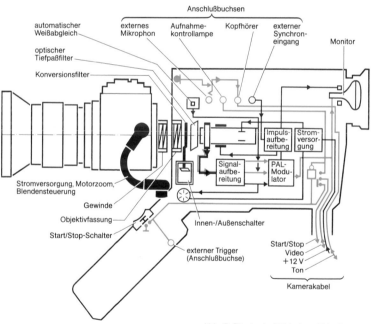

Abb. 5 Blockschaltbild einer Videokamera

Bildschirmspiele

Bildschirmspiele ermöglichen die Abkehr vom bloßen passiven Miterleben des Bildschirmgeschehens. Es handelt sich dabei um Spiele, die mit Hilfe eines an einen Fernsehempfänger anschließbaren Zusatzgeräts auf dem Bildschirm gespielt werden können. Die Spieler steuern ihre „Züge" oder Aktivitäten nach bestimmten Spielregeln von Hand. Der Bildschirm dient als Spielfeld oder Spielbrett.

Die Bildschirmspiele der ersten Generation sind durchweg „Ping-pong-Spiele", bei denen ein auf dem Bildschirm mehr oder weniger schnell wandernder heller Punkt als Spielball dient, dessen Bewegung von dem bzw. den Spielern gesteuert wird bzw. auf dessen Bewegung hin er oder sie zu reagieren haben.

In der „zweiten Generation", die seit 1977 im Handel ist, sind bereits vielerlei Möglichkeiten gegeben. Die verbesserte Technik ermöglicht Autorennen, Tennis oder andere Ballspielarten auf dem Bildschirm, aber auch Kartenglücksspiele wie „17 und 4" sowie Schießspiele: beim richtigen Zielen auf das Licht des wandernden Zielpunktes auf dem Bildschirm fällt dessen Licht auf eine Photozelle im Lauf des Spielgewehrs und löst elektronisch das Löschen („Abschießen") des Lichtpunktes aus. Charakteristisch für diese Bildschirmspiele ist die farbige Darstellung auf dem Bildschirm, Treffer bzw. Punkteinblendung für die Spieler, und die Erzeugung bildsynchroner Geräusche. Durch auswechselbare Spielkassetten ergibt sich eine Vielzahl von Spielmöglichkeiten.

Bei verschiedenen Spielen werden bereits komplizierte Strukturen abgebildet, z. B. stilisierte Personen, Rennwagen und Raumschiffe. Durch ein als Joystick bezeichnetes Bedienungselement, das wie ein kleiner Steuerknüppel betätigt werden kann, können gewisse Bildelemente in verschiedenen Richtungen auf dem Bildschirm bewegt werden. Darüber hinaus sind bei manchen Bildschirmspielen auch Drehungen von Objekten möglich.

Bildschirmspiele der „dritten Generation" sind mikroprozessorgesteuert. Je nach Einstellung kann mit Hilfe des Mikroprozessors ein Schachbrett, ein Mühlespiel oder eine andere Grundform für ein Spiel auf dem Bildschirm dargestellt werden. In manchen Spielversionen übernimmt der Mikroprozessor die Rolle des Gegners des Bildschirmspielers. Außerdem lassen sich diese Spiele auf einen bestimmten Schwierigkeitsgrad und eine bestimmte Spielgeschwindigkeit einstellen. Neben Joysticks werden auch andere Mehrfunktionselemente verwendet.

Bildschirmspiele der „dritten Generation" umfassen neben taktischen Spielen mit zum Teil komplizierten, sich ändernden Strukturen auch Glücks- und Gesellschaftsspiele sowie Denksportaufgaben. Auch bei diesen Bildschirmspielen ist durch Wechselkassetten eine Vielzahl von Möglichkeiten gegeben.

Noch mehr Möglichkeiten bietet der Heimcomputer. Hier lassen sich mit der geeigneten, auf Diskette abgespeicherten Software filmähnliche Strukturen und Bewegungsabläufe erzeugen. So liefert der Heimcomputer z. B. bei einem Programm zur Flugsimulation im oberen Teil des Bildschirms ein realistisches, simuliertes Abbild der überflogenen Stadt oder Landschaft und im unteren Teil des Bildschirms die für den Flug erforderlichen Instrumente, darunter künstlicher Horizont und Flughöhenanzeiger, Kreisel- und Magnetkompaß, Gleitweganzeiger und Uhrzeit. Hierbei ermöglicht die Tastatur des Heimcomputers zusätzlich eine Vielzahl von Programmiermöglichkeiten.

Fernsehgerät

Videokassette

Steuerknüppel
(Joystick)

Kassettengerät

Abb. 1 Videospielsystem mit
programmierbarem Kassettengerät
und Steuerknüppeln (Joysticks)

Videokassette

Steuerknüppel
(Joystick)

Tastatur
Drehregler

Abb. 2 Kassettengerät für Video-
spiele mit zwei Steuerknüppeln
(Joysticks), Drehreglern und
Tastatur

Abb. 3 Beispiele für die Bildschirm-
darstellung einfacher Videospiele

221

Bildplatte

Für die Unterhaltungselektronik stehen heute weltweit drei Bildplattensysteme zur Auswahl.

Bei der kapazitiven Abtastung gibt es die beiden Systeme *CED* (Abkürzung für capacitance electronic disc) und *VHD* (Abkürzung für video high density). Beide Systeme verwenden eine Nadel, die kapazitiv die Information auf der Plattenoberfläche abtastet, wobei bei der CED-Bildplatte (Durchmesser 30 cm) eine Rille zur Führung der Nadel dient, während bei der VHD-Bildplatte (Durchmesser 25 cm) die Führung der Nadel rillenlos durch einen Servomechanismus erfolgt, der die Spurinformationen aus einem für die Platte aufgezeichneten Hilfssignal ableitet. Die Spieldauer beträgt bei beiden Systemen eine Stunde pro Seite.

Bei der optischen Abtastung (*LV*, Abkürzung für laser vision, auch *VLP*, Abkürzung für video long play) wird die mit 1 500 Umdrehungen pro Minute rotierende Bildplatte (Durchmesser 30 cm) mit einem Laserstrahl berührungslos abgetastet, der auf die Reflexionsschicht der Bildplatte mit einem Durchmesser von etwa 0,9 Mikrometer fokussiert wird. Dabei werden die Videosignale in Form von spiralförmig angeordneten, mikroskopisch kleinen Vertiefungen, den Pits, in einem dünnen Metallfilm auf der Oberfläche der Bildplatte unter einer glatten Schutzschicht gespeichert. Die Pits sind 0,4 Mikrometer breit, 0,1 Mikrometer tief und der Spurmittenabstand beträgt 1,6 Mikrometer. Die Länge der Pits variiert entsprechend dem Signal. Bei Abspielen der Bildplatte mit dem Bildplattenspieler werden die durch unterschiedliche Reflexion des Laserstrahls sich ergebenden Lichtschwankungen mit Hilfe von Photodioden in elektrische Spannungsschwankungen umgewandelt und diese mittels einer komplizierten Digitalelektronik als Farbfernsehbilder zurückgewonnen.

Laser-Vision-Bildplatten gibt es in zwei Ausführungen. Die Spielzeit einer Bildplatte mit 30 cm Durchmesser beträgt in *CAV*-Ausführung (Abkürzung für constant angular velocity) 36 Minuten je Plattenseite. In dieser Ausführung rotiert die Bildplatte mit konstanter Drehgeschwindigkeit. In *CLV*-Ausführung (Abkürzung für constant linear velocity) werden 60 Minuten Spielzeit je Plattenseite erreicht. Beim CLV-Betrieb wird durch variable Plattendrehzahl eine konstante Abtastgeschwindigkeit ermöglicht. Beide Versionen sind auf einem Bildplattenspieler abspielbar, der sich aufgrund der jeweiligen Bildplattenkodierung automatisch auf die entsprechende Ausführung einstellt. Die Laser-Vision-Bildplatte in CLV-Ausführung ermöglicht Stereowiedergabe in Hi-Fi-Qualität, Schnelldurchlauf und Einzelbild-Direktanwahl, die Bildplatte in CAV-Ausführung ermöglicht zusätzliche Zeitlupe, Zeitraffer und Einzelbildwiedergabe.

Der Vorteil der Bildplatte gegenüber dem Videoband besteht vor allem in der besseren Bild- und Tonqualität. Außerdem besitzen Bildplatten eine außerordentlich hohe Speicherdichte und eine kurze Zugriffszeit zu Einzelbildern oder zu einzelnen Szenen. Die für die Speicherung eines Vollbildes notwendige Fläche auf dem Trägermaterial beträgt bei Super-8-Film 26 mm^2, beim Videorecordersystem Video 2000 etwa 5 mm^2, bei der Bildplatte dagegen nur 0,6 mm^2. Auf einer Seite einer 30-cm-Bildplatte sind 90 000 Vollbilder aufgezeichnet. Dies entspricht einer Stunde Programm. Bildplatten haben den Nachteil, daß sie vom Benutzer nicht gelöscht und neu bespielt werden können.

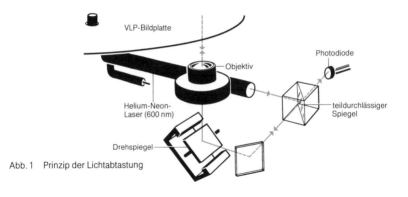

VLP-Bildplatte

Photodiode

Objektiv

Helium-Neon-Laser (600 nm)

teildurchlässiger Spiegel

Drehspiegel

Abb. 1 Prinzip der Lichtabtastung

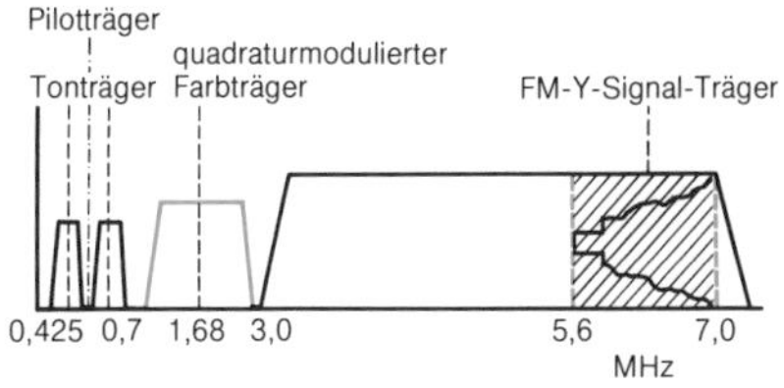

Pilotträger

Tonträger | quadraturmodulierter Farbträger

FM-Y-Signal-Träger

Abb. 2 VLP-Frequenzspektrum
mit Pilotträger 560 kHz

0,425 0,7   1,68 3,0   5,6   7,0

MHz

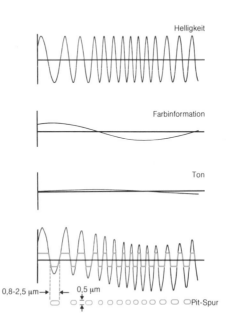

Helligkeit

Farbinformation

Ton

0,8-2,5 μm → ← → 0,5 μm

Pit-Spur

Abb. 3 Prinzip der Signal-
aufbereitung beim
VLP-Verfahren

223

Farbfernsehen I

Das Grundprinzip des Farbfernsehens beruht auf der Umwandlung der Farbtöne („Farben") und der Farbsättigung („Farbstärke") in elektrische Signale, die über Leitungen oder drahtlos an den Empfangsort übertragen und dort in ein farbiges Bild rückgewandelt werden. Zusätzlich zu der in einem Schwarzweißbild enthaltenen Helligkeitsinformation *(Luminanzsignal)* sind daher Informationen über die Farbsättigung und die Farbtöne *(Chrominanzsignal)* erforderlich.

Alle in der Natur vorkommenden Farben lassen sich durch additive Mischung von drei Spektralfarben Rot (R), Grün (G) und Blau (B) gemäß dem Farbdreieck der Internationalen Beleuchtungskommission (IBK) darstellen. Durch eine geeignete Darstellung, unter Berücksichtigung der Farbempfindlichkeit des menschlichen Auges, kann man den Spektralfarbenzug von R über G nach B, ergänzt durch die Purpurlinie von B nach R, in der Ebene wiedergeben. Im Inneren liegen dann alle durch additive Mischung realisierbaren Farben, einschließlich des Weißpunktes für „unbunte" Farben.

Die drei Farbauszüge werden in der Farbfernsehkamera mit Hilfe von Filtern und drei Aufnahmeröhren gewonnen und in elektrische Signale E_R, E_G und E_B umgewandelt. Im Farbfernsehgerät steuern die drei *Farbauszugsignale* E_R, E_G und E_B je einen der drei Elektronenstrahlen einer Farbbildröhre. Diese sind so ausgerichtet, daß ihre Strahlen gemeinsam durch eines der 357 000 Löcher einer *Lochmaske (Schattenmaske)* auf eine Dreiergruppe von rot, grün und blau aufleuchtenden Phosphorscheibchen fallen (vgl. Abb. 6, S. 229). Die Phosphorscheibchen sind so klein, daß sie vom Auge nicht einzeln wahrgenommen werden. Durch additive Mischung der drei Grundfarben entsteht der farbige Bildeindruck. Man stellt die Phosphorscheibchen meist nicht aus reinen Spektralleuchtstoffen her, da sie technisch nur aufwendig realisierbar sind. Als Konsequenz daraus muß die Farbfernsehkamera an die Wiedergabeverhältnisse durch geeignete Korrekturfilter angepaßt werden. Die Qualität eines Farbfernsehsystems und die Größe des naturgetreu übertragbaren Farbbereichs hängen von der Übereinstimmung der Durchlaßkurven der Aufnahmefilter mit der Farbcharakteristik der verwendeten Leuchtstoffe auf der Wiedergabeseite ab.

Die Elektronenstrahlen einer Farbbildröhre werden prinzipiell wie bei einer Schwarzweißbildröhre magnetisch abgelenkt (S. 60), jedoch sind erhebliche Zusatzeinrichtungen erforderlich, damit jeder Strahl nur die zugehörigen Leuchtpunkte trifft (Konvergenzeinstellung). Neuere Farbbildröhren haben deshalb nebeneinanderliegende Elektrodensysteme *(In-line-Röhre)* und Schattenmasken mit versetzt angeordneten vertikalen Schlitzen *(Schlitzmaskenröhre,* Abb. 7, S. 229) oder parallel gespannten, senkrechten Metallstreifen *(Trinitronröhre).* Der Schaltungsaufwand für die Konvergenzeinstellung läßt sich so erheblich vereinfachen.

Zur vollständigen Übertragung der drei Farbauszugsignale ist im Prinzip der dreifache sendetechnische Aufwand gegenüber dem Schwarzweißfernsehen erforderlich. Das wäre wirtschaftlich nicht zu vertreten. In umfangreichen, augenphysiologischen Untersuchungen hat sich ergeben, daß für die Schärfe des Bildes wesentlich nur der Helligkeitsanteil E_Y des Bildes maßgebend ist, während die Farbinformation mit wesentlich geringerer Schärfe (d. h. kleinerer Bandbreite) übertragen werden kann. Heute haben sich ein Vorschlag des National Television System Comitee (NTSC-System), mit verschiedenen kleinen Änderungen das PAL-System und das SECAM-System durchgesetzt (vgl. Tabelle S. 228). Entsprechend der Augenempfindlichkeitskurve wird in einem „Coder" aus den drei Farbauszugssignalen E_R, E_G, E_B ein Helligkeitssignal E_Y gebildet, das mit der üblichen Bandbreite von ca. 5 MHz übertragen wird und in einem Schwarzweißempfänger als Schwarzweißbild der farbigen Vorlage erscheint.

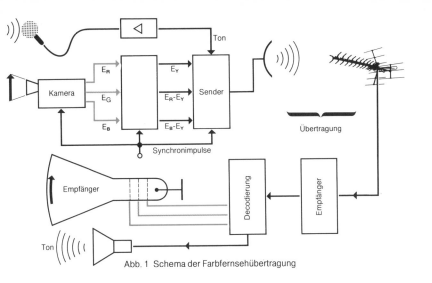

Abb. 1 Schema der Farbfernsehübertragung

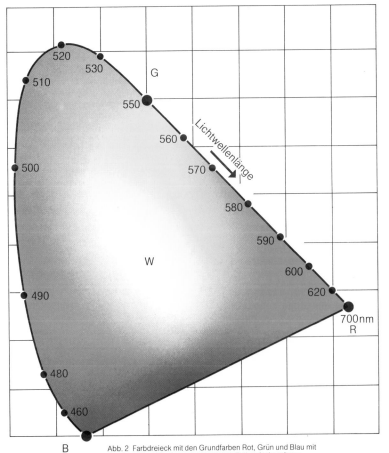

Abb. 2 Farbdreieck mit den Grundfarben Rot, Grün und Blau mit durch additive Mischung entstandenen Farbzwischentönen

225

Farbfernsehen II

Zur Farbinformation genügt es, zusätzlich zu dem Luminanzsignal E_Y zwei Farbdifferenzsignale, und zwar $(E_R - E_Y) = V$ und $(E_B - E_Y) = U$, mit wesentlich geringerer Schärfe (Bandbreite ca. 1 MHz) zu übertragen, aus denen man im Empfänger durch „Decodieren" wieder die Signale E_R und E_B und auch das fehlende grüne Signal E_G gewinnen kann.

Zerlegt man das elektrische Signal, welches die Helligkeitsinformation enthält (E_Y), formal in eine Anzahl von Sinusschwingungen, so zeigt sich, daß in diesem Frequenzspektrum „Lücken" vorhanden sind, die man ausnutzen kann. Ursache ist der zeilenweise erfolgende Aufbau des Fernsehbildes. Man moduliert einen sogenannten Farbhilfsträger doppelt (in Amplitude und Phase) mit den beiden Farbdifferenzsignalen und wählt als Frequenz ein ungeradzahliges Vielfaches der halben Zeilenfrequenz, so daß genau diese Lücken ausgefüllt werden. Die spezielle Wahl der Frequenz des Farbhilfsträgers hat zur Folge, daß er auf dem Bildschirm eines Schwarzweißempfängers lediglich eine stehende „Perlschnurstörung" hervorruft, die vom Auge praktisch nicht wahrgenommen wird. Das NTSC-System ist damit für Schwarzweißempfänger voll verträglich (kompatibel).

In der Technik stellt man den Farbhilfsträger durch einen Zeiger dar, dessen Länge die Farbsättigung und dessen Richtung den Farbton angibt. Abb. 3 zeigt, wie die einzelnen Farben den Richtungen zugeordnet sind. Am Farbfernsehempfänger ist ein Steuerelement zur Einstellung der „Farbsättigung" vorhanden, mit dem man die Länge des Farbzeigers verändern kann. Die Lage des Farbzeigers im Farbkreis muß nicht durch seine Länge und seinen Winkel angegeben werden, sondern kann auch durch zwei rechtwinklige Komponenten beschrieben werden (Abb. 4).

Im *NTSC-System* wird der Farbhilfsträger mit den I-Q-Komponenten des Farbzeigers aus Abb. 3 und 4 moduliert, wodurch man die für das Chrominanzsignal nötige Bandbreite der Übertragung noch weiter verringern kann. Die spezielle Wahl dieser Komponenten beruht auf einer Eigenschaft des menschlichen Auges, das bei der Wiedergabe mittlerer Details nur zwischen zwei Farben, einem bestimmten Orange und einem bläulichen Cyan, unterscheiden kann. Das NTSC-System ist empfindlich gegen geringfügige Fehler bei der Übertragung über Kabel- oder Funkwege, die zu Drehungen des Farbzeigers und damit zu Farbtonänderungen führen. Am Empfänger ist deshalb zusätzlich ein Farbstellknopf zum Verändern des Farbtones erforderlich.

Das *PAL-System* (Abkürzung für englisch phase alternating line) wurde 1961 von W. Bruch (Telefunken) eingeführt und beseitigt durch eine Änderung des NTSC-Systems praktisch sämtliche Systemfehler. Zunächst benutzt es zur Modulation des Farbhilfsträgers nicht die I-Q-Komponenten des Farbzeigers (was prinzipiell ebenfalls möglich wäre), sondern die U-V-Komponenten des Farbzeigers, weil man dann den Schaltungsaufwand im Fernsehempfänger verringern kann. Der eigentliche Kunstgriff von PAL liegt in einer automatischen Umpolung des V-Signals von Zeile zu Zeile, die dem Empfänger am Beginn jeder Zeile über das Farbsynchronsignal („Burst") mitgeteilt wird. Bei Übertragungsfehlern entstehen dann in aufeinanderfolgenden Zeilen entgegengesetzte Phasenfehler und damit komplementäre Farbfehler, die im Auge physiologisch (Simple PAL) oder mit einer Verzögerungsleitung von Zeilendauer (64 Mikrosekunden) elektronisch „ausgemittelt" werden. Eine solche Verzögerungsleitung besteht aus einem etwa 20 cm langen Glasstab, der durch elektromechanische Wandler zu Ultraschallschwingungen angeregt wird, die 64 Mikrosekunden später am Stabende ankommen. Bei Übertragungsfehlern tritt nur eine Entsättigung (Verblassung) der Farben, jedoch keine Farbtonänderung ein. Mit Hilfe aufwendigerer Codier-Decodiereinrichtungen kann auch noch die Entsättigung vermieden werden (Neu-PAL).

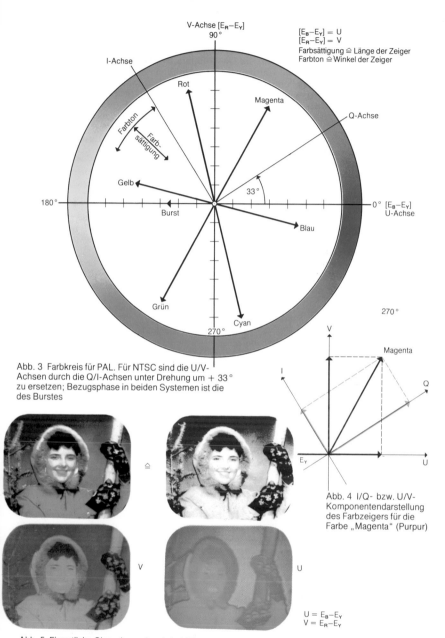

$[E_B - E_Y] = U$
$[E_R - E_Y] = V$
Farbsättigung $\triangleq$ Länge der Zeiger
Farbton $\triangleq$ Winkel der Zeiger

V-Achse $[E_R - E_Y]$
90°

I-Achse

Rot

Magenta

Q-Achse

Farbton

Farb-sättigung

Gelb

180° — 0° $[E_B - E_Y]$ U-Achse

Burst

Blau

33°

Grün

Cyan

270°

270°

Abb. 3 Farbkreis für PAL. Für NTSC sind die U/V-Achsen durch die Q/I-Achsen unter Drehung um + 33° zu ersetzen; Bezugsphase in beiden Systemen ist die des Burstes

V

Magenta

I

Q

E_Y

U

Abb. 4 I/Q- bzw. U/V-Komponentendarstellung des Farbzeigers für die Farbe „Magenta" (Purpur)

$\triangleq$

V

U

$U = E_B - E_Y$
$V = E_R - E_Y$

Abb. 5 Eigentliche Chrominanzsignale bei PAL

Farbfernsehen III

Das *SECAM-System* (Abkürzung für französisch séquentiel à mémoire), 1957 von H. de France eingeführt, behält wie das PAL- und das NTSC-System die Codierung nach Luminanz und Chrominanz und die damit verbundene optimale Bandbreitenreduzierung bei, geht aber von der Doppelmodulation des Farbhilfsträgers in Amplitude und Frequenz ab. Es werden wie beim NTSC-System die I-Q-Komponenten des Farbzeigers übertragen, die hier aber zeilenweise abwechselnd einen Farbhilfsträger nur in der Frequenz modulieren. Für je zwei aufeinanderfolgende Zeilen steht dann nur *eine* Farbinformation zur Verfügung, wodurch das Farbauflösungsvermögen in vertikaler Richtung halbiert ist. Da die Differenzsignale von aufeinanderfolgenden Zeilen nacheinander übertragen, aber gleichzeitig an der Bildröhre benötigt werden, muß das zuerst übertragene Farbsignal für die Dauer einer Zeile verzögert werden. Deshalb ist ebenfalls eine 64-Mikrosekunden-Verzögerungsleitung erforderlich. Die Frequenzmodulation des Farbhilfsträgers schaltet den Einfluß von Phasen- und Amplitudenfehlern weitgehend aus, führt aber zu wesentlich stärkeren Störungen im Bild eines Schwarzweißempfängers. Erst durch eine zusätzliche Mitsteuerung der Farbträgeramplitude in Abhängigkeit von Farbsignal kann man die Störungen so weit unterdrücken, daß auch das SECAM-System kompatibel wird. Lediglich Farbsprünge in vertikaler Richtung führen zu leichtem Farbflimmern.

Am Empfangsort entsteht das Helligkeitssignal unmittelbar nach der ersten Demodulation, während die Farbdifferenzsignale $E_R - E_Y$, $E_G - E_Y$ und $E_B - E_Y$ in einer zweiten Demodulation mittels des im Empfänger phasenrichtig (synchronisiert) zugesetzten Farbhilfsträgers gewonnen werden. Zur Synchronisation ist im Bildsignal zusätzlich ein Farbsynchronimpuls (Burst) enthalten. Durch Addition des Helligkeitssignals E_Y gewinnt man aus den Farbdifferenzsignalen die Farbauszugssignale E_R, E_G, E_B, die dann, wie bereits beschrieben, eine Farbbildröhre steuern. Technisch ist diese vollständige Rückwandlung nicht notwendig, weil man auch mit dem Helligkeitssignal und den Farbdifferenzsignalen die Bildröhre direkt steuern kann.

Bei Eurovisionssendungen müssen die nach einem System aufgebauten Farbfernsehsignale in die anderen Systeme „übersetzt" werden. Eine Umwandlung von PAL nach NTSC und umgekehrt ist hierbei verhältnismäßig leicht möglich, während die Normenwandlung des SECAM-Systems wegen der völlig anderen Modulationsart schwierig und nur unter Qualitätsverlust möglich ist.

Farbfernsehsysteme in Europa

Albanien	SECAM	Großbritannien	PAL	Polen	SECAM
Belgien	PAL	Irland	PAL	Portugal	PAL
Bulgarien	SECAM	Island	PAL	Rumänien	SECAM
Bundesrepublik		Italien	PAL	Schweden	PAL
Deutschland	PAL	Jugoslawien	PAL	Schweiz	PAL
Dänemark	PAL	Luxemburg	PAL/SECAM	Sowjetunion	SECAM
DDR	SECAM	Monaco	SECAM	Spanien	PAL
Finnland	PAL	Niederlande	PAL	Tschecho-	
Frankreich	SECAM	Norwegen	PAL	slowakei	SECAM
Griechenland	SECAM	Österreich	PAL	Ungarn	SECAM

Farbfernsehsysteme in außereuropäischen Staaten (Auswahl)

Ägypten	SECAM	Israel	PAL	Nicaragua	NTSC
Algerien	PAL	Japan	NTSC	Peru	NTSC
Argentinien	PAL	Kanada	NTSC	Philippinen	NTSC
Australien	PAL	Libanon	SECAM	Saudi-Arabien	SECAM
Brasilien	PAL	Libyen	SECAM	Südafrika	PAL
Chile	NTSC	Marokko	SECAM	Tunesien	SECAM
China	PAL	Mexiko	NTSC	USA	NTSC

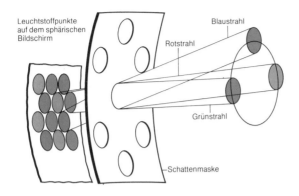

Abb. 6 Aufbau der Delta-Farbbildröhre

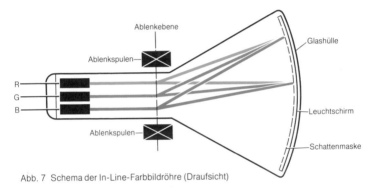

Abb. 7 Schema der In-Line-Farbbildröhre (Draufsicht)

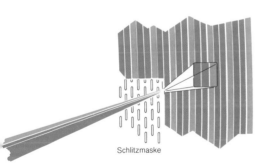

Abb. 8 Aufbau der In-Line-Schlitzmaskenröhre

Digitalfernsehen

Wichtigstes Bauteil eines digitalen Fernsehgeräts ist die zentrale Steuerschaltung, die im wesentlichen aus einem 8-Bit-Mikroprozessor besteht. Dieses Bauelement steuert sämtliche Abläufe innerhalb des digitalen Systems. Hier erfolgt auch die Speicherung der eingegebenen Abgleichwerte. Insbesondere werden alle Steuerbefehle des Zuschauers durch die Steuerschaltung umgesetzt, so daß das digitale Fernsehgerät sie erkennen und ausführen kann.

Das dem im konventionellen Farbfernsehgerät befindlichen Farbdecoder entsprechende Bauelement ist der Signalprozessor für Videosignale, kurz Videoprozessor. Dieser ist über eine Schaltung mit der Steuerschaltung verbunden. Während der Austastlücke, also dem Zeitintervall zwischen zwei Halbbildern, werden die charakteristischen Werte der drei Bildröhrenkathoden gemessen und erforderlichenfalls in Abhängigkeit von den durch den Zuschauer eingestellten Werten für Kontrast, Helligkeit und Farbsättigung neu eingestellt. Dadurch wird eine gleichbleibende Bildqualität ermöglicht.

Parallel zum Videoprozessor arbeitet der Analog-Digital-Wandler für Videosignale, an dessen Eingang die Analog-Digital-Umwandlung der Videosignale und an dessen Ausgang die Rückwandlung in analoge Signale erfolgt. Dabei werden die Farbdifferenz- und die Luminanzsignale in die entsprechenden Rot-, Grün- und Blausignale umgewandelt. Dieses Bauelement enthält außerdem Eingänge für die direkte Verarbeitung von Bildschirmtext und von Videotext sowie Schaltungen für die automatische Dunkelabtastung, Helligkeitseinstellung und den Bildröhrenabgleich.

Ein weiteres Bauelement enthält einen Analog-Digital-Wandler und einen Prozessor für Tonsignale. Dieses Bauelement verarbeitet die Tonsignale digital. Die Digitalisierung erstreckt sich auch auf die Stereodecodierung, die Lautstärkenregelung, Anhebung und Absenkung von Höhen und Bässen sowie die Balanceeinstellung. Hier werden auch die Identifikationssignale von Mono-, Stereo- oder zweisprachigen Fernsehsendungen verarbeitet. Am Ausgang werden die verarbeiteten digitalen Signale in pulsbreitenmodulierte Analogsignale umgewandelt, die über einen Tiefpaßfilter zu einem analogen Endverstärker gelangen.

Der Prozessor für die Ablenkeinheit steuert die vertikale und horizontale Ablenkung der Elektronenstrahlen in der Bildröhre. Dieser Prozessor stellt beim Empfang eines genormten PAL-Signals automatisch die Phasenlage zwischen Synchronimpulsen und Horizontalrücklauf ein. Durch einen programmierbaren Frequenzteiler können Störimpulse und Rauschen ausgeschaltet werden. Durch permanenten Datenaustausch mit der Steuerschaltung ist eine optimale Einstellung für die Horizontal- und Vertikalablenkung gewährleistet, so daß eine einmal eingestellte Bildqualität während der gesamten Lebensdauer des Geräts unverändert beibehalten wird.

In der Entwicklung befinden sich Vollbildspeicher, die alle für ein Fernsehbild nötigen Informationen kurzzeitig speichern können. Bei zweimaligem Auslesen der Daten aus dem Vollbildspeicher würde die Bildfrequenz von 25 Bildern in der Sekunde verdoppelt. Dadurch verschwinden Flimmererscheinungen wie z. B. das Flächenflimmern in Bildteilen größerer Helligkeit. Außerdem wird es möglich, ein Einzelbild aus einer laufenden Sendung im Bildspeicher abzuspeichern und als Standbild wiederzugeben. Darüber hinaus können Bildausschnitte vergrößert dargestellt werden.

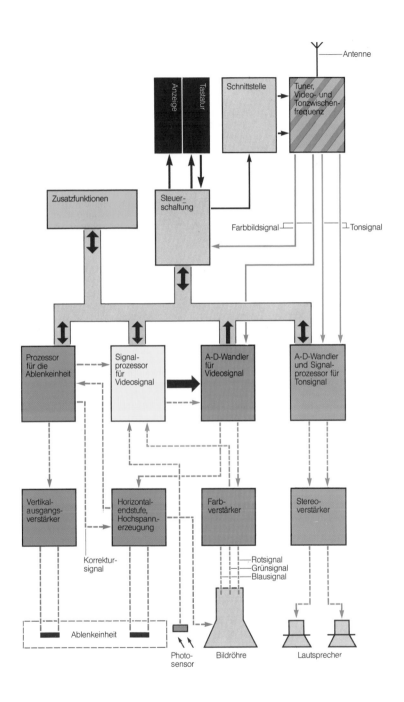

Antenne

Anzeige | Tastatur

Schnittstelle

Tuner,
Video- und
Tonzwischen-
frequenz

Zusatzfunktionen

Steuer-
schaltung

Farbbildsignal

Tonsignal

Prozessor
für die
Ablenkeinheit

Signal-
prozessor
für
Videosignal

A-D-Wandler
für
Videosignal

A-D-Wandler
und Signal-
prozessor für
Tonsignal

Vertikal-
ausgangs-
verstärker

Horizontal-
endstufe,
Hochspann.-
erzeugung

Farb-
verstärker

Stereo-
verstärker

Korrektur-
signal

Rotsignal
Grünsignal
Blausignal

Ablenkeinheit

Photo-
sensor

Bildröhre

Lautsprecher

231

Farbdruck

Der Farbdruck hat in die Praxis viel früher Eingang gefunden als die Farbphotographie. In seiner einfachsten Form stellt er sich dar als Eindruck von farbigen Textzeilen, Flächen oder Figuren in das einfarbige Druckerzeugnis. Im engeren Sinn versteht man jedoch unter Farbdruck das mehrfarbige Gestalten eines Druckbogens oder die Reproduktion einer mehrfarbigen Vorlage mit drei oder mehr Farben.

Wenn man eine Fläche mit Punkten in den drei Grundfarben (Gelb, Rot, Blau) mosaikartig bedeckt (Abb. 1 c) und diese Fläche aus genügender Entfernung betrachtet (die einzelnen Farbpunkte dürfen sich nicht mehr unterscheiden lassen), so entsteht der Eindruck, die Fläche sei grau. Wenn man auf einer Fläche zahlreiche Punkte zweier der Grundfarben nebeneinandersetzt, so entsteht beim Betrachten aus genügender Entfernung der Eindruck einer Mischfarbe (Abb. 1 c). Dieses Zusammensehen ist eines der Grundprinzipien des Farbdruckes. Zunächst werden von der farbigen Vorlage, die man zu reproduzieren wünscht, auf photographischem Wege Farbauszüge hergestellt. Dazu werden Farbfilter in den Komplementärfarben des jeweils gewünschten Farbauszuges verwendet. Die Abb. 1 a und 1 b, 2 a und 2 b und 3 a und 3 b zeigen nebeneinander die Farbe des Filters und die dadurch entstandenen Farbauszüge. Oben wurde schon gesagt, daß die Fläche, die mit den Farbpunkten der einzelnen Grundfarben bedeckt ist, beim Betrachten grau erscheint. Dies liegt daran, daß die weiße Farbe des Papiers an vielen Stellen herauskommt. Aus diesem Grund wird zusätzlich zu den Farbauszügen eine Schwarzaufnahme hergestellt (Abb. 4), die erstens weiße Flächen wegnimmt und zweitens dem Gesamtbild Kraft und Konturen verleiht.

Nach den beschriebenen Teilauszügen werden für den eigentlichen Druck mit verschiedenen Methoden, die sich u. a. nach dem verwendeten Druckverfahren richten (z. B. Hochdruck, Tiefdruck, Offsetdruck), Druckplatten oder Druckzylinder geätzt. Sie nehmen im Druckprozeß die Druckfarbe auf und übertragen sie auf das Papier. Die Abb. 2 c, 3 c und 5 zeigen, wie durch das Übereinanderdrucken der vier verwendeten Druckplatten allmählich das farbige Wiedergabebild entsteht. Der in Abb. 6 (Vergrößerung des umrandeten Teils aus Abb. 5) gezeigte Ausschnitt macht deutlich, daß beim Übereinanderdrucken der einzelnen Druckplatten nicht nur vier Farben zustande kommen, sondern daß die Überlagerung der einzelnen Rasterpunkte auch die Mischfarben aus den Grundfarben entstehen läßt. Abb. 6 entspricht also der mit einer Lupe betrachteten Abb. 5. Betrachtet man Abb. 5 ohne Lupe oder Abb. 6 aus genügender Entfernung, so sieht man, daß die einzelnen Farb- und Mischfarbpunkte (insgesamt 8 Farben!) zu homogenen Farbflächen verschmelzen.

Um einen regulären Farbdruck zu erhalten, müssen viele Gesichtspunkte beachtet werden. So müssen die verwendeten Farbstoffe rein und transparent sein, unter Umständen muß man für die Wiedergabe besonders anspruchsvoller Vorlagen Hilfsfarben einsetzen. Die einzelnen Farbpunkte liegen teils nebeneinander und wirken in additiver Mischung, teils übereinander und beeinflussen sich dann subtraktiv. Trotz photographisch einwandfreier Farbauszüge entstehen somit in unterschiedlichen Bildpartien voneinander abweichende Farben, zur Erzielung einwandfreier Farbdrucke sind daher umfangreiche Farbkorrekturen notwendig. Schließlich ist es wichtig, paßgenau zu drucken und Schwankungen der Farbnuancen und der Farbintensitäten beim Auflagendruck zu vermeiden. In der Praxis muß häufig noch von Hand auf den einzelnen Farbauszügen (die noch ohne Raster hergestellt werden) nachgearbeitet werden, damit die letzten gewünschten Feinheiten herauskommen.

Zur Herstellung und Farbkorrektur der Druckformen für den Farbdruck werden heute meist sogenannte *Scanner* eingesetzt. Hierbei werden die Bildvorlagen optisch abgetastet, die Lichtsignale werden mit Hilfe von Photomultipliern in elektrische Signale umgewandelt und einem Computer (,,*Farbrechner*") zugeführt. Bei Eingabe entsprechender Daten sind hierdurch die unterschiedlichsten Farbbeeinflussungen der herzustellenden Druckvorlagen möglich.

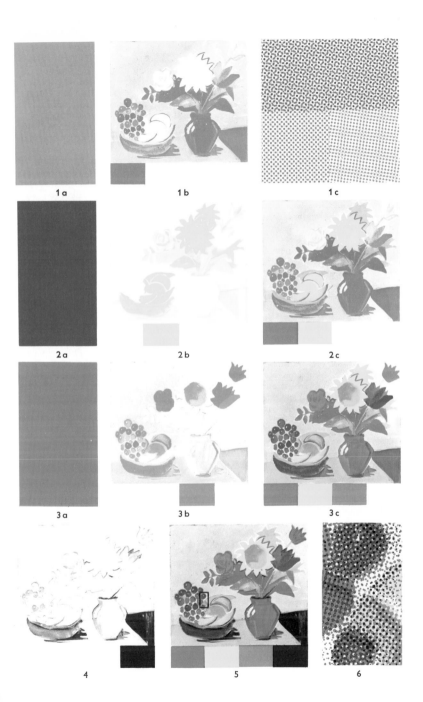

1a   1b   1c

2a   2b   2c

3a   3b   3c

4   5   6

Farbphotographie I

Umkehrverfahren und Negativ-Positiv-Verfahren

Es gibt zahlreiche sehr unterschiedliche Verfahren, photographische Aufnahmen in natürlichen Farben wiederzugeben; im Prinzip gleichen sich jedoch alle Verfahren: Man muß drei Grundfarbenbilder herstellen, die erst in ihrem Zusammenwirken ein farbiges Bild erzeugen.

Nach den ältesten Verfahren, den sogenannten *Spreizverfahren,* wurden durch strenge Farbfilter (Blau, Grün, Rot) drei Teilfarbenauszüge gewonnen (J. C. Maxwell, 1861), die in der Übereinanderprojektion durch additive Farbmischung den Farbeindruck ergaben. Nach dem gleichen Prinzip arbeiteten die Filtermosaik- bzw. Rasterverfahren: Die Autochrome-Platte (L. J. und A. Lumière, 1907) und die Agfa-Kornrasterplatte enthielten zwischen der Schwarzweißemulsion und der Glasplatte feinste farbige Stärkekörnchen oder Harztröpfchen, die als additive Filter wirkten. Noch heute sind additive Rasterverfahren aktuell: im Farbfernsehen (vgl. S. 224 ff.) und bei transparenten Sofortbildmaterialien (vgl. S. 238).

Bei der modernen Farbphotographie ergibt sich das farbige Bild durch sogenannte *Siebverfahren:* Mehrere übereinanderliegende Farbschichten erzeugen den Farbeindruck durch subtraktive Farbmischung. Die Siebverfahren beruhen auf dem Prinzip der *chromogenen Entwicklung* (R. Fischer, 1909): Den drei übereinanderliegenden Schichten bzw. Schichtgruppen (für je einen Spektralbereich sensibilisierte Schwarzweißemulsionen, zu denen noch eine dünne Gelbfilterschicht zwischen der obersten, blauempfindlichen, unsensibilisierten, und den übrigen lichtempfindlichen Schichten kommt) sind spezifische Farbbildner (Farbkuppler, Farbkomponenten) beigegeben, z. B. Phenole und Naphthole für die Farben Blau bis Blaugrün und Verbindungen mit reaktionsfähigen Methylengruppen für die Farben Gelb bis Purpur, die die Eigenschaft haben, mit den Oxidationsprodukten bestimmter Schwarzweißentwickler (p-Phenylendiamin-Derivate) parallel zum Schwarzweißprozeß die entsprechenden Farbstoffe zu bilden. Mit dem Schwarzweißbild entsteht somit ein Farbbild, das übrigbleibt, wenn die Silberschwärzung durch Ausbleichen entfernt wird. Da das Licht die drei Schichten nacheinander durchläuft, ergibt sich der Farbeindruck durch subtraktive Farbmischung. Dabei ist analog zum Schwarzweißbild ein Negativ-Positiv-Prozeß oder eine Umkehrentwicklung erforderlich, d. h., die blauempfindliche Emulsion enthält eine Gelbkomponente, die mittlere grünempfindliche Schicht eine Purpurkomponente, die unterste rotempfindliche eine Blaugrünkomponente, die zusammen nach der Entwicklung und dem Ausbleichen des Silberbildes ein komplementärfarbiges Negativ bilden. Von ihm kann man durch Kopieren oder Vergrößern auf ebenfalls dreischichtiges Farbmaterial Positive (Papierbilder) und Diapositive herstellen, auch Schwarzweißkopien sind möglich. Beim Umkehrverfahren ist das komplementärfarbige Negativ nur eine theoretische Zwischenstufe, da hier die Erstentwicklung als reiner Schwarzweißprozeß erfolgt. Erst das durch die Nachbelichtung erzeugte Positiv wird chromogen entwickelt. Das Silberbild wird anschließend wiederum ausgebleicht, so daß das reine Farbbild übrigbleibt.

Neben der Wahl geeigneter Sensibilisatoren und der Abstimmung der Farbsättigung der Komponenten aufeinander sowie auf die Farbtemperatur der Aufnahmebeleuchtung stellt die Diffusionsneigung der Farbbildner während der Entwicklung ein besonderes technisches Problem dar, das bei den einzelnen Fabrikaten auf verschiedene Weise gelöst worden ist.

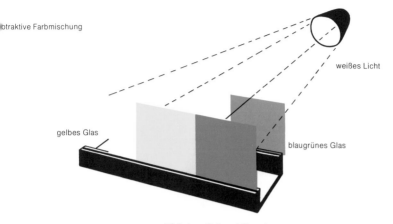

subtraktive Farbmischung

weißes Licht

gelbes Glas

blaugrünes Glas

mit 2 Farben: Gelb und Blaugrün

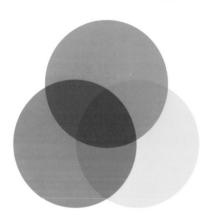

mit 3 Farben: Gelb, Blaugrün und Purpur

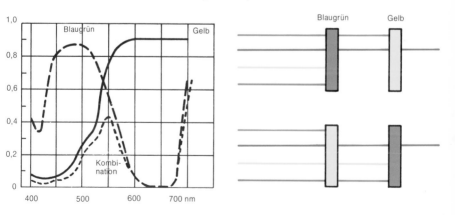

Wenn Strahlung nacheinander mehrere Filter durchsetzt, wird von jedem Filter jeweils in Abhängigkeit von der Wellenlänge ein Teil der Strahlung absorbiert.

235

Farbphotographie II

Das älteste chromogene Verfahren war der *Kodachrome-Prozeß* (Wz). Nach dem Kodachrome-Verfahren arbeitende Materialien enthalten keine Farbkuppler in den Schichten, diese befinden sich in den Entwicklerlösungen und gelangen während der unter selektiver Nachbelichtung mit verschiedenfarbigem Licht erfolgenden Entwicklung in die Schichten. Dabei wird zunächst die unterste Schicht mit rotem Licht diffus nachbelichtet und in einem Entwickler mit blaugrüner Farbkomponente entwickelt. Dann wird die oberste Schicht unter blauem Licht gelb entwickelt und schließlich die mittlere Schicht mit Purpurfarbbildnern entwickelt, und zwar unter Nachbelichtung mit weißem Licht oder ohne Nachbelichtung durch Entwickler mit schleierndem Zusatz. Anschließend werden Silberbild und Filterschicht entfernt. Das Verfahren ist nur bei Umkehrmaterialien möglich.

Nahezu gleichzeitig mit dem Kodachrome-Prozeß wurde das *Agfacolor-Verfahren* (Wz) entwickelt. Bei der „Agfacolor-Gruppe" sind die als Salze wasserlöslichen Farbkuppler durch langkettige Reste (sogenannte Fettschwänze) diffusionsfest gemacht. Es handelt sich bei diesen langkettigen Resten um Kohlenwasserstoffgruppen, die den Farbbildnern z. B. die unten wiedergegebenen Strukturformeln geben.

Heute hat sich der *Ektachrome-(Ektacolor-)Prozeß* (Wz) weltweit durchgesetzt. Die „Ektachrome-Gruppe" besitzt sogenannte ölgeschützte Farbkuppler, die durch Auflösen in hochsiedenden anorganischen Lösungsmitteln und Dispergierung in kleine wasserunlösliche Tröpfchen eingelagert werden, so daß sie zwar mit den Oxidationsprodukten des Entwicklers reagieren können, die Tröpfchen aber ebenso wie der gebildete Farbstoff nicht verlassen. Außer der Diffusionsfestigkeit ergeben sich dabei noch weitere Vorteile: Die wechselseitige Beeinflussung von Schicht und Farbkuppler ist geringer, es können Chemikalien verwendet werden, die die Entwicklungszeit herabsetzen und dank ihrer geringeren Oxidationsneigung auch vom Amateur verarbeitet werden können.

Eine Korrektur der Farbdichte in den einzelnen Schichten ist bei der Umkehrentwicklung nicht möglich. Beim Positivprozeß werden Farbstiche einheitlicher Dichte und Farbtemperaturdifferenzen zwischen Aufnahmebeleuchtung und Einstellung des Films sowie dem Kopierlicht durch Kopierfilter ausgesteuert. Problematisch sind Farbstiche uneinheitlicher Dichte. Es sind dies die unerwünschten Nebenfarbdichten der Blaugrün- (rötliche Nebendichte im blauen und grünen Spektralgebiet) und der Purpurkomponente (gelbe Nebendichte), die je nach der Farbsättigung von unterschiedlicher Stärke sind und durch einheitliche Kopierfilter nicht ausgesteuert werden können. Sie werden daher durch Masken von derselben Farbe zu einem Farbstich einheitlicher Dichte, der beim Kopieren ausgefiltert werden kann, kompensiert. Diese Masken sind auf dem Film befindliche Farbschichten bzw. in die Emulsionen eingelagerte Farbstoffe, die bei der Belichtung ausbleichen und sich so entgegengesetzt zur unerwünschten Nebenfarbdichte abstufen. Einfach maskierter Negativfarbfilm liefert ein reineres Blau und Grün durch Ausgleich der Purpurnebendichte; doppelt maskierter Negativfilm gleicht sowohl die Nebenfarbdichten des Purpurs als auch die des Blaugrüns aus (durch eine Gelb- und eine Rotmaske; sie ergeben die Anfärbung des entwickelten Films).

$C_{17}H_{35} \cdot CO-NH \langle \rangle CO \cdot CH_2-CO \cdot$ COOH

$NH \langle \rangle$ COOH

Gelbkomponente

$HO \langle \rangle SO_2H$

$CO-NH-C_{18}H_{37}$

Blaugrünkomponente

$\langle \rangle O \langle \rangle N \langle$ N$=$C$-C_{17}H_{35}$ | C$-CH_2$ || O

SO_3H

Purpurkomponente

Farbphotographisches Umkehrverfahren

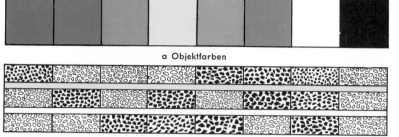

a Objektfarben

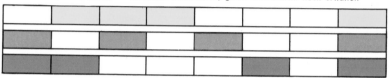

b Bildschichten des Films nach der ersten (Schwarzweiß-)Entwicklung: schwarze Körner = entwickeltes Silber, helle Körner = restliches Bromsilber; gelbe Filterschicht noch erhalten

c Dasselbe nach der fertigen Verarbeitung: Farben an dem restlichen Bromsilber entwickelt, Silber und Filtergelb herausgelöst; in der Durchsicht ergeben sich die Wiedergabefarben durch subtraktive Farbmischung, sie entsprechen den Objektfarben

Farbphotographisches Negativ-Positiv-Verfahren

a Objektfarben

b Bildschichten des fertigen Negativfilms

c Fertiger Negativfilm in der Durchsicht: Farben komplementär zu den Objektfarben

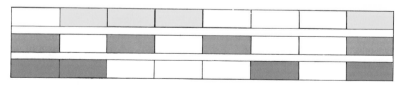

Bildschichten des fertigen Positivs (nach Farbneutralstellung durch Kopierfilter); in der Draufsicht ergeben sich die Wiedergabefarben durch subtraktive Farbmischung, sie entsprechen den Objektfarben

Sofortbildphotographie

Als Sofortbildphotographie bezeichnet man photographische Verfahren, die unmittelbar nach der Aufnahme ein fertiges Positiv liefern.

Beim *Schwarzweißprozeß* handelt es sich um ein Silbersalzdiffusionsverfahren, bei dem das Aufnahmematerial aus einer Kombination von Negativ, silberkeimhaltigem Übertragungspapier und einer Kapsel mit dickflüssigem Fixierentwickler besteht. Nach der Belichtung wird die Bildeinheit durch Stahlwalzen hindurchgezogen, wobei der Fixierentwickler zwischen Negativ und Übertragungspapier gequetscht wird. Er entwickelt und fixiert das belichtete Silberhalogenid zum Negativ, indem er das nichtbelichtete Silberhalogenid in Silberthiosulfatkomplexe verwandelt und löst. Diese Komplexe diffundieren in die Übertragungsschicht, an deren Silber- oder Silbersulfidkeimen sie sich unter dem Einfluß des Entwicklers als metallisches Silber abscheiden und somit das Positiv bilden.

Bei den *Colorprozessen* unterscheidet man *Zweiblattverfahren* (Negativ und Positiv auf getrennten Trägern) und *Einblattverfahren* (Negativ und Positiv auf demselben Träger). Bei dem von E. Land und H. G. Rogers entwickelten *Polacolorverfahren,* einem nach der subtraktiven Dreifarbenmischung arbeitenden Zweiblattverfahren, werden drei für die Farben Blau, Grün und Rot empfindliche Silberhalogenidschichten des Negativs entsprechend belichtet und beim Zusammenquetschen mit dem Positiv durch die Entwickleraktivierungspaste entwickelt. Die entwickelten Silberkörner halten komplementärfarbige Farbstoffmoleküle fest, die aus den jeweils benachbarten Farbstoff-Entwickler-Schichten stammen und durch die Entwicklung freigesetzt werden. So entsteht das negative Bild. Die nicht festgehaltenen komplementärfarbigen Farbstoffmoleküle können frei diffundieren und gelangen in die Farbempfängerschicht des Positivs, wo sie das positive Bild aufbauen. Beim „abfallfreien" Einblattverfahren *Polaroid SX-70* verbleiben Negativ, Positiv und Entwicklungschemikalien in der Bildeinheit. Die zuunterst liegenden Negativschichten werden durch die zunächst völlig transparenten Positivschichten hindurch belichtet. Zur Entwicklung läuft die Bildeinheit durch Walzen, die die Entwicklungschemikalien aus der Entwicklerkapsel herauspressen und zwischen Negativ- und Positivschichten verbreiten. Die Chemikalien enthalten außer dem die Entwicklung in Gang setzenden Alkali eine lichtundurchlässige Substanz, die sich zunächst als Deckschicht zwischen Negativ und Positiv ausbreitet und das Negativ während der Entwicklung vor Licht schützt, dann aber völlig transparent wird, sowie (sich ebenfalls schichtförmig ausbreitendes) Titandioxid, das den weißen Positivhintergrund abgibt. Die freigesetzten Farbstoffmoleküle diffundieren in die Positivempfängerschicht. Ist das Bild dort nach Maßgabe der Entwicklung gesättigt, wird es durch eine saure Polymerdeckschicht neutralisiert und damit stabilisiert.

Transparente Sofortbildmaterialien arbeiten mit additiven Rasterverfahren; vgl. die ältere Farbphotographie; vgl. S. 234). Der *Polavision-Schmalfilm* (Super-8-Format) ist ein Schwarzweißfilm, der auf dem Träger einen äußerst feinen Linienraster (Linienbreite 5,6 µm, d. h. 1 770 Linien/cm) in den additiven Grundfarben Blau, Grün, Rot trägt. Der Film wird durch den Träger hindurch belichtet, dann im Abspielgerät (Player) rückgespult und durch Auftrag einer 10-µm-Reagenzschicht (aus der in der Filmkassette befindlichen Entwicklerkapsel) umkehrentwickelt. – Das *Polaroid-35-mm-Autoprocess-System* zur Herstellung von Sofortbilddias arbeitet auf ähnliche Weise; hier beträgt die Linienbreite 8 µm (1 182 Linien/cm). Nach der Belichtung wird der Film in einem „Autoprocessor" zusammen mit einem Trennfilm entwickelt, der beim Rückspulen den Diafilm von den Negativschichten und den nicht verbrauchten Entwicklungschemikalien befreit.

Auch für die Colorvergrößerung ist das Prinzip der Farbdiffusion fruchtbar gemacht worden. Das *Kodak-Ektaflex-Verfahren* ist ein Zweiblattverfahren für Vergrößerungen von Negativen oder von Diapositiven. Es benötigt zur Entwicklung nur ein einziges Bad, eine Aktivatorflüssigkeit, statt bis zu fünf Bädern in der üblichen Colorentwicklung. Zunächst wird entweder ein Negativ- oder ein Diapositivfilm unter dem Vergrößerer belichtet. Beide werden im selben Aktivator entwickelt, der sich in einem speziellen Gerät, dem Printmaker, befindet. Der Film und das – völlig lichtunempfindliche – Positivpapier werden Schicht zu Schicht in den Printmaker eingeführt und während der Entwicklung durch Walzen zu einem Sandwich laminiert und sodann getrennt.

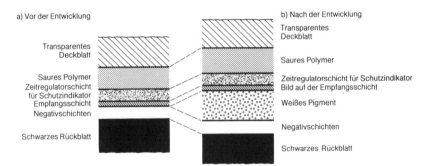

a) Vor der Entwicklung

Transparentes Deckblatt

Saures Polymer
Zeitregulatorschicht für Schutzindikator
Empfangsschicht
Negativschichten

Schwarzes Rückblatt

b) Nach der Entwicklung

Transparentes Deckblatt

Saures Polymer

Zeitregulatorschicht für Schutzindikator
Bild auf der Empfangsschicht

Weißes Pigment

Negativschichten

Schwarzes Rückblatt

Abb. 1 Schematischer Querschnitt eines POLAROID-SX-70-Land-Filmblattes

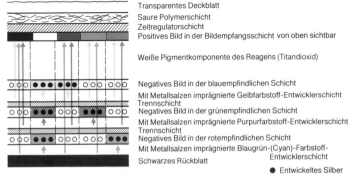

Transparentes Deckblatt
Saure Polymerschicht
Zeitregulatorschicht
Positives Bild in der Bildempfangsschicht von oben sichtbar

Weiße Pigmentkomponente des Reagens (Titandioxid)

Negatives Bild in der blauempfindlichen Schicht
Mit Metallsalzen imprägnierte Gelbfarbstoff-Entwicklerschicht
Trennschicht
Negatives Bild in der grünempfindlichen Schicht
Mit Metallsalzen imprägnierte Purpurfarbstoff-Entwicklerschicht
Trennschicht
Negatives Bild in der rotempfindlichen Schicht
Mit Metallsalzen imprägnierte Blaugrün-(Cyan)-Farbstoff-Entwicklerschicht
Schwarzes Rückblatt

● Entwickeltes Silber

Abb. 2 POLAROID-SX-70-Filmblatt nach der Entwicklung

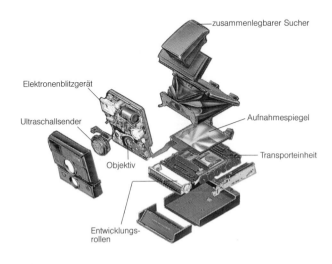

zusammenlegbarer Sucher

Elektronenblitzgerät

Ultraschallsender

Objektiv

Aufnahmespiegel

Transporteinheit

Entwicklungs-rollen

Abb. 3 Die POLAROID-SX-70-Land-Kamera

239

Photoapparate (Übersicht)

Photoapparate sind Vorrichtungen, bei denen mit Hilfe einer Öffnung in einem lichtdichten Gehäuse auf einer der Öffnung gegenüberliegenden lichtempfindlichen Schicht ein reelles Bild des aufzunehmenden Gegenstandes entworfen wird. Sie bestehen prinzipiell aus einem lichtdichten Gehäuse mit der Bildbühne und der Aufbewahrungs- bzw. Transporteinrichtung für das lichtempfindliche Material. Das Gehäuse ist zur Einhaltung und Einstellung der erforderlichen Bildweiten zum Objektiv hin durch einen (versenkbaren) Tubus *(Tubuskamera)* oder einen Balgen *(Balgenkamera)* verlängert. Die ursprüngliche Kastenform der Camera obscura hat nur die früher beliebte einfache Boxkamera. Im Objektiv ist in der bildseitigen Hauptebene eine Aperturblende angebracht, die die wirksame Linsenfläche begrenzt.

Die Belichtungszeit wird durch einen sich (kurzzeitig) öffnenden und schließenden Verschluß geregelt, der als *Zentralverschluß* (mit sich radial öffnenden Stahllamellen) zweckmäßig nahe der Blendenebene angeordnet ist, wo der kleinste Öffnungsdurchmesser erforderlich ist, der als Hinterlinsenverschluß jedoch auch im Tubus bzw. an der Vorderwand des Gehäuses befinden kann, wodurch das Auswechseln des Objektivs unter Beibehaltung des Verschlusses ermöglicht wird. Der das Bild streifenweise belichtende *Schlitzverschluß* befindet sich unmittelbar vor der Bildebene. Er erlaubt z. B. in Titanbauweise als kürzeste Belichtungszeit die 1/4 000 Sekunde.

Bildbeobachtung und Entfernungseinstellung erfolgen nach zwei unterschiedlichen Prinzipien:

1. Es wird das erzeugte reelle Bild betrachtet, entweder auf einer in der Bildebene angebrachten Mattscheibe *(Mattscheibenkamera)* oder unter Zwischenschaltung eines Ablenkspiegels auf einer zur Bildebene konjungierten Ebene *(Spiegelreflexkamera)*;

2. Es wird durch eine optische Visiereinrichtung unmittelbar das Motiv betrachtet und die Motiventfernung gegebenenfalls optisch gemessen *(Sucherkamera)*.

Die Einstellung nach dem kopfstehenden und seitenverkehrten Mattscheibenbild ist v. a. bei Großformatkameras gebräuchlich, da sie die exakte Beurteilung von Allgemeinschärfe, Schärfentiefe, Bildauszeichnung, Perspektive und Parallelität senkrechter Linien auch bei extremen Kameraverstellungen erlaubt. Vor der Aufnahme muß die Mattscheibe gegen die Kassette mit dem Aufnahmematerial ausgetauscht werden. Bei Spiegelreflexkameras kann sich der Ablenkspiegel im Strahlengang des bilderzeugenden Objektivs befinden *(einäugige Spiegelreflexkamera)*, er wird dann vor der Aufnahme aus dem Strahlengang geschwenkt. Um die unvermeidliche Dunkelphase bei der Bildbeobachtung zu verkürzen, ist der Spiegel bei kleineren Formaten zumeist als *Schwingspiegel (Rapidspiegel)* ausgebildet, der nach der Belichtung sofort in die Ausgangsstellung zurückkehrt. Die Erschütterungen, die durch die Spiegelbewegung hervorgerufen werden und zu Bildunschärfen führen können, müssen durch Anschlagpolster, federnde Abfangstege, auch durch die Bewegung des Spiegels über ein Kurbelschleifengetriebe neutralisiert werden. Das Bild wird auf einer meist horizontalen Mattscheibe aufgefangen, die häufig gegen andere Einstellscheiben austauschbar ist. Es wird durch einen Sucherlichtschacht betrachtet, der gegen Störlicht abschirmt. Das Bild ist aufrecht und seitenverkehrt, jedoch kann der Strahlengang durch ein aufgesetztes oder fest eingebautes Umkehrprisma (Pentadachkantprisma) so umgekehrt werden, daß man ein (lotrechtes) aufrechtes und seitenrichtiges Bild erblickt. Da die Scharfeinstellung bei offener Blende (geringste Schärfentiefe) vorgenommen werden muß, muß die Blende vor der Belichtung (automatisch) auf den vorgewählten Wert geschlossen werden.

Bei der *zweiäugigen Spiegelreflexkamera* wird das Mattscheibenbild durch ein separates optisches System entworfen, das zusammen mit dem Aufnahmeobjektiv eingestellt wird. Das Mattscheibenbild zeigt jedoch *Sucherparallaxe:* Der auf der Mattscheibe sichtbare Ausschnitt des Objektfeldes ist um den Betrag des Abstandes beider Objektivachsen nach oben verschoben, was bei kleinen Aufnahmeentfernungen berücksichtigt werden muß.

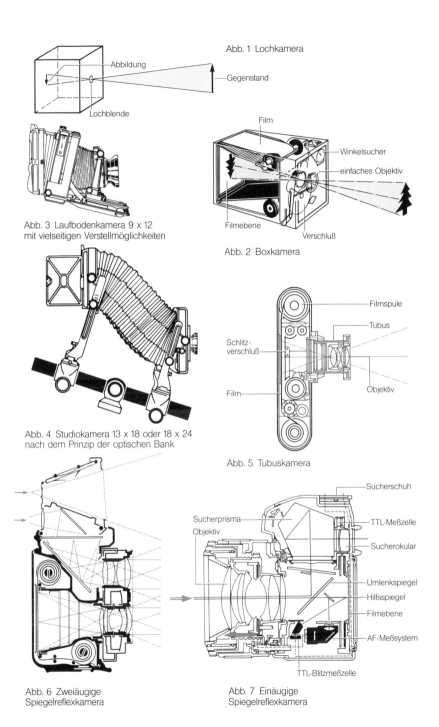

Abb. 1 Lochkamera

Abbildung

Gegenstand

Lochblende

Film

Winkelsucher

einfaches Objektiv

Abb. 3 Laufbodenkamera 9 x 12
mit vielseitigen Verstellmöglichkeiten

Filmebene

Verschluß

Abb. 2 Boxkamera

Filmspule

Tubus

Schlitz-
verschluß

Objektiv

Film

Abb. 4 Studiokamera 13 x 18 oder 18 x 24
nach dem Prinzip der optischen Bank

Abb. 5 Tubuskamera

Sucherschuh

Sucherprisma

TTL-Meßzelle

Objektiv

Sucherokular

Umlenkspiegel

Hilfsspiegel

Filmebene

AF-Meßsystem

TTL-Blitzmeßzelle

Abb. 6 Zweiäugige
Spiegelreflexkamera

Abb. 7 Einäugige
Spiegelreflexkamera

Photographische Objektive I

Das photographische Objektiv soll von dem abzubildenden Gegenstand ein über das ganze Aufnahmeformat scharfes, ebenes, maßgetreues und helles Bild entwerfen.

Das einfachste Objektiv ist ein sehr kleines Loch, das dank der geradlinigen Ausbreitung des Lichts eine Abbildung vermittelt. Jedoch sind Aufnahmen mit der „Lochkamera" nicht besonders scharf, da ein Punkt als Scheibe (genauer: als eine schießscheibenähnliche Beugungsfigur des Lochs) wiedergegeben wird. Wegen der sehr kleinen Öffnung ist auch die Lichtstärke äußerst gering.

Durch ihre Fähigkeit, Strahlen eines größeren Bündels in einem Punkt zu vereinigen, erscheinen Linsen für eine scharfe, lichtstarke Abbildung geeignet. Abb. 1 zeigt schematisch den Vorgang der Bildentstehung nach den Abbildungsgesetzen (s. Linsen S. 28). Da jedoch Lichtstrahlen, besonders wenn sie von einem Punkt weiter abseits der optischen Achse herkommen, ganz verschiedene Wege in Luft und Glas zurücklegen, je nachdem, an welcher Stelle und unter welchem Winkel sie auf die Linse treffen, erfolgt ihre Vereinigung nicht mehr ideal in einem Punkt. Die Abweichungen von der idealen Abbildung werden als Linsenfehler bezeichnet. Die Hauptfehler sind: sphärische Aberration oder Öffnungsfehler (Abb. 2; die Randstrahlen treffen sich in einem der Linse nähergelegenen Punkt), Astigmatismus und Bildfeldwölbung (Abb. 3; zueinander senkrecht liegende, schräg durch eine Linse fallende ebene Strahlenbüschel werden auf zwei verschiedenen, gewölbten Schalen vereinigt), Koma (kometenhaft verbreiterte Punkte außerhalb der Bildmitte), Verzeichnung (Abb. 4), chromatische Aberration oder Farbfehler (Abb. 5; Licht größerer Wellenlänge wird weniger stark gebrochen als kürzerwelliges Licht).

Kombiniert man nun mit einer Sammellinse eine Zerstreuungslinie, die ihrer Form nach eine halb so große (negative) Brechkraft hat, aber aus Glas doppelt so großer Dispersion (Farbzerstreuung) hergestellt ist, so wird die Brechkraft der Kombination halbiert, der Farbfehler wird aber für wenigstens zwei Farben (Rot und Blau) aufgehoben (Abb. 6). Ein solches Objektiv heißt *Achromat,* es wird meist verkittet hergestellt und mit Öffnungen bis 1:8 für einfache Kameras verwendet. Der Physiker benennt die Farben des Spektrums nach den in ihm auftretenden Fraunhofer-Linien (Absorptionslinien des Sonnenlichts), die feste Bezugsmarken darstellen (Abb. 7). Die achromatische Korrektion ist üblicherweise so ausgelegt, daß sie gleichen Fokus für die Linien C (Rot) und F (Blau) erreicht. Da die Dispersionseigenschaften unterschiedlicher Glassorten die Farben nicht in allen Wellenlängenbereichen proportional abstufen, bleibt ein Rest von Farbzerstreuung übrig, das sogenannte *sekundäre Spektrum.* Um dieses auszuschalten bzw. hinreichend klein zu halten, muß gleicher Fokus für drei Farbörter, also die Fraunhofer-Linien C, D und F erreicht werden. Diese Korrektion, die insbesondere für Objektive langer Brennweite erforderlich ist, heißt *apochromatisch.*

In ähnlicher Weise geht der Optikrechner auch gegen die anderen Abbildungsfehler vor. Ihm stehen dafür mehrere hundert Glassorten mit unterschiedlicher Brechzahl und Dispersion zur Verfügung. Durch Variation der Anzahl der Linsen, ihres Glases, der Krümmungsradien, der Linsendicken und der Luftabstände werden die Fehler auf ein unschädliches Maß verringert.

Bei allen lichtstarken Objektiven muß neben den anderen Fehlern besonders der Astigmatismus behoben sein, sie heißen dann „Anastigmate". Neben dem „klassischen" *Triplet* (Cookesches Triplet) als Konstruktionstyp für Standardobjektive und mittlere Brennweiten stehen v. a. die aus dem Gauß-Fernrohrobjektiv entwickelten *Doppel-Gauß-Varianten* in zwei Abwandlungsformen: als *Doppel-Gauß-Variante 1. Art* für Normalbrennweiten höchster Lichtstärke, als *Variante 2. Art* mit umgekehrter Anordnung von negativen und positiven Brechkräften für Weitwinkel- und Superweitwinkelobjektive. Mit den Gauß-Konstruktionen lassen sich durch den Einsatz neuartiger Gläser (sogenannte LaSF- und SF-Gläser mit Brechzahlen zwischen 1,85 und 1,96 und Abbeschen Zahlen zwischen 40 und 20) und gegebenenfalls asphärische Gestaltung der Front- und der Hinterfläche des Linsensystems Lichtstärken bis zu 1:1,0 bei einem Bildwinkel von 46° erreichen.

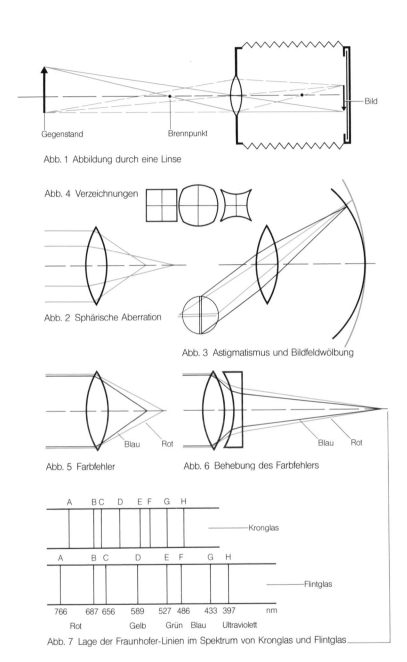

Abb. 1 Abbildung durch eine Linse

Gegenstand — Brennpunkt — Bild

Abb. 4 Verzeichnungen

Abb. 2 Sphärische Aberration

Abb. 3 Astigmatismus und Bildfeldwölbung

Abb. 5 Farbfehler

Blau — Rot

Abb. 6 Behebung des Farbfehlers

Blau — Rot

A B C D E F G H

Kronglas

A   B C   D   E F   G   H

Flintglas

766   687 656   589   527 486   433 397   nm

Rot   Gelb   Grün Blau   Ultraviolett

Abb. 7 Lage der Fraunhofer-Linien im Spektrum von Kronglas und Flintglas

243

Photographische Objektive II

Wichtige Objektivtypen sind ferner *optische Systeme mit veränderter Schnittweite,* modifizierte Gauß- und Triplettkonstruktionen, bei denen die Brechkraft innerhalb des Systems so verteilt ist, daß die Schnittweite (Abstand zwischen Hinterlinsenscheitel und Bildebene) entweder länger oder kürzer als die Brennweite ist.

Durch die streuende Wirkung des Vordergliedes und die sammelnde Wirkung des Hintergliedes wird erreicht, daß die bildseitige Hauptebene hinter den Hinterlinsenscheitel zu liegen kommt. Die Schnittweitenverkürzung wird durch die umgekehrte Anordnung von zerstreuenden und sammelnden Elementen erreicht (Prinzip des holländischen Fernrohrs); die bildseitige Hauptebene liegt dabei vor der Frontlinse, was bei langen Brennweiten zu einer erheblichen Verkürzung der Baulänge führt (sogenannte *echte Teleobjektive;* bei langen Brennweiten mit unveränderter Schnittweite und Baulänge spricht man gewöhnlich von *Fernobjektiven* oder *Fernbildlinsen*).

Bei Kameras mit Zentralverschlüssen besteht auch die Möglichkeit, ein gemeinsames Hinterglied für mehrere Brennweiten zu verwenden, so daß dieses mit dem Verschluß bei der Kamera verbleiben kann und nur die Vorderglieder ausgetauscht werden (sogenanntes *Satzobjektiv*). Hierbei nimmt der Verschluß immer die günstigste Lage in der bildseitigen Hauptebene (Blendenebene), d. h. am Ort der engsten Einschnürung des Strahlengangs, ein.

Wechselobjektive ohne Nebenbedingung werden an Schlitzverschlußkameras verwendet; bei Groß- und Mittelformatkameras besitzt jedes Wechselobjektiv einen eigenen Zentralverschluß.

Für spezielle Aufgaben (Reproduktions- und Makrophotographie) werden auch Objektivtypen mit besonderer Korrektion für den Nahbereich verwendet, z. B. das apochromatisch korrigierte symmetrische *Dialyt* (Doppelanastigmat). Objektive mit veränderlicher Brennweite *(pankratische Systeme),* sogenannte *Vario-* oder *Zoomobjektive,* sind Systeme mit bis zu 16 Linsen. Durch zwei verschiebbare (negative) Linsenglieder wird der Charakter des Vordergliedes und damit die Brennweite kontinuierlich verändert und ein Zwischenbild entworfen, das das feststehende Hinterglied in die Filmebene projiziert (bei Makrozoomobjektiven ist auch durch Bildweitenänderung eine „Einstellung bis auf die Frontlinse" mög-

lich). Als Makroobjektive werden außer den genannten, speziell für den Makrobereich korrigierten auch solche Objektive bezeichnet, deren Tubus einen verlängerten Schneckengang besitzt, so daß sie ohne bildweitenverlängernde Elemente (Zwischentuben, Balgengerät) im Nahbereich (bis zum Abbildungsmaßstab 1:1) eingesetzt werden können. Weitwinkelobjektive können mit exzentrisch verstellbarer optischer Achse zum Ausgleich stürzender Linien in der Kleinbildphotographie u. a. ausgestattet sein.

Die Entfernungseinstellung geschieht beim einfachen Triplet durch axiale Verschiebung der Frontlinse, im allgemeinen durch axiales Verschieben des ganzen Systems mit Hilfe des Tubusschneckengangs oder des Laufbodentriebs. Für Weitwinkelobjektive kommt auch eine Innenverstellung (Mittelgliedverstellung, Floating elements, Floating lenses) wie beim Varioobjektiv in Frage, durch die gleichzeitig die Korrektion dem Nahbereich angepaßt wird. Einander berührende Linsenoberflächen sind mit einer Kittmasse gleicher Brechzahl (Kanadabalsam) verkittet, die freien Linsenoberflächen sind vergütet. In der bildseitigen Hauptebene des Objektivs ist eine Aperturblende (Irisblende) sowie bei nicht auswechselbaren Objektiven der Zentralverschluß angeordnet. Bei Spiegelreflexobjektiven bis zur mittlerer Brennweite wird die Blende meist automatisch betätigt.

Die *Blendenzahlen* sind so abgestuft, daß die hindurchgelassene Lichtmenge jeweils verdoppelt bzw. halbiert wird. Da die wirksame Blendenfläche (Eintrittspupille) eine Kreisfläche ist, unterscheiden sich zwei Blendenzahlen jeweils um den Faktor $\sqrt{2} \approx 1{,}4$. Die am Blendeneinstellring des Objektivs befindliche Blendenskala zeigt folgende Werte an:

$$1-1{,}4-2-2{,}8-4-5{,}6-8-11-16-22-32.$$

Abb. 8 Objektivgrundformen

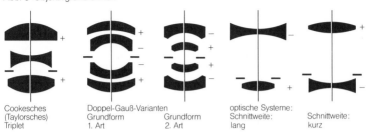

Cookesches
(Taylorsches)
Triplet

Doppel-Gauß-Varianten
Grundform
1. Art

Grundform
2. Art

optische Systeme:
Schnittweite:
lang

Schnittweite:
kurz

Abb. 9 Weitwinkelobjektiv mit verlängerter (a)
und Teleobjektiv mit verkürzter Schnittweite (b)

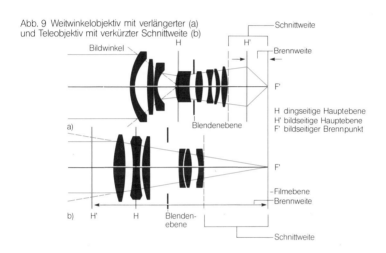

H dingseitige Hauptebene
H' bildseitige Hauptebene
F' bildseitiger Brennpunkt

Abb. 10 Funktionsschema des
Zoomobjektivs

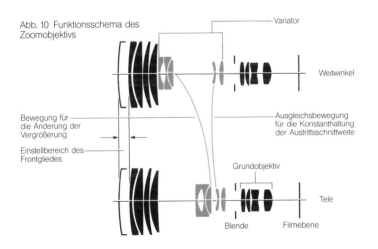

245

Belichtungsmesser

Insbesondere Umkehr[farb]filme verlangen eine sehr exakte Belichtung und machen eine photoelektrische Messung der Belichtungsgrößen obligatorisch. Es sind zwei Meßmethoden gebräuchlich: 1. Messung der „Leuchtdichte" des Objekts (*Objektmessung,* Abb. 1) von der Kamera her in Objektrichtung; 2. Messung der „Beleuchtungsstärke" des das Objekt beleuchtenden Lichtes (*Lichtmessung,* Abb. 2) vom Objekt (oder einem beleuchtungsgleichen Ort) her in Richtung Kamera. Die Meßergebnisse werden vom Rechenwerk des Belichtungsmessers, in das die Empfindlichkeit des Aufnahmematerials vor der Messung eingegeben sein muß, in die Reihe der gültigen Zeit-Blenden-Paarungen bzw. in den entsprechenden Lichtwert (Belichtungswert, Exposure value) umgerechnet. Von den Paarungen kann der Photograph eine passende auswählen, während der Lichtwert gegebenenfalls an der Kamera eingestellt werden kann und Verschluß und Blende entsprechend „kreuzkuppelt".

Als Meßglieder dienen Photoelemente, Photowiderstände und Photodioden (vgl. S. 58). Ihre Funktion beruht auf dem inneren photoelektrischen Effekt. Photoelemente wie die noch vielfach eingesetzte Selenzelle (Abb. 3) wandeln die Lichtenergie unmittelbar in elektrischen Strom um, der mit einem empfindlichen Drehspulinstrument gemessen werden kann. Damit eine meßbare Stromleistung (ca. 20 µW) erzielt wird, muß die Selenzelle relativ großflächig sein (bis zu 4 cm²). Der Meßwinkel soll aber zur Vermeidung von Meßfehlern den Aufnahmebildwinkel (bei Normalobjektiven 45–50°) nicht übersteigen, darum müssen vor der Zelle Wabenlinsen und -blenden angebracht sein, die den Meßwinkel entsprechend begrenzen.

Der Photowiderstand ist in der Regel ein Cadmiumsulfid-Widerstand (CdS-Widerstand, Abb. 4). Er erzeugt keinen Strom, sondern steuert den von einer Batterie gelieferten Strom, indem er bei Belichtung seinen ohmschen Widerstand um bis zu neun Zehnerpotenzen verringert. Damit können größere Leistungen als bei der Selenzelle abgenommen werden (über 50 mW). Der Meßwinkel kann beliebig klein gehalten werden (bis zu 1° bei sogenannten Spotmessungen). Der CdS-Widerstand besteht aus einer sehr dünnen, auf eine nichtleitende Unterlage aufgedampften Cadmiumsulfidschicht. An gegenüberliegenden Seiten bzw. mäanderförmig in der Schicht selbst angeordnet

befinden sich feine Metallelektroden, zwischen denen die durch die Belichtung entstandenen Elektron-Loch-Paare den Ladungstransport vermitteln. Nachteilig sind die Ansprechträgheit (bei geringer Helligkeit und insbesondere bei niedriger Temperatur) und das „Lichtgedächtnis" (unmittelbar aufeinanderfolgende Messungen können sich beeinflussen, wenn erst ins Helle und dann ins Dunkle gemessen wird).

Diese Nachteile kennt die neuerdings in den Vordergrund getretene Siliciumphotodiode nicht (Abb. 5). Sie arbeitet trägheitslos und kann auch zur Blitzmessung eingesetzt werden. Sie ist ein Photoelement, liefert also wie die Selenzelle selbst Strom, jedoch ist dieser von sehr geringer Größe (im Bereich von Nanoampere) und bedarf der elektronischen Verstärkung; da Siliciumzellen hauptsächlich auf infrarote Strahlung ansprechen, müssen sie für photographische Zwecke mit einem strengen Blaufilter arbeiten. Man bezeichnet sie daher auch als *Silicon blue cell* (Abkürzung: sbc).

Die Meßempfindlichkeit des Belichtungsmessers ist so abgestimmt (kalibriert), daß als Helligkeitsmittel eine 18%ige Lichtremission gewertet wird, die dem Mittelwert eines Kontrastumfangs von 1:30 (d. h. des Helligkeitsumfangs eines „Normalmotivs") entspricht. Wird mit großem Meßwinkel über das ganze Objektfeld gemessen, so wird ein Mittelwert aus den unterschiedlichen Objekthelligkeiten „integral" gebildet (*Integralmessung*). Bei unausgewogenen Kontrastverhältnissen, z. B. bei Gegenlicht, sind jedoch Fehlergebnisse möglich und selektive Messungen bzw. die Lichtmessung (Abb. 2) vorzuziehen. Hier wird das einfallende Licht unabhängig von der Kontrastverteilung im Motiv gemessen; dazu muß durch einen vor die Meßzelle geschalteten Diffusor (Streuscheibe, -rollo, -kalotte) die Meßwinkelbegrenzung wieder aufgehoben werden, damit alles auf das Objekt fallende Licht gemessen wird (Meßwinkel im Idealfall 180°). Gleichzeitig muß der Diffusor die Lichtintensität auf einen dem Remissionsgrad von 18 % entsprechenden Wert mindern.

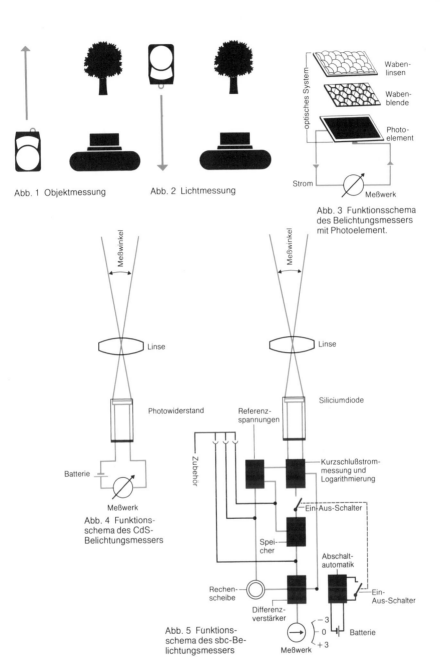

Abb. 1 Objektmessung

Abb. 2 Lichtmessung

optisches System

Waben-linsen

Waben-blende

Photo-element

Strom

Meßwerk

Abb. 3 Funktionsschema des Belichtungsmessers mit Photoelement.

Meßwinkel

Linse

Photowiderstand

Batterie

Meßwerk

Abb. 4 Funktions-schema des CdS-Belichtungsmessers

Meßwinkel

Linse

Siliciumdiode

Referenz-spannungen

Kurzschlußstrom-messung und Logarithmierung

Zubehör

Ein-Aus-Schalter

Speicher

Abschalt-automatik

Rechen-scheibe

Ein-Aus-Schalter

Differenz-verstärker

−3
0
+3

Batterie

Meßwerk

Abb. 5 Funktions-schema des sbc-Be-lichtungsmessers

247

Elektronenblitzgerät

Elektronenblitzgerät ist die übliche Bezeichnung (anstelle der korrekteren Bezeichnung Röhrenblitzgerät) für eine photographische Blitzlichtquelle, deren Licht von einer Gasentladungslampe geliefert wird. Der Blitz zündet verzögerungslos (über die X-Synchronisation, bei Schlitzverschlüssen ist die „Offenzeit" einzustellen), die Leuchtzeit t_l liegt meist zwischen 1/1 000 und 1/2 000,s. Den grundsätzlichen Aufbau zeigt Abb. 1. Das Edelgas in einer Röhre wird durch die in der Zündspule erzeugte sekundäre Hochspannung (ca. 10 000 V) über die angelegte Zündelektrode ionisiert, so daß der Blitzkondensator (Ladespannung etwa 500 Volt) sich entladen kann. Die primäre Zündspannung wird am Spannungsteiler abgegriffen und damit der Zündkondensator aufgeladen. Er entlädt sich beim Schließen des Synchronkontaktes und erzeugt in der Zündspule den hochgespannten Zündimpuls. Der Spannungslieferant, der sogenannte Generatorteil, besteht aus der Stromquelle (bei Studiogeräten Bleiakku, bei Amateurgeräten ein wartungsfreier Nickel-Cadmium-Akku oder Trockenbatterien), dem Zerhacker (Wechselrichter) oder Transistor-Gleichspannungswandler, der die Akkuspannung periodisch an die Primärwicklung des Transformators weitergibt, und dem Transformator mit nachgeschaltetem Gleichrichter. Die hochtransformierte Sekundärspannung des Transformators lädt den Blitzkondensator auf.

Um eine gleichmäßige Spannung im Blitzkondensator zu gewährleisten und Verluste durch Leckstrom auszugleichen, schaltet z. B. eine Steuerautomatik (Stromsparautomatik) nach erfolgter Aufladung den Strom nicht völlig ab, sondern nur auf ein Minimum zurück. Die Aufladung wird über einen Transistor gesteuert, dessen Basisstrom der Ladestrom des Blitzkondensators ist. Im Gegensatz dazu wird bei der Regelautomatik (Abschaltautomatik) der Strom bei Erreichen der Betriebsspannung abgeschaltet; Leckverluste werden durch kurze periodische Nachladeimpulse ausgeglichen. – Wird das Elektronenblitzgerät unmittelbar mit Netzstrom betrieben, so werden die Hochspannungsgleichrichter zwischen Transformator und Kondensator in eine Verdoppleranordnung geschaltet, die den Blitzkondensator mit der Wechselspannung aus dem Netz-Ladestecker auflädt. Oft ist kombinierter Netz- und Akkubetrieb mit besonders kurzen Blitzfolgezeiten möglich (Servoschaltung).

Generatorteil und Blitzgerät sind bei den lichtstärkeren Studiogeräten meist getrennt und nur über Kabel verbunden. Ein zweiter (Zweitleuchte) oder mehrere Lampenstäbe können angeschlossen werden, wobei allerdings die Gesamtlichtmenge des Blitzes konstant bleibt, d. h. bei zwei Leuchten für jede (durch Verkürzung der Leuchtzeit) auf die Hälfte sinkt. Bei Amateurgeräten sind Generatorteil und Blitzgerät meist in eine Baueinheit zusammengefaßt (Kompaktblitz). Die Helligkeit des Elektronenblitzes wird durch die (empfindlichkeitsabhängige) „Leitzahl" ausgedrückt: Leitzahl = Blende × Entfernung [m]. Das Berechnen von Blende und Entfernung nach der Leitzahl entfällt bei den neueren Elektronenblitzgeräten mit Lichtregelschaltung (Blitzautomatik, „Computerblitz"). Hier wird das vom Aufnahmeobjekt reflektierte Licht über eine Photodiode gemessen und die Lichtabstrahlung des Geräts bei einer genau vorgegebenen Lichtmenge unterbrochen, indem eine zur Blitzröhre parallelgeschaltete niederohmige Schaltröhre gezündet wird, so daß die Blitzröhre schlagartig erlischt (Abb. 2).

Je nach Aufnahmeentfernung und Filmempfindlichkeit werden Blitzzeiten zwischen 1/300 und 1/50 000 s erreicht, wobei oft mehrere Blenden gewählt werden können. Eine Thyristorschaltung sorgt bei neueren Geräten dafür, daß die nicht verbrauchte Blitzenergie im Kondensator rückgespeichert wird (Abb. 3), wodurch die Blitzfolgezeit verkürzt und die Anzahl der Blitze je Akkuladung bzw. Batteriesatz erhöht wird. Sogenannte „Dedicated"-Blitzgeräte sind in das Belichtungssystem automatischer Kameras (vgl. S. 254) mit einbezogen.

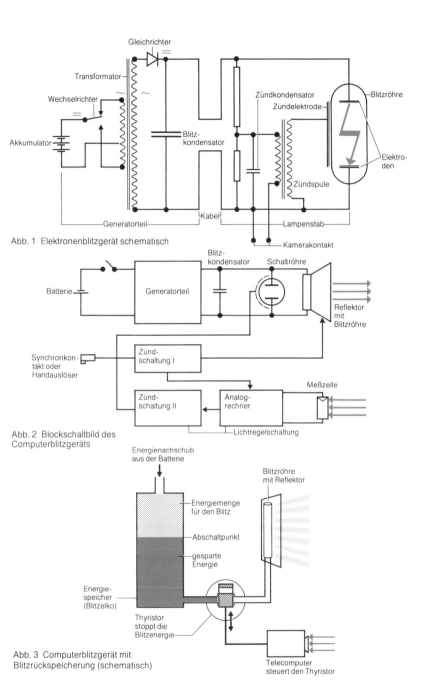

Abb. 1 Elektronenblitzgerät schematisch

Abb. 2 Blockschaltbild des Computerblitzgeräts

Abb. 3 Computerblitzgerät mit Blitzrückspeicherung (schematisch)

249

Schwarzweißfilm

Schwarzweißmaterial ist ein sehr licht-empfindliches photographisches Material, das in Filmrollen, Platten oder Papieren in den Handel kommt. Es dient zum Aufnehmen und Wiedergeben von Schwarzweiß-bildern.

Das Filmmaterial besteht aus einem meist sehr dünnen Träger, für den Nitro-cellulose, Acetylcellulose oder Polyvinyl-chlorid verwendet wird. Auf einer meist dunklen, dünnen Farbzwischenschicht (Antihaloschicht) ist die lichtempfindliche Emulsion aufgebracht, eine sehr dünne Schicht aus 40% Silberbromidkriställ-chen, 50% Gelatine als Bindemittel und 10% Wasser. Bei völliger Dunkelheit wird das Silberbromid emulgiert in Gelatinelö-sung mit weiteren Zusätzen maschinell auf das Film- oder Plattenmaterial aufgetra-gen. Die Korngröße der Silberbromidkri-stalle bestimmt die Lichtempfindlichkeit und das Auflösungsvermögen. Ein grobes Korn ist sehr lichtempfindlich – man kann damit fast im Dunkeln Aufnahmen ma-chen –, dafür ist aber das sogenannte opti-sche Auflösungsvermögen gering. Die lichtempfindliche Schicht wird durch Zu-satz geringster Mengen von Gold-, Queck-silber- und anderen Schwermetallionen zum Silberbromid und durch schwache Reaktion mit Sulfidionen chemisch sensi-bilisiert. Die Original-Silberbromidemul-sion ist nicht für alle Farben des Lichtes gleichmäßig empfindlich. Gelbgrüne, gel-be, orange und rote Farbtöne könnte man mit einem solchen Filmmaterial nicht auf-nehmen. Durch Zusatz von Farbstoffsen-sibilisatoren wird die Schicht physikalisch sensibilisiert und damit für einen größeren Farbtonbereich empfindlich gemacht. Or-thochromatisches Filmmaterial ist von Blau über Grün bis zu Gelb empfindlich, panchromatisches Filmmaterial ist über den ganzen Bereich des farbigen Lichtes bis zum Rot sensibilisiert. Daneben gibt es spezielle Filmmaterialien für wissen-schaftliche Untersuchungen mit den ver-schiedenartigsten Empfindlichkeiten.

Das photographische Bild entsteht da-durch, daß die vom abzubildenden Ge-genstand oder Objekt ausgehenden Licht-strahlen durch das Linsensystem der Auf-nahmekamera auf die lichtempfindliche Schicht des Films geleitet werden. Jeder Lichtstrahl stößt dort, wo er auf den Film trifft, auf Silberbromidkörner, wobei Oberflächenkristalle („Keime") aktiviert werden. Trifft beim späteren Entwick-lungsprozeß im Entwicklerbad der che-misch wirkende Bildentwickler in Lösung

auf ein durch Belichtung aktiviertes Sil-berbromidkriställchen, dann reduziert der Entwickler das betreffende Silberbromid-korn zu schwarzem Silbermetall. Unbe-lichtetes Silberbromid wird nicht reduziert und kann mit dem Fixierbad (einem Kom-plexlösungsmittel für unbelichtetes Silber-bromid) aus der Filmschicht herausgelöst werden.

Nach dem Auswaschen der Entwickler-und Fixierlösungen aus dem Film und nach der Trocknung liegt das Negativ vor (natürlich kann das Negativ darüber hin-aus durch Zwischenbäder, Zwischenbe-lichtung, Wärmebehandlung usw. noch vielfältig beeinflußt werden). Auf einem Negativ erscheint nun beispielsweise der Schatten weiß und die Sonne schwarz. Be-lichtet man durch ein solches Negativ hin-durch das photographische Positivmate-rial, z. B. photographisches Papier, dann fällt durch den dunklen Negativteil kein Licht auf das Photopapier; nur durch die hellen Stellen hindurch kann das Photo-papier belichtet werden. Die belichteten Photopapierstellen werden beim Entwick-lungsprozeß wieder dunkel, die unbelich-teten Stellen bleiben hell. Die hellen Schatten des Negativs werden im Positiv dunkel, so wie es das Auge auch in Wirk-lichkeit gesehen hat, und entsprechend wird die schwarze Sonne des Negativs im Positiv wieder hell.

Einige moderne Schwarzweißfilme ent-halten im fertigen Negativ wie Farbfilme (vgl. S. 234 ff.) chromogen entwickelte Farbschichten, die die Schwärzungen durch subtraktive Farbmischung aufbau-en. Sie besitzen extrem große Belichtungs-spielräume bzw. sind je nach Entwicklung mit unterschiedlicher Empfindlichkeit einsetzbar.

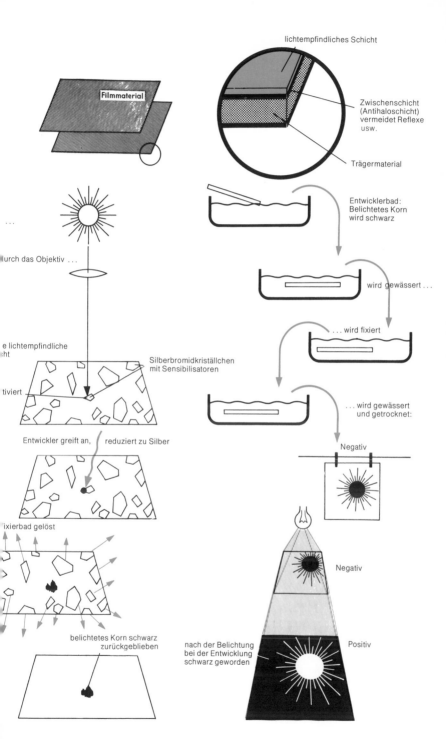

lichtempfindliches Schicht

Filmmaterial

Zwischenschicht
(Antihaloschicht)
vermeidet Reflexe
usw.

Trägermaterial

Entwicklerbad:
Belichtetes Korn
wird schwarz

... durch das Objektiv ...

wird gewässert ...

... wird fixiert

die lichtempfindliche
Schicht

Silberbromidkriställchen
mit Sensibilisatoren

... wird gewässert
und getrocknet:

... aktiviert

Negativ

Entwickler greift an, reduziert zu Silber

Negativ

... im Fixierbad gelöst

Positiv

belichtetes Korn schwarz
zurückgeblieben

nach der Belichtung
bei der Entwicklung
schwarz geworden

Automatische Kameras I

Nicht nur bei Kompaktkameras für den technisch weniger interessierten Photoamateur, auch bei System- und Profigeräten sind heute zahlreiche Bedienungsfunktionen automatisiert und werden von der Kameraelektronik gesteuert, wodurch die Aufnahmetechnik vereinfacht wird, so daß sich der Photograph voll auf das Motiv konzentrieren kann. Es lassen sich folgende Automatikbereiche unterscheiden, die in unterschiedlichen Ausbaustufen bei den einzelnen Kameras vorhanden sind:

1. *Filmeinspeisung:* Der Kleinbildfilm (Kassette 135) wird nach dem Einlegen der Patrone in das Filmfach der Kamera von einem Transportmotor in die Aufnahmespule eingefädelt und in Startposition befördert, nach jeder Aufnahme um einen Bildschritt weitergeschaltet und nach der letzten Aufnahme (selbsttätig) zurück in die Patrone gespult.

2. *Belichtungsautomatik:* Die für Filmempfindlichkeit und Objekthelligkeit erforderliche Belichtung (Verschlußzeit-Blenden-Paarung) wird von einem in die Kamera eingebauten Belichtungsmeßsystem gemessen und auf Verschluß und Objektivblende übertragen; die Empfindlichkeit wird bei Kassettenfilmen (126, 110) über eine Randaussparung und einem Kamerafühlhebel eingesteuert, bei Kleinbildpatronen neuerdings von einem der Patrone aufgedruckten Code (DX) „abgelesen" (s. u.). Reicht die Motivbeleuchtung für eine Belichtung nicht aus, wird bei sog. Lichtmischerkameras ein entsprechend dosierter Anteil Blitzlicht (von einem eingebauten Elektronenblitzgerät) hinzugesteuert.

3. *Autofokus:* Die Motiventfernung wird voll- oder halbautomatisch gemessen und das Objektiv entsprechend fokussiert.

Automatische Filmeinfädelung, Transport und Rückspulung durch einen eingebauten Motor sind die Domäne der Amateurkamera. Die Systemkameras verfügen über am Kameraboden ansetzbare, elektrisch betriebene „Winder" (bis 2 Bilder/s) oder Motore (bis 4 Bilder/s) für eine schnelle Schußfolge bzw. Serienaufnahmen.

Die Eingabe der Filmdaten in das Kamerasystem erfolgt bei Kleinbildfilmen durch den sogenannten DX-Code. Er besteht aus 12 auf die Patrone aufgedruckten silbernen und schwarzen Rechteckfeldern mit unterschiedlichen elektrischen Widerstandswerten (100 und 600 Ω), die von Kontaktfedern abgetastet werden und in binärer Codierung Angaben über Film-

empfindlichkeit (Felder 2–6), Bildzahl (Felder 8–10) und Belichtungsspielraum (Felder 11 und 12) enthalten. Die in Aufnahmeposition zuunterst liegenden Felder 1 und 7 dienen der Leseorientierung. Ein weiterer Strichcode sorgt für die automatische Filmerkennung im Labor, zusätzlich ist in die Filmzunge ein Lochcode eingestanzt, der die Verarbeitungsschritte steuert. Nach der Entwicklung wird unter jedem Bild ein einbelichteter Strichcode sichtbar, der die Printersteuerung unterstützt. Die Blockfeldercodierung läßt sich anhand der nebenstehenden Tabellen entschlüsseln.

Die Belichtung wird bei einäugigen Spiegelreflexkameras durch das Objektiv gemessen (Through-the-lens- oder TTL-Messung; Filter- und Auszugsfaktoren werden „automatisch" berücksichtigt), in der Regel durch eine sbc- oder Galliumarsenid-Phosphor-Diode, die die Helligkeit des auf dem ersten Verschlußvorgang bzw. auf dem Film projizierten Bildes beurteilt. Der Meßwert kann nun 1. zu einer vorgewählten Blende stufenlos die jeweils erforderliche Belichtungszeit hinzuregeln (Zeitautomatik mit Blendenvorwahl), 2. zu einer vorgewählten Verschlußzeit die Blende mechanisch oder elektrisch (mit Blendenstopmagneten) auf den erforderlichen Wert schließen (Blendenautomatik mit Zeitvorwahl), 3. aus einem festen Zeit-Blenden-Programm eine passende Paarung auswählen (Programmautomatik ohne manuelle Beeinflussung).

Viele Kameras lassen alle drei Möglichkeiten und zusätzlich die manuelle Einstellung von Zeit und Blende zu. Für bestimmte Aufgaben, z. B. Sportaufnahmen, ist die Zeitvorwahl praktikabler als die anderen Möglichkeiten, da eine eingestellte hinreichend kurze Belichtungszeit auch bei wechselndem Licht nicht verlorengeht (allerdings steuert ein sogenannter Crossover-Mechanismus bei zu schwachem Licht selbsttätig die nächstlängere Belichtungszeit an), sie läßt jedoch nicht die Verwendung von kamerafremden Objektiven (durch die bei der Blendenvorwahl mit der „Arbeitsblende" gemessen wird), von Spiegelobjektiven (ohne Irisblende) u. ä. zu.

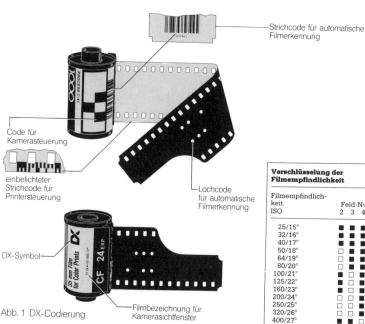

Strichcode für automatische Filmerkennung

Code für Kamerasteuerung

einbelichteter Strichcode für Printersteuerung

Lochcode für automatische Filmerkennung

DX-Symbol

Filmbezeichnung für Kamerasichtfenster

Abb. 1 DX-Codierung

Verschlüsselung der Filmempfindlichkeit

Filmempfindlichkeit ISO	Feld-Nummer 2	3	4	5	6
25/15°	■	■	■	□	■
32/16°	■	■	□	■	□
40/17°	■	■	■	■	□
50/18°	□	■	■	□	□
64/19°	□	■	□	■	■
80/20°	□	■	■	■	□
100/21°	■	□	■	□	■
125/22°	■	□	■	□	□
160/23°	■	□	□	■	□
200/24°	□	□	■	■	■
250/25°	□	■	■	□	■
320/26°	□	□	■	■	□
400/27°	■	■	□	□	■
500/28°	■	■	□	■	□
640/29°	■	■	□	□	□
800/30°	■	■	□	■	□
1000/31°	□	■	■	□	□
1250/32°	□	■	■	■	□
1600/33°	■	□	□	□	■
2000/34°	■	□	□	■	□
2500/35°	■	□	□	■	□
3200/36°	□	□	□	□	■
4000/37°	□	□	□	□	□
5000/38°	□	□	□	□	□

Verschlüsselung der Anzahl der möglichen Aufnahmen

Anzahl der Aufnahmen	Feld-Nummer 8	9	10
12	□	■	■
20	■	□	■
24	□	□	■
36	■	■	□
–	□	■	□
–	■	□	□
72	□	□	□

Verschlüsselung des Belichtungsumfangs

Belichtungsumfang (Blendenstufen)	Feld-Nummer 11	12
± ½	■	■
± 1	■	□
+ 2, – 1	□	■
+ 3, – 1	□	□

Abb. 2 Code für die Kamerasteuerung mit Entschlüsselungstabellen

Automatische Kameras II

Die *Programmautomatik,* für die die Objekthelligkeit das einzige Regulativ ist, erfüllt bestimmte Forderungen wie die nach kurzen Belichtungszeiten oder großer Schärfentiefe nur bei ausreichendem Lichtangebot. Da für Freihandaufnahmen mit langen Brennweiten möglichst kurze Belichtungszeiten zu wählen sind (gegen das „Verreißen"), haben manche Kameras für den Telebereich und oft auch für den Weitwinkelbereich eigene Belichtungsprogramme.

Die verbreitetste Meßmethode ist die Integralmessung (vgl. S. 246), wobei das Meßprofil jedoch in der Regel abgestuft und mittenbetont ist, d. h., die Bildmitte ist von größerem Einfluß auf das Meßergebnis als die Bildrandzonen. Mit einigen Kameras ist auch (oder nur) die Selektivmessung, speziell für Problemfälle (z. B. Gegenlicht), möglich. Auch hier sind automatische Systeme zur Vereinfachung der Meßtechnik entwickelt worden, z. B. wird die Helligkeit an verschiedenen Punkten des Bildfeldes selektiv gemessen und aus den Messungen eine optimale Belichtung errechnet, bei einem Modell sogar in der Weise, daß die Meßdaten mit über 10 000 im Mikrocomputer der Kamera gespeicherten Belichtungsdaten verglichen werden.

Autofokussysteme arbeiten nach unterschiedlichen Prinzipien. Beim Sonarprinzip der Polaroidkameras sendet und empfängt ein Meßwandler Ultraschallimpulse. Der Meßwandler besteht aus einer 0,0003 mm dicken Goldfolie in Verbindung mit einer Polyesterschicht als Membran, die mit einer Aluminiumplatte mit konzentrisch angeordneten Rillen eine Art Kondensatorlautsprecher bzw. -mikrophon bildet. Die Impulse haben eine Dauer von 1 ms und werden in den Frequenzen 60, 57, 53 und 50 kHz abgestrahlt. Ihre Laufzeit wird von einem Schaltkreis mit Quarzkristall gemessen, entsprechend wird das Objektiv aus der Nahbereichsstellung in verschiedene Schärfepositionen verschoben.

Verbreitet sind automatische Meßverfahren nach dem Prinzip der aktiven oder passiven Triangulation: Wie bei optischen Entfernungsmessern wird von einer Meßbasis mit je einem Einblick an den Basisenden aus der Winkel der vom anvisierten Objekt ausgehenden Sehstrahlen gemessen (durch Kontrastabgleich mittels Photodioden). Die Kamera kann dazu selbst Licht aussenden (z. B. Infrarotblitze; aktive Triangulation) oder das vorhandene Licht nutzen (passive Triangulation). Durch Kontrastabgleich wird auch bei einäugigen Spiegelreflexkameras [halb]automatisch scharfgestellt. Kontrastmessende Photodioden, z. B. Festkörperbildwandler, CCD (Charge-coupled devices), stellen fest, ob die Fokusebene (Ebene des höchsten Kontrastes) vor oder hinter der Einstellebene liegt, und zeigen über Leuchtdioden im Sucher an, in welcher Richtung der Fokussierring des Objektivs zu betätigen ist, oder steuern über ein Schaltgestänge die Fokussierung vollautomatisch.

Autofokussysteme arbeiten nicht in allen Fällen zufriedenstellend. Kontrastmessende Systeme versagen bei Objekten mit sehr geringen Kontrasten; Triangulationsverfahren messen nur dann genau, wenn sich das bildwichtige Objekt in der Bildmitte befindet. Am besten schneidet das Sonarprinzip ab, da die Ultraschallimpulse sich kegelförmig ausbreiten und schon von Vordergrundobjekten zurückgeworfen werden, auch wenn sie sich am Bildrand befinden (durch eine geschlossene Fensterscheibe hindurch kann man selbstverständlich nicht photographieren). Mit Infrarotstrahlen arbeitende Systeme werden von heißen und daher Infrarotlicht ausstrahlenden Gegenständen (Kaminfeuer, Kerzen) irritiert.

Siliciumdioden und Galliumarsenid-Phosphor-Dioden, die verzögerungslos arbeiten, können nicht nur die Objekthelligkeit, sondern auch das vom Objekt reflektierte Licht eines Elektronenblitzgeräts messen und das Blitzlicht bei ausreichender Belichtung abschalten. Sog. „Dedicated"-Blitzgeräte schalten die Kamera beim Anstöpseln zunächst auf Blitzbereitschaft (Einstellung der kürzesten Volloffenzeit des Schlitzverschlusses, Bereitschaftsanzeige über Sucherleuchtdiode) und stellen bei modernen Systemen sogar den Lichtabstrahlungswinkel auf die verwendete Brennweite (bzw. die eingestellte Brennweite bei Zoomobjektiven) ein.

Die vielfältigen elektronischen Funktionen automatischer Kameras werden von Mikrocomputern und integrierten Schaltkreisen gesteuert. Die eingesteuerten Werte und die Filmdaten können bei einigen Kameramodellen auf einem Miniaturbildschirm, einem „Multifunktionsdisplay", abgerufen werden.

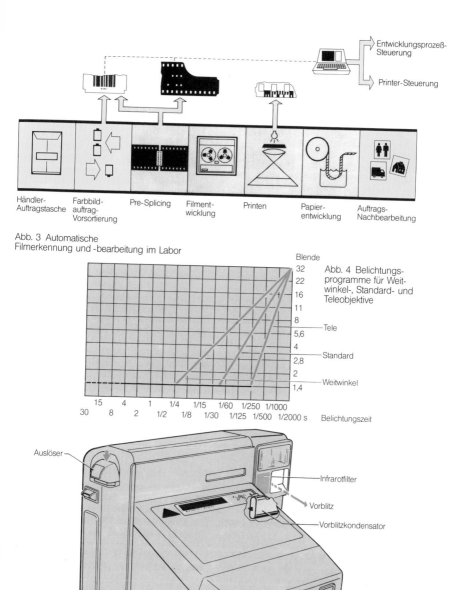

Händler-Auftragstasche · Farbbildauftrag-Vorsortierung · Pre-Splicing · Filmentwicklung · Printen · Papierentwicklung · Auftrags-Nachbearbeitung

Abb. 3 Automatische
Filmerkennung und -bearbeitung im Labor

Entwicklungsprozeß-Steuerung

Printer-Steuerung

Abb. 4 Belichtungsprogramme für Weitwinkel-, Standard- und Teleobjektive

Blende

Tele

Standard

Weitwinkel

Belichtungszeit

Auslöser

Infrarotfilter

Vorblitz

Vorblitzkondensator

Schaltkreis (1)

vorhandenes Licht

Blendenlamelle

integrierter Schaltkreis (2)

Licht vom Vorblitz

Entfernungsmesser

Infrarotfilter

Abb. 5 Infrarot-Autofokussystem

255

Satztechnik

Die Erstellung des Schriftsatzes, das „Setzen", das eine Voraussetzung für die drucktechnische Vervielfältigung von Texten ist, erfolgte über vier Jahrhunderte hinweg im wesentlichen nach demselben Prinzip: Einzelne Drucktypen, die sogenannten *Lettern,* aus einer Bleilegierung gegossen, wurden von Hand *(„Handsatz")* zu Wörtern und Texten zusammengesetzt. Erst um die Wende zum 20. Jahrhundert gelang die Entwicklung brauchbarer Maschinen, die diese mühsame und zeitaufwendige Tätigkeit erleichterten und beschleunigten. Der Vorteil dieser *Setzmaschinen,* die ständig verbessert wurden und zum Teil noch heute im Einsatz sind, lag neben der größeren Setzgeschwindigkeit auch in der Verwendung ständig neu gegossener Drucktypen, die nach dem Druck wieder eingeschmolzen und zum Gießen neuer Typen verwendet wurden.

Bei *Zeilensetzmaschinen* (z. B. Linotype Ⓦ) werden mit einer schreibmaschinenähnlichen Tastatur die Gießformen (Matrizen) der einzelnen Drucktypen nacheinander aus einem Magazin ausgelöst und mit Hilfe einer Transportvorrichtung zu Zeilen aneinandergereiht. Jede Matrizenzeile wird dann durch Ausgleichen der Wortzwischenräume in die gewünschte Zeilenbreite gebracht („ausgeschlossen") und im Ganzen mit geschmolzenem Letternmetall ausgegossen. Die komplette Schriftzeile wird ausgestoßen, während die Matrizen wieder dem Magazin zugeführt werden.

Bei der *Einzelbuchstabensetzmaschine* (z. B. Monotype Ⓦ) sind Setz- und Gießteil grundsätzlich voneinander getrennt. Im Setzteil wird der Text über eine Tastatur eingegeben und codiert in einen Papierstreifen gelocht. Dieser Lochstreifen dient dann zur Steuerung der Gießmaschine, die zeilenweise in Einzelbuchstaben gießt.

Nach dem 2. Weltkrieg begann eine Neuentwicklung, die das Blei aus den Setzereien zunehmend verdrängte: Photo- und Lichtsatz, die einen direkt als Kopiervorlage für die Druckformenherstellung verwendbaren Satz auf Filmmaterial oder Photopapier liefern, brachten einen tiefgreifenden Umschwung in der Satztechnik.

Photosetzmaschinen, die die erste Generation des bleilosen Satzes repräsentierten, enthalten eine Kamera mit einer besonderen Belichtungseinrichtung, die transparente Schriftmatrizen (Filmnegative mit durchsichtigen Negativschriftbildern) auf photographischem Material abgebildet werden. Diese Maschinen werden von einem Lochband oder einem Magnetband gesteuert, das den (vom Erfasser in eine Tastatur eingegebenen) Text in codierter Form enthält.

Die nächste Entwicklungsstufe – die heute modernste Form der Satzherstellung – ist der *lichtpunktgesteuerte Satz,* kurz als *Lichtsatz* bezeichnet. Im Gegensatz zur reinen Projektionsbelichtung beim älteren Photosatz wird hier die Belichtung des Photomaterials durch einen gesteuerten Lichtpunkt erreicht. Dazu ist es erforderlich, die einzelnen Buchstaben der Schrift zu digitalisieren, d. h., ähnlich wie das Fernsehbild in eine Folge kleiner Punkte bzw. Striche zu zerlegen, denen jeweils der Wert „Schwarz" oder „Weiß" zugeordnet wird. Damit ist zugleich eine ideale Voraussetzung dafür geschaffen, die Schrift in dieser dual codierten Form im Speicher einer Datenverarbeitungsanlage (EDV-Anlage) zu speichern (vgl. S. 132), die nunmehr ins Zentrum des Texterfassungs- und Textbearbeitungssystems eines Verlages rückt (Abb. 1).

Der Vorgang der Satzherstellung vollzieht sich nun im wesentlichen in folgenden Schritten: Der Erfasser gibt den zu setzenden Text über eine Tastatur (mit angeschlossenem Bildschirm) direkt oder indirekt (z. B. durch Zwischenschaltung eines Magnetbandes oder einer Diskette) in den Speicher einer Datenverarbeitungsanlage ein. Je nach Art der zusätzlichen „Befehle" über Schriftart, Zeilenbreite, Zeilenzwischenraum usw. werden die im Speicher („Magazin") in digitaler Codierung gespeicherten Zeichen abgerufen und steuern die Elektronenstrahl einer Kathodenstrahlröhre, von der das Schriftbild über eine spezielle Optik auf das als Druckvorlage dienende Photomaterial abgebildet wird. Diese Art des Lichtsatzes wird (nach der englischen Bezeichnung cathode ray tube für Kathodenstrahlröhre) abgekürzt als *CTR-Lichtsatz* bezeichnet.

Ohne Zwischenschaltung einer Kathodenstrahlröhre arbeitet der *Laser-Lichtsatz.* Das sogenannte Videosignal, das beim CTR-Lichtsatz den Kathodenstrahl steuert, wird hier zur Modulation eines Laserstrahles benutzt, der über eine komplizierte Spiegel- und Linsenoptik zeilenweise das Photomaterial direkt belichtet (Abb. 2).

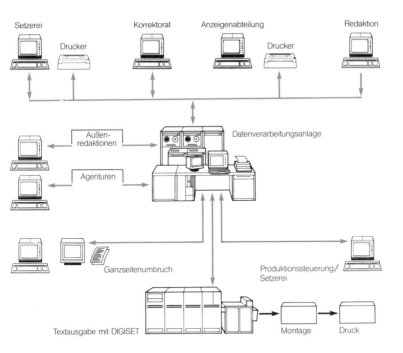

Abb. 1 Schema eines modernen Texterfassungs- und
Textbearbeitungssystems für Buch- und Zeitungsverlage

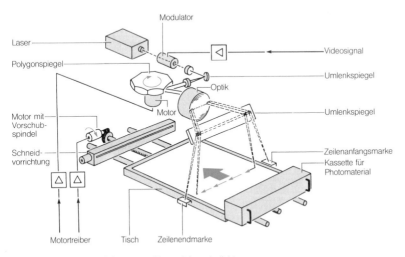

Abb. 2 Schema einer Lichtsetzmaschine mit Laserbelichtung

Um textliche und bildliche Darstellungen in großer Anzahl zu vervielfältigen, kommen im wesentlichen vier unterschiedliche *Druckverfahren* zur Anwendung: der Hochdruck, der Tiefdruck, der Flachdruck und der Durchdruck (Siebdruck).

Neben diesen Druckverfahren unterscheidet man nach der Gestalt des Druckkörpers und des Druckformenträgers drei *Druckprinzipien:* 1. Druck ebene Fläche gegen ebene Fläche (Flach-Flach-Druck, Tiegeldruck), 2. Druck Zylinder gegen ebene Fläche (Rund-Flach-Druck, Zylinder-Flachform-Druck) und 3. Druck Zylinder gegen Zylinder (Rund-Rund-Druck, Rotationsdruck).

Der *Hochdruck,* der nach dem ältesten Prinzip des Stempeldrucks arbeitet, erfolgt von einer Druckform, bei der die druckenden Stellen gegenüber den nichtdruckenden Stellen erhöht liegen. Nur diese erhöhten Teile werden vor dem Druckvorgang mit Druckfarbe eingefärbt und geben sie beim Druckvorgang an den zu bedruckenden Stoff ab. Das bekannteste Hochdruckverfahren ist der *Buchdruck* (die Bezeichnung wird meist mit Hochdruck gleichgesetzt), der früher fast ausschließlich zum Druck von Büchern angewandt wurde. – Die Erfindung des Buchdruckes mit Hilfe beweglicher Lettern durch Johannes Gutenberg (um 1440) zeigte bereits den Vorteil dieses Druckverfahrens: Die Druckformen – vom einzelnen Buchstaben bis zur kompletten Druckplatte – konnten zu einer wechselbaren Gesamtform zusammengesetzt und nach dem Ausdrucken wieder auseinandergenommen und wiederverwendet werden. Mit der modernen Entwicklung des Offsetdruckes (vgl. S. 260) und der Verdrängung des Bleisatzes hat der Hochdruck seine ursprüngliche beherrschende Bedeutung bei der Buchherstellung weitgehend verloren. Er wird heute z. T. noch beim Druck von Zeitungen und im sogenannten Akzidenzdruck (Herstellung von Glückwunschkarten, Visitenkarten u. ä.) angewandt.

Ein künstlerisches Hochdruckverfahren ist der *Holzschnittdruck.* Hierbei stellen die eingeschnittenen Teile der als Druckform dienenden Holzplatte die nichtdruckenden Teile dar.

Als *Tiefdruck* bezeichnet man alle jene Druckverfahren, bei denen die druckenden Stellen der Druckform vertieft liegen. Beim *Rakeltiefdruck* wird vor dem Druck die Druckfarbe der eingefärbten Druckform von den nichtdruckenden Stellen durch eine Rakel (ein messerartiges Stahlband) entfernt, während dies beim *Stichtiefdruck* duch eine Wischvorrichtung erfolgt. Während der Stichtiefdruck nur noch für spezielle Zwecke (Druck von Wertpapieren, Briefmarken, künstlerischen Kupferstichen) eingesetzt wird, hat sich der Rakeltiefdruck zu einem verbreitet angewandten Druckverfahren für Großauflagen (v. a. Zeitschriften) entwickelt. Der im Rakeltiefdruck erzielbare Tonreichtum kommt dem der Photographie sehr nahe, so daß er sich sehr gut zur Wiedergabe von Halbtonbildern eignet. Die Reproduktion der Halbtöne erfolgt unter Verwendung eines Netzrasters bei der Tiefdruckformenherstellung, wodurch das Bild in Druckfarbe aufnehmende Näpfchen unterschiedlicher Tiefe und/ oder unterschiedlicher Fläche zerlegt wird. Diese in die Oberfläche des Formzylinders eingeätzten oder (heute vielfach durch optisches „Abtasten" der Druckvorlage mit Hilfe eines Scanners computergesteuert) durch feinste Stichel eingravierten Näpfchen werden mit dünnflüssiger Druckfarbe gefüllt, wobei die auf die Oberfläche (die Stege des Netzrasters) aufgebrachte Druckfarbe durch die Rakel wieder abgestreift wird. Daraufhin erfolgt das Übertragen der Druckfarbe aus den Rasternäpfchen des Formzylinders auf den zu bedruckenden Stoff beim Durchgang durch die Kontaktzone zwischen Formzylinder und Druckzylinder. Um das Übertragen der Druckfarbe zu begünstigen, kann der Farbmeniskus in den einzelnen Näpfchen durch elektrostatische Kräfte leicht angehoben werden, so daß in besserer Übergangskontakt mit dem zu bedruckenden Stoff entsteht.

Der Rakeltiefdruck hat sich zum führenden Tiefdruckverfahren entwickelt. Ein- und Mehrfarben-Rollenrotationstiefdruckmaschinen dienen zum Druck großer Auflagen von Zeitschriften, Prospekten, Plakaten und zum Bedrucken von Verpackungsmaterial (auch Folien).

Die im Tiefdruck verwendete Druckfarbe trocknet (im Gegensatz zur oxidativ trocknenden Hochdruck- und Flachdruckfarbe) durch Verdunstung des Lösungsmittels (Toluol, Xylol). Um ein Abfärben oder Zusammenkleben der frisch bedruckten Stapel oder Rollen zu vermeiden, sind besondere Trockenvorrichtungen erforderlich. Der hier abgesaugte Lösungsmitteldampf wird in besonderen Anlagen zurückgewonnen.

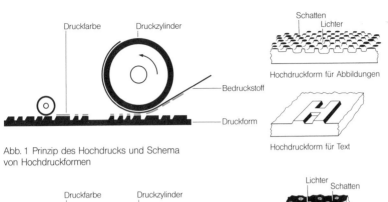

Abb. 1 Prinzip des Hochdrucks und Schema
von Hochdruckformen

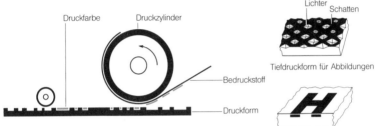

Abb. 2 Prinzip des Tiefdrucks und Schema
von Tiefdruckformen

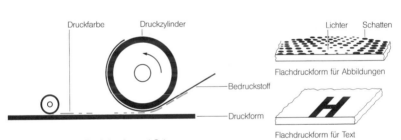

Abb. 3 Prinzip des Flachdrucks und Schema
von Flachdruckformen

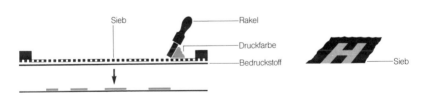

Abb. 4 Prinzip des Durchdrucks (Siebdruck)
und Schema einer Siebdruckform

Drucktechnik II

Der *Flachdruck* umfaßt eine Gruppe von Druckverfahren, bei denen die druckenden und die nichtdruckenden Stellen der Druckform praktisch in einer Ebene liegen. Man nutzt dabei die Tatsache aus, daß sich bestimmte Substanzen, z. B. Fett und Wasser, gegenseitig abstoßen. Wenn man mit einer Fettfarbe oder Fettkreide auf einer ebenen Stein- oder Metallplatte zeichnet und anschließend die ganze Fläche anfeuchtet, so wird das Wasser von den bezeichneten Stellen abgestoßen, während die unbezeichneten Stellen das Wasser festhalten und feucht bleiben. Überwalzt man nun die Platte mit einer fettigen Druckfarbe, so stoßen die wässerigen Partien die Farbe ab, während die Zeichnung selbst die Farbe annimmt. Die Platte kann so als Druckform zur Wiedergabe der Zeichnung dienen.

Das älteste Flachdruckverfahren, der *Steindruck (Lithographie),* der auf eine Erfindung A. Senefelders im Jahre 1798 zurückgeht, verwendet als Druckform eine entsprechend präparierte Steinplatte (meist Solnhofener Plattenkalk), von der der Druck *direkt* auf den zu bedruckenden Stoff erfolgt. Dieses Verfahren wird noch heute für künstlerische Arbeiten angewandt.

Das am weitesten verbreitete Verfahren des Flachdrucks ist der *Offsetdruck.* Im Gegensatz zum direkten Flachdruck erfolgt der Druck hier *indirekt* über einen meist mit Gummituch bespannten Zylinder. Das Druckbild wird von der eingefärbten Druckplatte bzw. dem Druckzylinder zunächst auf das Gummituch übertragen, von diesem erfolgt dann der eigentliche Druck auf den Bedruckstoff.

Der Offsetdruck benötigt im Gegensatz zum Hochdruck ein sogenanntes *Feuchtwerk,* das die nichtdruckenden Stellen der Druckplatte laufend befeuchtet und damit deren abstoßende Wirkung gegenüber der durch das Farbwerk aufgebrachten Druckfarbe aufrechterhält. Zur Erzielung einer guten Druckwiedergabe ist nur ein mäßiger Anpreßdruck erforderlich. Der Offsetdruck arbeitet heute v. a. nach dem Rotationsprinzip und wird für den Druck von Büchern, Zeitungen, Plakaten, Landkarten u. a. eingesetzt. Als Druckplatten werden hauptsächlich Ganzformplatten aus Metall (Aluminium, Zink, Mehrmetall) oder Kunststoff verwendet, die um den Formzylinder gelegt und auf ihm befestigt werden. Während Zink- und Aluminiumplatten entweder fett- oder wasserabstoßend präpariert werden müssen, sind andere Metalle entweder fett- oder wasserbindend. So kann man z. B. auf ein wasseranziehendes und fettabstoßendes Grundmetall (Chrom, Nickel) galvanisch eine zweite „farbführende" (fettanziehende) Metallschicht (z. B. Kupfer) aufbringen und an den bildfreien Stellen nach der Kopie der Druckvorlage auf die Druckform wieder wegätzen. – Auch eine Umkehrung des Fett-Wasser-Prinzips ist möglich: Man kann auch mit Wasseremulsionsdruckfarben und einer Kohlenwasserstoff-Feuchtung arbeiten.

Ein wichtiger Vorteil des Offsetdrucks gegenüber anderen Druckverfahren liegt darin, daß sich wegen des beim Druckvorgang dazwischengeschalteten Gummituchs auch rauhere Papiere als Bedruckstoff verwenden lassen.

Zunehmende Bedeutung gewinnen Flachdruckverfahren, die nicht auf dem Fett-Wasser-Gegensatz beruhen, sondern auf dem Gegensatz „elektrisch aufgeladen" und „elektrisch nicht aufgeladen". Dieses Prinzip findet seit vielen Jahren bei den Kopiergeräten Anwendung (vgl. S. 264) und wurde zum *Laserdrucker* weiterentwickelt (vgl. S. 152).

Als *Durchdruck* bezeichnet man solche Druckverfahren, bei denen die Druckfarbe durch die geöffneten Stellen der Druckform auf den zu bedruckenden Stoff gelangt. Als Druckform wird eine Schablone verwendet, die unter Benutzung eines siebartigen Trägermaterials aus Metall-, Textil- oder Kunststofffäden hergestellt wird. Man bezeichnet dieses Verfahren daher auch als *Siebdruck* (im Textildruck auch als *Film-* oder *Schablonendruck,* im künstlerischen Bereich auch als *Serigraphie).* Der Druckvorgang besteht darin, daß die Druckfarbe mit Hilfe einer Rakel über die Siebdruckform gestrichen wird und damit in die von der Schablone freigelassenen Öffnungen und schließlich durch diese hindurch an den darunter liegenden Bedruckstoff gebracht wird. Dies kann manuell mit einer sogenannten Handrakel (festes Querholz mit Gummistreifen) oder auch maschinell erfolgen.

Der Siebdruck wird als künstlerische Technik (auch im Textildruck) als Handsiebdruck angewandt. In der Druckindustrie kommt er überall dort zum Einsatz, wo sich andere Druckverfahren wenig oder gar nicht eignen, z. B. zum Druck von Abziehbildern, Schildern, Plakaten mit Leuchtfarben, elektronischen Schaltungen u. a. Besondere Bedeutung hat der Siebdruck in der Textilindustrie.

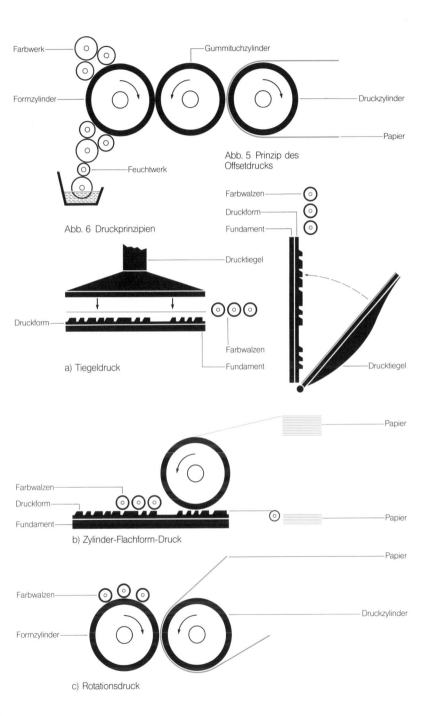

Farbwerk

Gummituchzylinder

Formzylinder

Druckzylinder

Papier

Feuchtwerk

Abb. 5 Prinzip des Offsetdrucks

Abb. 6 Druckprinzipien

Farbwalzen
Druckform
Fundament

Drucktiegel

Druckform

Farbwalzen
Fundament

Drucktiegel

a) Tiegeldruck

Papier

Farbwalzen
Druckform
Fundament

Papier

b) Zylinder-Flachform-Druck

Papier

Farbwalzen

Druckzylinder

Formzylinder

c) Rotationsdruck

261

Buchbinderei

Bei der Buchfertigung unterscheidet man nach Ausführung der Druckarbeiten drei Phasen: (1) die Buchblockherstellung, (2) die Deckenherstellung und (3) das Vereinigen von Buchblock und Decke. Der buchbinderische Werdegang eines Buches verläuft beispielsweise wie folgt:

Die aus der Druckerei angelieferten bedruckten Bogen (Rohbogen) werden zunächst in der Glattstoßmaschine ihrer Druckanlage entsprechend genau Kante auf Kante gebracht. Nach dem Schneiden in der *Schneidmaschine* werden die Falzbogen in Schwert- oder auf Stauchfalzmaschinen so oft auf ihrer längeren Seite in der Mitte gefaltet, bis sich das Buchrohformat und die richtige Reihenfolge der Seitenzahlen ergibt.

Der erste Bogen eines Buches enthält die Seiten 1 bis 16 oder auch 1 bis 32 und wird als Signatur 1 bezeichnet; der zweite Bogen enthält die Seiten 17 bis 32 bzw. 33 bis 64 (Signatur 2) usw.

Diese verschiedenen gefalzten Signaturen werden auf die Stationen der *Zusammentragmaschine* aufgelegt. Jede Station befördert eine Falzlage auf ein kontinuierlich durchlaufendes Band, so daß der ersten Falzlage des Buches alle weiteren dazugelegt werden, bis sich der komplette Buchblock aus losen Falzlagen ergibt. Die Kontrolle der Vollständigkeit, die sogenannte Kollationierung, erfolgt durch die auf dem Rücken je Falzlage aufgedruckte *Flattermarke*.

Das Verbinden der Falzbogen untereinander erfolgt in der Regel durch Fadenheften, Drahtheften, Klebebinden und ähnliche Maßnahmen. Im Falle des Fadenheftens werden die einzelnen Falzbogen durch Heftzwirn verbunden. Sie werden dazu in der Mitte aufgeschlagen und auf den Schwingsattel der Heftmaschine gelegt. Dabei stechen Nadeln durch den Rücken und führen die Fäden hindurch. Sind alle Bogen eines Exemplars nacheinander geheftet, ist bereits ein Buchblock entstanden. Zur engeren Verbindung der Bogen untereinander werden die Buchblöcke am Rücken noch zusätzlich geleimt. Es folgen das Niederhalten (Zusammenpressen des Buchrückens) und das Beschneiden des Blocks im *Dreischneider*.

Jetzt wandert der Buchblock weiter in die Schnittfärbemaschine, die den Farbschnitt am Kopf des Buchblocks anbringt, in die Rundemaschine, in der der Rücken des Buches gerundet wird, und in die Kapital- und Hinterklebemaschine. Dort werden vollautomatisch ein rückenver-stärkendes Papier und das kopf- und fußverzierende Kapitalband aufgebracht.

In der *Einhängemaschine* wird der Buchblock in die in gesonderten Arbeitsgängen gefertigte Decke eingehängt. Die Buchdecke wird voll- oder halbautomatisch auf der Deckenmaschine aus zwei im Format dem Buchblock angepaßten Pappen, der Rückeneinlage und dem Bezugsstoff (Leinengewebe, Kunststoff) mit Heißleim zusammengehängt. Weitere Deckenbearbeitungsgänge (Ausbiegen, Prägeaufdruck) folgen.

Beim Einhängen wird der Buchblock auf ein sich zwischen Leimwalzen bewegendes „Schwert" aufgeschoben. Das Schwert führt den Buchblock zwischen den Leimwalzen hindurch (wobei die beiden äußeren Seiten des Blocks mit Leim benetzt werden) und drückt ihn dann in die in einer Halterung darüber befindliche Decke. Das Buch wird kurz vorgepreßt, um dann im großen Stapel in der Stockpresse unter Druck zu trocknen. Jetzt folgen bis zur Versandbereitschaft noch das Falzeinbrennen (Gelenk, Verbindung Rücken-Decke), das Nachsehen, das Umlegen des Schutzumschlags und das Verpacken bzw. die Folienkaschierung des Buches.

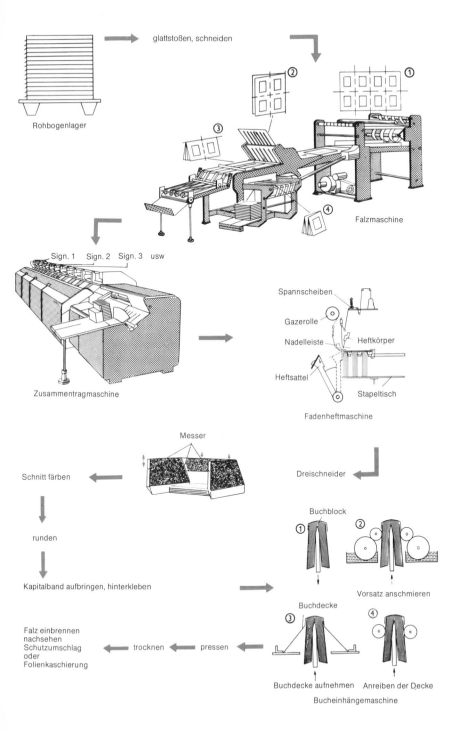

glattstoßen, schneiden

Rohbogenlager

Falzmaschine

Sign. 1   Sign. 2   Sign. 3   usw

Zusammentragmaschine

Spannscheiben
Gazerolle
Nadelleiste
Heftkörper
Heftsattel
Stapeltisch

Fadenheftmaschine

Messer

Schnitt färben

Dreischneider

runden

Buchblock

Vorsatz anschmieren

Kapitalband aufbringen, hinterkleben

Buchdecke

Falz einbrennen
nachsehen
Schutzumschlag
oder
Folienkaschierung

trocknen

pressen

Buchdecke aufnehmen   Anreiben der Decke

Bucheinhängemaschine

263

Kopiergerät

Moderne Kopiergeräte, die heute in Büros und Betrieben allgemein verbreitet sind, arbeiten nach dem elektrostatischen Verfahren. Bei diesem Verfahren spielt die elektrostatische Aufladung eines Halbleitermaterials und seine Entladung bei Belichtung die wesentliche Rolle.

Schon 1938 war es Chester F. Carlson gelungen, einen Weg zur Erzeugung elektrostatischer Ladungsbilder nach optischen Vorlagen zu finden. Carlson benutzte dazu ein photoleitendes Material, d. h. ein Halbleitermaterial, das sich in der Dunkelheit wie ein Isolator, bei Belichtung jedoch wie ein elektrischer Leiter verhält, und brachte es (als Schicht) auf eine Metallplatte auf. Nachdem er die Halbleiterschicht im Dunkeln elektrostatisch aufgeladen hatte, projizierte er ein optisches Muster auf sie. An den belichteten Stellen floß die Ladung auf die Grundplatte ab, an den unbelichteten Stellen blieb jedoch eine Restladung erhalten. Dieses „Ladungsbild" konnte er durch Bestreuen mit einem geeigneten Puder sichtbar machen. Das so gewonnene „Puderbild" ließ sich auf einen Papierbogen übertragen und dort fixieren. Dieses Kopierverfahren nannte er *Xerographie*.

An die Stelle der von Carlson verwendeten Schwefel- oder Anthracenhalbleiterschichten traten in der weiteren Entwicklung besser geeignete Halbleitermaterialien wie Zinkoxid, Selen bzw. Selen-Arsen- und Selen-Tellur-Legierungen, Cadmiumsulfid und spezielle Kunststofffolien. Eine solche Schicht ist bei den heutigen Kopiergeräten meist auf eine Metalltrommel aufgebracht (Photoleiter- oder Kopiertrommel) und dient dort zur Erzeugung des Ladungsbildes.

Als erster Schritt des Kopierverfahrens wird die Halbleiterschicht im Dunkeln durch eine Koronaentladung (Ladungsaufsprühung von einem dünnen Draht aus, der auf einer Spannung von 6 000 bis 8 000 Volt liegt) gleichmäßig elektrostatisch aufgeladen. Der nächste Schritt ist die Belichtung. Das von den weißen Stellen des zu kopierenden Originals auf die Kopiertrommel reflektierte oder projizierte Licht bewirkt eine Ladungsabwanderung, während an den dunklen, unbelichteten Stellen (die z. B. den Buchstaben des Originals entsprechen) die elektrostatische Aufladung erhalten bleibt. Auf diese Weise entsteht auf der Halbleiterschicht der Kopiertrommel ein unsichtbares, elektrostatisches (Spiegel-)Bild des zu kopierenden Originals.

Der dritte Schritt ist die Entwicklung, bei der das unsichtbare Ladungsbild durch Aufbringen des sogenannten *Toners* (eines Farbpulvers, meist ein feines Gemisch von Kohlestaub und thermoplastischem Kunststoff) sichtbar wird. Um dem Toner möglichst genau und präzise dem Ladungsbild entsprechend aufzubringen, gibt es eine Vielzahl unterschiedlicher Methoden. Am weitesten verbreitet sind *Zweikomponenten-Entwicklersysteme*, bei denen das Tonerpulver mit Hilfe feiner Trägerpartikel übertragen wird. Als Trägerpartikel können z. B. feine, etwa 0,1 mm große Eisenpartikel oder auch kleinere „Mikroträger" aus Kunstharz und ferromagnetisches Material dienen, an denen das Tonerpulver (durch gegenseitige Reibung von Träger- und Tonerpartikeln elektrostatisch aufgeladen) haftet und sie mit einer dünnen Tonerschicht bedeckt. Auf einer der Kopiertrommel parallel gegenübergestellten Magnetwalze lagern sich die Eisenpartikel kettenförmig aneinander und bilden eine „*Magnetbürste*", die die sich drehende Kopiertrommel überstreicht. Dabei bleiben die Tonerpartikel durch elektrostatische Kräfte am Ladungsbild der Kopiertrommel haften (die Tonerpartikel müssen dazu durch die Reibung mit den Trägerpartikeln entgegengesetzt aufgeladen sein wie die ladungstragenden Teile der Kopierwalze).

Neben der Entwicklung mit Hilfe einer „Magnetbürste" ist auch die Entwicklung mit Hilfe einer *Tonerkaskade* gebräuchlich. Hierbei werden kugelförmige Trägerpartikel von 0,1 bis 0,2 mm Durchmesser, an die sich der Toner anlagert, mit einer nach dem Prinzip des Schaufelradbaggers arbeitenden Transportvorrichtung auf die Kopierwalze gebracht.

Als nächster Schritt folgt die Bildübertragung auf das Kopierpapier. Auch hierzu werden elektrostatische Kräfte zu Hilfe genommen (Koronaentladung von der Unterseite des Papiers her), um den Toner von der Kopierwalze auf das Papier zu „saugen". Anschließend wird die Kopierwalze entladen sowie mechanisch von restlichen Tonerpartikeln befreit, so daß sie wiederum für eine neue Aufladung und Belichtung bereit ist.

Die entstandene Kopie bedarf nun noch der Fixierung, um „wischfest" zu werden. Hierzu wird die Kopie an einem Wärmestrahler vorbei- oder durch beheizte Walzen hindurchgeführt, wobei das im Toner enthaltene thermoplastische Material schmilzt und in das Papier eindringt.

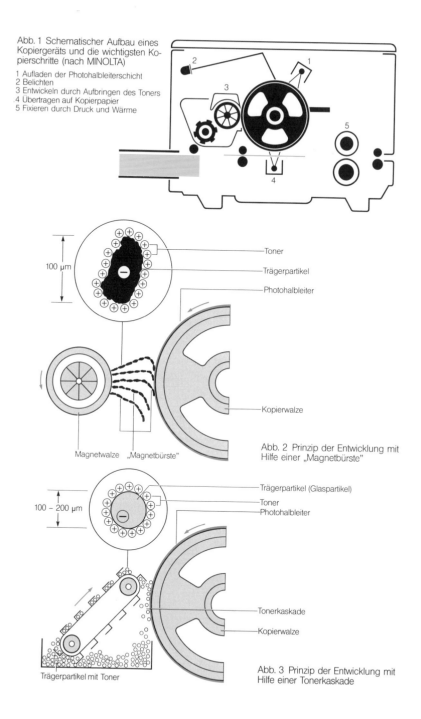

Abb. 1 Schematischer Aufbau eines Kopiergeräts und die wichtigsten Kopierschritte (nach MINOLTA)

1 Aufladen der Photohalbleiterschicht
2 Belichten
3 Entwickeln durch Aufbringen des Toners
4 Übertragen auf Kopierpapier
5 Fixieren durch Druck und Wärme

100 µm

Toner
Trägerpartikel
Photohalbleiter

Kopierwalze

Magnetwalze   „Magnetbürste"

Abb. 2 Prinzip der Entwicklung mit Hilfe einer „Magnetbürste"

100 – 200 µm

Trägerpartikel (Glaspartikel)
Toner
Photohalbleiter

Tonerkaskade
Kopierwalze

Trägerpartikel mit Toner

Abb. 3 Prinzip der Entwicklung mit Hilfe einer Tonerkaskade

Herzschrittmacher

Ein gesundes Herz pumpt in 24 Stunden etwa 9 000 Liter Blut durch den menschlichen Körper. In einem Erregungszentrum, dem „Sinusknoten" im rechten Vorhof des Herzens, werden elektrische Impulse erzeugt, die vom herzeigenen Reizleitungssystem weitergeleitet werden. Bei jedem Impuls zieht sich der Herzmuskel zusammen und das Blut wird in die Schlagadern gedrückt. Falls der Sinusknoten und/oder das Reizleitungssystem gestört oder geschädigt sind, schlägt das Herz zu langsam oder unregelmäßig. Die häufigsten Folgen sind Herzrhythmusstörungen oder sogar Herzstillstand. In dieser Situation sorgt der Herzschrittmacher dafür, daß das Herz normal arbeitet.

Der Herzschrittmacher ist ein Impulsgenerator, der elektrische Impulse zur periodischen Reizung der Herzmuskulatur liefert. Er kann in den Körper implantiert sein *(intrakorporaler Herzschrittmacher)* oder außerhalb des Körpers getragen werden *(extrakorporaler Herzschrittmacher)*. Er besteht aus einer Batterie, einem Taktgeber zur Reizsteuerung, einem Impulsverstärker und Elektroden zur Reizübertragung. Die Elektroden werden entweder von außen durch die Brustwand hindurch geführt oder durch das Zwerchfell bzw. durch die Venen an oder in den Herzmuskel oder in die rechte Herzkammer gebracht (Abb. 1). Als künstlicher Taktgeber stimuliert er durch elektrische Impulse das Herz und verstärkt oder ersetzt den Sinusknoten oder das Reizleitungssystem.

Moderne Geräte sind mit einem Mikrochip ausgerüstet, der eine programmierbare Arbeitsweise des Schrittmachers ermöglicht. Die Stimulationsimpulse besitzen eine Dauer von etwa einer tausendstel Sekunde; die Spannung beträgt etwa 5–10 Volt. Die Erregungsfolge des Herzschrittmachers kann frequenzstabil von außen vorgegeben werden oder durch die elektrischen Erregungen des Vorhofs bzw. der Herzkammer gesteuert werden. Manche Herzschrittmacher sind so programmiert, daß nur dann Impulse erzeugt werden, wenn die natürliche Reizung des Herzmuskels versagt. Die Elektrode, die zur Übertragung der Schrittmacherimpulse vom Herzschrittmacher zum Herzen dient, besteht meistens aus einem dünnen Metallkabel, das mit Polyäthylen oder mit hochbeständigem Silikongummi isoliert ist. Eine hohe Elastizität der Elektrode ist notwendig, da sich die in die rechte Herzkammer eingeführte Spitze im Laufe eines Tages etwa 100 000mal biegt. Moderne Herzschrittmacher werden von Lithiumbatterien gespeist, die eine Lebensdauer von etwa 10 Jahren besitzen.

Frequenzstabile Herzschrittmacher, die rund 79 Impulse pro Minute erzeugen, werden dann implantiert, wenn das Herz im Dauerbetrieb zu langsam schlägt. Die meisten modernen Herzschrittmacher sind kammergesteuert. Ihre Impulsabgabe hängt von der Tätigkeit in den Herzkammern ab. Wenn das Herz über 70 Schläge pro Minute ausführt, schalten sich diese Herzschrittmacher selbst ab. Ist die Pulsfrequenz unter dieser Zahl, schalten sie sich automatisch an und liefern die elektrischen Impulse. Bei Herzfehlern verwendet man oft den vorhofgesteuerten Schrittmacher. Dieser fängt die Impulse des Sinusknotens auf, verarbeitet sie und leitet sie dann zum Taktgeber weiter. Multiprogrammierbare Herzschrittmacher lassen sich auf das jeweilige Krankheitsbild einstellen und bei Bedarf durch Neuprogrammierung auch ändern. Bei sogenannten *Telemetrieschrittmachern* kann die Anzahl der Herzstimulationen gespeichert werden. Die gespeicherten Daten können dann vom Arzt abgerufen und zur Diagnose herangezogen werden (Abb. 2).

Die Einpflanzung eines Herzschrittmachers wird meistens bei örtlicher Betäubung vorgenommen. Die Operation dauert etwa eine Stunde. Der Arzt führt dabei die Elektrode durch ein Blutgefäß in das Herz ein, schließt den Herzschrittmacher an und pflanzt ihn unter die Haut ein. Die Hülle eines modernen Herzschrittmachers besteht meist aus Titan.

Herzschrittmacher müssen viele Jahre zuverlässig funktionieren. Moderne Herzschrittmacher mit Lithiumbatterien haben eine Betriebsdauer von rund 10 Jahren. Ihre Zuverlässigkeit konnte auf 10 Millionen ausfallfreie Stunden gesteigert werden. Heute tragen über 1 Million Menschen implantierte Herzschrittmacher.

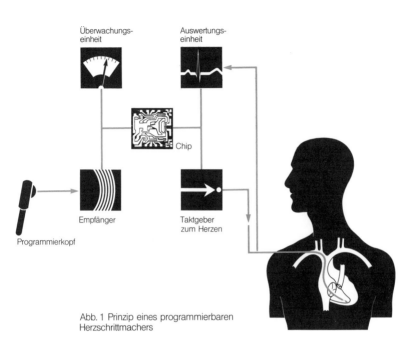

Abb. 1 Prinzip eines programmierbaren
Herzschrittmachers

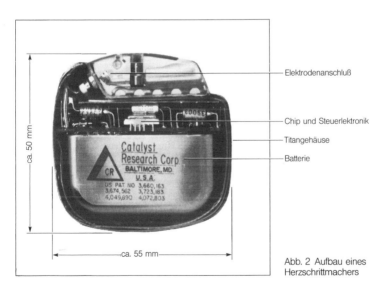

Abb. 2 Aufbau eines
Herzschrittmachers

Röntgengeräte

Röntgengeräte im weiteren Sinne sind alle Apparaturen, mit denen in der Medizin durch Röntgenstrahlen Untersuchungen zur Diagnosestellung oder Strahlenbehandlung, in der Technik Werkstoffprüfungen ausgeführt werden. Je nach Verwendungszweck werden besondere Apparate und Röhrentypen verwendet.

Röntgenstrahlen sind kurzwellige elektromagnetische Strahlen (Wellenlänge zwischen 10^{-8} und 10^{-12} m), die mehr oder weniger stark auch feste Körper zu durchdringen vermögen. Sie entstehen, wenn in einem luftleeren Raum Elektronen freigemacht, stark beschleunigt und dann abgebremst werden; dies geschieht in der *Röntgenröhre.* Zur Freimachung der Elektronen wird der aus Wolfram bestehende Heizfaden der Kathode durch elektrischen Strom zur Weißglut gebracht; bei etwa 2 000 °C treten die Elektronen aus. Ihre Beschleunigung erfolgt durch eine zwischen Anode ($+$) und Kathode ($-$) angelegte hohe Spannung (etwa 10 000 bis mehrere 100 000 Volt). Die Abbremsung der Elektronen erfolgt bei ihrem Aufprall auf die Anode oder eine besondere Antikathode (Brennfleck; Abb. 2). Die Anode ist heute in den meisten Röhren als tellerförmige Drehanode (Abb. 3) ausgebildet; dadurch wird in jedem Augenblick ein anderer Teil als Brennfleck belastet. Die Röntgenröhre selbst (Glaskolben mit Anode und Kathode) ist von einer Röhrenschutzhaube umhüllt; eine Ölfüllung dient der Ableitung der beim Betrieb entstehenden Wärme. Die zum Betrieb einer Röntgenröhre benötigte Hochspannung liefert der Hochspannungstransformator, der die Drehstromspannung des Netzes auf die notwendige Spannung hinauftransformiert. Damit alle Stromstöße des Wechselstroms in gleicher Richtung durch die Röntgenröhre gehen, sind dieser Sperrschichtgleichrichter vorgeschaltet.

Zur Sichtbarmachung der von den Röntgenstrahlen durchsetzten Strukturen dienen (bei der Röntgenaufnahme) spezielle Röntgenfilme oder (bei der Röntgendurchleuchtung) Leuchtschirme oder Röntgenbildwandler, die ein unmittelbar beobachtbares Röntgenbild liefern. Am besten sind Knochen und mit Kontrastmitteln gefüllte Hohlorgane auf den Röntgenaufnahmen darstellbar. Für die Aufnahme von Knochen wird im allgemeinen der *Bucky-Tisch* verwendet (Anordnung der Röntgenröhre mit Tiefenblende und Lichtvisier an einem Stativ über einem Tisch mit verschiebbarer Streustrahlenblende), zur Darstellung des Magen-Darm-Kanals sowie für Herz- und Lungendurchleuchtungen das Durchleuchtungsgerät (Abb. 1). Für Aufnahmen von kleineren Körperteilen, v. a. in der Zahnmedizin, verwendet man die Röntgenkugel, bei der Röntgenröhre und Transformator im gleichen Behälter vereinigt sind.

Für spezielle Zwecke wurde eine Vielzahl von Verfahren bzw. Geräten entwickelt. Zur *Röntgenstereoaufnahme* werden z. B. zwei gleich große Röntgenbilder bei unveränderter Film- und Patientenposition angefertigt, indem man die Röntgenröhre zwischen den Aufnahmen um einen Augenabstand verschiebt. Die gleichzeitige Betrachtung beider Aufnahmen mit Hilfe eines Stereobetrachters vermittelt einen räumlichen Eindruck, der z. B. die Lokalisierung von (körperfremden) Objekten ermöglicht. Die *Röntgenschichtbildtechnik* (Röntgentomographie; Abb. 4) liefert durch eine koordinierte Bewegung von Röntgenröhre und -film um einen Drehpunkt im ruhenden Körper ein scharfes Bild der in der Drehpunktebene gelegenen Körperschicht. Eine Weiterentwicklung ist die *Computertomographie.* Sie ermöglicht die Gewinnung von Schnittbildern senkrecht zur Körperachse. Mit einem dünnen, fächerartigen Röntgenstrahlbündel werden die zu untersuchenden Körperregionen schichtweise aus allen Richtungen und in gegeneinander versetzten Schichten (Schichtdicke einige mm) mit einem Auflösungsvermögen von etwa 0,5 mm abgetastet, wobei die jeweilige Röntgenstrahlabsorption mit Strahlendetektoren gemessen wird. Die Meßdaten dieser Detektoren werden an einen angeschlossenen Computer weitergegeben, der sie aufbereitet und aus einigen Millionen Einzelwerten bereits nach einigen Sekunden ein Fernsehbild aufbaut, das die Absorptions- bzw. Dichteverteilung in einem Körperquerschnitt und damit die Darstellung seiner Strukturierung liefert.

In der Röntgentherapie wird besonders bei der Behandlung von Krebsgeschwülsten mit viel höheren Spannungen gearbeitet als in der Diagnostik. Die Therapieröhre arbeitet entweder feststehend oder wird nach einem bestimmten Plan bewegt, so daß der aus der Röhre austretende Röntgenstrahl den Krankheitsherd trifft, aber bei seinem Durchtritt durch die Haut und die oberen Gewebsabschnitte des Patienten fortlaufend kreisend einen anderen Punkt berührt.

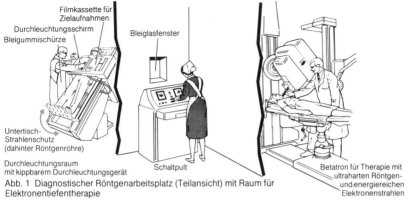

Filmkassette für
Zielaufnahmen

Durchleuchtungsschirm

Bleigummischürze

Bleiglasfenster

Untertisch-
Strahlenschutz
(dahinter Röntgenröhre)

Durchleuchtungsraum
mit kippbarem Durchleuchtungsgerät

Schaltpult

Betatron für Therapie mit
ultraharten Röntgen-
und energiereichen
Elektronenstrahlen

Abb. 1 Diagnostischer Röntgenarbeitsplatz (Teilansicht) mit Raum für
Elektronentiefentherapie

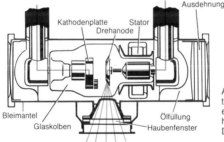

Elektronenstrahl

Antikathode

Glühkathode   Anode

Röntgenstrahlen

Abb. 2 Röntgenröhre
mit hinter der Anode
angeordneter Antikathode

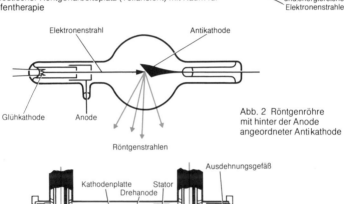

Kathodenplatte   Stator
Drehanode

Ausdehnungsgefäß

Bleimantel

Glaskolben

Ölfüllung

Haubenfenster

Abb. 3 Halbschema-
tische Darstellung
einer Röhrenschutz-
haube mit Ölfüllung für
Drehanodenröhren

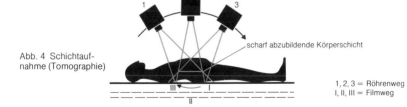

Abb. 4 Schichtauf-
nahme (Tomographie)

scharf abzubildende Körperschicht

1, 2, 3 = Röhrenweg
I, II, III = Filmweg

Kernspintomographie

Ein in der Signalverarbeitung und Bildgebung der Computertomographie entsprechendes, aber mit magnetischen Hochfrequenzfeldern statt Röntgenstrahlen arbeitendes Untersuchungsverfahren ist die *Kernspintomographie,* auch *NMR-Tomographie* (von englisch: nuclear magnetic resonance = magnetische Kernresonanz) genannt. Sie ermöglicht wie die Computertomographie eine direkte Darstellung v. a. von Weichteilstrukturen des menschlichen Körpers auf dem Bildschirm eines angeschlossenen Monitors. Sie nutzt hierzu die als *Kerninduktion, Kernspinresonanz, paramagnetische* oder *magnetische Kernresonanz* bezeichnete Methode der Hochfrequenzspektroskopie, mit der sich die Struktur und bestimmte Eigenschaften von Festkörpern und Flüssigkeiten sowie von Gasmolekülen untersuchen lassen und die eine Präzisionsmessung von magnetischen Momenten der Atomkerne ermöglicht.

Bei vielen chemischen Elementen besitzen die Atomkerne, wenn sie eine ungerade Zahl von Protonen bzw. Neutronen aufweisen, einen als *Kernspin* bezeichneten Eigendrehimpuls I (d. h., bildlich gesprochen, sie rotieren um eine Achse), mit dem zugleich ein bestimmtes magnetisches Moment *(Kernmoment)* μ_I verknüpft ist, so daß sie sich wie kleine Magnete verhalten. Der einfachste Kern mit diesen Eigenschaften ist das Proton als Atomkern der in biologischen Objekten besonders häufig vorkommenden Wasserstoffatome. Unter gewöhnlichen Bedingungen sind in einer Substanz, in deren Atomen die Kerne einen Kernspin haben, die magnetischen Momente sämtlicher Kerne regellos orientiert, so daß sie sich gegenseitig in ihrer magnetischen Wirkung aufheben. Bringt man aber eine derartige Substanz in ein starkes homogenes Magnetfeld der Feldstärke H_0, so kreiseln die magnetischen Kernmomente der einzelnen Atome für kurze Zeit um die örtlich vorliegende Feldrichtung, ehe sie sich in diese Richtung einstellen. Die Frequenz dieser als *Larmor-Präzession* bezeichneten Kreiselbewegung ist durch die Larmor-Frequenz $v_L = \mu_I H_0/(2\pi I)$ gegeben. Die Kreiselbewegungen sämtlicher Atomkerne bewirken zusammen eine meßbare Längsmagnetisierung in Feldrichtung von H_0.

Legt man mit Hilfe einer zweiten Spule zusätzlich ein senkrecht dazu wirkendes schwaches magnetisches Hochfrequenzwechselfeld H_1 an, so werden die Kernspins wieder aus ihrer Einstellung parallel zur H_0-Richtung herausgedreht. Sie beginnen erneut um diese zu präzedieren und erzeugen nunmehr eine im Resonanzfall, wenn die Wechselfeldfrequenz gleich der Larmor-Frequenz ist, maximale Quermagnetisierung senkrecht zur Feldrichtung von H_0. Diese um die H_0-Richtung rotierende Magnetisierung induziert entweder in einer senkrecht zu den Feldrichtungen von H_0 und H_1 aufgestellten dritten Spule oder – bei Impulsbetrieb – in der inzwischen auf Empfang geschalteten zweiten Spule eine Hochfrequenzspannung, die nach Verstärkung als auswertbares *Kernspinresonanzsignal* auf dem Leuchtschirm eines Kathodenstrahloszillographen erscheint. Die beim Abschalten des magnetischen Hochfrequenzfeldes aus einem Hochfrequenzimpuls exponentiell abklingende Signalamplitude ist der Anzahl der präzedierenden Atomkerne im erfaßten Bereich proportional. Außerdem läßt sich eine Aussage über die Art der Kerne, ihre intramolekulare Umgebung und ihren Bindungszustand machen.

Bei der Kernspintomographie werden die Beiträge der verschiedenen Objektbereiche zum Kernspinresonanzsignal zur Bilderzeugung genutzt. Hierzu wird das Magnetfeld H_0, in dem sich das Objekt befindet, in definierter Weise von drei schwachen Magnetfeldern mit zueinander senkrechten Feldrichtungen und linear ansteigender Feldstärke (sog. *Gradientenfelder*) überlagert. Dadurch wird die von der nunmehr örtlich veränderlichen Feldstärke abhängige Larmor-Frequenz von Punkt zu Punkt verschieden, so daß sich die verschiedenen Beiträge zum Signal dem jeweiligen Ort ihrer Entstehung, also den Objektdetails, zuordnen lassen. Der *Kernspintomograph* besteht daher aus einem System von konzentrisch angeordneten, stromdurchflossenen Spulen für die Erzeugung der verschiedenen Magnetfelder und einem System von Magnetfelddetektoren zur Erfassung der Meßsignale. Sie umschließen den Patienten, der auf einer Liege in den freibleibenden Innenraum eingeschoben wird. Da man sehr starke Magnetfelder (magnetische Flußdichten von 0,05 bis 2 Tesla) benötigt, gelangen meist supraleitende Spulen zur Anwendung. Durch gleichzeitige Registrierung aller aus den verschiedenen Objektbereichen stammenden Signaldaten und nachfolgend mit ihnen vorgenommener Bildkonstruktion mit Hilfe eines Computers lassen sich auf einem Monitorbildschirm ebene Schnittbilder aufbauen.

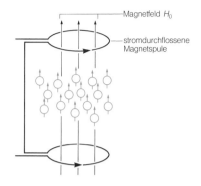

Abb. 1 Die ohne Magnetfeld ungeordneten Kernspins richten sich im homogenen Magnetfeld H_0 aus

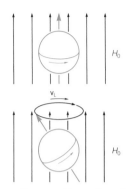

Abb. 2 Ein ausgerichteter Kernspin (oben) beginnt bei einer Störung zu präzedieren

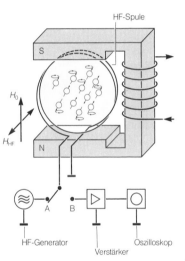

HF-Generator   Verstärker   Oszilloskop

Abb. 3 Schema eines Kernspinresonanzexperiments
Schalterstellung A: Eingabe eines Hochfrequenzimpulses, Schalterstellung B: Empfang des Kernspinresonanzsignals

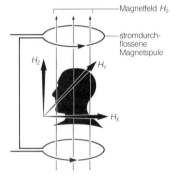

Abb. 4 Hinzunahme eines magnetischen Gradientenfeldes mit den Feldstärkekomponenten H_X, H_Y, H_Z

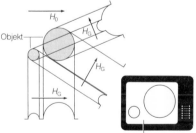

vom Computer rekonstruiertes Bild

Abb. 5 Schema der Gewinnung räumlicher Informationsdaten: Drehen des Gradientenfeldes (Feldstärke H_G) ergibt für jede Richtung die für die Rekonstruktion des Bildes benötigten spektralen Profile

Elektrokardiographie

Jeder Muskel kann nur eine Bewegung ausführen, nämlich die Verkürzung seiner Fasern durch Kontraktion. Dies gilt auch für den Herzmuskel. Bei jeder Aktion eines Muskels treten elektrische Spannungen, sogenannte Aktionspotentiale, auf, die sich im Verlaufe der Bewegung (beim Herzmuskel im Verlaufe der Kontraktion) ändern und durch die verschiedenen Gewebe des Körpers hindurch an die Körperoberfläche gelangen. Dort können sie mit Elektroden abgenommen und mit Hilfe eines Registrierapparates, des Elektrokardiographen, aufgezeichnet werden. Die Aufzeichnung in Form einer Kurve heißt *Elektrokardiogramm (EKG)*. Das ursprüngliche Verfahren benutzte das im Jahre 1903 von dem niederländischen Physiologen Willem Einthoven entwickelte Saitengalvanometer (Abb. 1). Eine versilberte Quarzsaite wird durch ein Magnetfeld geführt; sie erhält elektrische Impulse von den der Körperoberfläche durch Elektroden abgenommenen Aktionspotentialen. Je nach der Stromrichtung wird die Saite in Abhängigkeit von der Stromstärke abgelenkt. Diese Bewegung wird mit Hilfe eines optischen Systems auf ein mit konstanter Geschwindigkeit abrollendes Papierband projiziert, das mit einem lichtempfindlichen Belag beschichtet ist. Ist das Gerät stromlos, ergibt sich eine gerade Linie. Der Erregungsablauf im Herzmuskel führt jedoch zu einer Potentialdifferenz, weil der nicht erregte Teil elektropositiv und der erregte Teil elektronegativ ist. Die entstehenden Aktionsströme zeichnen als Resultierende eine typische Kurve, die von der Lage des Herzens (der elektrischen Herzachse) und von der Leitung innerhalb des Herzmuskels bestimmt wird. Krankhafte Veränderungen, die diese beiden Faktoren betreffen, geben sich demnach im Kurvenverlauf zu erkennen.

Für den praktischen Gebrauch ist das Saitengalvanometer heute bedeutungslos. Man verwendet jetzt den mit Transistorverstärkern arbeitenden Verstärker-Elektrokardiographen (Abb. 2). Die vom Körper abgeleiteten Aktionsströme werden über einen Ableitungswähler dem Verstärker und mehrtausendfach verstärkt dem schreibenden Meßwerk zugeleitet.

Die Ableitungen von der Körperoberfläche werden an schon durch Einthoven vorgeschlagenen Standardpunkten vorgenommen (Abb. 3); Ableitung I: linker Arm und rechter Arm; Ableitung II: linkes Bein und rechter Arm; Ableitung III: linkes Bein und linker Arm. Dazu kommen heute weitere Ableitungen von den Gliedmaßen und von der Brustwand. Moderne Geräte zeichnen diese Kurven nicht mehr nacheinander, sondern synchron auf. Das normale Elektrokardiogramm hat die in Abb. 4 gezeigte Form: Der Kurventeil von P bis Q entspricht der Kontraktion der Vorhöfe, von Q bis T der Kontraktion der Kammern des Herzens. P entspricht der Ausbreitung der vom Reizbildungszentrum, dem Sinusknoten, kommenden Erregungswelle in den Herzvorhöfen (Dauer etwa 0,1 s). Die Länge des PQ-Intervalls, der sogenannten Überleitungszeit, entspricht der Zeit, die vom Beginn der Vorhoferregung bis zum Beginn der Kammererregung vergeht (Dauer 0,1–0,18 s). Das PQ-Intervall wird im wesentlichen durch eine gewisse normale Verzögerung der Erregungsleitung („Überleitung" vom Vorhof zur Kammer) im Atrioventrikularknoten bestimmt. Die QRS-Gruppe (Kammeranfangsgruppe) entspricht der Erregungsausbreitung in den Herzkammern (Dauer etwa 0,08–0,1 s). Die ST-Strecke (Zwischenstück), gewöhnlich auf dem Potential Null, zeigt nicht etwa eine „Ruhepause" des Herzens an, sie ist vielmehr Ausdruck einer allgemeinen Depolarisation, d. h. einer vollständigen Erregung der Herzkammern, die sich allerdings im EKG nicht durch Ladungsunterschiede zwischen den einzelnen Herzabschnitten bemerkbar machen kann (Dauer etwa 0,1 s). Die T-Zacke (Nach- oder Finalschwankung, Dauer etwa 0,16–0,2 s) kommt durch die örtlich verschieden ablaufende Repolarisation (d. h. die Wiederherstellung der ursprünglichen Ladungsverhältnisse) zustande. QRS-Gruppe, ST-Strecke und T-Zacke bilden zusammen den Kammeranteil des EKG.

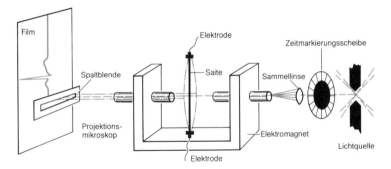

Abb. 1 Saitengalvanometer schematisch

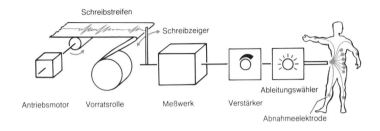

Abb. 2 Elektrokardiograph schematisch

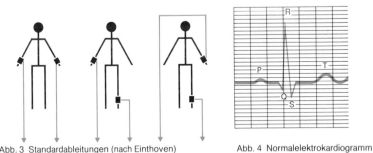

Abb. 3 Standardableitungen (nach Einthoven)

Abb. 4 Normalelektrokardiogramm

Hörgeräte

Das stereophone Hören mit zwei funktionstüchtigen Ohren ermöglicht die Ortung von Schallrichtungen bzw. die Lokalisation von Schallquellen, was besonders in Gefahrensituationen des täglichen Lebens, z. B. im Straßenverkehr, von großer Bedeutung ist. Beeinträchtigungen des Hörvermögens haben vielfältige Ursachen. Von behebbaren Störungen im äußeren Ohrbereich, d. h. im äußeren Gehörgang (Fremdkörper, Ohrschmalzpfropf), und Trommelfellentzündungen oder -verletzungen abgesehen, handelt es sich um Schäden des Mittelohr- (z. B. Altersschwerhörigkeit, Otosklerose) oder des Innenohrbereichs (z. B. Hörnervschädigungen, Degeneration der Sinneszellen der Schnecke bei Lärmschwerhörigkeit). Innenohrschwerhörigkeit geht häufig mit Gleichgewichtsstörungen (da das Gleichgewichtsorgan, die Bogengänge, mitbetroffen ist) sowie mit Recruitment, d. h. einer Sinneszellenunterfunktion im Bereich niedriger Schallpegel, einher. Hörverluste sind in der Regel frequenzabhängig, d. h. nicht regelmäßig über das Schallspektrum verteilt. Wenn eine medikamentöse oder operative Behebung dieser Beeinträchtigungen nicht möglich ist, kommen Hörgeräte, d. h. elektroakustische Schallverstärker, zur Anwendung.

Hörgeräte werden nach einer sorgfältigen Analyse des restlichen Hörvermögens ausgewählt und adaptiert. Ein Hörgerät kann das fehlende Hörvermögen nicht im gleichen Maße ersetzen wie etwa eine Brille mangelnde Sehschärfe. Es bedarf langwieriger Gewöhnung an die veränderten Schallpegelverhältnisse, da der Schall zwar frequenzabhängig selektiv verstärkt werden kann, das Unterscheidungsvermögen für ähnlich klingende Sprachlaute aber vermindert ist. Dank der natürlichen Redundanz der gesprochenen Sprache gibt man sich im allgemeinen zufrieden, wenn mit einem Hörgerät mindestens 50% des Gesprochenen verstanden werden.

Das Hörgerät besteht aus folgenden Bauteilen: 1. Mikrophon (M), meist ein Elektretmikrophon mit Nierencharakteristik; 2. Induktionsspule (Telefonspule T), mit der wahlweise anstelle des Mikrophons gehört werden kann, wenn elektroakustische Einrichtungen mit speziellen Induktionsschleifen vorhanden sind (z. B. in Theatern, Kinos, Kirchen, als Zusatzeinrichtung zu Radios, Fernsehgeräten, Telefonen); 3. Verstärker, ein möglichst verzerrungsfrei arbeitender Transistorverstärker mit Gegentaktendstufen, Frequenzblende (die vom Hörgeräteakustiker angepaßt wird) und gegebenenfalls Recruitmentausgleich; 4. Stromquelle, eine Knopfzelle (Betriebsdauer einige Tage) oder ein Kleinakku (Betriebsdauer 8–12 Stunden); 5. Lautsprecher bzw. Hörer; 6. kontinuierlich regelbare Lautstärkenblende; 7. Ein- und Ausschalter (für M und T); 8. Hörschlauch und Ohrpaßstück (Otoplastik), letzteres ein nach einem Abguß des äußeren Gehörgangs gefertigtes Kunststoffteil, das den Gehörgang schalldicht abschließen muß, um ein Rückkopplungspfeifen zu verhinden.

Taschengeräte, die in der Kleidung getragen werden und mit dem Hörer verbunden sind, werden nur noch in Fällen extremer Schwerhörigkeit verordnet. Sie bieten außer extremer Verstärkung zusätzliche Einrichtungen, z. B. eine oder zwei Klangblenden (zur Veränderung des Klangcharakters, evtl. getrennt nach Höhen und Tiefen), M-T-Überblendsteller u. ä. Am weitesten verbreitet sind *Hinter-dem-Ohr-Geräte (HdO-Geräte)* und – falls gleichzeitig Fehlsichtigkeit besteht – *Hörbrillen,* in deren Bügel ein oder zwei HdO-Geräte eingebaut sind. Sie enthalten die angegebenen Bauteile kompakt in extremer Miniaturisierung. Die noch kleineren *Im-Ohr-Geräte,* die unmittelbar im Gehörgang getragen werden oder so in die Otoplastik eingebaut sind (Gehörganggeräte), daß sie von außen kaum noch sichtbar sind, bieten einerseits den Vorteil, daß sie die schallsammelnde Funktion der Ohrmuschel wieder nutzen, andererseits ist wegen ihrer Kleinheit die Verstärkungsleistung beschränkt.

Besteht auf beiden Ohren Schwerhörigkeit, werden häufig zwei Hörgeräte (mit Richtmikrophonen) verordnet, da das binaurale stereophone Hören v. a. für die Orientierung im Störschall wichtig ist. Bei einseitiger Taubheit oder starker Schwerhörigkeit bietet das *CROS-Verfahren* (Contralateral - routing - of - signal - Verfahren) einen Ersatz für das binaurale Hören: Der Mikrophonschall wird an der Stelle des ertaubten Ohres aufgenommen, aber durch einen Hörschlauch dem gesunden Ohr zugeleitet, das somit beide Schalleindrücke aufnimmt. Das *BICROS-Verfahren* für unterschiedlich ausgeprägte Schwerhörigkeit auf beiden Ohren leitet ebenfalls die Schalleindrücke der anderen Kopfseite dem besser hörenden Ohr zu, das aber seinerseits mit einem Hörgerät mit geschlossenem Ohrpaßstück versehen ist.

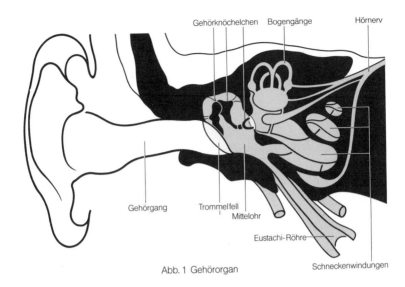

Abb. 1 Gehörorgan

Gehörknöchelchen Bogengänge Hörnerv

Gehörgang Trommelfell Mittelohr Eustachi-Röhre Schneckenwindungen

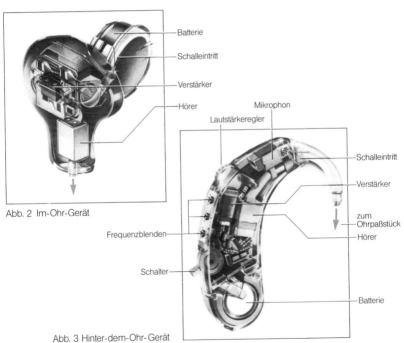

Batterie
Schalleintritt
Verstärker
Hörer

Abb. 2 Im-Ohr-Gerät

Mikrophon
Lautstärkeregler
Schalleintritt
Verstärker
zum Ohrpaßstück
Hörer
Frequenzblenden
Schalter
Batterie

Abb. 3 Hinter-dem-Ohr-Gerät

Lithotripter (Stoßwellenlithotripter)

Als Lithotripter (auch: Lithotriptor) bezeichnet man ein Gerät zur Zertrümmerung von Blasen- und Nierensteinen. Während die Zerkleinerung von Blasensteinen mit Hilfe von in die Blase eingebrachten sondenähnlichen Instrumenten und direkte Übertragung der Zertrümmerungsenergie (z. B. Ultraschall) seit langem möglich war, zeigte diese Methode für die Zertrümmerung von Nierensteinen keine befriedigenden Ergebnisse. Seit 1980 wird eine neue Methode klinisch eingesetzt, die von der Firma Dornier System GmbH entwickelte extrakorporale Stoßwellenlithotripsie (Abkürzung ESWL), die eine berührungslose Nierensteinzertrümmerung mit gutem Erfolg ermöglicht. Die entstehenden Bruchstücke sind so klein, daß sie im allgemeinen spontan mit dem Harn abgehen.

Grundlage für die Entwicklung der Methode und des Geräts waren Untersuchungen über die Ausbreitung von Stoßwellen in unterschiedlichen Medien. Eine *Stoßwelle* ist eine Druckwelle, die im typischen Fall aus einem einzigen, steilen Druckimpuls besteht, der sich mit Überschallgeschwindigkeit ausbreitet und dem ein flacher Unterdruckbereich (Sog) folgt (Abb. 1).

Stoßwellen entstehen z. B., wenn sich ein Körper mit einer Geschwindigkeit in einem Medium bewegt, die über der Schallgeschwindigkeit in dem betreffenden Medium liegt. Insbesondere entstehen sie bei Explosionen.

Trifft eine solche Stoßwelle auf die Grenzfläche zweier Medien mit unterschiedlichen akustischen Eigenschaften (z. B. unterschiedlicher Schallimpedanz), so können durch Druck- und Zugwirkungen bei Durchlauf und Reflexion erhebliche Kräfte wirksam werden, die zur Rißbildung und zum Abreißen von Teilen führen können (Abb. 2).

Für die Zerstörung von Nierensteinen werden die Stoßwellen durch eine elektrische Entladung unter Wasser erzeugt, wobei die in einem Kondensator gespeicherte elektrische Energie innerhalb einer tausendstel Sekunde in der Funkenentladung freigesetzt wird. Dabei kommt es zwischen den kegelförmigen Elektroden zu einer explosionsartigen Verdampfung des Wassers.

Damit die dadurch erzeugten Stoßwellen möglichst verlustfrei in den Körper eingeleitet werden können, muß das Übertragungsmedium im wesentlichen die gleichen akustischen Eigenschaften wie der Körper besitzen. Hier hat sich Wasser als nahezu ideal erwiesen. Der Rumpf des Patienten wird daher (oberhalb des im Wasser befindlichen Stoßwellenerzeugers) während der Behandlung in Wasser gelagert. Um die Stoßwellen genau auf den Nierenstein zu fokussieren, wird die Funkenentladung in einem der beiden Brennpunkte eines ellipsoidförmigen Reflektors erzeugt. Die Wellen werden dadurch im zweiten Brennpunkt des Ellipsoids fokussiert (Abb. 3). Wesentlich für die Anwendung ist eine genaue Positionierung des Patienten, der so gelagert werden muß, daß der Nierenstein exakt in diesem zweiten Brennpunkt liegt. Zu diesem Zweck läßt sich die Liegevorrichtung, auf der sich der Patient in der Wasserwanne befindet, hydraulisch in drei Richtungen bewegen.

Die exakte Lagerung wird mit Hilfe eines Röntgensystems ermöglicht. Es arbeitet mit zwei Röntgenstrahlern und zwei unabhängigen, achsengetrennten Bildwandlern, deren Achsen sich genau im zweiten Brennpunkt des Ellipsoids (in dem die Stoßwellenfront fokussiert wird) schneiden. Diese Positionierung wird auf dem Bildschirm zweier Monitore sichtbar gemacht und kann mit der sehr empfindlichen hydraulischen Verstellung der Liegevorrichtung optimiert werden.

Je nach Größe der zu zertrümmernden Nierensteine sind zwischen 500 und 1 500 Stoßwellenexpositionen erforderlich. Die Wechselbelastungen, denen der Stein bei wiederholter Stoßwelleneinwirkung unterliegt (wechselnde Druck- und Zugwirkungen), führen zu einer Lockerung der Mineralstruktur und schließlich auch zur Zerstörung der (zunächst kaum beeinflußten) Steinmitte.

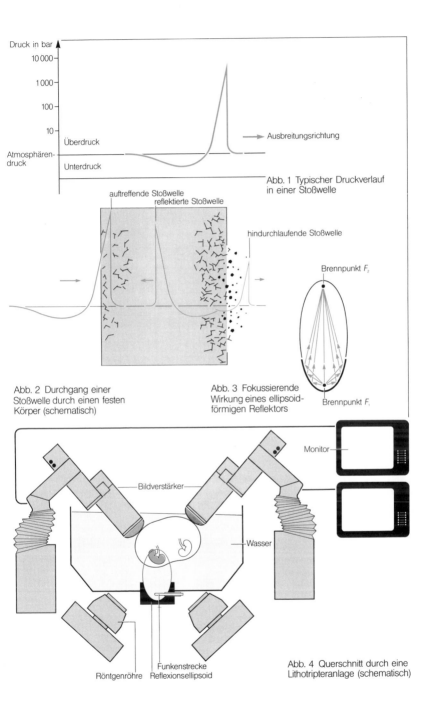

Druck in bar

10 000

1 000

100

10

Atmosphärendruck

Überdruck

Unterdruck

Ausbreitungsrichtung

Abb. 1 Typischer Druckverlauf in einer Stoßwelle

auftreffende Stoßwelle
reflektierte Stoßwelle

hindurchlaufende Stoßwelle

Brennpunkt F_2

Brennpunkt F_1

Abb. 2 Durchgang einer Stoßwelle durch einen festen Körper (schematisch)

Abb. 3 Fokussierende Wirkung eines ellipsoidförmigen Reflektors

Monitor

Bildverstärker

Wasser

Röntgenröhre
Funkenstrecke
Reflexionsellipsoid

Abb. 4 Querschnitt durch eine Lithotripteranlage (schematisch)

Pumpen

Die Pumpe ist eine Arbeitsmaschine, die die ihr von einer Antriebsmaschine zugeführte Energie einem Gas oder einer Flüssigkeit mitteilt. Die Flüssigkeit erfährt dadurch eine Strömung. Damit bewirken Pumpen einen Transport von Gasen oder Flüssigkeiten in Behältern und Rohrleitungen. Die Leistung einer Pumpe wird durch die Angabe von Förderhöhe und Fördermenge bestimmt. Um z. B. eine Flüssigkeit vom Behälter A in den Behälter B (Abb. 1) zu pumpen, muß der Höhenunterschied zwischen beiden Behältern überwunden werden (geodätische Flüssigkeitshöhe H_G). Beim Durchströmen der Rohrleitung erfährt die Flüssigkeit aber infolge Reibung an der Rohrwand einen Widerstand (entspricht einer zusätzlichen Widerstandshöhe H_W). Ferner muß die Geschwindigkeit des strömenden Mediums aufrechterhalten werden (entspricht einer zusätzlichen Geschwindigkeitshöhe H_V). Die gesamte Förderhöhe H der Pumpe setzt sich daher aus diesen drei Komponenten zusammen. Sie wird in Meter Flüssigkeitssäule (mFS) angegeben. Die Fördermenge der Pumpe wird in Kubikmeter/Stunde (m^3/h) oder in Kubikmeter/Sekunde (m^3/s) bestimmt.

Von den vielen Pumpenbauarten sind die Kolben- und die Kreiselpumpen die wichtigsten. Die Kolbenpumpe (Abb. 2) besteht aus einem Zylinder, in dem ein an der Zylinderwand abgedichteter Kolben hin- und herbewegt wird. Den Hin- und Hergang des Kolbens bewirkt ein Kurbeltrieb. Am Kopf der Pumpe sind ein Saug- und ein Druckventil angeordnet. Befindet sich der Kolben in oberer Endlage (Abb. 2 a), und bewegt er sich von dieser weg, so entsteht durch den sich erweiternden Hohlraum ein Unterdruck. Sinkt dabei der Druck im Zylinder unter den auf die Flüssigkeitsoberfläche wirkenden Luftdruck, so öffnet das Saugventil, und Flüssigkeit wird infolge des Druckunterschiedes in den Zylinder gedrückt. Die Pumpe saugt die Flüssigkeit an. Kehrt der Kolben nach der unteren Endlage seine Bewegungsrichtung um, so verkleinert der aufwärtsgehende Kolben den Zylinderraum (Abb. 2 b). Der Flüssigkeitsdruck steigt, wodurch das Saugventil schließt und das Druckventil öffnet. Der Kolben verdrängt die Flüssigkeit aus dem Zylinder. Erreicht der Kolben die obere Endlage, so ist der Fördervorgang beendet, und ein neuer Ansaugvorgang setzt ein. Das Druckventil schließt. Infolge der hin- und hergehenden Bewegung des Kolbens wird die Flüssigkeit periodisch beschleunigt und verzögert.

Im Gegensatz zur stoßweisen Förderung der Kolbenpumpe bewirkt die Kreiselpumpe eine stetige Strömung der Flüssigkeit. Dies und der gegenüber der Kolbenpumpe bestehende Vorteil der einfacheren und bei gleicher Leistung wesentlich kleineren Bauweise hat die Kreiselpumpe zur meist verwendeten Pumpenbauart werden lassen. Die Kreiselpumpe saugt nicht selbst an und muß daher vor der Inbetriebnahme mit Flüssigkeit gefüllt werden. Das mit Schaufeln versehene Laufrad der Kreiselpumpe läuft in einem der Laufradform angepaßten Gehäuse (Abb. 3) mit hoher Drehzahl um. Die zwischen den Schaufeln befindliche Flüssigkeit wird beschleunigt und infolge der Zentrifugalkraft aus dem Laufrad herausgeschleudert. Hierdurch strömt Flüssigkeit nach, die dem Laufrad axial (auf den Mittelpunkt) zufließt und sich nach einer Umlenkung auf die durch die Schaufeln gebildeten Kanäle verteilt. Infolge der Beschleunigung erfährt die Flüssigkeit beim Durchströmen des Laufrades eine erhebliche Geschwindigkeitszunahme. Das mit hoher Geschwindigkeit aus dem Laufrad ausströmende Fördermedium durchfließt den das Laufrad umgebenden Leitapparat. Infolge der feststehenden, sich allmählich erweiternden Kanäle wird die Geschwindigkeit der Flüssigkeit stetig verzögert und die Geschwindigkeitsenergie in Druckenergie umgewandelt. Anstelle des Leitapparates kann auch ein sich stetig vergrößerndes Spiralgehäuse treten. Wegen der begrenzten Druckerhöhung einer solchen Stufe sind bei Hochdruckpumpen auf einer Welle mehrere Laufräder hintereinander angeordnet.

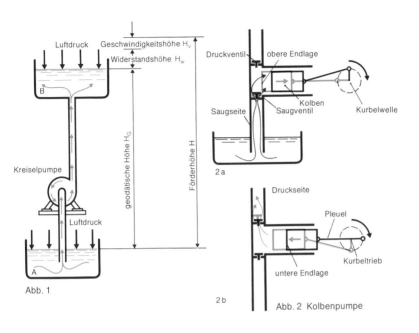

Luftdruck Geschwindigkeitshöhe H_v

Widerstandshöhe H_w

B

geodätische Höhe H_G

Förderhöhe H

Kreiselpumpe

Luftdruck

A

Abb. 1

Druckventil obere Endlage

Saugseite Saugventil Kolben

Kurbelwelle

2 a

Druckseite

Pleuel

Kurbeltrieb

untere Endlage

2 b

Abb. 2 Kolbenpumpe

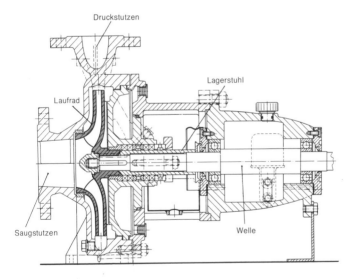

Druckstutzen

Lagerstuhl

Laufrad

Welle

Saugstutzen

Abb. 3 Kreiselpumpe (Schnitt)

Kompressoren (Kolbenkompressoren)

Kompressoren dienen der Verdichtung von Gasen und Dämpfen auf höhere Drücke (bis 2000 bar und höher). Dabei werden Kolbenkompressoren (Kolbenverdichter) v. a. für die Erzeugung von hohen und höchsten Drücken eingesetzt, während die Turbokompressoren für kleine bis mittlere Drücke verwendet werden.

In Abb. 1 ist ein Kolbenkompressor dargestellt. Die Kurbelwelle wird durch eine geeignete Antriebsmaschine (Elektromotor, Verbrennungskraftmaschine usw.) über ein Schwungrad angetrieben. Das einerseits an der Kurbelwelle, andererseits am Kolben angelenkte Pleuel erzeugt aus der Drehbewegung der Kurbelwelle eine Hin- und Herbewegung des Kolbens im Zylinder. Die Ventile sind federbelastete Plattenventile, die auf die durch die Kolbenbewegung erzeugten Druckschwankungen reagieren. Beim Ansaugen wird durch den zurückgehenden Kolben im Zylinder ein Unterdruck erzeugt, so daß die Platte (Abb. 2) sich gegen den Federdruck abhebt und das Gas in den Zylinder strömen läßt. Bei Beginn des Aufwärtsgangs des Kolbens schließt das Saugventil infolge des entstehenden Überdrucks; die Verdichtung setzt ein, bis der Kolben am oberen Totpunkt angelangt ist. Jetzt ist der Druck des Gases so groß, daß die Platte des Druckventils gegen die Federkraft abgehoben wird und das Gas in die Druckleitung treten kann. Die Feder des Druckventils braucht nicht so stark zu sein, wie es zunächst scheinen könnte, denn auf der anderen Seite des Druckventils in der Druckleitung herrscht ja nur wenig geringerer Druck als am Ende des Verdichtungshubes im Zylinder. Dieser Druck in der Druckleitung sorgt beim Abwärtsgang des Kolbens dafür, daß das Druckventil geschlossen wird. Meist werden mit Kompressoren Zwischengefäße (sogenannte Puffer, bei Luftverdichtung Windkessel) unter Druck gehalten. Von diesen Puffern werden dann die Verbrauchsstellen gespeist.

Für den Arbeitsverlauf bei Kompressoren ist das sogenannte Indikatordiagramm (Abb. 3) kennzeichnend. Hier wird der Zusammenhang zwischen Druck und Volumen während einer Umdrehung der Kurbelwelle, also während eines Hin- und Herganges des Kolbens aufgezeichnet. Die Linie 1 kennzeichnet das Ansaugen, d. h., das Gasvolumen im Zylinder wird bei gleichem (niederen) Druck größer. Linie 2 zeigt die Verdichtung. Man sieht, daß der Druck steigt, während gleichzeitig das Volumen kleiner wird, da man Gas ja zusammenpressen kann (Versuch mit einer Fahrradpumpe: Hält man das Austrittsventil mit dem Daumen zu, so kann man den Kolben nur um einen bestimmten Betrag in den Zylinder hineinschieben, die Luft wird verdichtet). Linie 3 ist die Ausschublinie: Bei konstantem (hohem) Druck wird das Volumen im Zylinder kleiner. Linie 4 zeigt, daß das Ansaugventil sich beim Hingang (nach rechts) des Kolbens zunächst noch nicht sofort öffnen kann, da sich erst der am Ende der Verdichtung im Zylinder verbleibende Gasrest soweit entspannen muß, bis der Druck im Zylinder unter den Druck in der Ansaugleitung abgefallen ist. Erst dann öffnet das Saugventil. Da der Kolben nicht am Zylinderdeckel anstoßen darf, ist immer ein sog. schädlicher Raum und damit ein unerwünschter Gasrest vorhanden, so daß nur ein Teil des Ansaughubs wirklich zum Ansaugen ausgenutzt wird. Sind große Druckstufen zu überwinden, so wird in mehreren Stufen verdichtet, d. h., das Gas wird von einem Kompressorzylinder in den anderen geleitet (Abb. 4). Da sich die Gase beim Verdichten erwärmen – die Fahrradluftpumpe wird beim Pumpen ebenfalls warm –, muß zwischen den einzelnen Stufen gekühlt werden (Abb. 4a). Diese mehrstufigen Kompressoren sind meist doppeltwirkend gebaut, d. h., beim Hingang des Kolbens wird auf der einen Seite des Kolbens verdichtet und auf der Rückseite angesaugt, während sich beim Hergang des Kolbens der umgekehrte Vorgang abspielt (Abb. 4b).

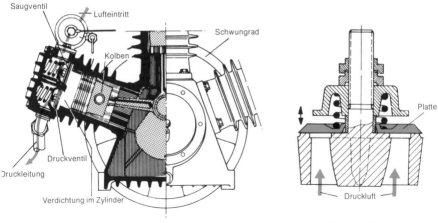

Abb. 1 Schnitt durch einen Kompressor

Abb. 2 Druckventil

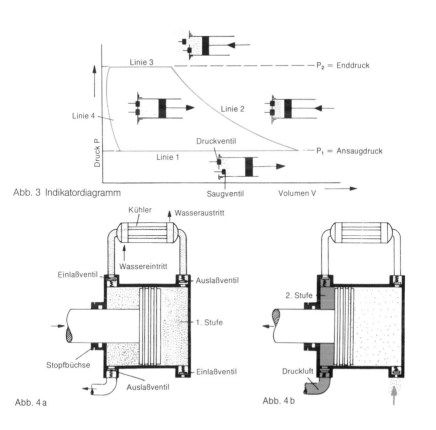

Abb. 3 Indikatordiagramm

Abb. 4 a

Abb. 4 b

Pressen

Mit Hilfe von Pressen kann Verformungsarbeit an Werkstücken geleistet werden, indem man einen großen Druck auf sie ausübt. Nach ihrer Bauart unterscheidet man hydraulische und mechanische Pressen. *Hydraulische Pressen* benutzen als Triebmittel ein Gas oder eine Flüssigkeit (meist Wasser). Ihrer Wirkungsweise liegt ein Naturgesetz zugrunde, nach dem der Druck eines in einem Zylinder komprimierten flüssigen oder gasförmigen Mediums an allen Stellen des Zylinders gleich groß ist. Druck ist die Wirkung einer Kraft auf eine Fläche. Wenn man nach Abb. 1 mit einem kleinen Kolben in einem kleinen Zylinder an einer Seite des Druckraumes die Flüssigkeit zusammenpreßt und die andere Seite des Druckraumes mit einem großen Kolben abschließt, so hat man folgende Verhältnisse: Auf der einen Seite wirkt eine kleine Kraft auf eine kleine Fläche und erzeugt einen bestimmten Druck. Auf der anderen Seite wirkt dieser Druck auf eine große Fläche. Vom großen Kolben kann man also eine große Kraft abnehmen (denn wenn Druck gleich Kraft pro Flächeneinheit ist, dann ist auch Kraft gleich Druck mal Flächeneinheit). Das Volumen, das bei diesen Vorgängen verdrängt wird, ist jedoch auf beiden Seiten gleich; der kleine Kolben muß ein großes Stück vorrücken, damit der große Kolben ein kleines Stück vorwärtsbewegt wird. Zum Antrieb von hydraulischen Pressen verwendet man anstelle eines einzigen kleinen Kolbens meist deren drei, die nacheinander Wasser in den Zylinder pressen. Damit die damit verbundene stoßweise Strömung nicht auf den Preßzylinder übertragen wird, ist in der Druckseite der Leitung ein Puffergefäß eingebaut, das teilweise Luft enthält (Abb. 2). Dieses Luftvolumen wirkt wie ein Polster: Es nimmt zunächst den Druck in der Leitung an. Bei plötzlichen Druckspitzen wird es weiter zusammengepreßt und baut die Druckspitzen ab. Umgekehrt kann es, wenn die Fördermenge des Kolbens bei kurzzeitigem hohem Flüssigkeitsbedarf nicht ausreicht, durch Entspannung Flüssigkeit in die Leitung drücken.

Wird die Wasserpreßpumpe in Betrieb genommen, so füllt diese den Preßzylinder mit Wasser und erzeugt hier einen Druck, wodurch der Preßstempel abwärts bewegt wird und auf das Werkstück eine Kraft ausübt. Zum Zurückziehen des Preßstempels werden zwei kleine Kolben benutzt, auf die Preßwasser von niedrigerem Druck wirkt.

Zum Antrieb der *mechanischen Pressen* dienen verschiedene Systeme. Bei der *Spindelpresse* (Abb. 3 a) wird durch Drehung einer mit Schraubengewinde versehenen Spindel in einer feststehenden Mutter eine Kraft erzeugt, mit der die Unterseite der Spindel auf das zu bearbeitende Werkstück drückt. Einfache Spindelpressen tragen am oberen Ende der Spindel ein Handrad (Abb. 3 b), mit dessen Hilfe die Spindel gedreht wird.

Bei größeren Pressen sitzt am oberen Ende der Spindel ein großes Schwungrad, d. h. ein großes Rad mit großer Schwungmasse, das – in Drehung versetzt – eine hohe Energie speichern kann. Die gespeicherte hohe Drehenergie wird über die Spindel auf das Werkstück übertragen und dort in Verformungsarbeit umgesetzt. Das Schwungrad wird durch ein Reibrad angetrieben. Zum Zurückziehen dient ein weiteres Reibrad, welches das Schwungrad entgegengesetzt antreibt (Abb. 3 a).

Eine weitere Abart der mechanisch angetriebenen Pressen sind die *Exzenterpressen* (Abb. 4) und die *Kurbelpressen* (Abb. 5). In beiden Fällen wird ein Schwungrad von großem Durchmesser von einer Antriebsmaschine angetrieben. Die am großen Umfang dieses Rades wirkende, verhältnismäßig kleine Kraft und die bei Verformung des Werkstückes infolge Abbremsen des Schwungrades freiwerdende Drehenergie erzeugen an der Welle ein Drehmoment, das an dem kleinen Halbmesser des Exzenters bzw. der Kurbel eine verhältnismäßig große Kraft entstehen läßt.

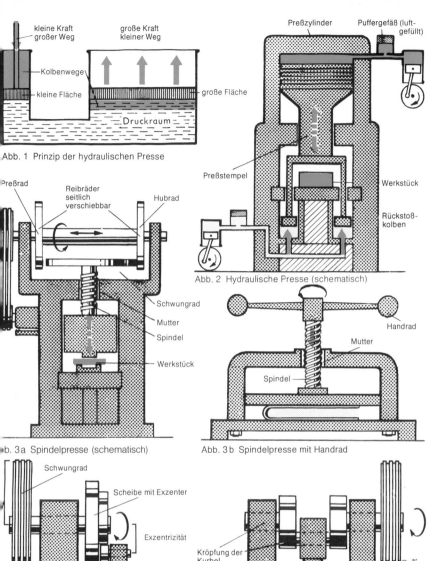

kleine Kraft
großer Weg

große Kraft
kleiner Weg

Kolbenwege

kleine Fläche

große Fläche

Druckraum

Abb. 1 Prinzip der hydraulischen Presse

Preßzylinder

Puffergefäß (luftgefüllt)

Preßstempel

Werkstück

Rückstoß-kolben

Abb. 2 Hydraulische Presse (schematisch)

Preßrad

Reibräder seitlich verschiebbar

Hubrad

Schwungrad

Mutter

Spindel

Werkstück

Abb. 3a Spindelpresse (schematisch)

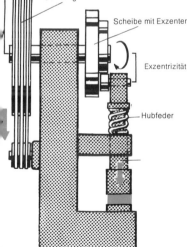

Handrad

Mutter

Spindel

Abb. 3b Spindelpresse mit Handrad

Schwungrad

Scheibe mit Exzenter

Exzentrizität

Hubfeder

Abb. 4 Exzenterpresse (schematisch)

Kröpfung der Kurbel

Umfangskraft

Preßstempel

Preßtisch

Abb. 5 Kurbelpresse (schematisch)

Wasserturbinen I

Wasserturbinen werden überwiegend mit elektrischen Generatoren gekoppelt und zur Erzeugung elektrischer Energie verwendet. Man unterscheidet *Aktions-* oder *Gleichdruckturbinen* und *Reaktions-* oder *Überdruckturbinen*. Bei ersteren wird in Düsen oder feststehenden Leitapparaten der größte Teil der Energie des Wassers in Geschwindigkeitsenergie (kinetische Energie) umgewandelt, so daß das Wasser mit hoher Geschwindigkeit gegen die sich drehenden Teile der Turbine strömt. Der Druck unmittelbar vor und hinter dem Laufrad der Turbine ist gleich. Bei der Reaktions- oder Überdruckturbine strömt das Wasser mit verhältnismäßig geringerer Geschwindigkeit, aber mit hohem Druck in das Laufrad der Turbine ein und verläßt dieses mit geringem Restdruck.

Die *Pelton-* oder *Freistrahlturbine* (Abb. 1) ist eine Gleichdruckturbine. Das Laufrad der Pelton-Turbine ist meist mit waagerechter Welle angeordnet. Am Umfang des Laufrades sind becherartige, halbkugelförmige Schaufeln angebracht. Durch eine oder zwei Düsen tritt Wasser, dessen Strahl Kreisquerschnitt aufweist, tangential auf die Schaufeln. Infolge der Schneide der becherförmigen Schaufeln (Abb. 2) wird der Wasserstrahl in zwei Teilströme aufgeteilt. Die Rundung der Becher lenkt die beiden aufgeteilten Wasserstrahlen nahezu um 180° um. Infolge der Zerteilung des Wasserstrahles auf die beiden Becherhälften haben die durch die Strahlumlenkung hervorgerufenen Kräfte in axialer Richtung zwar die gleiche Größe aber entgegengesetzte Wirkungsrichtung. Sie heben sich dadurch in ihrer Wirkung auf. Das Pelton-Rad weist damit keinen Axialschub auf. Im oberen Teil ist das Laufrad von einem Gehäuse umgeben, das nach unten für den Ablauf des Wassers völlig offen ist. Die Laufradwelle ist beidseitig am Gehäuse gelagert.

Die Geschwindigkeit des auf die Schaufeln aufprallenden Wasserstrahles und die Wassermenge bestimmen die Leistung der Pelton-Turbine. Diese wird durch Veränderung des Austrittsquerschnittes der Düsen geregelt. Hierzu ist zentrisch in der Düse eine verschiebbare Nadel angeordnet, die eine zwiebelförmigen Kopf besitzt und je nach Lage einen größeren oder kleineren Kreisringquerschnitt freigibt. Wird die Belastung der Turbine plötzlich geringer, so dreht sich an jeder Düse ein Strahlablenker in den aus der Düse schießenden Wasserstrahl und teilt einen Zweigstrom ab (Abb. 3). Nun rückt die Düsennadel langsam in Richtung Düsenaustritt vor, wobei sich die ausströmende Wassermenge infolge des verkleinerten Düsenquerschnittes verringert. Gleichzeitig schwenkt der Strahlablenker in seine Ausgangslage zurück. Würde man bei einem plötzlichen Lastabfall die Düsennadel rasch verstellen, so entstünde in der Rohrleitung durch die plötzlich abgebremste Wassermasse ein schädlicher Druckanstieg, der sogenannte Wasserschlag. Die Bewegung der Düsennadel und das Schwenken des Strahlablenkers erfolgen selbsttätig gesteuert über hydraulische oder elektrische Antriebe. Pelton-Turbinen werden für Wasserkraftwerke mit großen Fallhöhen gebaut. Der hohe Wasserdruck in den Turbinendüsen erlaubt es, die Turbine bereits mit relativ gringen Wassermengen anzutreiben und trotzdem Leistungen bis zu 60 MW (Megawatt) und mehr zu erreichen.

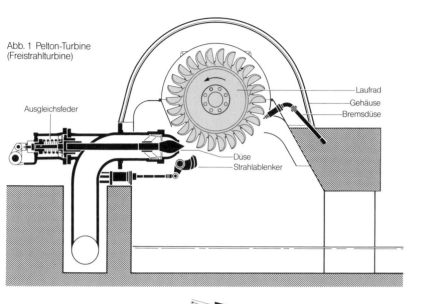

Abb. 1 Pelton-Turbine (Freistrahlturbine)

Ausgleichsfeder

Laufrad
Gehäuse
Bremsdüse

Düse
Strahlablenker

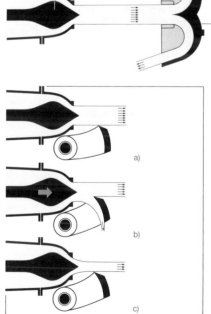

Düsennadel
Düse

Schaufel

Abb. 2 Düse und Laufrad-schaufel einer Pelton-Turbine

a)

b)

c)

Abb. 3 Funktion des Strahl-ablenkers
a) volle Belastung
b) Strahlablenker zweigt einen Teil des Wasserstrahls ab, Düsennadel rückt vor
c) Düsennadel hat die Wasser-menge verringert, Strahlab-lenker schwenkt zurück

Wasserturbinen II

Bei den *Reaktions-* oder *Überdruckturbinen* wird das unter Druck, aber mit geringer Geschwindigkeit zufließende Wasser in einem dem Turbinenrad vorgeschalteten Leitapparat unter Druckabnahme beschleunigt. Der Abbau des Restdruckes und der absoluten Strömungsgeschwindigkeit des Wassers erfolgt im Laufrad. Die *Francis-Turbine* ist eine Radialturbine (Abb. 4). Für niedere Gefälle (Fallhöhe des Wassers) kommt die Francis-Turbine mit liegendem Laufrad und stehender Welle (Schachtturbine) zur Anwendung. Das vom Wasser umgebene Turbinengehäuse schließt das Laufrad so ein, daß Wasser nur radial in die vor dem Laufrad angeordnete Leitvorrichtung einströmen kann. Das durch den Laufradboden nach oben abgedeckte waagerechte Laufrad ist kraftschlüssig mit der senkrechten Turbinenwelle verbunden. Die Laufradschaufeln sind räumlich gekrümmt. Durch die schwenkbar im feststehenden Turbinengehäuse angebrachten Leitschaufeln fließt das Wasser tangential dem Laufrad zu. Es prallt auf die am Außenrand des Laufrades radial endenden Schaufeln. Innerhalb der von den gekrümmten Laufschaufeln gebildeten Strömungskanäle wird das zunächst nach innen strömende Wasser senkrecht nach unten abgelenkt. Die zweifach umgelenkten Wassermassen üben auf die Laufradschaufeln eine Kraft aus. Da sich außerdem der Wasserdruck im Laufrad in Strömungsgeschwindigkeit umwandelt, entsteht zusätzlich eine auf die Schaufeln einwirkende Rückstoß-(Reaktions-)Kraft. Beide Kräfte ergeben die Drehkraft des Laufrades. Das Wasser, das unten aus dem Laufrad ausströmt, gelangt über ein sich stetig erweiterndes Saugrohr in das Unterwasser. Da auf dem Flüssigkeitsspiegel des Unterwassers Atmosphärendruck lastet, herrscht am Wasseraustritt des Laufrades ein Unterdruck, der die im Laufrad umgesetzte Druckenergie vergrößert. Der Leistungsbereich großer Francis-Turbinen reicht bis über 100 MW (Megawatt).

Bei höheren Gefällen ist das Laufrad der Francis-Turbine im allgemeinen stehend, die zugehörige Welle waagerecht angeordnet. Das Wasser tritt in ein das Turbinenrad und die Leitvorrichtung umgebendes Spiralgehäuse ein, durchströmt den Leitapparat und das Laufrad auf die oben beschriebene Weise, wobei im Laufrad eine Drehkraft erzeugt wird, und fließt dann über das Saugrohr zum Unterwasser ab.

Die Leitvorrichtung der Francis-Turbine besitzt zur Regelung des Wasserdurchflusses und damit zur Regelung der Leistung schwenkbare Leitschaufeln (Abb. 5). Diese sind mit einem Regulierring über Lenkhebel drehbar verbunden. Durch Verdrehen des Regulierringes werden die Leitschaufeln so verstellt, daß sie eine kleinere oder größere Eintrittsöffnung für das Wasser freigeben.

Für ganz kleine Fallhöhen und große Wassermengen, etwa bei Flußkraftwerken, finden v. a. die *Kaplan-Turbinen* Verwendung. Das Wasser fließt in einen meist betonierten, die Turbine spiralförmig umgebenden Kanal und durchströmt radial, von außen nach innen, einen Leitapparat. Dieser ist prinzipiell wie der der Francis-Turbine ausgeführt. Nach dem Leitapparat wird der Wasserstrom in einem schaufellosen Raum senkrecht nach unten hin abgelenkt und strömt axial, parallel zur senkrechten Turbinenwelle, die schräggestellten Schaufeln des waagrecht angeordneten Laufrades an (Abb. 6). Dieses Laufrad arbeitet im umgekehrten Sinne einer Schiffsschraube. Das strömende Wasser drückt die schräggestellten Schaufeln des Laufrades zur Seite und versetzt sie so in drehende Bewegung. Das abfließende Wasser gelangt über das sich erweiternde, wegen der geringen Fallhöhe gekrümmte Saugrohr (siehe oben) zum Unterwasser. Die Wassermenge und die Leistung der Turbine werden wie bei der Francis-Turbine durch Verdrehen der Leitschaufeln im feststehenden Leitapparat beeinflußt; um einen möglichst hohen Wirkungsgrad der Turbine zu erreichen, müssen mit den Leitschaufeln auch die Laufschaufeln des Turbinenrades verstellt werden. – Die Leistungen großer Kaplan-Turbinen können über 100 MW betragen.

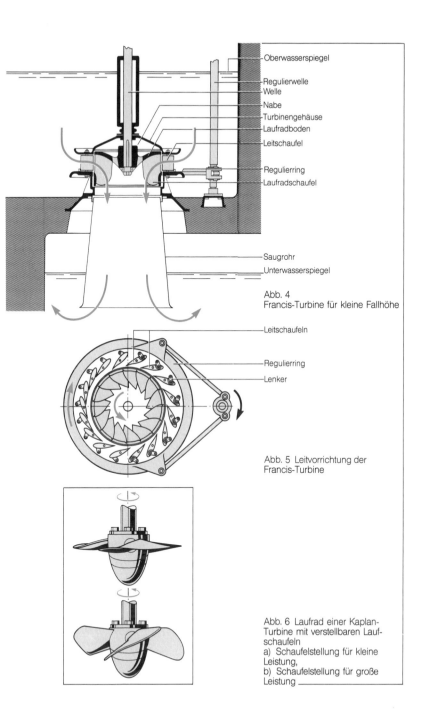

Oberwasserspiegel
Regulierwelle
Welle
Nabe
Turbinengehäuse
Laufradboden
Leitschaufel
Regulierring
Laufradschaufel

Saugrohr
Unterwasserspiegel

Abb. 4
Francis-Turbine für kleine Fallhöhe

Leitschaufeln

Regulierring
Lenker

Abb. 5 Leitvorrichtung der
Francis-Turbine

Abb. 6 Laufrad einer Kaplan-
Turbine mit verstellbaren Laufschaufeln
a) Schaufelstellung für kleine
Leistung,
b) Schaufelstellung für große
Leistung

287

Dampfturbinen und Gasturbinen

Wesentlicher Bestandteil moderner Großkraftwerke ist die *Dampfturbine,* in der die Wärmeenergie hochgespannten (d. h. auf hoher Temperatur und hohem Druck befindlichen) Dampfes in mechanische Energie umgewandelt wird. Je nach Wirkungsweise unterscheidet man Gleich- und Überdruckturbinen. In *Gleichdruckturbinen* bleibt der Dampfdruck im rotierenden Turbinenlaufrad konstant, d. h., der gesamte Druckaufbau erfolgt im davor befindlichen *Leitapparat,* einer festen Anordnung von Düsen oder Schaufeln, die dem zuströmenden Dampf den für den Eintritt ins Laufrad nötigen Zuströmdrall und die günstige Strömungsrichtung gibt. In *Überdruckturbinen* sinkt der Dampfdruck sowohl im Leitapparat als auch im Laufrad. Verwendet eine Turbine die gesamte thermodynamisch nutzbare Energie des hochgespannten Dampfes zur Erzeugung mechanischer Energie, wobei dieser kondensiert, so spricht man von einer *Kondensationsturbine.*

Häufig soll jedoch ein Teil der nutzbaren Dampfwärme für andere Zwecke, etwa als Prozeßwärme oder (bei Kraft-Wärme-Kopplung) als Fernwärme, eingesetzt werden. In diesen Fällen erlauben es sog. *Gegendruckturbinen,* den Dampf lediglich teilweise zu entspannen, d. h., der Dampf verläßt die Turbine auf einem ausreichend hohen Druck- und Temperaturniveau, so daß seine Wärme anschließend z. B. als Prozeßwärme verwertet werden kann. Umgekehrt ist es auch möglich, die Wärme des hochenergetischen Dampfes zunächst als Prozeßwärme zu nutzen und die dann noch verbleibende Restwärme des Dampfes in einer Abdampfturbine in mechanische Energie umzusetzen. Beide Verfahren spielen v. a. in industriellen Prozessen zur gekoppelten Erzeugung von Kraft und Wärme eine wichtige Rolle.

Eine dritte Turbinenkonstruktion wird in Zukunft insbesondere bei der gekoppelten Erzeugung von Elektrizität und Fernwärme in Kraftwerken zum Einsatz kommen: In sog. *Anzapf-* oder *Entnahmeturbinen* wird der Dampf auf dem gewünschten Energieniveau direkt aus den Turbinen entnommen. Im Unterschied zu Gegendruck- und Abdampfturbinen können hier die mechanische Leistung an der Turbinenwelle und die thermische Leistung des Abzapfdampfes weitgehend unabhängig voneinander gesteuert werden. So kann eine solche Turbine ohne Dampfentnahme als reine Kondensationsturbine zur ausschließlich mechanischen Krafterzeugung

betrieben werden, oder es wird aus ihr eine so große Dampfmenge ausgekoppelt, daß lediglich noch der zur Kühlung des Turbinenlaufrades erforderliche Dampfstrom in der Niederdruckstufe der Dampfturbine verbleibt (Arbeitsweise wie bei einer Gegendruckturbine).

Ein gemeinsames Kennzeichen aller Dampfturbinen ist, daß unabhängig von ihrer Betriebsweise Wärmeenergie dem Arbeitsmittel (Wasser/Dampf) jeweils außerhalb der Turbine, etwa in einem Dampfkessel oder in einem Kernreaktor, zugeführt wird. Die Turbine dient lediglich der Umsetzung von Wärmeenergie in mechanische Energie.

Bei Gasturbinenanlagen (Abb. 3) liegen die Verhältnisse etwas anders. Unter einer *Gasturbine* versteht man nicht nur die reine Strömungsmaschine (Turbine), sondern ein Aggregat, das mindestens aus einem Verdichter, einer Brennkammer und einer Turbine besteht. Die Energieumwandlung in einer Gasturbine läuft prinzipiell in drei bzw. vier Teilschritten ab: Der Verdichter saugt große Mengen Luft an, die dann von ihm stark komprimiert als Verbrennungsluft in die Brennkammer gefördert werden. Der Brennstoff (Heizöl, auch Erdgas u. a.) wird über Düsen in die Brennkammer geblasen und mit der Verbrennungsluft bei gleichbleibendem Druck verbrannt. Die bei der Verbrennung entstehenden heißen Verbrennungsgase bzw. in *Heißluft-* und *Heliumturbinen* von ihnen erhitzte Heißluft- bzw. Heliumgasströme werden schließlich in der Turbine entspannt und treiben diese an. Die dabei an der Turbinenwelle erzeugte mechanische Rotationsenergie dient zum Antrieb des auf der gleichen Welle sitzenden Verdichters sowie über Getriebe (wegen der hohen Drehzahlen) zum Antrieb eines elektrischen Generators, zum Schiffsantrieb u. a. Nutzleistungen.

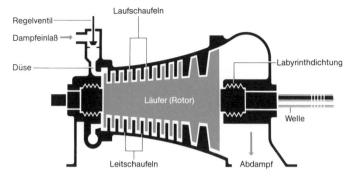

Abb. 1 Schnitt durch eine Dampfturbine

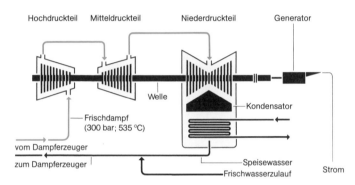

Abb. 2 Schema einer dreistufigen Kondensationsturbine

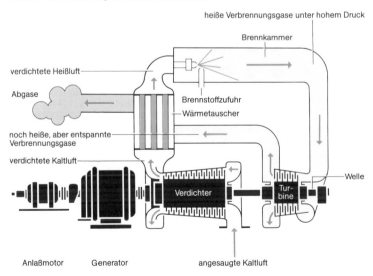

Abb. 3 Wirkungsweise einer Gasturbine

Ottomotor

Der Ottomotor ist wie der Dieselmotor (s. S. 292) eine Verbrennungskraftmaschine: Die bei der Verbrennung des Kraftstoffs freiwerdende thermische Energie wird in mechanische Energie umgewandelt. Zum Unterschied vom Dieselmotor wird der flüssige Kraftstoff in einem Vergaser oder mit einer Einspritzvorrichtung der zu seiner Verbrennung erforderlichen Luft beigemischt, dann das entstandene brennfähige Kraftstoff-Luft-Gemisch im Zylinder verdichtet und schließlich durch den elektrischen Funken einer *Zündkerze* gezündet. Durch den Druck der bei der Verbrennung entstehenden Gase wird der Kolben im Zylinder abwärtsbewegt, durch die mit dem Kolben verbundene Pleuelstange wird die Kurbelwelle in Drehung versetzt. Anschließend müssen die verbrannten Gase aus dem Zylinder und frisches Kraftstoff-Luft-Gemisch in den Zylinder gebracht werden, damit ein neues Arbeitsspiel beginnen kann. Die zur Durchführung dieses Ladungswechsels erforderliche Energie wird vom Schwungrad abgegeben, da dieses die bei der Verbrennung im Zylinder freiwerdende mechanische Energie durch Drehzahlerhöhung speichert. Der verbleibende Energieüberschuß kann am freien Ende der Kurbelwelle abgenommen werden. Beim Ottomotor unterscheidet man wie beim Dieselmotor zwischen dem Viertakt- und dem Zweitaktverfahren.

Viertaktmotor

1. Takt: Ansaugen: Bei geöffnetem Einlaßventil und geschlossenem Auslaßventil saugt der Kolben beim Abwärtsgang frisches Kraftstoff-Luft-Gemisch in den Zylinder (Abb. 1).
2. Takt: Verdichten: Bei geschlossenen Ventilen verdichtet der aufwärtsgehende Kolben das Kraftstoff-Luft-Gemisch auf einen Druck von etwa 7–8 bar; dann Zündung durch Zündkerze.
3. Takt: Arbeiten: Bei geschlossenen Ventilen treibt der Druck der bei der Verbrennung entstehenden Gase den Kolben abwärts.
4. Takt: Ausschieben: Bei geöffnetem Auslaßventil und geschlossenem Einlaßventil schiebt der aufwärtsgehende Kolben die verbrannten Gase aus.

Da nur in einem einzigen Takt Arbeit anfällt, hat der Einzylindermotor einen schlechten Gleichförmigkeitsgrad. Mehrzylindermaschinen haben einen gleichförmigeren Lauf, da man durch entsprechenden Versatz der einzelnen Kröpfungen der

Kurbelwelle (Abb. 2 und 3) erreichen kann, daß die Arbeitstakte der einzelnen Zylinder nicht zu gleicher Zeit, sondern nacheinander und unter Umständen sich überschneidend erfolgen.

Zweitaktmotor

Hier gibt der Kolben bei seinem Hin- und Hergang Öffnungen in der Zylinderwandung, die sogenannten Schlitze, frei (nur selten besitzt der Zweitaktmotor Ventile).

Zur Verdeutlichung der beiden Takte nehme man an, daß bei Beginn des ersten Taktes der Kolben in der höchsten Stellung steht und das über ihm befindliche verdichtete Kraftstoff-Luft-Gemisch gezündet ist. Der Kolben geht dadurch abwärts und gibt zunächst mit seiner Oberkante den Auslaßschlitz A frei (Abb. 4). Dadurch können sich die im Zylinder befindlichen, unter hohem Druck stehenden verbrannten Gase durch diesen Schlitz in den Auspuff entspannen. Wird bei weiterem Abwärtsgang des Kolbens der Einlaßschlitz E freigegeben, so gelangt frisches Kraftstoff-Luft-Gemisch in den Zylinder, wodurch die restlichen verbrannten Gase ausgespült werden. Bei Aufwärtsgang des Kolbens (2. Takt) wird nach Abschluß aller Schlitze das Gemisch verdichtet, so daß ein neues Arbeitsspiel beginnen kann.

Beim *kurbelkastengespülten Zweitaktmotor* (Abb. 4) ist das Kurbelgehäuse luftdicht abgeschlossen, so daß es mit dem Kolben zusammen als Pumpe arbeiten kann. Bei Aufwärtsgang des Kolbens entsteht im Kurbelgehäuse Unterdruck, bis die Unterkante des Kolbens den Einlaßschlitz E und damit den Weg für das frische Kraftstoff-Luft-Gemisch ins Kurbelgehäuse freigibt. Bei Abwärtsgang des Kolbens wird das im Kurbelgehäuse befindliche Gemisch etwas verdichtet, so daß es, sobald die Oberkante des Kolbens den Überströmschlitz und damit den Überströmkanal Ü freigibt, in den Zylinder gelangen kann.

Der *gebläsegespülte Zweitaktmotor* besitzt keinen Überströmkanal zwischen Zylinder und Kurbelkasten. Hier drückt ein vor dem Einlaßschlitz angeordnetes Gebläse frisches Kraftstoff-Luft-Gemisch in den Verbrennungsraum.

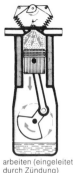

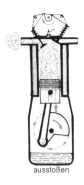

Nocken-
welle

Zündkerze

Auspuff

Einlaßventil

Auslaß-
ventil

Kolben

Wasser-
kühler

Pleuelstange

Kurbelwelle

ansaugen   verdichten   arbeiten (eingeleitet   ausstoßen
                                       durch Zündung)

Abb. 1 Wirkungsweise eines Viertaktmotors

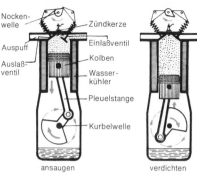

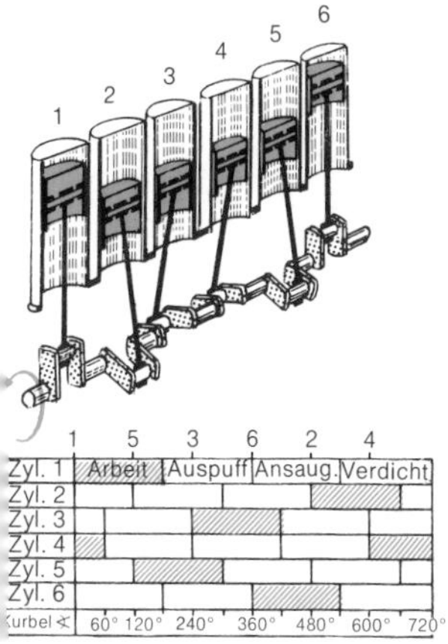

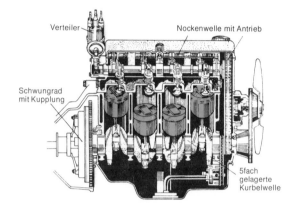

Verteiler

Nockenwelle mit Antrieb

Schwungrad
mit Kupplung

5fach
gelagerte
Kurbelwelle

	1	5	3	6	2	4		
Zyl. 1	Arbeit	Auspuff	Ansaug.	Verdicht				
Zyl. 2								
Zyl. 3								
Zyl. 4								
Zyl. 5								
Zyl. 6								
Kurbel	60°	120°	240°	360°	480°	600°	720°	

Abb. 2 Arbeitsschema eines
6-Zylinder-Reihenmotors

Abb. 3 Schnitt durch einen
4-Zylinder-Reihenmotor

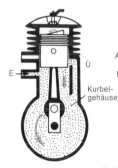

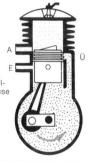

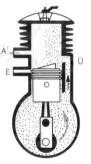

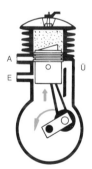

Kurbel-
gehäuse

Nach Zündung Arbeits-
leistung bei Abwärts-
gang des Kolbens

Bei Freigabe von Einlaß-
schlitz E strömt frisches
Kraftstoff-Luft-Gemisch
ins Kurbelgehäuse

Bei Freigabe des Auslaß-
schlitzes A Auspuffen der
verbrannten Gase

Bei geschlossenem E und
Ü wird Kraftstoff-Luft-Gemisch im Kurbelgehäuse
zusammengedrückt

Bei Freigabe des Über-
strömschlitzes Ü strömt
Kraftstoff-Luft-Gemisch
aus Kurbelgehäuse,
da es dort unter Druck
steht, in den Zylinder

Bei Aufwärtsgang des
Kolbens nach Verschluß
von A und Ü Verdichtung

Nach Verschluß von E
und Ü entsteht bei Auf-
wärtsgang des Kolbens
Unterdruck im Kurbelge-
häuse

Abb. 4 Kurbelkastengespülter Zweitakt-Ottomotor
(A = Auslaßschlitz E = Einlaßschlitz Ü = Überströmschlitz)

Dieselmotor

Beim Dieselmotor wird in den Zylinder reine Luft eingesaugt und dort weit höher als beim Ottomotor verdichtet (14:1 bis 25:1). Die Luft erreicht dadurch eine Temperatur von 700 bis 900 °C. Erst dann wird eine bestimmte Menge von Dieselkraftstoff in den Zylinder eingespritzt. Wegen der herrschenden hohen Temperatur entzündet sich der Kraftstoff von selbst. Die Entzündung erfolgt jedoch nicht sofort nach Eintreten der Kraftstoffteilchen in den Verbrennungsraum, sondern erst nach einer Zeit von ungefähr 1/1 000 s. Das hängt damit zusammen, daß die Tröpfchen des Kraftstoffes sich erst mit der Luft im Verbrennungsraum innig vermischen und dann aufgeheizt und verdampft werden müssen, bevor sie verbrennen können. Die Zeit zwischen Einspritzen und Zünden nennt man den *Zündverzug*. Die kleineren Tröpfchen befinden sich mehr in der Randzone des eingespritzten Strahles (Abb. 1) und werden zuerst entflammt. Sodann verbrennen die großeren Tropfen im Innern des Strahles. Die Einspritzung der Kraftstoffmenge geht auch nach dem Einsetzen der ersten Flammbildung weiter (Hauptverbrennung). Wenn ein Teil des Dieselkraftstoffs bei der zuerst einsetzenden Verbrennung unvollständig verbrennt oder wenn er sich so lange ansammelt, bis er bei der nachfolgenden Hauptverbrennung schlagartig verbrennt, so klopft der Motor. Im Unterschied dazu entzündet sich beim Ottomotor zunächst das Kraftstoff-Luft-Gemisch in der Nähe der Zündkerze (Abb. 2).

Beim Dieselmotor kommen die gleichen Verfahren (Viertakt- und Zweitaktverfahren) zur Anwendung wie bei den Ottomotoren. Es gibt zwei Hauptgruppen:
1. *Dieselmotoren mit geteilten Brennräumen:* a) *Wirbelkammermotoren:* Ein Großteil der gesamten Luft wird während der Verdichtung vom Kolben über einen tangential einmündenden Verbindungskanal in die sog. Wirbelkammer verdrängt, wobei sich dort ein starker erhitzter Wirbel ausbreitet (Abb. 3). Der Kraftstoff wird mit einer Lochdüse oder Zapfendüse in die Wirbelkammer eingespritzt und entzündet sich dort. Das brennende Gas tritt dann in den Hauptbrennraum über. Der noch unverbrauchte Kraftstoffanteil wird mit dorthin transportiert und mit der restlichen Luft verbrannt. – b) *Vorkammermotoren:* Hier wird ungefähr ein Drittel der Luftmasse über eine oder mehrere Bohrungen in eine besondere Vorkammer verdrängt (Abb. 4). Wegen der geringeren

Sauerstoffmenge verbrennt hier nur ein Teil des Kraftstoffs. Die Flamme schießt in den Hauptbrennraum, was zu hoher Turbulenz und damit zu schneller Verbrennung des restlichen Brennstoffs führt. – c) *Luftspeicherverfahren* (bei Dieselmotoren mit unterteiltem Brennraum): Hier gelangt der Kraftstoff unmittelbar in den Hauptbrennraum und nur ein Teil davon in einen Nebenraum (Luftspeicher). Die dort einsetzende Verbrennung bewirkt eine Rückströmung in den Hauptbrennraum und somit einen günstigen Verbrennungsablauf. Mit geteilten Brennräumen kann ein relativ geringer Druckanstieg und damit ein leiser Motorlauf erreicht werden, doch müssen *Glühkerzen* zum Vorheizen der Wirbel- bzw. Vorkammer verwendet werden.

2. *Dieselmotoren mit ungeteilten Brennräumen:* Hier wird der Kraftstoff direkt in den einzigen vorhandenen Brennraum eingespritzt *(Direkteinspritzer).*

Um eine gute Verbrennung zu erzielen, ist eine intensive Luftbewegung durch einen Wirbel notwendig. Diese wird entweder durch Schirmventile oder durch entsprechend geformte Einlaßkanäle (Drallkanäle) erzeugt. Der Kraftstoff wird im einen Fall etwa senkrecht zur Luftbewegung eingespritzt *(luftverteilter Kraftstoff).* Der Vorteil liegt in einem niedrigeren Kraftstoffverbrauch (bei relativ lautem Motorlauf). Im anderen Fall wird der Kraftstoff direkt auf die Wand gespritzt und bildet dort zunächst einen Film *(wandverteilter Kraftstoff).* Von dort wird er durch die heiße Luft abgedampft und entsprechend dem Grad der Abdampfung verbrannt.

Zur Leistungssteigerung und Verbesserung des Drehmomentverlaufes werden verschiedene Systeme zur sogenannten *Aufladung* des Motors eingesetzt. Hierbei wird verdichtete Luft in den Zylinder gedrückt, um somit eine bessere Verbrennung des Kraftstoffes zu erzielen. *Turbolader* werden abgasseitig von einem Turbinenrad angetrieben, das über eine Welle mit dem Verdichterrad für die Ansaugluft gekoppelt ist (Abb. 5). Beim *Druckwellenlader* (Abb. 6) strömt das Abgas über die Abgasleitung in die Rotorzellen ein und gibt Energie an die angesaugte Frischluft ab. Die Luft wird komprimiert und beschleunigt und gelangt über die Ladeluftleitung in den Zylinder. Das expandierte Abgas gelangt über den Auspuff ins Freie. Die Steuerung des Druckwellenprozesses geschieht über den zur Drehzahl proportionalen Antrieb des Rotors.

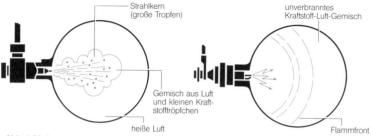

Abb. 1 Verbrennungsvorgang
beim Dieselmotor

Abb. 2 Verbrennungsvorgang
beim Ottomotor

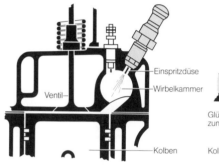

Abb. 3 Wirbelkammer eines Dieselmotors

Abb. 4 Vorkammer
eines Dieselmotors

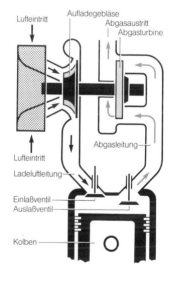

Abb. 5 Schema eines
Abgasturboladers

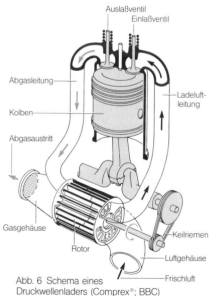

Abb. 6 Schema eines
Druckwellenladers (Comprex®; BBC)

293

Kreiskolbenmotor (Wankelmotor)

Der Kreiskolbenmotor ist eine Viertakt-Verbrennungskraftmaschine, bei der ein dreieckförmiger Kolben in einem ovalen, in der Mitte leicht eingeschnürten Gehäuse planetenartig auf einer Kreisbahn, sich gleichzeitig drehend, umläuft, so daß der Kolben mit der Wandung des Gehäuses drei Kammern sich ständig verändernden Rauminhalts bildet.

Der von F. Wankel entwickelte Kreiskolbenmotor hat ein Motorgehäuse-Mittelteil (Mantel), das auf der Innenseite eine geschlossene, in der Mitte leicht eingeschnürte, ovale Kurve, eine Epitrochoide, bildet. Dies ist eine Radkurve, die z. B. entsteht, wenn auf der Außenseite eines feststehenden Kreises A mit dem Durchmesser D ein kleinerer Kreis B mit dem Durchmesser d abrollt (Abb. 1). Dabei beschreibt ein im Abstand e vom Mittelpunkt des kleinen Kreises B angeordneter Schreibstift S während des Umrollens des feststehenden Kreises A einen Linienzug. Dieser ist geschlossen, wenn das Durchmesserverhältnis $D : d$ eine ganze Zahl ergibt. In Abb. 1 wurde $D : d = 2 : 1$ gewählt.

In dem vom Mantel umschlossenen Innenraum läuft ein Kolben in der Form eines gleichseitigen Dreiecks um, dessen drei gleich lange Seiten nach außen gekrümmt (konvex) sind (Abb. 2). Während des Umlaufs liegen die drei Eckpunkte des Kolbens ständig an der Mantelwandung an, wodurch die Kolbenseiten mit der Mantelwandung drei sichelförmige Kammern veränderlichen Rauminhalts bilden. Der Mittelpunkt des gleichseitigen, dreieckförmigen Kolbens beschreibt während seiner Umdrehung einen geschlossenen Kreis. Der Mittelpunkt dieser Kreisbahn fällt mit dem Zentrum der Epitrochoide zusammen. Der Kolben führt somit eine Drehbewegung um seine Achse aus, wobei sich die Achse auf einer Kreisbahn bewegt. Die Kreisbahn des Kolbens wird durch eine zentrisch im Motorgehäuse gelagerte Welle bewirkt, die im Bereich des Kolbens als Exzenter ausgebildet ist. Die vom Exzenter erzeugte Drehbewegung des Kolbens um die Kreisbahn wird durch eine Gleichlaufverzahnung erzwungen. Hierzu ist auf einer Seite innerhalb des Kolbens eine Innenverzahnung angeordnet (Abb. 2), die sich auf einem feststehenden, mit dem Motorgehäuse verbundenen Ritzel abwälzt.

Die sich nach dem Viertaktverfahren abspielenden Arbeitstakte sind in den Abb. 3 a–d dargestellt. Die von Kolben und Mantel gebildeten sichelförmigen Kammern verändern infolge der überlagerten Kreis- und Drehbewegung des Kolbens ihren Rauminhalt. Die Ein- und Auslaßöffnungen werden dabei im richtigen Zeitpunkt vom Kolben selbst geöffnet und geschlossen. Die Kammer A vergrößert sich von Stellung 3 a bis 3 d immer mehr, so daß durch die Einlaßöffnung Kraftstoff-Luft-Gemisch in die Kammer A gelangen kann (1. Takt). Bei Weiterdrehen des Kolbens wird die Kammer A zur Kammer B. Dieser Raum verkleinert sich von Stellung 3 a bis auf die Größe in Abb. 3 c (2. Takt). Das verdichtete Gemisch wird jetzt gezündet. Bei Drehung des Kolbens in die Stellung 3 d vergrößert sich die Kammer B. Sie wird dann zur Kammer C und vergrößert ihr Volumen, wobei der Kammerinhalt Arbeit verrichtet (3. Takt). Über die Stellungen 3 c und 3 d und dann als linker Teil der jetzt mit A bezeichneten Kammer in Stellung 3 a werden die Abgase durch die Auslaßöffnung ausgeschoben (4. Takt). Bei jeder vollen Umdrehung (360°) der Exzenterwelle erfolgt eine Zündung. Daraus ergibt sich eine Ungleichförmigkeit des Drehmomentverlaufs, die jedoch durch entsprechende Schwungmassen ausgeglichen wird. Beim Kreiskolbenmotor spielen sich infolge der drei Kammern immer drei von vier Arbeitstakten gleichzeitig ab. Die Arbeitskammern müssen daher gegenseitig abgedichtet sein. An den drei Eckkanten des Kolbens ist jeweils eine achsparallele Nut eingefräst, in die Dichtleisten mit geringem Spiel eingelassen sind.

Durch Aneinanderreihen mehrerer Motorzellen entsteht der Mehrfachmotor, so daß sich mit geringem Bauaufwand bei kleiner Motorabmessung große Leistungen verwirklichen lassen. Bei dem Zweischeibenmotor (Abb. 4) ergibt sich, infolge der um 180° versetzten Exzenter, ein ausgeglichenerer Drehmomentverlauf als beim zuvor beschriebenen Einscheibenmotor.

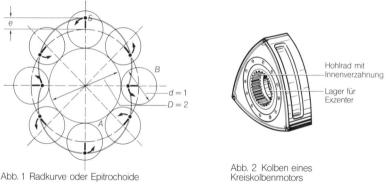

Abb. 1 Radkurve oder Epitrochoide

Abb. 2 Kolben eines Kreiskolbenmotors

Hohlrad mit Innenverzahnung

Lager für Exzenter

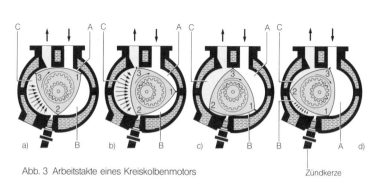

Abb. 3 Arbeitstakte eines Kreiskolbenmotors

Zündkerze

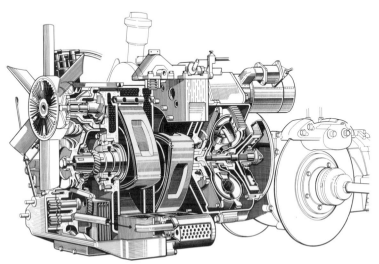

Abb. 4 Zweischeiben-Kreiskolbenmotor

Abgaskatalysator und Lambdasonde I

Die Hauptschadstoffkomponenten, die bei der Verbrennung des Benzins in Ottomotoren entstehen und mit den ungiftigen Verbrennungsprodukten Kohlendioxid und Wasserdampf als Abgase ins Freie gelangen, sind:

Kohlenmonoxid (CO, ein sehr giftiges, geruchloses Gas),

Stickoxide (Stickstoffoxide, NO_x, insbesondere das bei hohen Verbrennungstemperaturen entstehende Stickstoffmonoxid, NO, und das Stickstoffdioxid, NO_2, die die Schleimhäute der Atmungsorgane angreifen),

Kohlenwasserstoffe ($C_m H_n$, eine Vielzahl organischer Verbindungen, z. B. C_2H_4, C_2H_6, C_3H_6, C_3H_8, C_4H_{10} usw., unter denen schleimhautreizende, z. T. auch krebserregende Substanzen sind),

ferner (bei mit bleihaltigen Antiklopfmitteln versetztem Benzin) Bleiverbindungen und aus Nebenbestandteilen des Benzins stammende geringe Mengen an Schwefelverbindungen (Schwefeldioxid, SO_2, und Schwefeltrioxid, SO_3).

Als wirkungsvollste Maßnahme zur drastischen Verringerung (bis zu 90%) der Schadstoffe hat sich der Einbau von Abgaskatalysatoren in die Auspuffanlage erwiesen. Als *Katalysatoren* bezeichnet man Stoffe, die bereits in relativ kleinen Mengen die Geschwindigkeit einer chemischen Reaktion verändern oder sie überhaupt erst in größerem Umfang ermöglichen, ohne selbst verbraucht zu werden.

Die chemischen Reaktionen, die bei der katalytischen Abgasreinigung ablaufen sollen, müssen das Kohlenmonoxid und die Kohlenwasserstoffe in die unschädlichen chemischen Verbindungen Kohlendioxid (CO_2) und Wasser (H_2O) umwandeln sowie die Stickoxide in harmlosen elementaren Stickstoff (N_2) und Kohlendioxid, z. B.

(1) $2\,CO + O_2 \rightarrow 2\,CO_2$

(2) $4\,C_m H_n + (4m+n)\,O_2$
$\rightarrow 4\,m\,CO_2 + 2\,n\,H_2O$

(3) $2\,NO + 2\,CO \rightarrow 2\,CO_2 + N_2$

Das Entstehen schädlicher Bleiverbindungen (die darüber hinaus als „Katalysatorgifte" wirken) läßt sich durch die Verwendung von „bleifreiem Benzin" vermeiden; die Schwefeldioxid- und Schwefeltrioxidanteile sind wegen des geringen Schwefelgehalts des Benzins relativ niedrig (etwa 3–4% der Gesamtemission von Schwefeldioxid in der Bundesrepublik Deutschland).

Während man es in der chemischen Technologie beim Einsatz von Katalysatoren zur Herstellung chemischer Produkte im allgemeinen mit fest vorgegebenen (optimal gewählten) Bedingungen bezüglich der Zusammensetzung der reagierenden Stoffe zu tun hat, ergibt sich beim Verbrennungsmotor das Problem wechselnder Zusammensetzung der Reaktionspartner Kraftstoff und Luft (fettes, d. h. kraftstoffreiches Gemisch – mageres Gemisch) und damit auch der Zusammensetzung der katalytisch umzuwandelnden Abgasbestandteile. Zur einwandfreien Verbrennung des Benzins im Ottomotor sind z. B. je Kilogramm Benzin etwa 14 kg Luft (rund 11 m^3) erforderlich. Das Verhältnis der tatsächlich zugeführten Luftmenge zum theoretischen Luftbedarf bezeichnet man als *Luftverhältnis* oder *Lambdawert* (Formelzeichen λ). Die Angabe $\lambda = 1$ bedeutet also, daß die für die Verbrennung optimale Luftmenge zugeführt wird (Luft-Kraftstoff-Verhältnis 14,6 : 1). Die höchste Leistung erbringt ein Ottomotor jedoch bei 0 bis 10% Luftmangel, d. h. bei Lambdawerten von $\lambda = 0,9$ bis $\lambda = 1,0$, der geringste Kraftstoffverbrauch wird andererseits bei etwa 10% Luftüberschuß, d. h. bei $\lambda \approx 1,1$, erreicht.

Die Abb. 1 zeigt, daß der Kohlenmonoxidanteil und der Kohlenwasserstoffanteil in den Abgasen aus einem fetten Gemisch sehr hoch sind und mit größer werdendem λ absinkt, während der Stickoxidanteil relativ gering ist und erst bei $\lambda \approx 1$ seinen höchsten Wert erreicht. Bei einem mageren Gemisch ist der Luftanteil und damit der Sauerstoffanteil im Abgas relativ hoch. Damit könnte also bei geeignet gewähltem Katalysator z. B. durch die Reaktion $CO + \frac{1}{2}O_2 \rightarrow CO_2$ der Kohlenmonoxidanteil zu Kohlendioxid umgewandelt werden, für die Umwandlung von Stickstoffmonoxid in elementaren Stickstoff gemäß der Gleichung (3) würde aber zu wenig CO verbleiben.

Es zeigt sich, daß die katalytische Abgasreinigung also nicht nur eine Frage der Wahl geeigneter Katalysatoren ist, ihre Wirksamkeit kommt erst bei „richtiger" Abgaszusammensetzung zur Geltung. Um sie zu erreichen, wurden im wesentlichen drei unterschiedliche Verfahren entwickelt (Abb. 2).

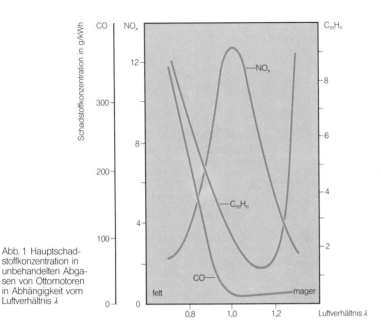

Abb. 1 Hauptschadstoffkonzentration in unbehandelten Abgasen von Ottomotoren in Abhängigkeit vom Luftverhältnis λ

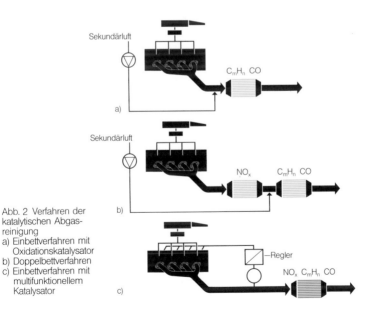

Abb. 2 Verfahren der katalytischen Abgasreinigung
a) Einbettverfahren mit Oxidationskatalysator
b) Doppelbettverfahren
c) Einbettverfahren mit multifunktionellem Katalysator

297

Abgaskatalysator und Lambdasonde II

Beim *Einbettverfahren mit Oxidationskatalysator* wird dem Abgas vor dem Eintritt in den (den Katalysator enthaltenden) Reaktor Luft zugemischt, so daß die Oxidationsreaktionen (1) und (2) am Katalysator ablaufen können. Der Stickoxidanteil wird hier kaum herabgesetzt. Beim *Doppelbettverfahren (Zweibettverfahren)* wird in einem ersten Reaktor bei relativem Sauerstoffmangel für die Umsetzung der Stickoxide gesorgt, z. B. gemäß Gleichung (3), anschließend wird dem Abgas Luft zugemischt, so daß in einem nachgeschalteten zweiten Reaktor das Kohlenmonoxid und die Kohlenwasserstoffe umgesetzt werden können.

Das dritte, effektivste und allgemein bevorzugte Verfahren ist das *Einbettverfahren mit multifunktionellem Katalysator (Dreiwegekatalysator)*. Hierbei werden Kohlenmonoxid, Kohlenwasserstoffe und Stickoxide in einem Reaktor gleichzeitig umgesetzt. Die hierzu erforderliche Abgaszusammensetzung wird durch eine elektronisch geregelte Aufbereitung des Kraftstoff-Luft-Gemischs erzielt. Dies erfordert jedoch einen relativ großen Aufwand: Zunächst muß der Sauerstoffanteil im Abgas ständig gemessen werden. Hierzu bedient man sich der sogenannten *Lambdasonde* (Abb. 3), die vor dem Katalysator im Abgaskanal eingebaut wird. Das in ihr verwendete Keramikmaterial, ein Mischoxid aus Zirkoniumdioxid und Yttriumoxid, wirkt als Feststoffelektrolyt und wird bei Temperaturen über $300\,°C$ elektrisch leitend. Die Sonde ist so gestaltet, daß die eine Seite dieses mit porösen Kontaktelektroden versehenen Materials vom Abgas umspült wird, während die andere Seite mit der Außenluft in Verbindung steht. Bei unterschiedlichem Sauerstoffanteil auf der Abgas- und der Außenluftseite der Sonde entsteht an den Kontaktelektroden eine elektrische Spannung, die als Maß für den Lambdawert und damit für das Luft-Kraftstoff-Verhältnis dienen kann. Mit Hilfe dieser Signalspannung läßt sich über ein elektronisches Regelgerät der Vergaser bzw. die Einspritzanlage so regeln, daß die Abgaszusammensetzung in einem für die optimale Wirkung des Katalysators erforderlichen Bereich, dem sogenannten Lambdafenster, gehalten wird.

Um Leistung und Kraftstoffverbrauch des Motors möglichst wenig zu beeinträchtigen, versucht man, dieses Lambdafenster durch Verwendung geeigneter Katalysatormaterialien (und deren Trägermaterialien) möglichst breit zu halten. Als Trägermaterialien verwendet man von feinen Kanälen durchzogene keramische Wabenkörper (sogenannte keramische Monolithe), z. B. aus Cordierit, einem Magnesium-Aluminium-Silicat. Dieses Trägermaterial wird zunächst mit einer Zwischenschicht aus γ-Aluminiumoxid ($γ$-Al_2O_3), dem sogenannten Washcoat, versehen, der die wirksame Oberfläche noch erheblich vergrößert. Die Al_2O_3-Schicht wird dann mit dem eigentlichen Katalysator belegt. Hierbei handelt es sich (bei multifunktionellen Katalysatoren) um die Edelmetalle Platin, Palladium und Rhodium sowie um Oxide verschiedener Nichtedelmetalle. – Der beschichtete Wabenkörper wird mit einem elastischen Drahtgeflecht umgeben, das ihn gegen Bruch sichern soll, und dann in das Metallgehäuse eingesetzt.

Um eine hinreichend lange „Lebensdauer" des Katalysators zu gewährleisten, muß er einerseits vor thermischen Überbelastungen (Überhitzungen, die z. B. bei Zündaussetzern auftreten können) geschützt werden – sie führen zum Sintern der Beschichtungen und damit zu einer Verminderung der Wirksamkeit des Katalysators – andererseits vor sogenannten *Katalysatorgiften*. Dies sind chemische Substanzen unterschiedlichster Art, die die Wirksamkeit von Katalysatoren auf verschiedenste Weise beeinträchtigen, in höherer Konzentration z. B. durch Abdecken der Katalysatoroberfläche. Hierzu zählen u. a. Bleiverbindungen, wie sie als Antiklopfmittel den Kraftstoffen zugesetzt werden. Voraussetzung für die volle Wirksamkeit des Katalysators ist daher die Verwendung von bleifreiem Benzin. Daneben können jedoch auch Schmiermittelzusätze, durch Abrieb im Motor freiwerdende Metalle u. a. zu Schädigungen des Katalysators führen.

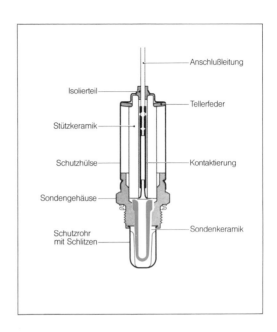

Abb. 3 Schnittbild einer Lambdasonde (Bosch)

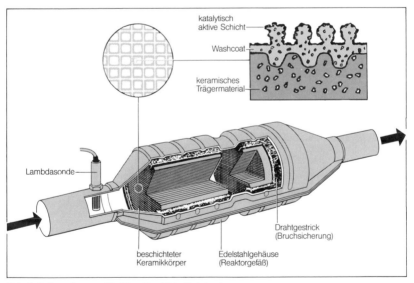

Abb. 4 Aufbau eines multifunktionellen Einbettkatalysators
(Dreiwegekatalysator) mit Lambdasonde

Fahrwerk I (Vorderachse)

Die *Radaufhängung* verbindet die Räder von Kraftfahrzeugen beweglich mit dem Fahrgestell oder mit der selbsttragenden Karosserie. Dabei stützt sich jedes Rad einzeln über ein Federelement an dem Fahrzeug ab. Dadurch können die Räder der unebenen Fahrbahn ohne Abheben folgen, indem sie gegenüber dem Fahrzeugkörper hauptsächlich eine senkrechte Bewegung ausführen. Je nach Ausführung der Radaufhängung und des Federungssystems werden Fahrbahnstöße mehr oder weniger gedämpft an das Fahrzeug weitergegeben.

Beim Durchfahren einer Kurve soll sich das Fahrzeug auch bei höherer Geschwindigkeit auf einer Linie bewegen, die dem Kurvenradius entspricht, es soll also ein neutrales Lenkverhalten zeigen. *Untersteuert* der Wagen, so strebt das Fahrzeug trotz eingelenkter Vorderräder dem äußeren Kurvenrand zu (Abb. 1 a). Das Lenkrad und damit die Vorderräder müssen stärker in die Kurve gedreht werden, als es der Radius der Kurve erfordert. Ein *übersteuerndes* Fahrzeug dreht dagegen durch Wegrutschen der Hinterräder in die Kurve hinein. Dem muß durch Zurückdrehen des Lenkrades, sogenanntes Gegenlenken, und damit durch Abdrehen der Vorderräder von der Kurve begegnet werden (Abb. 1 b).

Die Radaufhängung der Vorderachse muß neben der senkrechten Bewegung zum Ein- und Ausfedern auch eine Schwenkbewegung der beiden Räder zum Lenken des Fahrzeuges zulassen. Die Schwenkbewegung des Rades wird durch den *Achsschenkel* ermöglicht (Abb. 2). Der zum Lenken eines Fahrzeuges erforderliche Kraftaufwand soll möglichst gering sein. Fahrbahnstöße dürfen nicht auf das Lenkrad übertragen werden. Außerdem müssen sich die Räder nach dem Einlenken selbsttätig wieder in die Geradeausfahrt einstellen. Aus diesem Grunde schwenken die gelenkten Räder um einen in zwei Ebenen geneigt angeordneten *Achsschenkelbolzen;* außerdem ist die Radebene etwas aus der Senkrechten geneigt. Diese Neigung zur Senkrechten, der Winkel α in Abb. 3, wird *Sturz* genannt. Die Neigung des Achsschenkelbolzens zur Senkrechten, der Winkel γ (als *Spreizung* bezeichnet), ergibt mit dem Sturz des Rades einen kleinen *Lenkrollradius a* (Abb. 3). Das ist der Radius der Kreisbahn, den das Rad beim Schwenken um den Achsschenkelbolzen auf der Fahrbahn beschreibt. Gleichzeitig aber ist a der Hebelarm, mit dem die Fahrbahnkräfte beim Überfahren einer Unebenheit auf die Lenkung wirken. Der Rollradius soll klein sein, darf aber nicht Null werden, denn bei stillstehendem oder langsam fahrendem Wagen würde die Lenkung zu schwer gehen, da das Rad nicht mehr auf einer Kreisbahn abrollt, sondern auf der Stelle verdreht wird. Bei Fahrzeugen mit diagonaler Bremskreisaufteilung verbessert ein negativer Lenkrollradius die Lenkstabilität beim Bremsen mit links und rechts verschiedenen Bremskräften.

Der Achsschenkelbolzen weist außerdem eine Neigung in Fahrtrichtung um den Winkel β auf (Abb. 4). Durch diesen *Nachlauf* liegt der Reifenaufstandspunkt B hinter dem Punkt A. Dies ist der Schnittpunkt der verlängerten Mittellinie des Achsschenkelbolzens mit der Fahrbahn. Das auf diese Weise gezogene, nachlaufende Rad stellt sich von selbst in die gerade Fahrtrichtung ein. Spreizung und Nachlauf bewirken somit die selbsttätige Geradestellung der Vorderräder nach einer Kurvenfahrt.

Die Räder der Vorderachse eines Fahrzeuges stehen bei Geradeausfahrt nicht parallel, sondern sind in Fahrtrichtung etwas nach innen gedreht (Abb. 5 a). Diese *Vorspur* spannt die Reifen und das Lenkgestänge vor, da sich die geneigten Räder infolge des Sturzes beim Abrollen auf der Fahrbahn nach außen bewegen wollen (Abb. 5 b). Dadurch wird die Seitenführung des Reifens verbessert, gleichzeitig wird die durch das Spiel im Lenksystem verursachte Flatterneigung der Räder vermindert.

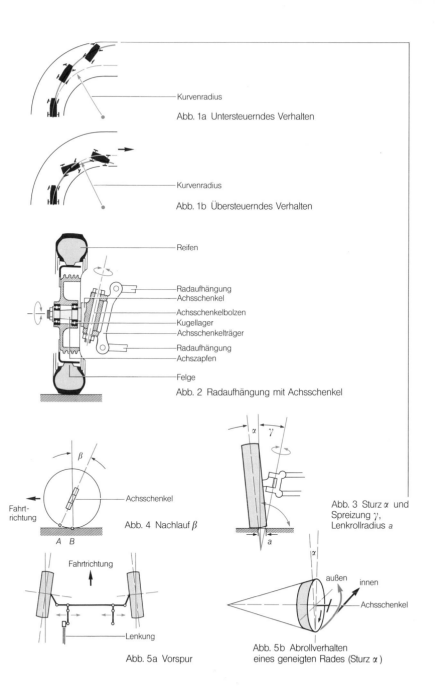

Kurvenradius

Abb. 1a Untersteuerndes Verhalten

Kurvenradius

Abb. 1b Übersteuerndes Verhalten

Reifen

Radaufhängung
Achsschenkel
Achsschenkelbolzen
Kugellager
Achsschenkelträger
Radaufhängung
Achszapfen
Felge

Abb. 2 Radaufhängung mit Achsschenkel

Achsschenkel

Fahrtrichtung

Abb. 4 Nachlauf β

A B

Abb. 3 Sturz α und Spreizung γ, Lenkrollradius a

Fahrtrichtung

Lenkung

Abb. 5a Vorspur

außen
innen

Achsschenkel

Abb. 5b Abrollverhalten eines geneigten Rades (Sturz α)

Fahrwerk II (Radaufhängung, Vorderachse)

Die Konstruktion der Vorderachse muß nicht nur die normalen Achsfunktionen wie Radführung und (bei Frontantrieb) die Kraftübertragung auf die Straße garantieren, sondern zusätzlich noch, im Gegensatz zur Hinterachse, die Aufnahme der Lenkung berücksichtigen.

Zur *Federung* und Führung der Räder werden unterschiedliche Hilfsmittel verwendet: Die Blattfederung trifft man nur noch selten bei Personenkraftwagen an, wartungsfreie Schraubenfedern und Stabfedern haben sie weitestgehend verdrängt. Während bei Blattfedern die Durchbiegefähigkeit (Biegemodul) des Materials ausgenutzt wird, macht man sich bei Schrauben- und Stabfedern sowie Stabilisatoren die Widerstandskraft des Materials gegen Verdrehung (Torsionmodul) zunutze.

Die Abb. 6b (schematisch) und die Abb. 7 zeigen eine oft verwendete *Radaufhängung* eines Personenkraftwagens, die sogenannte *Federbeinachse (McPherson-Federbein).* Der Achsschenkel mit dem Achszapfen, auf dem sich das Rad dreht, ist fest mit dem Außenrohr eines Stoßdämpfers verbunden. Dieses Außenrohr schwenkt beim Lenken mit dem Rad, denn der am unteren Ende des Federbeins angebrachte Spurstangenhebel steht mit dem Lenkgetriebe über die Spurstange in Verbindung. Die Kolbenstange des Stoßdämpfers ist mittels eines elastischen Stützlagers mit der Karosserie verschraubt.

Ein kugeliges Führungsgelenk am unteren Ende des Federbeines stellt die Verbindung mit dem unteren Querlenker her. Der Querlenker wird häufig in der Form eines einfachen Hebels ausgeführt, dessen Drehpunkt in dem Vorderachsträger liegt. Als Lager dient ein wartungsfreies Gummigelenk. Die Aufnahme der längsgerichteten Fahr- und Bremsreaktionskräfte erfolgt über eine schräg angeordnete *Zugstrebe.* Diese ist sowohl im Vorderachsträger als auch im Querlenker elastisch mit Gummigelenken befestigt. Als Federelement findet meist eine Schraubenfeder Verwendung, die über das Federbein gestülpt ist. Die Feder stützt sich oben gegen die Karosserie, unten gegen einen am Außenrohr des Federbeines angebrachten Blechteller ab. Die Abb. 8 zeigt eine Federbeinachse eines Wagens mit Frontantrieb. Die Federbeinachse erlaubt langhubige und weiche Federung, wobei große Lagerabstände niedrige Belastungen der Lagerpunkte ermöglichen. Die große Bauhöhe und die Empfindlichkeit gegen

Lenkunruhe werden oft als Nachteile der Federbeinachse genannt.

Die *Dämpferbeinachse* (Abb. 6c und Abb. 9) beansprucht im Vergleich zur Federbeinachse weniger Bauraum im Motorraum und hat eine geringere Bauhöhe. Für nichtangetriebene Vorderräder wird häufig die Radaufhängung mit *Doppelquerlenkern* gewählt (Abb. 6a und Abb. 10). Hierbei sind prinzipiell zwei Hebel von dreieckförmiger Gestalt übereinander angeordnet. Diese *Dreieckslenker* sind drehbar mit der Karosserie oder mit dem Fahrgestell verbunden. Als Lager dienen wartungsfreie Gummielemente. An der Spitze der beiden Dreieckslenker ist dreh- und schwenkbar der Achsschenkel angebracht. Die beiden Dreieckslenker sind Blechformteile unterschiedlicher Länge, wodurch die Spur- und Sturzänderung des Rades beim Einfedern gering gehalten werden können.

Eine Achskonstruktion mit *Doppellängslenkern* stellt Abb. 11 dar. An zwei parallel übereinander, quer zur Fahrtrichtung angeordneten Drehstäben ist jeweils in Fahrtrichtung ein Längslenker angeordnet. Die beiden *Torsionsstäbe* sind in der Mitte der Achse fest eingespannt. Unter der Radlast, die an den mit dem Achsschenkel dreh- und schwenkbar verbundenen Längslenkern angreift, verdrillen sich federnd die Drehstäbe. Damit führt das Rad beim Ein- und Ausfedern eine Hubbewegung aus, wobei Spur und Sturz unverändert bleiben.

Stabilisatoren sind meist Drehstäbe, die die Fahreigenschaften eines Wagens stabilisieren sollen. Der meist U-förmige *Drehstab* ist quer zur Fahrtrichtung angeordnet und über Gummilager drehbar mit dem Fahrzeugaufbau verbunden. Die Enden des Drehstabes sind jeweils starr mit einer Seite der Achse verbunden und wirken als Hebelarm. Wird der Aufbau bei Kurvenfahrt infolge der Fliehkraft zur Seite geneigt, so federt das kurveninnere Rad stärker ein als das äußere. Der Drehstab wird dadurch verdrillt und wirkt durch seine Federkraft der Seitenneigung entgegen.

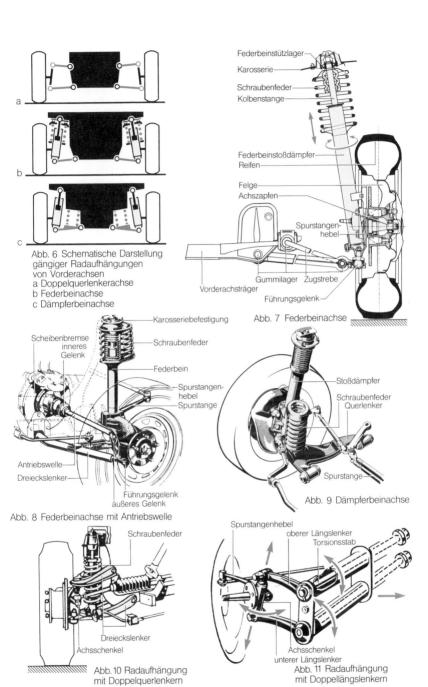

a

b

c

Abb. 6 Schematische Darstellung
gängiger Radaufhängungen
von Vorderachsen
a Doppelquerlenkerachse
b Federbeinachse
c Dämpferbeinachse

Federbeinstützlager
Karosserie
Schraubenfeder
Kolbenstange

Federbeinstoßdämpfer
Reifen

Felge
Achszapfen

Spurstangen-
hebel

Gummilager   Zugstrebe
Vorderachsträger
Führungsgelenk

Abb. 7 Federbeinachse

Karosseriebefestigung

Scheibenbremse
inneres
Gelenk

Schraubenfeder

Federbein

Spurstangen-
hebel
Spurstange

Antriebswelle
Dreieckslenker

Führungsgelenk
äußeres Gelenk

Abb. 8 Federbeinachse mit Antriebswelle

Stoßdämpfer

Schraubenfeder
Querlenker

Spurstange

Abb. 9 Dämpferbeinachse

Schraubenfeder

Dreieckslenker
Achsschenkel

Abb. 10 Radaufhängung
mit Doppelquerlenkern

Spurstangenhebel
oberer Längslenker
Torsionsstab

Achsschenkel
unterer Längslenker

Abb. 11 Radaufhängung
mit Doppellängslenkern

Fahrwerk III (Hinterachse)

Das Hinterachssystem von Kraftfahrzeugen mit Hinterradantrieb umfaßt das Winkelgetriebe, das Differential (Ausgleichsgetriebe), die beiden Seitenwellen, die Radbefestigungen und Radaufhängungen. Zur Übertragung des Motordrehmomentes auf die quer zur Fahrtrichtung angeordnete Antriebsachse und damit auf die beiden Antriebsräder ist ein *Winkelgetriebe* erforderlich. Die Kegelräder sind meist spiralverzahnt, so daß die Zähne allmählich und nicht stoßweise in Eingriff kommen. Außerdem überschneidet sich der Eingriff mehrerer Zähne. Dadurch erreicht man einen nahezu geräuschlosen Lauf und eine günstige Kraftverteilung. Beim spiralverzahnten Winkelgetriebe liegen die Mittellinien des Antriebskegelrades und des Tellerrades auf gleicher Höhe (Abb. 12a). Liegt dagegen die Mittellinie des Trieblings nicht auf gleicher Höhe wie die Mittellinie des Tellerrades, so handelt es sich um ein Hypoidgetriebe (Winkelgetriebe mit Hypoidverzahnung; Abb. 12b). Diese Bauart ermöglicht die tiefliegende Anordnung des Antriebskegelrades, wodurch die Kardanwelle, die das Schaltgetriebe mit dem Hinterachsgetriebe verbindet, tief verlegt werden kann. Damit ergibt sich ein geringerer Platzbedarf für den Kardantunnel im Inneren des Fahrzeuges. Das Ausgleichsgetriebe (s. S. 342), das bei Kurvenfahrt die unterschiedliche Weglänge der beiden Antriebsräder ausgleicht, ist mit dem Tellerrad verbunden.

Für die angetriebenen Hinterräder gibt es verschiedene Achskonstruktionen, die sich grundsätzlich voneinander unterscheiden: Bei der starren Hinterachse sind die beiden Antriebsräder und die Seitenwellen in einem starren Achsgehäuse gelagert, das außerdem das Winkel- und das Ausgleichsgetriebe aufnimmt. Die starre Hinterachse hat neben ihrem einfachen Aufbau den Vorzug, daß beim gleichseitigen Einfedern des Fahrzeuges oder bei der Seitenneigung des Aufbaues keine Änderung der Radstellung erfolgt; Spur und Sturz bleiben konstant.

Die Führung der *angetriebenen Hinterachse* erfolgt bei Personenwagen durch entsprechende Bauelemente, so daß den Federelementen nur noch die eigentliche Federungsaufgabe zukommt. Abb. 13 zeigt eine *starre Hinterachse.* Die Längsführung der Achse erfolgt durch zwei unmittelbar neben den Rädern am Achsgehäuse angehängte, schwenkbar gelagerte Schubstangen, sogenannte *Längslenker.* Schraubenfedern sprechen leichter auf Fahrbahnunebenheiten an als Blattfedern, können aber keine Seitenkräfte von der Achse auf das Fahrzeug übertragen. Diese Funktion übernimmt ein *Panhardstab,* der einerseits in Höhe des einen Federangriffspunktes drehbar mit der Achse verbunden, andererseits in Höhe der zweiten Feder drehbar an dem Wagenkörper angebracht ist. Ein Nachteil der Starrachse ist ihre große ungefederte Masse. Bei der *De-Dion-Bauart* (Abb. 14) ist das schwere Hinterachsgetriebe vom Achskörper getrennt direkt am Wagenaufbau befestigt. Dadurch verringert sich die ungefederte Masse, die z. B. durch Fahrbahnstöße zu Schwingungen angeregt werden kann. Beide Räder sind hierbei durch ein stabiles Querrohr verbunden. Die Abstützung dieser Starrachse gegen Seitenkräfte übernimmt ein Panhardstab. Zur Führung der Achse in Längsrichtung dienen oft Längslenker, die unmittelbar neben den Rädern an der Achse befestigt sind. Diese Längslenker übertragen die Fahr- und Bremsreaktionskräfte.

Beim Ein- und Ausfedern der Achse verändern sich die Lage und der Abstand der beiden Räder vom Hinterachsgetriebe. Die zwei Seitenwellen sind daher an beiden Enden mit je einem Kreuzgelenk versehen und weisen jeweils ein Schiebestück auf.

Für *nichtangetriebene Hinterachsen* kann eine möglichst leicht gebaute Version der Starrachse (Abb. 16) verwendet werden, wobei Panhardstab, Stabilisatoren und Lenker die Führung der Achse übernehmen. Bei der *Verbundlenkerachse* (Abb. 15) wirkt die Querverbindung als Torsionsfeder. Hierdurch ergibt sich als Achskinematik bei gleichzeitigem Einfedern eine Längslenkercharakteristik, bei wechselseitigem Einfedern eine Schräglenkercharakteristik (geringe Spurweitenänderung). Die Vorteile der Verbundlenkerachse sind gute Seitenführung bei Kurvenfahrt durch geringe positive Sturzwinkel und günstige Raumaufteilung im Heck.

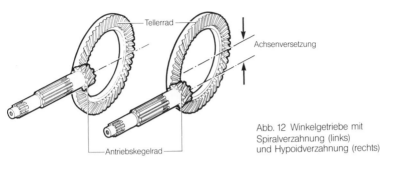

Abb. 12 Winkelgetriebe mit
Spiralverzahnung (links)
und Hypoidverzahnung (rechts)

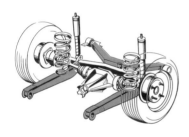

Abb. 13 Angetriebene starre
Hinterachse

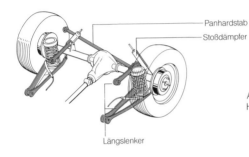

Abb. 14 De-Dion-Achse

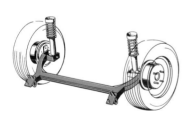

Abb. 15 Verbundlenkerachse

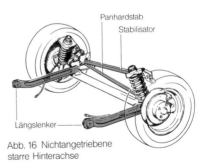

Abb. 16 Nichtangetriebene
starre Hinterachse

Fahrwerk IV (Hinterachse)

Der Wechsel von Antrieb zu Verzögerung (Gaswegnehmen, Bremsen) und umgekehrt (Beschleunigen) führt zu *Lastwechselreaktionen* der Achse und der Radaufhängungen, z. B. zu Vorspuränderungen und damit zum Seitenkraftübersteuern. Diese Lastwechselreaktionen gilt es, durch steife Konstruktion des Fahrwerks möglichst gering zu halten, wobei gleichzeitig eine gewisse Elastizität der Achskonstruktion und der Radaufhängung notwendig sind, um das Fahren komfortabel zu machen.

Das Hinterachsgetriebe einer *Pendelachse* (Abb. 17) ist mit dem Fahrgestell oder dem Wagenkörper verschraubt, so daß die ungefederte Masse klein bleibt. Die Antriebswellen der Hinterräder sind gelenkig mit dem Ausgleichsgetriebe verbunden, dabei pendeln die beiden Räder an Achsrohren, in denen die Antriebswellen liegen. Die Achsrohre haben ihren Drehpunkt im Drehpunkt der Seitenwelle und übernehmen die Seitenführung der Räder. Ein Längslenker, der jeweils am äußersten Ende des Achsrohres in Nähe des Rades angreift, liegt in Fahrtrichtung und arbeitet als Kurbelarm auf einen quer zur Fahrtrichtung angeordneten Drehstab. Beim Ein- und Ausfedern der Pendelachse wird der Drehstab verdrillt. Das Einfedern des Rades ist mit einer Spur- und Sturzänderung verbunden, wodurch die Bodenhaftung des Reifens vermindert wird.

Bei der *Schräglenkerachse* (Abb. 18) ist das Hinterachsgetriebe mit einem Querträger und über diesen mit dem Fahrzeugkörper verbunden. Die beiden Hinterräder schwingen beim Ein- und Ausfedern unabhängig an dreieckförmigen, schräggestellten Lenkern (Schräglenkern), die über wartungsfreie Gummielemente ebenfalls mit dem Querträger verbunden sind. Der Schräglenker übernimmt die Längs- und Seitenführung der Räder, nimmt die Fahr- und Bremsreaktionskräfte auf und bewirkt beim Einfedern eine geringe Spuränderung.

Bei der *Schraublenkerachse,* einer Variante der Schräglenkerachse, verbindet ein Zusatzlenker den Hinterachsträger mit dem Schräglenker und erzeugt beim Federn des Rades eine Verschiebung im Schubgummilager. Dreh- und Schubbewegung ergeben dabei eine Schraubung in den Gummilagern der Lenker, wodurch die Aufbauanhebung bei Kurvenfahrt harmonisch zur Sturz- und Vorspuränderung des Rades reduziert wird.

Das Fahrwerk von Sportwagen ist in Konstruktion und Federung möglichst straff ausgelegt, was Komforteinbußen zur Folge hat. Die *Weissach-Hinterachse* sucht durch veränderte Konstruktionselemente ein seitenkraftneutrales Verhalten der Achse bei verhältnismäßig „weicher" Abstimmung des Fahrwerks zu erreichen. Sie ist eine Doppelquerlenkerachse, deren oberer Querlenker nur noch aus einer sogenannten Sturzstrebe besteht, die Querkräfte aufnimmt (Abb. 19). Lastwechselkräfte vom Rad werden allein von dem unteren Querlenker in den Aufbau geleitet, und zwar durch eine spezielle Steuerschwinge. Diese sorgt für die elastokinematische Vorspursteuerung bei Verzögerung, d. h., die Räder stellen sich beim Bremsen nicht wie bei herkömmlichen Querlenkern in Nachspur (Abb. 20 a), was in Kurven zu Übersteuern und Heckausbrechen führen kann, sondern – infolge der Lage des Lenkpols außerhalb der Spurweite und hinter der Achsmitte – in eine die Fahrtrichtung stabilisierende Vorspur (Abb. 20 b). Beim Beschleunigen spreizen sich die Räder dagegen in Nachspurstellung.

Bei der räumlichen Fünfpunktführung der *Raumlenkerachse* (Abb. 21 und 22) können die fünf einzelnen Stablenker so angeordnet werden, daß die „elastische Lenkachse" etwa in die Radmittelebene wandert, womit Längskräfte, die beim Bremsen und Beschleunigen auftreten, keinen Hebelarm mehr haben und das Rad keine unerwünschten Lenkbewegungen ausführen kann. Die fünf Lenker sichern die elastische Parallelverschiebung der Räder in Längs- und Querrichtung, vermeiden jedoch die Verdrehung um eine vertikale Achse.

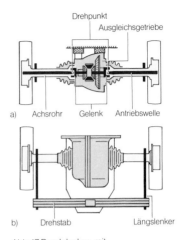

Abb. 17 Pendelachse mit
Hinterachsgetriebe
a) Ansicht in Fahrtrichtung
b) Draufsicht

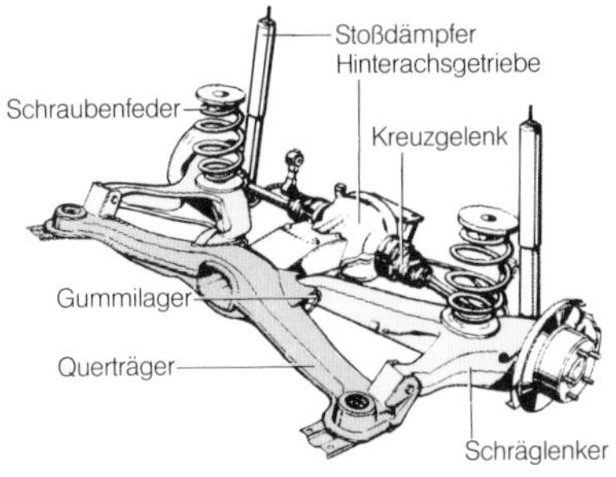

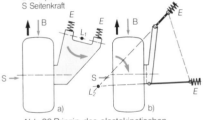

Abb. 18 Schräglenkerhinterachse

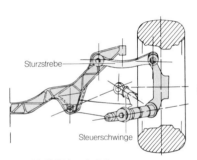

Abb. 19 Weissach-Achse
(Ansicht in Fahrtrichtung)

B Bremskraft
E Elastizitäten in den Lenkeranlenkpunkten
L Lenkpol
S Seitenkraft

Abb. 20 Prinzip des elastokinetischen
Eigenlenkverhaltens der Hinterachse (Draufsicht)
a) übliche Lenkeranordnung: Lenkpol L_1
innerhalb der Spurweite und vor der Achsmitte
b) Weissach-Achse: Lenkpol L_2 außerhalb der
Spurweite und hinter der Achsmitte

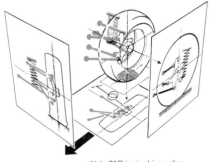

Abb. 21 Prinzipskizze der
Fünflenker-Achse

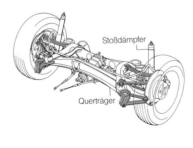

Abb. 22 Raumlenkerachse
(Fünflenker-Achse)

307

Stoßdämpfer

Die Feder einer Radaufhängung wird beim Überfahren von Fahrbahnunebenheiten fortwährend gespannt und entspannt und so zum Schwingen angeregt. Infolge der verhältnismäßig geringen Reibung (Eigendämpfung) der Feder und der Radaufhängung würden diese Schwingungen ohne Stoßdämpfer nur sehr langsam abklingen. Der Kontakt zwischen Reifen und Fahrbahn wäre entsprechend der Schwingfrequenz periodisch unterbrochen, worunter die Fahrsicherheit leiden würde. Der zwischen Fahrzeugaufbau und Radaufhängung, möglichst in Radnähe (Abb. 1) angeordnete Schwingungsdämpfer (Stoßdämpfer) läßt diese Schwingungen sehr rasch abklingen. Er soll einerseits die Schwingungen der ungefederten Massen (Räder, Achsen) gering halten und damit den Fahrbahnkontakt und die Sicherheit garantieren; andererseits sollen die Schwingungen der gefederten Masse (Fahrzeugaufbau) auf ein für die Insassen erträgliches Maß reduziert werden. Der optimale Kompromiß zwischen *harter Sicherheitseinstellung* und *weicher Komforteinstellung* muß jeweils für die individuellen Bedingungen gefunden werden.

Weit verbreitet ist der hydraulische *Zweirohrteleskopstoßdämpfer* (Abb. 2). In einem Arbeitszylinder bewegt sich ein Kolben, der mit einer Kolbenstange verbunden ist. Die Kolbenstange geht am oberen Ende in das Befestigungsauge über, das eine Gummibuchse aufnimmt, die eine geräuschdämpfende Befestigung der Kolbenstange mit der Karosserie ermöglicht. Der Arbeitszylinder ist von einem größeren Rohr umgeben, das am unteren Ende ein entsprechendes Befestigungsauge zur Befestigung an der Radaufhängung trägt. Der vom Kolben in den oberen Arbeitsraum und unteren Arbeitsraum unterteilte Zylinder ist gänzlich, der den Arbeitszylinder umgebende Ringraum teilweise mit Hydrauliköl gefüllt.

Beim *Einfedern* des Rades wird der Kolben im Arbeitsraum nach unten gepreßt. Das im Kolben angeordnete, federbelastete Ventil B öffnet sich, und Öl kann von dem unteren in den oberen Arbeitsraum ausweichen, wobei das die Bohrung mit hoher Geschwindigkeit durchströmende Öl einen großen Strömungswiderstand erfährt, der der Kolbenbewegung entgegenwirkt. Bei diesem Zusammenschieben des Dämpfers taucht die Kolbenstange entsprechend weit in den oberen Teil des Arbeitsraumes ein. Dies von der eintauchenden Kolbenstange verdrängte Ölvolumen entweicht durch das im Boden des Arbeitszylinders eingelassene federbelastete Ventil D in den als Ölspeicher dienenden Ringraum. Das Bodendruckventil (D) bietet dem hindurchfließenden Öl einen höheren Widerstand als das Kolbendruckventil B. Hierdurch bleiben die Arbeitsräume immer völlig mit Öl gefüllt. Beim *Ausfedern* geht der Kolben mit der zugehörigen Kolbenstange nach oben. Der Stoßdämpfer wird auseinandergezogen. Die aus dem oberen in den unteren Teil des Arbeitsraumes verdrängte Ölmenge erfährt beim Durchströmen des im Kolben angeordneten federbelasteten Ventils A einen die Kolbenbewegung hemmenden Widerstand. Die Kolbenstange ist im oberen Ende des Arbeitszylinders geführt. Zwischen der Stangenführung und der Stangendichtung, die das Austreten von Öl verhindert, ist eine Entlastungsbohrung zum Ringraum vorgesehen.

Die bei der Kolbenbewegung entstehende Reibungswärme (Betriebstemperatur 60 bis 80 °C) kann infolge der isolierenden Wirkung des Ringraumes schlecht abgeführt werden. Bei dem *Einrohr-* oder *Gasdruckstoßdämpfer* (Abb. 3) wird die Reibungswärme unmittelbar von der Wand des Arbeitszylinders an die ihn umströmende Luft abgegeben. Der Einrohrdämpfer arbeitet im wesentlichen wie oben beschrieben. Anstelle der Bodenventile ist jedoch ein beweglicher, dichtender Trennkolben vorhanden, der das Hydrauliköl vom stickstoffgefüllten Arbeitsraum (mit einem Druck von etwa 25 bar) trennt. Der Druck verhindert ein Verschäumen des Hydrauliköls und eine damit verbundene Verringerung der Dämpferwirkung.

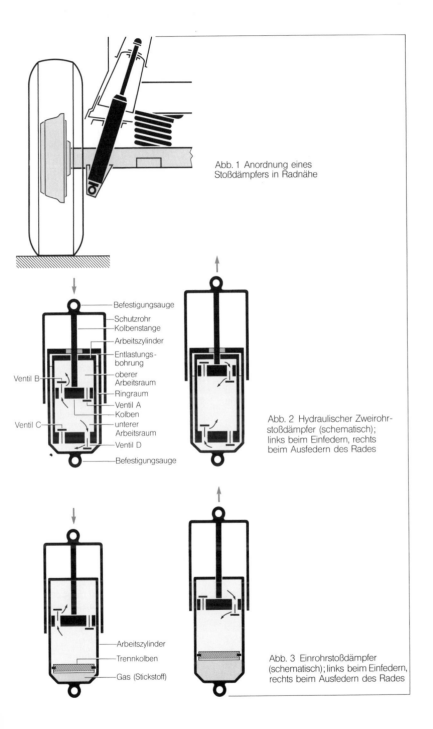

Abb. 1 Anordnung eines Stoßdämpfers in Radnähe

Befestigungsauge
Schutzrohr
Kolbenstange
Arbeitszylinder
Entlastungsbohrung
oberer Arbeitsraum
Ventil B
Ringraum
Ventil A
Kolben
Ventil C
unterer Arbeitsraum
Ventil D
Befestigungsauge

Abb. 2 Hydraulischer Zweirohrstoßdämpfer (schematisch); links beim Einfedern, rechts beim Ausfedern des Rades

Arbeitszylinder
Trennkolben
Gas (Stickstoff)

Abb. 3 Einrohrstoßdämpfer (schematisch); links beim Einfedern, rechts beim Ausfedern des Rades

Lenkung

Die Lenkung soll die lenkbaren Räder eines Fahrzeuges in eine geometrisch exakte Stellung zum Mittelpunkt der jeweils durchfahrenen Kreisbahn bringen und somit ein einwandfreies Abrollen aller Räder während der Kurvenfahrt bewirken. Einspurfahrzeuge erfüllen immer diese Forderung: sie besitzen eine besonders einfache Lenkeinrichtung, bei der die mit dem Vorderrad verbundene Gabel in einem Steuerkopf drehbar gelagert ist; die mit der Gabel verbundene *Lenkstange* ermöglicht das für die Kurvenfahrt erforderliche Einschwenken des Vorderrades. Zweispurfahrzeuge weisen in der Regel lenkbare Vorderräder auf; lenkbare Hinterräder allein finden nur bei langsamfahrenden Baumaschinen und landwirtschaftlichen Geräten Anwendung, drei- und mehrachsige Fahrzeuge haben meist mehrere Achsen mit gelenkten Rädern.

Die *Achsschenkellenkung* ist bei Kraftfahrzeugen am häufigsten: Die Räder einer Achse schwenken jeweils um einen Achsschenkelbolzen, wobei das kurveninnere Rad stärker eingeschwenkt werden muß als das kurvenäußere. Beim Einschlagen der Räder muß in jeder Winkellage der *Voreilwinkel* (Winkeldifferenz $\beta - \alpha$) erhalten bleiben (Abb. 1); dies läßt sich mit Hilfe eines *Lenktrapezes* mehr oder weniger genau erreichen. Das Lenktrapez wird durch die zwei jeweils am Achsschenkel der lenkbaren Räder einer Achse angebrachten *Spurstangen*- oder *Lenkspurhebel* und aus der *Spurstange* gebildet. Die Spurstangen- oder Lenkspurhebel bilden bei Geradeausfahrt einen Winkel zur Fahrzeuglängsachse, wobei sich die Verlängerungslinien der Hebel auf der Fahrzeuglängsachse schneiden (Abb. 2); sie sind über Kugelgelenke beweglich mit der (nur noch bei der starren gelenkten Achse ungeteilten) Spurstange verbunden. Dabei erfüllt das Lenktrapez die erforderliche geometrische Bedingungen nur annähernd, wodurch in Abhängigkeit vom Winkel α eine Abweichung des Winkels β von dem theoretischen Wert, der *Lenkfehler,* entsteht. Der Lenkfehler läßt sich durch Teilung der Spurstange verringern (Abb. 3).

Der Fahrer betätigt die Lenkung durch Drehen des *Lenkrades:* diese Drehbewegung wird über eine *Lenksäule* auf das Lenkgetriebe übertragen. Um zu vermeiden, daß bei Unfällen infolge Verformung des Vorderteils eines Fahrzeuges die starre Lenksäule in den Innenraum getrieben wird, ist bei der *Sicherheitslenkung* das Lenkgetriebe in Fahrtrichtung hinter der Vorderachse angeordnet und zusätzlich die Lenksäule zweimal abgeknickt (Abb. 4) und mit Gelenken versehen (eine einfachere Lösung stellt ein Faltsystem dar, bei dem ein Teil der Lenksäule wie ein Scherengitter ausgebildet ist, das sich bei einem Aufprall zusammenschiebt). Im *Lenkgetriebe* wird die Drehbewegung des Lenkrades so untersetzt, daß die Betätigung der Lenkung leichtgängig und mit geringer Kraft möglich ist. Das Untersetzungsverhältnis beträgt $8:1$ bis $12:1$, wodurch 2 bis 3 Lenkradumdrehungen vom einen zum anderen Lenkanschlag notwendig sind.

Bauarten: Bei der *Zahnstangenlenkung* (Abb. 5) ist das Ende der Lenksäule mit einem Ritzel verbunden, das in eine Zahnstange eingreift und diese beim Drehen der Lenkung seitlich verschiebt; das Zahnstangenlenkgetriebe vermittelt dem Fahrer einen genauen Kontakt zu den gelenkten Rädern. Zur Gruppe der Schneckengetriebe zählt die *Schneckenlenkung* (Abb. 6), die aus einem mit der Lenkstange verbundenen Schneckengewinde besteht: Ein Schneckenradsegment greift in das Schneckengewinde ein, das die Lenkwelle und den darauf befestigten Lenkstockhebel verdreht. Das Schneckenradsegment ist bei der *Rollenzahn*- oder *Gemmerlenkung* zur Verminderung der Reibung durch eine drehbare, in Nadellagern gelagerte Zahnrolle ersetzt. Bei der *Rollenfingerlenkung* läuft ein rollengelagerter Lenkfinger in der Nut einer Lenkschraube, die mit der Lenkstange verbunden ist; der Lenkfinger wirkt über einen Hebelarm auf die Lenkwelle ein, die den Lenkstockhebel trägt. Bei der *Spindellenkung* ist die Lenksäule mit der Lenkspindel verbunden, die bei Drehung eine auf der Lenkspindel (mit Kugeln) laufende Lenkmutter verschiebt, wodurch die mit einem Hebel versehene Lenkwelle mit ihrem Lenkstockhebel verdreht wird (Abb. 7).

Zur Vermeidung von Lenkschwingungen werden *Lenkungsdämpfer* verwendet, d. h. Schwingungsdämpfer (Stoßdämpfer), die die Lenkkraft nur unwesentlich erhöhen, schnellen Schwingungen jedoch einen hohen Widerstand entgegensetzen.

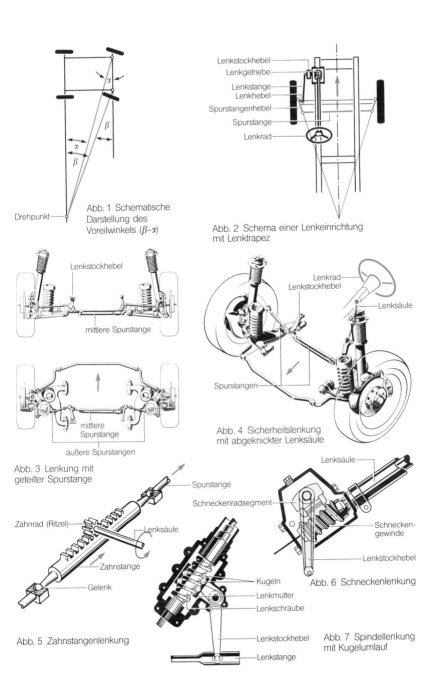

Abb. 1 Schematische Darstellung des Voreilwinkels (β-α)

Drehpunkt

Abb. 2 Schema einer Lenkeinrichtung mit Lenktrapez

Lenkstockhebel
Lenkgetriebe
Lenkstange
Lenkhebel
Spurstangenhebel
Spurstange
Lenkrad

Lenkstockhebel
mittlere Spurstange

Lenkrad
Lenkstockhebel
Lenksäule
Spurstangen

Abb. 4 Sicherheitslenkung mit abgeknickter Lenksäule

mittlere Spurstange
äußere Spurstangen

Abb. 3 Lenkung mit geteilter Spurstange

Lenksäule
Spurstange
Schneckenradsegment
Zahnrad (Ritzel)
Lenksäule
Zahnstange
Gelenk
Schnecken-gewinde
Lenkstockhebel

Abb. 6 Schneckenlenkung

Kugeln
Lenkmutter
Lenkschraube
Lenkstockhebel
Lenkstange

Abb. 5 Zahnstangenlenkung

Abb. 7 Spindellenkung mit Kugelumlauf

311

Bremsen I

Um die Geschwindigkeit eines Kraftfahrzeugs kontrolliert zu verringern, wird die vorhandene Bewegungsenergie durch die an den Bremsbelägen auftretende Reibung in Wärmeenergie umgewandelt *(Betriebsbremse)*. Durch die von der Betriebsbremse unabhängige *Feststellbremse* hingegen soll das ruhende Fahrzeug am Wegrollen gehindert werden.

Beim Bremsen wirkt die Bremskraft zunächst auf die Räder; der Wagen selbst hat wegen seiner Trägheit noch das Bestreben mit unverminderter Geschwindigkeit weiterzufahren. Das bewirkt, daß die Vorderräder stärker belastet werden als die Hinterräder. Während des Bremsvorgangs wird die Bewegung des Wagens deshalb sehr viel stärker durch die Vorderräder als durch die Hinterräder beeinflußt.

Im Personenkraftwagen (Pkw) wird die Betriebsbremse fast immer hydraulisch betätigt, die Feststellbremse hingegen meist über einen Seilzug (Bremsseil).

Die hydraulische Anlage nutzt ein Naturgesetz aus, nach dem der auf eine eingeschlossene Flüssigkeit ausgeübte Druck sich in dieser nach allen Richtungen gleichmäßig fortpflanzt (Abb. 1): Der linke Kolben belastet die Flüssigkeit mit 100 N. Auf jeden der acht auf der rechten Seite dargestellten Kolben, von denen jeder einzelne die gleiche Kolbenfläche hat wie der linke, wirken ebenfalls je 100 N. Der Kolbenweg der acht rechten Kolben beträgt je Kolben jedoch nur ein Achtel des Weges, den der linke Kolben zurücklegen muß.

In Abb. 2 ist das Schema einer hydraulischen Zweikreisbremsanlage dargestellt. Sie besteht aus *Hauptbremszylinder* mit Ausgleichsbehälter, den *Radbremszylindern* und den verbindenden Bremsleitungen (Rohre bzw. Schläuche).

Beim Bremsen spielen sich folgende Vorgänge ab (Abb. 3a und 3b): Durch Niederdrücken des Bremspedals wird im Hauptbremszylinder ein Kolben (der dem linken Kolben in Abb. 1 entspricht) bewegt; er erzeugt im gesamten Bremssystem einen Überdruck, der über die spezielle Bremsflüssigkeit in den Bremsleitungen den Radbremszylindern zugeführt wird. Die Kolben der Radbremszylinder werden auseinandergepreßt und drücken die Bremsbeläge an die Reibungsflächen. Die durch die Reibung in Wärmeenergie umgewandelte Bewegungsenergie wird an die Umgebung abgeführt.

Durch die große äußere Fläche der Bremsen wird erreicht, daß eine möglichst große Wärmemenge in kurzer Zeit abgegeben und somit ein sogenanntes Fading verhindert wird. Als *Fading* bezeichnet man das Nachlassen der Bremswirkung infolge schlechter Wärmeabfuhr.

Bei Reibungsbremsen ist je nach der Angriffsrichtung der Bremskraft zwischen radialer (Abb. 5) und axialer (Abb. 4) Bauweise zu unterscheiden. Wird bei einer *Radialbremse (Trommelbremse)* die Bremstrommel zu heiß, so dehnt sie sich zu stark aus, die Bremsbacken können sich wegen des begrenzten Weges im Druckzylinder nicht mehr hinreichend fest an die Trommelinnenseite anpressen. Außerdem nimmt die Bremswirkung des Bremsbelages bei höherer Temperatur ab, da die Reibungszahl und damit die Reibungskraft bei starker Erwärmung abnimmt. Bei der axial wirkenden *Scheibenbremse* (Teilscheibenbremse) wird deren an sich schon gute Wärmeabgabe oft noch durch Innenbelüftung erhöht. Hierbei wird eine über Stege verbundene Doppelscheibe verwendet (Abb. 4).

Kernstück der Bremsanlage ist der *Hauptbremszylinder*. Abb. 6 (S. 315) zeigt einen *Tandemhauptbremszylinder,* wie er bei Zweikreisbremsanlagen verwendet wird.

Abb. 1 Prinzip der hydraulischen Bremse (Pascalsches Gesetz)

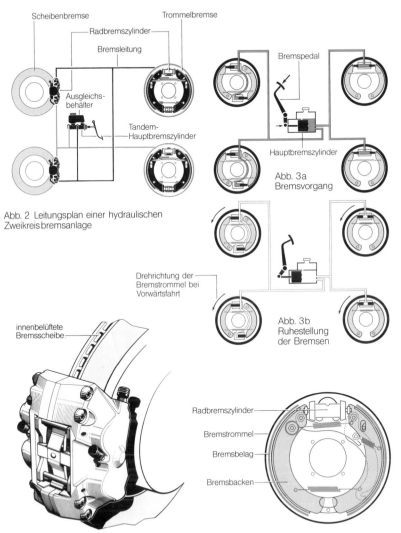

Scheibenbremse

Trommelbremse

Radbremszylinder

Bremsleitung

Ausgleichsbehälter

Tandem-Hauptbremszylinder

Abb. 2 Leitungsplan einer hydraulischen Zweikreisbremsanlage

Bremspedal

Hauptbremszylinder

Abb. 3a Bremsvorgang

Drehrichtung der Bremstrommel bei Vorwärtsfahrt

Abb. 3b Ruhestellung der Bremsen

innenbelüftete Bremsscheibe

Abb. 4 Vierzylinder-Festsattel-Scheibenbremse (ATE)

Radbremszylinder

Bremstrommel

Bremsbelag

Bremsbacken

Abb. 5 Simplex-Trommelbremse (Gleitbackenbremse)

313

Bremsen II

Nach Betätigen des Bremspedals bewegt sich der Kolben (1) nach rechts, überfährt mit seiner Primärmanschette (2) die Ausgleichsbohrung (12) und erzeugt im Druckraum (3) einen Überdruck, der über die Bremsflüssigkeit in den Bremsleitungen den Radbremszylindern zugeführt wird. Beim Zweikreissystem befinden sich im Hauptbremszylinder zwei Kolben, von denen der vordere (1) seine Kraft auf den zweiten (4) übermittelt, wodurch zwei unabhängige Kreise mit Bremsflüssigkeit unter Druck gesetzt werden; der Vorteil liegt darin, daß bei Bruch einer Leitung der zweite Kreis wirksam bleibt.

Beim Lösen des Bremspedals und dem damit verbundenen Druckabfall wird der Kolben durch eine Druckfeder zurückgedrückt. Zum Ausgleich eventueller Druckdifferenzen im System (sie entstehen z. B. bei Ausdehnung der Bremsflüssigkeit in den Bremsleitungen durch Erwärmung) ist zwischen dem Druckraum und der Leitung ein Bodenventil (8) angeordnet. Das Bodenventil hält zusätzlich unter Druck der Rückholfeder (9) den bei Trommelbremsen in den Radbremszylindern notwendigen Vordruck; somit wird das in gelöstem Zustand vorhandene Luftspiel zwischen Bremsbacken und Trommel bei Betätigung des Bremspedals schnell überwunden. Bei Scheibenbremsen muß aufgrund des sehr geringen Luftspiels ein solcher Vordruck nicht aufgebracht werden; die vollständige Druckentlastung bei gelöstem Pedal geschieht hierbei durch ein Spezialbodenventil.

Der Ausgleichsbehälter (10) sorgt für stets gleiches Flüssigkeitsvolumen, indem bei Ruhestellung des Kolbens durch die Ausgleichsbohrungen (12 und 13) Bremsflüssigkeit in den Druckraum nachfließt.

Das meistverwendete Pkw-Betriebsbremssystem ist die hydraulische Zweikreisbremsanlage mit Scheibenbremsen vorn und Trommelbremsen hinten. Bei der *Scheibenbremse* (Teilscheibenbremse) liegt die Bremsscheibe zwischen zwei zangenartig angeordneten Bremsbelägen. Der Bremssattel kann als Fest- oder Schwimmsattel ausgebildet sein. Bei der *Festsattelbremse* (Abb. 8) schieben die Kolben der Radbremszylinder von beiden Seiten die Beläge gleichzeitig zur Scheibe und pressen sie gleich stark an. Der Sattel der *Schwimmsattelbremse* (Abb. 7) ist auf einem am Achsgehäuse befestigten Bremsträger axial verschiebbar; es wirkt nur ein hydraulischer Zylinder, der einen der Bremsbeläge unmittelbar und den gegen-überliegenden Bremsbelag über den hydraulischen Druck auf den verschiebbaren Sattel an die Bremsscheibe drückt.

Scheibenbremsen sind gegen Nässe und Schmutz empfindlich und eignen sich nur bedingt als Feststellbremse. Um bei Nässe ein schnelleres Ansprechen der Scheibenbremse zu erzielen, wird häufig eine gelochte Bremsscheibe verwendet. Befinden sich an allen vier Rädern Scheibenbremsen, werden meist die hinteren Bremsscheiben mit zusätzlichen Trommeln für die Feststellbremse versehen.

Die einfachste Form der *Trommelbremse* ist die *Simplexbremse* (Abb. 9 a): Durch den hydraulischen Druck in einem Radbremszylinder werden beide Backen gegen die umlaufende Bremstrommel gedrückt. Die ablaufende Bremsbacke wird beim Bremsen gegen die Drehrichtung der Trommel gepreßt und von der Bremskraft zwischen Belag und Trommel weggedrückt. Dadurch wird ihre Bremswirkung abgeschwächt. Die in Drehrichtung angepreßte Auflaufbacke erzielt infolge der Reibung durch die in gleiche Richtung drehende Trommel eine zusätzliche Anpressung und dadurch eine Selbstverstärkung.

Eine andere Ausführungsform der Innenbackenbremse ist die *Duplexbremse* (Abb. 9 b): Bei der Duplexbremse wird durch die Anordnung zweier auflaufender Bremsbacken eine hohe Ausnutzung der Selbstverstärkung erreicht. Jede Backe hat einen eigenen, nur nach einer Seite wirkenden Radzylinder, der eine Backe anpreßt und der anderen als Abstützung dient. Die Wirkung dieser Bremse ist beim Rückwärtsfahren sehr schlecht, weil dann nur ablaufende Backen vorhanden sind. Diesen Nachteil schaltet die *Duoduplexbremse* (Abb. 9 c) aus, da sich hier durch zwei Spannvorrichtungen, unabhängig von der Fahrtrichtung, stets zwei auflaufende Backen ergeben. Zusätzliche Selbstverstärkung bietet die *Servobremse* (*Vollbremse*, Abb. 9 d), bei der die auf eine Backe wirkende Längskraft auf die andere Backe abstützt. Bei der *Duoservobremse* ist die Bremswirkung in beiden Drehrichtungen der Bremstrommel gleich.

Die fehlende Selbstverstärkung bei Scheibenbremsen bedingt einerseits eine gleichmäßige Bremswirkung, erfordert aber auch höhere Pedalkräfte. Deshalb wird beim Pkw oft ein *Bremskraftverstärker* zur Unterstützung der Fußkraft notwendig.

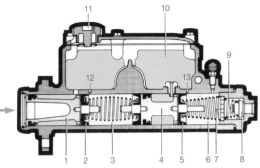

1 Druckstangenkolben
2 Primärmanschette
3 Druckraum
4 Zwischenkolben
5 Primärmanschette
6 Druckraum
7 Platte
8 Bodenventil
9 Rückholfeder
10 Ausgleichsbehälter
11 Entlüftung
12, 13 Ausgleichsbohrungen

Abb. 6 Tandemhauptzylinder

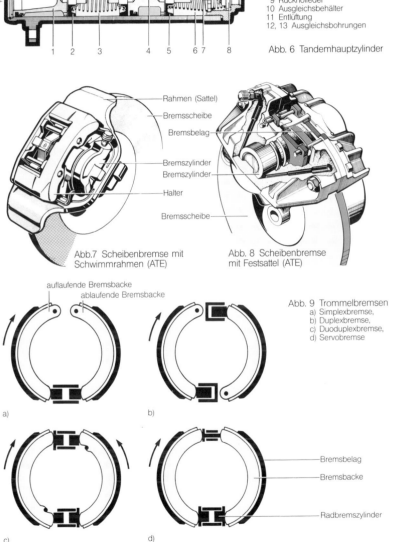

Rahmen (Sattel)
Bremsscheibe
Bremsbelag
Bremszylinder
Bremszylinder
Halter
Bremsscheibe

Abb. 7 Scheibenbremse mit
Schwimmrahmen (ATE)

Abb. 8 Scheibenbremse
mit Festsattel (ATE)

auflaufende Bremsbacke
ablaufende Bremsbacke

Abb. 9 Trommelbremsen
a) Simplexbremse,
b) Duplexbremse,
c) Duoduplexbremse,
d) Servobremse

a)

b)

Bremsbelag
Bremsbacke
Radbremszylinder

c)

d)

315

Bremsen III

Der Aufbau eines Unterdruck-Bremskraftverstärkers geht aus der Abb. 11 und 12 hervor: Der Bremsfußhebel (1) steht über Kolbenstange (2), Ventilkolben (10), elastische Reaktionsscheibe (12) und Stange (14) direkt mit den Kolben (18 und 19) des Zweikreis-Tandemhauptzylinders (20) in Verbindung. Wird die Bremse nicht betätigt, so befindet sie sich in Lösestellung. Dabei hat die Kolbenrückholfeder den Arbeitskolben (11) und das mit diesem starr verbundene Steuergehäuse (6) nach rechts in die gezeigte Ausgangsstellung gedrückt. Gleichzeitig hält die Druckfeder (3) den Ventilkolben und die damit verbundene Kolbenstange rechts im Steuergehäuse. Die Dichtfläche des Ventilkolbens liegt dichtend an dem Tellerventil (8) auf. Dadurch ist der Durchlaß für die Außenluft verschlossen, dagegen der Vakuumkanal (9) geöffnet, der die linke und rechte Seite des beweglichen Arbeitskolbens verbindet. Daher herrscht auf beiden Seiten des Arbeitskolbens der gleiche Unterdruck, denn über den Vakuumanschluß (17) ist das Gerät mittels eines druckfesten Schlauches mit dem Ansaugrohr des Motors verbunden. Der laufende Motor saugt eventuell vorhandene Luft ab. Die Druckfedern (22) und (23) halten die Kolben (18 und 19) in ihrer Ausgangsstellung. Wird durch Niedertreten des Bremsfußhebels die Bremse betätigt, so bewegen sich zunächst die Kolbenstange und der damit verbundene Ventilkolben um das bei der Lösestellung vorhandene Spiel zwischen Ventilkolben (10) und Reaktionsscheibe (12) entgegen der Druckfeder (3) nach links. Die Ventildruckfeder (4) preßt dabei das elastische Tellerventil (8) gegen die Dichtflächen des Steuergehäuses (6) einerseits und des Ventilkolbens (10) andererseits. Die Verbindung zwischen dem Vakuumkanal (9) und der Steuerbohrung (7) und damit zwischen der linken und rechten Seite des Arbeitskolbens (11) ist unterbrochen. Wird der Bremsfußhebel weiter durchgetreten (Abb. 12), so spricht die Bremse an, denn die Kolbenstange (2) wandert weiter nach links, wodurch sich der Ventilkolben (10) in die elastische Reaktionsscheibe (12) eindrückt. Dadurch hebt die Dichtfläche des Ventilkolbens (10) von dem elastischen Tellerventil (8) ab. Die atmosphärische Außenluft durchströmt den Ringraum zwischen Steuergehäuse und Tellerventil (8) und gelangt über die Steuerbohrung (7) in den rechten Teil des Arbeitskolbens (11). Der dort herrschende Unterdruck wird durch die zuströmende Luft langsam abgebaut. Die Abdichtung zwischen Steuergehäuse und Tellerventil verhindert, daß Luft durch den Vakuumkanal zur linken Seite des Arbeitskolbens gelangt. Dadurch herrscht auf der rechten Seite des Arbeitskolbens ein höherer Druck als links. Dieser Druckunterschied wirkt auf die Fläche des Arbeitskolbens ein. Daraus ergibt sich eine Hilfskraft, die verstärkend in gleicher Richtung wie die Pedalkraft wirkt. Kolbenstange (2), Ventilkolben (10), Steuergehäuse (6) mit Arbeitskolben (11), Stange (14) mit den Kolben (18 und 19) werden entgegen der Kraft der Rückholfedern (13), (22) und (23) und des hydraulischen Systems nach links verschoben. Die Kolben (18 und 19) verdrängen die im Hauptbremszylinder eingeschlossene Bremsflüssigkeit. Die Bremsen des Bremskreises 1 und 2 sprechen an. Ist der Bremsfußhebel nicht ganz durchgetreten und wird dadurch nicht voll gebremst, so verschiebt sich zunächst das Steuergehäuse (6) infolge des auf den Arbeitskolben (11) wirkenden Druckunterschiedes weiter nach links und erhöht damit den Flüssigkeitsdruck im Bremssystem. Dabei überholt das Steuergehäuse (6) den Ventilkolben (10), dessen Dichtfläche sich an das Tellerventil (8) anlegt. Der Zugang der Außenluft zur rechten Seite des Arbeitskolbens (11) ist unterbrochen und der Arbeitskolben und das damit verbundene Steuergehäuse bleiben stehen. Der auf die Bremshydraulik ausgeübte Druck erhöht sich nicht weiter. Bei der Vollbremsung werden die Kolbenstange (2) und der Ventilkolben (10) so weit nach links verschoben, daß der Ventilkolben nicht vom Steuergehäuse (6) überholt werden kann. Damit strömt die Außenluft so lange in den rechten Teil des Arbeitskolbens (11) ein, bis dort der Druck der Außenluft herrscht.

Beim Zurücknehmen des Bremspedals wandert die Kolbenstange nach rechts, und der Ventilkolben (10) preßt sich mit seiner Dichtfläche auf das Tellerventil (8), das dadurch von der Dichtfläche des Steuergehäuses abhebt. Der Zugang der Außenluft ist verschlossen, die Verbindung zwischen beiden Seiten des Arbeitskolbens über den Vakuumkanal (9) geöffnet. Dadurch gleicht sich der Druck links und rechts des Kolbens aus, und die Druckfedern schieben die Kolben nach rechts in ihre Ausgangslage zurück. Der Motor saugt die eingetretene Luft ab, bis sich der Unterdruck wieder eingestellt hat.

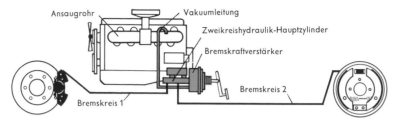

Abb. 10 Zweikreisbremsanlage mit Bremskraftverstärker

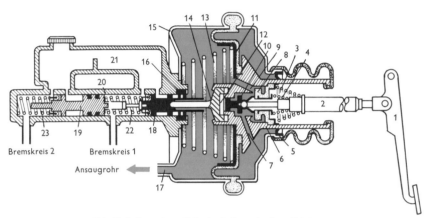

Abb. 11 Aufbau eines Unterdruck-Bremskraftverstärkers

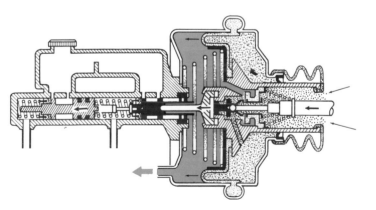

Abb. 12 Unterdruck-Bremskraftverstärker bei durchgetretenem Bremspedal

Bremsen IV

Die Verteilung der Bremskraft auf die Vorder- und Hinterachse ist normalerweise unveränderlich. Dies führt häufig wegen der unterschiedlichen Belastung der Vorder- und Hinterachse zum Überbremsen einer der Achsen und damit zur Beeinträchtigung der Lenkfähigkeit oder zum Schleudern des Fahrzeuges.

Es sind daher Geräte entwickelt worden, die die Bremskraftverteilung am Kraftfahrzeug beeinflussen. Das einfachste Gerät ist das *Druckbegrenzungsventil* (Abb. 14), das nach Erreichen eines bestimmten hydraulischen Druckes im Bremssystem einen weiteren Anstieg des Druckes in den Radbremszylindern der Hinterachse und damit weitgehend die Gefahr des Blockierens der Hinterräder ausschaltet.

Über den Anschluß A_1 gelangt der vom Hauptbremszylinder erzeugte Überdruck in den Ringraum am geöffneten Ventil vorbei in den Vorraum und dann zum Anschluß A_2. Der Ventilboden bewegt sich bei steigendem hydraulischen Druck gegen die vorgespannte Druckfeder, bis das Ventil geschlossen ist. Der Ringraum wird dadurch vom Vorraum getrennt. Das Ventil bleibt auch bei weiterem Druckanstieg geschlossen. Erst durch etwaige Volumenvergrößerung der Bremsleitung (z. B. durch Bremstrommeldehnung) und den dadurch bedingten Druckabfall im Vorraum wird durch die Druckfeder das Ventil geöffnet, und die Bremsflüssigkeit kann nachströmen, bis der Abschaltdruck im Vorraum wieder erreicht ist. Beim Lösen des Bremspedals sinkt der Druck im Ringraum unter den Druck im Vorraum, so daß sich der Ventilsitz gegen die Kraft der Feder geringfügig verschieben kann. Als Folge hiervon hebt das Ventil vom Ventilsitz ab. Dadurch ist im Druckbegrenzungsventil der hydraulische Durchgang geöffnet, und der Druck im Vorraum sowie in den Radbremszylindern kann sich vollständig abbauen, so daß die Bremsen gelöst werden.

Weitere Hilfsmittel zur Verteilung der Bremswirkung auf die einzelnen Räder sind *Bremskraftregler* und *Antiblockiersystem*. Das Antiblockiersystem (Abb. 13) regelt beim Vollbremsung den Bremsdruck in den einzelnen Bremszylindern in Abhängigkeit von Radbeschleunigung bzw. Radverzögerung und verhindert dadurch das Blockieren der Räder. Es besteht aus den *Drehzahlfühlern,* die die Impulse zum Erfassen der jeweiligen Raddrehzahl liefern, dem elektronischen Steuergerät und dem Hydroaggregat. Im *elektronischen Steuergerät* werden die Signale der Drehzahlfühler ausgewertet, der zur optimalen Bremsung zulässige Schlupf ermittelt und der Bremsdruck in den Radbremszylindern geregelt. Meldet ein Drehzahlfühler eine starke Radverzögerung, d. h., besteht die Möglichkeit des Blockierens, so wird die Bremsdruck des entsprechenden Rades zunächst nicht weiter gesteigert (Abb. 15, Punkt A). Verzögert sich die Drehbewegung des Rades dennoch weiter, so wird der Druck im Radbremszylinder sogar gesenkt und dadurch das Rad weniger stark abgebremst (Abb. 15, Punkt B). Wird das Rad wieder schneller, so erkennt das Steuergerät beim Erreichen eines bestimmten Grenzwertes, daß das Rad zu wenig gebremst wird, und erhöht den Bremsdruck wieder, wodurch ein neuer Regelzyklus beginnt. Je nach Beschaffenheit der Fahrbahn laufen etwa 4 bis 10 Regelzyklen pro Sekunde ab.

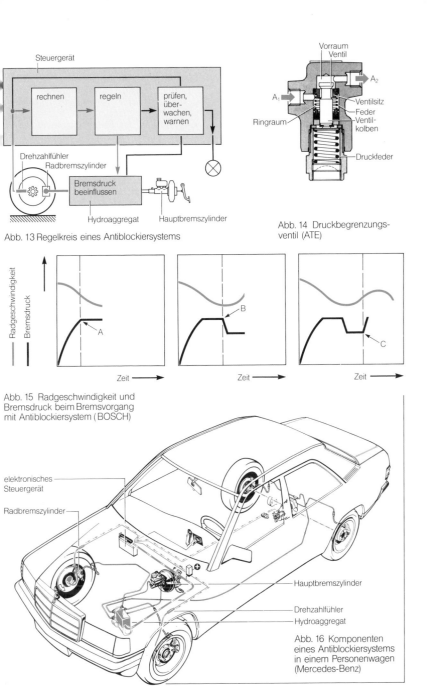

Steuergerät

| rechnen | regeln | prüfen, über-wachen, warnen |

Drehzahlfühler
Radbremszylinder

Bremsdruck beeinflussen

Hydroaggregat · Hauptbremszylinder

Abb. 13 Regelkreis eines Antiblockiersystems

Vorraum
Ventil

A₁ → A_2

Ventilsitz
Feder
Ventil-kolben

Ringraum

Druckfeder

Abb. 14 Druckbegrenzungs-ventil (ATE)

Radgeschwindigkeit
Bremsdruck

A

B

C

Zeit →   Zeit →   Zeit →

Abb. 15 Radgeschwindigkeit und Bremsdruck beim Bremsvorgang mit Antiblockiersystem (BOSCH)

elektronisches Steuergerät

Radbremszylinder

Hauptbremszylinder

Drehzahlfühler
Hydroaggregat

Abb. 16 Komponenten eines Antiblockiersystems in einem Personenwagen (Mercedes-Benz)

Kupplung I

Verbrennungsmotoren müssen eine gewisse Mindestdrehzahl (etwa 300 bis 600 Umdrehungen pro Minute) haben, bevor sie von selbst laufen und ein zum Antrieb des Fahrzeuges genügend großes Drehmoment abgeben. Beim Stillstand des Fahrzeuges ist es erforderlich, den laufenden Motor mit Hilfe der Kupplung vom Getriebe zu trennen (Abb. 1). Beim Anfahren muß die Kupplung die zunächst stillstehende *Getriebeeingangswelle* allmählich auf die Drehzahl der *Motorwelle* bringen, wobei sie unter mehr und mehr abnehmendem Schlupf (Drehzahlunterschied zwischen Motorwelle und Getriebeeingangswelle) ein Drehmoment übertragen muß. Sofern das Getriebe formschlüssige Schaltelemente besitzt, wird auch zum Schalten der Gänge, d. h. zur Veränderung der Getriebeübersetzung, das Trennen des Motors vom Getriebe mit Hilfe der Kupplung erforderlich.

In der gebräuchlichsten Kupplung wird die Verbindung der Motorwelle mit der Getriebewelle durch Reibung zweier oder mehrerer Scheiben aufeinander hergestellt. Der beim Angleichen der beiden Drehzahlen auftretende Schlupf (das „Schleifen" der Kupplung) führt zur Wärmeentwicklung. Diese ist beim normalen Kupplungsvorgang nicht gravierend; schleift die Kupplung jedoch längere Zeit, so führen die Schleifwirkungen zur Zerstörung des Kupplungsbelages.

Meistens werden heute *trockene Einscheibenkupplungen* verwendet. Bei diesen Konstruktionen ist eine Mitnehmerscheibe aus Stahlblech, die beiderseits aufgenietete, segmentförmige Kupplungsbeläge trägt, auf der Kupplungswelle drehfest, aber axial verschiebbar angeordnet (Abb. 2). Die *Kupplungswelle* ist gleichzeitig die Abtriebswelle der Kupplung zum Getriebe. Die Mitnehmerscheibe wird durch Druckfedern zwischen die *Schwungscheibe* und den *Kupplungsring* gedrückt. Dieser Kupplungsring ist axial verschiebbar angebracht, ist aber durch Mitnehmer so mit dem Gehäuse verbunden, daß er die Drehbewegung des Gehäuses jederzeit mitmachen muß. Am Kupplungsring greift der *Ausrückhebel* an, der mit seinem anderen Ende durch die verschiebbare Ausrückmuffe bewegt wird. Beim Ausrücken der Kupplung schiebt sich die Ausrückmuffe auf den Motor zu, wodurch den Ausrückhebel den Kupplungsring gegen die Federkraft abheben: Die Verbindung zwischen Motor und Getriebe ist unterbrochen.

Die übertragbaren Drehmomente hängen ab vom Durchmesser und von der Fläche der Kupplungsscheibe sowie von der Federkraft der Andruckfedern. Für große zu übertragende Drehmomente wird deshalb oft eine *Mehrscheibenkupplung* (Abb. 3) verwendet. Auch hier ist die Kupplung in das Motorschwungrad eingebaut. In diesem Gehäuse liegen die Antriebslamellen – drehfest mit dem Gehäuse verbunden, aber axial verschiebbar –, die einen Kupplungsbelag tragen. Die Abtriebslamellen sind am Druckteller befestigt, auf den auch die Andruckfeder wirkt. Der Druckteller sitzt direkt, aber zum Ausrücken der Kupplung axial verschiebbar auf der Abtriebswelle.

Die Mitnehmerscheibe (Kupplungsscheibe) besteht meist aus einem hitzebeständigen Belag mit Metalleinlage (Kupfer oder Messing) und einem metallischen Träger (Scheibenkranz), so daß die beim Einkuppeln entstehende Wärmeenergie rasch abgeführt werden kann. Bei starren Kupplungsscheiben ist der Kupplungsbelag nicht federnd auf den Scheibenkranz aufgenietet oder geklebt, wodurch beim Einkuppeln starke Belastungen der Reibflächen auftreten. Bei elastischen Kupplungsscheiben ist der Scheibenkranz durch Schlitze in einzelne Segmente aufgeteilt, die außerdem leicht gewölbt sind und somit eine federnde Wirkung erzielen. Kupplungsscheiben mit Torsionsdämpfern erlauben eine begrenzte Verdrehung zwischen Nabe und belagtragendem Scheibenteil und verringern so die beim Einkuppeln auftretenden Drehschwingungen.

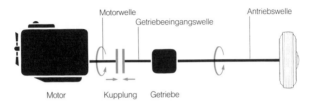

Abb. 1 Schema der Kraftübertragung
bei Kraftfahrzeugen

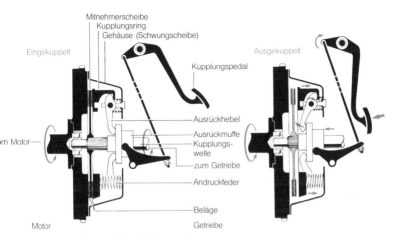

Abb. 2 Trockene Einscheibenkupplung

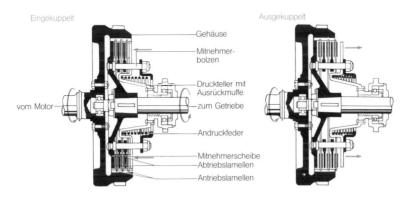

Abb. 3 Trockene Mehrscheiben-
(Lamellen-)Kupplung

Kupplung II

Ein völlig ruckfreies Anfahren ermöglicht die *Strömungskupplung*. Bei ihr wird ein von der Antriebswelle (Motorwelle) erzeugter Flüssigkeitsstrom dazu benutzt, die Abtriebswelle mitzunehmen und auf gleiche Drehzahl wie die Antriebswelle zu bringen. Ihr Prinzip geht aus Abb. 4 hervor: In einem in sich geschlossenen Flüssigkeitskreislauf wird vom Motor das Schaufelrad einer *Kreiselpumpe* (Pumpenrad) angetrieben, der entstehende Flüssigkeitsstrom wird durch das Schaufelrad einer Turbine (spiegelbildliche Umkehr der Kreiselpumpe) geleitet, so daß jetzt an der Welle der *Turbine* (Abtriebswelle) Drehenergie abgenommen werden kann, beide Wellen also hydraulisch miteinander gekuppelt sind.

Bei den heutigen Strömungskupplungen (Abb. 5) sitzen die beiden Schaufelräder, das der Pumpe und das der Turbine, in einem gemeinsamen Gehäuse. Jedes der beiden Räder besitzt einen Halbringraum, der durch eine große Anzahl meist radial verlaufender Rippen (Schaufeln) in eine ebenso große Zahl einzelner sektorförmiger Kammern aufgeteilt ist. Das *Pumpenrad* (Antriebsteil) und das *Turbinenrad* (Abtriebsteil) sind – abgesehen von der manchmal etwas verschieden großen Kammerzahl – spiegelbildlich zueinander gebaut. Beide Räder stehen sich mit engem Spalt gegenüber. Das Kupplungsgehäuse und die Innenräume der Schaufelräder sind mit einer Flüssigkeit, meist Öl, gefüllt. Das Öl darf nicht schäumen und soll möglichst gleichbleibende Viskosität (Fließverhalten) bei allen vorkommenden Temperaturen aufweisen. In der Abb. 6 ist das Gehäuse zum besseren Einblick in die Kupplung weggelassen. Außerdem sind zur Verdeutlichung der Wirkungsweise beide Schaufelräder in Achsenrichtung auseinandergezogen. Wird das Pumpenrad vom Motor angetrieben, so wird das in seinen Kammern befindliche Öl bei der Drehung mitgenommen. Die dadurch am Öl wirksame Fliehkraft schiebt das Öl in den Kammern des Pumpenrades nach außen. Da das Turbinenrad augenblicklich noch in Ruhe ist, sind an den Ölteilchen in dessen Kammern noch keine Fliehkräfte wirksam. Dadurch kann das im Pumpenrad von innen nach außen drängende Öl außen in das Turbinenrad eintreten und in Wellennähe aus dem Turbinenrad neues Öl in das Pumpenrad ansaugen, so daß der in Abb. 6 eingezeichnete Strömungskreislauf entsteht. Da aber dem Öl durch die Mitnahme im Pumpenrad auch in der Drehrichtung der Antriebswelle eine Geschwindigkeit (Umfangsgeschwindigkeit) erteilt wird, entsteht beim Übertritt des Öls in die Kammern des noch stillstehenden Turbinenrades ein Druck auf die in Drehrichtung des Pumpenrades liegende Kammerwand, so daß das Turbinenrad allmählich mitgenommen wird. Damit werden jetzt auch am Ölstrom im Turbinenrad Fliehkräfte wirksam. Solange aber die Drehzahl des Pumpenrades größer ist als die des Turbinenrades, ist auch die Fliehkraft im Pumpenrad größer als im Turbinenrad, so daß die eingezeichnete Strömungsrichtung des Öls, wenn auch mit verlangsamter Strömungsgeschwindigkeit, erhalten bleibt. Hat sich die Drehzahl der Abtriebswelle jedoch an die der Antriebswelle angeglichen, so ist der Druck des Öls in beiden Rädern nach außen gleich groß: Der Flüssigkeitsstrom kommt zum Stillstand. Beide Wellen sind in diesem Zustand hydraulisch gekuppelt. Je stärker der Flüssigkeitsstrom in beiden Rädern ist, um so größer ist auch die Rückwirkung des einen auf das andere bzw. das übertragbare Drehmoment. Es ist am größten bei laufenden Pumpen- und stillstehendem Turbinenrad, am kleinsten, wenn beide Räder gleiche Drehzahl haben, oder anders ausgedrückt: Eine entsprechend große Drehmomentübertragung ist nur bei entsprechend großem Schlupf zwischen beiden Rädern möglich. Das größte Drehmoment kann jedoch nie größer als das vom Motor abgegebene sein. Bei der Bergabfahrt und weggenommenem Gas kehrt sich die Wirkung der beiden Räder um: Das Turbinenrad wird zum Pumpenrad und umgekehrt. Dadurch ist es möglich, das Fahrzeug mit dem Motor über die Strömungskupplung abzubremsen. Mit der Strömungskupplung ist auch ein „Abwürgen" des Motors beim Gaswegnehmen und/oder Abbremsen der Fahrzeugräder nicht möglich, da ja dann der gleiche Zustand eintritt wie vor dem Anfahren.

Bei der *Fliehkraftkupplung* (Abb. 7) nutzt man die mit steigender Drehzahl wachsende Fliehkraft auf in Radialrichtung bewegliche Segmente aus. Die mit dem Schwungrad gekoppelten Segmente legen sich bei erhöhter Leerlaufdrehzahl von innen an die Kupplungstrommel und bewirken so das Einkuppeln.

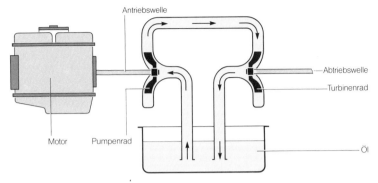

Abb. 4 Prinzip der Strömungskupplung

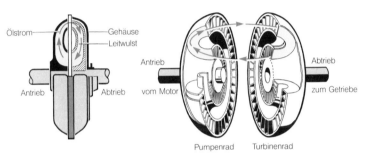

Abb. 5 Schnittbild einer
Strömungskupplung

Abb. 6 Pumpen- und Turbinenrad
einer Strömungskupplung

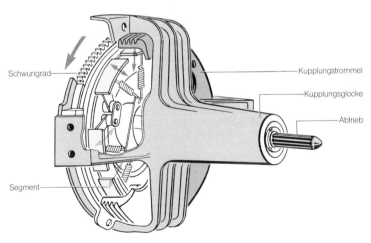

Abb. 7 Fliehkraftkupplung

Synchrongetriebe

Die bei Kraftfahrzeugen allgemein verwendeten Verbrennungsmotoren geben ihre Leistung erst bei höherer Drehzahl ab. Außerdem ist ihr Drehmoment nur in einem eng begrenzten Drehzahlbereich nutzbar. Um die an den Rädern wirksam werdenden Antriebskräfte den verschiedenen Fahrbedingungen anzupassen, muß das Übersetzungsverhältnis zwischen Motor und Antriebsrad veränderlich sein. Hierzu gibt es zahlreiche verschiedene Getriebeausführungen.

Der grundlegende Unterschied zwischen dem nicht synchronisierten Schalt- oder Wechselgetriebe und dem Synchrongetriebe besteht darin, daß bei ersterem beim Schalten der einzelnen Gänge Zahnräder durch Verschieben erst in Eingriff gebracht werden, während beim Synchrongetriebe stets alle Zahnradpaare dauernd im Eingriff sind und die verschiedenen Übersetzungen erst durch Verschieben von Schaltmuffen zur Wirkung gebracht werden. Da bei Synchrongetrieben ein Verschieben der Zahnräder gegeneinander nicht erforderlich ist, können ihre Zähne spiralig oder schräg verzahnt sein, wodurch ein möglichst geräuscharmer Lauf erzielt wird. Bei den einzelnen Zahnradpaaren ist z. B. das eine Rad drehfest mit der *Vorgelegewelle* verbunden, während sich das andere Rad auf der *Hauptwelle* lose drehen kann. Zum Einschalten eines Ganges wird das lose Rad des betreffenden Zahnradpaares durch Klauen auf der Welle drehfest gemacht. Diese Klauen befinden sich einerseits auf der Innenseite eines Ringes, des *Klauenringes*, andererseits an dem einzuschaltenden Zahnrad. Der Klauenring sitzt axial verschiebbar, aber drehfest auf der Hauptwelle des Getriebes. Bevor die Klauen den starren Kraftschluß herbeiführen können, müssen der mit Hauptwellendrehzahl laufende Klauenring und das mit anderer Drehzahl laufende, einzuschaltende Zahnrad auf gleiche Drehzahl gebracht (synchronisiert) werden. Dies geschieht durch kleine Konus- oder Lamellenkupplungen. Bei *Konuskupplungen* ist dem einzuschaltenden Zahnrad ein kegelförmiger Vorsprung, der *Reibkegel (Synchronkegel),* vorgebaut, der sich in eine kegelförmige Eindrehung des *Synchronrings,* auf welcher der Klauenring sitzt, einschiebt. Lamellenkupplungen bestehen aus kleinen Scheiben um die Welle, die durch den Anpreßdruck der Schaltmuffe beim Schalten zusammengepreßt werden und dadurch die beiden sich zunächst verschieden

schnell drehenden Teile durch Abbremsen oder auch Beschleunigen des einen Teils gegenüber dem anderen zum Gleichlauf bringen.

Beim Wechseln der Gänge sollte die Kupplung getreten werden. Dadurch wird der Kraftschluß zwischen Motor und Antriebsrädern unterbrochen und somit der Synchronisationsvorgang erleichtert. Beim Einlegen eines Ganges wird der Klauenring in Richtung auf das einzuschaltende Zahnrad bewegt. Dabei treten die oben beschriebenen Kupplungen in Aktion und bringen die beiden Teile auf gleiche Drehzahl. Dann kann der Klauenring weiter vorrücken und sich über die Mitnehmerklauen des Zahnrades ziehen, genau so, als wenn beide Teile stillständen. Die drehfeste Verbindung vom übersetzenden Zahnrad zur antreibenden Hauptwelle ist somit hergestellt. In der Praxis spürt man beim Einschalten des neuen Ganges zuerst einen Widerstand, der so lange auftritt, wie sich die beiden Teile noch hinsichtlich ihrer Drehzahl angleichen. Erst nach Beendigung dieses Vorganges kann die Schiebemuffe in ihre Endstellung gebracht und damit der Gang endgültig eingeschaltet werden.

Im Automobilbau werden verschiedene Arten von Synchronisierungen gebaut, die prinzipiell mit der geschilderten Art übereinstimmen, die sich jedoch durch verschiedene Vorrichtungen (z. B. Sperrsynchronisation) voneinander unterscheiden. Bei der *Sperrsynchronisation* ist das Ineinandergleiten der Schaltverzahnung erst möglich, wenn exakt dieselbe Drehzahl erreicht ist. Zuvor wird dies durch einen *Sperrkörper* verhindert.

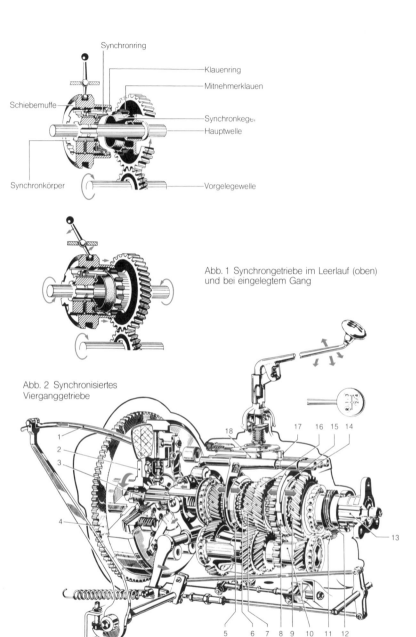

Synchronring
Klauenring
Mitnehmerklauen
Schiebemuffe
Synchronkegel
Hauptwelle
Synchronkörper
Vorgelegewelle

Abb. 1 Synchrongetriebe im Leerlauf (oben)
und bei eingelegtem Gang

Abb. 2 Synchronisiertes
Vierganggetriebe

1 Kupplungspedal, 2 Kurbelwelle, 3 Antriebswelle, 4 Anlaßzahnkranz, 5 Schiebemuffe (3. und 4.
Gang), 6 Mitnehmerklauen (3. Gang), 7 Schraubenrad (3. Gang), 8 Schiebemuffe (1. und 2. Gang),
9 Schraubenrad (1. Gang), 10 Vorgelegewelle, 11 Antriebskleinrad (Tachometerantrieb), 12 Schraubenrad (Tachometerantrieb), 13 Hauptwelle, 14 Schaltstangen, 15 Schaltgabel, 16 Schraubenrad
(2. Gang), 17 Schaltknopf (Rückwärtsgang), 18 Schaltgabel (3. und 4. Gang)

Automatisches Getriebe I

Automatische Getriebe wählen entsprechend der jeweiligen Fahrgeschwindigkeit und Belastung weitgehend selbsttätig das dafür vorgesehene Übersetzungsverhältnis zwischen Motor und Antrieb. Der Fahrer kann dabei aber auch die Gangwahl in gewissem Umfang beeinflussen: Einerseits kann er die Zahl der zur Verfügung stehenden Gänge begrenzen, um z. B. bei Bergabfahrt ein Hochschalten zu verhindern; andererseits kann der Fahrer mit starkem Durchtreten des Gaspedals *(Kickdown)* den Wechsel zum kleineren Gang veranlassen, um somit eine bessere Beschleunigung zu erzielen.

Einige Automatikgetriebe gestatten es, über elektronische Vorwahl den *Schaltpunkt* zu variieren, um so z. B. entweder sportlich spätes oder ökonomisch frühes Umschalten in den nächsthöheren Gang zu erzielen. Das Getriebe schaltet dann selbsttätig den entsprechenden Gang unter Berücksichtigung von Fahrzustand, Motordrehzahl und vorgewählten Randbedingungen.

Bei Automatikgetrieben verwendet man oft einen *Strömungswandler* als *Drehmomentwandler* (Abb. 1), der die Aufgaben der Anfahrkupplung und der ersten Fahrstufe übernehmen kann. Ein Vergleich mit der Strömungskupplung S. 323 zeigt, daß dieser außer dem *Pumpenrad* auf der Antriebswelle und dem *Turbinenrad* auf der Abtriebswelle noch ein weiteres Rad, das feststehende Leitrad, aufweist. Nur durch dieses ist überhaupt eine Drehmomentvergrößerung an der Abtriebswelle möglich. Außerdem fällt auf, daß sämtliche Räder beim Drehmomentwandler gekrümmte Schaufeln besitzen (Abb. 2).

Wie bei der Strömungskupplung wird bei Antrieb des Pumpenrades das Öl auf eine Kreisbahn mitgenommen, so daß die dann an jedem Ölteilchen entstehende Fliehkraft dieses nach außen ins Turbinenrad und von dort weiter ins Leitrad drückt. Da aber die Schaufeln des feststehenden Leitrades umgekehrt wie die der beiden anderen Räder gekrümmt sind, wird der aus dem Turbinenrad austretende Ölstrom an diesen Schaufeln stark umgelenkt, wodurch eine Rückwirkung auf das Turbinenrad eintritt. Die „Abstützung" des Ölstroms am Leitrad bewirkt eine Vergrößerung des an das Turbinenrad abgegebenen Drehmomentes auf das Zwei- bis Zweieinhalbfache des in das Pumpenrad geleiteten Antriebsmomentes, wobei sich gleichzeitig eine Verringerung der Drehzahl des Turbinenrades gegen-

über der Drehzahl des Pumpenrades ergibt.

Je kleiner beim Fahrbetrieb das an der Abtriebswelle geforderte Drehmoment ist, um so mehr erhöht sich deren Drehzahl. Dies geschieht so lange, bis Antriebs- und Abtriebswelle die gleiche Drehzahl haben. Da aber jetzt das feststehende Leitrad als störendes Hindernis im Ölstrom wirkt, ist es vielfach mit einem Freilauf versehen (Abb. 4), der es in Drehrichtung der anderen beiden Räder freigibt und es mit diesen umlaufen läßt, sobald kein Abstützungsmoment am Leitrad nötig ist. Damit wird bei gleicher Größe der Drehmomente an der Antriebs- und an der Abtriebswelle der Strömungswandler zur Strömungskupplung. Dieses Prinzip, das bei automatischen Getrieben allgemein angewandt wird, bezeichnet man als *Trilokprinzip*.

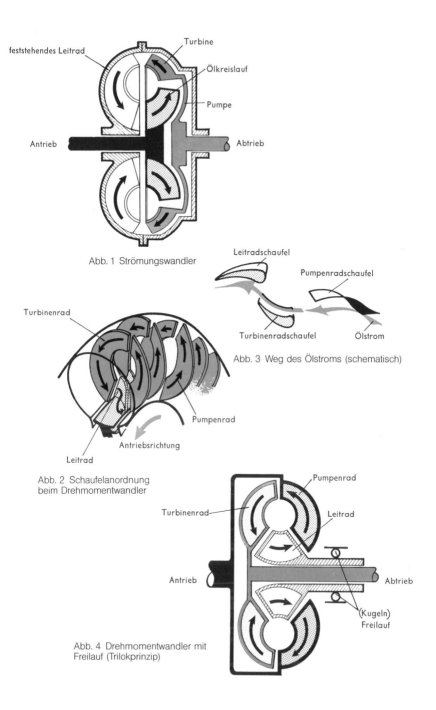

feststehendes Leitrad

Turbine

Ölkreislauf

Pumpe

Antrieb

Abtrieb

Abb. 1 Strömungswandler

Leitradschaufel

Pumpenradschaufel

Turbinenradschaufel

Ölstrom

Abb. 3 Weg des Ölstroms (schematisch)

Turbinenrad

Pumpenrad

Antriebsrichtung

Leitrad

Abb. 2 Schaufelanordnung
beim Drehmomentwandler

Pumpenrad

Turbinenrad

Leitrad

Antrieb

Abtrieb

(Kugeln)
Freilauf

Abb. 4 Drehmomentwandler mit
Freilauf (Trilokprinzip)

Automatisches Getriebe II

In Getriebeautomaten häufig verwendete Bauelemente sind *Planetengetriebe*. Dies sind Umlaufgetriebe, deren Zahnräder dauernd in Eingriff sind. Das Schalten und damit die Wahl einer anderen Übersetzung erfolgt bei dieser Getriebeart durch wahlweises Festhalten der einzelnen Bauteile des Umlaufgetriebes.

Die Abb. 5 zeigt den grundsätzlichen Aufbau eines derartigen Getriebes. Wie die Planeten um die Sonne können im Planetengetriebe die *Planetenräder* um ein zentrales *Sonnenrad* kreisen. Die Planetenräder sind mit ihren Achsen in einem Planetenradträger (auch Steg genannt) gelagert, der sich ebenfalls drehen kann. Außen kämmen die Planetenräder mit der Innenverzahnung eines Hohlrades, das sich selbst auch wieder drehen kann. In der Abb. 5 ist rechts deutlich sichtbar, daß das Hohlrad auf einer *Hohlwelle* sitzt, durch deren Bohrung die Welle, mit der der Planetenträger verbunden ist, nach rechts geht.

Wie bereits oben erwähnt, ergeben sich die einzelnen Getriebeübersetzungen zwischen Antriebs- und Abtriebswelle durch Festhalten des Teiles, das nicht gerade An- oder Abtriebswelle ist. Meist geschieht das durch Öldruck, mit dem Bremsbänder oder Lamellen betätigt werden. Da das Planetengetriebe insgesamt drei Wellen aufweist, nämlich die Welle 1, auf der das Sonnenrad sitzt, die Welle 2, die mit dem Planetenradträger verbunden ist, und die Welle 3, die das Hohlrad trägt, gibt es drei mögliche Antriebswellen. Da dann jeweils eine der beiden freien Wellen festgehalten werden kann, während die freie dritte Welle zur Antriebswelle wird, gibt es $3 \times 2 = 6$ Übersetzungsmöglichkeiten im Planetengetriebe. Dazu kommt die Möglichkeit der Verblockung des ganzen Getriebes, so daß die Drehzahl der Antriebswelle gleich der der Abtriebswelle ist, also als siebente „Übersetzung" der *direkte Gang* entsteht. Von diesen sieben Möglichkeiten werden meist in den Planetengetrieben nur jeweils zwei ausgenutzt, da ja üblicherweise eine Vertauschung von Antriebs- und Abtriebswelle nur sehr schwer möglich ist.

Von den sieben Übersetzungsmöglichkeiten seien vier herausgegriffen, da sie bei den nachfolgend besprochenen Getrieben eine Rolle spielen. Im ersten Fall (Abb. 6 a) soll das Sonnenrad angetrieben und das Hohlrad festgehalten sein. Es drehen sich dann der Planetenträger und die damit verbundene Abtriebswelle in glei-

cher Richtung. Die Planetenräder wälzen sich dabei im Hohlrad ab, so daß sich der Planetenträger und damit die Abtriebswelle langsamer drehen als das angetriebene Sonnenrad. Im zweiten Fall (Abb. 6 b) soll wieder das Sonnenrad angetrieben, aber jetzt der Planetenradträger festgehalten sein. Da jetzt die Achsen der Planetenräder am gleichen Ort bleiben, drehen sich diese gegensinnig zum angetriebenen Sonnenrad und nehmen das Hohlrad und die damit verbundene Abtriebswelle ebenfalls gegensinnig zum Sonnenrad mit. Man erhält dadurch einen Rückwärtsgang. Im dritten Fall (Abb. 6 c) wird das Hohlrad angetrieben, das Sonnenrad festgehalten. Jetzt wälzen sich die Planetenräder auf dem Sonnenrad ab und drehen den Planetenradträger und die damit verbundene Abtriebswelle in die gleiche Richtung wie das Hohlrad, wobei die Drehzahl des Planetenradträgers bzw. der Abtriebswelle kleiner ist als die des angetriebenen Hohlrades. Im vierten Fall (Abb. 6 d) sollen Hohlrad und Sonnenrad mit gleicher Drehzahl angetrieben sein. Der gesamte Planetensatz wird dadurch mitgenommen, so daß das Getriebe gleichsam als ein verblocktes Ganzes umläuft: Antriebs- und Abtriebswelle haben dann die gleiche Drehzahl, was dem direkten Gang entspricht.

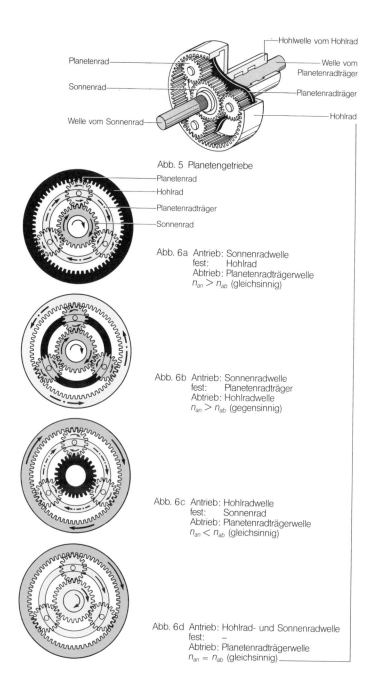

Planetenrad

Sonnenrad

Welle vom Sonnenrad

Hohlwelle vom Hohlrad

Welle vom Planetenradträger

Planetenradträger

Hohlrad

Abb. 5 Planetengetriebe

Planetenrad

Hohlrad

Planetenradträger

Sonnenrad

Abb. 6a Antrieb: Sonnenradwelle
fest: Hohlrad
Abtrieb: Planetenradträgerwelle
$n_{an} > n_{ab}$ (gleichsinnig)

Abb. 6b Antrieb: Sonnenradwelle
fest: Planetenradträger
Abtrieb: Hohlradwelle
$n_{an} > n_{ab}$ (gegensinnig)

Abb. 6c Antrieb: Hohlradwelle
fest: Sonnenrad
Abtrieb: Planetenradträgerwelle
$n_{an} < n_{ab}$ (gleichsinnig)

Abb. 6d Antrieb: Hohlrad- und Sonnenradwelle
fest: –
Abtrieb: Planetenradträgerwelle
$n_{an} = n_{ab}$ (gleichsinnig)

Automatisches Getriebe III

Strömungskupplung und Strömungswandler (S. 326) lassen sich mit Planetenradsätzen (S. 328) zu automatischen Getrieben kombinieren. Einige moderne *Viergang-Wandlergetriebe* (Abb. 7) überbrücken in den oberen Gängen den hydraulischen Strömungswandler durch eine mechanische Kupplung (2) ganz oder teilweise. Durch diese mechanische Kupplung entfällt bei höheren Geschwindigkeiten der Energieverlust im Drehmomentwandler, der durch die Flüssigkeitskupplung bedingt ist. Dadurch wird der Wirkungsgrad der Kraftübertragung und somit die Fahrleistung und der Verbrauch verbessert, wobei gleichzeitig der Vorteil des Drehmomentwandlers in den unteren Gängen bestehenbleibt.

Das in Abb. 7 dargestellte Getriebe für Personenkraftwagen mit Hinterradantrieb benutzt einen Strömungswandler mit Freilauf, so daß beim Anfahren durch das *Trilokprinzip* eine stufenlose Wandlung des Drehmoments gewährleistet ist und somit der erste Gang entfallen kann. Bei höheren Drehzahlen arbeitet der Wandler als *Strömungskupplung*. Die nachgeschalteten Planetenradsätze sorgen durch wahlweises Festhalten oder Verblocken ihrer Wellen für die Übersetzungen der weiteren vier Vorwärtsgänge und des Rückwärtsganges, wobei der größte Gang eine Schongangauslegung, d. h. eine Übersetzung ins Schnelle, aufweist. Die zum Verblocken verwendeten Lamellenkupplungen werden über ein hydraulisches Steuersystem geregelt, das den Schaltvorgang in Abhängigkeit von der gewählten Fahrstufe, der Fahrgeschwindigkeit, dem Fahrzustand sowie der Motorbelastung automatisch einleitet. Hierbei werden gegebenenfalls auch elektronisch vorgewählte Schaltpunkte (Leistungs- oder Verbrauchsoptimierung) und der sogenannte *Kickdown* (vgl. S. 326) berücksichtigt. Die der Geschwindigkeit entsprechenden Impulse werden von einem auf der Antriebswelle sitzenden *Fliehkraftregler* gegeben.

In Abb. 8 werden verschiedene Schaltsituationen schematisch dargestellt. Im ersten Gang, der in der Übersetzung etwa dem zweiten Gang eines Schaltgetriebes entspricht, sind die Kupplungen (4) und (11) geschlossen. Der vordere Planetenradträger des Radsatzes (9) stützt sich bei Zug über den Freilauf (15) ab, bei Schub wird er überholt. Der Planetenradsatz (10) läuft als Block mit um. Wenn sich der Fahrstufenwählhebel in Stellung „1" befindet und somit ein Schalten in höhere

Gänge unerwünscht ist, um mit dem Motor bremsen zu können, ist zusätzlich die Kupplung (8) geschlossen. Im dritten Gang sind die Kupplungen (4), (5), (7) und (11) geschlossen, die Freiläufe (15) und (16) werden überholt. Die Planetensätze (9) und (10) laufen als Block mit der Übersetzung von 1:1 um (direkte Übersetzung).

Im vierten Gang sind die Lamellenkupplungen (4), (5), (7) und (12) geschlossen, die Freiläufe (14), (15) und (16) werden überholt, und der Planetenradsatz (9) läuft als Block mit um, während die Hohlwelle mit dem Sonnenrad des Planetenradsatzes (10) feststeht, so daß eine Übersetzung ins Schnelle erfolgt. Außerdem wird ab einer bestimmten Fahrgeschwindigkeit durch die Kupplung (2) der hydrodynamische Drehmomentwandler (3) überbrückt.

Im Rückwärtsgang sind die Kupplungen (5), (8) und (11) geschlossen, der Planetenradsatz (10) läuft als Block mit um, und über den festgehaltenen vorderen Planetenradträger des Radsatzes (9) tritt eine Drehrichtungsumkehr der Abtriebswelle ein.

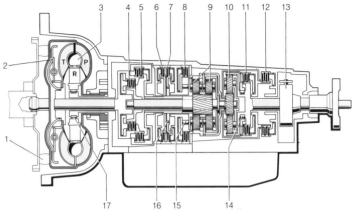

Abb. 7 Aufbau eines automatischen Getriebes mit Wandler-Überbrückungskupplung (ZF-Automatgetriebe 4 HP 22)
1 Antrieb, 2 Wandler-Überbrückungskupplung, 3 hydrodynamischer Drehmomentwandler (P Pumpenrad, R Leitrad, T Turbinenrad), 4, 5 umlaufende Lamellenkupplungen, 6, 7, 8 feststehende Lamellenkupplungen, 9 Planetenradsatz, 10 Planetenradsatz für den vierten Gang, 11 umlaufende Lamellenkupplung, 12 feststehende Lamellenkupplung, 13 Fliehkraftregler, 14 bis 17 Freiläufe

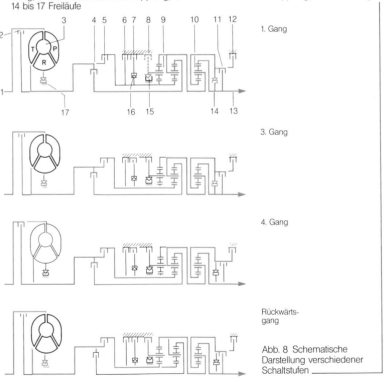

Abb. 8 Schematische Darstellung verschiedener Schaltstufen

Generator (Lichtmaschine)

Der elektrische Generator, auch *Lichtmaschine* genannt, dient in einem Kraftfahrzeug zur Versorgung der elektrischen Anlagen mit elektrischer Energie und zur Aufladung des Akkumulators. Der Generator wird meist mit einem Keilriemen von der Kurbelwelle des Motors angetrieben und ist somit an die Motordrehzahl gekoppelt.

Die Grundlage für die Stromerzeugung in einem Generator bildet die *elektromagnetische Induktion,* d. h. die Erzeugung einer elektrischen Spannung in einem Leiter bei Änderung des ihn durchsetzenden magnetischen Kraftflusses (Abb. 1). Hierbei ist es physikalisch gleichbedeutend, ob sich der Leiter durch ein festes Magnetfeld bewegt oder das Magnetfeld z. B. rotiert und der Leiter feststeht, solange Magnetfeld und Leiter relativ zueinander so bewegt werden, daß Feldlinien geschnitten werden.

Durch die elektromagnetische Induktion entsteht primär eine Wechselspannung bzw. ein Wechselstrom. Zur Versorgung des Akkumulators und der elektronischen Bauteile wird jedoch Gleichstrom benötigt, so daß der erzeugte Wechselstrom gleichgerichtet werden muß.

Bei den früher verwendeten *Gleichstromgeneratoren,* bei denen das Wicklungssystem rotiert und das elektrisch erregte Magnetsystem im Gehäuse ruht, geschieht die Gleichrichtung mechanisch mit Hilfe eines Lamellenkollektors. Die aufgrund ihrer kompakten, leichten Bauweise und großen, schon bei Leerlaufdrehzahl zur Verfügung stehenden Leistung oft verwendeten *Drehstromgeneratoren* (Abb. 2) enthalten drei um 120° zueinander versetzt angeordnete Wicklungen, in denen jeweils ein Magnetfeld elektrisch erregt wird. Diese drei rotierenden Magnetfelder erzeugen in dem feststehenden Ständer nach dem Induktionsgesetz drei sinusförmige Wechselspannungen (Phasen) gleicher Größe und Frequenz. Die Gleichrichtung des dreiphasigen Wechselstroms *(Drehstrom)* erfolgt über Halbleiterschaltungen (Abb. 3). Bei der Zweiweg- oder *Vollweggleichrichtung* werden die positiven Halbwellen der Sinuskurve von sogenannten *Plusdioden* hindurchgelassen, die negativen Halbwellen von sogenannten *Minusdioden.* Die Addition der positiven und negativen Hüllkurven aller drei Phasen ergibt schließlich eine leicht gewellte Gleichspannung (Abb. 4), die über den parallel zum Generator liegenden Akkumulator gepuffert (ausgeglichen) und durch zusätzliche Kondensatoren geglättet wird. Die Pole des Erregerfeldes im Läufer werden vom Erregerstrom gespeist, der vom Drehstromkreis abgezweigt und ebenfalls in Vollwegschaltung gleichgerichtet wird. Die Dioden der Gleichrichterschaltung sind in bezug auf den Akkumulatorstrom in Sperrichtung geschaltet, so daß bei Motorstillstand oder geringer Startdrehzahl kein Strom vom Akkumulator in die Ständerwicklungen zurückfließen kann. Diese *Rückstromsperre* verhindert somit ein Entladen des Akkumulators. Die primär erzeugte Wechselspannung ist unter anderem abhängig von der Stärke des Magnetfeldes, also der Erregerstroms und der zeitlichen Feldänderung, d. h. der Drehzahl. Die Aufgabe, die Generatorspannung über den gesamten Drehzahlbereich des Fahrzeugmotors unabhängig von der Belastung und Drehzahl des Generators konstant zu halten, übernimmt der Regler.

Der *Regler* muß bei hohen Drehzahlen die Verbraucher vor Überspannungen schützen und eine Überladung des Akkumulators verhindern. Die Spannungsregelung besteht nun darin, daß der Erregerstrom und damit das Magnetfeld im Läufer des Generators in Abhängigkeit von der im Generator erzeugten Spannung gesteuert wird: Solange die Regelspannung noch nicht erreicht ist, arbeitet der Regler nicht. Beim Überschreiten eines vorgegebenen oberen Regelwertes unterbricht der Regler den Erregerstrom und damit auch die erzeugte Generatorspannung. Unterschreitet die Generatorspannung einen vorgegebenen unteren Regelwert, erhöht der Regler die Erregung des Magnetfeldes, wodurch die Generatorspannung wieder steigt. Die Ein- und Ausschaltvorgänge verändern den Erregerstrom bzw. Generatorspannung nicht schlagartig, sondern träge, da die Erregerwicklung des Generators eine hohe Induktivität besitzt, infolge derer sich das Magnetfeld nur langsam ändert.

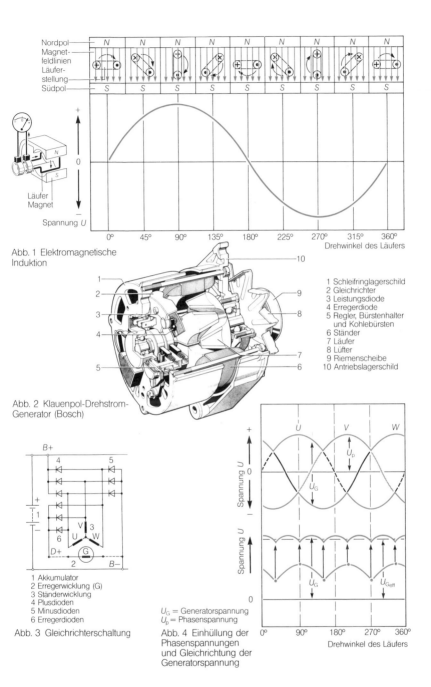

Nordpol
Magnetfeldlinien
Läuferstellung
Südpol

Spannung U

0°　45°　90°　135°　180°　225°　270°　315°　360°
Drehwinkel des Läufers

Abb. 1 Elektromagnetische Induktion

Läufer Magnet

Abb. 2 Klauenpol-Drehstrom-Generator (Bosch)

1 Schleifringlagerschild
2 Gleichrichter
3 Leistungsdiode
4 Erregerdiode
5 Regler, Bürstenhalter und Kohlebürsten
6 Ständer
7 Läufer
8 Lüfter
9 Riemenscheibe
10 Antriebslagerschild

B+

1 Akkumulator
2 Erregerwicklung (G)
3 Ständerwicklung
4 Plusdioden
5 Minusdioden
6 Erregerdioden

Abb. 3 Gleichrichterschaltung

U_G = Generatorspannung
U_p = Phasenspannung

Abb. 4 Einhüllung der Phasenspannungen und Gleichrichtung der Generatorspannung

Spannung U

U　V　W
U_p
U_G

U_G　U_{Geff}

0°　90°　180°　270°　360°
Drehwinkel des Läufers

333

Anlasser (Starter)

Verbrennungsmotoren können nicht wie Elektromotoren oder Dampfmaschinen aus eigener Kraft anlaufen, sondern müssen über besondere Vorrichtungen gestartet werden.

Das Starten von Verbrennungsmotoren geschieht im allgemeinen dadurch, daß ein mit Batteriestrom betriebener Anlasser das Schwungrad des Motors so lange in Drehung versetzt, bis der Motor aus eigener Kraft weiterlaufen kann. Bei Ottomotoren sind dabei Drehzahlen von 60 bis 90, bei Dieselmotoren solche von etwa 100 Umdrehungen pro Minute notwendig. Die Drehung des Schwungrades kommt dadurch zustande, daß ein Ritzel (kleines Zahnrad), das auf der Welle des Anlassers sitzt, beim Beginn des Anlaßvorganges vorgeschoben wird, bis es in den Zahnkranz auf dem Rand des Schwungrades eingreift (Einspuren). Durch den Antriebsmotor des Anlassers, einen mit Gleichstrom betriebenen Elektromotor (meist ein Gleichstrom-Reihenschlußmotor), wird das Schwungrad in Drehung versetzt. Nach Beendigung des Anlaßvorganges (wenn der Verbrennungsmotor von allein läuft) wird das Anlasserritzel wieder zurückgezogen (Ausspuren).

Die verschiedenen Anlasserbauarten, die heute verwendet werden, unterscheiden sich in der Hauptsache durch die Art des Ein- und Ausspurens. Bei Pkw-Motoren werden vor allem der Schub-Schraubtrieb-Anlasser und der Schubtriebanlasser verwendet.

Schub-Schraubtrieb-Anlasser (Abb. 1 und Abb. 2): Bei diesem Anlassertyp ist das Ritzel entlang der Ankerwelle auf einem Steilgewinde verschiebbar. Bei Betätigung des Startschalters wird der Anker des Magnetschalters (Steuerrelais) angezogen und das Ritzel unter Drehung durch den Einspurhebel nach vorn geschoben. In der zweiten Einschaltstufe wird der Magnetschalter geschlossen, die Einzugswicklung wird stromlos, der Anker des Anlassers beginnt sich zu drehen und schraubt das Ritzel völlig nach vorn, bis es in den Zahnkranz eingespurt ist. Durch die Haltewicklung wird der Magnetschalter in seiner Lage gehalten. Nun kann der Anlassermotor den Motor durchdrehen. Nach dem Anspringen des Motors wird der Einspurhebel durch die Rückholfeder in die Ruhestellung zurückgezogen; beginnt der Motor schneller zu laufen als der Anlasser, so wird das Ritzel durch einen Rollenfreilauf von der Ankerwelle losgekuppelt.

Schubtriebanlasser (Abb. 3 und Abb. 4): Zur Schonung von Ritzel und Zahnkranz arbeitet dieser Anlassertyp z. B. mit einem elektrisch zweistufigen Einspurgetriebe. In der ersten Schaltstufe wird das Ritzel in axialer Richtung vorgeschoben und gleichzeitig langsam gedreht. Falls das Ritzel dabei infolge ungünstiger Stellung nicht sofort einspuren kann, wird versucht, es über die Zahnstirnfläche des Schwungrad-Zahnkranzes hinwegzudrehen. In der zweiten Stufe wird erst unmittelbar vor Ende des Ritzel-Einspurweges über eine Sperrklinke die Kontaktbrücke des Steuerkreises freigegeben. Hierdurch kann der volle Erreger- und Ankerstrom durch die Wicklungen fließen, und der Anlassermotor dreht über den Lamellenfreilauf den Verbrennungsmotor durch. Um zu verhindern, daß der Anlassermotor auf zu hohe Drehzahlen beschleunigt wird, unterbricht der Lamellenfreilauf die kraftschlüssige Verbindung zwischen Ritzel und Anker, sobald der Verbrennungsmotor zu hoch dreht. Erst beim Loslassen des Startschalters wird die Stromzufuhr über das Steuerrelais ausgeschaltet und somit das Getriebe mit dem Ritzel von einer im Innern der Ankerhohlwelle befindlichen Rückstellfeder wieder in die Ruhelage gebracht.

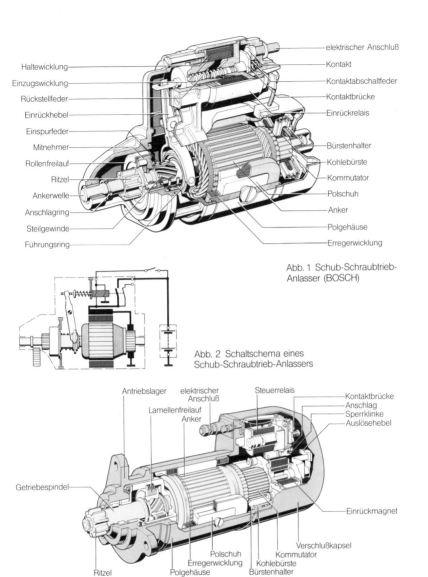

Haltewicklung
Einzugswicklung
Rückstellfeder
Einrückhebel
Einspurfeder
Mitnehmer
Rollenfreilauf
Ritzel
Ankerwelle
Anschlagring
Steilgewinde
Führungsring

elektrischer Anschluß
Kontakt
Kontaktabschaltfeder
Kontaktbrücke
Einrückrelais
Bürstenhalter
Kohlebürste
Kommutator
Polschuh
Anker
Polgehäuse
Erregerwicklung

Abb. 1 Schub-Schraubtrieb-
Anlasser (BOSCH)

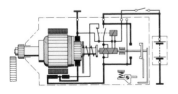

Abb. 2 Schaltschema eines
Schub-Schraubtrieb-Anlassers

Antriebslager
elektrischer Anschluß
Lamellenfreilauf
Anker
Steuerrelais
Kontaktbrücke
Anschlag
Sperrklinke
Auslösehebel

Getriebespindel

Einrückmagnet

Verschlußkapsel

Ritzel
Polschuh
Erregerwicklung
Polgehäuse
Kommutator
Kohlebürste
Bürstenhalter

Abb. 3 Schubtriebanlasser mit
elektrisch zweistufigem
Einspurtrieb (BOSCH)

Abb. 4 Schaltschema eines
Schubtriebanlassers

Scheinwerfer

Bei der heute in Kraftfahrzeugscheinwerfern meistens verwendeten Zweifadenlampe mit Abdeckschirm (*„Biluxlampe"*; Bilux Ⓦ) befindet sich der Glühfaden für Fernlicht im Brennpunkt des Paraboloidscheinwerfers. Sein Licht tritt daher parallel zur Paraboloidachse aus (Abb. 1). Der getrennt einschaltbare Glühfaden für das Abblendlicht sitzt einige Millimeter vor dem Brennpunkt und außerdem etwas höher. Dadurch verläßt das Licht als schräg nach unten gerichtetes kegeliges Bündel den Spiegel (Abb. 2). Die auf den unteren Teil des Spiegels auftreffenden Strahlen würden nach oben abgelenkt werden. Dies verhindert ein Abdeckschirm unter dem Glühfaden, der die nach unten gehenden Strahlen und durch eine Aufbördelung an der Vorderseite die direkt nach vorn austretenden Strahlen abfängt.

Die Lampe des *asymmetrischen Abblendlichtes* hat gegenüber dem symmetrischen Abblendlicht eine bessere Ausleuchtung der rechten Fahrbahnseite auf eine größere Entfernung (Abb. 3). Die ungleichmäßige, asymmetrische Lichtverteilung wird besonders dadurch erreicht, daß der Abdeckschirm, der unter der Glühwendel des Abblendlichtes einer Zweifadenlampe angeordnet ist, in Fahrtrichtung gesehen links von der Glühwendel um 15° nach unten abgebogen wird (Abb. 4). Das in die linke Seite der unteren Hälfte des Reflektors eingestrahlte Licht wird nach rechts oben in Fahrtrichtung reflektiert. Dadurch entsteht ein „Lichtkeil", der von der von links nach rechts zunächst waagerecht verlaufenden Hell-Dunkel-Grenze ausgeht und nach rechts oben ansteigt. Dieser kann deutlich wahrgenommen werden, trifft er in einigen Metern Entfernung von den beiden Scheinwerfern auf eine senkrechte Wand. Er führt zu einer besseren und wesentlich weiter reichenden Ausleuchtung der rechten Fahrbahnseite. Um die Blendwirkung auszuschalten, ist die *Streuscheibe* in dem Gebiet, das von dem asymmetrischen Teil des Lichtkegels durchstrahlt wird, mit besonders angeordneten Rillen und Rippen versehen. Diese brechen den scharf gebündelten, vom Reflektor zurückgeworfenen Lichtstrahl und bewirken eine gleichmäßige Lichtverteilung im „Keil". Die Lage der Lichtquelle muß sehr genau auf Reflektor und Streuscheibe abgestimmt sein, um eine Blendwirkung zu vermeiden.

Die Lichtleistung einer Lampe hängt von der Temperatur des glühenden Wolframfadens ab. Obgleich Wolfram erst bei

3 370 °C schmilzt und der Glaskolben einer Biluxlampe mit Argon gefüllt ist, das unter einem Druck von 3–4 bar steht, verdampft bei der für diese Lampen üblichen Glühtemperatur von etwa 2 500 °C etwas Wolfram. Dieser allmähliche Materialverlust der Glühwendel führt nach längerer Betriebszeit zum Bruch oder Durchschmelzen des Fadens.

Diesen Nachteil weisen *Halogenlampen* nicht auf. Der Edelgasfüllung des Glaskolbens von Halogenlampen ist eine geringe, genau bemessene Menge eines Halogens beigegeben. „Halogen" ist die Sammelbezeichnung für die mit Metallen salzbildenden, nichtmetallischen Elemente Fluor, Chlor, Brom und Jod. Früher nahm man Jod; heute wird meist Brom (Br) verwendet. Schaltet man eine Halogenlampe ein, so beginnt der Wolframfaden unter dem Stromzufluß zu glühen. Dabei verdampft etwas Wolfram (W), das sich in der Nähe des Lampenkolbens abkühlt und unterhalb von 1 400 °C mit dem Brom zu dem gasförmigen Wolframbromid (WBr_3) verbindet. Dieses Wolframbromid kann sich nicht auf dem Glaskolben niederschlagen, da es gasförmig bleibt. Das Wolframbromid gelangt irgendwann wieder in die Nähe der glühenden Wolframwendel. Dort wird die Verbindung infolge der hohen Fadentemperatur auf über 1 400 °C aufgeheizt, wodurch sie in ihre Elemente Wolfram und Brom zerfällt. Das Wolfram schlägt sich auf der Wendel nieder, und das Brom steht für den Vorgang erneut zur Verfügung. Damit dieser Vorgang ungestört abläuft, ist der Lampenkörper kleiner ausgeführt als bei einer üblichen Biluxlampe (Abb. 5 und 6), so daß der Kolben die für den Ablauf des Prozesses erforderliche hohe Temperatur annimmt. Normales Glas würde bei dieser Hitze zerspringen und außerdem von dem reaktionsfreudigen Brom angegriffen werden. Der kleine Kolben einer Halogenlampe ist daher aus dem hochschmelzenden reinen Quarz (SiO_2) hergestellt.

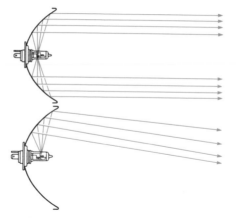

Abb. 1 Strahlengang bei Fernlicht

Abb. 2 Strahlengang bei Abblendlicht

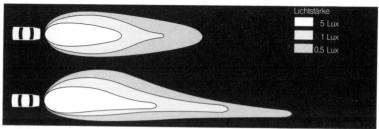

Abb. 3 Symmetrisches (oben) und asymmetrisches Abblendlicht

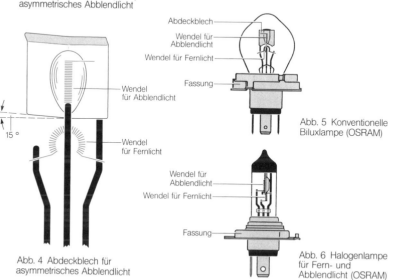

Wendel für Abblendlicht

15°

Wendel für Fernlicht

Abb. 4 Abdeckblech für asymmetrisches Abblendlicht

Abdeckblech

Wendel für Abblendlicht

Wendel für Fernlicht

Fassung

Abb. 5 Konventionelle Biluxlampe (OSRAM)

Wendel für Abblendlicht

Wendel für Fernlicht

Fassung

Abb. 6 Halogenlampe für Fern- und Abblendlicht (OSRAM)

Gemischaufbereitung, Vergaser I

Das Kraftstoff-Luft-Gemisch zum Betrieb eines Verbrennungsmotors zündet und verbrennt im Zylinder nur innerhalb bestimmter Mischungsverhältnisse, die durch den Lambdawert, das Verhältnis von zugeführter Luftmenge zum theoretischen Luftbedarf, gekennzeichnet werden (vgl. auch S. 296). Die Aufgabe, die für den jeweiligen Betriebszustand notwendige Kraftstoffzufuhr zu dosieren, übernimmt der Vergaser, z. B. ein *Fallstromvergaser* (die heute gebräuchlichste Bauart), der aus Hauptvergaser, Leerlaufsystem, Beschleunigungspumpe und Starteinrichtung besteht.

Strenggenommen wird im Vergaser der Kraftstoff nicht vergast, sondern nur durch die angesaugte Luft ein „Gemischnebel" erzeugt, in dem der flüssige Treibstoff in Form von kleinen Tröpfchen in einem Luftstrom verteilt ist.

Die beim Rückgang des Motorkolbens durch den Filter angesaugte Luft durchströmt das *Ansaugrohr,* in dem sich an einer verengten Stelle das *Mischrohr* befindet (Abb. 2). Durch die Verengung muß die angesaugte Luft gemäß der Bernoullischen Gleichung (vgl. S. 22) schneller strömen, so daß dort der Druck geringer ist; es entsteht also am Mischrohraustritt ein Unterdruck gegenüber der Umgebung bzw. der Schwimmerkammer, wodurch der Kraftstoff aus dem Mischrohr herausgerissen und zerstäubt wird. Die feinen Tröpfchen führt der Luftstrom zum Zylinder.

Diese Vorgänge stellen die Arbeitsweise des *Hauptvergasers* dar. Die *Hauptdüse,* eine Verengung in der Zuflußleitung des Kraftstoffes vom Schwimmergehäuse zum Mischrohr, begrenzt die der Luft im Mischkanal in der Zeiteinheit zumischbare Kraftstoffmenge, da vom Schwimmergehäuse nur so viel Kraftstoff nachfließen kann, wie die enge Bohrung der Hauptdüse zuläßt. Die Begrenzung des Benzinzulaufs aus dem Vorratsbehälter über die Kraftstoffpumpe zur *Schwimmerkammer* besorgt die Schwimmereinrichtung. Bei Füllung der Schwimmerkammer mit Benzin steigt der Schwimmer so lange an, bis die Ventilnadel auf den Ventilsitz drückt und den Benzinzufluß sperrt. Dadurch ist es möglich, das Niveau des Kraftstoffes stets 2 bis 3 mm unter der Öffnung des Mischrohres zu halten. Beim Ansteigen des Schwimmers in der Kammer wird die Luft, die dabei verdrängt wird, in das Luftansaugrohr zurückgeführt *(Entlüftung).*

Die vom Gaspedal bediente *Drosselklappe* ist bei Leerlauf geschlossen. Dadurch wird das Vollastsystem ausgeschaltet und dafür das *Leerlaufsystem* in Betrieb gesetzt (Abb. 3 a). Es sorgt für die Gemischbildung bei Leerlauf und arbeitet unabhängig von der Vollasteinrichtung. Bei geschlossener Drosselklappe kann nur wenig Luft durch das Ansaugrohr strömen; sie kann also keinen Kraftstoff aus dem Mischrohr mitreißen. Jedoch tritt an dem engen Spalt zwischen Drosselklappe und Vergasergehäuse eine so große Geschwindigkeitserhöhung ein, daß hinter der Drosselklappe ein kräftiger Unterdruck entsteht. Dieser läßt auch im Leerlaufgemischkanal Unterdruck entstehen, wodurch der Kraftstoff aus dem Leerlaufbenzinkanal abgesaugt wird. Die notwendige Luft wird oben am Lufteintritt durch die Leerlaufluftdüse eingesaugt. Eine zusätzliche Luftmenge wird an der Luftregulierschraube vorbei angesaugt, wobei durch Herein- oder Herausdrehen dieser Schraube die Zusammensetzung des Kraftstoff-Luft-Gemisches bei Leerlauf fetter oder magerer eingestellt wird.

Bei einem anderen System (Abb. 3 b) wird nicht die Menge der Zusatzluft, sondern die Zugabemenge des im Leerlaufgemischkanal entstehenden Kraftstoff-Luft-Gemischs zur Luft in der Ansaugleitung durch die *Leerlauf-Gemischregulierschraube* reguliert. Bei leicht geöffneter Drosselklappe tritt der obere Austrittsschlitz zusätzlich in Tätigkeit und verbessert dadurch den Übergang zum Teillastbetrieb. Die Leerlaufstellung der Drosselklappe wird durch einen Anschlag festgelegt.

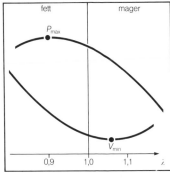

fett | mager

P_{max}

V_{min}

0,9   1,0   1,1 λ

Abb. 1 Abhängigkeit des spezifischen Kraftstoffverbrauchs V und der Motorleistung P vom Luftparameter λ.

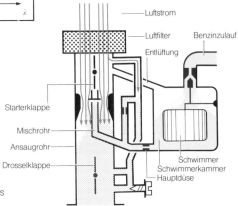

Luftstrom

Luftfilter   Benzinzulauf

Entlüftung

Starterklappe

Mischrohr

Ansaugrohr

Drosselklappe

Schwimmer
Schwimmerkammer
Hauptdüse

Abb. 2 Hauptvergasersystem eines
Fallstromvergasers

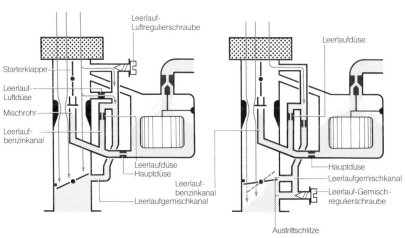

Leerlauf-
Luftregulierschraube

Leerlaufdüse

Starterklappe

Leerlauf-
Luftdüse

Mischrohr

Leerlauf-
benzinkanal

Leerlaufdüse
Hauptdüse

Leerlauf-
benzinkanal
Leerlaufgemischkanal

Hauptdüse

Leerlaufgemischkanal

Leerlauf-Gemisch-
regulierschraube

Austrittschlitze

Abb. 3a Leerlaufsystem mit
Luftregulierung

Abb. 3b Leerlaufsystem mit
Gemischregulierung

Gemischaufbereitung, Vergaser II

Außer der Vollast- und Leerlaufregelung bestimmt die Gemischaufbereitung im Vergaser auch die Laufeigenschaften des Motors beim Lastwechsel und in der Warmlaufphase. Plötzliche *Beschleunigungen* des Motors erfordern eine sofortige höhere Leistungsabgabe und damit ein momentan fetteres Gemisch, d. h. ein Gemisch mit kurzzeitig höherem Benzinanteil. Öffnet man bei niedriger Motordrehzahl plötzlich die Drosselklappe, so ist der bei der niedrigen Luftgeschwindigkeit vorhandene Unterdruck nicht ausreichend, aus dem Mischrohr allein genügend Kraftstoff zur Beschleunigung des Motors abzusaugen. Eine mit der Drosselklappe gekoppelte *Beschleunigungspumpe* (Abb. 4) versorgt den Luftstrom über ein besonderes Kanalsystem mit zusätzlichem Kraftstoff.

Beim *Starten* eines kalten Motors schlägt sich ein großer Teil des im Kraftstoff-Luft-Gemisch vorhandenen Kraftstoffes in der kalten Ansaugleitung und an der kalten Zylinderwandung nieder. Damit trotzdem im Verbrennungsraum ein brennfähiges Kraftstoff-Luft-Gemisch vorhanden ist, muß im Vergaser ein besonders fettes Gemisch hergestellt werden. Man verschließt zu diesem Zweck den Eintritt der Hauptluft in den Vergaser durch eine *Starterklappe* (Abb. 5), die von Hand (mit dem „*Choke*") oder automatisch *(Startautomatik)* betätigt wird. Beim Rückgang des Kolbens im Zylinder des Motors entsteht nun im Vergaser eine sehr starke Pumpwirkung, so daß durch den hohen Unterdruck sowohl aus dem Mischrohr als auch aus dem Leerlaufsystem reichlich Kraftstoff abgesaugt wird. In der Warmlaufphase des Motors wird dann die Starterklappe von Hand oder automatisch immer weiter geöffnet. Bei der Startautomatik wird die Starterklappe über eine Bimetallfeder gesteuert, die aus zwei Metallen besteht, die sich bei Erwärmung verschieden stark ausdehnen und dabei die Spannung der Spiralfeder verändern.

Bezeichnungen wie Fallstrom-, Steigstrom- oder Flachstromvergaser sagen etwas über die Richtung aus, in der die angesaugte Luft strömt. Beim Fallstromvergaser ergibt sich eine Strömungsrichtung von oben nach unten, beim Steigstromvergaser entgegengesetzt und beim Flachstromvergaser in horizontaler Richtung.

Neben dem Vergaser hat sich zur Gemischaufbereitung die *Saugrohreinspritzung* in verschiedenen Varianten bewährt.

Durch den Wegfall des Vergasers können hierbei die Ansaugwege besonders strömungsgünstig ausgebildet werden. Die Kraftstoffmenge wird in Abhängigkeit vom Betriebs- und Lastzustand des Motors sehr genau bemessen, wodurch ein günstiger Drehmomentverlauf durch sehr gute Zylinderfüllung, eine Leistungssteigerung und eine Verringerung der Schadstoffe im Abgas erzielt wird. Da die notwendige Kraftstoffmenge direkt vor die jeweiligen Einlaßventile gespritzt und dort zerstäubt wird, ergibt sich bei wechselnden Lastbedingungen eine nahezu verzögerungsfreie Anpassung. Außerdem werden der Kaltstart und die Warmlaufphase durch die Einbeziehung der Motortemperatur in die *elektronische Kraftstoffmengenberechnung* verbessert. Abb. 6 zeigt das Schema einer elektronischen Einspritzanlage mit Luftmengenmesser.

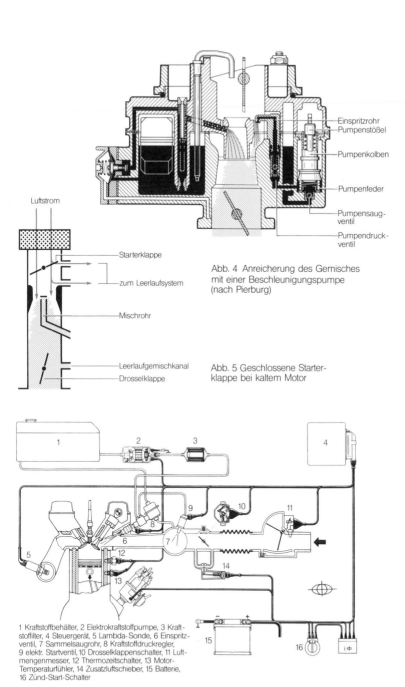

Einspritzrohr
Pumpenstößel

Pumpenkolben

Pumpenfeder

Pumpensaug-
ventil

Pumpendruck-
ventil

Luftstrom

Starterklappe

zum Leerlaufsystem

Mischrohr

Leerlaufgemischkanal

Drosselklappe

Abb. 4 Anreicherung des Gemisches
mit einer Beschleunigungspumpe
(nach Pierburg)

Abb. 5 Geschlossene Starterklappe bei kaltem Motor

1 Kraftstoffbehälter, 2 Elektrokraftstoffpumpe, 3 Kraft-
stoffilter, 4 Steuergerät, 5 Lambda-Sonde, 6 Einspritz-
ventil, 7 Sammelsaugrohr, 8 Kraftstoffdruckregler,
9 elektr. Startventil, 10 Drosselklappenschalter, 11 Luftmengenmesser, 12 Thermozeitschalter, 13 Motor-
Temperaturfühler, 14 Zusatzluftschieber, 15 Batterie,
16 Zünd-Start-Schalter

Abb. 6 Elektronische Einspritzanlage mit Luftmengenmessung (nach Bosch)

Ausgleichsgetriebe (Differential)

Die Antriebsräder eines Kraftwagens haben bei Kurvenfahrt unterschiedliche Drehzahlen, weil das innere Rad einen kleineren Weg zurücklegen muß als das äußere (Abb. 1). Daher ist es notwendig, den Antrieb der Räder nicht direkt auf eine durchgehende Achse, sondern über ein Ausgleichsgetriebe (Differential) wirken zu lassen, das eine geteilte Achse mit jeweils gleichem Drehmoment, aber verschiedenen Drehzahlen antreibt.

Die Antriebswelle (Verbindung der Hinterachse mit dem Getriebe) trägt an ihrem hinteren Ende ein kegelförmiges Zahnrad (Antriebskegelrad; Abb. 3). Es treibt ein anderes, größeres Kegelrad, das Tellerrad, an, das lose auf einer Hälfte der Hinterachse sitzt, aber fest mit dem Ausgleichsgehäuse verbunden ist, in dessen Innerem die Ausgleichskegelräder angeordnet sind. Die Wellen, auf denen diese Ausgleichsräder sitzen, sind im Gehäuse gelagert. Dreht sich also das Tellerrad und das mit ihm verbundene Ausgleichsgehäuse, so drehen sich diese Wellen um ihre Querachsen mit.

Zur Verdeutlichung der Funktionsweise des Ausgleichsgetriebes stellen wir uns zunächst die beiden extremen Fahrsituationen vor: Beide Räder drehen sich gleich schnell *(Geradeausfahrt),* bzw. nur ein Rad dreht sich, und das andere steht still. Bei Geradeausfahrt (Abb. 3) dreht sich das Gehäuse, die Ausgleichsräder drehen sich nicht auf ihren Wellen und nehmen, in der Wirkung gleich einer starren Verbindung, die Achswellenkegelräder und die damit verbundenen Halbachsen (Seitenwellen) mit. Beide Seitenwellen drehen sich mit gleicher Geschwindigkeit. Beim anderen Extrem halten wir ein Rad fest, so daß sich die eine Seitenwelle nicht drehen kann. Das Ausgleichsgehäuse wird wieder über das Tellerrad in Drehung versetzt und nimmt die Ausgleichsräder mit sich. Das Achswellenrad der *festgehaltenen* Seitenwelle kann sich jedoch nicht drehen, so daß sich die Ausgleichsräder, die vom Gehäuse mitgenommen werden, um ihre eigene Achse drehen müssen und sich so auf dem festgehaltenen Achswellenrad abwälzen. Die frei bewegliche zweite Seitenwelle erfährt hierdurch über ihr Achswellenrad, das ebenfalls mit den Ausgleichsrädern in Eingriff steht, einen zusätzlichen Antrieb. Diese Bewegung ist der Bewegung des Gehäuses gleichgerichtet und verstärkt diese. Somit dreht sich das nicht festgehaltene Rad in der Kurve schneller als bei Geradeausfahrt.

Die *realistische Kurvenfahrt* liegt zwischen diesen beiden Extremen.

In Abb. 4 dreht sich die rechte Seitenwelle langsamer als die linke. Nun drehen sich die Ausgleichsräder um ihre Welle mit der Wirkung, daß sie das rechte Achswellenrad der Seitenwelle zurückhalten und gleichzeitig das linke Achswellenrad schneller vorschieben. In Abb. 2 ist dieser Vorgang schematisch dargestellt: Die Zahnstangen symbolisieren die Achswellenräder der Seitenwelle. Bewegen sich beide Zahnstangen gleich schnell nach rechts, bildet das Ausgleichsrad eine starre Verbindung zwischen ihnen. Bremst man jedoch die untere Zahnstange etwas ab, so rollt das Zahnrad auf ihr ab, und durch dessen Drehung schiebt sich die obere Zahnstange weiter.

Bei unterschiedlichem Fahrbahnbelag für die angetriebenen Räder (z. B. sandiger und fester Untergrund) dreht aufgrund des Ausgleichsgetriebes das Rad mit dem geringeren Reibungswiderstand durch. Abhilfe schaffen hier sogenannte *Ausgleichssperren,* die entweder selbsttätig oder zuschaltbar sind.

Bei Fahrzeugen mit Allradantrieb ergibt sich zusätzlich die Problematik der Drehmomentverteilung zwischen Vorder- und Hinterachse. Hier übernimmt ein sogenanntes *Zwischendifferential* die entsprechenden Aufgaben zwischen den Antriebsachsen.

Eine neuere Entwicklung ist die selbstsperrende *Visco-Kupplung,* in der die Übertragung der Antriebskraft über ein sehr zähflüssiges Silikonöl erfolgt. Durch die mit der Antriebswelle verbundenen Stahllamellen wird die Silikonfüllung in der hermetisch abgeschlossenen Kupplungstrommel in Drehbewegung gebracht, wobei durch die hohe Viskosität (Zähflüssigkeit) des Öls ein hoher Mitnahmeeffekt auf die Antriebslamellen erzielt wird. Bei größeren Drehzahldifferenzen zwischen den Antriebsachsen steigt automatisch dieser Mitnahmeeffekt, so daß beim „Durchdrehen" einer Achse durch das *Versteifen* des Zwischendifferentials die Verteilung der Antriebskraft verstärkt auf die langsamer drehende Achse erfolgt.

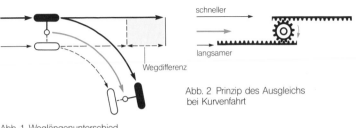

Abb. 2 Prinzip des Ausgleichs
bei Kurvenfahrt

Abb. 1 Weglängenunterschied
bei Kurvenfahrt

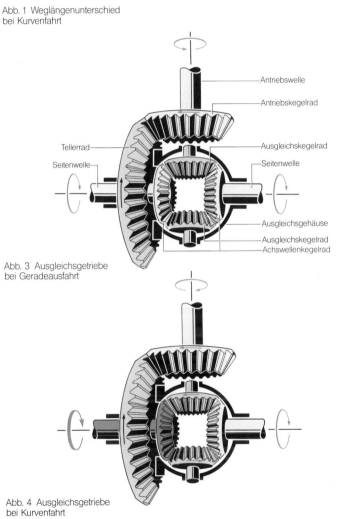

Antriebswelle

Antriebskegelrad

Tellerrad

Ausgleichskegelrad

Seitenwelle

Seitenwelle

Ausgleichsgehäuse

Ausgleichskegelrad

Achswellenkegelrad

Abb. 3 Ausgleichsgetriebe
bei Geradeausfahrt

Abb. 4 Ausgleichsgetriebe
bei Kurvenfahrt

343

Gelenkwellen

Gelenkwellen werden immer dann angewandt, wenn zwei Wellen, die entweder nicht fluchten oder die während der Drehmomentübertragung ortsveränderlich sind, miteinander verbunden werden sollen (z. B. Verbindung von Wechsel- und Achsgetriebe im Kraftfahrzeug, Antrieb eines Fräsmaschinentisches u. dgl.). Sie bestehen aus der *Antriebs-* und der *Abtriebswelle,* die durch zwei *Einzelgelenke* und eine *Zwischenwelle* miteinander verbunden sind (Abb. 1). Häufig ist diese Zwischenwelle als ausziehbare *Teleskopwelle* ausgebildet, so daß auch ein Längenausgleich ermöglicht wird. Die beiden winkelbeweglichen Gelenke, sogenannte Kardangelenke, können verschieden ausgebildet sein, ohne daß dies auf die Bewegungsverhältnisse einen entscheidenden Einfluß hat. Bei einem *Kreuzgelenk,* das für größere Drehmomente geeignet ist (Abb. 2), trägt jede Kupplungshälfte zwei um 180° versetzte Zapfen, die in einem gemeinsamen Ring, der vier Bohrungen an seinem Umfang trägt, so eingesetzt sind, daß die Zapfen der einen Kupplungshälfte gegenüber denen der anderen Hälfte um 90° versetzt sind.

Bei einem *Kugelgelenk* (Abb. 3), das nur für kleinere Drehmomente verwendet wird, wird die kardanische Beweglichkeit in ganz ähnlicher Weise erreicht. Hier ist die Kugel mit vier Bohrungen versehen, in die die jeweils 2 Zapfen jeder Kupplungshälfte eingreifen.

Werden zwei Wellen durch ein einziges derartiges Kardangelenk miteinander verbunden und unter einem Winkel β gegeneinander geneigt, so entsteht bei gleichförmigem Antrieb der einen Welle an der zweiten Welle hinter dem Gelenk ein ungleichförmiger Abtrieb, d. h., die getriebene Welle wird abwechselnd beschleunigt und verzögert. Sie macht zwar bei jeder vollen Umdrehung der Antriebswelle ebenfalls eine volle Umdrehung, jedoch eilt sie dabei periodisch zweimal der Drehung der Antriebswelle voraus und zweimal bleibt sie hinter deren Drehung zurück (Abb. 4). Dies macht sich um so stärker bemerkbar, je größer der Anstellwinkel β zwischen den beiden Wellen ist. Kann diese Ungleichförmigkeit nicht in Kauf genommen werden, so müssen immer zwei kardanische Gelenke gleichzeitig, verbunden durch eine Zwischenwelle, verwendet werden. Die Bewegungsübertragung ist jedoch nur dann gleichförmig, wenn die Anstellwinkel an beiden Enden der Zwischenwelle gleich groß sind (Abb. 5), d. h. nur, wenn die Antriebs- und Abtriebswelle parallel zueinander verschoben werden. Die Zwischenwelle führt immer eine ungleichförmige Drehbewegung aus. Die Abb. 6 zeigt eine Anordnung, die gleich zwei Fehler aufweist, denn erstens ist der Winkel α nicht gleich β, zweitens müssen aber auch die an beiden Enden der Zwischenwelle sitzenden Gelenkzapfen in dieselbe Richtung zeigen, d. h. parallel stehen, denn nur dann kann die Bewegungsübertragung zwischen Eingangs- und Ausgangswelle gleichförmig sein. Bei Kardanwellen, deren Mittelteil ausziehbar ist, muß beim Zusammenbau unbedingt auf richtige *Zapfenlage* geachtet werden. Zur Übertragung kleiner Kräfte zwischen beliebig angeordneten Wellen (z. B. Tachometerwelle) können auch *biegsame Wellen* aus einem schraubenfederartig gewundenen Stahldraht, der in einer mehrfachen Drahtummantelung eingebettet ist, dienen.

Bei Personenkraftwagen mit Vorderradantrieb werden die gelenkten Räder angetrieben. Die Vorderachswellen müssen daher Gelenke haben, die den Lenkeinschlag und den Federungsweg der Räder ermöglichen. Da der Antrieb der Räder gleichmäßig erfolgen soll, darf kein ungleichförmiger Lauf von den Gelenkwellen her entstehen. Bei angetriebenen Vorderachswellen kommen deshalb Doppelgelenke und spezielle Kugelgelenke zum Einsatz.

Bei einem *Doppelgelenk* werden zwei Kreuzgelenke zu einem einzigen Gelenk zusammengefaßt, wobei die beiden Wellenenden im Innern des Gelenkes durch eine Zentrierung geführt sind. Bei einem *Kugelgelenk* (abweichend von dem in Abb. 3 dargestellten Typ) sitzt auf dem inneren Wellenende ein sogenannter *Kugelstern* mit *Kugelkäfig* und Kugeln, auf der äußeren Wellenhälfte eine Kugelschale mit Kugelbahnen, in denen sich die Kugeln bewegen können.

Abb. 1 Gelenkwelle

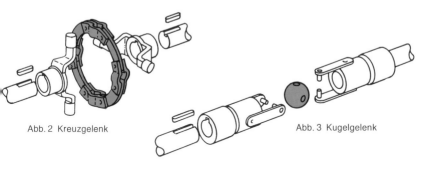

Abb. 2 Kreuzgelenk

Abb. 3 Kugelgelenk

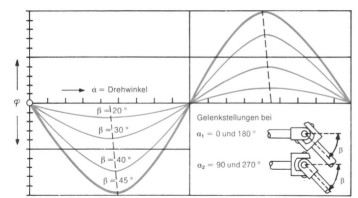

α = Drehwinkel

β = 20°

β = 30°

β = 40°

β = 45°

Gelenkstellungen bei

$α_1 = 0$ und 180°

$α_2 = 90$ und 270°

Abb. 4 Vor- und Nacheilwinkel φ der einen Welle gegenüber der anderen

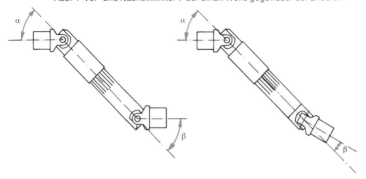

Abb. 5 Richtiger Einbau einer Kardanwelle

Abb. 6 Falscher Einbau einer Kardanwelle

Straßenbau

Der Straßenbau beschäftigt sich mit der Herstellung von Straßenbauwerken auf dem anstehenden Boden (Untergrund), mit geschütteten Dämmen als Unterbau (Gründung), der eigentlichen Fahrbahnkonstruktion (bestehend aus den Tragschichten, der Fahrbahndecke und den befestigten Randstreifen) als Oberbau sowie den Nebenanlagen (Böschungen, Entwässerungsgräben u. a.).

Unterbau: Die Ausführung des Unterbaus (Abb. 1) hängt entscheidend von der Tragfähigkeit und Frostempfindlichkeit des Untergrundes ab. Bei tragfähigem Boden wird das Erdplanum mit geringem Quergefälle hergestellt. Durch maschinelle Verdichtung sucht man ein möglichst setzungsfreies Planum zu bekommen, da vor allem ungleichmäßige Setzungen die Lebensdauer der Fahrbahnkonstruktion nachteilig beeinflussen. Falls die maschinelle Verdichtung nicht ausreicht, wird der nicht tragfähige Boden mit Bindemitteln oder mit Grobkorn (Schotter oder Kiessand) stabilisiert oder durch tragfähigen Boden ersetzt. Ist der Untergrund tragfähig, aber nicht frostsicher (mehr als 5 bis 10% Körnung mit Korndurchmessern $\leq$ 0,02 mm), so ist eine kapillarbrechende Frostschutzschicht aus Kiessand vorzusehen. Der Unterbau wird dann in flexibler oder starrer Bauweise auf diesem verbesserten Untergrund hergestellt. Zur flexiblen Bauweise zählen die Packlage (Schüttung von Naturstein und anschließende Verdichtung unter Zugabe von Sand und Splitt oder von Zementmörtel), der Kiesunterbau (zwei Schichten von je 10 cm, festgewalzt), die mechanische Bodenverfestigung, die Bodenvermörtelung mit Bitumen u. a. Bei der starren Bauweise wird der Unterbau durch Zusatz von Zement zum entstehenden Boden verfestigt; die Dicke dieser Schicht beträgt ca. 15 cm; eine Zugabe von Splitt oder Kies dient der zusätzlichen Verfestigung. Verdichtet wird hier mittels Walzen oder Rüttler.

Oberbau: Als Baustoffe dienen gebrochenes Felsgestein (Naturgestein in Form von Gesteinsmehl, Brechsand, Splitt, Schotter), ungebrochenes Gesteinsmaterial oder Rundkorn (Sand und Kies), Straßenteer, Bitumen und Zement sowie Kunststoffe. Die Herstellung der einzelnen Schichten kann in unterschiedlicher Weise erfolgen:

1. Bei der Herstellung nach dem Makadamprinzip wird das Gesteinsgerüst aus grobkörnigem, gebrochenem Gestein mit vielen Hohlräumen gefertigt. Die auftretende Verzahnung und Verspannung der Körner untereinander gewährleistet eine gute Standfestigkeit. Mit bituminösen Bindemitteln wird das Gerüst fest verklebt und wasserunempfindlich gemacht.

2. Bei der Herstellung nach dem Betonprinzip werden Mineralmassen aus Splitt, Sand und Gesteinsmehl so geschüttet, daß nur geringe Hohlräume bleiben. Dem Mineralgemisch wird dann in heißem Zustand ein dünnflüssiges bituminöses Bindemittel zugemischt, das die einzelnen Teilchen mit einem Film umhüllt und noch vorhandene Hohlräume ausfüllt. Nach Zusammensetzung des Mineralgemischs und Art des Bindemittels unterscheidet man: Sandasphalt, Asphaltfeinbeton (Abb. 3), Teerbeton, Asphaltgrobbeton (Abb. 2), Teerasphaltbeton.

3. Bei der Herstellung von Gußasphaltdecken wird ein Gemisch von abgestuftem Mineral und Bitumen heiß eingebaut. Dabei wird mit Bitumenüberschuß gearbeitet, der durch hohen Füllergehalt ausgeglichen wird.

Der Fahrbahnoberbau aus Zementbeton wird in folgender Weise gefertigt (Abb. 4): Auf dem Planum werden 75 cm breite Betonrandstreifen oder eine seitliche Schalung mit Laufschienen verlegt. Danach wird das Planum eingeebnet, verdichtet und mit einer etwa 4 cm starken Kiesschicht versehen. Auf diese dicht gerüttelte und geebnete Schicht werden Papierbahnen aufgebracht, die der Reibungsminderung zwischen Unter- und Oberbau dienen. Hierauf wird der in der Mischmaschine aufbereitete Beton meist in zwei Schichten aufgebracht, wobei die 15 cm starke Unterschicht aus nicht verschleißfestem Grobbeton besteht, in den die Stahleinlagen verlegt werden, und die 5 bis 7 cm starke Querschnitt von verschleißfestem, feinerem Beton gebildet wird. Der Beton wird mittels Betonverteiler (eine schienenfahrbare Brückenkonstruktion mit Verteiler- und Vorverdichtungseinrichtung) gleichmäßig über die ganze Fahrbahnbreite verteilt und vorverdichtet, sodann vom Betondeckenfertiger (eine schienenfahrbare Brückenkonstruktion mit Abgleichwalze, Rüttelbohle und Rüttelglättbohle) feinabgeglichen, verdichtet und oberflächenbehandelt.

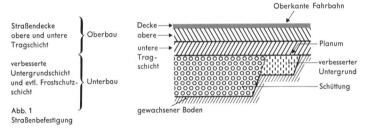

| Straßendecke obere und untere Tragschicht | } Oberbau | Decke → | Oberkante Fahrbahn |
| verbesserte Untergrundschicht und evtl. Frostschutz- schicht | } Unterbau | obere → untere Trag- schicht → | Planum |

Abb. 1
Straßenbefestigung

gewachsener Boden

verbesserter Untergrund
Schüttung

Asphaltgrobbeton

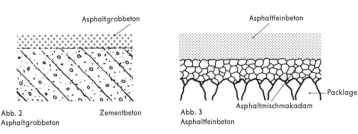

Abb. 2
Asphaltgrobbeton

Zementbeton

Asphaltfeinbeton

Packlage
Asphaltmischmakadam

Abb. 3
Asphaltfeinbeton

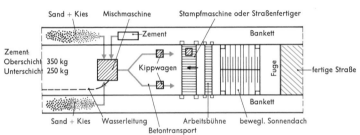

Sand + Kies   Mischmaschine   Stampfmaschine oder Straßenfertiger

Zement
Bankett

Zement:
Oberschicht 350 kg
Unterschicht 250 kg

Kippwagen   Fuge   fertige Straße

Sand + Kies   Wasserleitung   Arbeitsbühne   bewegl. Sonnendach
Betontransport   Bankett

Abb. 4
Arbeitsschema beim Betonieren einer Landstraße

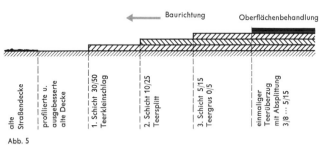

Baurichtung   Oberflächenbehandlung

alte Straßendecke

profilierte u. ausgebesserte alte Decke

1. Schicht 30/50 Teerkleinschlag

2. Schicht 10/25 Teersplitt

3. Schicht 5/15 Teergrus 0/5

einmaliger Teerüberzug mit Absplittung 3/8 ··· 5/15

Abb. 5
Bau einer Mischmakadamdecke

Gleisbau

Der Fahrweg der Eisenbahn muß seinen Aufgaben als Tragwerk genügen, als Bahn für hohe Geschwindigkeiten stetig eine genaue Lage nach Höhe und Seite einhalten sowie verschleißarm und leicht regelbar konstruiert sein. Er besteht aus Unterbau und Oberbau. Der Unterbau besteht aus Erdkörpern mit Randwegen und Entwässerungsanlagen sowie aus Brücken u. ä. Der eisenbahntypische Teil des Fahrwegs ist der Oberbau. Hierzu gehören die Gleise, die Weichen, die Kreuzungen und das Schotterbett. Das Gleis besteht aus Schienen, Schwellen und Kleineisen (die Befestigungsmittel zwischen Schienen und Schwellen). Gleise und Weichen liegen in einem Schotterbett, der sogenannten Bettung. Die Bettung hat die Aufgabe, die statischen und dynamischen Belastungen möglichst gleichmäßig auf den Unterbau zu verteilen, den Schwellen gegen Quer- und Längsverschiebungen Widerstand zu leisten und Luft- und Wasserdurchlässigkeit zu gewährleisten. Abb. 1 zeigt den Regelbettungsquerschnitt für zweigleisige Bahnen in gerader Strecke. Die Längsneigung auf freier Strecke soll bei Hauptbahnen 12,5‰, bei Nebenbahnen 40‰ und bei Bahnhofsgleisen 2,5‰ nicht überschreiten. Neigungswechsel in Hauptgleisen sind auszurunden. Der Ausrundungshalbmesser R_a darf 2000 m nicht unterschreiten; in der Regel soll $R_a = 0,4 \ V^2$ sein (R_a in m, Geschwindigkeit V in km/h). Die Spurführung erfordert, daß die Räder Spurkränze haben und fest auf den Achsen aufgepreßt sind. Die führenden Kanten eines Radsatzes haben gegen die Spurweite des Gleises einen Spielraum (Abb. 2). Infolge der Kegelform der Laufflächen der Räder wird ein während der Fahrt aus der Gleismitte abgelenkter Radsatz von der einen zur anderen Schiene und wieder zurück gelenkt. Infolge dieses Sinuslaufs üben die Räder auf die Schienen erhebliche seitliche Kräfte aus, die über Schwellen und Schotter in den Unterbau abgeleitet werden. Das Grundmaß der Normalspurweite beträgt 1435 mm, die Spurweite darf nie kleiner sein als 1430 mm. In Bogen mit Halbmessern unter 200 m muß das Grundmaß erweitert werden. Zwischen Gerader und Kreisbogen wird eine Klothoide oder eine Parabel 4. Grades als Übergangsbogen angeordnet. Die Beschleunigungsverhältnisse bei Fahrt durch einen Bogen zeigt die Abb. 3. Die Überhöhung ist ausgeglichen bei $ü_a = 11,8 \ V^2/R$ (R Kurvenradius), sie darf nicht größer als 150 mm sein. Wo schnelle und langsame Züge verkehren, wird in der Regel eine Überhöhung $ü = 8 \ V^2/R$ angewandt. Die senkrechten Kräfte sind die Achslasten (ca. 200 kN) und zusätzlich die Wucht aus der kinetischen Energie. Sie kann bis zu 25% der Achslast ausmachen. Schließlich muß der Oberbau auch die Längskräfte verarbeiten, die beim Anfahren und Bremsen sowie bei Temperaturveränderungen entstehen. Für höchste Beanspruchung verlegt die DB einen Oberbau mit Schienen UIC 60 (Abb. 4), 2,6 m lange Holz- oder Betonschwellen in 63 cm Regelabstand und einer Schienenbefestigung der Bauart K (Abb. 5). Die schwächste, dabei auch am stärksten beanspruchte Stelle im Gleis ist der Schienenstoß (Abb. 6). Größtenteils werden jedoch die Schienen miteinander auf größere Längen zum „durchgehend geschweißten Gleis" (bis ca. 7 km) verschweißt. Hierzu werden im Werk 30 m lange Schienen im Abbrennstumpfschweißverfahren zu 120 m langen Strängen aneinandergefügt, die dann auf der Baustelle durch Thermitschweißung miteinander verbunden werden. Die Schlußschweißung erfolgt bei der „Soll-Temperatur" der Schiene. Die Soll-Temperatur ergibt sich aus dem arithmetischen Mittel der regional vorkommenden höchsten und tiefsten Schienentemperatur $+5\,°C$. Bei Soll-Temperatur soll dann auch der ganze Schienenstrang verspannt werden (durch Spannungsausgleich herstellbar). Die Einbaumethode wurde empirisch-wissenschaftlich ermittelt. Die Stabilität des Gleises erklärt sich aus der Vielzahl der Einspannungen der Schiene, die die Temperaturspannungen aufnehmen, aber auch die Möglichkeit schaffen, daß der Schienenstahl Spannungen in sich verarbeiten kann. Ferner wird die Stabilität durch das Eigengewicht und die Verzahnung des maschinell gestopften Schotters mit den betriebsbelasteten Schwellen erhöht. Nach örtlichem Bedarf werden zudem Wanderklemmen gegen die Längsbeanspruchung und/oder Sicherungskappen gegen Seitenbeanspruchung eingebaut.

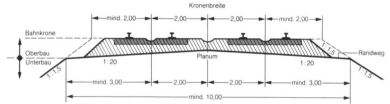

Abb. 1 Regel- und Bettungsquerschnitt für zweigleisige Strecken in der Geraden in m

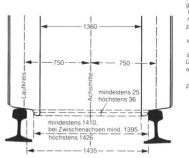

Abb. 2 Spurspiel der Fahrzeuge in mm

S = Schwerpunkt
g = Erdbeschleunigung
f = Fliehbeschleunigung
r = Resultierende Beschleunigung
p = Seitenbeschleunigung parallel zum Wagenfußboden
v = Beschleunigung senkrecht zum Wagenfußboden
s = Abstand der Schienenmitten
$Ü$ = Überhöhung
α = Überhöhungswinkel

$p = (f \cdot g \, tg\alpha) \cos \alpha$

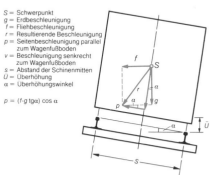

Abb. 3 Wirkung der Fliehbeschleunigung am Fahrzeug bei der Bogenfahrt nach rechts

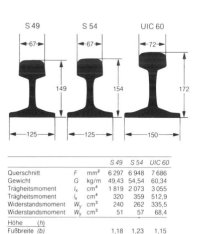

			S 49	S 54	UIC 60
Querschnitt	F	mm²	6 297	6 948	7 686
Gewicht	G	kg/m	49,43	54,54	60,34
Trägheitsmoment	I_x	cm⁴	1 819	2 073	3 055
Trägheitsmoment	I_x	cm⁴	320	359	512,9
Widerstandsmoment	W_y	cm³	240	262	335,5
Widerstandsmoment	W_y	cm³	51	57	68,4
Höhe (h)					
Fußbreite (b)			1,18	1,23	1,15

Abb. 4 Schienenformen S 49, S 54, UIC 60

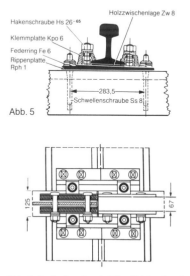

Abb. 5

Abb. 6 Breitschwellenstoß K auf Holzschwellen

Tunnelbau

Die Grundlagen jedes Tunnelbauvorhabens sind v. a. die Kenntnis der geologischen Beschaffenheit, der Festigkeit des Gebirges, der Gesteinsschichtung und -zusammensetzung sowie der Wasserführung, die Beachtung der auftretenden Drücke und die Durchführung bodenmechanischer Untersuchungen. In einem *Entwurfsquerschnitt* werden die Umgrenzungen des lichten Raumes, die Stärke der Auskleidung, die Abdichtung, Wasserabfuhr und Belüftung festgelegt. – Die beim Tunnelbau eingesetzten *Tunnelbaumaschinen* können unterschieden werden in Geräte zum Lösen des Gesteins (z. B. Bohrhämmer, Drehschlagbohrmaschinen, Schrämmaschinen, Tunnelvortriebsmaschinen), zum Laden (Schutterbänder, Stollen- oder Schaufellader), zum Transport (z. B. Tiefmuldentransporter) und zum Betonieren (z. B. Betonspritzgeräte, pneumatische Betonfördermittel). Zu den *allgemeinen Ausbrucharbeiten* gehören die Bohr- und Sprengarbeiten, das Schuttaufladen und der Abtransport, die Durchführung von Sicherheitsmaßnahmen (Stollen- oder Tunnelzimmerung) und die Auskleidung.

In festem Gestein erfolgt der Ausbruch entweder in der *traditionellen Bauweise,* wobei ein Richtstollen als First- bzw. Sohlstollen vorgetrieben wird, anschließend der Gesteinsausbruch in Einzelabschnitten bis zur Erstreckung des Gesamtquerschnitts und danach die Sicherung gegen Nachbrechen sowie der Vollausbau erfolgt, oder stetig im *modernen Vollausbruch* (Sicherung der freigelegten Flächen durch Spritzbeton, Felsanker, Stahlbögen u. a.; Wegfall von Auszimmerung; Einsatz von Großmaschinen). In nicht standfestem Gestein erfolgt der Ausbruch z. T. noch nach traditionellen, vielfach jedoch modifizierten Bauweisen, die einen großen Aufwand an Holz zur zwischenzeitlichen Sicherung erfordern. Hierzu zählen u. a. die *Kernbauweise* oder *deutsche Bauweise* (Abb. 1 a), bei der zunächst zwei seitliche Sohlstollen (als Raum für die Widerlager) und ein Firststollen, danach die Firste freigelegt werden und erst nach Fertigstellen der Tunnelwandungen der Massivkern herausgebrochen wird, die *belgische Bauweise,* bei der sich an den Ausbau und die Abstützung der Firste die Ausführung des Widerlagers in Einzelabschnitten durch seitliches Einschlitzen von einem Richtstollen aus anschließt, sowie die (alte) *österreichische Bauweise* (Abb. 1 b), bei der ein Sohlstollen vorgetrieben wird, den man anschließend bis in den First hinauf aufschlitzt, um von dorther den seitlichen Vollausbruch herzustellen. Zu den neueren Bauweisen zählen z. B. die *Ringbauweise* mit Ausbruch der Kalotte und Verlegung der mehrteiligen Ringschwelle (der Ring wird gebildet von Sohl- oder Ringschwelle, Lehrbogen, Reiter und Ausbruchbogen) und die *Messerbauweise,* bei der die gegen die Firste sichernden stählernen oder mit Stahlblech beschlagenen Pfähle (Vortriebsmesser) bei gleichzeitigem Freimachen der Tunnelbrust vorgetrieben werden und so dem Vortrieb folgen. Bei Lockergestein arbeitet man vorwiegend nach dem *Schildvortriebsverfahren (Schildbauweise)* durch Vortrieb eines beweglichen Stahlzylinders (Deckschild), in dessen Schutz die Tunnelröhre hergestellt wird, und nach dem Vortriebsverfahren mittels rotierender Bodenfräse.

Zunehmende Bedeutung gewinnt die sog. *neue österreichische Tunnelbauweise (NÖT),* die bei nahezu allen Gebirgsarten angewandt werden kann. Der Tunnel wird hierbei nicht als Gewölbe aufgefaßt (wie im traditionellen Tunnelbau), sondern als „Röhre" oder „Bohrung mit ausgekleideter Wandung", wobei der wesentlich tragende Teil der Konstruktion das Gebirge selbst ist. Um die ursprüngliche Gebirgsfestigkeit möglichst zu erhalten, wird zu einem relativ frühen Zeitpunkt (jedoch unter Berücksichtigung eines für das jeweilige Gebirge spezifischen Zeitfaktors) der „Verbau" eingebracht, meist in Form von Spritzbeton in Verbindung mit Bewehrungsnetzen (Baustahlgewebe) und Felsankern, oft auch mit Stahlbögen. Durch rechtzeitigen Ringschluß (Einbringen eines Sohlgewölbes) wird dafür gesorgt, daß die „Röhre" zu dem Zeitpunkt ringartig geschlossen ist, zu dem seine statische Funktion voll in Anspruch genommen wird.

Die neue österreichische Tunnelbauweise ist – im Gegensatz zu den älteren Bauweisen – nicht an eine bestimmte Reihenfolge der Ausbruchvorgänge gebunden, sie können den jeweiligen geologischen Verhältnissen angepaßt werden. Häufig wird zunächst die Kalotte ausgebrochen und gesichert, anschließend in einer oder zwei Stufen die Strosse (Abb. 2). Bei hinreichender Standfestigkeit des Gebirges ist jedoch auch ein Vollausbruch bei Tunnelprofilen von 12 m Durchmesser und mehr möglich.

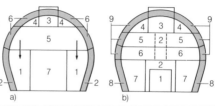

Abb. 1 Traditionelle Tunnelbauweisen:
a) Kernbauweise (deutsche Bauweise),
b) alte österreichische Bauweise.
Die Ziffern kennzeichnen die Reihenfolge der Ausbrucharbeiten und
des Ausbaus

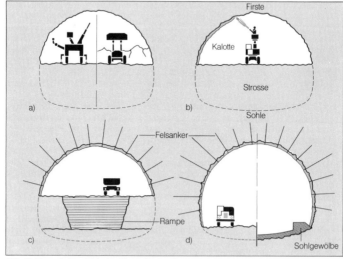

Abb. 2 Neue österreichische Tunnelbauweise:
a) Ausbruch und Ausräumen der Kalotte, b) Aufbringen von Spritzbeton,
c) Ausräumen der Strosse (Mittelrampe für den Transport), d) Herstellen des Sohlgewölbes

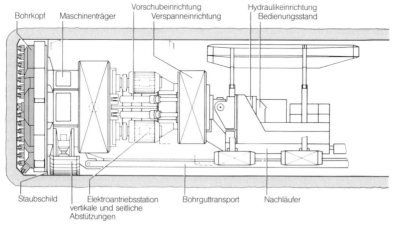

Abb. 3 Tunnelvortriebsmaschine mit Rollenmeißel für Festgestein

Elektrolokomotive

Moderne Elektrolokomotiven sind Drehgestellfahrzeuge mit Einzelachsantrieb (Abb. 1). Die beiden *Drehgestelle* sind stabile Rahmen, in denen die Treibachsen senkrecht federnd, z. B. mit Achslenker, geführt werden. Jede Treibachse besitzt einen eigenen Antriebsmotor, der oberhalb oder neben der Treibachse angeordnet und im Drehgestellrahmen befestigt ist. Um das ungefederte Gewicht der Treibachsen klein zu halten, ist der Motor nicht starr mit der Treibachse verbunden. Ein einstufiges Stirnradgetriebe, das im Gehäuse des Elektromotors gelagert ist, setzt die hohe Motordrehzahl herab. Das abtriebsseitige Zahnrad, als Großrad bezeichnet, umschließt die Achswelle der Treibachse. Die kraftschlüssige, senkrechte Federbewegungen der Treibachse zulassende Verbindung zwischen Großrad und Treibachse erfolgt z. B. mittels des „Gummiring-Kardan-Antriebes" (Abb. 2). Dabei umschließt eine Hohlwelle die Treibachse. Das eine Ende dieser Kardanwelle endet in sternförmig angeordneten Mitnehmern, die über eine in Segmente unterteilte Gummiringfeder elastisch mit einem Treibrad verbunden sind. Am gegenüberliegenden Ende der Kardanhohlwelle greifen sechs gleichmäßig am Umfang verteilte, mit dem Großrad verbundene Lenker an. Das an beiden Enden schwenkbar gelagerte Lenkersystem ermöglicht die Vertikalbewegung der Hohlwelle. Im Drehgestell befindet sich außerdem noch die Bremseinrichtung, bestehend aus der pneumatisch betätigten Klotzbremse und aus der Magnetschienenbremse.

Die auf dem Dach der Elektrolokomotive angeordneten *Scherenstromabnehmer* stellen die elektrische Verbindung zwischen der Fahrleitung und der elektrischen Anlage her. Geschwindigkeit und Zugkraft der Wechselstrom-Elektromotive werden innerhalb der Leistungsgrenze über die Motorspannung geregelt. Hierzu wird die Fahrdrahtspannung von 15 000 V (Frequenz $16\frac{2}{3}$ Hz) in einem in der Lokomotive angeordneten Transformator herabgeregelt. Dazu weist der Transformator der Schnellzuglokomotive 103 der Deutschen Bundesbahn (DB) z. B. 39 Anzapfungen und damit 39 Fahrstufen auf. Diese Anzapfungen liegen, bedingt durch die hohe zu schaltende Leistung, im Primär- oder Hochspannungsteil des Transformators (Abb. 3). Die Anzapfungen sind mit einem Kreisbahnwähler (Doppelkontaktschaltwerk) verbunden,

bei dem die einzelnen Kontakte kreisförmig angeordnet sind. Eine zeitweilige Unterbrechung der Zugkraft vermeidet man durch zwei getrennte Schaltkontakte im Schaltwerk. Beim Umschalten der Fahrstufe eilt ein Schaltkontakt spannungslos auf den Kontakt der nächsten Anzapfung voraus und wird darauf, z. B. mittels eines elektronischen Schalters, in Bruchteilen einer Sekunde eingeschaltet und die vorhergehende Anzapfung entsprechend abgeschaltet. Dieses Schaltwerk bildet mit dem Transformator eine Einheit, die ölgekühlt ist. Das Schaltwerk wird durch einen elektrischen Stellmotor angetrieben. Das Einstellen der Fahrstufen geschieht ferngesteuert vom Führerstand aus mittels eines Handrades.

Die 103 der DB hat sechs parallelgeschaltete Fahrmotoren mit jeweils einer Leistung von 1 200 kW (rund 1 600 PS). Die maximal zulässige Motorspannung beträgt etwa 600 V. Die Motoren elektrischer Bahnen müssen beim Anfahren aus dem Stillstand ein hohes Anfahrmoment aufweisen. Dies erreicht man, wenn im Motor die Wicklungen des Läufers und des Ständers in Serie hintereinandergeschaltet sind. Wechselstrom-Elektrolokomotiven haben daher vielpolige *Einphasen-Reihenschluß-Kommutatormotoren*.

Eine neue Generation von Elektrolokomotiven, bei der DB unter der Baureihenbezeichnung *120* eingeführt, arbeitet unter Verwendung moderner Leistungselektronik mit frequenzgesteuerten *Drehstrom-Asynchronmotoren*. Die Einphasenwechselspannung des Fahrleitungsnetzes wird in einem Transformator auf 1 513 V heruntertransformiert und mit Hilfe eines Umrichters (Vierquadrantenstellers) in Gleichspannung (2 800 V) umgewandelt. Elektronisch gesteuerte Wechselrichter erzeugen aus der konstanten Zwischenkreisgleichspannung die variable Spannung (0–2 200 V) und Frequenz (0–200 Hz) für die Fahrmotoren. Wegen der vielseitigen betrieblichen Einsatzmöglichkeiten werden diese Drehstromlokomotiven auch als *Universallokomotiven* bezeichnet.

Der Drehstrom-Asynchronantrieb, der gegenüber dem konventionellen Antrieb durch Kommutatormotoren ein wesentlich geringeres Leistungsgewicht ermöglicht (nur etwa 1,7 kg/kW bei der E-Lok 103 gegenüber 4 kg/kW bei entsprechenden Kommutatormotoren), wird auch bei den Triebköpfen der neuen ICE-Züge angewandt.

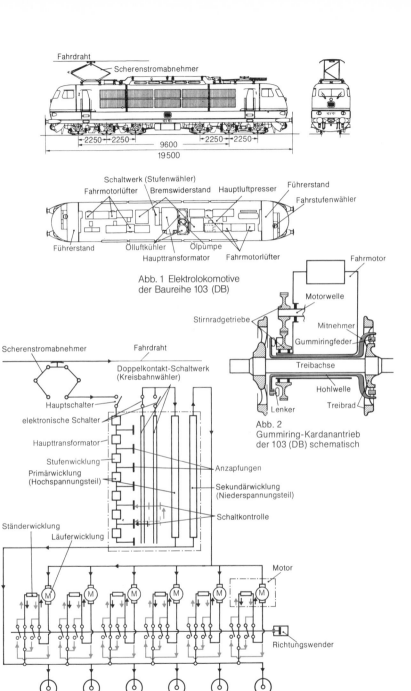

Fahrdraht
Scherenstromabnehmer

2250 2250 9600 2250 2250
19500

Schaltwerk (Stufenwähler)
Fahrmotorlüfter Bremswiderstand Hauptluftpresser Führerstand
Fahrstufenwähler
Führerstand Ölluftkühler Ölpumpe
Haupttransformator Fahrmotorlüfter

**Abb. 1 Elektrolokomotive
der Baureihe 103 (DB)**

Fahrmotor
Motorwelle
Stirnradgetriebe
Mitnehmer
Gummiringfeder
Treibachse
Hohlwelle
Lenker Treibrad

**Abb. 2
Gummiring-Kardanantrieb
der 103 (DB) schematisch**

Scherenstromabnehmer Fahrdraht
Doppelkontakt-Schaltwerk
(Kreisbahnwähler)
Hauptschalter
elektronische Schalter
Haupttransformator
Stufenwicklung
Primärwicklung Anzapfungen
(Hochspannungsteil)
Sekundärwicklung
(Niederspannungsteil)
Schaltkontrolle
Ständerwicklung
Läuferwicklung

Motor

Richtungswender

Treibrad Schiene

**Abb. 3
Prinzipschaltung**

Diesellokomotive

Die Diesellokomotive ist ein Triebfahrzeug, bei dem ein oder zwei Dieselmotoren die im mitgeführten Kraftstoff enthaltene chemische Energie über die Verbrennung in Zylindern in mechanische Arbeit umwandeln. Die Diesellokomotive wird auf nichtelektrifizierten Strecken eingesetzt und hat dort die Dampflokomotive verdrängt.

Mit Ausnahme der langsamfahrenden Rangierlokomotive sind alle Dieselmotoren der Deutschen Bundesbahn (DB) als zwei- bzw. dreiachsige Drehgestellmaschinen ausgeführt. Durch die Anordnung der Treibachsen in Drehgestellen lassen sich bessere Laufeigenschaften bei hoher Geschwindigkeit erzielen. Den prinzipiellen Aufbau der bei der DB im Reisezug- und mittleren Güterzugdienst häufig eingesetzten Diesellokomotive der Reihe 216 zeigt Abb. 1. Jeweils zwei Treibachsen sind in einem Drehgestell federnd angeordnet. Auf den beiden Drehgestellen stützt sich mit kräftigen Schraubenfedern brückenartig der Lokomotivaufbau ab. Die Schraubenfedern (Flexicoil) lassen bei Kurvenfahrt die gegenüber dem Lokomotivkasten auftretende Querbewegung der Drehgestelle zu. Die kraftschlüssige, jedoch die Schwenkbewegung zulassende Verbindung zwischen Drehgestell und Lokomotivrahmen stellt ein im Drehgestell tief angelenkter dornartiger Drehzapfen her. Stoßdämpfer, zwischen Drehgestell und Rahmen angeordnet, dämpfen senkrecht und quer verlaufende Schwingungen des Drehgestells.

Diesellokomotiven sind mit rasch laufenden, mittels Abgasturbolader aufgeladenen Dieselmotoren ausgerüstet, die bei kleinen Abmessungen eine hohe Leistung erreichen. Im Lokomotivrahmen der Diesellokomotive 216 der DB ist ein 16-Zylinder-4-Takt-Dieselmotor in V-Form eingebaut, der bei einer Drehzahl von 1500 U/min eine Leistung von 1400 kW (rund 1900 PS) entwickelt. Im Gegensatz zum Elektromotor oder zur Dampfmaschine läuft der Dieselmotor nicht unter Last an. Er entwickelt seine volle Leistung außerdem nur bei entsprechender Nenndrehzahl. Eine starre Verbindung zwischen Motor und den Treibachsen ist daher nicht möglich. Die Diesellokomotiven der DB sind (mit Ausnahme der Baureihe 202, die sich im Erprobungseinsatz befindet; Abb. 2) mit hydraulischer Kraftübertragung ausgerüstet *(dieselhydraulischer Antrieb)*. Bei der 216 ist etwa in Mitte des Fahrzeugrahmens ein hydrodynamisches Getriebe angeordnet und über eine Gelenkwelle kraftschlüssig mit der Antriebsmaschine verbunden. Die hydraulische Kupplung stellt die direkte Verbindung her. Bei Gangwechsel wird der hinzugeschaltete Wandler oder die Kupplung mit Hilfe der Füllpumpe mit Öl gefüllt, der abgeschaltete Teil von Öl entleert. Dem hydrodynamischen Getriebe sind ein mechanisches Wendegetriebe und zwei mechanische Stufengetriebe für Langsam- und Schnellfahrt nachgeschaltet. Die Abtriebsseite des Getriebes ist beidseitig über eine Gelenkwelle mit der jeweils nächstgelegenen Treibachse der beiden Drehgestelle kraftschlüssig verbunden.

Eine andere Möglichkeit der Kraftübertragung stellt der *dieselelektrische Antrieb* dar, der v. a. in den USA weite Verbreitung fand. Hierbei ist der Dieselmotor mechanisch mit einem Generator gekuppelt. Der von ihm erzeugte elektrische Strom treibt Elektromotoren an, die meist im Drehgestell elastisch aufgehängt sind und über ein Stirnradgetriebe das erforderliche Drehmoment auf die Treibachsen übertragen. Während bisher vorwiegend Gleichstrommotoren verwendet wurden, ermöglichte die moderne Leistungselektronik auch den Einsatz von Asynchron-Drehstrommotoren, die bei gleicher Leistung wesentlich kleiner und leichter gebaut werden können: Der vom Dieselmotor angetriebene Generator erzeugt Drehstrom einer bestimmten Frequenz, Halbleitergleichrichter wandeln ihn in Gleichstrom um, in Wechselrichtern entsteht hieraus der den Motoren zugeleitete Drehstrom (Abb. 3), dessen Spannung und Frequenz stufenlos den jeweils erforderlichen Bedürfnissen angepaßt werden können.

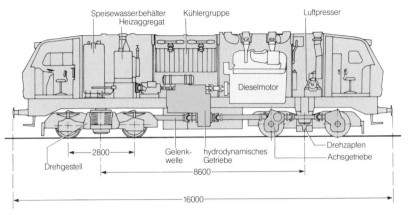

Abb. 1 Diesellokomotive der Baureihe 216 der DB mit dieselhydraulischem Antrieb (Maße in mm)

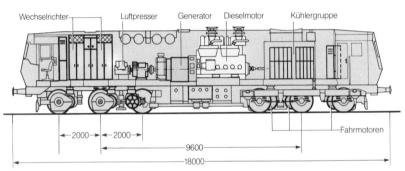

Abb. 2 Diesellokomotive der Baureihe 202 der DB mit dieselelektrischem Antrieb (Maße in mm)

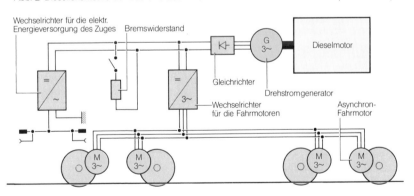

Abb. 3 Prinzipschaltbild eines dieselelektrischen Drehstromantriebs

Eisenbahnbremse I

Die einfachste Bremse ist die Hand-bremse. Sie dient als Feststellbremse abgestellter Fahrzeuge und wird mechanisch betätigt. Um fahrende Eisenbahnfahrzeuge abzubremsen, benutzt man Druckluft als Hilfskraft. Gelangt Druckluft in einen mit einem beweglichen Kolben abgeschlossenen Zylinder, so wird infolge des Bestrebens der Druckluft, sich auszudehnen, eine Kraft auf den Kolben ausgeübt und der Kolben bewegt. Bei der *Druckluftbremse* ist der Kolben über ein Hebelsystem mit den Bremsklötzen verbunden (Abb. 1). Eine im Bremszylinder angeordnete Druckfeder sorgt dafür, daß sich bei gelöster Bremse der Kolben in seiner Ausgangslage befindet und die Bremsklötze von den Radreifen abstehen.

Würde Druckluft direkt über ein Leitungssystem zum Bremszylinder jedes Fahrzeuges gelangen (direkte Bremse), so könnte bei einer Undichtigkeit die Bremsanlage des ganzen Zuges ausfallen. Dies wird bei der indirekten Bremse verhindert, bei der Druckabsenkung in der Luftleitung, die alle Fahrzeuge miteinander verbindet *(Hauptluftleitung),* die Bremsanlage jedes Fahrzeuges steuert. Hierzu ist in jedem Fahrzeug zusätzlich ein Steuerventil und ein Hilfsluftbehälter als Luftreservoir erforderlich (Abb. 2).

Auf dem Triebfahrzeug wird Druckluft von etwa 8 bar erzeugt und in zwei *Hauptluftbehältern* gespeichert. Im Führerstand der Lokomotive befindet sich als Regelorgan der Bremsanlage das Führerbremsventil, das die Druckluft von etwa 8 bar auf den Regelbetriebsdruck von 5 bar reduziert und der Hauptluftleitung zuführt. Die Hauptluftleitung der zusammengekuppelten Fahrzeuge ist durch mit Schnellkupplung versehene Druckschläuche verbunden. Bei gelöster Bremse besteht Druckausgleich zwischen Hauptluftleitung und *Hilfsluftbehälter.* Zum Auslösen der Bremse wird das Führerbremsventil betätigt, das die Verbindung zwischen Hauptluftbehälter und Hauptluftleitung unterbricht und aus letzterer Luft ins Freie entweichen läßt (Abb. 3).

Der Druck im Hilfsluftbehälter jedes Fahrzeuges übersteigt den der Hauptluftleitung. Dieser Druckunterschied schiebt den Kolben im Steuerventil nach oben. Der Kolben sperrt die Hauptluftleitung vom Hilfsluftbehälter ab und verbindet letzteren mit dem Bremszylinder, in den Druckluft einströmt. Sinkt während des Bremsvorganges der Druck im Hilfsluftbehälter unter den der Hauptluftleitung,

so bewegt sich der Kolben im Steuerventil etwas nach unten und sperrt die Luft im Bremszylinder ein (Bremsabschlußstellung, Abb. 4). Bei abermaliger Senkung des Druckes in der Hauptluftleitung wiederholt sich der beschriebene Bremsvorgang. Die Bremskraft wächst weiter an. Die stufenweise Erhöhung der Bremskraft durch stufenweise Drucksenkung in der Hauptluftleitung ist so lange möglich, bis in der Hauptluftleitung und im Hilfsluftbehälter derselbe Druck herrscht.

Der Bremsvorgang wird beendet, wenn durch entsprechende Stellung des Führerbremsventils wieder Druckluft aus dem Hauptluftbehälter in die Hauptluftleitung gelangt. Infolge des gegenüber dem Hilfsluftbehälter entstehenden Überdruckes fährt der Kolben im Steuerventil in seine untere Endlage (Abb. 2) und verbindet die Hauptluftleitung mit dem Hilfsluftbehälter, der aufgefüllt wird. Gleichzeitig entweicht die Preßluft aus dem Bremszylinder ins Freie. Dieser Lösevorgang der Bremse läßt sich nicht unterbrechen. Reicht die Zeit zwischen aufeinanderfolgenden Bremsungen nicht aus, um den Hilfsluftbehälter jeweils wieder aufzufüllen, so sinkt der Druck in diesem immer mehr ab, bis der Druck der Luft zum Bremsen nicht mehr ausreicht und die Bremse erschöpft ist.

Tritt eine Undichtigkeit in der Hauptluftleitung z. B. durch Platzen oder Abreißen des Druckschlauches ein, so bewirkt die durch die Entleerung der Hauptluftleitung eintretende Drucksenkung ein selbsttätiges Ansprechen der Bremse. In gleicher Weise wirkt die in jedem Fahrzeug zur Personenbeförderung vorgesehene Notbremse (Abb. 3).

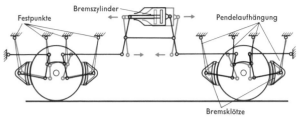

Abb. 1
Bremsgestänge (schematisch)

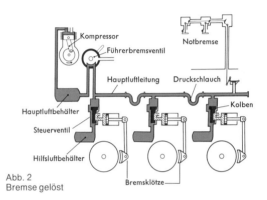

Abb. 2
Bremse gelöst

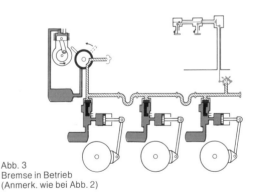

Abb. 3
Bremse in Betrieb
(Anmerk. wie bei Abb. 2)

Abb. 4
Steuerventil in Abschlußstellung
(schematisch)

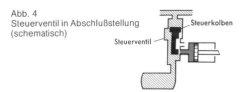

Eisenbahnbremse II

Die Wirkungsweise der Eisenbahnbremse wird im wesentlichen von der Ausführung des Steuerventils bestimmt. Das von der Firma Knorr entwickelte Steuerventil KE ist in verschiedenen Bauformen bei allen modernen Fahrzeugen der DB eingebaut. Es läßt das stufenweise Lösen der Bremse zu. Die damit ausgerüstete Bremsanlage ist unerschöpflich.

Das Steuerventil KE (Abb. 5) baut sich prinzipiell aus drei Elementen auf. Das Dreidruckventil läßt einen stufenweisen Druckanstieg oder eine stufenweise Drucksenkung in einem Zwischenbehälter C_v zu, dessen Druck das Relaisventil auf den Bremszylinder C überträgt. Das Dreidruck-Füllventil F bewirkt das Auffüllen des Vorratsluftbehälters R, wenn der Druck in diesem unter den der Hauptluftleitung L gesunken ist. Der Bremszylinder C ist drucklos, die Bremse gelöst, wenn der Druck in der Hauptluftleitung L 5 bar beträgt. Dieser Druck herrscht infolge des offenen Ventils 16 in der Steuerkammer A, die durch eine dichte, bewegliche Membran von der Kammer B getrennt ist. In dieser steht der gleiche Druck an. Der Dreidruckkolben 1 befindet sich in seiner unteren Lage. Da L-Druck über das offene Ventil 16 die Membran 22 des Dreidruck-Füllventils F beaufschlagt, befindet sich der Dreidruckkolben in seiner oberen Endlage. Der Hilfsluftbehälter R ist somit über das geöffnete Ventil 19 und über die Dichtklappe 21 des Füllventils F mit L-Druck beaufschlagt. R-Druck steht am geschlossenen Ventilteller 9 des Dreidruckventils und am geschlossenen Ventil 24 des Relaisventils an. Die Membran 26 befindet sich in ihrer unteren Endlage, wodurch C durch den offenen Auslaß 25 entlüftet ist.

Zum Auslösen der Bremse wird der L-Druck abgesenkt (Abb. 6). Auf die Membran 22 des Dreidruck-Füllventils F wirkt von unten nur noch der abgesenkte R-Druck (Ventil 16 ist zunächst noch offen), wodurch unter dem höheren R-Druck der Kolbensatz 20 von Federkraft unterstützt nach unten fährt. Die Verbindung zwischen R und L ist unterbrochen. Die Druckabnahme in L läßt ferner den Nadelkolben 16 a unter Federdruck nach oben gehen. Infolge des stark verengten Querschnitts der noch offenen Düse 16 kann sich der Druck in Kammer A nicht so schnell wie in Kammer B mit dem L-Druck ausgleichen. Unter dem höheren A-Druck geht der Kolben 1 des Steuerventils nach oben. Die entlastete Steuerhülse 4 schließt mit Federdruck Auslaß 3, und B-Luft kann über 5 (Ü-Kammer) der noch offenen Düse 13 a und Düse 13 ins Freie strömen. Durch die Drosselung von 1 a sinkt der B-Druck schnell ab, und der Kolben 1 fährt in die obere Endlage. Durch das Anheben der Ventilplatte 9 strömt R-Luft über Düse 10 in die C_v- und D-Kammer. Die Membran 26 des Relaisventils geht nach oben, wodurch Auslaß 25 schließt und R-Luft über 24 in den Bremszylinder C gelangt. Hat sich, nachdem Kolben 12 Auslaß 13 a verschlossen hat, der B-Druck mit L ausgeglichen, so sinkt unter dem auf Membran 7 einwirkenden C_v-Druck Kolben 1 etwas nach unten. Der Ventilteller 9 schließt, ohne daß Auslaß 8 öffnet (Abb. 7). Das Relaisventil schließt Einlaß 24, ohne Auslaß 25 zu öffnen, sobald der C-Druck dem C_v-Druck entspricht. Eine Abnahme des C_v-Druckes bzw. des Bremszylinderdruckes C hat denselben Effekt, als würde der L-Druck weiter abgesenkt. Die entsprechenden Kolben gehen infolge des gestörten Gleichgewichtes nach oben. R-Luft strömt so lange nach, bis der jeweilige Kolben wieder seine Abschlußstellung einnimmt. Sinkt der R-Druck unter den L-Druck, legt der höhere L-Druck die Membran 21 nach unten, öffnet den Einlaß, und L-Luft strömt über 19 a bis zum Druckausgleich nach R.

Zum stufenweisen Lösen der Bremse steigt der L-Druck und damit der Druck in Kammer B an. Der Kolben 1 geht aus der Abschlußstellung nach unten. Auslaß 8 öffnet, und C_v-Luft entweicht über 6 so lange ins Freie, bis der auf die Membran 2 und 7 einwirkenden Druckkräfte im Gleichgewicht sind, wodurch Kolben 1 etwas nach oben gleitet und Auslaß 8 schließt (Abb. 8).

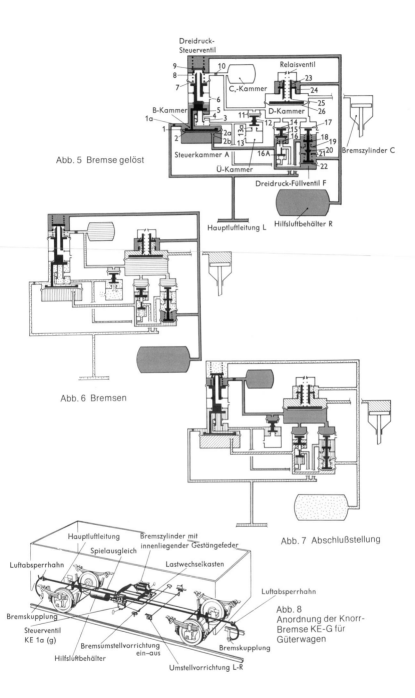

Abb. 5 Bremse gelöst

Dreidruck-Steuerventil

9
8
7
B-Kammer
1a
1
2

10
6
5
4
3
2a
2b
13
13a
11
12

Relaisventil
23
24
25
26

C_r-Kammer
D-Kammer

14
15
16
16A

17
18
19
20
21
22

Bremszylinder C

Steuerkammer A
Ü-Kammer

Dreidruck-Füllventil F

Hauptluftleitung L   Hilfsluftbehälter R

Abb. 6 Bremsen

Abb. 7 Abschlußstellung

Hauptluftleitung
Spielausgleich
Bremszylinder mit innenliegender Gestängefeder
Lastwechselkasten
Luftabsperrhahn

Luftabsperrhahn

Bremskupplung
Steuerventil KE 1a (g)
Bremsumstellvorrichtung ein–aus
Hilfsluftbehälter
Umstellvorrichtung L-R
Bremskupplung

Abb. 8
Anordnung der Knorr-Bremse KE-G für Güterwagen

Sicherheitseinrichtungen der Eisenbahn

Die *Sicherheitsfahrschaltung (Sifa)*, auch als Führerüberwachungseinrichtung oder Totmanneinrichtung bezeichnet, ist eine Sicherheitsanlage auf Triebfahrzeugen mit Einmannbetrieb, bei der die Dienstfähigkeit des Fahrzeugführers fortgesetzt überwacht wird. Hierzu muß der Fahrzeugführer eine Wachsamkeitstaste (Schaltknopf), einen Fußkontakt oder die Fahrkurbel herunterdrücken. Dadurch wird der Stromkreis zum Elektromagneten im Führerüberwachungsventil unterbrochen (Abb. 1). Wird durch Loslassen z. B. der Kurbel der Stromkreis geschlossen, so fließt der Strom durch die Wicklung des Elektromagneten im Führerüberwachungsventil. Die Wicklung des Elektromagneten zieht einen Eisenkern herab, der ein Ventil umschaltet, das die Verbindung zwischen Hauptluftbehälter und Führerbremsventil unterbricht. Gleichzeitig wird im Führerüberwachungsventil eine Öffnung freigegeben, durch die Druckluft aus der Hauptluftleitung entweichen kann. Infolge der Druckabsenkung in der Hauptluftleitung spricht die Bremse an. Damit die Sifa auch arbeitet, wenn im Ohnmachtsfall der Fahrzeugführer auf die Taste oder Kurbel fällt, weist die Sifa noch eine Wachsamkeitskontrolle auf. Dabei muß der Fahrzeugführer z. B. innerhalb von 30 s die Fahrkurbel oder Wachsamkeitstaste mindestens einmal für etwa 0,5 s loslassen. Geschieht dies nicht, dann leuchtet eine Meldelampe auf. Ist darauf die halbe Zeit (2,5 bis 3 s) bis zur Auslösung der Zwangsbremse abgelaufen, ertönt ein Summer. Mit dem Auslösen der Zwangsbremsung ist das Abschalten der Antriebe des Triebfahrzeuges verbunden.

Die *induktive Zugbeeinflussung (Indusi)* verhindert, daß durch Unachtsamkeit des Fahrzeugführers ein „Halt" zeigendes Signal überfahren wird. Die Indusi ist bei der Deutschen Bundesbahn auf allen Hauptstrecken eingesetzt. Sie arbeitet mit einem Drei-Frequenz-Wechselstrom-Resonanzsystem. Die mit Indusi ausgerüsteten Triebfahrzeuge sind mit einer meist kurz als Fahrzeugmagnet bezeichneten „Empfangsanlage" ausgestattet, die im wesentlichen einen Schwingkreis darstellt. Dieser ist auf die drei Frequenzen 500, 1 000 und 2 000 Hertz abgestimmt. Durch entsprechend abgestimmte Schwingkreise an der Strecke (Gleismagnet) kann der Empfangsanlage infolge Resonanz Energie entzogen werden. Bei 1 000 Hertz (Hz) wird am Vorsignal die Wachsamkeit des Fahrers geprüft (Abb. 2). Bei bestimmtem Abstand vor dem Haltsignal kontrolliert der 500-Hz-Schwingkreis die Fahrzeuggeschwindigkeit. Der am Hauptsignal angeordnete 2 000-Hz-Schwingkreis löst beim Überfahren eines „Halt" gebietenden Hauptsignales die Zugbremse aus.

Für den Schnellverkehr (über 160 km/h) ist eine weitere Sicherheitseinrichtung erforderlich, da Züge mit diesen Geschwindigkeiten nicht mehr innerhalb des normalen Bremsweges zwischen Vor- und Hauptsignal zum Stehen gebracht werden können. Dieses als *Linienzugbeeinflussung (LZB)* bezeichnete Sicherheitssystem ermöglicht u. a. die Übertragung von Informationen der Streckenzentrale an den Führer des Triebfahrzeugs, die ihm neben der jeweils gefahrenen Ist-Geschwindigkeit (V-ist) die Soll-Geschwindigkeit (V-soll) sowie die im weiteren Streckenverlauf (bis zu 5 000 m) zu erwartende Geschwindigkeit (V-Ziel) zur Anzeige bringt. Die Übermittlung dieser Informationen erfolgt in einer codierten Form über sogenannte Linienleiter, einadrige Kupferkabel, die als lange, alle 100 m gekreuzte Schleifen im Gleis verlegt sind. Die höchstens 12,7 km langen Linienleiterschleifen eines Bereichs reichen über mehrere Blockabschnitte und sind jeweils über Fernspeisegeräte (FSG) an eine Streckenzentrale angeschlossen. Die Aufnahme der Informationen erfolgt mit Hilfe von Koppelspulen, die an der Unterseite der Lokomotive angebracht sind; auf umgekehrtem Wege erfolgt eine Informationsübermittlung von der Lokomotive zur Streckenzentrale. Der jeweilige Fahrort eines Zuges wird der Zentrale durch Meldung des von der Zugspitze besetzten 100-m-Abschnittes (Grobort) übermittelt. Außerdem wird innerhalb eines 100-m-Abschnittes alle 12,5 m eine Feinortung durch Zählung der Radumdrehungen durchgeführt und der Zentrale gemeldet.

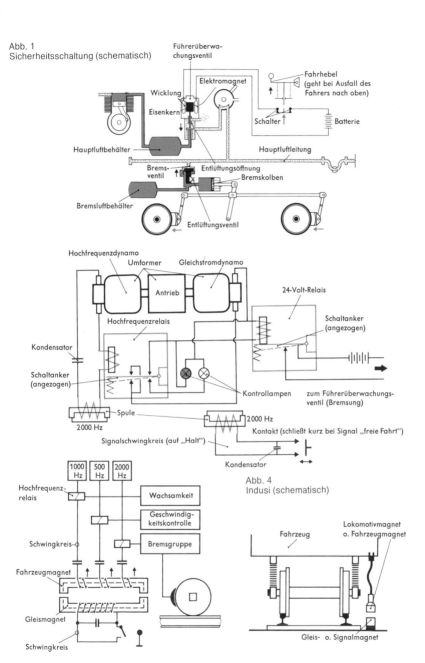

Abb. 1
Sicherheitsschaltung (schematisch)

Führerüberwachungsventil

Elektromagnet

Fahrhebel
(geht bei Ausfall des
Fahrers nach oben)

Wicklung

Eisenkern

Schalter

Batterie

Hauptluftbehälter

Hauptluftleitung

Bremsventil

Entlüftungsöffnung

Bremskolben

Bremsluftbehälter

Entlüftungsventil

Hochfrequenzdynamo

Umformer

Gleichstromdynamo

Antrieb

24-Volt-Relais

Schaltanker
(angezogen)

Hochfrequenzrelais

Kondensator

Schaltanker
(angezogen)

Kontrollampen

zum Führerüberwachungsventil (Bremsung)

Spule

2000 Hz

2000 Hz

Signalschwingkreis (auf „Halt")

Kontakt (schließt kurz bei Signal „freie Fahrt")

Kondensator

Abb. 4
Indusi (schematisch)

| 1000 Hz | 500 Hz | 2000 Hz |

Hochfrequenzrelais

Wachsamkeit

Geschwindigkeitskontrolle

Schwingkreis

Bremsgruppe

Fahrzeugmagnet

Gleismagnet

Schwingkreis

Abb. 2
Kontrollaufgaben und Funktion der Indusi

Fahrzeug

Lokomotivmagnet
o. Fahrzeugmagnet

Gleis- o. Signalmagnet

Abb. 3
Anordnung der Indusi

361

Stellwerk

Bevor ein Hauptsignal auf „Fahrt" gestellt werden kann, muß das Gleis frei und die Fahrstraße gesichert sein. Die Fahrstraße wird elektrisch „festgelegt" und erst nach Durchfahrt vom Zug selbsttätig „aufgelöst". Währenddessen können die verschlossenen Weichen und Flankenschutzsignale nicht gestellt werden. Bei Gleisbildstellwerken setzt sich jede Fahrstraße aus Teilfahrstraßen zusammen, die der Zug abschnittsweise auflöst. Bei *mechanischen Stellwerken* werden die Weichen und Signale von Hand gestellt, wobei die Stellhebel über einen doppelten Drahtzug mit dem Weichen- oder Signalbetrieb verbunden sind. Für eine gleichbleibende Drahtspannung sorgt ein gewichtsbelastetes Spannwerk (Abb. 1). Die Stellhebel für Weichen und Signale sind gemeinsam auf einer *Hebelbank* aufgereiht. Die *Blockeinrichtung,* mechanische Verschlüsse, die durch seitlich der Hebelbank untergebrachte Fahrstraßenhebel bewegt werden, verhindert das Bewegen der Stellhebel, solange die Weichen durch eine eingestellte Fahrstraße beansprucht sind. Auf dem Blockuntersatz sitzen die im Blockwerk zusammengefaßten Blockfelder, elektromechanische Verschlüsse, die nur von einer korrespondierenden Stelle aufgehoben werden können.

Drucktastenstellwerke (Dr-Stellwerke, Gleisbildstellwerke) erlauben als Relaisstellwerke, ohne mechanische Abhängigkeiten die Stellorgane (Drucktasten) im Gleisbild eines Stelltischs ihrer Lage im Gleisfeld entsprechend zu verteilen. Der Stelltisch besteht aus einheitlichen Tischfeldern, deren mosaikförmig zusammengesetzte Abdeckplatten das jeweilige Gleisbild ergeben (Abb. 2). Die Gleise werden durch schwarze Linienzüge dargestellt, in denen Drucktasten sitzen und (dem jeweiligen Betriebszustand entsprechend) farbig ausgeleuchtete Lichtschlitze verlaufen. Seitlich der Gleisachse sind die Signale dargestellt, deren Farbmelder die augenblickliche Signalanzeige wiedergeben. Bedient wird grundsätzlich durch zwei korrespondierende Tasten, um ein versehentliches Drücken einer einzelnen Taste unwirksam zu machen. Die wesentliche Bedienungsvereinfachung des Dr-Stellwerks liegt darin, daß ganze Fahrstraßen durch das gleichzeitige Betätigen der Starttaste (am Signal) und der Zieltaste (am Ende der Fahrstraße) eingestellt werden können. Am Farbwechsel der Ausleuchtung lassen sich die einzelnen Etappen der Fahrstraßenbildung verfolgen.

Ebenso werden die durch Lichtsperrsignale gesicherten Rangierstraßen eingestellt. Zum gelegentlichen Stellen einzelner Weichen, Kreuzungen usw. wird die entsprechende Weichentaste usw. mit einer außerhalb des Gleisbildes untergebrachten Weichengruppentaste bedient.

Bei umfangreichen Zentralstellwerken läßt sich anhand der Besetztanzeigen auf dem Stelltisch oder der Stelltafel nicht mehr allein ersehen, wo sich die einzelnen Züge befinden. Diesen Mangel beseitigt die optische *Zugnummernmeldung.* Der Gleisstreifen jedes Zuggleises enthält ein sechsstelliges Nummernfeld, das den im Gleis befindlichen Zug identifiziert. Die Zugnummer wandert, von Gleisschaltmitteln gesteuert, mit dem Zug durch den ganzen Stellbereich. Der *Zugnummerndrucker* registriert die Zugnummermeldung. Er druckt mit 16 Stellen je Zeile Zugnummer, Uhrzeit und Gleisbenutzung aus und dokumentiert so den Betriebsablauf.

Zur Frei- oder Besetztmeldung von Bahnhofs- und Streckengleisen und zur Ortung von Zügen dienen Gleisstrom- oder Achszählkreise. Die einzelnen Abschnitte werden durch Isolierstöße bzw. Achszähler begrenzt. Der *Gleisstromkreis* wird durch die Radachsen kurzgeschlossen, das Gleisrelais fällt ab und meldet den Abschnitt besetzt. Beim *Achszählkreis* wird der Zählmotor 1 des Motorzählwerks beim Befahren des Zählpunktes 1 je Achse um einen Schritt weitergeschaltet. Stimmt die Achszahl beim Zählpunkt 2 mit der beim Zählpunkt 1 überein, wird der Abschnitt als frei gemeldet (Abb. 3).

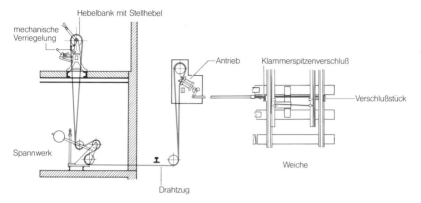

Abb. 1 Mechanisches Stellwerk

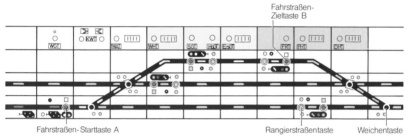

Abb. 2 Drucktastenstellwerk
Durch Betätigen der Fahrstraßen-Starttaste A und der Fahrstraßen-Zieltaste B ist die durch weiße Lichtschlitze gekennzeichnete Fahrstraße eingestellt. Rote Lichtschlitze (links unten) kennzeichnen einen besetzten Gleisabschnitt. Die oberen Felder des Stelltisches enthalten (von links nach rechts): Weichengruppentaste (WGT), Kreuzungswahltaste (KWT), Weichenauffahrtaste (WAT), Weichenhilfs-taste (WHT), Signalgruppentaste (SGT), Haltgruppentaste (HaGT), Ersatzsignalgruppentaste (ErsGT), Fahrstraßenrücknahmetaste (FRT), Fahrstraßenhilfstaste (FHT) und Durchrutschweghilfstaste (DHT)

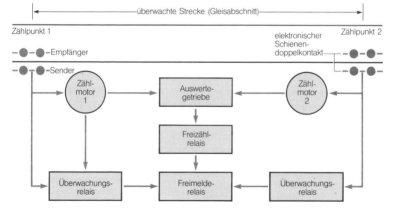

Abb. 3 Achszählkreis mit Motorzählwerk

363

Seilbahnen

Der gebräuchlichste Bergbahntyp ist die *Seilschwebebahn* oder *Luftseilbahn* (Abb. 1). Sie fährt auf einem Tragseil, das in der Bergstation verankert ist und in der Talstation durch ein Gewicht gespannt wird. Zwei Tragseile laufen parallel von der Berg- zur Talstation, so daß beim Zweigondelbetrieb jede Gondel ein Tragseil besitzt. Dieses Zweiseilsystem ist allgemein üblich; in flacherem Gelände werden auch mehr als zwei Gondeln eingesetzt, die dann hintereinander auf einem endlosen, umlaufenden Seil angebracht sind. Masten stützen die beiden Tragseile ab. Sie müssen so hoch sein, daß die Kabine nicht (z. B. durch vorspringende Felsen) gefährdet wird.

Die Kabinen (Abb. 2 und 3) hängen an einer Laufkatze; sie sind beweglich gelagert, so daß sie immer senkrecht hängen, unabhängig von der Neigung der Tragseile. Die Laufkatze besteht aus einer Anzahl Seilrollen, die gelenkig miteinander verbunden sind. Dadurch wird ein weicheres Passieren der Stützen erreicht (Abb. 3). Beim Zweigondelbetrieb sind die Laufkatzen der beiden Gondeln mit einem Zugseil fest verbunden. Das Zugseil wird von einer Seilrolle in der Talstation angetrieben und in der Bergstation durch Seilrollen umgelenkt. Die Seilrolle ist mit ihrem gesamten Antrieb, der durch einen Elektromotor über ein Getriebe erfolgt, beweglich gelagert und spannt das Zugseil über das Gegengewicht. Beide Gondeln sind an das umlaufende Zugseil gekoppelt; wird das Zugseil in Bewegung gesetzt, fahren die Gondeln in der Berg- bzw. Talstation gleichzeitig ab.

Die Seilbahn besitzt eine Sicherheitseinrichtung (Fangbremse), die beim Reißen des Zugseiles automatisch betätigt wird (Abb. 4). Dabei wird die Laufkatze am Tragseil durch eine Vorrichtung festgeklammert, so daß die Gondel unbeweglich stehenbleibt. Die Fahrgäste der Gondel können dann ohne Gefahr abgeseilt werden. Seilbahnen mit großer Geländehöhe besitzen außerdem ein Hilfsseil; wenn das Zugseil reißt, klemmt sich das Laufwerk der Gondel an dem Hilfsseil selbsttätig fest, und die Gondel kann in die Station eingeholt werden.

Sesselbahnen sind Einzelumlaufbahnen, bei denen die Sessel am Tragseil festgeklammert sind. Das Tragseil dient gleichzeitig als endloses Förderseil, die Sessel werden in der Station bei Fahrt bestiegen oder verlassen. *Skischlepplifte* sind wie die Sesselbahnen konstruiert, nur befinden sich an der Stelle der Sessel an gekröpften Bügeln Schleppseile.

Zu den Seilbahnen werden auch schienengebundene Bergbahnen gerechnet, sofern sie durch ein Zugseil bewegt werden (sogenannte *Standseilbahnen*). Sie verkehren meist mit nur zwei Wagen auf einer eingleisigen Strecke. In der Mitte der Strecke befindet sich eine „Ausweiche", an der beide Wagen aufgrund der unterschiedlichen Konstruktion der jeweils linken bzw. rechten Räder (doppelter Spurkranz nach Art einer Seilrolle auf der einen Seite, einfache Walzenräder ohne Spurkranz auf der anderen Seite) ohne Weichenumstellung aneinander vorbeigeführt werden. Beide Wagen sind am Zugseil befestigt, das von der Bergstation aus angetrieben wird. Das Zugseil wird über Rollen zwischen den Schienen geführt.

Eine weitere Seilbahnart stellen die v. a. zur Güterförderung eingesetzten *Seilhängebahnen* dar. Die Wagen oder Kübel hängen an Laufrollen, die wie bei der Seilschwebebahn durch ein umlaufendes Zugseil bewegt werden, jedoch statt auf einem Tragseil auf einer Schiene abrollen.

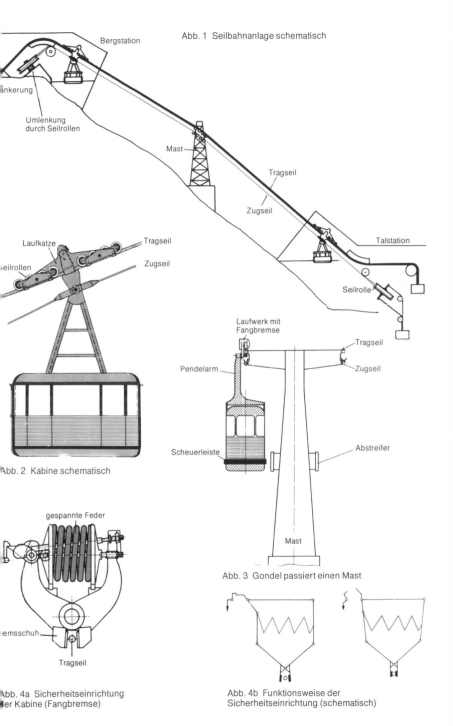

Abb. 1 Seilbahnanlage schematisch

Bergstation

Ankerung

Umlenkung
durch Seilrollen

Mast

Tragseil

Zugseil

Talstation

Seilrolle

Laufkatze

Tragseil

Seilrollen

Zugseil

Abb. 2 Kabine schematisch

Laufwerk mit
Fangbremse

Pendelarm

Tragseil

Zugseil

Scheuerleiste

Abstreifer

Mast

Abb. 3 Gondel passiert einen Mast

gespannte Feder

Bremsschuh

Tragseil

Abb. 4a Sicherheitseinrichtung
der Kabine (Fangbremse)

Abb. 4b Funktionsweise der
Sicherheitseinrichtung (schematisch)

365

Kabinenbahn

Die Konzeption aller Kabinenbahnsysteme hat die Bedienung des öffentlichen Personennahverkehrs von Siedlungsgebieten von Mittelstadtgröße (unter 100 000 Einwohner) zum Ziele. Deren Verkehrsbedürfnisse sind gekennzeichnet durch Reiseweiten bis rund 4 km, kleinere Haltestellenabstände als 600 m und eine tägliche Leistung von 1 000 bis 5 000 Personen je Richtung. Vorgeschlagen werden Klein- und Großkabinensysteme. Zu den ersteren gehört das von der Arbeitsgemeinschaft Demag & MBB entwickelte „Cabinentaxi". Die 2,5 m langen Fahrzeuge haben 2–3 Sitzplätze. Es könnten allerdings aus ihren Bauelementen auch Großkabinen mit 6 bis 24 Plätzen entwickelt werden. Die Fahrbahnen können für eine Stand- oder eine Hängebahn, aber auch für beide Bahnformen zugleich gestaltet werden (Abb. 1). Zum Tragen werden vollgummibereifte Räder mit Trommelbremsen verwendet, und als Antrieb dienen je Bahnform zwei Linearmotoren mit einer Leistung von jeweils 5 kW. Räder mit Vollgummibandagen führen die Fahrzeuge entlang besonderer Führungsschienen. Im Weichenbereich lenken zusätzliche Räder über spezielle Leitschienen in die gewünschte Fahrtrichtung. Die Weichen sind somit formschlüssig und passiv. Die Betriebsgeschwindigkeit beträgt 36 km/h. Als Fahrwerkträger dient ein biege- und torsionssteifes Kastenträgerprofil aus Stahl. Geeignete konstruktive Maßnahmen und eine besondere Beschichtung schützen gegen Dröhnen und Korrosion. Wünschenswert ist wegen systembedingter, gegebenenfalls bei Stauungen notwendig werdender Umwegfahrten ein dichtes Streckennetz. Ein solches hat aber auch den Vorteil, daß die Fußwege zu den Haltestellen kurz sind. In der Regel sind die Fahrwege aufgeständert, sie können aber auch unterirdisch angelegt werden. Die Trassierungsgrundsätze sind wegen der Abstützung der Fahrzeuge auf zwei Trageschienen vergleichbar mit denen der Eisenbahn, haben aber zuletzt wegen der Verwendung des Linearmotorantriebs eine andere Größenordnung: Der kleinste Bogenhalbmesser beträgt 30 m. Als Übergangsbogen zwischen Gerader und Bogen sowie zwischen verschiedenen Kreisbögen wird eine Klothoide gewählt. Die Überhöhung für den Bogen mit einem Halbmesser von 30 m beträgt 8,7 % (5°). Schließlich gestattet vor allem die größte zulässige Längsneigung von 10 %, bei Geschwindigkeitsminderung sogar bis 15 %, eine vorteilhafte Anpassung an die städtebaulichen Erfordernisse. Die Haltestellen sind off-line angeordnet, d. h., ihre Bahnsteigfahrbahn liegt neben der durchgehenden Fahrbahn. Damit wird erreicht, daß die Fahrzeuge ohne Zwischenhalt ihr Ziel erreichen können. Der Raumbedarf (Abb. 2) für eine Haltestelle ist bestimmt durch eine je nach Verkehrsaufkommen unterschiedliche Zahl von Fahrzeugstellplätzen und durch die für das Bremsen und Beschleunigen sowie das Aus- und Einfädeln der Fahrzeuge erforderlichen Weglängen. Die Gesamtlänge einer Haltestelle von Weiche bis Weiche beträgt somit ca. 100 m. Der Breitenbedarf einer Haltestelle von 5–7 m erscheint demgegenüber als gering. Der Einsatz und der Laufweg der Fahrzeuge werden automatisch von einem zentralen Netzregler gesteuert. Die Abstände der Fahrzeuge werden durch Abstandsmessung zum vorausfahrenden Fahrzeug geregelt und betragen bei Schrittgeschwindigkeit rund 2,5 m, bei 36 km/h rund 14 m. Die Ein- und Ausfädelung an Netzverzweigungen und in den Haltestellen werden durch örtliche Einrichtungen geregelt. Die theoretisch maximale Streckenleistungsfähigkeit bei maximaler Betriebsgeschwindigkeit beträgt wenig mehr als 3 000 Fahrzeuge je Stunde. Das heißt, unter Berücksichtigung von 20 % Leerfahrten, einer durchschnittlichen Besetzung der Fahrzeuge mit 1,2 Personen und einer 80 %igen Verwirklichung der theoretischen maximalen Streckenleistung kann mit einer Verkehrsleistung von 2 500 bis 3 000 Personen je Stunde gerechnet werden. Die gesetzten Ziele, daß die Fahrgäste vor Antritt der Fahrt praktisch nicht zu warten brauchen, immer in einem geräuscharmen Fahrzeug sitzen können, nicht umsteigen müssen und schließlich nahezu individuell fahren können, werden vom „Cabinentaxi" erfüllt und rechtfertigen seinen Namen.

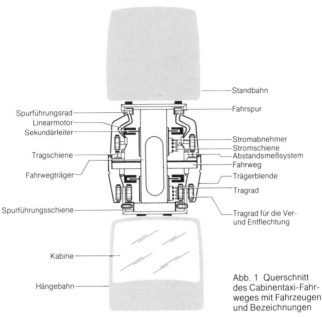

Standbahn
Fahrspur
Spurführungsrad
Linearmotor
Sekundärleiter
Stromabnehmer
Stromschiene
Abstandsmeßsystem
Tragschiene
Fahrweg
Fahrwegträger
Trägerblende
Tragrad
Spurführungsschiene
Tragrad für die Ver-
und Entflechtung
Kabine
Hängebahn

Abb. 1 Querschnitt
des Cabinentaxi-Fahr-
weges mit Fahrzeugen
und Bezeichnungen

Abb. 2 Abmessungen einer Off-line-Haltestelle

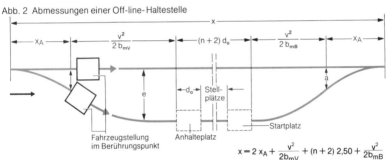

x_A

$\dfrac{v^2}{2\,b_{mV}}$

$(n+2)\,d_o$

$\dfrac{v^2}{2\,b_{mB}}$

x_A

e

a

d_o

Stell-
plätze

Startplatz

Fahrzeugstellung
im Berührungspunkt

Anhalteplatz

$$x = 2\,x_A + \frac{v^2}{2b_{mV}} + (n+2)\,2{,}50 + \frac{v^2}{2b_{mB}}$$

$b_{mV}=$	über dem Bremsweg gemittelte Verzögerung,
$b_{mB}=$	über dem Beschleunigungsweg gemittelte Beschleunigung.
$x \triangleq$	Fahrweglänge für eine Haltestelle
$x_A \triangleq$	Trennstrecke
$a = 1{,}94\ \text{m} \triangleq$	Abstand der Fahrwegmittellinien im Berührungspunkt
$e = 2{,}94\ \text{m} \triangleq$	Abstand der Fahrwegmittellinien bei Parallellage von Hauptstrecke und Stationsstrecke
$d_o = 2{,}50\ \text{m} \triangleq$	Stellplatzlänge
$n \triangleq$	Anzahl der Stellplätze
$v =$	Geschwindigkeit

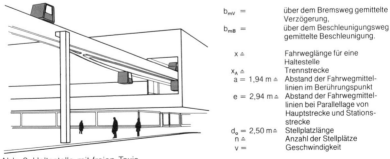

Abb. 3 Haltestelle mit freien Taxis

Magnetschwebebahn

Die Entwicklung einer Magnetschwebebahn wird mit dem zu erwartenden Bedürfnis nach einem sehr schnellen und dabei umweltfreundlichen Bodenverkehrsmittel begründet. Die Höchstgeschwindigkeit soll 400–500 km/h betragen. Dieses Ziel und die Forderung nach einem hohen Automatisierungsgrad können nur mit einem spurgeführten Verkehrsmittel verwirklicht und sollen mit Hilfe berührungsfreier Trag- und Führungstechniken erreicht werden. Die Erprobung der Luftkissentechnik wurde in Deutschland nach eingehender Analyse im wesentlichen aus wirtschaftlichen Erwägungen eingestellt. Zur Diskussion standen noch das *elektrodynamische Schwebesystem (EDS)* und das *elektromagnetische Schwebesystem (EMS)*. Beim EDS wird das physikalische Prinzip genutzt, daß elektrische Ströme in elektrischen Leitern, hier den Schienen des Fahrwegs, erzeugt werden, wenn Magnetfelder, hier befinden sie sich im Fahrzeug, darüber bewegt werden. Die erzeugten Ströme bauen wiederum Magnetfelder auf, die den erzeugenden Magnetfeldern entgegengerichtet sind, so daß zwischen Fahrzeug und Fahrweg abstoßende Reaktionskräfte auftreten und die Fahrzeuge somit schweben (Abb. 1). Voraussetzung für das Schweben ist allerdings eine bestimmte Mindestgeschwindigkeit. Die Fahrzeuge müssen daher vor und nach dem „magnetischen Fliegen" auf Rädern fahren. Diesem für die Mechanik konstruktiven Nachteil steht der regelungstechnische Vorteil gegenüber, daß sich das Schweben nach Höhe und Seite selbst stabilisiert (Luftspalt ca. 10 cm). Die Magnetfeldstärken müssen außerordentlich groß sein; sie sind nur mit Hilfe supraleitender Magnetspulen zu erreichen, wozu die Spulen auf eine Temperatur von $-265\,°C$ bis $-270\,°C$ gekühlt werden müssen. Hierzu bedient man sich eines Verfahrens, bei dem unterkühltes Helium in einem Zwangsumlaufverfahren den supraleitenden Magneten umströmt.

Die Arbeitsweise des elektromagnetischen Schwebesystems EMS besteht darin, daß Elektromagnete am Fahrzeug Anzugskräfte auf die Ankerschiene am Fahrweg nach Höhe und Seite ausüben (Abb. 2). Zum einwandfreien Tragen und Führen müssen die Magnete am Fahrzeug so geregelt werden, daß laufend ein Gleichgewicht zwischen den Anziehungskräften und den senkrechten sowie den seitlichen Fahrzeugkräften und damit ein Luftspalt von 1–2 cm hergestellt wird.

Schwebende Fahrzeuge sollen natürlich auch berührungsfrei angetrieben werden. Propeller- oder Strahltriebwerke scheiden allein schon wegen der Umweltbeeinträchtigung aus. Die Forschungsträger haben sich daher auf die Entwicklung des *Linearmotors* (linearer Induktionsmotor, LIM) konzentriert. Das physikalische Prinzip des LIM ist das gleiche wie das des rotierenden Elektromotors. Dieser ist sozusagen aufgeschnitten und in die „Linie" gelegt. Ist der Primärteil des Motors (sozusagen der Stator) im Fahrzeug und die Reaktionsschiene (sozusagen der Rotor) in der Fahrbahn angeordnet, spricht man von einem Kurzstatormotor, bei umgekehrter Anordnung analog vom Langstatormotor (Abb. 3). Die Grundtypen der Linearmotoren können wie beim Rotationsmotor als Synchron-, Asynchron- und Gleichstrommotoren in einseitiger und zweiseitiger Bauweise ausgeführt werden. Die Stromzuführung zum Fahrzeug ist problematisch, weil sie für sehr hohe Geschwindigkeiten ausgelegt sein muß. Kontaktbehaftete Stromübertragungseinrichtungen zum Fahrzeug können jedoch bei Anwendung eines synchronen Langstatorantriebs vermieden werden. Dieses Prinzip wurde bei dem deutschen *Transrapid-Konzept* in der Versuchsanlage im Emsland realisiert (Abb. 4): Der ferromagnetische Stator mit der dreiphasigen Wicklung ist am Fahrweg befestigt, der Erregerteil am Fahrzeug.

Für die Sicherung und Betriebssteuerung des Verkehrssystems gelten die gleichen Grundsätze wie für die schienengebundene Eisenbahn. Gebremst wird im Normalbetrieb mit dem Linearmotor; für den Notfall, z. B. bei Stromausfall, müssen Notlauf- und Notbremseinrichtungen, z. B. Gleitkufen, vorgesehen werden.

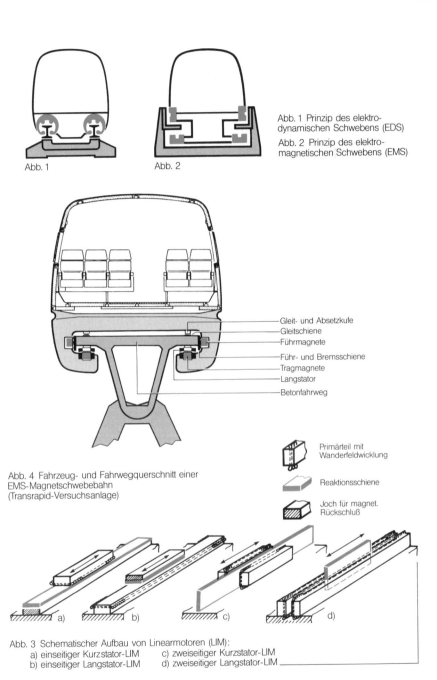

Abb. 1 Prinzip des elektrodynamischen Schwebens (EDS)

Abb. 2 Prinzip des elektromagnetischen Schwebens (EMS)

Abb. 1

Abb. 2

Gleit- und Absetzkufe
Gleitschiene
Führmagnete
Führ- und Bremsschiene
Tragmagnete
Langstator
Betonfahrweg

Abb. 4 Fahrzeug- und Fahrwegquerschnitt einer
EMS-Magnetschwebebahn
(Transrapid-Versuchsanlage)

Primärteil mit
Wanderfeldwicklung

Reaktionsschiene

Joch für magnet.
Rückschluß

a)   b)   c)   d)

Abb. 3 Schematischer Aufbau von Linearmotoren (LIM):
a) einseitiger Kurzstator-LIM   c) zweiseitiger Kurzstator-LIM
b) einseitiger Langstator-LIM   d) zweiseitiger Langstator-LIM

369

Warum ein Schiff schwimmt

Grundlage der Schwimmfähigkeit eines Schiffes ist das *Archimedische Prinzip*. Nach diesem Prinzip wird jeder Körper, der in eine Flüssigkeit getaucht wird, um so viel leichter, wie die von ihm verdrängte Flüssigkeitsmenge wiegt. Taucht man z. B. einen massiven Würfel aus Aluminium, der gerade einen Liter (= 1 dm³) Rauminhalt hat und daher 2,7 kg wiegt, in Wasser ein (Abb. 1), so wiegt er nur noch 1,7 kg. Der Aluminiumwürfel ist, da er 1 Liter Wasser verdrängt, um das Gewicht 1 kg der von ihm verdrängten Wassermenge leichter geworden. Auf ihn wirkt also eine in ihrer Richtung der Schwerkraft entgegengesetzte (gewichtsmindernde) Kraft, die Auftriebskraft F_A. Während die betragsmäßig durch sein Gewicht G gegebene Gewichtskraft F_G in seinem Schwerpunkt S angreift und senkrecht nach unten wirkt, greift diese senkrecht nach oben wirkende, wie jede Kraft in Newton (N) gemessene Auftriebskraft (kurz: Auftrieb) am *Formschwerpunkt* S_F des Volumens an, das von dem in die Flüssigkeit eintauchenden Körper eingenommen wird und gleich dem Volumen V der verdrängten Flüssigkeitsmenge ist. Sie wird betragsmäßig durch $F_A = V \cdot \varrho \cdot g$ gegeben, wobei ϱ die Dichte (= Quotient aus Masse und Volumen) der verdrängten Flüssigkeit und $g = 9,81$ m/s² die Normfallbeschleunigung ist. Kann ein Körper bei restlosem Untertauchen mehr Flüssigkeit verdrängen, als er selbst wiegt, so wird er nur so tief in die Flüssigkeit eintauchen, bis der entstehende Auftrieb betragsmäßig gleich seinem Gewicht ist. Ein Würfel aus Holz, der bei einem Liter Rauminhalt etwa 0,8 kg wiegt, taucht so weit ins Wasser ein, bis er 0,8 Liter, d. h. 0,8 kg Wasser verdrängt hat (Abb. 2). Die restlichen 0,2 Liter Holz tauchen nicht ein, weil schon vorher Gleichgewicht zwischen dem Eigengewicht und dem Auftrieb besteht; man sagt in diesem Fall: der Körper schwimmt. Nun besitzt Holz eine kleinere Dichte als Wasser und schwimmt; Metall und andere Stoffe dagegen haben eine größere Dichte und gehen unter. Damit ein eisernes Schiff schwimmt, muß sein Inneres sehr viel Luftraum enthalten, so daß seine durchschnittliche Dichte geringer wird als die des Wassers. Ein Schiff muß jedoch zusätzlich noch die Eigenschaft besitzen, sich aus einer Seitwärtsneigung (*Krängung;* Abb. 3 a), in die es z. B. durch horizontal angreifende äußere Einwirkungen (vor allem Seegang, Wind) gerät, oder sich aus einer Neigung um die Querachse

(*Trimmung* oder *Trimm;* Abb. 3 b) wieder aufrichten zu können (*Quer-* bzw. *Längsstabilität*). Beim Wiederaufrichten bekommt es so viel Schwung, daß es sich über seine Normallage hinweg in die entgegengesetzte Richtung neigt, sich erneut aufrichtet und so fort. Das Schiff wird daher vor allem in Fahrt sich abwechselnd nach beiden Seiten um seine Längsachse drehen (*schlingern* oder *rollen*), sein Vor- und Achterschiff abwechselnd heben und senken (*stampfen*) bzw. abwechselnd nach beiden Seiten aus der Fahrtrichtung herausdrehen (*gieren*).

Soll ein Schiff bei Krängung nicht kentern, d. h. seitlich umkippen, so muß eine gute Querstabilität gewährleistet sein. Abb. 4 a zeigt das Schiff in seiner Normallage. Die betragsmäßig durch sein Gewicht G gegebene Gewichtskraft F_G greift am Schwerpunkt S des Schiffes an, die Auftriebskraft F_A hingegen am Formschwerpunkt S_F der verdrängten Wassermenge. In der Normallage liegen beide üblicherweise übereinander in der Mittschiffsebene (Abb. 4 a). Krängt ein Schiff (Abb. 4 b und 4 c), so verlagert sich der Formschwerpunkt entsprechend der neuen Unterwasserform an eine andere Stelle (S'_F). Die nunmehr hier angreifende Auftriebskraft F_A bildet zusammen mit der Gewichtskraft F_G ein Kräftepaar bzw. Drehmoment, das das Schiff um seine durch den Schwerpunkt gehende Längsachse zu drehen sucht. Auftriebs- und Gewichtskraft liefern ein wiederaufrichtendes Drehmoment (sog. *Stabilitätsmoment*), so lange der als *Metazentrum* bezeichnete Schnittpunkt M der Wirkungslinie der Auftriebskraft mit der Mittschiffsebene oberhalb des Schiffsschwerpunktes S liegt (Abb. 4 b). Das Schiff richtet sich dann wieder auf, die Schwimmlage ist *stabil*. Gerät aber das Metazentrum bei zu starker Krängung oder zu hoch liegendem Schwerpunkt (z. B. bei zu schwerer Decksladung, Abb. 4 c) unterhalb des Schwerpunktes S, so wirkt das von Auftriebs- und Gewichtskraft gebildete Kräftepaar nicht mehr aufrichtend, sondern verstärkt die Krängung: Die Schiffslage wird immer instabiler, und es kommt zum Kentern des Schiffes.

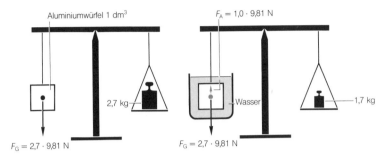

Abb. 1 Archimedisches Prinzip:
Gewichtsverminderung eines in Wasser eingetauchten Körpers
durch den Auftrieb

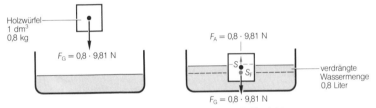

Abb. 2 Schwimmen: Ein Körper schwimmt, wenn sein Gewicht
gleich dem Gewicht der von ihm verdrängten Wassermenge ist

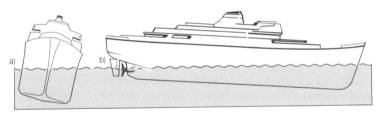

Abb. 3 Schiffsneigungen: a) seitliche Neigung (Krängung),
b) Neigung in Längsrichtung (Trimmung oder Trimm)

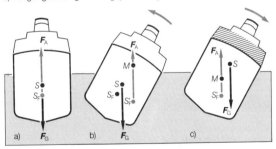

Abb. 4 Querstabilität
und Kentern eines
Schiffes

Schiffsstabilisierung

Schiffe führen unter dem Einfluß des Seegangs und des Windes mehr oder weniger schwingende, zum Teil aber auch ganz unregelmäßige Bewegungen um ihre durch den jeweiligen Fahrtzustand gegebene Lage aus (Abb. 1). Neben den als *Schnellen, Ausbrechen (Versetzen)* und *Tauchen* bezeichneten Längs-, Quer- und Vertikalbewegungen sind dies Drehbewegungen um die Längsachse *(Schlingern oder Rollen)*, um die Querachse *(Stampfen)* und um die Vertikalachse *(Gieren)*.

Die *Schlingerbewegung,* die von Besatzung und Passagieren unangenehm empfunden wird und hinsichtlich der Stauung des Ladeguts besondere Anforderungen stellt, beruht auf dem Gegeneinanderwirken des durch Seegang und Wind verursachten krängenden Moments (sog. *Wellenmoment)* und des wiederaufrichtenden *Stabilitätsmoments* des Schiffes, hervorgerufen durch das bei Krängung entstehende, von Gewichts- und Auftriebskraft gebildete Kräftepaar (vgl. S. 370). Der Dämpfung bzw. Reduzierung dieser Schlingerbewegung dienen die *Schlingerdämpfungsanlagen,* die entweder passiv wirken, d. h., die eingetretene Schiffsbewegung löst Wirkung der Dämpfungsanlage aus, oder die aktiv arbeiten, d. h., mit einer vorprogrammierten Steuerung werden die Dämpfungsanlagen so gesteuert, daß störendes Moment und Gegenmoment gleichzeitig wirksam werden. Zwar stellen insbesondere die Wellenmomente keinen absolut regelmäßig verlaufenden Einfluß dar, doch können durch die Bemessung und Einregulierung aktivierter Dämpfungsanlagen die Schlingerbewegungen um 75 % und mehr reduziert werden.

Die einfachste Form einer Schlingerdämpfungseinrichtung bilden die *Schlingerkiele* (Abb. 2). Sie sind seitlich am Schiff angeordnet und reichen über etwa 30–50 % der Schiffslänge. Mit den quer zur Schlingerbewegung stehenden Flächen ergeben sie einen erheblichen Widerstand gegenüber dem umgebenden Wasser. Ihre Wirkung ist vor allem von der Schiffsgeschwindigkeit abhängig; daneben bewirken sie aber auch einen nicht unerheblichen Fahrwiderstand und verringern damit die Schiffsgeschwindigkeit. Außer den durchlaufenden Schlingerkielen finden sich auch solche, die mehrfach unterteilt sind, meist stromlinienförmigen Querschnitt haben und darum einen geringeren Einfluß auf die Geschwindigkeit ausüben.

Schlingertanks (Abb. 3) sind an beiden Schiffsseiten angeordnet, durch zwei Leitungen miteinander verbunden und etwa zur Hälfte mit Wasser, Öl oder dergleichen gefüllt. Die untere Leitung ermöglicht das Überströmen des Wassers von der austauchenden Schiffsseite auf die eintauchende Seite, während die obere Leitung dem Luftausgleich zwischen den Tanks dient. Die obere Leitung enthält ein Drosselventil, das entsprechend den Schlingereigenschaften eingestellt ist und daher das Überströmen des Wassers reguliert. Durch diese feste Einstellung ist die Anlage nur in einem begrenzten Bereich der Schlingerbewegung wirklich effektvoll. Wirkungsvoller arbeiten *aktivierte Schlingertanks,* bei denen der Wasserstrom im Wasserkanal bzw. der Luftstrom im Luftkanal mit Hilfe kreiselgesteuerter Pumpen bzw. Gebläse je nach Bedarf automatisch geregelt werden kann.

Schlingerkreisel (Abb. 4) sind in Ausnutzung der Eigenschaft des schnellaufenden Kreisels, seine Achse raumfest zu halten, benutzt worden, um Schiffe zu stabilisieren *(Schlickscher Schiffskreisel).* Um einen wirkungsvollen Stabilisierkreisel zu erhalten, mußte er sehr groß und schwer sein. Dies ergab aber wiederum bei der durch die Schlingerbewegung ausgelösten Achsenänderung sehr große und auf einen begrenzten Teil der Schiffskonstruktion wirkende Kräfte, so daß von einer allgemeinen Einführung Abstand genommen wurde.

Häufiger angewandt wird die *Flossenstabilisierung* (Abb. 5), bei der auf beiden Seiten des Schiffes, etwa in Mitte Schiff liegend, Flossen angeordnet sind, die sich (gegensinnig) um ihre Achse drehen lassen. Durch unterschiedliche (positive bzw. negative) Anstellwinkel gegenüber der Wasserströmung bei Fahrt ergibt sich ein Drehmoment um die Schlingerachse, das durch geeignete Steuerung dem jeweiligen Wellenmoment automatisch entgegenwirkt.

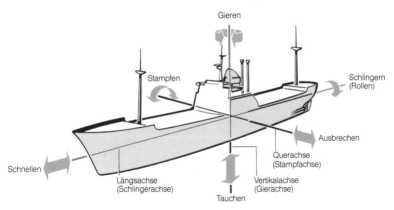

Abb. 1 Schiffsachsen und Bewegungsarten
eines Schiffes

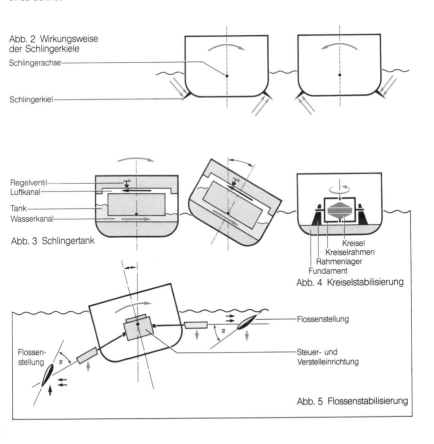

Abb. 2 Wirkungsweise
der Schlingerkiele

Schlingerachse

Schlingerkiel

Regelventil
Luftkanal
Tank
Wasserkanal

Abb. 3 Schlingertank

Kreisel
Kreiselrahmen
Rahmenlager
Fundament
Abb. 4 Kreiselstabilisierung

Flossenstellung

Flossen-
stellung

Steuer- und
Verstelleinrichtung

Abb. 5 Flossenstabilisierung

Voith-Schneider-Propeller

Zum Antrieb und besseren Manövrieren von Binnenfahrgastschiffen, von Fähren, Schleppern und Schubbooten, von Schwimmkranen, Tonnenlegern und anderen Spezialfahrzeugen wird häufig der *Voith-Schneider-Propeller (Flügelradpropeller)* verwendet. Er ist (ausgenommen bei Verwendung als Bugruder) am Schiffsheck an einer zum Schiffsboden senkrechten Welle angebracht und besteht aus einem bündig in den Schiffsboden eingelassenen, maschinell über eine Längswelle und Kegelradgetriebe in Rotation versetzten *Laufrad,* das mit vier, fünf oder sechs nach unten stehenden Flügeln versehen ist (Abb. 1). Jeder dieser aus dem Schiffsboden herausragenden, ein tragflächenförmiges Profil aufweisenden *Spatenflügel* kann für sich selbst um eine eigene Achse (die zur Hauptdrehachse des Laufrades parallel liegt) geschwenkt werden. Soll der Propeller bei seiner Drehung einen Schub auf das Schiff ausüben, so muß er das Wasser in der Richtung beschleunigen bzw. eine Kraft auf das Wasser in der Richtung ausüben, die der gewünschten Schubrichtung entgegengesetzt liegt. Erreicht wird dies durch entsprechendes Anstellen der Flügel gegenüber der Tangente an die Kreisbahn, auf der sich die Flügelmitten bewegen. Würden alle Flügel denselben Anstellwinkel bekommen, so würden sich jedoch die an jedem Flügel entstehenden Kräfte in ihrer Gesamtheit aufheben, der Propeller würde keinen Schub erzeugen. Es muß vielmehr der Anstellwinkel jedes Flügels, während er seine Drehbewegung mit dem Laufrad ausführt, dauernd geändert werden, d. h., jeder Flügel muß während jeder Laufradumdrehung eine Schwingbewegung um seine eigene Achse ausführen.

In der Abb. 2 nehmen die Flügel eine Stellung ein, in der sie bei der eingezeichneten Drehrichtung des Laufrades das Wasser in der rot gekennzeichneten Richtung aus dem Propeller drücken, wodurch ein Schub in Pfeilrichtung ausgeübt wird. Es ist erkennbar, daß dazu die Flügel, solange sie den in Schubrichtung liegenden (im Bild oben befindlichen) Halbkreis des Laufrades durchlaufen, mit ihrer Vorderkante nach außen geschwenkt werden müssen. Nur im Augenblick des Übergangs vom oberen zum unteren Halbkreis und umgekehrt ist die Flügelstellung tangential zur Kreisbahn. Der jeweilige Anstellwinkel der Flügel ist dann richtig, wenn sich alle Senkrechten auf den Flügelmitten in einem gemeinsamen Punkt N

schneiden. Von der Lage dieses Punktes N in bezug auf die Hauptdrehachse O des Laufrades und vom Drehsinn des Laufrades (der übrigens immer gleichbleibt) hängt es ab, welche Schubrichtung sich einstellt. Aus der Abb. 2 ist zu ersehen, daß der Anstellwinkel während der Drehung des Laufrades dauernd verändert werden muß, damit die Senkrechte auf den Flügelmitten dauernd durch den gleichbleibenden Punkt N geht. Die Schubrichtung bleibt ja nur dann gleich, wenn sich auch die Lage des Punktes N nicht verändert, obwohl sich das Laufrad dreht. In den Abb. 3 a und 3 b ist die Lage von N in bezug auf O gegenüber der Abb. 2 verändert. Ist N wie in Abb. 3 a in den linken oberen Viertelkreis verschoben, so ergibt dies bei der eingezeichneten Drehrichtung des Laufrades Wasseraustritt nach links unten und Schub nach rechts oben. Bei Lage des Punktes N im linken unteren Viertelkreis wie in Abb. 3 b und der gleichen Drehrichtung wie in der Abb. 3 a entsteht Wasseraustritt nach rechts unten und damit Schub nach links oben. Der Voith-Schneider-Propeller ist also auch zum Steuern zu gebrauchen. Abb. 4 zeigt schematisch, wie der Steuerpunkt N mit Hilfe von Servomotoren verschoben werden kann.

Abb. 5 zeigt einen Mechanismus für die Flügelverstellung: In der Mitte des Laufrades befindet sich die Steuerscheibe S (schwarz schraffiert), die an der Drehung des Laufrades teilnimmt. An ihr sind die Lenker L angebracht, die in drehbar gelagerten Gleitsteinen geführt sind. Die Koppelstangen K verbinden die Lenker L mit den Hebeln H, die mit den Flügeln verbunden sind. In die Mittelbohrung M der Steuerscheibe greift von oben ein Bolzen ein, der die Mittelbohrung der Steuerscheibe auch bei Drehung derselben an dem gezeichneten Ort M festhält. Es drehen sich daher alle schwarz gezeichneten Teile um die Hauptdrehachse O. Die Steuerscheibe dagegen dreht sich – mitgenommen von der durch den Bolzen B mit dem Laufrad gekoppelten Steuergabel – um den Punkt M. Dadurch erzeugen die rot gezeichneten Teile die Schwenkbewegung der Flügel.

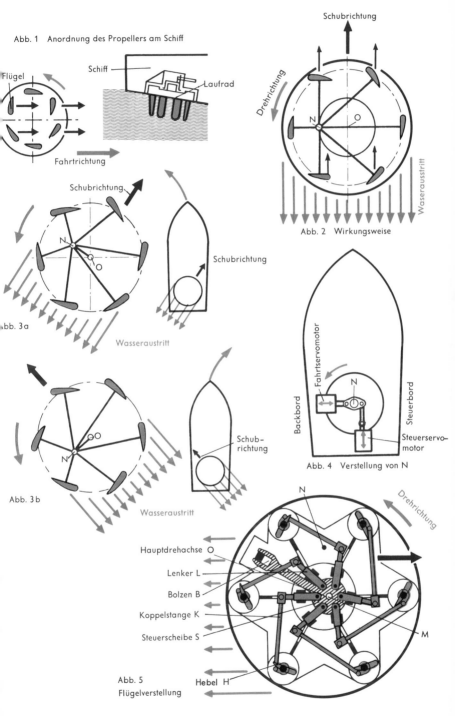

Abb. 1 Anordnung des Propellers am Schiff

Flügel

Schiff

Laufrad

Fahrtrichtung

Schubrichtung

Drehrichtung

N

O

Wasseraustritt

Abb. 2 Wirkungsweise

Schubrichtung

N

O

Schubrichtung

Abb. 3a

Wasseraustritt

Backbord

Fahrtservomotor

N

Steuerbord

Steuerservomotor

Abb. 4 Verstellung von N

Schub-richtung

N

O

Abb. 3b

Wasseraustritt

N

Drehrichtung

Hauptdrehachse O

Lenker L

Bolzen B

Koppelstange K

Steuerscheibe S

M

Abb. 5
Flügelverstellung

Hebel H

375

Navigation I

Unter Navigation versteht man die Standort- bzw. Kursbestimmung von See- und Luftfahrzeugen (vgl. S. 402), allgemeiner die Führung eines solchen Fahrzeugs von einem Ausgangsort A auf einem möglichst optimalen Wege zu einem Zielort B. In der *Schiffsnavigation* wählt man als geplanten Kurs von A nach B entweder die *Orthodrome*, d.h. den *Großkreis* als die kürzeste Verbindung (Großkreisnavigation), oder die *Loxodrome*, die sog. *Kursgleiche* (Abb. 1 a). Letztere schneidet die Längenkreise stets unter dem gleichen Winkel und erscheint daher in Karten mit Mercatorprojektion als gerade Linie (Abb. 1 b), was die Navigation vereinfacht. Allerdings ist sie stets länger als die Orthodrome. Der Standort wird in der Regel als Schnittpunkt zweier oder mehrerer Standlinien gefunden. Diese werden durch Anpeilen terrestrischer oder astronomischer Festpunkte ermittelt. Auf hoher See ist das Schiff auf Astro-, Funkpeil- oder/und Koppelnavigation angewiesen, sofern es nicht (wie moderne Großschiffe) mit Anlagen zur Satellitennavigation bzw. (wie Atom-U-Boote) mit Trägheitsnavigationssystemen ausgerüstet ist.

In der terrestrischen, küstennahen Navigation sind die Festpunkte: markante Landmarken, Seezeichen in Form von Tonnen, Bojen und Baken, Feuerschiffe und Leuchttürme, deren Leuchtzeichen (Feuer) durch bestimmte Hell-Dunkel-Frequenzen (Kennung) ihrer Identifizierung dienen. – Um den Schiffsstandort S zu bestimmen, wird z.B. der Horizontalwinkel α mit dem Sextanten oder Peilkompaß gemessen, unter dem die beiden Festpunkte A und B erscheinen (Abb. 2). Denkt man sich α als spitzen Peripheriewinkel ($α < 90°$) über der Sehne AB eines (unbekannten) Kreises durch A und B, so kann man mit Hilfe der in Abb. 2 gezeigten Konstruktion den Kreis durch A, B und S zeichnen. Dieser Kreis ist jedoch nur eine Standlinie. Nimmt man einen dritten Festpunkt C zu Hilfe und mißt einen weiteren Winkel β bezüglich A (oder auch B), so kann man einen weiteren Kreis als Standlinie konstruieren. Der Schnittpunkt der beiden Kreise ist der Standort (Abb. 3). – Für $α > 90°$ hat der auf der anderen Seite der Sehne anzutragende Winkel γ den Wert $γ = α - 90°$.

Die Bedeutung dieser Navigationsmethode liegt in ihrer hohen Genauigkeit und in der Unabhängigkeit vom Kompaß. Nimmt man den Kompaß zu Hilfe, bestimmt also beispielsweise auch den Winkel zwischen einem Festpunkt und der Nordrichtung, so ergeben sich einfachere Konstruktionen.

Bei der *astronomischen Navigation (Astronavigation)* werden Gestirne bzw. die Sonne als Festpunkte herangezogen. Das Anpeilen eines Sterns mit dem Sextanten liefert unter Zuhilfenahme von Tabellenwerken eine sogenannte Höhengleiche als Standlinie (Abb. 4). Das Anpeilen eines zweiten Sterns liefert eine zweite Höhengleiche, die die erste in zwei Punkten schneidet. Diese beiden Schnittpunkte sind mögliche Standorte. Die Entscheidung, welches der richtige Standort ist, kann durch Ermittlung einer dritten Höhengleichen erfolgen.

Bei der *Funknavigation* hat man als Bezugspunkte Funkfeuer, deren geographische Lage, Art und Kennung in Tabellenwerken angegeben ist. Diese Funkfeuer kann man mit dem Sichtfunkpeiler und anderen Antennen einpeilen; die Schnittpunkte der Peillinien ergeben den Schiffsort. Bei den *Hyperbelnavigationsverfahren* ergeben die sich überlagernden radialsymmetrischen Ausstrahlungen jeweils zweier fester Sender hyperbelförmige, in Spezial-Seekarten eingezeichnete Standlinien (Abb. 5), auf denen entweder die Phasendifferenzen (beim *Decca-* und *Omega-Verfahren*) oder die Laufzeitdifferenzen (beim *Loran-Verfahren*) der Funksignale konstante Werte haben. Einpeilen der Sender sowie Messen und Auswerten der Phasen- bzw. Laufzeitdifferenzen erfolgen heute weitgehend automatisch.

Bei der *Koppelnavigation* wird der Schiffsort aus den zurückgelegten, durch Geschwindigkeits- und Richtungsmessungen (mit Log und Kompaß) bestimmten Strecken berechnet, wobei Abdrift durch Strom und Wind berücksichtigt und zur Kontrolle die in der Seekarte angegebene Tiefe am so ermittelten Koppelort mit der durch Echolotungen erhaltenen Meerestiefe verglichen wird.

Die *Satellitennavigation*, die auf hoher See zunehmend an Bedeutung gewinnt, arbeitet mit speziellen Navigationssatelliten, die in regelmäßigen Abständen ihre korrekten Bahndaten und ein Zeitsignal abstrahlen. Mit Hilfe eines Bordrechners sind Positionsbestimmungen möglich, die allen traditionellen Navigationsverfahren überlegen sind.

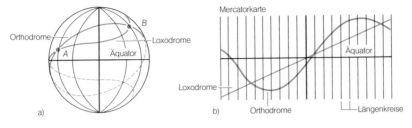

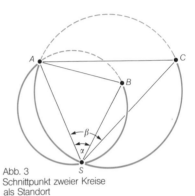

Abb. 1 Orthodrome (Großkreis) und Loxodrome (Kursgleiche). Verlauf auf der Erdkugel (a) und auf einer Mercatorkarte (b)

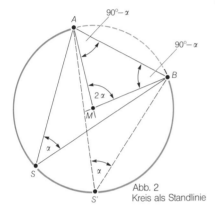

Abb. 2
Kreis als Standlinie

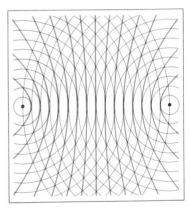

Abb. 3
Schnittpunkt zweier Kreise als Standort

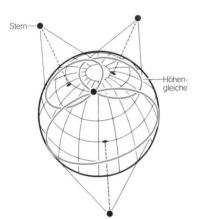

Abb. 4 Prinzip der Astronavigation

Abb. 5 Hyperbelförmige Standlinien des Loran-Verfahrens

Navigation II

Die Navigation im Küstenbereich, auf dem Wege vom Hafen zur freien See und umgekehrt (sog. *Reviernavigation*), in Flußmündungen, Gebieten starker Gezeitenströmung u. a. erfordert besondere externe Hilfsmittel, die *Seezeichen*. Sie dienen der Markierung des Fahrwassers, der Warnung vor Untiefen, Schiffahrtshindernissen, gesperrten Seegebieten u. a. Man unterscheidet feste Seezeichen und schwimmende Seezeichen. *Feste Seezeichen* sind Baken (kleine, turmartige Holz- oder Stahlkonstruktionen an Land oder im flachen Wasser), Pricken (kleine Baumstämmchen mit Ästen, die zur Bezeichnung kleiner Nebenfahrwasser in den flachen Grund gebracht werden), Stangen (Spieren) und die an der Küste oder in flachem Gewässer errichteten Leuchttürme. Zu den *schwimmenden Seezeichen* gehören Tonnen unterschiedlicher Form (Spitz-, Stumpf-, Faß-, Kugeltonnen u. a.), die häufig durch auf ihnen angebrachte Toppzeichen (z. B. Zylinder, Kegel, Ball, Kreuz) besonders gekennzeichnet sind, und die Feuerschiffe. Um auch bei Nacht und schlechter Sicht die Reviernavigation zu ermöglichen, wird die Betonnung meist durch eine *Befeuerung* (Ausrüstung mit Leuchtfeuern), häufig auch durch eine Ausrüstung mit Radarreflektoren ergänzt.

Man unterscheidet fünf Kategorien von Seezeichen: laterale Zeichen und kardinale Zeichen, Einzelgefahrzeichen, Mitte-Fahrwasser-Zeichen und Sonderzeichen. Ihre Ausführung und Bedeutung ist nach den Grundsätzen des Internationalen Verbandes der Seezeichenverwaltungen (IALA) festgelegt. Die zur Kennzeichnung der Fahrwasserseiten dienenden *lateralen Zeichen* unterscheiden sich in den Betonnungsregionen A (Europa, Afrika, Asien [außer Korea, Japan und den Philippinen] und Australien) und B (Nord- und Südamerika, Korea, Japan und Philippinen) in der Farbe: In der Region A, also auch im deutschen Küstenbereich werden die Farben Rot und Grün bei Tag und Nacht zur Kennzeichnung der Backbord- bzw. Steuerbordseiten vom Fahrwasser verwendet, wobei man einer „festgelegten Betonnungsrichtung" folgt, in der Region B im umgekehrten Sinne, (Rot für Steuerbord, Grün für Backbord). *Kardinale Zeichen* zeigen an, daß sich das tiefste Wasser in dem betreffenden Gebiet an der Seite des Zeichens befindet, nach der es benannt ist (Nord-, Ost-, Süd-, Westzeichen; vgl. Abb.).

Einzelgefahrzeichen werden an einer Gefahrenstelle von geringer Ausdehnung ausgelegt, die von tiefem Wasser umgeben ist. Sie tragen auffällige Doppelball-Toppzeichen.

Mitte-Fahrwasser-Zeichen zeigen tiefes Fahrwasser an und werden zur Kennzeichnung der Fahrwassermitte oder einer Ansteuerungsrichtung verwendet.

Die (in der gegenüberliegenden Tafel nicht dargestellten) *Sonderzeichen* dienen zur Kennzeichnung besonderer Gebiete oder Punkte, über die in den jeweiligen nautischen Veröffentlichungen Näheres ausgeführt ist, z. B. Baggerschüttstellen, Kabel, Rohrleitungen oder militärische Übungsgebiete. Die Sonderzeichen können beliebige Form haben, sie sind jedoch stets gelb und tragen (falls erforderlich) als Toppzeichen ein liegendes gelbes Kreuz. Auch die Befeuerung ist gelb.

Während die Farbe der Befeuerung der Seezeichen in bestimmter Weise festgelegt ist, ist ihre *Kennung* (die Aufeinanderfolge von Helligkeit und Dunkelheit) vielfach recht unterschiedlich. Dadurch wird es möglich, ein bestimmtes Seezeichen zu identifizieren und damit die eigene Position zu bestimmen. Grundsätzlich unterscheidet man (neben den *Festfeuern*, die ihr Licht ohne Unterbrechung mit gleichbleibender Stärke abstrahlen): *unterbrochene Feuer* (Abkürzung: Ubr.), bei denen die Lichtscheindauer länger als die dazwischenliegende Dunkelheit ist, *Gleichtaktfeuer* (Glt.), bei denen Lichtschein und Dunkelheit jeweils gleiche Dauer haben, *Blinkfeuer* (Blk.), die mindestens zwei Sekunden lang Licht abstrahlen und dann über einen merklich längeren Zeitraum dunkel sind, *Blitzfeuer* (Blz.), die kurze Lichtblitze von weniger als zwei Sekunden Dauer abstrahlen, *Funkelfeuer* (Fkl.), die 50 oder 60 Blitze pro Minute abstrahlen, und *schnelle Funkelfeuer* (SFkl.) mit 100 oder 120 Blitzen pro Minute. Werden die Lichtblitze von einer Dunkelperiode unterbrochen, spricht man von einem *unterbrochenen Funkelfeuer* (Fkl. unt.). Eine genauere Kennung ergibt sich durch die Zusammenfassung bzw. Gliederung der einzelnen Lichtimpulse („Takt"). So können z. B. drei Blitze unmittelbar aufeinander folgen, bevor eine längere Dunkelperiode folgt (*Blitzgruppenfeuer;* Kennzeichnung in Seekarten: Blz. (3)), oder die Lichtzeichen in Form eines bestimmten Buchstabens nach dem Morsecode abgestrahlt werden, z. B. kurz–lang = A (Kennzeichnung: Mo. (A)).

laterale Zeichen

(dienen der Bezeichnung der Backbordseite und der Steuerbordseite eines Fahrwassers in festgelegter Betonnungsrichtung)

Backbordseite

Steuerbordseite

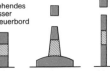

Farbe: rot
Form (Tonnen): zylindrisch, Bake oder Spiere
Toppzeichen (wenn erforderlich): ein roter Zylinder
Leuchtfeuer (wenn vorhanden): Farbe rot, Kennung beliebig (Ausnahme: Fahrwassergabelung)

Farbe: grün
Form (Tonnen): kegelförmig, Bake oder Spiere
Toppzeichen (wenn erforderlich): ein grüner Kegel, Spitze oben
Leuchtfeuer (wenn vorhanden): Farbe grün, Kennung beliebig (Ausnahme: Fahrwassergabelung)

laterale Zeichen am Anfang einer Fahrwassergabelung in festgelegter Betonnungsrichtung

durchgehendes Fahrwasser nach Steuerbord

durchgehendes Fahrwasser nach Backbord

Farbe: rot mit einem breiten waagerechten grünen Band
Leuchtfeuer (wenn vorhanden): Farbe rot,
Kennung:

Farbe: grün mit einem breiten waagerechten roten Band
Leuchtfeuer (wenn vorhanden): Farbe grün,
Kennung:

kardinale Zeichen

(zeigen die Passierseite des Bezugobjektes in Kompaßrichtung an)

Form: Bake oder Spiere
Toppzeichen: zwei schwarze Kegel übereinander
Leuchtfeuer (wenn vorhanden): Farbe weiß,
Kennung: unterschiedliche Funkelfeuer

Nord
  Toppzeichen: Spitze oben
  Tonnenfarbe: schwarz über gelb

Süd
  Toppzeichen: Spitze unten
  Tonnenfarbe: gelb über schwarz

Ost
  Toppzeichen: Spitzen voneinander
  Tonnenfarbe: schwarz mit einem breiten waagerechten gelben Band

West
  Toppzeichen: Spitzen zueinander
  Tonnenfarbe: gelb mit einem breiten waagerechten schwarzen Band

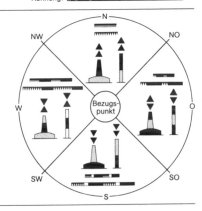

Einzelgefahrzeichen

Farbe: schwarz mit einem oder mehreren breiten, waagerechten roten Bändern
Form: beliebig, jedoch nicht im Widerspruch zu lateralen Zeichen
Toppzeichen: zwei schwarze Bälle übereinander
Leuchtfeuer (wenn vorhanden): Farbe weiß,

Kennung:

Mitte-Fahrwasser-Zeichen

Farbe: rote und weiße senkrechte Streifen
Form: Kugel; Bake oder Spiere mit Balltoppzeichen
Toppzeichen (wenn erforderlich): ein roter Ball
Leuchtfeuer (wenn vorhanden): Farbe weiß

Kennung:

Navigation III

Navigationshilfsmittel sind das *Schiffs-chronometer,* eine sehr genau gehende Uhr, deren Ganggenauigkeit nach Zeitzeichen von Funkstellen kontrolliert und korrigiert wird; der *Kompaß* (heute meist Kreiselkompaß mit Tochterkompassen). Nach dem Kompaß bzw. seiner „Brückentochter" wird das Schiff von Hand oder durch Selbststeuerautomaten gesteuert. Die Kursangaben erfolgen nach den Einteilungen der Kompaß- oder Windrose. Auf die Brückentochter kann ein Peildiopter aufgesetzt werden, so daß ein auf das angepeilte Objekt gerichteter Peilstrich in die Kompaßrose eingespiegelt wird und die Richtung zu diesem (nordbezogen) abgelesen werden kann. Diese mit Kursdreieck und Koppellineal in Gegenrichtung vom Peilobjekt aus in die Seekarte eingetragen, ergibt eine Standlinie. Durch eine zweite oder die vom Radar gemessene Entfernung erhält man den Schiffsort.

In der *Seekarte* sind alle zur sicheren Navigation notwendigen und hilfreichen Angaben zu finden: Landmarken, Seezeichen mit Kennungen, Un- und Meerestiefen, Bodenbeschaffenheit, Gefahrenstellen und ähnliches. Diese Angaben werden ergänzt durch *Seehandbücher* mit Hinweisen und Skizzen von Küstenformationen und Häfen, Gezeiten- und Stromatlanten und durch von dazu beauftragten Instituten (Deutsches Hydrographisches Institut, DHI) periodisch herausgegebene „Nachrichten für Seefahrer" sowie Funkwarnmeldungen von Seefunkstellen.

Der *Sextant* ist eines der ältesten Navigationshilfsmittel, dessen grundsätzliche Wirkungsweise aus Abb. 4 hervorgeht. Durch einen zur Hälfte versilberten Spiegel und durch das Loch in einem Diopter visiert der Beobachter einen Stern an. Diesen bringt er durch Verstellen eines drehbaren Spiegels unter Reflexion des Lichtstrahles am versilberten Teil des ersten Spiegels mit dem Horizont zur Deckung. Der Winkel zwischen beiden läßt sich auf der 60°-Einteilung (daher der Name Sextant) an der Stellung des Dreharmes mit dem beweglichen Spiegel ablesen. Aus dem Vergleich des vorberechneten Orts des Sternes mit dem gemessenen und der Messung eines zweiten Sternes erhält man durch den Schnittpunkt beider Standlinien den Schiffsort.

Das *Log,* zur Messung der Schiffsgeschwindigkeit durch das Wasser, in Form des Patentlogs (Abb. 5), bei dem eine im Wasser nachgeschleppte kleine Schraube ihre Umdrehungen über eine biegsame Welle auf ein Zifferblatt überträgt, von dem die Geschwindigkeit abgelesen werden kann, ist heute meist ersetzt durch den Staudruckmesser (Abb. 6). Er besteht aus einem Rohr, das vorn und an den Seiten Öffnungen besitzt. Der in der aus der Abb. ersichtlichen Weise gemessene Druckunterschied ist dem Quadrat der Fahrgeschwindigkeit proportional. Extrem genaue Geschwindigkeitsmessungen (0,2 bis 0,5%) bei Seetiefen bis 200 m ermöglicht das *Doppler-Log,* das den Doppler-Effekt von Langwellen ausnutzt. Es wird v. a. von Großtankern zur Bestimmung von geringen Geschwindigkeiten (z. B. bei Einfahrten in Häfen) verwendet.

Verschiedene *Funkmeßgeräte* wie Funkpeiler, Loran-, Omega-, Deccageräte dienen, je moderner, desto mehr automatisiert, der Standortbestimmung. Eines der wichtigsten ist das *Radargerät* (Abb. 7), das auf einer Braunschen Röhre (Sichtscheibe, Scope) die Umgebung des Schiffes sichtbar werden läßt und so auch bei Dunkelheit oder Nebel Landmarken oder Seezeichen (vor allem, wenn diese mit Radarreflektoren versehen sind), Schiffe oder sonstige Hindernisse sichtbar macht. Das Radarbild kann nordbezogen sein, mit dem eigenen Schiff in der Bildmitte oder auch dezentriert, es kann aber auch in „True motion" gefahren werden, wobei Eigenkurs und -fahrt in das Radarbild einbezogen werden.

Das *Lot* gibt es heute praktisch nur noch in der Form des *Echolotes.* Es dient der Feststellung der Meerestiefe. Eine Ausführungsform zeigt Abb. 8. Am Boden des Schiffes sind Schallsender und -empfänger so angebracht, daß nur der vom Meeresboden reflektierte Schall den Empfänger treffen kann. Die Laufzeit des Schalles zum Meeresboden und zurück wird gemessen bzw. auf einer Papierrolle aufgezeichnet (Echograph), von der man, wegen der bekannten Schallgeschwindigkeit im Wasser (ca. 1 500 m/s), die Meerestiefe ablesen kann. Für normale Echolote benutzt man Ultraschall (ca. 20 000 Hz), während für Tiefseelotungen Hörschall (ca. 3 600 Hz) bevorzugt wird.

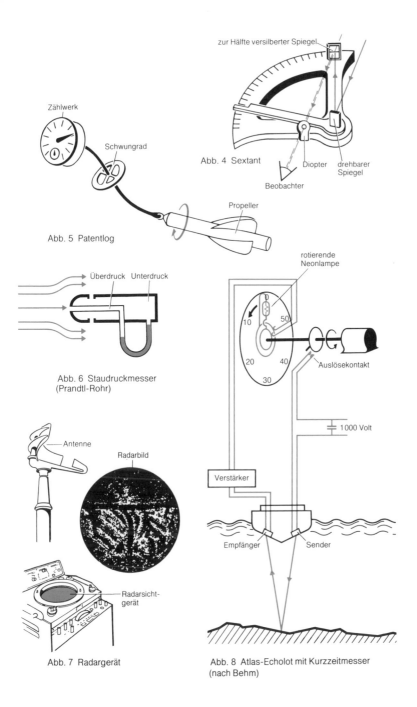

Zählwerk

Schwungrad

Abb. 4 Sextant

zur Hälfte versilberter Spiegel

Diopter   drehbarer Spiegel

Beobachter

Propeller

Abb. 5 Patentlog

Überdruck   Unterdruck

Abb. 6 Staudruckmesser
(Prandtl-Rohr)

rotierende Neonlampe

10   50

20   40

30

Auslösekontakt

1000 Volt

Verstärker

Antenne

Radarbild

Radarsicht-
gerät

Empfänger   Sender

Abb. 7 Radargerät

Abb. 8 Atlas-Echolot mit Kurzzeitmesser
(nach Behm)

381

Kompaß

Trotz der Entwicklung moderner Funknavigationsverfahren gehört der Kompaß auch heute noch zur Grundausrüstung aller Luft- und Wasserfahrzeuge. Er ermöglicht die Bestimmung der Nordrichtung und damit des eigenen Kurses bezüglich dieser Richtung. – Der einfache *Magnetkompaß* nutzt die Richtwirkung, die das Magnetfeld der Erde auf einen kleinen, leicht drehbar gelagerten Magneten, die Magnetnadel, ausübt. Die Magnetnadel stellt sich dabei so ein, daß sie mit der einen Spitze (dem Nordpol) nach Norden zeigt. Meist ist sie verdeckt unterhalb der mit ihr verbundenen Kompaßrose (mit Angaben der Himmelsrichtungen und Gradeinteilung) angebracht, die sich als Ganzes gegenüber dem sogenannten Steuerstrich an der Vorderseite des Kompaßgehäuses drehen kann und das direkte Ablesen des Steuerkurses gestattet.

Das erdmagnetische Feld ähnelt dem eines Stabmagneten, dessen Achse um etwa 13° gegen die Rotationsachse der Erde (Erdachse) geneigt ist (Abb. 1). Die magnetischen Pole fallen also nicht mit dem geographischen Nordpol und Südpol der Erde zusammen. Die Magnetnadel zeigt daher auch nicht in die Richtung des geographischen Nordpols („*rechtweisend Nord*", Abkürzung rwN), sondern in die Richtung des nördlichen Magnetpols. Hinzu kommt, daß auch diese Richtung nicht exakt angezeigt wird: Die auftretende „*Mißweisung" (Deklination)* ist – vor allem infolge unterschiedlicher magnetischer Eigenschaften des Untergrundes – ortsabhängig; sie beträgt im deutschen Raum z. B. zwischen 2° und 4° und verändert sich (im Zusammenhang mit der Wanderung der Magnetpole der Erde) ständig. Navigationskarten für die Luftund Seefahrt enthalten daher stets aktuelle Angaben über die jeweils zu berücksichtigende Mißweisung, häufig in Form von eingezeichneten *Isogonen,* d. h. Linien gleicher Mißweisung oder Deklination. Um „rechtweisend Nord" zu erhalten, muß man also das vom Kompaß angezeigte „*mißweisend Nord"* (mwN) um die jeweilige Mißweisung korrigieren (Abb. 2).

In der Praxis kommen meist noch zusätzliche Korrekturen hinzu, insbesondere die *Deviation,* das ist die Abweichung der Kompaßanzeige, die z. B. durch die Stahlteile eines Schiffes verursacht werden. Auch die magnetischen Eigenschaften eines Schiffes ändern sich mit der Zeit und sind außerdem vom jeweiligen Kurs abhängig.

Die Magnetnadel eines Kompasses zeigt stets nur den Verlauf der Horizontalkomponente des erdmagnetischen Feldes an. Wie aus der Abb. 1 hervorgeht, verlaufen die Feldlinien jedoch geneigt zur Erdoberfläche. Diese Richtung kann man mit Hilfe einer sog. *Inklinationsnadel* bestimmen, einer um eine horizontale Achse frei drehbaren Magnetnadel. Den von ihr angezeigten Winkel gegenüber der Horizontalen bezeichnet man als die *Inklination.* Sie ist in Äquatornähe relativ gering (kleine Neigung), in Polnähe relativ stark. Dies bedeutet, daß die Horizontalintensität in der Nähe der magnetischen Pole immer geringer wird und nicht mehr die erforderliche Richtkraft auf die Kompaßnadel ausübt, so daß der Kompaß schließlich versagt.

Unabhängig vom Magnetfeld der Erde arbeitet der *Kreiselkompaß* (Abb. 4). Hier wird die Tatsache ausgenutzt, daß ein schnell rotierender Kreisel, dessen Drehachse durch Schwerkraftwirkung gezwungen wird, in der Horizontalebene zu bleiben, diese Achse parallel zur Erdachse zu stellen sucht. Während die Horizontalebene ihre Lage im Raum infolge der Erddrehung verändert (Abb. 3), sucht der Kreisel, die Lage seiner Drehachse beizubehalten. Da aber die Drehachse (z. B. durch eine Pendelvorrichtung) in der Horizontalebene gehalten wird, kann sie sich nur in Richtung des jeweiligen Meridians, also in Nord–Süd-Richtung einstellen.

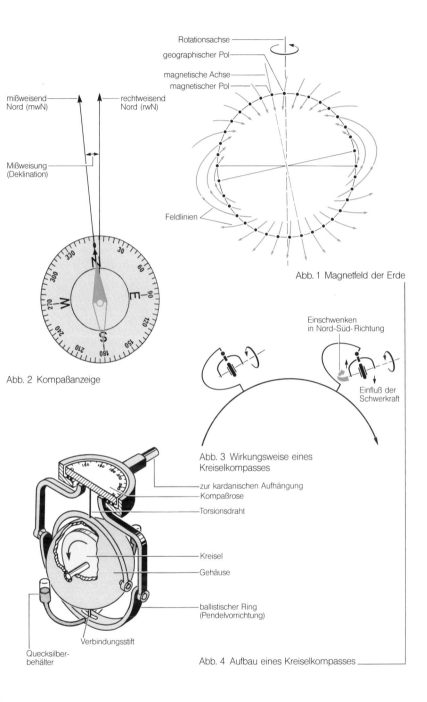

Rotationsachse
geographischer Pol
magnetische Achse
magnetischer Pol

mißweisend Nord (mwN)

rechtweisend Nord (rwN)

Mißweisung (Deklination)

Feldlinien

Abb. 1 Magnetfeld der Erde

Abb. 2 Kompaßanzeige

Einschwenken in Nord-Süd-Richtung

Einfluß der Schwerkraft

Abb. 3 Wirkungsweise eines Kreiselkompasses

zur kardanischen Aufhängung
Kompaßrose
Torsionsdraht
Kreisel
Gehäuse
ballistischer Ring (Pendelvorrichtung)
Verbindungsstift
Quecksilberbehälter

Abb. 4 Aufbau eines Kreiselkompasses

383

Unterseeboot I

U-Boote sind heute meist Ein-Medien-Fahrzeuge, d. h., der Schiffskörper liegt auch bei Überwasserfahrt nahezu vollständig unter der Wasseroberfläche. Damit sind die modernen U-Boote wieder, wie die ersten brauchbaren Konstruktionen (Typ: Holland u. ä.), Einhüllenboote, die auf die zweite Hülle (Außenhaut), die v. a. zur Verbesserung der See-Eigenschaften bei Überwasserfahrt notwendig war, verzichten. Dies wurde möglich: 1. durch die Entwicklung des Schnorchels für konventionell dieselelektrisch angetriebene Boote, 2. durch außenluftunabhängige Antriebe, z. B. durch Kernenergieantrieb. Man unterscheidet:

1. Militärische Unterwasserfahrzeuge: A) taktische, a) Küsten-U-Boote mit einer Wasserverdrängung zwischen 350 und 700 ts und etwa 50 m Länge und b) Flotten- oder Hochsee-U-Boote mit Normalgröße von 1 000 bis 3 000 ts und etwa 70 bis 100 m Länge, die beide konventionell angetrieben werden, sowie c) nuklear angetriebene U-Jagd-U-Boote mit etwa 2 500 bis 4 000 ts (tons; 1 ton = 1 016 kg) Wasserverdrängung und um 80 m Länge; B) strategische U-Boote (U-Schiffe), die als Träger und Startbasis für ballistische Interkontinental- oder Mittelstreckenraketen dienen und in der Größenordnung zwischen 4 500 und 16 000 ts bei 100 bis 150 m Länge liegen und heute fast ausschließlich nuklear angetrieben werden.

2. Zivile Unterwasserfahrzeuge: A) Forschungs-U-Boote, a) nicht autonom, d. h. durch Seile mit dem Mutterfahrzeug verbunden und von diesem bewegt, b) autonom; B) Handels-U-Schiffe, a) reine Frachtträger wie der im 1. Weltkrieg von Deutschland gebaute Typ „U-Deutschland", b) projektierte, nuklear getriebene Riesen-U-Tanker und c) als Touristenattraktion fahrende kleine Passagier-U-Boote.

U-Boot-Fahren beruht auf dem Archimedischen Prinzip. Solange das U-Boot mehr Wasser verdrängt, als es wiegt, d. h. solange die Tauchzellen lenz (leer, ausgeblasen) sind, schwimmt es an der Oberfläche. Werden die Entlüftungen der Tauchzellen geöffnet, dringt von unten Wasser in diese ein und preßt die Luft heraus, das Boot wird schwerer als das von ihm verdrängte Wasser und sinkt. Nach dem Durchpendeln des Bootes zum Entfernen der Restluft aus den Tauchzellen und dem Schließen der Entlüftungen wird das Boot mit Hilfe der Regel- und Trimmzellen so ausgewogen, daß sein Gewicht möglichst

genau dem des von ihm verdrängten Wassers entspricht und das Boot somit schwerelos ist. Da durch Änderungen der Wasserwichte (abhängig von Salzgehalt und Temperatur) und des Bootsgewichtes (Verbrauch von Verpflegung und Brennstoff, Lenzen von Bilgenwasser) dieser schwerelose Zustand meist nur kurzfristig zu erreichen ist, wird das Boot zusätzlich durch Fahrtstufen und Tiefenrudermanöver auf der gewünschten Tiefe gehalten. Durch diese wird das Boot zum Auftauchen auch wieder an die Wasseroberfläche gebracht (dynamisches Auftauchen) und dann erst durch Ausblasen der Tauchzellen mit Druckluft so weit erleichtert, daß es an der Wasseroberfläche schwimmt.

Der Hauptteil eines U-Bootes ist der Druckkörper. Er besitzt meist einen kreisförmigem Querschnitt, weil diese Bauform gegen Druck am widerstandsfähigsten ist. Die Enden der Druckkörper werden durch Böden in Form von Kugelschalen abgeschlossen. Der gesamte Druckkörper ist durch ein System von engstehenden Spanten ausgesteift, um dem großen Druck des ihn umgebenden Wassers Widerstand leisten zu können. So ergeben je 10 Meter Tauchtiefe einen Druckanstieg von 1 bar, d. h., in 100 m Tiefe herrscht ein Druck von 10 bar, das entspricht 10 kg/cm^2 oder 100 t pro m^2. Durch den Druckkörper hindurch gehen die verschiedenen Außenbordverschlüsse, die Torpedorohre, das Stevenrohr und die Luks, durch die man an Oberdeck oder in den etwa in Schiffsmitte oder etwas davor aufgesetzten Turm steigen kann. Alle diese Durchbrechungen müssen ebenfalls druckfest sein. Um den Druckkörper herum (bei Zweihüllenbooten) oder (bei modernen Booten meist nur noch) vorn und hinten sind die Tauchzellen angeordnet. In diesen liegen die druckunempfindlichen Anlagen, Rudergestänge, Anker, Ballast usw. Im Druckkörper befindet sich alles, was gegen den Wasserdruck geschützt werden muß: die Menschen, die das Boot bedienen, und deren Lebenserhaltungssysteme, die Antriebsanlagen und die Geräte oder Waffen für die Aufgabe, für die das Boot vorgesehen ist.

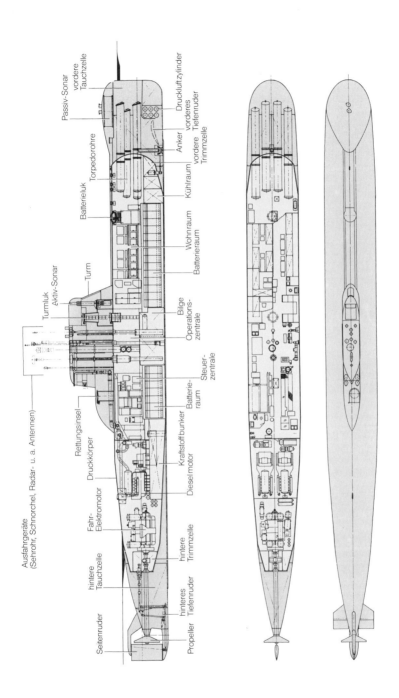

Passiv-Sonar
vordere Tauchzelle
Druckluftzylinder
vorderes Tiefenruder
Anker
vordere Trimmzelle
Torpedorohre
Kühlraum
Batterieluk
Wohnraum
Batterieraum
Turm
Aktiv-Sonar
Turmluk
Bilge
Operations-zentrale
Steuer-zentrale
Batterie-raum
Rettungsinsel
Kraftstoffbunker
Druckkörper
Dieselmotor
Fahr-Elektromotor
Ausfahrgeräte (Sehrohr, Schnorchel, Radar- u. a. Antennen)
hintere Trimmzelle
hintere Tauchzelle
hinteres Tiefenruder
Seitenruder
Propeller

Unterseeboot II

Um den Aufenthalt von Menschen in einem U-Boot zu ermöglichen, müssen neben den Wohn-, Schlaf- und Aufenthaltsräumen auch Toiletten und Waschmöglichkeiten sowie eine Kombüse (Küche) vorhanden sein. Das wichtigste aber ist die Lufterneuerungsanlage. Bei Überwasserfahrt wird die verbrauchte Luft ständig von außen her erneuert, bei Tauchfahrt wird die Lufterneuerung durch den Schnorchel vorgenommen. Bei Tieftauchfahrt wird die Luft durch chemische Bindung des Kohlendioxids gereinigt und mit frischem Sauerstoff angereichert, der in Druckflaschen mitgeführt oder bei Atom-U-Booten durch Elektrolyse aus Meerwasser gewonnen wird. Konventionelle U-Boote haben als Antrieb einen oder mehrere Dieselmotoren, die entweder direkt die Schraube(n) antreiben und/oder durch einen angekuppelten E-Generator die Batterien mit Strom aufladen, aus denen der Fahr-Elektromotor gespeist wird. Seit der Einführung des Schnorchels kann das U-Boot auch getaucht (in geringer Tiefe) mit Dieselmotoren fahren, da durch diesen röhrenförmigen, heute meist ausfahrbaren Mast die benötigte Frischluft für die Motoren angesaugt werden kann. Eine Ventileinrichtung am Schnorchel verhindert das Eindringen von Wasser in das Boot bei Überspülen des Schnorchelkopfes; sie kann durch eine Schwimmervorrichtung (Abb. 2) betätigt werden oder (heute meist) durch eine elektrisch über Wasserkontakte gesteuerte Druckluftautomatik.

Aufgrund der heutigen Überwasserortungsmöglichkeiten besteht für das moderne militärische U-Boot die Notwendigkeit, lange Strecken unter Wasser zu fahren und einen außenluftunabhängigen Antrieb zu besitzen. Dafür kommt in erster Linie der *Kernenergieantrieb* in Frage. Dabei wird die Wärme eines Kernreaktors durch einen Primärkreislauf zur Verdampfung des Wassers eines Sekundärkreislaufes benutzt. Durch den hochgespannten trockenen Heißdampf wird die Turbinenanlage und durch diese die Schraube angetrieben. Alle modernen U-Boote haben zur Erzielung günstigster Widerstandswerte einen tropfenförmigen, möglichst glatten Rumpf mit einer einzigen Schraube. Das oder die Seitenruder und das oder die hinteren und vorderen (am Turm oder am Bug angebrachten) Tiefenruder ermöglichen dem U-Boot das Manövrieren nach Richtung (Kurs) und Tiefe. Bedient werden diese Ruder manuell oder durch eine mechanische oder elektronische Automatik.

Gefahren wird ein U-Boot normalerweise von der OPZ (Operationszentrale) aus, in der die Meldungen über den Zustand des Bootes sowie die Umgebung zusammenlaufen. Die wichtigsten Ergebnisse kommen dabei von hochempfindlichen Horchgeräten, die im Bug und im Turm installiert sind und alle ankommenden Geräusche aufnehmen und verstärkt zur Anzeige bringen, so daß man ein Bild von der Lage um das Boot herum erhält. Geübte Operatoren können nach den Geräuschen häufig nicht nur zwischen Handels- und Kriegsschiffen unterscheiden, sondern durch Auszählen der Propellerdrehzahl auch die ungefähre Geschwindigkeit errechnen. Zu diesen verschiedenen passiven Sensoren kommen noch aktive (selbstausstrahlende) Sensoren, wie Sonar- oder Radargeräte. Letztere können allerdings nur bis zur Sehrohrtiefe benutzt werden, da sich elektromagnetische Wellen im Wasser nur schlecht oder überhaupt nicht ausbreiten. Für das Fahren nahe der Wasseroberfläche ist der wichtigste Sensor das *Sehrohr (Periskop),* das eine optische Übersicht über die Umgebung des U-Bootes erlaubt. Die Funktion des Sehrohres erläutert Abb. 3. Sehrohre, Radarmast mit Radarantenne, Schnorchel, verschiedene Antennen und andere Ausfahrgeräte sind im Turm untergebracht, der bei Überwasserfahrt als Kommandobrücke dient.

Die zivilen U-Boote sind ihrer Aufgabe entsprechend ausgerüstet, z. B. mit Greifern, Scheinwerfern und Kameras oder mit Laderäumen; die militärischen U-Boote sind heute fast ausschließlich mit Torpedos verschiedenster Art, Raketentorpedos, besonders für die U-Boot-Jagd, bzw. mit taktischen oder strategischen Raketensystemen ausgerüstet. Zur Betreuung und Bedienung dieser Waffen ist eine umfangreiche elektronische Ausrüstung erforderlich. Die Torpedos werden mit Hilfe von Druckluft oder Druckwasser ausgestoßen oder laufen mit Eigenantrieb aus Torpedorohren ab, die meistens im Bug eingebaut sind, während die Raketen normalerweise aus senkrecht stehenden Starttuben mit Preßluft ausgedrückt werden, an die Wasseroberfläche kommen und von dort nach Zündung ihres Raketentriebwerkes ihren Flug beginnen.

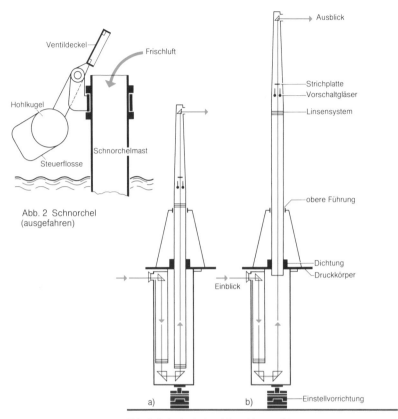

Ventildeckel

Frischluft

Hohlkugel

Steuerflosse

Schnorchelmast

Abb. 2 Schnorchel
(ausgefahren)

Ausblick

Strichplatte

Vorschaltgläser

Linsensystem

obere Führung

Dichtung

Druckkörper

Einblick

Einstellvorrichtung

a)

b)

Abb. 3 Sehrohr a) eingefahren b) ausgefahren

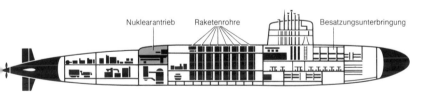

Nuklearantrieb

Raketenrohre

Besatzungsunterbringung

Abb. 4 US SSBN 608 „Ethan Allen" (Modell), ein nuklear angetriebenes
Raketen-U-Boot.

Segeln

Die Besegelung eines einmastigen Sportsegelbootes (Abb. 1) besteht aus einem seitlich am Mast und unten am schwenkbaren Großbaum angeschlagenen dreieckigen oder trapezförmigen *Großsegel* und einem oder zwei dreieckigen, als Fock bzw. Klüver bezeichneten *Vorsegel.* Beim Segeln vor dem Wind wird häufig vor diese ein großflächiges, bauchiges *Beisegel* (sog. *Spinnaker*) gesetzt. Die modernste Großsegelform ist das dreieckige *Hochsegel (Bermuda-Segel).* Durch ihre Dreiecksform reichen Hochsegel gegenüber anderen Segeltypen (z. B. dem trapezförmigen Gaffelsegel) bei gleicher Segelfläche einmal weit höher und werden auch von Winden, die nicht bis aufs Wasser hinabreichen, besser erfaßt, zum anderen haben sie eine aerodynamisch günstige längere Anschnittkante. Die Stellung eines Segels zu Fahrt- und Windrichtung wird durch die Schot (Segelleine) geregelt.

Im Altertum konnten Segelschiffe nur vor dem Wind (Abb. 2 a) oder mit Backstagswind (Abb. 2 b) Fahrt machen. Hatten sie auf ihrem Kurs halben (Abb. 2 c) oder gar vorlichen Wind (Abb. 2 d), mußten sie auf günstigeres Wetter warten. Durch ständige Verbesserung der Rumpfformen, der Takelung und der Segelformen ist heute jedes segelführende Fahrzeug in der Lage, schräg gegen den Wind anzusegeln und im Zickzackkurs *(Kreuzen)* selbst ein Ziel zu erreichen, das genau in der Richtung liegt, aus der der Wind weht.

Die Aerodynamik des Segelns ist weitgehend in ihren Auswirkungen bekannt. Einmal wirkt ein Segel durch seine relativ große Fläche als Windfang und bringt so direkt Vortrieb, andererseits wölbt es sich unter dem Winddruck und entwickelt dabei die Eigenschaften einer Flugzeugtragfläche (vgl. S. 392) mit einem nach vorn gerichteten Sog an der Außenseite. Als dritte Kraft tritt ein Staustrahleffekt durch die zwischen Fock und Großsegel wie durch eine Düse strömende Luft auf. Darum haben Rennboote und schnelle Jachten weit hinter den Mast zurückreichende Vorsegel.

Die Wirkung des Windes auf ein am Wind liegendes Segelboot zeigt Abb. 3. Der Pfeil *W* stellt die konstante *Windkraft,* die auf das Segel drückt, nach Größe und Richtung dar. Von dieser schief auf das Segel drückenden Kraft kommt nur die zum Segel senkrechte Komponente *S* zur Wirkung. Sie sucht das Boot in die Richtung von *S* zu bewegen. Da jedoch das Boot einen sehr hohen Wasserwiderstand quer zum Kiel (sog. *Lateralwiderstand*) hat und sich fast nur in Richtung des Kiels bewegen läßt, kommt von der Kraft *S* nur der in die Längsrichtung des Bootes fallende Anteil *V* als *Vortriebskraft* zur Wirkung. Das Schiff bewegt sich also mit dieser Kraft *V* in Richtung auf den Punkt *C*. Stellt man dort die Spitze des Bootes in Richtung *D* und wendet das Segel um, so daß seine Fläche wieder etwa den Winkel zwischen der Richtung, aus der der Wind bläst, und der Längsrichtung des Bootes halbiert, so wird das Boot gegen *D* getrieben. Damit kann das Boot *kreuzend,* aber immer durch den Wind getrieben der Gegend nähern, aus der der Wind weht. Der Wind, der auf das Segel wirkt, ist immer der relative Wind zum Boot. Je schneller das Boot fährt, desto stärker wird der Gegenwind. Der *relative Wind* ergibt sich aus der geometrischen Addition von wahrem Wind und Gegenwind, so daß der relative Wind bei größerer Fahrt immer steiler von vorn einfällt. In Abb. 3 wurde dies nicht berücksichtigt, denn das Kreuzen muß symmetrisch zur wahren Windrichtung erfolgen. Nicht berücksichtigt wurde in Abb. 3 auch die Abtrift (seitliche Versetzung), die ein öfteres Kreuzen erfordert. Die Abtrift und die Krängung (Schräglage) können durch entsprechende Kielausbildung klein gehalten werden.

Kielboote haben einen festen Kiel, entweder ein in die Rumpfform einbezogener, mit Bleiballast ausgefüllter *Flossenkiel* (Abb. 1) oder eine schmale Platte (Schwert) mit angehängtem Ballastwulst *(Bulbkiel);* der Bleiballast ist so bemessen, daß die aufrichtende Wirkung des vom Gesamtgewicht und Auftrieb gebildeten Kräftepaares (s. S. 370/371) stets die krängende Wirkung des von Winddruck und Lateralwiderstand gebildeten Kräftepaares überwiegt (Abb. 4 a). *Jollen* haben einen einziehbaren, als *Schwert* bezeichneten plattenförmigen Kiel ohne Ballast (Abb. 5); um das Kentern (Umschlagen) bei starkem Wind zu verhindern, müssen die Segler in weiter Auslage als „lebender Ballast" wirken (Abb. 4 b).

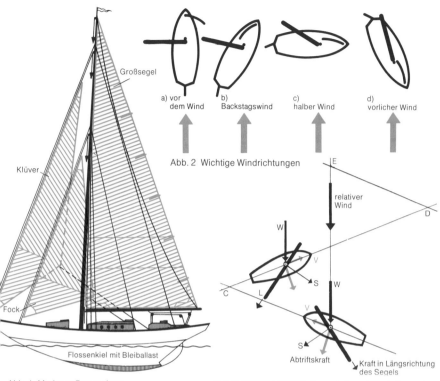

Großsegel

Klüver

Fock

Flossenkiel mit Bleiballast

Abb. 1 Moderne Besegelung

Abb. 2 Wichtige Windrichtungen

a) vor dem Wind
b) Backstagswind
c) halber Wind
d) vorlicher Wind

relativer Wind

E

D

W

V

S

W

C

L

V

S

Abtriftskraft

Kraft in Längsrichtung des Segels

Abb. 3 Wirkung des Windes auf ein am Winde liegendes Segelschiff

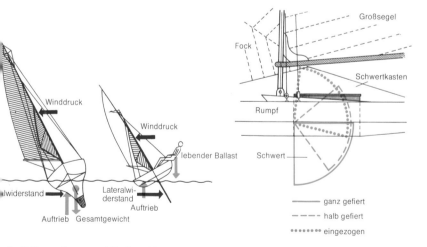

Winddruck

Winddruck

lebender Ballast

lwiderstand

Lateralwiderstand

Auftrieb

Auftrieb

Gesamtgewicht

Auftrieb

4a Kräfte an einem Flossenkieler

Abb. 4b Kräfte an einer Jolle mit Schwert

Großsegel

Fock

Schwertkasten

Rumpf

Schwert

——— ganz gefiert

– – – halb gefiert

•••••• eingezogen

Abb. 5 Bewegliches Schwert

389

Dock

Schiffe müssen gelegentlich aus dem Wasser gehoben werden, damit das Unterschiff besichtigt, gereinigt und kontrolliert sowie sein Anstrich erneuert werden kann und gegebenenfalls Reparatur- oder sogar Umbauarbeiten durchgeführt werden können. Hierzu werden sie in Docks gebracht, deren Größe ihre Abmessungen und ihrem Gewicht entspricht. Man unterscheidet die im Wasser schwimmenden Schwimmdocks (Abb. 1) und die unmittelbar am Werftufer auf dem Lande eingerichteten Trockendocks (Abb. 2), wobei in sog. Baudocks auch der Um- bzw. Neubau von Schiffen möglich ist.

Schwimmdocks werden in sehr unterschiedlicher Größe, von einigen 100 t bis zu 50 000 t Hebefähigkeit gebaut, wobei die größeren durch Einfügen von Zwischensektionen weitgehend dem jeweils zu dockenden Schiff angepaßt werden können. Schwimmdocks sind in gewissem Umfange ortsveränderlich, teils mit Schlepperhilfe, teils mit Eigenantrieb. Ihre Hebeleistung ist nur dem jeweils zu dockenden Schiff entsprechend notwendig. Trockendocks werden der hohen Baukosten wegen meist nur für extrem große Schiffe gebaut. Von besonderer Bedeutung ist der Einfluß des Grundwasserdrucks auf den Dockboden bei leerem Dock. In kritischen Fällen werden unter dem Dockboden Sammelbrunnen errichtet, aus denen das anfallende Grundwasser zur Entlastung des Bodens laufend abgepumpt wird.

Parallel zu der Docklängsachse laufen fahrbare Dockkrane, die mit ihren Auslegern mindestens bis Dockmitte, meist aber noch darüber hinausreichen, um Bau- und Maschinenteile aus- und einbringen zu können. Bei Trockendocks, die als Baudocks verwendet werden, haben die Krane große Tragfähigkeit (bis etwa 200 t). Schwimmdocks haben meist U-förmigen Querschnitt (Abb. 1 a). Ihr Boden und auch ein Teil der Seiten bilden Zellen, die geflutet oder mit Hilfe von Lenzpumpen geleert werden können. In Dockmitte sind Kielpallen zum Aufsetzen des Schiffes angeordnet. Seitliche, entsprechend der Breite des einzudockenden Schiffes verstellbare Kimmpallen sichern das Schiff gegen Kippen. Ein Schwimmdock besteht aus den beiden Kopfsektionen und einer veränderlichen Zahl von Zwischensektionen, entsprechend der Größe des zu dockenden Schiffes (Abb. 1 b). Zum Eindocken eines Schiffes wird das Dock durch Öffnen der Flutventile (Abb. 1 c) der Bo-

den- und Seitenzellen so weit abgesenkt, daß das Schiff in das Dock einfahren kann (Abb. 1 d). Anschließend werden die Zellen leergepumpt (Abb. 1 e), und somit schwimmen Dock und Schiff gemeinsam so weit auf, daß sich der Dockboden über der Wasseroberfläche befindet (Abb. 1 f). Das Schiff liegt dabei auf den Kiel- und Kimmpallen. Nach Durchführung der Dockarbeiten werden die Zellen wieder geflutet (Abb. 1 c); das Dock senkt sich zunächst so weit ab, bis das Schiff schwimmt. Dann wird das Dock allein noch weiter abgesenkt, damit das Schiff ungehindert ausfahren kann (Abb. 1 d).

Trockendocks gleichen einer langgezogenen Wanne, deren Boden tiefer liegt als der Tiefgang der größten zu dockenden oder zu bauenden Schiffe, und deren fahrwasserseitig gelegene Schmalseite durch ein einschwimmbares Docktor gegenüber dem Fahrwasser abgeschlossen ist (Abb. 2 a und 2 b). Kiel- und verstellbare Kimmpallen sind auf der Docksohle vorgesehen. Zum Docken wird das Dockbekken geflutet (Abb. 2 c), bis Wasserstandsausgleich zwischen Dock und Fahrwasser erreicht ist. Anschließend wird das Docktor ausgefahren; das Schiff kann nun einlaufen, wobei unter Umständen bei sehr großen Schiffen der Gezeitenhub berücksichtigt werden muß. Nach dem Einfahren des Docktores wird das Schiff durch Leerpumpen des Dockbeckens auf die Pallen abgesetzt (Abb. 2 d). Im Anschluß an die Dockarbeiten wird das Dock wieder geflutet bis zum Wasserstandsausgleich, das Docktor ausgefahren und das Schiff ins freie Fahrwasser bugsiert.

Dockschiffe sind fahrbare Trockendocks. Sie können auf See Schiffe an Bord nehmen und in ihrem Dockbecken auf Pallen absetzen. Dockschiffe werden im allgemeinen für kleine und mittlere Schiffe verwendet, die wegen einer Störung oder Beschädigung eine ortsgebundene Dockanlage nicht mehr anlaufen können und deshalb auf See eindocken müssen (Abb. 3 a und 3 b).

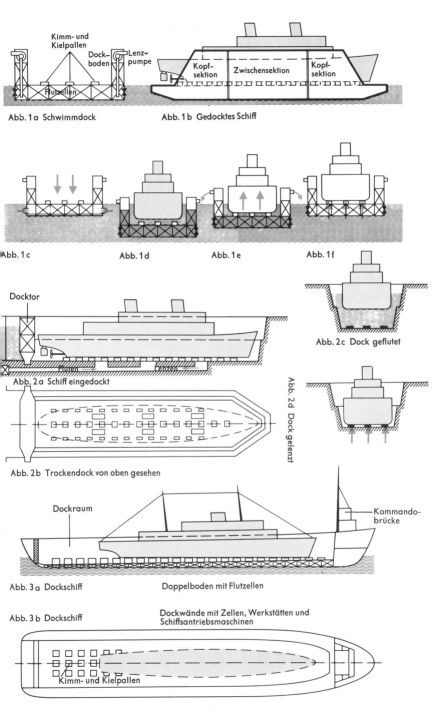

Abb. 1 a Schwimmdock

Abb. 1 b Gedocktes Schiff

Kimm- und Kielpallen
Dockboden
Lenzpumpe
Flutzellen
Kopfsektion
Zwischensektion
Kopfsektion

Abb. 1 c

Abb. 1 d

Abb. 1 e

Abb. 1 f

Docktor

Abb. 2 a Schiff eingedockt

Abb. 2 b Trockendock von oben gesehen

Abb. 2 c Dock geflutet

Abb. 2 d Dock gelenzt

Dockraum

Kommandobrücke

Abb. 3 a Dockschiff

Doppelboden mit Flutzellen

Abb. 3 b Dockschiff

Dockwände mit Zellen, Werkstätten und Schiffsantriebsmaschinen

Kimm- und Kielpallen

Warum ein Flugzeug fliegt

Ein Flugzeug benötigt, um fliegen zu können, eine der Erdanziehung entgegengerichtete Kraft, da es „schwerer" als die umgebende Luft ist. Diese Kraft kommt durch den *Auftrieb* der Tragflächen (Tragflügel) zustande, der senkrecht zur Bewegungsrichtung steht. In der Luft entsteht infolge der Reibung noch ein in die Bewegungsrichtung fallender *Widerstand* (Abb. 1). Durch geeignete Formgestaltung der Tragflügelprofile (Abb. 2) erreicht man, daß der Widerstand gegenüber dem Auftrieb sehr klein bleibt und damit die aus beiden gebildete resultierende *Luftkraft* fast nur aus dem Auftrieb besteht.

Um die zur Entstehung des Auftriebs notwendige Luftzirkulation zu erzeugen, muß das *Flügelprofil* entsprechend gestaltet werden. Bei Beginn der Bewegung löst sich – wegen Verzögerung der Strömung und des damit verbundenen Druckanstiegs – die Grenzschicht an der Hinterkante vom Flügel ab und wickelt sich zum Anfahrwirbel auf. Zum Ausgleich bildet sich um den Tragflügel eine Zirkulation von entgegengesetzt gleicher Wirbelstärke aus. Nach Entfernung des Anfahrwirbels stellt sich am Tragflügel ein stationärer Zustand ein, der durch den aus einer Parallelströmung und Zirkulation entstehenden Flügelauftrieb gekennzeichnet ist.

Der *Anstellwinkel* des Flügelprofils gegenüber der Strömung und die stärkere Krümmung der Profiloberseite bewirken aufgrund des längeren Weges der Luft eine höhere Geschwindigkeit auf der Oberseite als auf der Unterseite (Abb. 3). Aus der Bernoullischen Gleichung (s. S. 22) folgt, daß sich wegen der höheren Geschwindigkeit auf der Oberseite (Saugseite) ein kleinerer Druck einstellt als auf der Unterseite (Druckseite). Der Flächeninhalt dieses Druckdiagramms (Abb. 4) liefert den Auftrieb. Die Luftkräfte verändern sich mit dem Anstellwinkel (Abb. 3), sie greifen im *Druckpunkt* am Tragflügel an.

Die Lage des Druckpunktes verändert sich ebenfalls mit dem Anstellwinkel, nur symmetrische Profile sind druckpunktfest. Die Stabilität eines Flugzeuges wird maßgeblich von der Druckpunktwanderung bestimmt. Bei steigendem Anstellwinkel wandert der Druckpunkt nach vorn. Wird ein bestimmter, von der Profilform abhängiger Wert erreicht, bei dem der Auftrieb sein Maximum hat, so bricht er bei weiterer Vergrößerung des Anstellwinkels zusammen. Dabei reißt die Strömung auf der Saugseite ab (vgl. Abb. 5) und bildet ein „Totwassergebiet". Das *Abreißen der Strömung* bei einem solchen „überzogenen" Flugzustand führt zum Zusammenbrechen des Auftriebs und zum raschen Höhenverlust bzw. zum seitlichen Abkippen des Flugzeugs.

Die Profile werden so gewählt, daß sie der vorbeiströmenden Luft einen möglichst kleinen Widerstand bieten und gleichzeitig der sog. *Auftriebsbeiwert* den gegebenen Anforderungen entspricht. Der Auftriebsbeiwert ist eine dimensionslose Größe (c_A), die von der Form des Profils, seinem Anstellwinkel und der Anströmgeschwindigkeit abhängt; er wird am Tragflächenmodell im Windkanal ermittelt. Eine entsprechende Größe ist der Widerstandsbeiwert (c_w). Über das Verhältnis von Auftrieb zu Widerstand gibt die c_A/c_w-Kurve für verschiedene Anstellwinkel Auskunft. Die in Abb. 6 dargestellte Kurve für ein bestimmtes Profil zeigt, daß hier ein Anstellwinkel von 4° am günstigsten ist. Bei Verwendung dieses Profils wird also im Reiseflug eine Profilneigung (Anstell- bzw. Einstellwinkel) von 4° gegenüber der Horizontalen am besten geeignet sein.

Mit Hilfe des Auftriebsbeiwertes c_A läßt sich der Auftrieb A selbst nach folgender Formel berechnen: $A = c_A \cdot \frac{1}{2}\varrho \cdot v^2 \cdot F$. Hierbei ist $\frac{1}{2} \cdot v^2$ der sogenannte *Staudruck* (ϱ Luftdichte, v Anströmgeschwindigkeit) und F die den Auftrieb erzeugende Fläche. Der Auftrieb nimmt also mit dem Quadrat der Anströmgeschwindigkeit zu, d. h., bei doppelter Anströmgeschwindigkeit steigt der Auftrieb auf den vierfachen Wert (dies ist die Ursache dafür, daß Hochgeschwindigkeitsflugzeuge im allgemeinen mit relativ kleinen Tragflächen auskommen). Um einen hinreichend großen Auftrieb zu erhalten, ist also eine bestimmte Anströmgeschwindigkeit der Tragflächen, d. h. ein bestimmter Vortrieb des Flugzeugs erforderlich. Er wird durch den vom Flugzeugmotor angetriebenen Propeller (Luftschraube) geliefert oder durch die Reaktionskraft von Strahltriebwerken. Bei Segelflugzeugen liefert die beim schräg nach unten gerichteten Gleitflug auftretende Anströmung den nötigen Auftrieb, wobei jedoch in aufsteigenden Luftströmungen gleichzeitig bedeutende Höhen erreicht werden können.

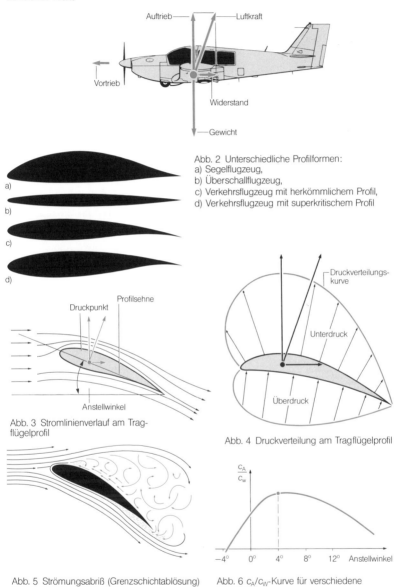

Abb. 1 Am Tragflügel auftretende Kräfte

Auftrieb — Luftkraft

Vortrieb

Widerstand

Gewicht

Abb. 2 Unterschiedliche Profilformen:
a) Segelflugzeug,
b) Überschallflugzeug,
c) Verkehrsflugzeug mit herkömmlichem Profil,
d) Verkehrsflugzeug mit superkritischem Profil

a)

b)

c)

d)

Druckpunkt Profilsehne

Anstellwinkel

Abb. 3 Stromlinienverlauf am Tragflügelprofil

Druckverteilungskurve

Unterdruck

Überdruck

Abb. 4 Druckverteilung am Tragflügelprofil

Abb. 5 Strömungsabriß (Grenzschichtablösung) bei zu großem Anstellwinkel

$\frac{c_A}{c_W}$

−4° 0° 4° 8° 12° Anstellwinkel

Abb. 6 c_A/c_W-Kurve für verschiedene Anstellwinkel

393

Tragflügelgeometrie

Der Tragflügel eines Flugzeuges ist ein Quertriebkörper, d. h., die durch die Luftströmung erzeugte Kraftkomponente senkrecht zur Anströmrichtung, der Auftrieb, ist wesentlich größer als die Kraftkomponente in Strömungsrichtung, der Widerstand. Diese Kräfte sind vom Quadrat der Fluggeschwindigkeit, andererseits von der geometrischen Form der Tragflügel abhängig, sowohl von der Profilform als auch vom Grundriß.

Für Flugzeuge niedriger Geschwindigkeit wählt man meist den rechteckigen bzw. trapezförmigen Umriß bei großer Streckung (Abb. 1). Durch die große Streckung (Abb. 1), das Verhältnis von Spannweite zu mittlerer Flügeltiefe kann der induzierte Widerstand (dem Quadrat des Auftriebsbeiwertes proportionaler, von Flügelstreckung und Auftriebsverteilung in Spannweitenrichtung abhängiger Widerstand eines Tragflügels) klein gehalten werden. Das ist besonders bei solchen Flugzeugen wichtig, die bei relativ hohen Auftriebsbeiwerten fliegen (z. B. Segelflugzeuge).

Die Tragflügel schneller Flugzeuge, deren Höchstgeschwindigkeit noch unterhalb der Schallgeschwindigkeit liegt, sind meist pfeilförmig ausgebildet, um Überschallgeschwindigkeiten bei der Flügelumströmung (und damit Verdichtungsstöße, die mit einem starkem Widerstandsanstieg verbunden sind) zu vermeiden. Die *Pfeilung* beeinflußt u. a. das Verhalten der wandnahen Umströmung. Hat der Flügel z. B. einen positiven Pfeilwinkel (nach hinten, Abb. 2), so löst sich die Strömung bei zu großen Anstellwinkeln (sogenanntes Überziehen) zuerst am Außenflügel, d. h. in der Nähe der Tragflügelenden ab. Da in diesem Bereich die Querruder liegen, können diese frühzeitig wirkungslos werden, und das Flugzeug kippt bei der geringsten Störung seitlich über die Tragfläche ab. Beim Entwurf eines Tragflügels wird deshalb darauf geachtet, das Abreißen der Strömung zuerst am Innenflügel (in der Nähe des Flugzeugrumpfes) erfolgen zu lassen, so daß der Pilot rechtzeitig gewarnt wird und der Auftrieb nicht schlagartig zusammenbricht. Das wird dadurch erreicht, daß der Innenflügel ein anderes Profil als der Außenflügel erhält und außerdem häufig die Profile gegeneinander verschränkt werden, wobei der Anstellwinkel des Außenflügels kleiner wird als der des Innenflügels. Ist der Flügel nach vorn gepfeilt (negativer Pfeilwinkel; Abb. 3), so erfolgt das Abreißen der Strö-

mung zuerst am Innenflügel. Das Flugzeug bleibt dabei gut steuerbar, da der Außenflügel und die Querruder noch anliegend umströmt werden.

Die Tragflügel von Überschallflugzeugen (Abb. 4) sind fast immer deltaförmig ausgebildet. Durch die große Tiefe in der Flügelmitte ergibt sich auch bei den dünnen Überschallprofilen eine ausreichende Bauhöhe, um einen verformungssteifen tragenden Verband zu gewährleisten, der genügend Volumen für Einbauten besitzt. *Deltaflügel* erreichen im Vergleich zu Trapez- bzw. Rechteckflügeln einen größeren Auftriebsbeiwert (von der Anströmung, v. a. aber von der geometrischen Gestalt des Quertriebkörpers und dessen Anstellwinkel abhängige dimensionslose Größe zur Berechnung des Auftriebs) erst bei sehr großen Anstellwinkeln.

Für Überschallverkehrsflugzeuge hat sich der schlanke Deltaflügel mit geschwungener Vorderkante, der sog. *Ogivalflügel* (*Spitzbogenflügel*; Abb. 5) als optimale Form erwiesen. Er wurde sowohl für die britisch-französische „Concorde" als auch für die sowjetische „Tupolew Tu-144" gewählt. Da auch bei ihnen ein größerer Auftrieb erst bei relativ großen Anstellwinkeln zu erreichen ist, müssen sie bei Start und Landung sehr stark „angestellt" werden (Flugzeugbug schräg nach oben gerichtet). Die Rumpfspitze ist daher bei beiden Typen nach unten schwenkbar, um den Piloten Bodensicht zu ermöglichen.

Für Machzahlen ab etwa 1,5 sind Tragflügel kleiner Streckung rein widerstandsmäßig günstiger als alle anderen Bauformen (Abb. 6). Die Forderung eines niedrigen Widerstandes ist allerdings nur eine von vielen Bedingungen für die Auslegung der Tragflügel.

Die bisher letzte Entwicklung stellt der Flügel mit im Fluge veränderlicher Tragflügelgeometrie dar (sog. *Schwenkflügel;* Abb. 7): Langsamflug, Start und Landung mit großer Streckung und geringer Pfeilung, Schnellflug mit starker Pfeilung. Dieses Konzept hat bei modernen Kampfflugzeugen Anwendung gefunden, die sowohl im Überschallbereich als auch im Langsamflug operieren sollen.

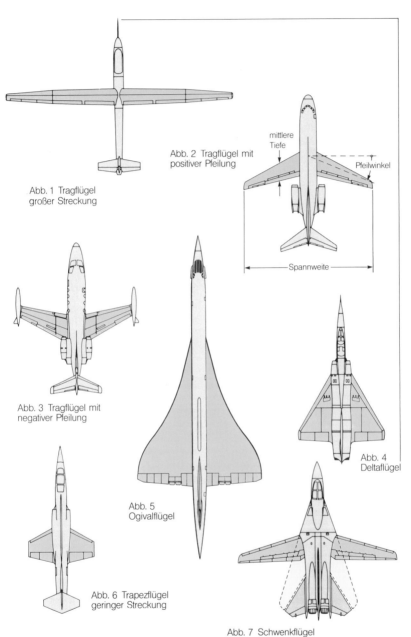

Abb. 1 Tragflügel
großer Streckung

Abb. 2 Tragflügel mit
positiver Pfeilung

mittlere
Tiefe

Pfeilwinkel

Spannweite

Abb. 3 Tragflügel mit
negativer Pfeilung

Abb. 5
Ogivalflügel

Abb. 4
Deltaflügel

Abb. 6 Trapezflügel
geringer Streckung

Abb. 7 Schwenkflügel

395

Beeinflussung der Strömung an Flugzeugen I

Das Verhalten der Strömung wird von der Form des angeströmten Körpers und den Vorgängen in der Grenzschicht bestimmt. Diese bildet sich zwischen der Außenhaut des Flugzeuges und der vorbeifließenden Luft als eine durch Reibung entstandene dünne Übergangsschicht, in der die Geschwindigkeit von Null unmittelbar an der Oberfläche bis auf den von der Form bestimmten Wert der Außenströmung ansteigt.

Die Strömungsart in der *Grenzschicht* (Abb. 1, nicht maßstäblich) kann *laminar* oder *turbulent* sein. Das Geschwindigkeitsprofil der laminaren Grenzschicht zeigt einen stetigen Verlauf, während bei der turbulenten Grenzschicht der Geschwindigkeitszuwachs nur im Mittel stetig ist, bei genauerer Betrachtung werden Größenschwankungen erkennbar. Im Bereich der *Abreißzone* tritt sogar eine Strömung entgegen der Flugrichtung auf (Abb. 2). Die Umströmung des Tragflügels nimmt ihren Anfang im vorderen Staupunkt. Die zunächst laminare Grenzschichtströmung erreicht mit dicker werdender Grenzschicht den Umschlagpunkt, an dem die Strömung in die turbulente Form umkippt. Der Umschlagpunkt liegt in der Nähe des Druckminimums, das etwa an der Stelle der größten Flügeldicke herrscht. Die turbulente Grenzschicht löst sich im Normalfall unter Wirbelbildung von der Hinterkante des Tragflügels; sie reißt ab. Bei ungünstigem Führen der Strömung kann verfrühtes, laminares Abreißen eintreten, das einen starken Auftriebsabfall bei gleichzeitiger Widerstandserhöhung auslöst. Da die turbulente Grenzschicht besser an der Oberfläche haftet, weil sie Energie von der Außenströmung aufnehmen kann, wird in solchen Fällen das Umschlagen der Grenzschicht durch konstruktive Maßnahmen erzwungen und somit der Abreißvorgang verhindert.

Die *Abreißkante* dient vor allem bei Sportflugzeugen als Vorwarnung für den überzogenen Flugzustand. Sie besteht meist aus einem kurzen, dreikantigen Blech auf der Flügelnase. Beim Vergrößern des Anstellwinkels setzt der Abreißvorgang zunächst in der Breite der Abreißkante ein, die Strömung löst sich bereits an der Flügelnase von der Tragfläche. Die plötzliche Auftriebsverringerung wird vom Flugzeugführer deutlich wahrgenommen. Das auftretende kopflastige Luftkraftmoment unterstützt die Rückkehr des Flugzeugs auf kleinere Anstellwinkel.

Turbulenzgeneratoren (Abb. 3) werden als Störquellen an Stellen laminaren Abreißens vorgesehen, um hier ein Umschlagen in die turbulente Strömung zu bewirken und damit das Abreißen zu verhindern. Verwendung finden quer oder unter einem bestimmten Winkel geneigt zur Anströmrichtung stehende Blechstücke. Auch der bei Flugmodellen anzutreffende Stolperdraht zählt dazu.

Grenzschichtzäune (Abb. 4) werden an gepfeilten Tragflächen eingesetzt, um das Abfließen der Strömung vom Innen- zum Außenflügel zu verhindern. Dieser Vorgang wird nämlich durch die Pfeilung begünstigt. Die Grenzschicht nimmt wegen der großen Lauflänge an Dicke zu und neigt zum Abreißen. Gleiche Wirkung wie mit Grenzschichtzäunen erzielt man durch eine unterbrochene Flügelnase, die wie ein Sägezahn aussieht (Abb. 5).

Verdrängungskörper, auch *Interferenztropfen* genannt, verkleiden die Nahtstelle des T-Leitwerks (Abb. 4), um den von der Interferenz der Grenzschichten des Höhen- und Seitenleitwerks verursachten Widerstand zu senken. An den Tragflügelenden entstehen aufgrund des Druckunterschieds zwischen der Profiloberseite und der Profilunterseite Strömungen, die von der Unterseite zur Oberseite gerichtet sind (sog. induzierte Strömung); sie bewirken den *induzierten Widerstand* und führen zur Ausbildung von Wirbelzöpfen (Wirbelschleppen), die von den Tragflügelenden ausgehen. Zur Verringerung des induzierten Widerstandes werden bei einigen Flugzeugen neuerdings sogenannte *Winglets* eingesetzt, kleine, nahezu senkrecht an den Tragflügelenden installierte „Flügelohren", die den induzierten Widerstand im Reiseflug um über 10 % reduzieren und damit die Flugleistung und Wirtschaftlichkeit verbessern. Neben den starren Hilfsmitteln beeinflussen auch bewegliche und dynamische Hilfsmittel die Strömung. Sie sind im folgenden behandelt. Die Ruder und Trimmruder gestatten das Steuern des Flugzeuges um die drei Achsen: Hochachse (Seitenruder), Längsachse (Querruder) und Querachse (Höhenruder). Die Ruder sind in der Regel gelenkig mit einem starren Teil, der Flosse oder der Tragfläche, verbunden. Durch Ausschlagen des Ruders verändert sich die Wölbung des aus Flosse und Ruder gebildeten aerodynamischen Profils.

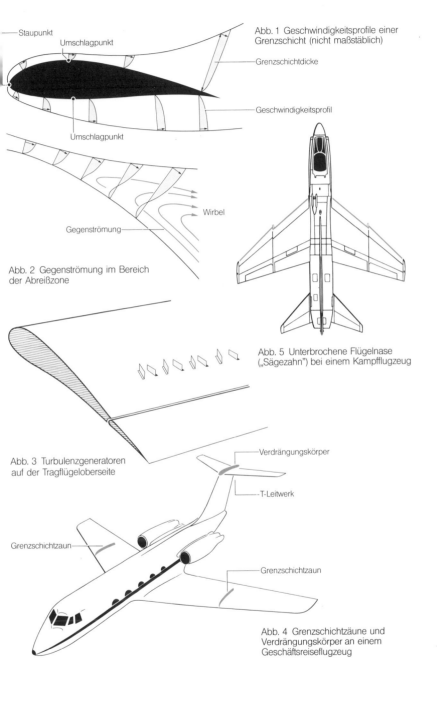

Abb. 1 Geschwindigkeitsprofile einer Grenzschicht (nicht maßstäblich)

Staupunkt
Umschlagpunkt
Grenzschichtdicke
Geschwindigkeitsprofil
Umschlagpunkt

Wirbel
Gegenströmung

Abb. 2 Gegenströmung im Bereich der Abreißzone

Abb. 5 Unterbrochene Flügelnase („Sägezahn") bei einem Kampfflugzeug

Abb. 3 Turbulenzgeneratoren auf der Tragflügeloberseite

Verdrängungskörper
T-Leitwerk

Grenzschichtzaun

Grenzschichtzaun

Abb. 4 Grenzschichtzäune und Verdrängungskörper an einem Geschäftsreiseflugzeug

397

Beeinflussung der Strömung an Flugzeugen II

Die *Querruder* an den Hinterkanten der beiden Tragflächen werden gegensinnig ausgeschlagen. Dadurch erfährt die Tragfläche mit nach unten ausgeschlagenem Querruder eine Auftriebserhöhung und die andere mit nach oben ausgelenktem Ruder eine Auftriebsverringerung. Das entstehende Moment dreht das Flugzeug um die Längsachse (Abb. 6). Die *Trimmruder* sind kleine verstellbare Flächen an den Ruderhinterkanten. Der Pilot kann mit ihrer Hilfe während des Fluges das Flugzeug für einen beliebigen Flugzustand so austrimmen, daß keine Ruderkräfte auftreten. Im Gegensatz zu den bisher beschriebenen Rudern, die auch als gedämpft bezeichnet werden, wird das Höhen- und Seitenleitwerk vereinzelt auch ungedämpft ausgeführt. Dabei ist die Trennung in Flosse und Ruder aufgehoben, ein starres Profil wird um eine Achse gedreht. Die Ruderwirkung entsteht hier also durch eine Veränderung des Anstellwinkels.

Die *Klappen* dienen der Steuerung des Gleitwinkels, sie beeinflussen in ausgefahrenem Zustand Auftrieb und Widerstand. Beim Ausfahren der *Nasenklappe,* die auch *Vorflügel* genannt wird (Abb. 7), bildet sich zwischen dieser und der Tragfläche ein Schlitz, durch den die Luft wegen des Druckunterschiedes von der Druckseite zur Saugseite strömt und dort der Grenzschicht neue Energie zuführt. Das Ablösen der Grenzschicht wird dadurch zu größeren Anstellwinkeln hin hinausgeschoben. Die einfache Klappe *(Wölbungsklappe)* vergrößert die Wölbung der Tragfläche und damit den Auftrieb (Abb. 7). Das Abreißen setzt erst bei größeren Anstellwinkeln ein, und die Mindestfluggeschwindigkeit nimmt einen geringeren Wert an, was bei Start und Landung vor allem schneller Flugzeuge von Bedeutung ist. Wegen des mit der Fluggeschwindigkeit stark zunehmenden Widerstandes werden die Klappen nur im Langsamflug ausgefahren. Sollen die Klappen wieder eingefahren werden, so muß zuerst die Geschwindigkeit auf den Mindestwert des Profils ohne Klappenausschlag erhöht werden, um das Abreißen der Strömung zu vermeiden.

Die *Spaltklappe* (Abb. 8) ist eine verbesserte Wölbungsklappe. Sie wird nicht nur abwärts geschwenkt, sondern gleichzeitig über ein Hebelsystem nach hinten verschoben. Durch den sich ergebenden Spalt strömt Luft von der Druckseite zur Saugseite, die verstärkte Saugseitenströmung wirkt einem Strömungsabriß entgegen, und der Auftriebsbeiwert wird auch bei weiterem Absenken der Klappe erhöht. Noch wirksamer sind *Doppelspaltklappen* (Abb. 9). Ein weiterer Klappentyp ist die *Fowler-Klappe* (Abb. 10), die im ausgefahrenen Zustand nicht nur die Tragflächenwölbung erhöht, sondern zugleich die Tragfläche selbst beträchtlich vergrößert.

Die *Spreizklappe* (Abb. 11) senkt im Gegensatz zu den anderen Klappenkonstruktionen den Druck auf der Saugseite. Da die Grenzschicht auf der Saugseite geringere Widerstände zu überwinden hat, werden auch mit der Spreizklappe höhere Auftriebsbeiwerte erzielt.

Bremsklappen (Abb. 12) sind Widerstandsflächen, die in den Tragflächen und bei einigen Flugzeugmustern auch im Rumpfheck angeordnet sind und bei der Landung ausgefahren werden. Sie erzeugen Widerstand und vernichten an der Tragfläche einen Teil des Auftriebs, da die Grenzschicht in Klappenbreite abreißt. Unter *Spoilern* versteht man nur einseitig auf der Saugseite angeordnete Bremsklappen.

Zu den dynamischen Hilfsmitteln gehört die *Strahlklappe,* bei der ein Luftstrahl im Bereich der Hinterkante der Tragfläche unter einem Winkel nach unten ausgeblasen wird. Außer der Klappenwirkung erzielt man durch die Energie des Luftstrahls einen höheren Gesamtschub.

Die Grenzschicht läßt sich außerdem durch Absaugen oder Ausblasen von Luft steuern. Das Absaugen über eine Vielzahl kleiner Bohrungen ermöglicht das Laminarhalten der Strömung. Diese Technik befindet sich jedoch noch im Versuchsstadium. Das Ausblasen kann zwar nicht zum Laminarhalten eingesetzt werden, weil die Grenzschicht dabei gestört wird. Dieses Verfahren wird aber mit großem Erfolg bei Rudern und Klappen angewandt, vor denen ein schmaler Strahl hoher Geschwindigkeit ausgeblasen wird, der das Abreißen der turbulenten Grenzschicht verhindert.

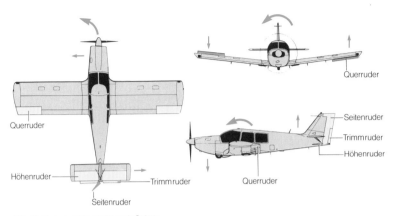

Querruder

Querruder

Höhenruder

Seitenruder

Trimmruder

Querruder

Seitenruder

Trimmruder

Höhenruder

Abb. 6 Flugzeugsteuerung mit Seiten-,
Quer- und Höhenruder

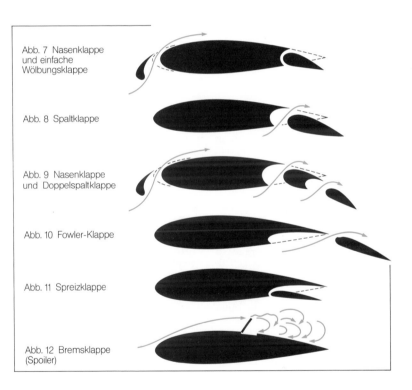

Abb. 7 Nasenklappe
und einfache
Wölbungsklappe

Abb. 8 Spaltklappe

Abb. 9 Nasenklappe
und Doppelspaltklappe

Abb. 10 Fowler-Klappe

Abb. 11 Spreizklappe

Abb. 12 Bremsklappe
(Spoiler)

399

Strahltriebwerke

Als Strahl- oder Düsentriebwerke bezeichnet man Flugzeugtriebwerke, bei denen der erforderliche Vortrieb durch einen Abgasstrahl erzeugt wird. *Luftstrahltriebwerke* entnehmen der Umgebung Luft, führen ihr in Brennkammern Energie (Verbrennungswärme von eingespritztem, gezündetem Kraftstoff) zu und stoßen das heiße Gas durch Düsen mit erhöhter Geschwindigkeit nach hinten aus. Dieser Geschwindigkeitsänderung entspricht eine Impulsänderung (Impuls = Masse × Geschwindigkeit), eine Impulsänderung bedeutet aber eine Kraft. Nach dem Newtonschen Wechselwirkungsgesetz (actio = reactio) entspricht jeder Kraft eine gleich große, ihr entgegengerichtete Gegen- oder Reaktionskraft. Diese Reaktionskraft, die man auch als Rückstoß bezeichnet, äußert sich als Schub des Strahltriebwerks.

Der gebräuchlichste Typ ist das *Turboluftstrahltriebwerk* (Turbinen-Luftstrahltriebwerk, TL-Triebwerk; Abb. 1). Durch den Einlaufdiffusor saugt ein mehrstufiger Axialverdichter Außenluft an, verdichtet sie und führt sie der Brennkammer zu. Dort wird Kraftstoff eingespritzt und verbrannt. Die durch die Temperatursteigerung bedingte Volumenzunahme der Gase bewirkt ein schnelles Ausströmen durch eine Turbine und die Schubdüse. Dabei geben die Verbrennungsgase nur so viel Energie an die Turbine ab, wie zum Antrieb des Verdichters und der Zusatzaggregate erforderlich ist. Der verbleibende größere Teil der Energie liefert den Schub des Triebwerks.

Eine einfache Möglichkeit zur Leistungssteigerung bietet sich bei den TL-Triebwerken durch die *Nachverbrennung* an: Man spritzt in die aus der Turbine kommenden Gase, die noch ausreichend Sauerstoff für eine Verbrennung enthalten, vor ihrer Beschleunigung in der Düse nochmals Kraftstoff ein. Dadurch kann der Triebwerksschub um 50 % und mehr erhöht werden. Die Verwendung eines Nachbrenners, die mit einer starken Lärmentwicklung verbunden ist, dient zur Verringerung der Startrollstrecke von Militärflugzeugen, vor allem aber zur Erzielung hoher Überschall-Fluggeschwindigkeiten.

Für besonders wirtschaftlichen Betrieb im mittleren Unterschallbereich werden *Turboproptriebwerke* (Propeller-Turbinen-Luftstrahltriebwerke, PTL) verwendet, bei denen ein Propeller über ein Getriebe von der Turbinenwelle angetrieben wird (Abb. 2). Bei dieser Triebwerksart werden die Gase in der Turbine weitgehend entspannt und geben einen großen Teil ihrer Energie ab, da sowohl der Verdichter als auch die Luftschraube angetrieben werden müssen. Die ausströmenden Gase ergeben jedoch noch einen Restschub, der genutzt wird.

Da das reine Turboluftstrahltriebwerk (Einkreistriebwerk) im Unterschallbereich und im Bereich kleiner Überschallgeschwindigkeiten keinen guten Vortriebswirkungsgrad erreichen kann, wurden *Zweikreis-Turboluftstrahltriebwerke* (ZTL) entwickelt, die die Lücke zwischen dem Anwendungsbereich des Turboproptriebwerks und des reinen Turboluftstrahltriebwerks schließen. Beim sogenannten *Mantelstromtriebwerk* (Abb. 3) wird ein Teil der angesaugten Luft hinter dem Niederdruckverdichter abgezweigt und als Kaltluftstrom (Mantel-, Sekundärstrom oder Bypass) um das Grundtriebwerk herumgeführt. Der äußere Luftstrom expandiert in einer eigenen Ringdüse oder wird dem inneren, heißen Primärstrom zugemischt und in einer gemeinsamen Düse entspannt.

Für den Antrieb von Großraumflugzeugen (Jumbo-Jet, Airbus u. a.) werden sogenannte *Fan-Triebwerke* (Bläsertriebwerke, Zweikreistriebwerke mit hohem Nebenstromverhältnis) verwendet. Das äußere Kennzeichen dieser schubstarken Triebwerke ist ein großer, von der Turbine angetriebener „Bläser" (Fan) von fast 2,50 m Durchmesser, der dem eigentlichen Triebwerk vorgeschaltet ist (Abb. 4). Er bewirkt mit der ihn umgebenden Verkleidung, daß der überwiegende Teil (70 bis 80 %) der angesaugten Luftmassen (rund 650 kg pro Sekunde, d. h. rund 500 m^3/s) als kalter Sekundärluftstrom um das eigentliche Triebwerk herumgeführt und dabei hoch beschleunigt wird. Dies hat zur Folge, daß auch der überwiegende Teil des Triebwerkschubs durch den Nebenstrom erzeugt wird.

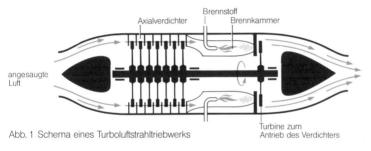

Abb. 1 Schema eines Turboluftstrahltriebwerks

Brennstoff

Axialverdichter

Brennkammer

angesaugte Luft

Turbine zum
Antrieb des Verdichters

Getriebe   Verdichter

angesaugte Luft

Austrittsdüse

Propeller

Brennstoff

Brennkammer

Turbine zum Antrieb des
Verdichters und Propellers

Abb. 2 Schema eines
Propeller-Turbinen-Luftstrahltriebwerks

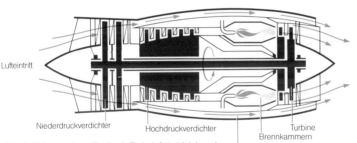

Lufteintritt

Niederdruckverdichter

Hochdruckverdichter

Turbine

Brennkammern

Abb. 3 Schema eines Zweikreis-Turboluftstrahltriebwerks
(Mantelstromtriebwerk)

Mantelluftstrom

Hochdruckverdichter
Sekundärschubdüse

Ringbrennkammer

Lufteintritt

Verkleidung

Niederdruckverdichter
Fan-Laufrad

Niederdruckturbine
Hochdruckturbine

Primärschubdüse

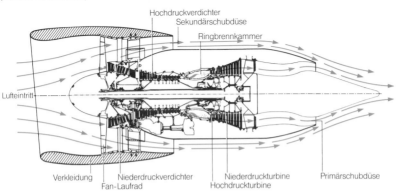

Abb. 4 Schema eines modernen Fan-Triebwerks

401

Flugnavigation I

Die Navigation von Luftfahrzeugen (Flugnavigation), die die Standort- und Kursbestimmung sowie die Führung eines Luftfahrzeugs von einem Ausgangsort zu einem bestimmten Zielort umfaßt, kann als Sichtflugnavigation oder als Instrumentenflugnavigation erfolgen.

Bei der *Sichtflugnavigation (terrestrische Navigation)* orientiert sich der Pilot im wesentlichen nach der überflogenen Landschaft, die er – in einfachster Form – durch einen „Blick aus dem Fenster" mit seinem geplanten Flugweg auf einer speziellen Luftfahrtkarte vergleicht. Wichtigstes Hilfsmittel ist hierbei der Kompaß. Die Sichtflugnavigation – allgemeiner: der Flug nach *Sichtflugregeln* (*VFR;* Abkürzung für Visual Flight Rules) – ist heute fast ausschließlich auf die Sportfliegerei beschränkt.

Die vorherrschende Form der Flugnavigation ist die *Instrumentenflugnavigation,* die einen sicheren Flug auf einer geplanten Flugroute auch ohne Boden- und Horizontalsicht ermöglicht. Ein Flug darf nur dann nach (gesetzlich vorgeschriebenen) *Instrumentenflugregeln (IFR)* erfolgen, wenn das Flugzeug über eine bestimmte Mindestausrüstung an Flug- und Navigationsinstrumenten verfügt und der Pilot eine Instrumentenflugberechtigung besitzt. Der kommerzielle Luftverkehr im Interesse größtmöglicher Sicherheit unabhängig von den jeweils gegebenen meteorologischen Bedingungen nach Instrumentenflugregeln durchgeführt.

Vertikale Navigation: Mit Hilfe eines Aneroiddosenbarometers wird an Bord des Flugzeuges der statische Luftdruck der Außenluft gemessen. Der Dosenhub wird als Maß für den örtlichen statischen Luftdruck genommen und über eine Eichformel zur Flughöhe in Beziehung gesetzt. Dem Druck wird ein Höhenwert, die sog. *Druckhöhe,* zugeordnet, die an der Skala des Höhenmessers angezeigt wird (Abb. 1). In der Einheit 100 Fuß wird die Druckhöhe als *Flugfläche* bezeichnet (Abkürzung *FL* für Flight Level). Bezugsniveau ist dabei die 1 013,2-mbar-Isobare. Im System der Flugflächen, das die Einhaltung eines senkrechten Sicherheitsabstandes zwischen den Flugzeugen untereinander gewährleistet, fliegen die Flugzeuge während des Streckenfluges. Bei Start und Landung muß die Anzeige des barometrischen Höhenmessers ein Maß für die Höhe des Flugzeuges über NN (Altitude) oder über der Flugplatzhöhe (Height) sein (Abb. 2). Um die Werte zu erhalten, verschiebt man mittels eines Stellknopfes die Eichkurve des Höhenmessers. Die Systeme der *QNH-Höhen* (QNH ist der Druckwert, der auf der Subskala des barometrischen Höhenmessers eingestellt werden muß, damit er bei der Landung des Flugzeuges die Höhe des Flugplatzes über NN, die Elevation, anzeigt) und *QFE-Höhen* (QFE ist der aktuelle Luftdruck in Höhe des Flugplatzes) sind demzufolge gegen das System der Flugflächen senkrecht versetzt (Abb. 3). Das Ausmaß der senkrechten Versetzung hängt von der Höhe des Flugplatzes über NN und vom aktuellen Luftdruck in Flugplatzhöhe ab. Nach dem Start wird vom Piloten beim Passieren der *Übergangshöhe* der Höhenmesser von QNH auf 1 013,2 mbar eingestellt. Vor dem Landeanflug erfolgt die Umstellung von 1 013,2 mbar auf QNH beim Passieren der *Übergangsflugfläche.* Der Luftraum zwischen Übergangshöhe und Übergangsflugfläche heißt *Übergangsschicht,* ihre minimale Mächtigkeit wird im allgemeinen auf 1 000 Fuß festgelegt (1 Fuß = 0,305 m).

Funkhöhenmesser messen zusätzlich die Höhe eines Flugzeuges über dem Erdboden. Ein Funksignal wird zum Boden gestrahlt, reflektiert und wieder empfangen. Aus der Laufzeit wird die Höhe auf elektronischem Wege bestimmt (Abb. 4). Eine verwertbare Anzeige erhält man nur über ebenem Terrain oder über Wasserflächen, da sich Unebenheiten des Erdbodens in der Anzeige voll auswirken. – Zur Bestimmung der Steig- oder Sinkgeschwindigkeit dient das *Variometer* (Abb. 5). Ein Luftvolumen steht über einen Strömungswiderstand (Kapillare, Schlitz, Stauscheibe) mit dem statischen Druck der Außenluft in Verbindung. Bei Höhenänderung ändert sich der statische Druck; der Druckausgleich kann wegen des Strömungswiderstandes nur langsam erfolgen. Die Druckdifferenz am Widerstand ist ein Maß für die Vertikalgeschwindigkeit.

Kursbestimmung: Die Richtung eines Flugweges wird durch den Winkel bezüglich einer Referenzrichtung gemessen. Diese Richtung kann rechtweisend Nord, mißweisend Nord, Gitternord oder Kompaßnord sein. Den Winkel zwischen der Referenzrichtung und der Flugzeuglängsachse nennt man *Steuerkurs,* den Winkel zwischen der Referenzrichtung und der Tangente an den Flugweg über Grund nennt man *Kurs.* Kurs und zugehöriger Steuerkurs unterscheiden sich um den *Luvwinkel l* (Abb. 6, S. 405).

Abb. 1 Anzeige der
barometrischen Höhenmessung

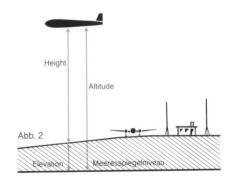

Abb. 2

Height
Altitude
Elevation
Meeresspiegelniveau

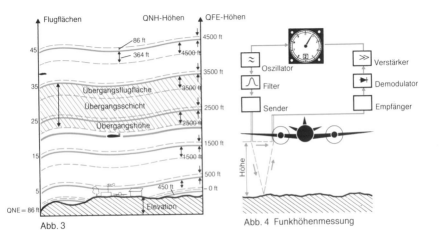

Flugflächen   QNH-Höhen   QFE-Höhen

45   86 ft   4500 ft
        364 ft   4500 ft
                     3500 ft
35   Übergangsflugfläche   3500 ft
        Übergangsschicht   2500 ft
25   Übergangshöhe   2500 ft
                     1500 ft
15   1500 ft
                     500 ft
5   450 ft   0 ft
QNE = 86 ft   Elevation

Abb. 3

Oszillator   Verstärker
Filter   Demodulator
Sender   Empfänger

Höhe

Abb. 4 Funkhöhenmessung

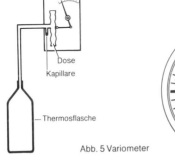

Dose
Kapillare
Thermosflasche

Abb. 5 Variometer

403

Kurs und zugehöriger Steuerkurs sind gleich, wenn kein Wind vorhanden ist. In Abb. 6 ist l negativ (Winkel in Drehrichtung des Uhrzeigers sind positiv). Rechtweisender und mißweisender Kurs (oder Steuerkurs) unterscheiden sich um die Ortsmißweisung. Kompaß- und mißweisender Kurs (oder Steuerkurs) unterscheiden sich um die Deviation (Fehler durch bordeigene magnetische Störfelder). Zusammengefaßt gilt: Rechtweisender Kurs gleich Kompaßkurs plus Ortsmißweisung plus Deviation.

Bei konstantem rechtweisenden Kurs ist der Flugweg über Grund eine Loxodrome oder Kursgleiche. Der kürzeste Flugweg von A nach B ist jedoch nicht die Loxodrome, sondern der Großkreis oder die Orthodrome (vgl. S. 376). Man bestimmt den Großkreis (z. B. mit Hilfe einer Zentralprojektionskarte) und nähert ihn durch einen Polygonzug von Loxodromenstükken, die mit Hilfe eines Magnetkompasses oder einer kompaßgeführten Kurskreiselanlage gesteuert werden können, an.

Der *Kurskreisel* zeigt das Azimut in bezug auf eine gewählte Richtung (z. B. rechtweisend Nord). Der bord- und gehäusefeste Steuerstrich (Abb. 7) dreht sich bei Kursänderungen relativ zum kardanisch aufgehängten raumfesten Kreisel; die Ablesung erfolgt am Kursrahmen. Wegen der Referenz zum geographischen (bewegten) System und infolge von Gerätefehlern wandert der Kreisel aus der Soll-Lage (Drift), die Langzeitkonstanz ist also begrenzt. Für längere Flüge ist der Kreisel mit einem Meßsystem für das erdmagnetische Feld kombiniert (kompaßgeführte Kurskreiselanlage). Bei der Kursmessung mit dem Kurskreisel dient als Referenzrichtung Gitternord. Meistens wird Gitternord in die Richtung von Greenwich zum Nordpol längs des Meridians von Greenwich gelegt, und man benutzt zur Orientierung ein Gitter, das aus Linien besteht, die parallel zum Meridian von Greenwich verlaufen. Ein Flugweg konstanten Gitterkurses ist ein Großkreis, so daß für die Gitternavigation Karten zweckmäßig sind, in denen Großkreise zumindest annähernd durch Geraden dargestellt werden. Die Gitternavigation wird vorwiegend in hohen Breiten angewendet, da in diesen Regionen der Magnetkompaß versagt.

Geschwindigkeitsmessung: Man unterscheidet zwischen dem Betrag der Geschwindigkeit gegenüber der umgebenden Luft v_l, dem Betrag der Geschwindigkeit über Grund v_g und der Windgeschwindigkeit nach Größe und Richtung v_w. Es ist v_g die vektorielle Summe von $v_l + v_w$. Das von den drei Vektoren gebildete Dreieck nennt man Winddreieck (Abb. 8); es ist für die gesamte Flugnavigation von grundlegender Bedeutung.

Die Bestimmung der Eigengeschwindigkeit von Flugzeugen relativ zur umgebenden Luft geschieht vorwiegend über Staudruckmessung mit dem *Fahrtmesser.* Meßgeber ist das außerhalb des Rumpfes im freien Luftstrom angebrachte Prandtl-Rohr. Die Differenz zwischen Gesamtdruck und statischem Druck wird über eine Membrandose gemessen und angezeigt (Abb. 9). Zur Ermittlung der genauen Werte ist der Einfluß der veränderlichen Luftdichte zu berücksichtigen. Für die Navigation ist die Geschwindigkeit über Grund wichtig; sie ist bei Kenntnis des örtlichen Windvektors berechenbar.

Ortung: Zur Bestimmung des eigenen Standorts und zur Festlegung des zu fliegenden Kurses wird heute v. a. die Funknavigation angewandt. Bei der *Funkeigenpeilung* wird an Bord des Flugzeuges mittels einer Richtempfangsantenne gemessen, unter welchem Winkel relativ zur Flugzeuglängsachse die elektromagnetischen Wellen eines am Boden installierten Navigationssenders (Funkfeuer) einfallen. Dieser Einfallswinkel ist die *Funkseitenpeilung* ($\measuredangle$). Zur Funkseitenpeilung wird der rechtweisende Steuerkurs addiert, und man erhält die rechtweisende *Funkpeilung* (rw $\measuredangle$). Die Addition von 180° liefert den Funkstandlinienwinkel ($\measuredangle$ Stdlw.), dessen einer Schenkel die Funkstandlinie ist (Abb. 11, S. 407). Der Schnitt mehrerer Standlinien liefert den Standort.

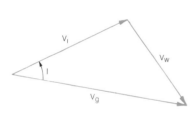

Referenzlinie

Tangente an den Flugweg über Grund

I

Kurs

Steuerkurs

B

Flugweg über Grund

A

Flugzeuglängsachse

Abb. 6

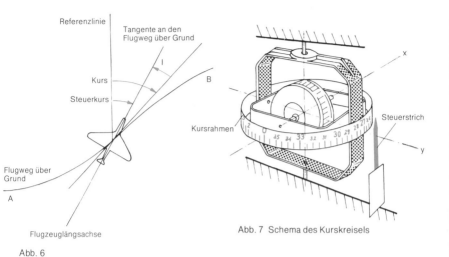

Steuerstrich

Kursrahmen

x

y

Abb. 7 Schema des Kurskreisels

V_l

V_w

I

V_g

Abb. 8 Winddreieck

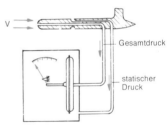

V

Gesamtdruck

statischer Druck

Abb. 9 Fahrtmesser (Prandtl-Rohr)

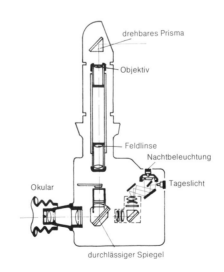

drehbares Prisma

Objektiv

Feldlinse

Nachtbeleuchtung

Tageslicht

Okular

durchlässiger Spiegel

Abb. 10 Periskopsextant

Der *Radio-* oder *Funkkompaß* (*ADF;* Abkürzung für Automatic Direction Finder) ist ein Lang- und Mittelwellenempfänger, dessen Antennenanordnung über eine automatische Nachführeinrichtung stets auf den gewählten Sender ausgerichtet wird. Die Stellung der Antenne als Maß für die Richtung des Senders zur Flugzeuglängsachse wird dem Piloten angezeigt (Abb. 12). Als Navigationssender dienen im allgemeinen *ungerichtete Funkfeuer* (*NDB;* Abkürzung für Non-directional-Beacon), die im Frequenzbereich zwischen 225 und 415 kHz arbeiten. Diese Funkfeuer stehen z. B. an markanten Punkten von Luftstraßen (z. B. Kreuzungspunkten und Richtungsänderungspunkten), sie dienen auch als Bezugspunkte für Warteschleifen, als Anflugfunkfeuer u. a.

Das für die Kurz- und Mittelstreckennavigation vorwiegend angewandte Verfahren ist das *VOR*-Verfahren (Abkürzung für Very High Frequency Omnidirectional Range), bei dem der Bordempfänger des VOR-Gerätes das Signal der ausgewählten Bodenstation (UKW-Drehfunkfeuer; Frequenzbereich 112 bis 118 MHz) empfängt und aus einem Phasenvergleich zwischen Bezugsphase und richtungsabhängiger Phase das Azimut des Senders bezüglich des Empfängers bestimmt. In Verbindung mit dem sogenannten *DME* (Abkürzung für Distance Measuring Equipment), einem Entfernungsmeßgerät, das die Laufzeit von an Bord ausgestrahlten, von der Bodenstation mit bestimmter Zeit- und Frequenzverschiebung beantworteten Impulsen mißt, ist auch eine ständige Entfernungsbestimmung zum betreffenden UKW-Drehfunkfeuer möglich.

Für die Langstreckennavigation ist dieses Verfahren wegen der begrenzten Reichweite der UKW-Wellen nicht anwendbar. Die hierfür verwendeten Funknavigationsverfahren sind das *Loran-Verfahren* (Abkürzung für Long Range Navigation), das im Frequenzbereich 70 bis 130 kHz (Loran C) arbeitet, und das *Omega-Verfahren,* das die Längstwellenfrequenz 10,2 kHz benutzt. Beide Verfahren beruhen auf der Laufzeit- bzw. Phasendifferenzmessung der von einem Senderpaar abgestrahlten Signale und liefern hyperbelförmige Standlinien. Sie werden daher auch als Hyperbelnavigationsverfahren bezeichnet. In der Langstrecken-Verkehrsluftfahrt wurden sie – ebenso wie die astronomische Navigation (vgl. S. 376) mit Hilfe des Periskopsextanten (Abb. 10) –

weitgehend durch die ursprünglich für die Raumfahrt entwickelte *Trägheitsnavigation* (Inertialnavigation) verdrängt, die die Langstreckennavigation erheblich erleichtert hat (vgl. S. 440).

Das heute allgemein übliche Landeanflugverfahren für Verkehrsflughäfen ist das *Instrumentenlandesystem* (Abkürzung ILS). Von zwei Antennensystemen am Boden werden Funksignale abgestrahlt, die Leitebenen für die horizontale und vertikale Führung bilden (Abb. 15). Abweichungen von diesen Ebenen lassen sich aus dem Anwachsen der Signalstärke des entsprechenden Sektors erkennen. Die Anzeige erfolgt als Kommandosignal mit dem Kreuzzeigergerät (Abb. 14). Es ist je ein Zeiger für die Horizontal- und Vertikalführung vorhanden. Eine grobe Entfernungsanzeige zur Landebahn ergibt sich beim Überfliegen der *Markierungsfunkfeuer (Marker):* des Voreinflugzeichens (Outer Marker, Abkürzung OM) etwa 7,2 km vor dem Aufsetzpunkt und des Haupteinflugzeichens (Middle Marker, MM) rund 1 km vor dem Aufsetzpunkt auf der Landebahn; gelegentlich ist zusätzlich noch ein Grenz- oder Platzeinflugzeichen (Boundary Marker, BM, oder Inner Marker, IM) rund 400 m bzw. 100 m vor dem Aufsetzpunkt installiert. Der Bordempfänger des ILS setzt die Funksignale der Markierungsfeuer in hörbare und visuelle Kennungen (verschiedenfarbige Blinklampen) um.

Ein zur Zeit in der Erprobung befindliches neues Landeanflugsystem, das das ILS ablösen soll, ist das *Mikrowellenlandesystem* (Abkürzung MLS). Es ermöglicht im Gegensatz zum ILS einen Landeanflug aus unterschiedlichen Richtungen (Auffächerung etwa ±40° zur Landebahnachse) auf unterschiedlich steilen Gleitwegen (mindestens 3° bis 14°). Das MLS arbeitet mit einer Antennenanordnung, die sehr eng gebündelte Mikrowellenstrahlen mit konstanter Winkelgeschwindigkeit hin und her bzw. auf und ab schwenkt. Ein Empfangsgerät an Bord des Flugzeugs setzt die Zeitdifferenzen zwischen dem Erfassen des hin- und herlaufenden bzw. des auf- und ablaufenden Strahls in Winkelangaben um, die sie dem Piloten an. Gleichzeitig erhält der Pilot kontinuierliche Angaben über den Abstand seines Flugzeugs vom Aufsetzpunkt auf der Landebahn.

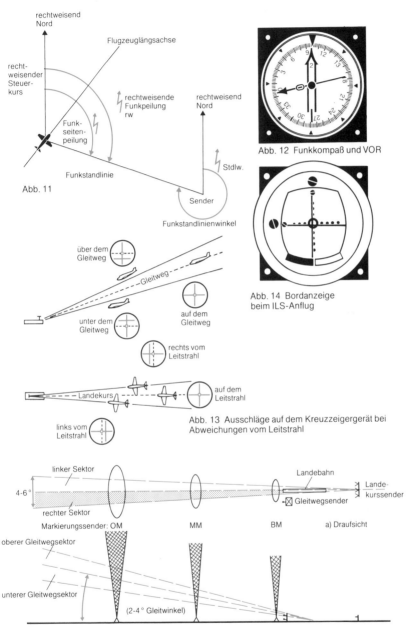

rechtweisend Nord

Flugzeuglängsachse

rechtweisender Steuerkurs

rechtweisende Funkpeilung rw

rechtweisend Nord

Funkseitenpeilung

Funkstandlinie

Stdlw.

Abb. 11

Sender

Funkstandlinienwinkel

Abb. 12 Funkkompaß und VOR

über dem Gleitweg

Gleitweg

unter dem Gleitweg

auf dem Gleitweg

rechts vom Leitstrahl

Abb. 14 Bordanzeige beim ILS-Anflug

Landekurs

auf dem Leitstrahl

links vom Leitstrahl

Abb. 13 Ausschläge auf dem Kreuzzeigergerät bei Abweichungen vom Leitstrahl

linker Sektor

Landebahn

Landekurssender

4-6°

Gleitwegsender

rechter Sektor

Markierungssender: OM   MM   BM   a) Draufsicht

oberer Gleitwegsektor

unterer Gleitwegsektor

(2-4° Gleitwinkel)

b) Seitenansicht

Abb. 15 Das Instrumentenlandesystem (ILS)

407

Überschallflug

Als Überschallflug bezeichnet man einen Flug, bei dem die Geschwindigkeit oberhalb der Schallgeschwindigkeit liegt. Die Schallgeschwindigkeit c ist jedoch keine konstante Größe, sie ist in der Luft von Luftdruck und Luftdichte und damit von der Temperatur abhängig. Für eine Temperatur von 15 °C ergibt sich z. B. eine Schallgeschwindigkeit von 341 m/s oder 1 228 km/h, für eine Temperatur von −50 °C, wie sie in 10 000 m Höhe herrscht, eine Schallgeschwindigkeit von 300 m/s oder 1 080 km/h. Da die Schallgeschwindigkeit für den Flug eine besondere Rolle spielt – für höhere Geschwindigkeiten gelten nicht mehr die „normalen" Gesetzmäßigkeiten der Aerodynamik –, bezieht man die Geschwindigkeit schneller Flugzeuge auf die Schallgeschwindigkeit: Man gibt das Verhältnis von Fluggeschwindigkeit zur Schallgeschwindigkeit an und nennt es die Mach-Zahl. So bedeutet z. B. Mach 1 ($Ma = 1$), daß das Verhältnis von Fluggeschwindigkeit zur Schallgeschwindigkeit = 1 ist, die Fluggeschwindigkeit also gleich der Schallgeschwindigkeit ist; Mach 2 ($Ma = 2$) bedeutet, daß die Fluggeschwindigkeit doppelt so groß wie die Schallgeschwindigkeit ist usw. – Von einer sich nicht bewegenden Schallquelle breiten sich die von ihr ausgehenden Schallwellen als Druckschwankungen kugelförmig nach allen Richtungen aus (Abb. 1 a). Bewegt sich die Schallquelle mit einer Geschwindigkeit, die kleiner als die Schallgeschwindigkeit ist ($Ma < 1$), durch die Luft, so ergibt sich für einen ruhenden Beobachter ein Bild der Wellenfronten, wie es Abb. 1 b zeigt; bewegt sie sich mit Schallgeschwindigkeit ($Ma = 1$), ergibt sich ein Bild wie in Abb. 1 c, bei Überschallgeschwindigkeit ($Ma > 1$) ein Bild entsprechend Abb. 1 d. Im letzten Fall ist der Schallbereich auf einen kegelförmigen Raum beschränkt, den sogenannten Machschen Kegel, dessen Öffnungswinkel von der jeweiligen Überschallgeschwindigkeit der Schallquelle abhängt. Ein Beobachter im Punkt P nimmt also keinen Schall wahr, obwohl die Schallquelle bereits an ihm vorbeigezogen ist. Erst mit weiter voranschreitender Bewegung der Schallquelle, wenn der Kegel über ihn hinwegzieht, wird er die Schallquelle hören.

Auch die Druckstörungen der Luft, die von einem Flugzeug ausgehen, breiten sich wie Schallwellen aus. Während im Unterschallbereich die Druckwellen dem Flugzeug vorauseilen und in genügend großer Entfernung abgeklungen sind, ergibt sich bei Überschallgeschwindigkeit eine scharf abgegrenzte Fläche, die sogenannte Stoßfront, an der ein plötzlicher, beträchtlicher Druckanstieg erfolgt. Er macht sich am Boden als Überschallknall bemerkbar. In Wirklichkeit geht von einem Flugzeug ein ganzes System von Verdichtungs- und Verdünnungswellen aus, die sich an Vorder- und Hinterkanten der Tragflächen, am Bug, Heck und am Leitwerk ausbilden (Abb. 2). Zu diesem von der „Volumenverdrängung" ausgehenden Wellensystem kommt noch ein „auftriebsbedingter" Anteil hinzu, der z. B. vom Anstellwinkel des Flugzeugs abhängt. Ein Beobachter am Boden nimmt im gewöhnlich zwei deutlich unterscheidbare Knalle wahr, die den plötzlichen Druckänderungen in der Bugstoßwelle und in der Heckstoßwelle entsprechen (zeitlicher Abstand etwa 1/10 Sekunde). Diese beiden Stoßwellen überstreichen ein etwa 100 km breites Band entlang der Flugroute des mit Überschallgeschwindigkeit fliegenden Flugzeugs.

Das Überschreiten der Schallgeschwindigkeit wird auch als „Durchbrechen der Schallmauer" bezeichnet. Diese Bezeichnung rührt von der Tatsache her, daß der Luftwiderstand im Bereich von $Ma = 1$ steil ansteigt (Abb. 3). Durch geeignete Tragflächengestaltung läßt sich der „Kurvenbuckel" des Widerstandskoeffizienten zwar vermindern, er bleibt jedoch beachtlich. Das bedeutet, daß zum Durchbrechen der Schallmauer ein erheblicher Energie-, d. h. Treibstoffaufwand, erforderlich ist, der in der Zivilluftfahrt lange Zeit als unannehmbar galt. Erst mit der britisch-französischen „Concorde" (Abb. 4) und der sowjetischen Tupolew Tu-144 begann Ende 1977 der Überschallflug für die Zivilluftfahrt. Der Treibstoffverbrauch dieser sogenannten SST-Flugzeuge (Abkürzung für supersonic transport) ist jedoch trotz der Berücksichtigung modernster aerodynamischer Erkenntnisse noch enorm hoch. Je Passagierkilometer verbraucht die „Concorde" zweieinhalbmal soviel Kraftstoff wie ein konventionelles Düsenverkehrsflugzeug.

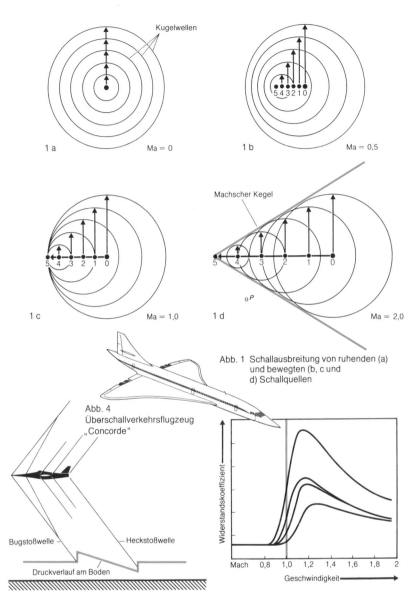

Kugelwellen

1 a   Ma = 0

1 b   Ma = 0,5

1 c   Ma = 1,0

Machscher Kegel

1 d   Ma = 2,0

Abb. 1 Schallausbreitung von ruhenden (a) und bewegten (b, c und d) Schallquellen

Abb. 4 Überschallverkehrsflugzeug „Concorde"

Bugstoßwelle

Heckstoßwelle

Druckverlauf am Boden

Abb. 2 Entstehung des Überschallknalls

Widerstandskoeffizient

Mach 0,8   1,0   1,2   1,4   1,6   1,8   2

Geschwindigkeit

Abb. 3 Abhängigkeit des Widerstandskoeffizienten von der Geschwindigkeit für verschiedene Tragflächenformen

Radar

Als Radar bezeichnet man ein mit elektromagnetischen Wellen arbeitendes Verfahren zur Ortung von Schiffen, Flugzeugen u. a., die infolge zu großer Entfernung, Dunkelheit oder schlechter Sichtverhältnisse nicht durch direkte Beobachtung geortet werden können; es wird jedoch ebenso als Navigationshilfe (z. B. in der Schiffahrt zur Erkennung des Küstenverlaufs bei Nebel), als Hilfsmittel der Meteorologie (z. B. zur Ortung und Beobachtung entfernter Gewitter oder Starkregengebiete), der Astronomie (z. B. zur Oberflächenforschung von Planeten), zur Geschwindigkeitsmessung von Kraftfahrzeugen (Verkehrsradar) sowie auf vielen anderen Gebieten angewandt.

Alle Anwendungen nutzen das gleiche Prinzip: Von einer Antenne mit parabolförmigem Reflektor werden richtstrahlerartig stark gebündelte elektromagnetische Wellen (im Zentimeterbereich) in Form kurzer Impulse in den Raum abgestrahlt (Abb. 1 a). Treffen sie auf ein Hindernis, so werden sie – je nach Art des Materials – mehr oder weniger stark reflektiert (Abb. 1 b) und in den Impulspausen von derselben Antenne wieder empfangen (Abb. 1 c). Diese Echoimpulse werden nun nach entsprechender Verstärkung auf dem Bildschirm einer Braunschen Röhre sichtbar gemacht. Dies kann auf unterschiedliche Weise erfolgen, z. B. dadurch, daß man sie zur Helligkeitssteuerung des Elektronenstrahls benutzt. Ein reflektierendes Objekt in einem bestimmten Abstand vor der Radarantenne erscheint dann als heller Punkt auf dem sonst dunklen Bildschirm (Abb. 1 c). Lenkt man den Elektronenstrahl so, daß sein Auftreffpunkt auf dem Bildschirm zum Zeitpunkt der Impulsaussendung vom Zentrum des Bildschirms mit konstanter Geschwindigkeit radial nach außen wandert, so wird die Hellschaltung je nach Abstand des reflektierenden Objekts von der Antenne (und damit der Laufzeit des Impulses zum Objekt und zurück) näher oder weiter vom Zentrum des Bildschirms erfolgen, wobei der Abstand des hellen Punktes auf dem Bildschirm dem wahren Abstand des Objekts von der Antenne direkt proportional ist. Nach entsprechender Eichung ist damit neben der Erkennung des Objekts auch die Bestimmung seines Abstands von der Antenne möglich. Durch zweimaliges, kurz nacheinander erfolgendes Vermessen des Ziels läßt sich aus der in der Zwischenzeit veränderten Position auch dessen Geschwindigkeit bestimmen. Zur exakten Geschwindigkeitsmessung, z. B. beim Verkehrsradar, werden jedoch andere Verfahren angewandt, die den Doppler-Effekt ausnutzen: Bewegt sich das reflektierende Objekt auf die Antenne zu oder von ihr weg, so tritt eine Frequenzverschiebung auf, die ein Maß für dessen Geschwindigkeit ist.

Dreht man die Radarantenne mit konstanter Geschwindigkeit, so läßt sich der gesamte Raum in einem bestimmten Umkreis „abtasten". Bei entsprechender Darstellung auf dem Bildschirm (der radial „schreibende" Elektronenstrahl muß sich synchron zur Antenne drehen) entsteht so ein anschauliches Bild aller reflektierenden Gegenstände im Umkreis der Antenne. Durch besondere elektronische Schaltungen kann man erreichen, daß nur sich bewegende Objekte dargestellt werden (sogenannte *Festzielunterdrückung*). Diese Darstellungsart ist insbesondere in der Luftfahrt üblich. Sie liefert den Fluglotsen ein übersichtliches Bild der jeweiligen Verkehrslage im radarüberwachten Luftraum, in dem lediglich die Flugzeuge als helle (eine gewisse Zeit nachleuchtende) Punkte oder Striche auf dem Bildschirm erscheinen (Abb. 2). Derartige *Rundsichtradaranlagen,* die den Luftraum in der Umgebung eines Flughafens erfassen, arbeiten z. B. mit einer Impulsfolgefrequenz von 1 200 Hz, d. h., innerhalb einer Sekunde werden 1 200 Impulse von der Antenne abgestrahlt. Dabei hat jeder Impuls nur eine Dauer von 1 Mikrosekunde (1/1 000 000 Sekunde). Die jeweils gewählte Impulsfolgefrequenz hängt von der Reichweite der Radaranlage ab, da mit dem Aussenden des jeweils nächsten Impulses gewartet werden muß, bis das fernste Echo des vorangegangenen Impulses empfangen wurde. Mittelbereichs-Rundsichtradaranlagen, wie sie für die Überwachung eines größeren Luftraums (Streckenkontrolle) in der Flugsicherung eingesetzt werden, haben beispielsweise eine Reichweite von 250 bis 450 km. Ihre Impulsfolgefrequenz ist entsprechend kleiner, sie liegt zwischen 320 und 450 Hz.

Nähere Information über das betreffende Objekt läßt sich mit Hilfe des *Sekundärradars* gewinnen. Hierbei löst z. B. ein (vom Radarsender am Boden abgestrahlter) Abfrageimpuls in einem Antwortgerät *(Transponder)* im Flugzeug eine codierte Antwort aus, die zur Identifizierung und Übermittlung der jeweiligen Höhe des Flugzeugs dienen kann.

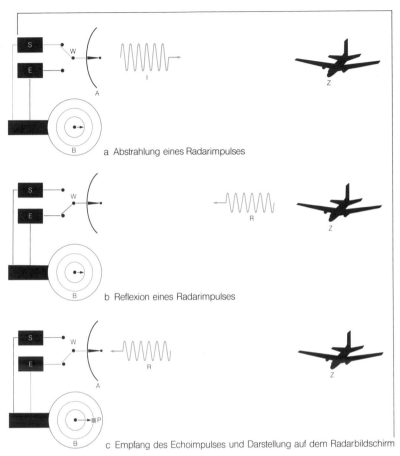

a Abstrahlung eines Radarimpulses

b Reflexion eines Radarimpulses

c Empfang des Echoimpulses und Darstellung auf dem Radarbildschirm

Abb. 1 Prinzip einer Radarortung
S Sendeteil, E Empfangsteil, A Radarantenne, I abgestrahlter Impuls, Z Radarziel, R reflektierter Impuls (Echoimpuls), B Radarbildschirm, W Sende-Empfangs-Weiche, P Leuchtpunkt des Radarzieles

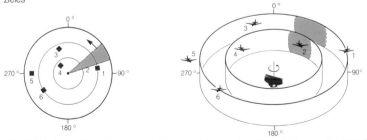

Abb. 2 Prinzip des Rundsichtradars. Luftraum im Umkreis einer Rundsichtradarantenne und dazugehöriges Radarschirmbild

Hubschrauber

Beim Hubschrauber tritt an die Stelle des festen Tragflügels ein Drehflügel (Rotor), dessen Blätter mit einem Tragflügelprofil ausgestattet sind. Die Schwebefähigkeit oder der Auftrieb eines Tragflügels hängt von zwei Faktoren ab: dem Anstellwinkel des Flügels und der Geschwindigkeit der anströmenden Luft. Da beim Flugzeug Flügel und Rumpf eine Einheit bilden, muß es eine bestimmte Geschwindigkeit haben, um den notwendigen Auftrieb zu erhalten. Beim Hubschrauber wird die Luftgeschwindigkeit durch die Rotation der Drehflügel erzeugt; wenn der Anstellwinkel einen bestimmten Wert erreicht hat, beginnt der Auftrieb die Schwerkraft zu überwinden. Bei großer Steiggeschwindigkeit muß sowohl die Drehgeschwindigkeit des Rotors als auch der Anstellwinkel der Blätter groß sein. Die Maschine steigt senkrecht nach oben, weil der Auftrieb genau in Richtung der Rotorachse wirkt (Abb. 1). Soll nun eine Vorwärtsbewegung zustande kommen, so kippt der Pilot die Maschine um einen bestimmten Winkel nach vorwärts (Abb. 2), indem dem Rotorblatt, das gerade über das Heck der Maschine streicht, einen größeren Anstellwinkel gibt, wodurch dessen Auftrieb größer wird als der der anderen Blätter. Die Kraft (in Abb. 2 die Resultierende), die beim Senkrechtflug voll als Auftrieb wirkte, wird in dieser Stellung der Maschine aufgespalten in einen Teil für den Auftrieb und einen Teil für die Zugkraft zur Vorwärtsbewegung (Vortrieb). Der Rotorkopf mit der Taumelscheibe (Abb. 3) sorgt dafür, daß jeweils das richtige Blatt im richtigen Augenblick steiler angestellt wird. Der untere Teil der Taumelscheibe wird durch die Steuergeräte des Piloten über die Steuerstangen in einem bestimmten Winkel zur Rotorachse starr festgehalten. Die Schubstangen ziehen bzw. drücken, während sie mit der Rotorwelle umlaufen, die um ihre Längsachsen drehbaren Rotorblätter in den jeweils gewünschten Anstellwinkel.

Die in Abb. 3 sichtbaren Schlaggelenke erfüllen eine andere Aufgabe: In Abb. 4 gibt *R* die Dreh- und *T* die Bewegungsrichtung an. Auf der Rotorfläche muß man zwei Abschnitte (Linie X – X) unterscheiden. Auf der rechten Seite addieren sich die Auftriebskräfte aus der Luftströmung, die durch Dreh- und Vorwärtsbewegung entstanden ist, während auf der linken Seite der Auftrieb aus der Drehbewegung um den Betrag aus der Vorwärtsbewegung kleiner ist. Der Auftrieb ist auf der rechten Seite stärker, der Hubschrauber müßte bei zunehmender Geschwindigkeit nach links abkippen und schließlich umschlagen. Ein Rotorblattlager mit einem Schlaggelenk senkrecht zur Drehachse ermöglicht den Rotorblättern Schlagbewegungen, die die unerwünschten Kippmomente ausschalten. Jedes Rotorblatt ist so zu jeder Zeit im Gleichgewichtszustand: Die Gelenke können keine Kippmomente übertragen, die Rotorblätteranschlüsse sind keinen Verbiegungen, sondern nur mehr der zentrifugalen Beanspruchung unterworfen; jedes Rotorblatt geht bei jedem Umlauf auf der Seite in die Höhe, über die es bei seiner Drehung in die Hälfte mit dem höheren Auftrieb gelangt. Die vertikale Schlagbewegung der Blätter beeinflußt auch periodisch den Anstellwinkel und reguliert so den Auftrieb des Rotorblattes während seiner Umdrehung. Mit wechselndem Auftrieb ändert sich auch der Widerstand des Rotorblattes. Um ihn auszugleichen, ermöglichen Schwenkgelenke (mit vertikaler Achse), daß das jeweils stärker angeströmte Blatt etwas zurückbleibt; so werden auch Belastungsschwankungen vermieden. Durch Verwendung spezieller Werkstoffe (Rotorkopf aus Titan, Rotorblätter aus glasfaserverstärktem Kunststoff) ist es gelungen, auch „gelenklose Rotorköpfe" zu bauen; der Rotorkopf des in Abb. 1 und 2 dargestellten Hubschraubers (BO 105) besitzt z. B. für jedes Rotorblatt lediglich ein Gelenk zur Veränderung des Anstellwinkels.

Setzt sich beim Hubschrauber der Rotor in Drehbewegung, so ist der Flugzeugrumpf bestrebt, sich entgegengesetzt zu drehen (Newtonsches Prinzip: Wirkung ist gleich Gegenwirkung). Durch zwei gegenläufige Rotoren oder einen seitlich angebrachten Heckrotor können diese Drehbewegungen ausgeglichen werden; eine Änderung des Anstellwinkels der Heckrotorblätter ermöglicht zusätzlich eine gewollte Drehung des Hubschraubers um seine Hochachse.

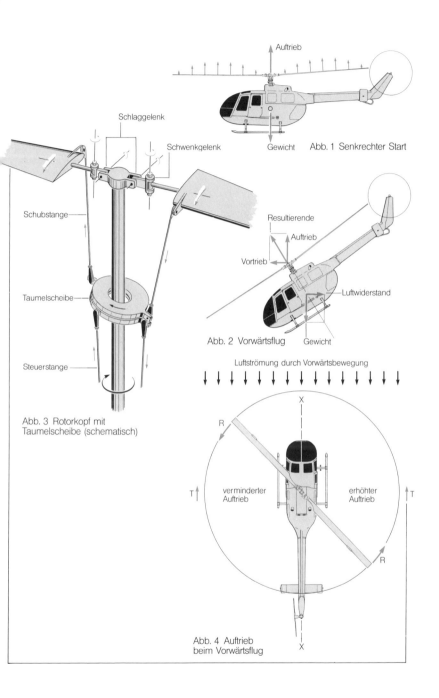

Auftrieb

Gewicht Abb. 1 Senkrechter Start

Schlaggelenk

Schwenkgelenk

Schubstange

Taumelscheibe

Steuerstange

Abb. 3 Rotorkopf mit
Taumelscheibe (schematisch)

Resultierende

Auftrieb

Vortrieb

Luftwiderstand

Abb. 2 Vorwärtsflug Gewicht

Luftströmung durch Vorwärtsbewegung

X

R

T

verminderter
Auftrieb

erhöhter
Auftrieb

T

R

Abb. 4 Auftrieb
beim Vorwärtsflug

X

Fallschirm

Fallschirme sind schirmartige Vorrichtungen, mit deren Hilfe Menschen oder Lasten von einem Flugzeug aus mit relativ geringer Sinkgeschwindigkeit (etwa 3 bis 7 m/s, also etwa 10 bis 25 km/h) zum Erdboden gebracht werden können, wenn keine Landemöglichkeit für Flugzeuge besteht oder das Flugzeug abzustürzen droht. Daneben wird der Fallschirm als Sportgerät (Fallschirmspringen) verwendet und bei der Landung von Raumkapseln eingesetzt.

Die einfachste Form ist der in geöffnetem Zustand nahezu halbkugelförmige *Rundkappenfallschirm* (*Kugelkappenfallschirm;* Abb. 1). Er besteht heute meist aus einem Chemiefasergewebe, hat eine Größe von etwa 55 bis 70 m^2 und ist gewöhnlich aus 24 oder 28 einzelnen Stoffbahnen (die jeweils aus fünf Feldern bestehen) zusammengesetzt. Von seinem unteren Rand, der Basis, führen die rund 7,50 m langen Fangleinen zum Gurtzeug, das die Last bzw. den Fallschirmspringer hält. Eine Öffnung im Scheitelpunkt der Kappe mildert den Entfaltungsstoß beim Öffnen des Fallschirms und verringert zugleich das Pendeln. Fangleinen und zusammengefaltete Kappe sind vor dem Absprung bzw. Abwurf in einer Hülle verpackt, aus der sie beim automatischen Fallschirm durch eine am Flugzeug befestigte Aufziehleine, beim manuellen Fallschirm mit Hilfe eines kleinen (vom Fallschirmspringer durch Betätigen des Aufziehgriffs ausgelösten oder von Hand ausgeworfenen) Hilfsschirms herausgezogen und entfaltet werden. Bei der manuellen Fallschirmöffnung kann der Fallschirmspringer den Öffnungszeitpunkt selbst bestimmen, er kann so beim Absprung aus großen Höhen größere Strecken frei durchfallen. Die dabei erreichte Geschwindigkeit – sie ist aufgrund des Luftwiderstands des menschlichen Körpers nach oben begrenzt – beträgt etwa 50 m/s (d. h. rund 180 km/h), kann jedoch im Extremfall bei einer bestimmten Körperhaltung fast 80 m/s (nahezu 300 km/h) betragen. Diese Höchstgeschwindigkeit wird nach etwa 9 Sekunden erreicht, wobei der Springer rund 350 m frei durchfallen hat. – Im Notfall kann ein mitgeführter automatischer Auslöser, der auf eine bestimmte Höhe oder Fallzeit eingestellt wird, unabhängig vom Springer die Öffnung des Fallschirms bewirken.

Der einfache Rundkappenfallschirm ist in seiner Fallbewegung kaum steuerbar, das „Herunterziehen" eines Teils der Fangleinen durch den Springer kann lediglich zu einer asymmetrischen Abströmung und damit zu einem geringen Vortrieb in Richtung der verkürzten Fangleinen führen (sog. *Slippen*). Wesentlich bessere Steuerungseigenschaften besitzen Rundkappenfallschirme mit speziellen Steuerschlitzen (und zusätzlichen Stabilisierungsflächen an zwei gegenüberliegenden Seiten), deren Öffnung mit Hilfe besonderer Steuerleinen vom Fallschirmspringer verändert werden kann (Abb. 2).

Ein weiterer, im Fallschirmsport vorwiegend verwendeter Typ ist der *Gleitfallschirm* (Abb. 3), bei dem die rechteckige Schirmkappe ein durch Stauluft gefülltes tragflächenähnliches Profil besitzt. Während die Wirkungsweise des einfachen Rundkappenfallschirms fast ausschließlich auf dem beim Sinken auftretenden Luftwiderstand der Kugelkappe beruht, tritt hier (wie bei einem Flugzeug) der aerodynamische Auftrieb als wesentliche Kraft auf. Ohne den Auftrieb würden Gleitfallschirme, deren Fläche nur etwa 15 bis 20 m^2 beträgt, nicht mehr ausreichen, um einen Menschen sicher zur Erde zu bringen. Der Fallschirmspringer muß daher darauf achten, daß die Kappe ständig mit Stauluft gefüllt bleibt.

Gleitfallschirme ermöglichen bei einer Sinkgeschwindigkeit von etwa 4 bis 5 m/s einen steuerbaren Gleitflug, bei dem die Horizontalgeschwindigkeit etwa 9 bis 13 m/s beträgt. Die Gleitzahlen moderner Gleitfallschirme liegen bei 1:2,5 bis 1:4 (Gleitverhältnis 2,5 bis 4), d. h., sie ermöglichen bei einem Höhenverlust von 1 m eine Horizontalbewegung von 2,5 bis 4 m. Mit Hilfe der vom Fallschirmspringer betätigten Steuerleinen lassen sich der Anstellwinkel, die Querneigung des Profils und auch die Profilform verändern, so daß regelrechte Flugmanöver durchgeführt werden können (Veränderung von Horizontal- und Sinkgeschwindigkeit, Kurvenflüge, in gewissem Umfang auch Flüge „gegen den Wind").

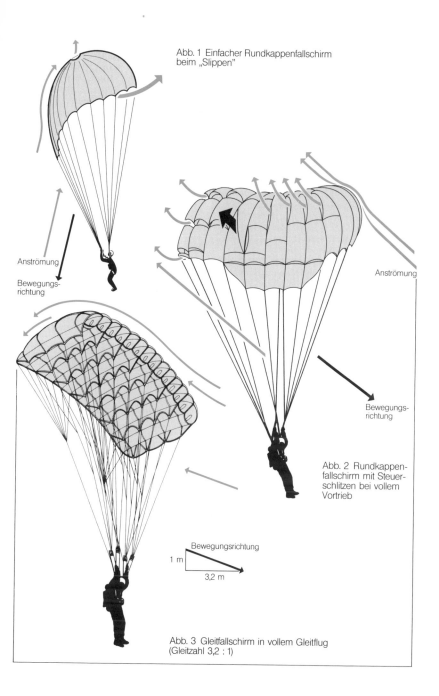

Abb. 1 Einfacher Rundkappenfallschirm beim „Slippen"

Anströmung

Bewegungs-
richtung

Anströmung

Bewegungs-
richtung

Abb. 2 Rundkappen-
fallschirm mit Steuer-
schlitzen bei vollem
Vortrieb

Bewegungsrichtung

1 m

3,2 m

Abb. 3 Gleitfallschirm in vollem Gleitflug
(Gleitzahl 3,2 : 1)

Raketenprinzip

Die Wirkung eines Raketenantriebs beruht auf Newtons fundamentalem Gesetz von „Aktion" und „Reaktion": Jede Kraft (Aktion) löst eine gleich große, entgegengesetzt gerichtete Kraft (Reaktion) aus. Mit einem Luftballon läßt sich dies am freien Flug darstellen. Aufgeblasen und unverschlossen losgelassen, wird der Ballon in wilden Spiralen davonfliegen. Dabei steht die im Ballon enthaltene Luftmasse durch die Spannung der Ballonhülle gegenüber der Umgebung unter Überdruck, der sich im Moment des Loslassens ausgleicht. Es trennt sich also ein Teil der ursprünglichen Gesamtmasse (Luft- und Ballonmasse) mit einer der Druckdifferenz proportionalen Geschwindigkeit ab, wodurch ein Kraftstoß (Impuls) entsteht (Abb. 1).

Dieses Reaktionsprinzip und damit die Funktion des Raketentriebwerkes lassen sich an drei physikalischen Modellen verdeutlichen:

1. Störung des in einem geschlossenen Behälter gegebenen Druckgleichgewichtes durch eine einseitige Öffnung des Behälters (Abb. 2 a). In einem solchen Behälter wird zum Beispiel durch Verbrennung von Treibstoffen Wärme und durch die damit verbundene erhöhte ungerichtete Molekular- bzw. Atombewegung ein Druck der Verbrennungsgase auf die Behälterinnenwand erzeugt. Ist der Druck im Inneren höher als der umgebende Außendruck, strömen die Verbrennungsgase beim Öffnen des Behälters aus – der Innendruck wird entspannt. Öffnet man den Behälter nur auf einer Seite, z. B. durch eine Bohrung, so kann nur hier ein Druckausgleich stattfinden; die im Behälter enthaltene Gasmasse tritt dabei mit einer dem Druckunterschied und der Bohrungsgröße proportionalen Geschwindigkeit aus. Das Druckgleichgewicht an den gegenüberliegenden Wänden wird entsprechend der Bohrungsgröße einseitig verschoben, so daß in Richtung der nicht durchbohrten Wand ein Schub entsteht.

2. Lehrsatz von der Erhaltung des Impulses: In einem Experiment (Abb. 2 b) werden zwei Wagen 1 und 2 durch gleich große Kraftstöße beschleunigt. Hat der Wagen 1 doppelt so große Masse m_1 wie Wagen 2 (m_2), wird er nur die halbe Geschwindigkeit entwickeln, da nach dem Impulserhaltungsgesetz $m_1 \cdot v_1 = m_2 \cdot v_2$ ist.

3. Satz von der Erhaltung des gemeinsamen Schwerpunktes, der nur eine andere Version des Impulssatzes ist: Im unbewegten Zustand haben beide Wagen einen gemeinsamen Schwerpunkt S (Abb. 2 b), dessen Lage auch während des Rollens der Fahrzeuge gleich bleibt. Wegen seiner höheren Masse legt Wagen 1 pro Zeiteinheit eine entsprechend kürzere Strecke s_1 zurück ($m_1 \cdot s_1 = m_2 \cdot s_2$).

Stellt man sich nun unter m_1 die Rakete und unter m_2 die vom Triebwerk abgestoßene Gasmasse vor, ist die Fluggeschwindigkeit der Rakete

$$v_1 = \frac{m_2}{m_1} \cdot v_2.$$

Ihr Schub F errechnet sich nach der ausgestoßenen Gasmasse m_2 pro Zeiteinheit t und der Gasgeschwindigkeit v_2:

$$F = \frac{m_2}{t} \cdot v_2.$$

Der Schub (Schubkraft, Rückstoß) einer Rakete wird in der Einheit Newton (N) angegeben: 1 N ist diejenige Kraft, die notwendig ist, um eine Masse von 1 kg um 1 m/s² zu beschleunigen.

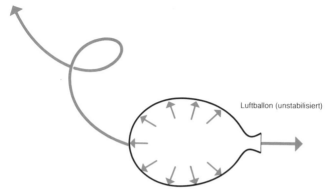

Luftballon (unstabilisiert)

Abb. 1 Ballonexperiment

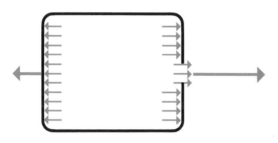

a) Störung des Druckgleichgewichtes in einem Behälter

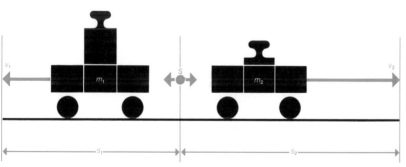

b) Impulserhaltungssatz $(m_1 \cdot v_1 = m_2 \cdot v_2)$
   Schwerpunktsatz $(m_1 \cdot s_1 = m_2 \cdot s_2)$

Abb. 2 Physikalische Modelle des Reaktionsantriebes

Raketengrundgleichung

Die auf S. 416 behandelten Zusammenhänge zwischen Masse und Geschwindigkeit gelten nur für den vereinfachten Fall, daß der Flugkörper durch den kurzzeitigen Ausstoß einer Gasmasse einen einmaligen Schubstoß erhält. Bei den meisten Flugkörpern trifft dies jedoch nicht zu: Bei der Verbrennung von Treibstoffen in einer modernen Raketenbrennkammer werden laufend heiße und unter hohem Druck stehende Reaktionsgase erzeugt, die kontinuierlich abgestoßen werden, beispielsweise mehrere Minuten lang. Da der weitaus größte Teil der Startmasse der heutigen Raketen auf den Treibstoffvorrat entfällt, ist auch die Raketenmasse während des Fluges nicht konstant, sondern nimmt sehr rasch ab. Diese beiden Faktoren – kontinuierlicher Gasausstoß und abnehmende Masse – müssen in das einfache Prinzip von Aktion und Reaktion eingebaut werden. Zum erstenmal gelang dies dem sowjetischen Raumfahrtpionier K. E. Ziolkowski (1857–1935). Nach der von ihm abgeleiteten Gleichung, der sogenannten Raketengrundgleichung, läßt sich vereinfacht für einen widerstands- und schwerefreien Raum die erreichbare Höchst- bzw. Brennschlußgeschwindigkeit v_B einer Rakete bestimmen. Die Brennschlußgeschwindigkeit v_B ist gleich der Ausströmgeschwindigkeit c der Verbrennungsgase, multipliziert mit dem natürlichen Logarithmus des Verhältnisses von Anfangsmasse m_0 zur Endmasse m der Rakete, als Formel ausgedrückt: $v_B = c \cdot \ln(m_0/m)$. Der Quotient aus m_0 und m wird Massenverhältnis genannt.

Für die Praxis reicht diese Beziehung, die auch „Bewegungsgleichung der Rakete" genannt wird, natürlich immer noch nicht aus, denn außer dem Luftwiderstand blieb auch die während der Brennzeit t wirkende Gravitation (Schwerkraft) unberücksichtigt. Bezieht man sie in die Berechnung mit ein, so ergibt sich für die Brennschlußgeschwindigkeit einer Rakete $v_B = c \cdot \ln(m_0/m) - gt$, wobei g die Fallbeschleunigung ist (ihr Wert beträgt an der Erdoberfläche 9,81 m/s²).

Die Einwirkung der Atmosphäre wird auch hierbei vernachlässigt, da diese zu stark von den örtlichen Verhältnissen und atmosphärischen Veränderungen abhängt und deshalb in der Regel nur von Fall zu Fall bestimmt werden kann.

Wie aus der Gleichung ersichtlich ist, beeinflussen die Ausströmgeschwindigkeit der Verbrennungsgasmassen und das Verhältnis der Massen die Geschwindigkeitsentwicklung am nachhaltigsten. Die Ausströmgeschwindigkeit ist vor allem von dem Molekulargewicht M und von der Verbrennungstemperatur T der Reaktionsgase abhängig: Sie ist proportional der Wurzel aus dem Verhältnis von Verbrennungstemperatur zu mittlerem Molekulargewicht der Reaktionsgase $c \sim \sqrt{T/M}$ und wird begrenzt durch die Höhe der Temperatur, die die Wände der Brennkammer und Düse aushalten können.

Die zweite wichtige Einflußgröße in der Raketengrundgleichung, das Massenverhältnis m_0/m, veranlaßt die Konstrukteure, das Gewicht der Einzelteile, Triebwerke und Tanks einer Rakete immer weiter zu verringern, denn ein günstiges großes Massenverhältnis ergibt sich nur bei kleiner Endmasse m. Diese wiederum errechnet sich aus der Startmasse, vermindert um die von den Triebwerken während des Fluges verbrauchte Treibstoffmasse.

In Abb. 1 ist der Zusammenhang zwischen Massenverhältnis, idealer Brennschlußgeschwindigkeit und Ausströmgeschwindigkeit dargestellt. Wie eingezeichnet, würde z. B. eine Ausströmgeschwindigkeit von 2,8 km/s mit einem Massenverhältnis von 9 eine Brennschlußgeschwindigkeit von 5,75 km/s ermöglichen.

Unter Voraussetzung einer konstanten Gasausströmgeschwindigkeit c zeigt die Abb. 2, in welcher Höhe sich eine senkrecht startende Rakete nach jeweils 10 Sekunden Brenndauer befindet; nach den ersten 10 Sekunden befindet sich der Flugkörper erst in 0,35 km Höhe, während er – aufgrund seiner geringer gewordenen Masse – allein in den letzten 10 Sekunden vor Brennschluß etwa 26,7 km an Höhe gewinnt.

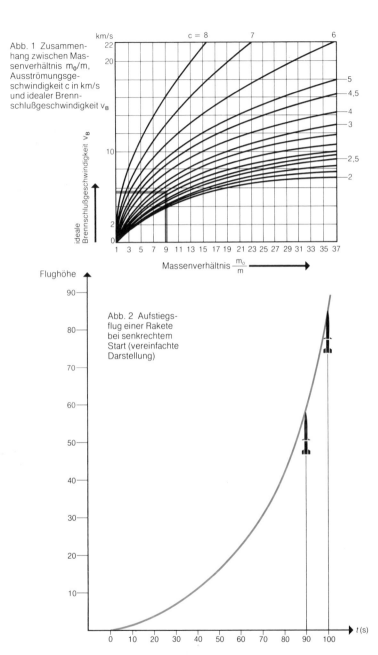

Abb. 1 Zusammenhang zwischen Massenverhältnis m_0/m, Ausströmungsgeschwindigkeit c in km/s und idealer Brennschlußgeschwindigkeit v_B

ideale Brennschlußgeschwindigkeit v_B

Massenverhältnis $\dfrac{m_0}{m}$

Flughöhe

Abb. 2 Aufstiegsflug einer Rakete bei senkrechtem Start (vereinfachte Darstellung)

t (s)

Mehrstufenraketen

Wie im Abschnitt Raketengrundgleichung auf S. 418 gezeigt wurde, hängt die Brennschlußgeschwindigkeit vor allem von der Ausströmgeschwindigkeit und dem Massenverhältnis ab. Damit man ein ausreichendes Antriebsvermögen für einen Start in den Weltraum erhält, müssen also entweder Ausströmgeschwindigkeit oder Massenverhältnis oder besser beide gemeinsam möglichst hohe Werte annehmen. Die Ausströmgeschwindigkeit ist jedoch begrenzt durch die Höhe der Temperatur, die die Brennkammer- und Düsenwände aushalten können; das Massenverhältnis m_0/m kann ebenfalls nicht beliebig groß gemacht werden, da die Leermasse (Tanks, Raketenkörper, Brennkammer, Düse, Apparaturen) in der Brennschlußmasse m mit enthalten ist. Bei einstufigem Raketenaufbau würde man deshalb wegen des notwendigen Aufwands an Leermasse – konventionellen chemischen Raketenantrieb vorausgesetzt – erst gar nicht die erforderliche Endgeschwindigkeit erreichen.

Eine vertretbare Lösung ergibt sich durch Anwendung des Stufenprinzips. Dieses arbeitet mit der Aufteilung des Antriebssystems auf mehrere Stufen, die jeweils als selbständige, einstufige Raketen aufgefaßt werden können. Wenn sie ausgebrannt sind und somit nicht mehr benötigt werden, werden sie abgestoßen. Dadurch entfällt bei Zündung der letzten Stufe die Notwendigkeit, einen großen Teil der nutzlos gewordenen Startleermasse mitzubeschleunigen. Mit der Aufteilung in mehrere Stufen läßt sich also eine höhere Endgeschwindigkeit erreichen oder aber bei fest vorgegebener Endgeschwindigkeit eine sehr viel größere Nutzmasse transportieren, als dies mit einstufigen Raketen möglich wäre.

Nach der Raketengrundgleichung ergibt sich z. B. für eine *zweistufige Rakete* (s. Abb. 1) bei gleichen Ausströmgeschwindigkeiten folgende Endgeschwindigkeit der oberen Stufe, wenn Q_1 das Massenverhältnis der ersten und Q_2 jenes der zweiten Stufe ist: $v_B = c \cdot \ln(Q_1 \cdot Q_2)$. Mit den in Abb. 1 angegebenen Bezeichnungen für Raketenstrukturmasse (Index R), Treibstoffmasse (Index T) und Nutzlastmasse (Index N) ist:

$$Q_1 = \frac{m_{R1} + m_{T1} + m_{R2} + m_{T2} + m_N}{m_{R1} + m_{R2} + m_{T2} + m_N}$$

und

$$Q_2 = \frac{m_{R2} + m_{T2} + m_N}{m_{R2} + m_N}.$$

Sind die Ausströmgeschwindigkeiten von Ober- und Unterstufe unterschiedlich, gilt: $v_B = c_1 \cdot \ln Q_1 + c_2 \cdot \ln Q_2$. Man erkennt daraus, daß sich bei Mehrstufenraketen die einzelnen Stufen-Brennschlußgeschwindigkeiten addieren und die Massenverhältnisse multiplizieren. Der gewünschte Geschwindigkeitsgewinn durch das Stufenprinzip muß jedoch durch einen schwerwiegenden Nachteil erkauft werden: der eigentliche Nutzlastanteil der Rakete (z. B. Satellit, Raumkapsel usw.) nimmt mit zunehmender Stufenzahl stark ab, was zwangsläufig zum Bau sehr großer Raketen führt (z. B. Saturn V, Titan/Centaur, ARIANE).

Wie Abb. 2 zeigt, gibt es grundsätzlich fünf verschiedene Konzeptionen für Mehrstufenraketen. Das Huckepack-Prinzip ist beispielsweise beim amerikanischen Raumtransporter realisiert. Die übrigen Stufungen werden wesentlich häufiger angewandt. Die Raketenvarianten nach Abb. 2b bis 2d haben gegenüber der konventionellen Serien-Stufenrakete (Abb. 2a) den Vorteil, daß beim Start mehr Triebwerke in Betrieb sind, die die Rakete gleichzeitig beschleunigen können. Arbeiten nämlich in der Startphase alle verfügbaren Triebwerke, ist die Anfangsbeschleunigung relativ hoch, und die Endbeschleunigung kurz vor Brennschluß der Hauptstufe nimmt keine unerträglichen Werte an.

Ein besonderes technisches Problem in der Raketentechnik ist die Stufentrennung, die im allgemeinen programm-gesteuert ist. Die Trennung erfolgt mittels Federn, Sprengbolzen oder Sprengschnüren. Besonders wichtig dabei ist, daß die Trennung an allen Verbindungsstellen gleichzeitig erfolgt und die nächststufige Stufe nicht sofort, sondern erst einige Sekunden nach der Abtrennung der ausgebrannten Stufe gezündet wird. Starthilfsraketen (Abb. 2d) werden nach dem Ausbrennen durch kleine Querschubraketen vom Hauptkörper abgestoßen.

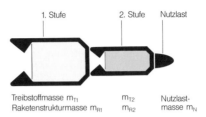

1. Stufe   2. Stufe   Nutzlast

Treibstoffmasse m_{T1} m_{T2} Nutzlast-
Raketenstrukturmasse m_{R1} m_{R2} masse m_N

Abb. 1 Schema einer Zweistufenrakete

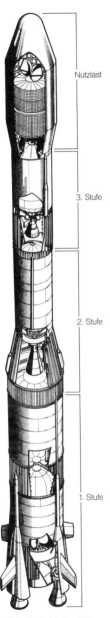

Nutzlast

3. Stufe

2. Stufe

1. Stufe

Abb. 3 Dreistufige Trägerrakete
ARIANE (Startmasse 210 t,
Treibstoffmasse rund 190 t)

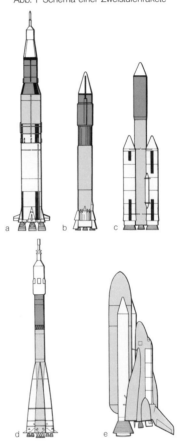

Abb. 2 Grundtypen von Trägerraketen:
a Serienstufenrakete, b Teilstufenrakete,
c gebündelte Rakete, d Parallelstufen-
rakete, e Huckepackverfahren des
Raumtransporters

Feststoffraketen

Feststoffraketen weisen einen konstruktiv einfachen Aufbau auf. Sie bestehen im wesentlichen aus Gehäuse, Treibsatz und Düse. Schematisch gesehen (Abb. 1 und 2) ist die Brennkammer ein Zylinder, der an der einen Seite verschlossen, an der anderen von der Düse begrenzt wird. Fördersysteme wie bei der Flüssigkeitsrakete entfallen also. Die Brennkammerwandung ist aus Metall oder glasfaserverstärkten Epoxid- oder Phenolharzen hergestellt; metallische Brennkammerwandungen werden innen mit Schichten aus glasfaserverstärkten Epoxid- oder Phenolharzen überzogen.

Innig vermischt wird der Treibstoff entweder direkt in das Brennkammergehäuse gegossen, oder in Form gepreßter Blöcke eingeschoben. Man unterscheidet zwei Treibstoffarten: homogene oder doppelbasige (mit Nitrozellulose und Nitroglyzerin als Hauptbestandteile) und heterogene (zusammengesetzte) Treibstoffe. Letztere, auch Composite-Treibstoffe genannt, bestehen aus einem Oxidator (meist kristalline organische Salze), der in den sogenannten Binder (meist wasserstoffreiche organische Hochpolymere) eingebettet ist.

Das Flugprogramm von Feststoffraketen erfordert vielfach sehr unterschiedliche Schubwerte. Diese hängen von der Gasentwicklung beim Treibstoffabbrand ab. Der Treibstoffabbrand erfolgt an der freien (nicht abgedeckten) Oberfläche des Treibsatzes. Durch entsprechende Gestaltung des Treibsatzquerschnittes (Treibsatzgeometrie, Abb. 3) und/oder Teilabdeckung mit Hemmstoffen kann der Schub so weit beeinflußt werden, daß ganze Schubprogramme (mit unterschiedlichen zeitlichen Abläufen) gestaltet werden können. Bei Röhrenbrennern (Innenbrennern) und Stirnbrennern ist im allgemeinen ein konstanter Schubverlauf gewährleistet. Kleine Triebwerke mit langen Brennzeiten, wie sie zum Beispiel als Marschtriebwerke für Flugabwehrraketen verwendet werden, besitzen Stirnbrenner oder Kombinationen von Röhren- und Stirnbrennern, wodurch sich während des Starts (in der Beschleunigungsphase) ein hohes Schubniveau und während des Fluges (in der Marschphase) ein niedriges Schubniveau einstellt. Eine Schubsteigerung ist z. B. durch Allseitsbrenner (außen und innen abbrennende Hohlzylinder) möglich, da hierbei die Abbrandoberfläche gegenüber anderen Formen mehr als verdoppelt wird. Dafür ist die Brenndauer in der Regel entsprechend kurz. Viele schwerwiegende Nachteile führten jedoch dazu, daß man von dieser Konstruktion wieder abging.

Das Feststofftriebwerk, bei dem der Treibstoff in der Brennkammer lagert, gestattet es nicht, das ganze Triebwerk zur Änderung der Schubrichtung zwecks Steuerung und Lagestabilisierung heranzuziehen. Die Strahlablenkung geschieht deshalb vor allem mittels schwenkbarer Düsen, hitzebeständiger beweglicher Teile am Düsenende (Strahlruder), oder durch Einspritzen von flüssigen oder gasförmigen Stoffen (z. B. Stickstofftetroxid) direkt hinter dem Düsenhals. Exakter Brennschluß wird durch schlagartiges Öffnen von am Brennkammerkopf angebrachten Brennschlußventilen gewährleistet. Ein Wiederzünden des Triebwerks ist durch Einspritzen hypergoler (bei Zusammentreffen beider Komponenten selbstzündender) Substanzen möglich.

Die Hitzeeinwirkung auf die Brennkammerwände wird meist durch den noch nicht verbrannten Treibstoff, der einen Wärmeisolator darstellt, gemindert. Häufig ist der Düsenhals mit einem hitze- und erosionsbeständigem Einsatz (z. B. graphitbeschichtetes Wolfram) versehen. Je nach Verwendungszweck beträgt die Brennzeit zwischen einigen Sekunden und einigen Minuten.

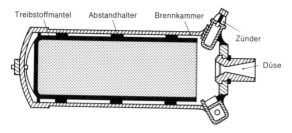

Abb. 1 Einfaches Feststoffraketentriebwerk (Stirnbrenner)

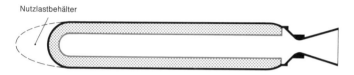

Abb. 2 Modernes Feststoff-Großraketentriebwerk (Innenbrenner)

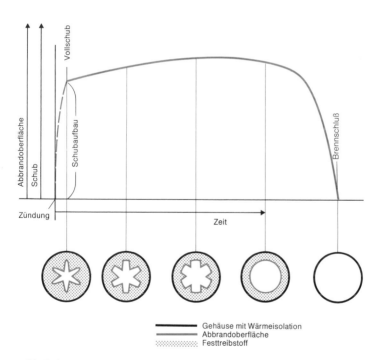

Abb. 3 Schubcharakteristik eines Festtreibstoff-Sterninnenbrenners

Flüssigkeitsraketen

Flüssigkeitsraketen setzen sich zusammen aus der Zelle (Raketenkörper), die die Treibstoffbehälter, Energieversorgungsanlagen, Steuereinrichtungen u. a. enthält, sowie dem Antriebsteil, bestehend aus dem eigentlichen Triebwerk (Brennkammer, Einspritzvorrichtung, Kühlsystem, Entspannungsdüse) und dem Triebwerkszubehör (Treibstoffförderungseinrichtung, Leitungen, Ventile). Abb. 1 zeigt schematisch die Wirkungsweise einer Flüssigkeitsrakete. Die in getrennten Behältern untergebrachten Treibstoffkomponenten (Brennstoff und Oxidator) werden durch Druckgas oder Pumpenanlagen in die Brennkammer transportiert. Beim druckgasgeförderten Raketensystem hält man mit Gas die Tanks unter Innendruck. Das Gas (Helium oder Stickstoff) kann in eigenen Behältern unter einem Speicherdruck bis zu 200 bar mitgeführt werden (Abb. 2) oder es kann durch Verdampfen des Treibstoffs selbst entstehen. In größeren Raketen wird jedoch fast ausschließlich die Pumpenförderung angewandt. Die Pumpen werden von einem Gasgenerator über eine Gasturbine angetrieben. Der Gasgenerator kann entweder das Gas z. B. durch katalytische Zersetzung erzeugen, oder aber er verbrennt die beiden Treibstoffkomponenten (und zwar bei großem Brennstoffüberschuß zur Verringerung der Verbrennungstemperatur, da die bekannten Turbinenwerkstoffe kaum über 1 000 °C Wandtemperatur vertragen). Die schwierigsten Probleme, vor allem bei sehr großen Flüssigkeitsraketentriebwerken und bei Triebwerken mit während des Fluges veränderlichem Schub, treten beim Einspritzsystem auf, da sowohl der Verbrennungswirkungsgrad als auch die Verbrennungsschwingungen von der Art der Einspritzung abhängig sind. Ein Einspritzsystem besteht hauptsächlich aus dem Verteiler (Verteilung des Treibstoffs auf die einzelnen Düsen), aus dem Einspritzkopf (enthält die Düsen) und den Einspritzdüsen selbst.

Aufgrund der hohen Verbrennungstemperaturen (bis 4 500 K) besteht die meist zylindrisch ausgeführte Brennkammer großer Triebwerke fast ausschließlich aus längsverlaufenden Kühlröhrchen, durch die der Brennstoff vor der Einspritzung zwecks Kühlung der Brennkammerwände geleitet wird (Regenerativkühlung). Bei den Brennkammern anderer, vor allem kleinerer Triebwerke ist auch die Strahlungskühlung sinnvoll; bei ihr wird die auf die Brennkammerwände übergehende Wärme als Temperaturstrahlung abgegeben. Außerdem werden noch Schleierkühlung (vom Einspritzkopf her wird der wandnahe Bereich mit Brennstoffüberschuß versehen), Schwitzkühlung (sich ständig erneuernder Flüssigkeitsfilm auf der Brennkammerwand, der durch Verdampfen kühlt) und Ablativkühlung (Kühlung durch Abschmelzen schlecht wärmeleitender Stoffe, z. B. Graphit) eingesetzt.

Bei Flüssigkeitsraketen ist es relativ einfach, den Schub durch Drosselung der Treibstoffzufuhr zu regeln und die Rakete nach Brennschluß erneut zu zünden. Schwenkbar angebrachte Triebwerke werden zur Lage- und Kursstabilisierung durch Änderung der Schubrichtung verwendet. Nachteilig ist die Handhabung bestimmter flüssiger Treibstoffe (große Tanks, chemische Aggressivität) sowie die Tatsache, daß die Rakete vor dem Start aufgetankt werden muß. Die häufigsten derzeit verwendeten flüssigen Oxidatoren sind Sauerstoff, Salpetersäure und Stickstofftetroxid, die bekanntesten Brennstoffe Wasserstoff, Hydrazin, Aerozin, UDMH (unsymmetrisches Dimethylhydrazin) und Kerosin. – Die Ausführung eines typischen Flüssigkeitsraketentriebwerkes zeigt Abb. 3.

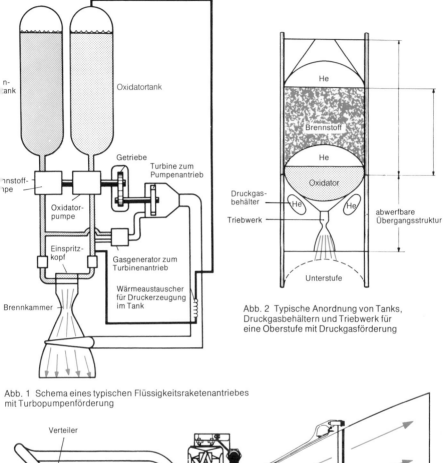

Oxidatortank

n-ank

Getriebe

Turbine zum Pumpenantrieb

nnstoff-pe

Oxidatorpumpe

Einspritzkopf

Gasgenerator zum Turbinenantrieb

Wärmeaustauscher für Druckerzeugung im Tank

Brennkammer

He

Brennstoff

He

Oxidator

Druckgasbehälter

He

He

Triebwerk

abwerfbare Übergangsstruktur

Unterstufe

Abb. 2 Typische Anordnung von Tanks, Druckgasbehältern und Triebwerk für eine Oberstufe mit Druckgasförderung

Abb. 1 Schema eines typischen Flüssigkeitsraketenantriebes mit Turbopumpenförderung

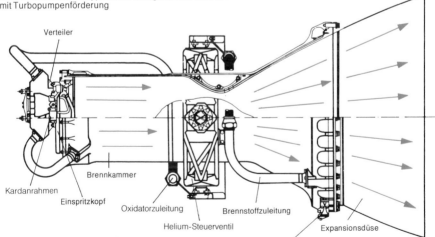

Verteiler

Brennkammer

Kardanrahmen

Einspritzkopf

Oxidatorzuleitung

Helium-Steuerventil

Brennstoffzuleitung

Expansionsdüse

Halterung für Stellmotor

Abb. 3 Hauptbestandteile einer Flüssigkeitsraketen-Brennkammer

Hybridraketen

Hybridraketen verwenden feste Brennstoffe und in getrennten Tanks mitgeführte, durch ein Fördersystem eingespritzte flüssige Oxidatoren, z. B. Sauerstoff, Wasserstoffperoxid oder Salpetersäure (der umgekehrte Fall, Oxidator in festem Zustand und flüssiger Brennstoff, ist sehr selten). Diese Treibstoffkombinationen werden als *Lithergole* bezeichnet. Ähnlich wie bei Feststoffraketen besteht das Triebwerk aus einem zylindrischen Behälter, der gleichzeitig Vorratsbehälter für den festen Brennstoff und Brennkammer ist. Über der Brennkammer ist der Flüssigkeitstank angeordnet. Die Förderung der flüssigen Komponente erfolgt meist mittels Druckgas, da eine Pumpenanlage (Turbopumpe) mit ihrer Aufwendigkeit den einfachen Aufbau stören würde.

Die Einspritzung der flüssigen Komponente erfolgt in den Brennkammerkopf (Abb. 1–3), bei Röhrenbrennern auch über ein axiales Sprührohr am Brennkammerboden vor dem Düsenhals (Abb. 4) und zusätzlich in eine Nachbrennkammer (Abb. 3). Die Abbildungen zeigen schematisch verschiedene konstruktive Varianten. Häufig wird der Flüssigkeitstreibstoff auch zur regenerativen Kühlung von Brennkammer und Düse eingesetzt.

Die Verbrennung setzt vorzugsweise hypergol, das heißt durch Kontakt der beiden Treibstoffkomponenten selbstzündend ein. Der Feststoffabbrand erfolgt dann proportional der zugeführten Oxidatormenge sowie der zur Verfügung stehenden Abbrennoberfläche der festen Komponente. Dadurch lassen sich unter anderem explosive Verbrennungsabläufe verhindern sowie wiederholtes Abschalten und Wiederzünden und eine Feinschubregulierung ermöglichen. Wie bei den Flüssigkeitsraketen und den Feststoffraketen läßt sich auch bei den Hybridraketen durch Sekundäreinspritzung in die Ausströmdüse die Schubrichtung ändern.

Die Leistungen der Lithergoltriebwerke sind im allgemeinen größer als die der Feststofftriebwerke und reichen teilweise an die Leistungen von Flüssigkeitstriebwerken heran. Ein besonderer Vorteil ist die Möglichkeit der Verwendung von Metallzusätzen wie z. B. Aluminium, Beryllium und Lithium im Brennstoff, was die Ausströmgeschwindigkeit der Verbrennungsgase merkbar steigert. Bei Verwendung der Hydride dieser Metalle als Brennstoff und Sauerstoffdifluorid, Sauerstoff oder Fluor als Oxidator würden sich aufgrund der hohen Energieinhalte dieser Verbindungen theoretisch die höchsten chemisch überhaupt erreichbaren Werte (um 7 000 m/s) ergeben. Allerdings wird der großtechnische Einsatz dieser Hydride bei hybriden Antrieben noch nicht beherrscht. Nachteilig ist, daß sich das Mischungsverhältnis Oxidator/Brennstoff während des Abbrandes infolge der sich verändernden Geometrie des Feststoffblockes und der variablen Strömungsbedingungen ständig ändert.

Wenn auch gegenwärtig die Bedeutung der Lithergoltriebwerke hinter der der Flüssigkeits- und Feststofftriebwerke zurücksteht, haben sie dank ihrer vielen Vorteile (leichte Schubregelung, einfacher Aufbau, gefahrloser Betrieb usw.) durchaus eine gewisse Zukunft.

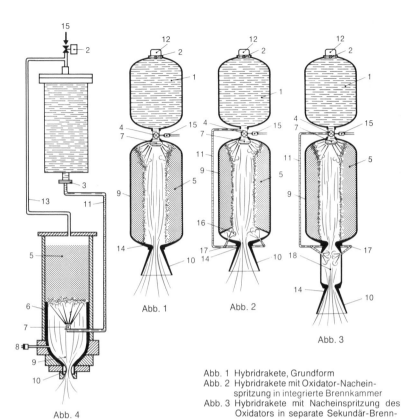

Abb. 1   Abb. 2

Abb. 3

Abb. 4

Abb. 1 Hybridrakete, Grundform
Abb. 2 Hybridrakete mit Oxidator-Nachein-
spritzung in integrierte Brennkammer
Abb. 3 Hybridrakete mit Nacheinspritzung des
Oxidators in separate Sekundär-Brenn-
kammer
Abb. 4 Hybrid-Versuchstriebwerk mit konstan-
tem Brennkammervolumen

Baugruppenschlüssel

1. Oxidatortank
2. Einlaßventil
3. Trennmembran
4. Regelventil
5. Brennstoffblock
6. Brennstoffblock-Halterung und Druckschutz
7. Oxidator-Einspritzdüse
8. Druckkontrolle
9. Brennkammer
10. Expansionsdüse
11. Oxidatorleitung
12. Druckgasgenerator
13. Druckgasleitung
14. Düsenauskleidung aus Ablativmaterial
15. Einfüll- u. Überdruckventil
16. Integrierte Nachbrennkammer
17. Oxidator-Einspritzdüsen-Ringleitung für
Nachverbrennung
18. Separate Nachbrennkammer

Elektrische Raketen

In konventionellen chemischen Raketentriebwerken entstehen Ausströmgeschwindigkeiten bis zu 6 km/s. Eine weitere Steigerung ist jedoch nicht mehr möglich, da die Energieausbeute aller chemischer Reaktionen grundsätzlich begrenzt ist. Bei längeren zukünftigen Raumflügen, beispielsweise zu Zielen außerhalb der Marsbahn, muß man sich deshalb anderer Antriebsverfahren bedienen.

In dieser Hinsicht sind elektrische Raketenantriebe vielversprechend, zumal sie mittlerweile einen relativ hohen Entwicklungsstand erreicht haben. Bei ihnen wird die Primärenergie, z.B. solare oder nukleare Energie, zunächst in Elektrizität umgeformt und mit ihr die Stützmasse elektrisch beschleunigt. Damit lassen sich Teilchenausströmgeschwindigkeiten realisieren, die bis zum Faktor 15 höher sind als bei chemischen Raketentriebwerken. Da der Massendurchsatz sehr niedrig bleibt, sind allerdings die erzielbaren Schubkräfte wesentlich kleiner als das Gewicht derartiger Raketen. Aus diesem Grund ist diese Antriebsart nicht für Starts von der Erdoberfläche aus geeignet; ihr Einsatzgebiet liegt im Weltraum.

Je nach Art des Beschleunigungsmechanismus der Stützmassen unterscheidet man drei Typen elektrischer Raketen (Abb. 1): beim *elektrothermischen Triebwerk* (Abb. 1a) wird der Treibstoff, z.B. flüssiger Wasserstoff, mit Hilfe eines Lichtbogens, durch Zufuhr von Wärme also, aufgeheizt. Die auf diese Weise entstehenden hoch erhitzten Treibstoffgase expandieren anschließend in einer Düse. Mit derartigen „Lichtbogentriebwerken" lassen sich Ausströmgeschwindigkeiten um 20 km/s erzielen. Erheblich höhere Werte, etwa 70 km/s, erreicht man mit den *elektromagnetischen* oder *elektrodynamischen Antrieben* (Abb. 1b), die zusammen mit den elektrothermischen die Gruppe der Plasmaraketen bilden. Sie nutzen den Plasmazustand der Heißgase aus, um sie mit Hilfe elektromagnetischer Felder weiter zu beschleunigen.

Werden in einem elektrischen Raketentriebwerk nur Ionen beschleunigt, und zwar elektrostatisch, spricht man von einem *elektrostatischen* oder *Ionenantrieb* (Abb. 1c), mit dem Ausströmgeschwindigkeiten von etwa 100 km/s möglich sind. Derartige Triebwerke wurden in den USA und der UdSSR bereits mehrfach bei Raumflugexperimenten getestet; auch deutsche Wissenschaftler haben maßgeblich dazu beigetragen, daß der Ionenantrieb den am weitesten fortgeschrittenen Entwicklungsstand unter den elektrischen Antrieben erreicht hat und zur Lageregelung und zu kleineren Antriebsaufgaben (z.B. zur Positionshaltung von Satelliten) bereits erfolgreich eingesetzt werden konnte. Der Treibstoff, aus Gründen der Energiebilanz Elemente möglichst hoher Atommasse (z.B. Cäsium oder Quecksilber), wird zuerst verdampft, und die ursprünglich elektrisch neutralen Atome werden ionisiert. Nach der Treibstoffionisation erfolgt eine Trennung von Ionen und Elektronen; nur die Ionen werden dann durch eine negative Hochspannung zwischen 3000 und 15000 Volt beschleunigt. Schließlich müssen hinter dem Beschleuniger wieder Elektronen in den Ionenstrahl geleitet werden, damit eine elektrostatische Aufladung der Ionenrakete vermieden wird. Die verschiedenen Typen der Ionentriebwerke unterscheiden sich im wesentlichen nur durch ihren Ionisator: Nach der Art der Ionenerzeugung gibt es Kontakt-, Elektronenstoß-(Kaufman-), Duoplasmatron-, Hochfrequenz- und Kolloidtriebwerke.

Abb. 2 zeigt das vereinfachte Schema eines typischen Kaufman-Triebwerkes, das mit der Stoßionisation arbeitet. Die Atome des dampfförmigen Quecksilbers werden dabei in einer Ionisationskammer durch Zusammenstöße mit den von einer Kathode emittierten Elektronen ionisiert. Ein Magnetfeld sorgt für eine Trennung der Elektronen von den Ionen, die anschließend im elektrostatischen Feld beschleunigt werden. Ionenraketen funktionieren ausschließlich im Vakuum.

Obwohl die elektrischen Raketen erst am Beginn ihrer praktischen Anwendung stehen, sind sie keineswegs eine Erfindung der Neuzeit. Schon die ersten Pioniere der Raketentechnik, Robert H. Goddard (1882–1945) und Hermann Oberth (geb. 1894), befaßten sich eingehend mit der Möglichkeit, elektrisch beschleunigte Teilchen zur Schuberzeugung zu nutzen. Wann der Einsatz einer Ionenrakete bei interstellaren Missionen sinnvoll ist, zeigt Abb. 3: bis etwa $3\frac{1}{2}$ Monate Flugdauer ist der chemische Antrieb dem elektrostatischen überlegen; bei längeren Reisezeiten kann die Ionenrakete bei weitem die größere Entfernung zurücklegen.

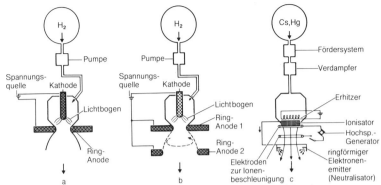

Abb. 1 Schema elektrischer Triebwerke (a = elektrothermisch, b = elektrody-namisch, c = elektrostatisch). Elektrostatische Triebwerke werden auch Ionentrieb-werke genannt.

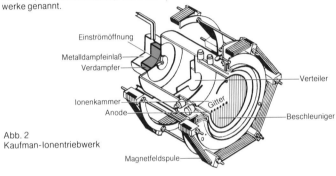

Abb. 2
Kaufman-Ionentriebwerk

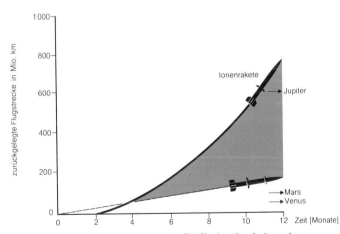

Abb. 3 Zurückgelegte Flugstrecke in Abhängigkeit der Zeit für eine chemische und eine Ionenrakete

Gravitation

Jeder Körper, im Weltall wie auch auf der Erde, unterliegt der Gravitation (Massenanziehung, Schwerkraft). Nach Isaac Newton ist die Gravitation Ausdruck einer allgemeinen Materieeigenschaft. Danach üben zwei Körper (Massen m_1 und m_2) aufeinander Anziehungskräfte aus, die dem Produkt dieser Massen direkt und dem Quadrat ihrer Entfernung r umgekehrt proportional sind:

$$F = \gamma \cdot \frac{m_1 \cdot m_2}{r^2}.$$

γ ist die universelle, von der stofflichen Beschaffenheit unabhängige Gravitationskonstante mit dem Wert

$$\gamma = 6{,}672 \cdot 10^{-11} \text{ N} \cdot \text{m}^2/\text{kg}^2.$$

Jede Masse übt daher ständig eine Kraft auf jede andere Masse aus und sucht diese anzuziehen, wirkt also auf sie beschleunigend. Diese Kraft wirkt über jede Entfernung im Raum bis ins Unendliche und nimmt mit dem Quadrat der Entfernung ab. Damit wird der Raum zum Träger des sogenannten Gravitationsfeldes.

Für die Erde als eine der anziehenden Massen ergibt sich, wenn man ihre Masse im Mittelpunkt konzentriert denkt, eine in einem Diagramm (Abb. 1) darstellbare Abnahme der Gravitation. Da die Gravitationsrichtung in bezug auf jeden Körper grundsätzlich in den Kraftlinien radial gerichtet ist, lassen sich entsprechend der Gravitationsabnahme mit der Entfernung Höhen- oder Abstandslinien gleicher Gravitationsstärke ermitteln. Unter der Annahme einer Kugelgestalt der Erde ergeben sich daraus konzentrische Kugelschalen gleicher Gravitationsstärke (Abb. 2).

Zur Bewegung eines Körpers längs der Kraftlinien muß also Energie aufgewandt werden, wenn der Körper entgegengesetzt zur Wirkrichtung der Gravitation bewegt wird. Hierbei wird dem Körper potentielle Energie (Lageenergie) entsprechend dem Produkt aus Masse und Hubhöhe erteilt. Bei einem Fall in Richtung Massenmittelpunkt wird die seiner Höhe entsprechende potentielle Energie in kinetische Energie (Bewegungsenergie) umgewandelt (halbes Produkt aus Masse und dem Quadrat der Geschwindigkeit). Die für einen Raketenstart aufzuwendende Energie ist nun aber ausschließlich von dem Treibstoffanteil der Rakete zu stellen. Um z. B. einen Körper von 1 kg Masse endgültig aus dem Bereich der Erdschwerkraft zu befreien, ist eine Energie von 17,4 kWh erforderlich. Unter Berücksichtigung des Luftwider-

standes und anderer Störquellen ergeben sich für den Start von Raketen sogar noch höhere Werte.

Mit Schwerelosigkeit bezeichnet man den Zustand, bei dem für einen Körper innerhalb eines Gravitationsfeldes einer Zentralmasse die Gravitationswirkung kompensiert ist. Man unterscheidet dabei eine statische Schwerelosigkeit, wie sie u. a. an den Äquigravisphärepunkten (abarischen Punkten) eines Zweikörpersystems (z. B. Erde–Mond) oder an den Librationspunkten eines drei- oder mehrteiligen Systems (Abb. 4) auftritt, und eine dynamische Schwerelosigkeit, die bei antriebsloser Bewegung auf kreis- oder ellipsenförmigen Umlaufbahnen aufgrund des sich einstellenden Gleichgewichts zwischen Gravitation und Fliehkraft (Abb. 5) beobachtbar ist.

Durch Rotation von zwei miteinander verbundenen Körpern um einen gemeinsamen Schwerpunkt kann die himmelsmechanisch bedingte Schwerelosigkeit ganz oder zum Teil aufgehoben werden (künstliche Schwerkraft). Der Schwerelosigkeitseffekt tritt kurzzeitig auch bei parabelförmigen Aufstiegsbahnen von Flugzeugen innerhalb unserer Erdatmosphäre auf: Schwerefreiheit ist dann gegeben, wenn die Resultierende aus der tangential zur Flugbahn gerichteten Geschwindigkeit und der senkrecht zur Flugbahn wirkenden Zentrifugalkraft die zum Erdmittelpunkt verlaufende Gravitationskraft nach Größe und Richtung aufhebt. Diese Erscheinung wird z. B. beim Training von Astronauten genutzt.

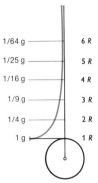

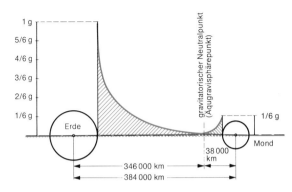

Abb. 1
Erdgravitationsabnahme
als Funktion des Abstandes R
(R = Erdradius) vom Erdmittelpunkt
(g = Fallbeschleunigung)

Abb. 3
Entgegengesetzt überlagerte Gravitationsfelder
ergeben einen gravitatorischen Neutralpunkt mit
Schwerelosigkeit

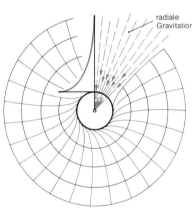

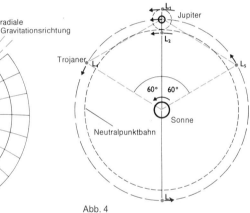

Abb. 2
Die Erde ist von konzentrischen Kugelschalen
gleicher Gravitationsstärke umgeben

Abb. 4
An den Librationspunkten
L herrscht Schwerelosigkeit

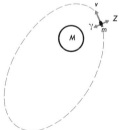

Abb. 5
Dynamische Schwerelosigkeit entsteht auf Keplerschen Bahnen durch das Kräfte-
gleichgewicht zwischen Trägheitskraft (Zentrifugalkraft) Z und Gravitation γ.
M = Zentralmasse, m = umlaufende Masse, v = Geschwindigkeit in
Bewegungsrichtung

Himmelsmechanik (Kepler-Gesetze)

Für die Bewegung von Raumfahrzeugen im Sonnensystem gelten die von Kepler hergeleiteten und nach ihm benannten drei Gesetze der Planetenbewegung:

1. Die Planeten bewegen sich auf Ellipsenbahnen, in deren einem Brennpunkt die Sonne steht.

2. Die von der Sonne zu einem Planeten gezogene Verbindungslinie (der „Fahrstrahl" oder Radiusvektor Sonne–Planet) überstreicht in gleichen Zeiten gleiche Flächen (gestrichelte Flächen in Abb. 1).

3. Die Quadrate der Umlaufzeiten der Planeten verhalten sich wie die dritten Potenzen der großen Halbachsen ihrer Bahnellipsen.

Diese Gesetze lassen sich aus der Mechanik unter der Voraussetzung einer einzigen punktförmig konzentrierten Zentralmasse (Sonne) und einem von dieser beeinflußten Massenpunkt (Planet) herleiten. In der Mechanik des Raumflugs kann die Zentralmasse entweder der Mond, die Sonne, die Erde oder ein anderer Planet sein. An die Stelle des beeinflußten Massenpunktes tritt dann das Raumfahrzeug, z. B. ein künstlicher Satellit oder eine Rakete. Kreisförmige Bahnen, wie sie z. B. bei Kommunikationssatelliten anzutreffen sind, können als Sonderfälle elliptischer Bahnen aufgefaßt werden. Infolge von Störungen durch andere Massen (Vielkörpersysteme) oder durch die Wirkung anderer Kräfte (z. B. Lichtdruck auf großflächige Raumfluggeräte) treten in der Praxis Abweichungen der idealisierten Kepler-Bahnformen auf, die bei exakten Bahnberechnungen, z. B. bei Langzeitflügen zu den Planeten Jupiter und Saturn, genau erfaßt und berücksichtigt werden müssen.

Die Abb. 1 verdeutlicht die Aussage des 2. Keplerschen Gesetzes. Die beiden schraffierten Flächen sind gleich groß. Daraus folgt, daß das Raumfluggerät im Nahbereich der Zentralmasse in der gleichen Zeit eine größere Entfernung zurücklegt als in einem weiter von der Zentralmasse entfernten Gebiet der Umlaufbahn.

Aus dem 3. Keplerschen Gesetz folgt, daß die Umlaufzeiten um denselben Zentralkörper auch auf unterschiedlichen Umlaufbahnen gleich lang sind, wenn nur die großen Halbachsen der Bahnen gleich lang sind. Vergleicht man also Ellipsenbahnen verschiedener Exzentrizität (Abb. 2) und stellt man gleiche Längen der großen Halbachsen fest, ergeben sich trotz erheblicher Unterschiede in der Bahnform gleiche Umlaufzeiten. Da die Umlaufzeiten mit der Länge a der Halbachsen wachsen (proportional zu $a^{3/2}$), führt das 3. Keplersche Gesetz zu einem scheinbar paradoxen Ergebnis: Befinden sich zwei Raumflugsysteme im selben Kreisorbit (Kreisbahn) und versucht das nachfolgende Raumflugsystem das vorausfliegende einzuholen, so muß seine Bahnbewegung durch einen Gegenschub und nicht durch in Bewegungsrichtung wirkende Schubkraft verändert werden. Eine in Bewegungsrichtung wirkende Schubkraft würde die große Halbachse vergrößern und dadurch zu einer längeren Umlaufzeit führen. Durch den Gegenschub dagegen wird eine niedere Bahn mit höherer Umlaufzeit eingenommen, so daß das andere Raumflugsystem überholt und in einem zusätzlichen Bahnanpassungsmanöver erreicht werden kann.

Abb. 3 zeigt eine Auswahl von Bahnen, die man sich dadurch entstanden denken kann, daß in der Höhe P ein Körper mit verschiedener Geschwindigkeit V_B, jedoch stets in senkrechter Richtung zur Verbindungslinie (Radius) r gestartet wird. Der Körper wird dann der Geschwindigkeit entsprechende langgestreckte Ellipsen beschreiben, die im Punkte P parallel zur Erdoberfläche verlaufen. Mit zunehmender Startgeschwindigkeit wird die Ellipse größer (die Ellipsenhalbachse nimmt zu, während die Exzentrizität e abnimmt), bis die Kreisbahn mit der Kreisbahngeschwindigkeit V_K erreicht wird und der Körper nicht mehr zur Erde gelangt. Mit weiterhin zunehmender Startgeschwindigkeit wird die durch eine Parabelbahn gekennzeichnete Fluchtgeschwindigkeit V_F oder gar eine hyperbolische Raumflugbahn erreicht. Der Punkt P ist in bezug auf das Raumflugsystems Brennschlußpunkt der Aufstiegsbahn und gleichzeitig der Anfangspunkt der Raumflugbahn.

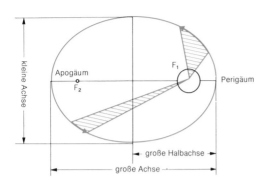

Abb. 1
2. Keplersches Gesetz
(F_1, F_2 = Ellipsenbrennpunkte)

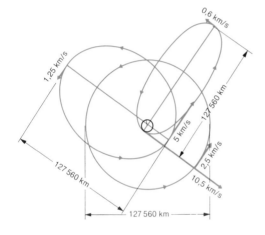

Abb. 2
3. Keplersches Gesetz
(Ellipsen mit gleich
großen Halbachsen)

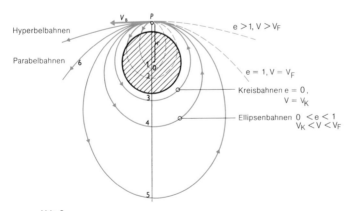

Abb. 3
Bahnkurven bei horizontalem Abschuß im Punkt P mit verschiedener
Anfangsgeschwindigkeit V_B (der schraffierte Kreis ist die Erde)

433

Grenzgeschwindigkeiten in der Raumfahrt

Eine Kraft, die die Schwerkraft kompensiert, ist die bei einer Kreisbewegung entstehende Zentrifugalkraft (Fliehkraft). Sie wächst mit dem Quadrat der Geschwindigkeit. An einem Experiment mit einem an einem Faden befestigten Stein läßt sich beim Herumschleudern des Steines die Zentrifugalkraft leicht demonstrieren. Wenn der Stein an einem Gummiband befestigt ist, läßt sich auch noch der Zusammenhang zwischen Umlaufgeschwindigkeit und Kreisbahndurchmesser darstellen. In der Raumflugmechanik wird bei Erreichen der Kreisbahngeschwindigkeit V_K die Gravitationswirkung durch die Zentrifugalkraft vollständig kompensiert. Der Raumflugkörper befindet sich dann im Kräftegleichgewicht. Er umkreist die Zentralmasse (z. B. die Erde) während aller Umläufe auf der gleichen Bahn bei konstanter Geschwindigkeit, wenn keine Störungen auf ihn einwirken. Die Kreisbahngeschwindigkeit ist von der Zentralkörpermasse und dem Abstand des umlaufenden Körpers vom Gravitationszentrum abhängig: $V_K = \sqrt{\gamma \cdot M/r_K}$. In dieser Gleichung ist γ die Gravitationskonstante, M die Erdmasse und r_K der Kreisbahnradius. Dividiert man den Umfang der Kreisbahn ($U_K = 2\pi r_K$) durch diese Bahngeschwindigkeit, so erhält man die Umlaufzeit des Raumflugkörpers $T_0 = 2\pi \cdot \sqrt{r_K^3/\gamma \cdot M}$. Zwischen der Kreisbahngeschwindigkeit $V_K = \sqrt{\gamma \cdot M/r_K}$ und der zur gleichen Entfernung vom Gravitationszentrum gehörenden Fluchtgeschwindigkeit $V_F = \sqrt{2\gamma \cdot M/r_K}$ ergibt ein Vergleich die Beziehung $V_F = \sqrt{2} \cdot V_K$.

Abb. 1 zeigt die Abnahme der Kreisbahngeschwindigkeit V_K und der Fluchtgeschwindigkeit V_F mit der Bahnhöhe. Für die theoretische „Nullbahn" an der Erdoberfläche, also in einem Abstand von 6 378 km vom Erdmittelpunkt (= 1 Erdradius), ist $V_K = 7,912$ km/s und die Fluchtgeschwindigkeit $V_F = 11,189$ km/s (V_F ist die Geschwindigkeit, die eine Rakete mindestens erreichen muß, wenn sie das terrestrische Gravitationsfeld verlassen soll). In etwa 35 800 km Höhe, der sogenannten 24-Stunden-Bahn *(Geostationärbahn)*, ist $V_K = 3,07$ km/s und $V_F = 4,34$ km/s; die Umlaufzeit T_0 beträgt hier exakt 24 Stunden. Dies bedeutet, daß ein in dieser Erdentfernung über dem Äquator kreisender Satellit für den irdischen Beobachter scheinbar fest am Himmel fixiert ist, sich also ständig über dem gleichen Punkt der Erdoberfläche befindet. Eine solche 24-Stunden-Bahn ist deswegen z. B. als Umlaufbahn für Nachrichtensatelliten und Wettersatelliten besonders interessant.

Auch wenn ein Raumflugkörper die Fluchtgeschwindigkeit erreicht hat, verbleibt er noch innerhalb unseres Sonnensystems. Erst die sogenannte solare Fluchtgeschwindigkeit $V_{SF} = 42,1$ km/s tangential zur Erdbahn ermöglicht ein Verlassen des Sonnensystems. Da die Bahngeschwindigkeit der Erde selbst bereits $V_E = 29,8$ km/s ist, muß die startende Rakete die Differenzgeschwindigkeit $\Delta V = 42,1 - 29,8 = 12,3$ km/s aufbringen. Wie Abb. 2 zeigt, ergibt sich schließlich die effektive solare Fluchtgeschwindigkeit als Resultierende dieser Differenzgeschwindigkeit mit der Fluchtgeschwindigkeit V_F von der Erde zu $V_{SFeff} = 16,63$ km/s.

Solange die Bewegungen auf Raumflugbahnen als Zweikörperproblem aufgefaßt werden, haben im interplanetaren Raum durchflogene Bahnen die Form von Kegelschnitten. Einige wichtige Beispiele solcher Raumflugbahnen (Trajektorien), rot eingezeichnet, zeigt Abb. 3. Zentralmasse M ist die Sonne, die innere Kreisbahn z. B. die Erdbahn und die äußere der Mond- oder eine Planetenbahn. Grundsätzlich gelten diese Bahntypen jedoch für alle interplanetaren Flüge. Vereinfacht wurden in den Abbildungen 3 a bis 3 g die Bahn des Ausgangsplaneten A und die des Zielplaneten B als kreisförmig angenommen. Der tatsächlich durchlaufene Teil der Trajektorie ist ausgezogen, seine Ergänzung zu einer vollständigen Kegelschnittkurve jeweils gestrichelt dargestellt. Im Fall a handelt es sich um die sogenannte Hohmann-Bahn, bei der die elliptische Übergangsbahn gerade die innere und äußere Planetenbahn berührt (Nachteil: „langsame" Bahn; Vorteil: geringer Treibstoffaufwand). Schnellere Trajektorien sind die Bahnen b bis f, die jedoch z. B. mehrere Schubimpulse erfordern (bei Beispiel d in den Bahnpunkten A, B und C). Abb. 3 g zeigt das Schema einer Spiralbahn, wo im Gegensatz zu den antriebslos erfolgenden Trägheitsbahnen a bis f ständig eine zwar schwache, aber beständige Schubkraft notwendig ist.

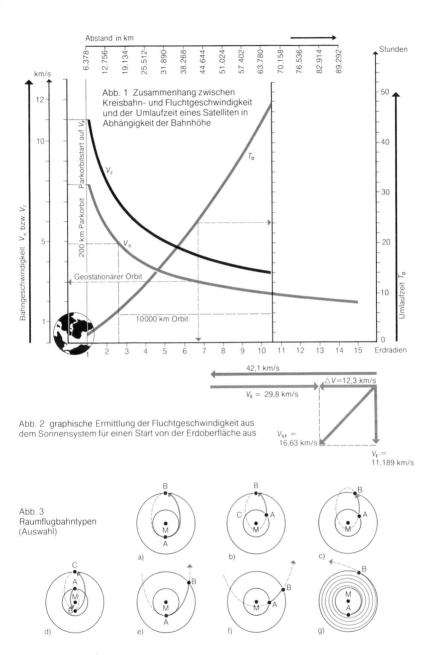

Abb. 1 Zusammenhang zwischen Kreisbahn- und Fluchtgeschwindigkeit und der Umlaufzeit eines Satelliten in Abhängigkeit der Bahnhöhe

Abb. 2 graphische Ermittlung der Fluchtgeschwindigkeit aus dem Sonnensystem für einen Start von der Erdoberfläche aus

Abb. 3 Raumflugbahntypen (Auswahl)

435

Raumflugmanöver

Lenkmanöver stellen die Zusammenfassung mehrerer einzelner oder aller das Flugprogramm eines Raumflugsystems beeinflussenden Maßnahmen dar, sie werden auch kurz als „Manöver" bezeichnet. Sie setzen sich im allgemeinen aus Lageänderung und/oder Maßnahmen zur Kursveränderung, der eigentlichen Lenkung, zusammen. Da es aus z. T. unzureichender Kenntnis himmelsmechanischer Zusammenhänge, teilweise auch aus Gründen eines nur begrenzt möglichen technischen Aufwandes – besonders bei langdauernden oder weitreichenden Raumflügen – unmöglich ist, die erforderliche Soll-Flugbahngenauigkeit einzuhalten, werden vielfach spezielle Manöver im Flugprogramm eingeplant. Durch diese werden dann die während einer vorgegebenen Flugzeit aufgetretenen und summierten Abweichungen ausgeglichen. Von besonderer Bedeutung sind hierbei die im Rahmen eines Flugprogramms festgelegten und hinsichtlich ihrer Bedeutung unterschiedenen Anfangs-, Mittekurs- und Endflugbahnmanöver. Diese auch als Anfangs-, Mitten- und Endnavigation bezeichneten Manöver werden mehr oder minder willkürlich auf ballistische, orbitale oder interplanetare oder auch auf Flugabschnitte wie z. B. die Aufstiegsbahn bezogen. Unter Anfangs-Flugbahnmanöver werden diejenigen zu einer weitgehenden Übereinstimmung zwischen Soll- und Ist-Flugbahn dienenden Maßnahmen (z. B. auf ballistischer Bahn) verstanden, die noch vorwiegend in der Atmosphäre und gegebenenfalls unter Verwendung von „aerodynamischen Rudern" vorgenommen werden, also in einer relativ langsamen Flugphase, aber auch alle Manöver bis zum Einflug in eine Raumflugbahn. Ziel hierbei ist es, möglichst genaue Ausgangswerte für die weiteren Flugphasen, z. B. bei Brennschluß, zu erreichen.

Während in diesem Flugbahnbereich also neben Lageregelungs- und Lenkraketentriebwerken auch aerodynamische Hilfsmittel eingesetzt werden können, liegt der Bereich der Mittekursmanöver (Abb. 1) grundsätzlich im luftleeren Raum, so daß nur passive und aktive Lageregelungssysteme und Raketensteuertriebwerke eingesetzt werden können. Hinzu kommt in diesem Flugbahnbereich, daß infolge der durch die hohen Geschwindigkeiten gegebenen Trägheitskräfte eine große „Bahnsteifigkeit" gegeben ist, die nur durch einen entsprechend großen Energieaufwand bei Lenkmanövern zu beeinflussen ist. Die Einschaltung von Mittekursmanöverpunkten – die nicht unbedingt in der Mitte der Flugbahn zu liegen brauchen – hilft insofern die meistens in Treibstoffen oder auch elektrischer Form gebundene Energie sparen, da sich bis zu diesem Punkt Fehler summieren, aber auch gegenseitig subtrahieren. Bei lunaren und interplanetaren Flügen sind vielfach auch mehrere Mittekursmanöver im Flugprogramm enthalten.

Die Endkursnavigation (Abb. 2) dient dazu, unmittelbar vor Erreichen des Zieles letzte Flugbahnkorrekturen durchzuführen. Auch sie finden außerhalb von Atmosphären statt und dienen dazu, möglichst genaue Ausgangswerte (Soll-/Ist-Übereinstimmung) für die End- oder Zielanflugphase zu erhalten. Vielfach dienen Endkursmanöver auch dem Eintritt in einen Flugbahn- oder Wiedereintrittskorridor, der unter Einhaltung vorgegebener Flugbahn- und Geschwindigkeitsbedingungen die Erreichung eines Zieles gewährleistet.

Bei allen Flugbahnmanövern handelt es sich im allgemeinen um Lenkmanöver zur Korrektur von Abweichungen zwischen der errechneten „Soll-Flugbahn" und der effektiv geflogenen „Ist-Flugbahn" oder um die Anpassung an eine neue Flugphase. Spezielle Mittekursmanöver dienen auch dem Übergang von einer elliptischen in eine hybride Flugbahn, wie z. B. bei den Apollo-Flügen zum Mond (s. Seite 444). Im allgemeinen sind Korrektur- oder Flugbahnänderungsmanöver auch mit Lageänderungsmaßnahmen verbunden oder werden durch diese erst ermöglicht.

Über die Technik der Lenkung und Lageregelung von Raketen und Raumflugkörpern wird auf Seite 438 berichtet.

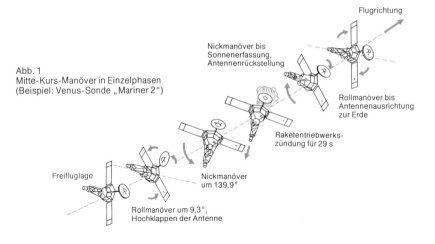

Abb. 1
Mitte-Kurs-Manöver in Einzelphasen
(Beispiel: Venus-Sonde „Mariner 2")

Flugrichtung

Nickmanöver bis
Sonnenerfassung,
Antennenrückstellung

Rollmanöver bis
Antennenausrichtung
zur Erde

Raketentriebwerks-
zündung für 29 s

Freifluglage

Nickmanöver
um 139,9°

Rollmanöver um 9,3°,
Hochklappen der Antenne

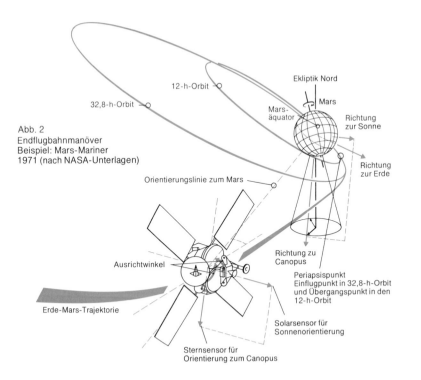

Abb. 2
Endflugbahnmanöver
Beispiel: Mars-Mariner
1971 (nach NASA-Unterlagen)

12-h-Orbit

32,8-h-Orbit

Ekliptik Nord

Mars

Mars-
äquator

Richtung
zur Sonne

Richtung
zur Erde

Orientierungslinie zum Mars

Richtung zu
Canopus

Ausrichtwinkel

Periapsispunkt
Einflugpunkt in 32,8-h-Orbit
und Übergangspunkt in den
12-h-Orbit

Erde-Mars-Trajektorie

Solarsensor für
Sonnenorientierung

Sternsensor für
Orientierung zum Canopus

Lenkung und Lageregelung im Raum

Raumfluggeräte müssen wie jedes Fahrzeug über eine stabile Lage verfügen und darüber hinaus lenk- und steuerbar sein. Unter Steuerung (Lageregelung) wird dabei das Halten eines bestimmten Winkels der Achsen des Raumfahrzeuges in bezug auf die Erde oder das Sonnensystem oder die Erzeugung eines neuen Winkels zum Zwecke einer Kurskorrektur verstanden. Dagegen besteht die Lenkung in einer Anpassung der vorhandenen (möglicherweise falschen) Ist-Bahn an die erforderliche Soll-Bahn. Die Lenkung ist also die Veränderung eines bewegten Körpers nach Richtung und Geschwindigkeit, physikalisch die Beeinflussung der Schwerpunktsbahn. Somit ist die Lageregelung Voraussetzung für jede Lenkung. Erforderlich für beides ist jedoch eine verläßliche Navigation des betreffenden Flugkörpers, d. h. die Ortung der Rakete oder des Satelliten und Feststellung der augenblicklichen Ist-Bahn.

Lagebestimmung und -regelung sowie Lenkung lassen sich, wie beim Flugzeug, auf die drei im Schwerpunkt zueinander senkrecht stehenden Körperachsen beziehen (Abb. 1): Rollachse, Nickachse und Gierachse. Als Symmetrieebene gilt hierbei im allgemeinen die x-y-Ebene. Die Drehung des Flugsystems um die Körperlängsachse (x-Achse) wird als Rollbewegung, ein Kippen in der Bahnebene um die y-Achse als Nickbewegung und die Drehung senkrecht zur Bahnebene um die z-Achse als Gierbewegung bezeichnet. Da um jede Achse zwei Bewegungsrichtungen möglich sind, ergeben sich insgesamt sechs Bewegungsmöglichkeiten, die durch die entsprechenden Drehwinkel angegeben werden.

Eine einfache Beschreibung der relativen Körperlage des Flugsystems zu einem Bezugssystem ist durch die Vermessung der auf der Bezugsebene verlaufenden, rechtwinklig zur Flugbahn projizierten Spurpunktbahn oder -kurve (als „Entfernung" zwischen den beiden Nullpunkten der Koordinatensysteme), ihrer Höhendifferenz und relativer Winkelunterschiede möglich. Für die Praxis ist die Beschreibung der momentanen Lage und Bewegung, z. B. relativ zum erdfesten Bezugssystem, durch sechs Projektionen des Schwerpunktes und der Drehgeschwindigkeiten zweckmäßiger. Dadurch wird eine Verwendung von Beschleunigungsmessern bzw. Trägheitsplattformen zur – mindestens zeitweiligen – autonomen Orts- und Lagebestimmung möglich.

Ohne äußere Einflüsse behält ein Körper aufgrund des Trägheitsgesetzes seine Bewegungsrichtung bei. Nach dem Newtonschen Dynamikgesetz ist in einem unbeschleunigten Bezugssystem eine Lage- und Bewegungsrichtungsänderung nur durch eine beschleunigende Krafteinwirkung auf die Körpermasse möglich. Jede Lageänderung (z. B. Drehung) wie jede Flugbahnänderung erfordern daher eine Kraftwirkung in der gewünschten Richtung. Der einfachste Fall ist die Beschleunigung in Bewegungsrichtung (durch zusätzlichen Triebwerksschub), wodurch eine höhere Eigengeschwindigkeit erzielt wird. Zur Drehung um die drei Körperachsen sind (über einen Hebelarm zum Schwerpunkt) angreifende Schubkräfte erforderlich, die je nach Wirkrichtung Rollen, Nicken oder Gieren bewirken, ohne daß die Bahn des Schwerpunktes verändert wird, wie dies die Steuertriebwerkspaare der Abb. 3 zeigen. Erst eine senkrecht zur Bewegungsrichtung (genau: zur momentanen Bahntangentenrichtung im Körperschwerpunkt) wirkende Schubkraft erzeugt einen die Flugbahn ändernden Lenkwinkel (Abb. 4).

Als ausführende Organe der Steuerung gelangen heute meist Steuertriebwerke zum Einsatz. Diese kleinen Hilfstriebwerke können als Diergolsystem, Monosystem oder als Kaltgas-Schubsystem (z. B. mit hochkomprimiertem Stickstoff als Arbeitsmedium) ausgeführt werden. Für den Raketenaufstieg durch die Erdatmosphäre benötigt man verständlicherweise Steuerdüsen mit beträchtlich höheren Schubkräften: sie werden auch Vernier-Triebwerke genannt. Ein sehr einfaches Verfahren zur Lageregelung von kleineren Raketen ist die Drallstabilisierung (Spinstabilisierung), deren Genauigkeit jedoch beschränkt ist. Bei Lenkmanövern wird in der Raumfahrt in der Regel das Haupttriebwerk zur Bahnänderung herangezogen, da mit den Steuertriebwerken allein die nötigen hohen Kräfte nicht erzeugt werden könnten.

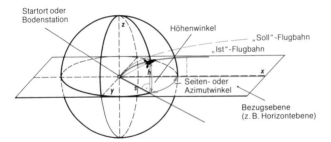

Abb. 2 Ortung durch Winkelmessung

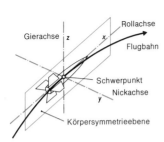

Abb. 1
Körperachsen und Bezeichnungen

Abb. 4
Lenkmanöver durch
Steuertriebwerke (bei großen Lenkwinkeln
muß bei Position 4 das
Hauptriebwerk gezündet werden)

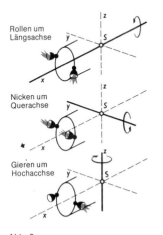

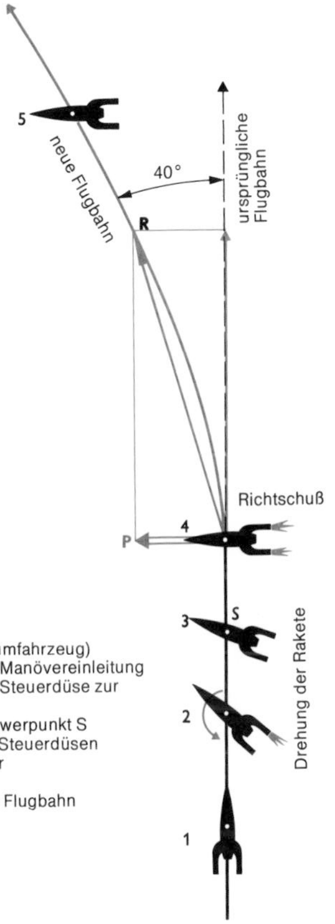

Abb. 3
Lageregelung: Stellmomenterzeugung
durch Steuertriebwerkschwenken

1 Rakete (oder Raumfahrzeug)
  auf Flugbahn bei Manövereinleitung
2 Schubstoß einer Steuerdüse zur
  Lageänderung
3 Drehung um Schwerpunkt S
4 Zündung zweier Steuerdüsen
  zur Änderung der
  Flugbahn
5 Rakete auf neuer Flugbahn

439

Trägheitsnavigation

In der Raumfahrt benötigt man zur Orientierung von Raketen und Raumsonden ein Vergleichsobjekt mit raumfester Lage. Dies liefert ein rasch rotierender Kreisel: Er behält seine Achsrichtung bei (Raumstabilität) und beantwortet quer zur Achse gerichtete Kräfte durch Schwenken der Drehachse senkrecht dazu (Präzession). Bei der Trägheitsnavigation wird ein mit dem Raumflugkörper beweglich verbundenes Bezugssystem (Leitsystem) verwendet, das durch die stabilisierende Wirkung derartiger Kreisel im Raum eine feste Lage einnimmt. Auf dieses Bezugssystem werden z. B. die drei Körperachsen des Raumflugsystems bezogen. In dem Leitsystem sind in drei zueinander senkrechten Richtungen Beschleunigungsmesser angebracht (Abb. 1). Diese liefern mit den drei Beschleunigungskomponenten (Teilkräften) die Gesamtbeschleunigung im Raum nach Betrag und Richtung. Diese Integrationen nimmt eine Datenverarbeitungsanlage vor; sie vergleicht die gewonnenen Daten mit denen der vorausberechneten Flugbahn, die ihr eingespeichert wurden. Sie veranlaßt dann über elektrische und/oder hydraulische Servosysteme die Erzeugung der Schubgröße und Schubrichtung zur erforderlichen Kurskorrektur und beseitigt damit Kursabweichungen, die z. B. durch starken Wind beim Raketenstart oder andere unbekannte Einflüsse auf Raumflugsysteme entstehen.

Die schematische Anordnung der Instrumente für eine sich im Raum bewegende Rakete zeigt Abb. 2. Diese „reine Trägheitslenkung" erfordert teure Kreiselreferenzsysteme größter Genauigkeit und aufwendige Bordrechner, ohne daß es dadurch möglich ist, die Kreiseldriftfehler soweit auszugleichen, daß bei Flügen über Wochen oder Monate eine ausreichende Lagereferenz gewährleistet wird. Trägheitsnavigations- und Trägheitslenksysteme werden daher mit Zusatzsystemen kombiniert, die eine Korrektur der im Laufe der Zeit auftretenden Fehler ermöglichen. Je nach der Kombination ergeben sich damit die Grundformen der funkgestützten Trägheitslenkung, der horizont- oder himmelsorientierten Trägheitslenkung und der zielsuchenden, auf optischer, Radar- oder Infrarotortung aufbauenden Navigation.

Funkgestützte Trägheitssysteme entsprechen in den Grundzügen bordseitig der reinen Trägheitslenkung. Im Unterschied zu dieser ist jedoch die Genauigkeitsforderung an das Kreiselsystem herabgesetzt; Kommandoempfänger, Bordrechner und Kommandowerke können einfacher ausgeführt werden, da eine oder mehrere Bodenstationen mit Rechenanlagen die „Ist-" mit den „Soll-Bahnwerten" vergleichen und erforderlichenfalls entsprechende Korrekturbefehle über Bodensender-Bordkommandoempfänger an das Kreiselreferenzsystem und/oder den Bordrechner bzw. das Kommandowerk abgeben.

Bei der himmels- oder horizontorientierten Trägheitslenkung (Abb. 3) wird die Trägheitsplattform mit Sternsensoren (Sternpeilern) oder mit Horizontsensoren (Horizontsuchern) kombiniert, die ständige Vergleichswerte aus dem Bezug zum angepeilten Objekt liefern. Durch Vergleich der von Sternsensoren gewonnenen Flugbahndaten mit denen der Trägheitsnavigation und der Sollflugbahn im Bordrechner können Kreiseldriftfehler entweder sofort oder summiert in Mittelkursmanövern ausgeglichen werden, so daß auch sehr lange Flüge (interplanetare Bahnen z. B. zu den äußeren Planeten) mit hoher Flugbahngenauigkeit durchführbar werden.

Zielsuchende Trägheitsnavigations- und Lenksysteme nehmen über Sensoren Informationen oder über Antennen Signale auf, die von einem Zielobjekt ausgehen. Dies können z. B. charakteristische Werte (u. a. Lichtreflexion, Wärmeabstrahlung) des Zieles oder Radarsignale eines anderen Raumflugsystems sein. Auch mittels bordeigener Verfolgungsradaranlagen lassen sich die notwendigen Daten beschaffen. Umfangreichere und längere Flugaufgaben erfordern vielfach die Eingliederung des zielsuchenden Lenksystems mit Trägheitsplattformen und dem Bordrechner in ein Gesamtsystem, das sowohl die Bewegungsgleichungen des Raumflugsystems wie die des Zieles aufnimmt, speichert und hieraus eine zu einem Treffpunkt mit dem Ziel führende Flugbahn errechnet.

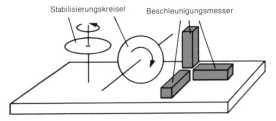

Abb. 1 Schema eines Trägheitsnavigationsleitsystems

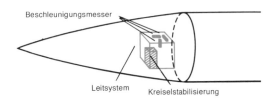

Abb. 2 Raketenkopf mit Leitsystem für (dreidimensionale) Trägheitsnavigation

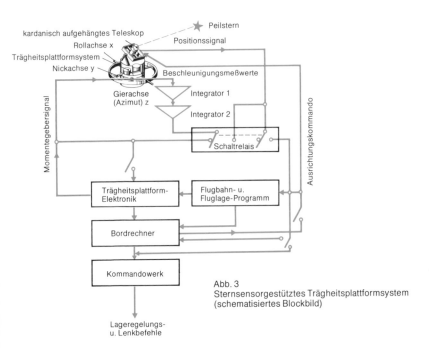

Abb. 3
Sternsensorgestütztes Trägheitsplattformsystem
(schematisiertes Blockbild)

Atmosphärischer Wiedereintritt, Planetenlandung

Die Rückkehr von Raumflugkörpern aus dem Weltraum und ihre Bergung läuft in mehreren Schritten ab: Wiedereintritt in die Atmosphäre mit hypersonischer Verzögerung (Abbremsung aus dem hohen Überschallbereich heraus); weitere Geschwindigkeitsminderung und Stabilisierung des Eintrittsteils; Ausstoßen eines Bremsfallschirmes; Abfangen in der Nähe der Oberfläche mit Hilfe von Spezialflugzeugen oder Aufsetzen auf dem Boden bzw. auf der Wasseroberfläche.

Gewöhnlich erfolgt die hypersonische Verzögerung durch den Luftwiderstand der zur Erdoberfläche hin immer dichter werdenden Atmosphäre. Dabei ist eine hohe Genauigkeit erforderlich. Bei zu steilem Eintritt ist die thermische Belastung für Hochgeschwindigkeits-Wiedereintrittskörper infolge der Reibung zu hoch; es besteht die Gefahr, daß sie trotz Kühlmaßnahmen teilweise oder völlig verdampfen. Bei zu flacher Eintauchbahn ist die Verzögerung dagegen nicht ausreichend, und das Rückkehrgerät würde „zurückprallend" an der Erde vorbeifliegen (ähnlich einem flachen Stein, der schräg auf eine Wasseroberfläche geschleudert wird). Zwischen diesen beiden Grenzen verläuft der sog. Eintrittskorridor mit optimalen Wiedereintrittswinkeln zwischen 5 und 12 Grad (Abb. 1).

Im nahen Überschallbereich wird die Geschwindigkeit durch besondere Bremsvorrichtungen weiter reduziert (z. B. durch Bremsringe hinter dem Nasenkonus, durch Bremsscheiben, -klappen und -ringe, Bremsballone, Bänderfallschirme). In den unteren dichten Luftschichten sorgen schließlich Fallschirme für die Endabbremsung.

Für die Landemissionen zum Mond oder zu den benachbarten Planeten gilt im Prinzip das gleiche wie für die Rückkehr zur Erdoberfläche. Die Unsicherheiten bezüglich der Eigenschaften der Gashüllen anderer Himmelskörper erschweren jedoch Vorbereitung und Durchführung eines Landeanfluges ebenso wie das weitgehend unbekannte Landeterrain. Ebene Wasserflächen wie auf der Erde stehen außerdem auf anderen Himmelskörpern nicht zur Verfügung.

Der schrittweise Ablauf eines Landemanövers hängt nicht nur von Form und Größe des Raumfahrzeuges, sondern entscheidend vom atmosphärischen Druck und – wenn es nach der Landung funktionsfähig bleiben soll – auch von den Zustandswerten am Landeort selbst ab.

Ein typisches Landemanöver auf einem anderen Himmelskörper endet mit der aktiven Abbremsung durch Zünden von Bremstriebwerken. Diese Triebwerke können so gedrosselt und gesteuert werden, daß Ungenauigkeiten der vorangegangenen Verzögerungsmaßnahmen kompensiert werden und das Raumfahrzeug so „weich" auf der unbekannten Oberfläche aufsetzen kann.

Als Beispiel einer Planetenlandung zeigt Abb. 2 das Landeprofil der beiden amerikanischen Viking-Marssonden. Erster Schritt war jeweils die Trennung zwischen den beiden Hauptbestandteilen von Viking, dem Lander und Orbiter. Schon wenige Minuten später orientierte sich der noch verkapselte Lander automatisch für ein nachfolgendes Abstiegsmanöver (De-Orbit). Die Geschwindigkeit betrug zu dieser Zeit 4,6 km/s. Nach 20minütigem Betrieb von drei kleinen Bremsdüsen hatte sich die Fluggeschwindigkeit um 160 m/s verringert: Als unmittelbare Folge stürzte Viking nun in einem dreistündigen antriebslosen Flug auf den Mars zu. In etwa 300 km Höhe waren die obersten Schichten der Atmosphäre erreicht: kurz vorher richtete sich die Kapsel auf einen Eintrittswinkel von 11 Grad aus. Durch atmosphärische Reibung nahm die Geschwindigkeit bis 6 km Höhe auf ca. 250 m/s ab. Nun wurde ein Bremsfallschirm ausgestoßen und sieben Sekunden später die Bodenabdeckung der Landeeinheit abgeworfen. Nach 45 Sekunden weiterer Abstiegsdauer schwebte Viking nur noch 1500 m über dem Marsboden (Geschwindigkeit 60 m/s). Nächster Schritt war die Zündung der drei Viking-Bremstriebwerke; gleichzeitig wurde der Fallschirm abgetrennt. Nach 40 Sekunden Brenndauer erfolgte bei einer Sinkgeschwindigkeit von nur noch 2,4 m/s der Kontakt mit dem Marsboden.

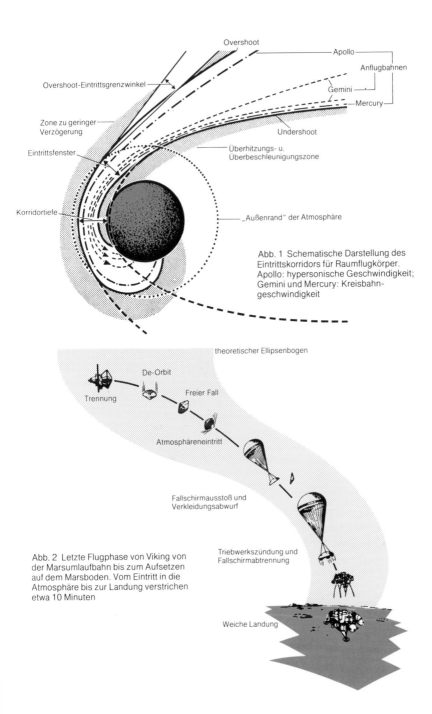

Overshoot

Apollo

Anflugbahnen

Overshoot-Eintrittsgrenzwinkel

Gemini

Mercury

Zone zu geringer Verzögerung

Undershoot

Eintrittsfenster

Überhitzungs- u. Überbeschleunigungszone

Korridortiefe

„Außenrand" der Atmosphäre

Abb. 1 Schematische Darstellung des Eintrittskorridors für Raumflugkörper. Apollo: hypersonische Geschwindigkeit; Gemini und Mercury: Kreisbahngeschwindigkeit

theoretischer Ellipsenbogen

De-Orbit

Freier Fall

Trennung

Atmosphäreneintritt

Fallschirmausstoß und Verkleidungsabwurf

Abb. 2 Letzte Flugphase von Viking von der Marsumlaufbahn bis zum Aufsetzen auf dem Marsboden. Vom Eintritt in die Atmosphäre bis zur Landung verstrichen etwa 10 Minuten

Triebwerkszündung und Fallschirmabtrennung

Weiche Landung

Apollo-Mondflug

Das Apollo-Programm der NASA wurden zwischen 1968 und 1972 im Anschluß an die Vorprogramme Mercury und Gemini durchgeführt. Mit Apollo 11 und 12 sowie 14 bis 17 erfolgten sechs Mondlandungen mit Mondaufenthalten von jeweils zwei Besatzungsmitgliedern bis zu drei Tagen Dauer. Zur Durchführung des 1961 vom damaligen amerikanischen Präsidenten J. F. Kennedy mit der höchsten Dringlichkeitsstufe versehenen Vorhabens war die Entwicklung mehrerer Raumflugkörper erforderlich: dreistufige Trägerrakete Saturn V mit rund 2900 t Startmasse und 34000 kN Startschub; Apollo-Raumschiff, bestehend aus der ca. 5,8 t schweren kegelstumpfförmigen Kommandokapsel (Command Module, CM) und der 24,5 t schweren Betriebs- und Versorgungseinheit (Service Module, SM); zweistufige Mondlandeeinheit von rund 16,4 t Gewicht (Lunar Module, LM). Bei den Missionen Apollo 15 bis 17 wurde außerdem je ein vierrädriges Mondfahrzeug (Lunar Rover, LR) mitgeführt, das auf der Mondoberfläche zurückgelassen wurde.

In der gegenüberliegenden Darstellung sind die wichtigsten Phasen eines typischen bemannten Apollo-Fluges zur Mondoberfläche und zur Erde zurück schematisch wiedergegeben. Die in Klammern angeführten Zeiten geben die seit dem Start auf der Erde verstrichenen Stunden an. Es handelt sich dabei um die Sollwerte für Apollo 17, doch sind die Angaben auch für die übrigen Apollo-Missionen charakteristisch. Bei den numerierten Phasen handelt es sich um folgende Vorgänge: 1 Start der Saturn V, 2 Zündung der Zweitstufe in 69,7 km Höhe (2 min 45 s nach dem Abheben), 3 nach Brennschluß der 3. Stufe Einschwenken in eine Erdparkbahn in 172,9 km Höhe (12 min), 4 Wiederzündung der 3. Stufe (3 h 21 min 19 s) und Beginn des Fluges zum Mond, 5 a–5 d Abtrennen der Kommando- und Triebwerkseinheit, Drehen um 180°, Kopplung an die Mondfähre und Trennung von der 3. Stufe (4 h 47 min), 6 Zünden der Bremsraketen (88 h 55 min) und Einschwenken in eine elliptische Umlaufbahn (94 × 316 km) um den Mond; 7 Trennung der Mondfähre von der Kommandoeinheit (110 h 28 min), 8 Umlenkung zur Abstiegsbahn (112 h), 9 Abstieg (112 h 49 min) und Landung der Mondfähre auf dem Mond (113 h 01 min), 10 Start von der Mondoberfläche (188 h 03 min), 11 Rendezvous und Kopplung mit der Kommando- und Triebwerksein-

heit (190 h), 12 Abstoßen der nicht mehr benötigten Mondfährenoberstufe (194 h 09 min), 13 Einschuß in die Rückkehrbahn zur Erde (236 h 39 min), 14 Abtrennung der Triebwerkseinheit (304 h 03 min), 15 Wiedereintritt mit 11 km/s (304 h 18 min), 16 Landung der Kommandozentrale am Fallschirm (304 h 31 min).

Die historische erste Landung von Menschen auf dem Mond begann mit dem Start 8 Jahre 2 Monate und 4 Tage nach dem ersten bemannten Raumflug (des sowjetischen Kosmonauten Juri Gagarin). Am 16. Juli 1969, 14^{32} Uhr MEZ, starteten die Astronauten Armstrong, Collins und Aldrin an Bord des Raumschiffes Apollo 11 mit einer Saturn-V-Trägerrakete. Die Triebwerke der einzelnen Stufen arbeiteten so genau, daß nur eines von insgesamt vier ursprünglich vorgesehenen Kurskorrekturmanövern durchgeführt werden mußte.

Bei der Ankunft am Mond führten zwei Bremsmanöver zu einer nahezu kreisförmigen Bahn zwischen 99,4 und 121,3 km Höhe. Armstrong und Aldrin wechselten aus dem Kommandoteil in die Mondfähre. Während des 13. Umlaufs um den Mond – am 20. Juli 1969 um 18^{46} Uhr MEZ – 100 h 14 min nach dem Start auf der Erde, trennte sich die Mondfähre vom übrigen Teil des Raumschiffes. Zunächst folgte der triebwerksunterstützte Einflug in eine elliptische Mondumlaufbahn mit einem mondnächsten Punkt von 14,63 km. Genau in diesem Bahnpunkt wurde das Landetriebwerk erneut gezündet: Der Abstieg zur Mondoberfläche hatte begonnen. Da der Bordcomputer ausfiel, ging der Abstiegsflug von 2,065 km/s Geschwindigkeit auf Null in enger Zusammenarbeit mit dem Kontrollzentrum in Houston vonstatten. Im allerletzten Augenblick mußten die Astronauten noch einen 80 m breiten, mit Geröll gefüllten Krater überfliegen. Dann kam der Kontakt mit dem Mondboden und der bestätigende Ausruf Armstrongs: ,,Hier Tranquillity Base! Der Adler ist gelandet!" Der Zeitpunkt: 20. Juli 1969; 21 h 17 min 39 s MEZ.

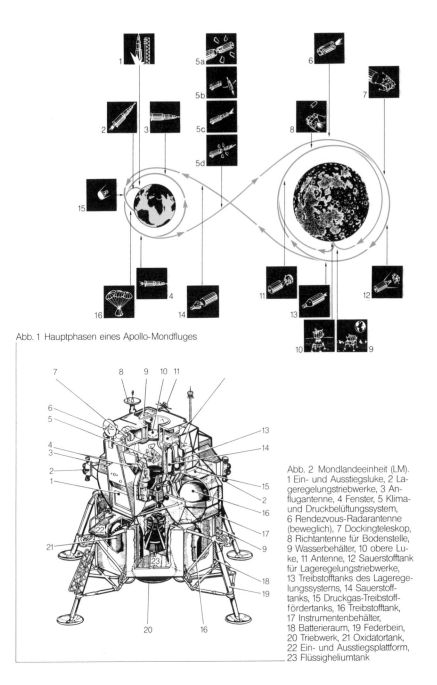

Abb. 1 Hauptphasen eines Apollo-Mondfluges

Abb. 2 Mondlandeeinheit (LM).
1 Ein- und Ausstiegsluke, 2 Lageregelungstriebwerke, 3 Anflugantenne, 4 Fenster, 5 Klima- und Druckbelüftungssystem, 6 Rendezvous-Radarantenne (beweglich), 7 Dockingteleskop, 8 Richtantenne für Bodenstelle, 9 Wasserbehälter, 10 obere Luke, 11 Antenne, 12 Sauerstofftank für Lageregelungstriebwerke, 13 Treibstofftanks des Lageregelungssystems, 14 Sauerstofftanks, 15 Druckgas-Treibstoffördertanks, 16 Treibstofftank, 17 Instrumentenbehälter, 18 Batterieraum, 19 Federbein, 20 Triebwerk, 21 Oxidatortank, 22 Ein- und Ausstiegsplattform, 23 Flüssigheliumtank

Satellitenbahnen

Eine genaue kreisförmige Satellitenumlaufbahn um die Erde auf Anhieb zu erzielen, ist fast nicht möglich. Einschußhöhe, -geschwindigkeit und -richtung müßten genau stimmen, was nur durch Zufall im ersten Anlauf gelingt. Man erreicht daher Kreisbahnen gewöhnlich erst im Orbit durch nachträglich korrigierende Schubstöße. Nach den Keplerschen Gesetzen ist die Geschwindigkeit eines Erdsatelliten auf seiner Ellipsenbahn am größten, wenn sich der Satellit genau am erdnächsten Punkt seiner Bahn befindet, am geringsten, wenn er gerade im erdfernsten Bahnpunkt steht. Der erdnächste Punkt ist das *Perigäum,* der erdfernste Punkt das *Apogäum* (Abb. 1).

Die in Abb. 1 dargestellten Bahnen unterscheiden sich nicht nur durch unterschiedliche Perigäums- und Apogäumshöhen, sondern vor allem durch die Neigung der Bahn. Diese Neigung ist durch den eingetragenen Winkel i festgelegt: $i,$ die sogenannte Inklination, ist der Winkel, den eine durch die Satellitenbahn gedachte Ebene (Bahnebene) mit der Ebene des Äquators bildet. Ist $i = 90°$ (Bahn 3), verläuft die Bahn über die beiden Erdpole: Man spricht dann von einer *Polarbahn.* Ist dagegen $i = 0°$, dann liegt die Bahnebene des Satelliten in der Äquatorebene (Bahn 4), und man hat es mit einer *äquatorialen Umlaufbahn* zu tun. Inklination und Startort eines Satelliten hängen eng zusammen. Da durch jeden Punkt der Erdoberfläche ein durch beide Pole führender Kreis (Meridian) geht, können polare Bahnen von jedem beliebigen Startgelände aus erreicht werden. Allerdings braucht man für Polarsatelliten schubstärkere Raketen oder eine zusätzliche Raketenoberstufe, da die sonst beim Start helfende Wirkung der Erddrehung wegfällt.

Bei äquatorialen Satelliten ist die Situation anders. Falls nach dem Start keine Bahnkorrekturen vorgenommen werden, wird die Inklination nie kleiner als der Breitengrad des Abschußortes sein. Äquatorialsatelliten befördert man deshalb am treibstoffsparendsten von äquatornahen Startbasen aus in den Orbit.

Da sich die Erde von West nach Ost dreht, ist es vorteilhaft, Satelliten in östlicher Richtung zu starten. Man erhält so die Rotationsgeschwindigkeit des Startplatzes „geschenkt". Diese Drehgeschwindigkeit verleiht dem Satelliten eine zusätzliche Geschwindigkeit. Sie ist am Äquator am größten (463 m/s) und wird um so kleiner, je weiter man sich in Richtung der Pole bewegt. Dies ist ein weiterer, entscheidender Vorteil von Startplätzen, die sich auf oder nahe dem Äquator befinden, wie das von der ESA zum Start der Ariane-Raketen genutzte französische Raumfahrtzentrum Kourou in Französisch Guayana.

Eine kreisförmige Erdumlaufbahn in etwa 35 800 km Höhe mit der Inklination Null heißt *geostationäre* oder *geosynchrone Umlaufbahn.* Auf ihr führt ein Satellit über dem Äquator in einem Tag genau eine volle Umdrehung um die Erde aus. Dies bedeutet, daß er für den irdischen Beobachter scheinbar am Himmel fixiert ist, also ständig über dem gleichen Punkt der Erdoberfläche steht. Eine solche Bahn bietet z. B. für Nachrichtensatelliten den großen Vorteil, daß drei geostationäre Satelliten ständig die gesamte Erdoberfläche erfassen können, wobei die Sende- und Empfangsantennen am Boden fest installiert werden können. Auch der europäische Wettersatellit *Meteosat* ist ein geostationärer Satellit, der seine Position relativ zur Erdoberfläche über dem Kreuzungspunkt des Meridians von Greenwich mit dem Äquator (über dem Golf von Guinea) beibehält.

Abb. 2 ist ein anschauliches Beispiel dafür, wie diese geostationäre Bahn erreicht wird. Der betreffende Satellit wird zunächst in einen kreisförmigen 200-km-Orbit gebracht (Abb. 2 a) und daran anschließend in die sogenannte *Transferbahn* (Übergangsbahn) geschossen. Diese Transferbahn ist eine stark elliptische Erdumlaufbahn mit einem Apogäum von 35 800 km und einem Perigäum von ca. 200 km (Abb. 2 b). Im Apogäum wird dann ein Zusatztriebwerk *(Apogäumsmotor)* gezündet, wodurch die exzentrische Bahn zu einer geschlossenen 35 800-km-Kreisbahn „aufgeweitet" wird; gleichzeitig wird auch die durch die Startplatzlage gegebene Anfangsinklination eliminiert: Der Satellit scheint nun am Himmel „aufgehängt" zu sein.

Eine andere Satellitenbahn, die z. B. für den Erdbeobachtungssatelliten *Landsat* gewählt wurde, ist die *sonnensynchrone Umlaufbahn.* Sie verläuft so, daß ihre Bahnebene ständig eine bestimmte Richtung zur Sonne beibehält.

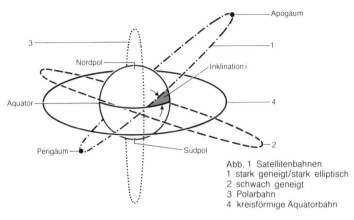

Abb. 1 Satellitenbahnen
1 stark geneigt/stark elliptisch
2 schwach geneigt
3 Polarbahn
4 kreisförmige Äquatorbahn

① Brennschluß 1. Stufe
t = 144 s, h = 46,2 km

② Zündung 2. Stufe
t = 151s, h = 51,4 km

③ Fairing-Abwurf
t = 250 s, h = 111,9 km

④ Brennschluß 2. Stufe
t = 284 s, h = 134,0 km

⑤ Zündung 3. Stufe
t = 298 s, h = 143,9 km

⑥ h_{max} = 213,9 km

⑦ Einschuß in Transferbahn
Brennschluß 3. Stufe
t = 856 s, h = 212,5 km
v = 10228 m/s

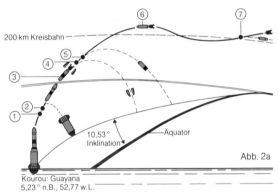

Abb. 2a

Kourou: Guayana
5,23° n.B., 52,77° w.L.

Abb. 2 Vom Raketenabschuß auf Kourou in Französisch-
Guayana (2 a) über die Transfer- in die Geostationärbahn (2 b)

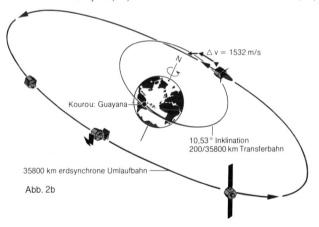

Abb. 2b

Raumtransporter (Space Shuttle)

Die konventionellen Trägerraketen der Raumfahrt haben einen prinzipiellen Nachteil wirtschaftlicher Art: Da sie nur ein einziges Mal verwendbar sind, sind die spezifischen Transportkosten, d. h. die Kosten je Kilogramm mitgeführter Nutzlastmasse, äußerst hoch. Aus diesen Gründen genehmigten 1972 die amerikanischen Regierungsstellen die Entwicklung und den Bau eines zweistufigen Weltraumtransporters (Space Shuttle), der am 12. April 1981 zu seinem ersten Testflug startete. Es handelt sich dabei um ein größtenteils wiederverwendbares zweistufiges Fluggerät, dessen bemannte obere Stufe, der deltageflügelte Orbiter, nach dem Einsatz im erdnahen Raum (maximale Flughöhe etwa 1 100 km; maximale Aufenthaltsdauer in der Erdumlaufbahn 30 Tage) im Gleitflug zur Erde zurückkehrt und wie ein Flugzeug auf einer Landepiste aufsetzt. Die höchste Nutzlast für den erdnahen Orbit beträgt nahezu 30 t; für die Landung ist die Nutzlast des Raumtransporters auf 14,5 t beschränkt.

Der flugzeugähnliche, bemannte Orbiter mit den Haupttriebwerken sitzt auf einem rund 47 m langen, externen Treibstofftank von 8,40 m Durchmesser, der rund 604 t flüssigen Sauerstoff und 102 t flüssigen Wasserstoff (zusammen rund 2 Millionen Liter) enthält. An seinen Seiten sind zwei zusätzliche Feststoffraketen von rund 45,50 m Länge und 3,70 m Durchmesser montiert, die jeweils 504 t Festtreibstoff (ein Gemisch aus pulverisiertem Aluminium, Aluminiumperchlorat, Eisenoxidstaub und einem Kunststoff als Bindemittel) enthalten.

Beim Start (in senkrechter Position) werden die drei Haupttriebwerke des Orbiters und die beiden Feststoffraketen gezündet; sie erteilen dem rund 2 000 t schweren Gesamtgerät einen Startschub von $(3 \times 1 668 \text{ kN} + 2 \times 12 900 \text{ kN})$ etwa 31 000 kN, das entspricht dem Startschub von 135 Strahltriebwerken eines Jumbo-Jets.

Die Haupttriebwerke sind Flüssigkeits-Hochdrucktriebwerke, die mit flüssigem Wasserstoff (als Brennstoff) und flüssigem Sauerstoff (als Oxidator) bei einem Verbrennungsdruck von etwa 220 bar arbeiten. Die Feststoffraketentriebwerke, die als Starthilfstriebwerke dienen, werden nach Brennschluß (etwa 2 Minuten nach dem Start) in rund 50 km Höhe abgesprengt und gleiten an Fallschirmen zur Erde nieder. Sie werden (aus dem Ozean) geborgen und können – überholt und mit

neuem Treibstoff gefüllt – wieder verwendet werden. Etwa 8 Minuten nach dem Start, kurz vor Erreichen der Erdumlaufbahn, wird auch der leergewordene große Außentank abgeworfen. Er geht als einziges Bauteil des Gesamtfahrzeugs verloren.

Der in die Erdumlaufbahn gelangende *Orbiter* hat eine Länge von 37,24 m und eine Spannweite von 23,08 m, seine Leermasse (ohne Nutzlast) beträgt 68 t. An das Cockpit mit der Kommandozentrale des Orbiters schließt sich ein rund 18 m langer, aufklappbarer Nutzlastraum von etwa 4,50 m Durchmesser an. Hier kann z. B. das europäische Raumlabor *„Spacelab"* untergebracht werden, eine rund 6 m lange Druckkabine als Arbeitsraum für die Wissenschaftler mit daran anschließenden U-förmigen, nach oben offenen „Paletten" für Experimente im freien Weltraum, das während des Aufenthalts des Orbiters in der Umlaufbahn integraler Bestandteil des Raumtransporters bleibt. Der erste erfolgreiche Einsatz dieses Raumlabors (unter Beteiligung des deutschen Astronauten U. Merbold) erfolgte bei einem zehntägigen Flug des Raumtransporters „Columbia" vom 28. November bis zum 7. Dezember 1983, bei dem rund 70 wissenschaftliche Experimente unter den Bedingungen der Schwerelosigkeit durchgeführt wurden.

Nach Beendigung der Mission in der Umlaufbahn wird der Orbiter mit Hilfe seiner (auch zur Bahnkorrektur verwendeten) Manövriertriebwerke abgebremst und in eine Abstiegsbahn zurück zur Erde gebracht. Dabei taucht der Orbiter mit einem Anstellwinkel von 40° in die Atmosphäre ein und ist in dieser Abstiegsphase extremen thermischen Belastungen ausgesetzt. Infolge Reibung mit der Erdatmosphäre treten an der Rumpfspitze und an den Tragflügel- und Leitwerkskanten Temperaturen von über 1 400 °C auf, denen nur Spezialmaterialien wiederstehen. Man verwendet ein keramisches Material, das mit einem Spezialglas beschichtet ist und in Form von Kacheln auf die besonders beanspruchten Teile aufgebracht wird. In etwa 18 000 m über der Erdoberfläche beginnt ein echter, wenn auch steiler Gleitflug, in dem die Landebahn angesteuert wird. Die Landegeschwindigkeit beträgt rund 370 km/h.

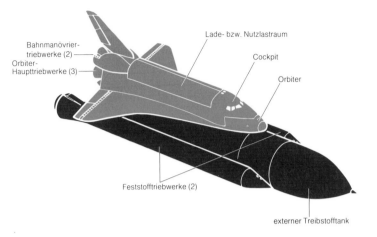

Abb. 1 Hauptkomponenten des Weltraumtransporters

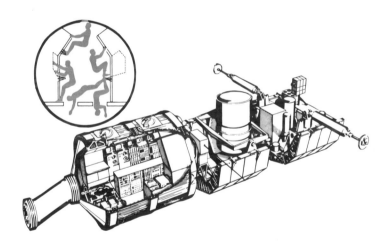

Abb. 2 Strukturzeichnung des Weltraumlabors mit Darstellung der vielfältigen menschlichen Bewegungsmöglichkeiten unter Schwerelosigkeit. Links der Verbindungstunnel zum Orbiter, durch den die Nutzlastexperten vom Cockpit in das Raumlabor gelangen können

Wehre

Wehre sind im Flußbett quer eingebaute Sperrenbauwerke, die v. a. die Erhöhung des natürlichen Wasserspiegels, gegebenenfalls die Regelung des aufgestauten Wassers und die Ableitung des Abflusses in einen künstlichen Kanal bezwecken. Die Speicherung spielt bei der Erstellung einer Wehranlage meistens eine untergeordnete Rolle, weil das Flußbett keinen bedeutenden Speicherraum bietet. Man unterscheidet zwischen festen Wehren (Wehren mit unbeweglichen Wehrkörpern), bei denen eine gezielte oder willkürliche Beeinflussung des Stauspiegels nicht oder nur begrenzt möglich ist, und beweglichen Wehren. Überfallwehre werden als gerade, schräge, gebrochene und Streichwehre gebaut.

Feste Wehre bestehen aus den in Abb. 1 dargestellten Bauteilen; die *Überfallmenge* Q [in m³/s] errechnet sich zu

$$Q = \frac{2}{3}\,\mu \cdot B \cdot \sqrt{2g}\,[(h + h_\mathrm{v})^{3/2} - h_\mathrm{v}^{3/2}]$$

(darin μ Überfallbeiwert [für abgerundete Wehrkronen $\approx 0{,}85$], B Wehrbreite [in m], g Fallbeschleunigung, h Überfallhöhe [in m], $h_\mathrm{v} = v^2/(2\,g)$ Geschwindigkeitshöhe der Anströmung [in m]). Das *Heberwehr* entsteht dadurch, daß man über einen festen Wehrhöcker eine luftdichte „Haube" setzt und damit einen geschlossenen Heberschlauch erhält. Die Krone des festen Wehrhöckers liegt nur wenig unter dem Stauziel, so daß das Wasser im Heberscheitel den Stauspiegel übersteigt, wenn der Heber angesprungen ist. Das Gewicht der im abfallenden Teil des Heberschlauches befindlichen Wassersäule erzeugt dabei im Heberscheitel den erforderlichen Unterdruck (Abb. 2); es wird daher im Gegensatz zu den Überfall-Wehren die gesamte Heberfallhöhe zur Förderung genutzt.

Bei *beweglichen Wehren* (Abb. 3) können einzelne Wehrfelder ganz oder teilweise freigegeben werden. Die Vorteile beweglicher Wehre gegenüber festen Wehren bestehen darin, daß der Stauspiegel und der Durchfluß reguliert werden können; dadurch kann bei Hochwasserabfluß eine Stauspiegelerhöhung vermieden werden. Nachteile beweglicher Wehre können sein: höhere Kosten, Störanfälligkeit im Antrieb, leichtere Zerstörmöglichkeit, Behinderung der Bewegung bei Eisgang, Anfrieren der Dichtungen bei nur geringen Leckwassermengen, dauernd erforderliche Bedienung. Diese Nachteile sind heute teilweise aufgehoben durch moderne Antriebe (hydraulisch), beheizbare Dichtungsleisten, selbsttätige Steuereinrichtungen. Die beweglichen *Wehrverschlüsse* werden heute in erster Linie aus Stahl mit Gummidichtungen angefertigt, die *Antriebsarten* reichen vom Hand- bis zum hydraulischen Antrieb (als Notantrieb ist immer der Handantrieb vorzusehen).

Kombinierte Wehre sind aus festen und beweglichen Wehrteilen zusammengesetzt. Die bekannteste Bauweise ist das *Staubalkenwehr* (Abb. 4): Kostensparend wird ein fester Stahlbetonbalken mit beweglichen Aufsatzklappen und Unterschützen ausgestattet; als bewegliche Verschlüsse eignen sich besonders Schütze, Segmente und Klappen. Die Kombination aus festen Wehrrücken und beweglichen Aufsatzverschlüssen findet sich an vielen Hochwasserentlastungsanlagen von Talsperren oder an Wehren mit hohen Wehrhöckern. *Notverschlüsse* werden bei Bewegungstörungen der Hauptverschlüsse und bei Revisionsarbeiten eingesetzt, um damit einen ausreichenden trockenen Arbeitsraum schaffen oder die Wehröffnung abschließen zu können. Bauarten: *Dammbalken* aus Holz für kleine lichte Weiten und geringe Stauhöhen; Stahlträger werden für große lichte Weiten und Stauhöhen verwendet. *Dammtafeln* werden heute für kleinere und größere lichte Weiten anstelle von Dammbalken eingesetzt. Dammbalken und Dammtafeln werden in seitlichen Nischen geführt und schließen in ihrer Breite die gesamte Öffnung ab.

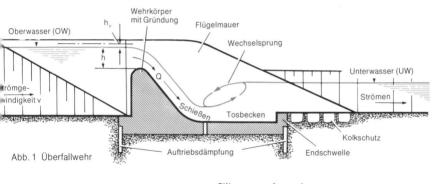

Abb. 1 Überfallwehr

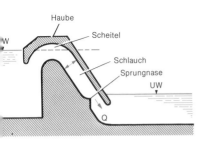

Abb. 2 Heberwehr

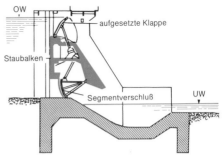

Abb. 4 Staubalkenwehr

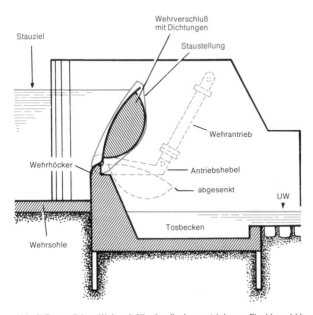

Abb. 3 Bewegliches Wehr mit ölhydraulisch angetriebener Fischbauchklappe

Talsperren

Talsperren sind Bauwerke, die als Talabschluß einen Stauraum zur Wasserspeicherung schaffen. Jede Talsperre besteht aus dem eigentlichen Sperrenbauwerk und den dazugehörigen Betriebsanlagen, zu denen die Betriebsauslässe oder Entnahmebauwerke, die Hochwasserentlastungsanlagen und die Grundablässe gehören (Abb. 1). Das Sperrenbauwerk besteht aus der Staumauer oder dem Staudamm und gegebenenfalls einer Dichtungsschürze bis zur wasserundurchlässigen Schicht oder einem Dichtungsteppich auf der Beckensohle im Anschluß an die Dammdichtung.

Staumauern: Staumauern werden aus Bruchstein, Ziegel, Beton und Stahlbeton gebaut. Nach der statischen Wirkung (wie die Wasserbelastung in die Gründungssohle und die Talflanken weitergeleitet wird) unterscheidet man verschiedene Typen: Die *Gewichtsstaumauer* (Abb. 2 a) ist nach ihrer statischen Wirkung ein Kragträger, der als im Gründungsfels elastisch eingespannter Baukörper betrachtet wird. Sie wird aus voneinander durch wasserdichte Dehnungsfugen getrennten Mauerblöcken aufgebaut, wobei jeder Block für sich als selbständiger Baukörper betrachtet wird. Bei großen Höhen ist wegen der Dicke der Gewichtsstaumauer die Gefahr des Auftretens von Längsrissen und des Abreißens des wasserseitigen Fußes gegeben.

Die *Bogengewichtsstaumauer* (Abb. 1) wird wie die Gewichtsstaumauer in einzelnen Blöcken hergestellt. Um eine Gewölbe- oder Bogenwirkung zu erzielen, müssen die Fugen vor dem Einstau bei tiefen Temperaturen verpreßt werden. Ein Teil der auftretenden Kräfte wird wie bei Gewichtsstaumauern durch Kragträgerwirkung auf die Sohle und der restliche Kräfteanteil durch Bogenwirkung auf die Talflanken übertragen. Mit der Steigerung der Bogenwirkung durch Verkleinerung des Bogenradius wächst die Materialersparnis gegenüber Gewichtsmauern. Bei großen Höhen ist jedoch auch hier die Dicke noch erheblich, so daß wiederum Längsrisse u. ä. infolge des Schwindens und der Baugrundverformung auftreten können. Dagegen weisen *Bogenstaumauern* (Abb. 2 b) durch die größere elastische Bogenwirkung eine zunehmende Unempfindlichkeit gegenüber Form- und Belastungsunregelmäßigkeiten auf. Unter *aufgelösten Staumauern* (Abb. 2 c) versteht man Pfeilerplatten-, Pfeilergewölbe-, Pfeilerschalen- und Pfeilerkuppelstaumauern;

diese bestehen aus Flächentragwerken (Platten, Schalen u. a.) und dreieckförmigen Pfeilerscheiben, die die Belastung auf den Baugrund übertragen. Durch diese Bauweise wird es möglich, größere Talbreiten zu überstauen, auch wenn Stellen schlechten Baugrundes vorhanden sind.

Staudämme: Staudämme können im Gegensatz zu Staumauern auf jedem Baugrund errichtet werden, wenn mit wirtschaftlichen Maßnahmen in der Talsohle und den Talhängen genügend starke wasserundurchlässige Schichten erreicht werden können. Der Untergrund muß eine gute Tragfähigkeit aufweisen und darf keine wasserlöslichen Materialien oder organischen Stoffe enthalten. Gegen Über-, Unter- und Ausspülungen sind je nach der Bauart entsprechende Vorkehrungen zu treffen. Staudämme können als einheitliche Baukörper oder aus dichtenden und stützenden Teilen zusammengesetzt werden. Als Dammbaustoffe werden Erde, Kies, Geröll und Steine verwendet. *Geschüttete Erddämme aus einheitlichem Material* sind selten, da das Baumaterial geringe Durchlässigkeit und trotzdem einen großen Wert für die innere Reibung aufweisen muß. Bei *geschütteten Erddämmen mit Außendichtung* (Abb. 3 a) wird der größte Teil des Dammkörpers zum Tragen herangezogen. Die Dichtung aus bindigen Böden liegt schräg im wasserseitigen Dammteil und wird durch eine durchlässige Schicht geschützt. Man sucht damit die Nachteile einer wasserseitigen Dichtung wie Schäden durch Hitze- und Frosteinwirkung sowie äußere Einwirkungen und die Rutschgefahr einzuschränken. Steht bindiger Boden für eine Außendichtung nicht zur Verfügung, verwendet man z. B. Beton, Stahlbeton oder Asphaltbeton. Bei *geschütteten Erddämmen mit Kerndichtung* (Abb. 3 b) wird die Dichtung von der Wasser- und von der Luftseite her gut geschützt; zur Standsicherheit des Dammes trägt jedoch nur der luftseits, nicht der von Wasser durchsetzte Teil bei.

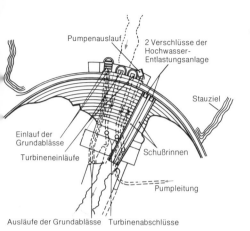

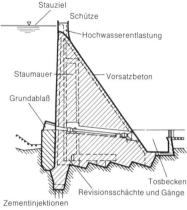

Abb. 1 Draufsicht der Talsperre Bort (Frankreich)
Bogengewichtsstaumauer, Höhe 120 m,
Kronenlänge 390 m, Stauraum 477 Mill. m³

Abb. 2a Gewichtsstaumauer

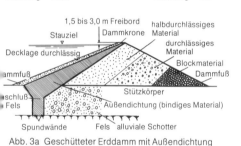

Abb. 3a Geschütteter Erddamm mit Außendichtung

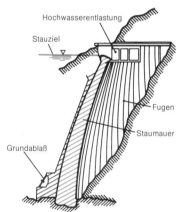

Abb. 2b Bogenstaumauer

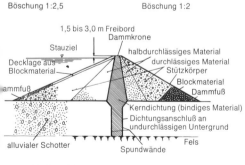

Abb. 3b Geschütteter Erddamm mit Kerndichtung

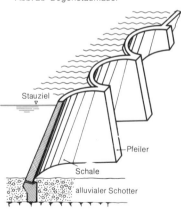

Abb. 2c Aufgelöste Staumauer
(Pfeilerschalenstaumauer)

Brunnen

Brunnenarten: Man unterscheidet allgemein den *vollkommenen Brunnen,* der durch den Grundwasserleiter bis zur darunter befindlichen undurchlässigen Schicht reicht, und den *unvollkommenen Brunnen,* der nur in den Grundwasserleiter eintaucht.

Der *Schachtbrunnen* ist eine Anlage, bei der ein Schacht von etwa 1 bis 4 m Durchmesser auf die undurchlässige wassertragende Schicht abgeteuft wird. Das Wasser der wasserführenden Schicht tritt in der in diesem Bereich durchlässigen Wandung in das Innere des Schachtbrunnens ein und wird von dort abgepumpt (Abb. 1). Am häufigsten werden Schachtbrunnen nach dem Senkverfahren hergestellt: Auf einem unten spitz ausgeführten Senkkranz baut sich der Schachtkörper auf, der sich aufgrund seines Gewichtes absenkt, während aus seinem Inneren die Erdmassen entfernt werden; Werkstoffe für die undurchlässige Schachtwand sind Ziegelmauerwerk oder Stahlbeton. Die durchlässige Schachtwand besteht aus gesperrt gemauerten Ziegelschichten, Dränagerohren, Lochsteinen oder keramischen Formteilen. Meist wird der Boden des Schachtbrunnens wasserundurchlässig ausgeführt. Der Brunnenschacht endet mindestens 0,3 m oberhalb des umgebenden Erdreiches und wird wasserdicht abgedeckt.

Der *Bohrbrunnen (Rohrbrunnen)* wird bis zur wasserführenden oder wassertragenden Schicht vorgetrieben und erschließt Grundwasserströme. Mit dem Bohrbrunnen kann im Gegensatz zum Schachtbrunnen Grundwasser auch aus tiefergelegenen Schichten gefördert werden (Abb. 2). Der einfachste Bohrbrunnen ist der *abessinische Brunnen (Abessinierbrunnen).* Der Brunnen besteht aus einem Stahlrohr von 25 bis 75 mm Durchmesser und ist am unteren Ende mit einer Rammspitze versehen. Das Rohr ist zum Durchtritt des Wassers auf etwa 1 m Länge gelocht und häufig mit einem Drahtgewebe umwickelt (Abb. 3); es wird meistens in den Boden gerammt. Wegen der Korrosions- und Verkrustungsgefahr baut man heute praktisch nur noch *Kiesfilterbrunnen.* Dabei muß der Brunnen mit einem so großen Bohrdurchmesser hergestellt werden, daß man zwischen Filterrohr und Bohrloch eine ausreichend starke Kiesschüttung einbringen kann; sie soll das Eindringen von Sand verhindern. Gelegentlich werden mehrere Kiesschichten unterschiedlichen Korndurchmessers eingebracht. Die Stärke der Kiesschicht soll mindestens 100 mm betragen. Da der kleinste Durchmesser der Filterrohre 300 mm betragen soll, beträgt beim Kiesfilterbrunnen der kleinste Bohrdurchmesser 500 mm.

Eine moderne Bauform zur Erfassung und Förderung größerer Grundwassermengen aus nicht zu großer Tiefe ist der *Horizontalfilterbrunnen* (Tagesleistung bis zu 30 000 m^3). Er besteht aus einem senkrechten Schacht mit meist 4 m Durchmesser (Abb. 4). Die Schachttiefe beträgt je nach der Tiefe der günstigsten wasserführenden Schicht 10 bis 40 m. Oberhalb des Schachtgrundes gehen sternförmig waagerecht in die wasserführende Schicht vorgetriebene Fassungsrohre (Durchmesser 150 bis 350 mm, Länge jeweils 30 bis 40 m) vom Schachtmantel aus. Jedes Fassungsrohr ist im Brunneninnern mit einem Schieber verschließbar, so daß der Wasserzufluß geregelt werden kann. Der Schacht wird zur Erdoberfläche meist durch ein Pumpenhaus abgeschlossen. Für das Vortreiben der horizontalen Filterrohre wurden verschiedene Verfahren entwickelt. Das älteste Verfahren (seit 1934) ist das nach *Ranney;* hierbei werden gelochte, 8 mm starke Stahlrohre mit einem Durchmesser von 200 mm sternförmig durch Schachtwandöffnungen hydraulisch in den Grund eingepreßt. Am vorderen Ende der Fassungsrohre ist ein geschlitzter Rohrkopf angebracht, durch den Grundwasser eintritt (bewirkt eine Entsandung des die Filterrohre umgebenden Grundes). Das *Fehlmann-Verfahren* arbeitet mit Bohrrohren, die in die wasserführende Schicht eingepreßt werden. In die Bohrrohre führt man die eigentlichen Filterrohre ein, wonach die Bohrrohre entfernt werden.

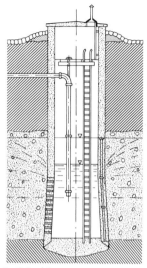

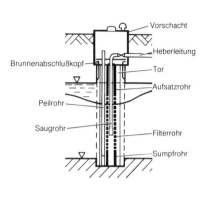

Abb. 1   Schachtbrunnen

Abb. 2   Bohrbrunnen

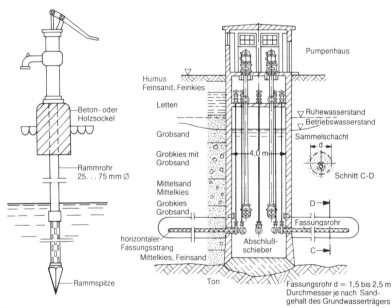

Abb. 3   Abessinierbrunnen

Abb. 4   Horizontalfilterbrunnen

Wasseraufbereitung

Natürlich vorkommendes Wasser entspricht nur selten den Anforderungen, die an gutes Trinkwasser oder Wasser für gewerbliche Zwecke gestellt werden. Meist muß es zuvor aufbereitet, d.h. von Schwebstoffen, Bakterien, Eisen-, Manganverbindungen u.a. befreit werden.

Vom Rohwasser mitgeführte Schwebstoffe lassen sich, wenn sie schwerer als Wasser sind, im Absetzbecken entfernen. Bei dem kontinuierlich arbeitenden runden Absetzbecken (Abb. 1) strömt das Rohwasser über eine Leitung im Mittelpunkt des Beckens ein und durchfließt es waagerecht nach außen hin, um am Beckenrand in eine Auffangrinne überzulaufen. Die Fließgeschwindigkeit ist so gering (2 bis 10 mm/s), daß schwerere Teilchen zum Boden absinken ohne wieder aufgewirbelt zu werden. Ein langsam umlaufender Schlammräumer fördert die abgesunkenen Feststoffe zur Beckenmitte, wo sie abgezogen werden. Schlecht sinkende Teilchen werden durch Zugabe von Flockungsmitteln, z.B. Aluminiumsulfat, in leicht absetzbare Stoffe verwandelt. Das so vorgereinigte Rohwasser gelangt zum Entfernen von Bakterien und kleinsten Schmutzteilchen in ein Sandfilter. Der Sand des offenen Langsamfilters hat eine Korngröße von etwa 0,5–1,0 mm Durchmesser und ist etwa 0,7 bis 1,0 m hoch aufgeschüttet (Abb. 2). Das Wasser durchströmt die Sandschicht von oben nach unten mit einer Geschwindigkeit von etwa 0,1 m/Stunde. Es verläßt das Filter über im Filterboden angeordnete, mit Kies abgedeckte Öffnungen. Zum Reinigen wird das Filter außer Betrieb genommen, entleert, die oberste Filterschicht abgeschält, gewaschen und wieder aufgeschüttet. Das heute häufig angewandte offene Schnellfilter ist ähnlich aufgebaut. Zur Reinigung leitet man von unten her gereinigtes Wasser und Druckluft mit großer Geschwindigkeit durch die Sandschicht. Der Sand wird aufgeschwemmt und der an der Oberfläche der Sandkörnchen angelagerte Schmutz mitgerissen und abgeführt. Schnellfilter erlauben eine Filtergeschwindigkeit von etwa 5 m/s. In einer Wasseraufbereitungsanlage sind meist mehrere solcher Filter nebeneinander angeordnet. Während der Reinigung des einen Filters sind die anderen in Betrieb. Dadurch ergibt sich ein stetiger Anfall filtrierten Wassers. Neben diesen offenen Filteranlagen sind auch geschlossene Schnellfilter üblich. Das Filtergehäuse ist ein geschlossener Stahl-Druckkessel.

Enthält das Rohwasser mehr als 0,1 mg/l Eisen und mehr als 0,5 mg/l Mangan, dann müssen diese meist in Lösung befindlichen Metalle entfernt werden. Man überführt sie durch Oxidation mit Luftsauerstoff in unlösliche Verbindungen. Durch Versprühen wird eine große Wasseroberfläche geschaffen, die intensiv mit Luftsauerstoff in Berührung gebracht wird. Das versprühte Wasser fällt auf einen Prallboden herab und fließt in ein darunter angeordnetes Reaktionsbecken (Abb. 3), wo es etwa eine Stunde verbleibt. Dabei bilden sich Flocken aus, die z.T. auf den Beckenboden absinken und dort stetig abgezogen werden. Das noch mit kleineren Flocken verunreinigte Wasser gelangt anschließend in ein Filter. Dort werden die restlichen Flocken zurückgehalten. Das gereinigte Wasser verläßt das Filter und wird in einem Reinwasserbehälter gesammelt und von dort den Verbrauchern zugeführt.

Die Entfernung überschüssiger Kohlensäure (Entsäuerung) erfolgt z.B. im Riesler (Abb. 4). Im gut be- und entlüfteten Rieselraum wird das Wasser in Rinnen über Hürden des Rieslers gleichmäßig verteilt und durch wiederholten freien Fall auf die übereinander angeordneten Prallflächen der Hürden fein zerstäubt, wobei die gasförmige Kohlensäure (Kohlendioxid) entweicht.

Je nach Rohwasserqualität kann eine Anzahl weiterer Aufbereitungsschritte notwendig sein, z.B. eine zusätzliche Filterung in Aktivkohlefiltern, das Einblasen von Ozon (Ozonisierung) zur weiteren Entkeimung und Oxidation noch gelöster organischer Stoffe u.a. Die Chlorung von Trinkwasser (Zusatz von Chlorgas oder Verbindungen, die Chlor freisetzen), die früher in größerem Umfang zur Entkeimung und zur Oxidation der Wasserinhaltsstoffe angewandt wurde, ist in den letzten Jahren stark eingeschränkt worden.

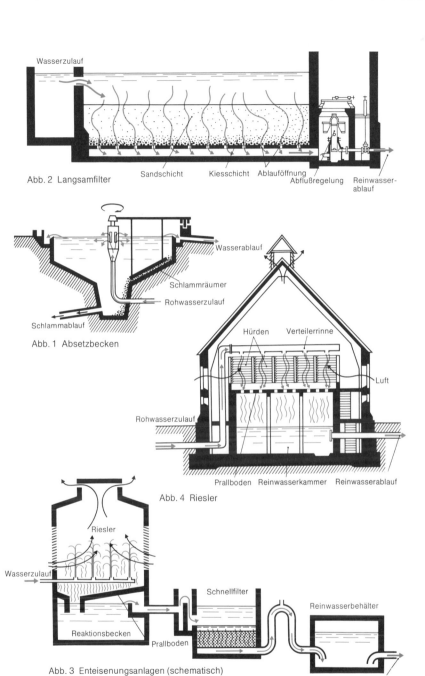

Abb. 2 Langsamfilter

Wasserzulauf

Sandschicht   Kiesschicht   Ablauföffnung
Abflußregelung   Reinwasser-
ablauf

Wasserablauf

Schlammräumer

Rohwasserzulauf

Schlammablauf

Abb. 1 Absetzbecken

Hürden   Verteilerrinne

Luft

Rohwasserzulauf

Prallboden   Reinwasserkammer   Reinwasserablauf

Abb. 4 Riesler

Riesler

Wasserzulauf

Schnellfilter

Reinwasserbehälter

Reaktionsbecken

Prallboden

Abb. 3 Enteisenungsanlagen (schematisch)

zu den Verbrauchern

457

Meerwasserentsalzung

Die technische Gewinnung von Süßwasser aus Meerwasser (Salzgehalt etwa 35‰) oder Brackwasser (Salzgehalt etwa 5‰) durch Abtrennen der gelösten Salze (Entsalzung), wobei ein auf diese Weise gewonnenes gutes Trinkwasser nicht mehr als 0,35‰ Salze enthalten soll, nimmt wegen des weltweit enorm steigenden Bedarfs an Trink- und Brauchwasser ständig an Bedeutung zu. Das älteste Verfahren der Meerwasserentsalzung ist die *Verdampfung*, bei der das Wasser durch Abdestillieren und anschließende Kondensation von den Salzen befreit wird; dabei wird die zum Verdampfen des Wassers aufzuwendende Energie aus konventionellen Brennstoffen, aus der Sonnenstrahlung, oder durch Abwärmenutzung gewonnen. Ein häufig angewandtes Verfahren ist die *Entspannungsverdampfung,* bei der erhitztes Meerwasser in Kammern geleitet wird, in denen ein so geringer Druck herrscht, daß ein Teil des Wassers schlagartig verdampft (sog. *Flash-Destillation*). Der entstehende Dampf wird an einem Kondensator verflüssigt und kann als Trink- und Brauchwasser dienen. Die Abb. 1 zeigt eine mehrstufige Anlage zur Entspannungsverdampfung (Multi-stage-flash-Destillation, Abkürzung MSF) mit Rückführung der Salzlösung. Sie besteht aus insgesamt zehn Stufen, von denen acht (① bis ⑧) mit Wärmerückgewinnung arbeiten. Hier zirkuliert die Salzlösung und wird jeweils beim Durchgang durch die Rohre der Kondensatoren durch den kondensierenden Wasserdampf aufgeheizt. In einem Wärmetauscher wird die Salzlösung erhitzt und nacheinander in die Verdampferkammern (Vakuumkammern) geleitet, in denen der Druck von Stufe zu Stufe erniedrigt wird. In jeder Stufe verdampft ein Teil des Wassers und kondensiert im darüber angeordneten Kondensator. Das so gewonnene Trinkwasser wird einem Sammeltank zugeleitet. In den letzten beiden Stufen (⑨ und ⑩) wird kaltes Meerwasser durch die Kondensatorrohre gepumpt. Ein Teil des Meerwassers wird mit Schwefelsäure (H_2SO_4) versetzt, um die im Meerwasser enthaltenen Carbonate, die zu starker Kesselsteinbildung führen würden, zu entfernen (Umsetzung in Sulfate im sog. Decarbonator, wobei Kohlendioxid, CO_2, frei wird). – Nach Verlassen der letzten Verdampferstufe wird ein Teil der konzentrierten Salzlösung abgelassen, der Rest wiederum durch die Kondensatorrohre der acht Wärmerückgewinnungsstufen gepumpt.

Versuche, eine direkte Verdampfung mit Hilfe von Sonnenenergie *(Solardestillation)* vorzunehmen, werden v. a. in Ländern mit starker Sonneneinstrahlung unternommen; Anlagen, die auf dieser Basis arbeiten, bestehen häufig aus gewächshausähnlichen Behältern, die mit Glasplatten oder Folien bedeckt sind; der Wasserdampf kondensiert an der Innenseite der Abdeckung, und das herabrieselnde Kondensat wird in Rinnen gesammelt.

Größere technische Bedeutung hat die *Umkehrosmose* erlangt. Sie beruht auf folgendem Prinzip: Wird eine Salzlösung und reines Wasser durch eine semipermeable (halbdurchlässige) Membran, z. B. durch eine Kunststoffolie mit bestimmter Porengröße, getrennt (Abb. 2), so wandert reines Wasser durch die Membran und verdünnt die Salzlösung, es bildet sich ein sog. osmotischer Druck aus. Diesen Vorgang, der bei allen Lebensvorgängen eine bedeutende Rolle spielt, bezeichnet man als *Osmose*. Wird nun auf die Salzlösung ein hydrostatischer Druck ausgeübt, der größer als der osmotische Druck ist, so tritt umgekehrt reines Wasser aus der Lösung durch die Membran (die gelösten Salze werden in beiden Fällen weitgehend zurückgehalten). Durch diesen als Umkehrosmose bezeichneten Vorgang erhöht sich also die Menge reinen Wassers, man gewinnt Trinkwasser (Abb. 3).

Andere aussichtsreiche Verfahren sind die Elektrodialyse und die Gefrierentsalzung. Bei der *Elektrodialyse* wird das Meerwasser unter Verwendung selektiver Membranen, die entweder Kationen oder Anionen durchlassen, elektrolysiert; aufgrund der Trennwirkung der Membranen wird in einem Teil der Elektrolysierzellen eine Anreicherung, im anderen eine Verminderung des Salzgehalts erzielt. Bei der *Gefrierentsalzung* düst man vorgekühltes, gereinigtes Meerwasser in eine Vakuumkammer ein; durch die Verdampfung eines Teils des Wassers kühlt sich die Sole ab, wobei salzfreies Eis auskristallisiert, das von der Sole getrennt wird und nach Schmelzen Süßwasser ergibt.

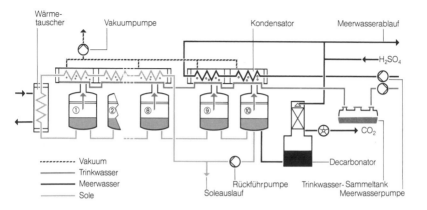

Abb. 1 Schema einer Anlage zur Entspannungsverdampfung mit Rückführung der Salzlösung
(① bis ⑩ Vakuumverdampferkammern)

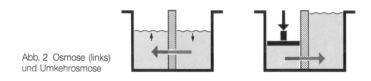

Abb. 2 Osmose (links)
und Umkehrosmose

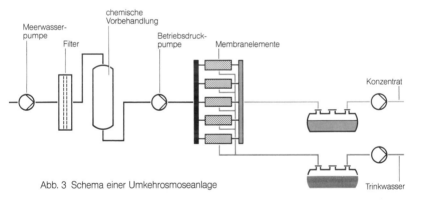

Abb. 3 Schema einer Umkehrosmoseanlage

Abwasserreinigung

Die Abwasserreinigung erfolgt in Kläranlagen oder Klärwerken: *Häusliche Abwässer* gelangen zunächst in eine Rechenund Siebanlage, in der grobe Schweb- und Schwimmstoffe entfernt werden. Das anfallende Rechengut wird ausgefault und kompostiert oder verbrannt. Der nachgeschaltete Sandfang besteht aus mehreren, meist länglichen Becken, in denen die Strömungsgeschwindigkeit so weit herabgesetzt wird, daß sich Sand und sandartige Stoffe am Boden absetzen können. Aufschwimmende Stoffe wie Öle, Fette und Benzin werden gegebenenfalls in einem angeschlossenen Ölabscheider oder Fettfänger entfernt, einem länglichen Becken, in dem zum besseren Aufschwimmen der öligen oder fettigen Stoffe Luft in feiner Verteilung eingeleitet wird. Das Abwasser gelangt nun in ein Vorklärbecken, in dem alle absetzbaren Verunreinigungen, die im Sandfang nicht zurückgehalten wurden, abgeschieden werden. Der hier anfallende Vorklär- oder Primärschlamm kann z. B. nach Eindickung in einen Faulbehälter eingebracht werden, wo unter Luftabschluß eine anaerobe bakterielle Zersetzung eintritt. Hierbei entsteht Faulgas (Biogas) mit einem Heizwert von 25 bis 34 MJ/m³ (65 bis 90% Methangehalt), das z. B. zu Heizzwecken verwendet werden kann. Der eingedickte Faulschlamm (zuweilen auch der Rohschlamm) wird gewöhnlich in einer Konditionierungsanlage aufbereitet, z. B. unter Luftabschluß auf etwa 200 °C aufgeheizt und unter einem Druck von etwa 20 bar etwa 45 Minuten lang „gekocht". Nach weiterer Eindikkung fällt unter ein hygienisch einwandfreies Produkt an, das als Bodenverbesserungsmittel in der Land- und Forstwirtschaft verwendbar ist. Eine andere Möglichkeit der Schlammbehandlung ist z. B. die Konditionierung durch Zumischen von geeigneten Filterhilfsmitteln und anschließende Entwässerung in großen Filterpressen. Die dabei entstehenden Filterkuchen werden dann in einer Schlammverbrennungsanlage verbrannt. Der größte Teil des anfallenden Klärschlamms wird gegenwärtig jedoch noch auf Mülldeponien abgelagert.

Die nach Verlassen des Vorklärbeckens noch im Abwasser enthaltenen Schmutzstoffe, insbesondere die gelösten und kolloidalen fäulnisfähigen Stoffe, werden in einer anschließenden *biologischen Abwasserreinigung* entfernt und aufgearbeitet. Zur natürlichen biologischen Abwasserreinigung zählen die Abwasserverrieselung und die Abwasserverregnung sowie das Einleiten in Abwasserfischteiche, zu den künstlichen Verfahren das Tropfkörper- und das Belebtschlammverfahren.

Die beim *Tropfkörperverfahren* (Abb. 1) eingesetzten Tropfkörperanlagen bestehen aus runden Türmen aus 2 bis 4 m hoch aufgeschichteten porösen Steinen (z. B. Lavaschlacke), auf deren Oberfläche das zu reinigende Abwasser mit Hilfe eines Drehsprengers fein verteilt wird (Abb. 2). Auf der Steinoberfläche bildet sich ein Rasen v. a. aus Algen, in dem sich die zur Reinigung des Abwassers erforderlichen Kleinlebewesen ansiedeln. Die biologisch abbaubaren Verunreinigungen werden hier in feste Schlammstoffe umgewandelt, die mit dem gereinigten Abwasser den Tropfkörper verlassen und in einem nachgeschalteten Absetzbecken entfernt werden.

Beim *Belebtschlammverfahren* (Abb. 3) schweben die Bakterien im sogenannten Belebtschlamm frei im Abwasser des Belebungsbeckens. Oberflächenbelüfter sorgen für hinreichende Sauerstoffzufuhr. In den anschließenden Nachklärbecken wird das Abwasser-Belebtschlamm-Gemisch wieder entmischt: Der Belebtschlamm sinkt als Nachklärschlamm zu Boden und wird als Träger der zur biologischen Reinigung notwendigen Kleinlebewesen größtenteils in die Belebtschlammbecken zurückgepumpt. Krankheitserreger werden in den biologischen Reinigungsanlagen nicht vollständig abgetötet. Daher kann eine Abwasserdesinfektion, z. B. eine Entkeimung durch Chlor, erforderlich sein.

Die Reinigung *industrieller Abwässer* kann je nach Art und Grad der Verunreinigungen zusätzliche Reinigungsstufen erforderlich machen. Hier kommen chemische Fällungsmittel und Flockungsmittel zum Einsatz sowie Neutralisationsmittel, um allzu saure bzw. zu stark basische Abwässer zu neutralisieren (der pH-Wert des in den Vorfluter eingeleiteten Wassers darf nur zwischen 6 und 8,5 liegen). Industrieabwässer, die giftige Substanzen enthalten, müssen vor dem Einleiten in eine biologische Kläranlage entgiftet werden, da sie die Lebensvorgänge und damit die Wirkung des Belebtschlamms bzw. der Tropfkörperanlagen ausschalten würden. Hierfür kommen chemische Umsetzungen in Frage sowie die Entgiftung mit Hilfe von Ionenaustauschern.

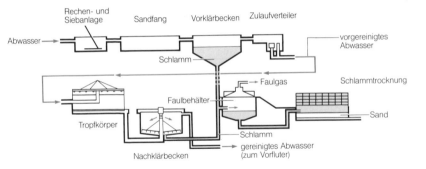

Abb. 1 Kläranlage mit Tropfkörper

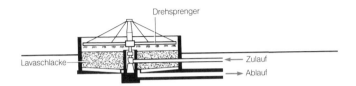

Abb. 2 Tropfkörper

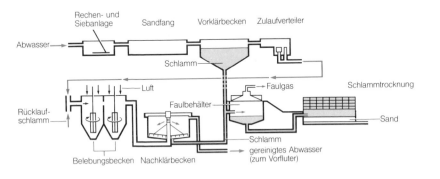

Abb. 3 Kläranlage mit Belebtschlammverfahren

Wärmeübertragung und Wärmeschutz

Berühren sich zwei Körper unterschiedlicher Temperatur, so stellt sich nach einiger Zeit Temperaturgleichheit ein, d. h., die Temperaturen der Körper gleichen sich an. Das gleiche geschieht, wenn die Körper durch ein Gas oder ein Vakuum voneinander getrennt sind. In beiden Fällen findet eine Wärmeübertragung statt, und zwar vom Körper höherer Temperatur zum Körper niedriger Temperatur. Für die Wärmeübertragung sind im wesentlichen drei Transportvorgänge verantwortlich, die physikalisch recht unterschiedlich sind: die Konvektion oder Wärmeströmung, die Wärmeleitung und die Wärmestrahlung.

Der Wärmetransport durch *Konvektion* beruht auf der Tatsache, daß eine Flüssigkeit oder ein Gas bei hoher Temperatur eine geringere Dichte besitzen als bei niedriger Temperatur. Daher stellt sich bei lokalen Temperaturunterschieden eine Strömung der Flüssigkeit oder des Gases von Orten höherer Dichte zu Orten niedrigerer Dichte ein. Diese bewirkt nicht nur einen Masseaustausch, sondern auch einen Wärmetransport vom Ort höherer Temperatur zum Ort niedrigerer Temperatur. Läuft dieser Vorgang unter dem Einfluß der Schwerkraft automatisch ab, spricht man von *freier Konvektion* (Abb. 1). Wird die Bewegung des zum Wärmetransport dienenden Stoffs vorwiegend durch äußere Kräfte (z. B. durch eine Pumpe oder einen Ventilator) hervorgerufen, spricht man von *erzwungener Konvektion*.

Ein zweiter Mechanismus des Wärmetransports ist die *Wärmeleitung* (Abb. 2). Die Wärmeleitung innerhalb von Stoffen beruht auf der Energieübertragung, die bei den Zusammenstößen bzw. Wechselwirkungen ihrer Atome oder Moleküle stattfindet. Obschon die Teilchen selbst dabei nicht transportiert werden, wird Wärme von einem Teilchen zum anderen fortgeleitet, da die Teilchen hoher Energie die Teilchen niedriger Energie auf ein höheres Energieniveau anregen. Der Transport von Wärme in Richtung abnehmender Temperatur ist um so stärker, je größer die Temperaturdifferenz sowie eine als *Wärmeleitfähigkeit* oder *Wärmeleitzahl* bezeichnete Stoffgröße sind.

Die *Wärmestrahlung* (Abb. 3) unterscheidet sich grundsätzlich von den beiden anderen Transportvorgängen (Leitung, Konvektion) dadurch, daß ein stofflicher Energieträger zur Fortleitung der Wärme nicht erforderlich ist. Bei der Wärmestrahlung handelt es sich um elektromagnetische Wellen mit Wellenlängen im Infrarotbereich, deren Energie aus der inneren Energie der Körper herrührt. Die von den Körpern ausgesandten elektromagnetischen Wellen werden beim Auftreffen auf andere Körper teilweise absorbiert und wieder in innere Energie umgewandelt.

Beim *Wärmeschutz* von Gebäuden gilt es vor allem, den Wärmedurchgang (infolge Wärmeleitung) durch die Außenwände und die Fenster zu verringern. Hierbei spielt die Wärmeleitfähigkeit des verwendeten Materials bzw. der Zwischenschichten eine wesentliche Rolle. Sie bestimmt den *Wärmedurchgangskoeffizienten* oder *k-Wert* des betreffenden Bauteils, der u. a. von grundlegender Bedeutung für die Wärmebedarfsrechnung (zur Auslegung der Heizungsanlage) ist und ein Maß für die Wärmedämmung darstellt (je kleiner der in der Einheit $W/(m^2 \cdot K)$ angegebene k-Wert, desto besser ist die Wärmedämmung). Er beträgt z. B. für eine Außenwand mit Mindestwärmeschutz etwa $k = 1,39 \ W/(m^2 \cdot K)$, für eine Außenwand mit sehr gutem Wärmeschutz erreicht er Werte um $k = 0,30 \ W/(m^2 \cdot K)$.

Wärmeleitfähigkeit * in $W/(m \cdot K)$

Aluminium	200
Stahl	60
Granit, Basalt, Marmor	3,5
Fliesen	1,0
Vollklinker-Mauerwerk	0,96
Hochlochklinker-Mauerwerk	0,81
Glas	0,80
Kalksandstein-Mauerwerk	0,50 bis 1,3
Leichtbeton	0,30 bis 1,2
Eichenholz	0,20
mineral. Faserdämmstoffe	0,035 bis 0,050
Polystyrol-Hartschaum	0,025 bis 0,040

---

* Wärmetechnische Rechenwerte nach DIN 4108

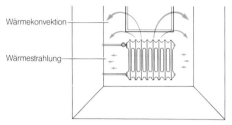

Abb. 1 Wärmetransport durch freie
Wärmekonvektion und Wärmestrahlung

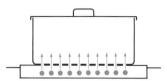

Abb. 2 Wärmetransport durch Wärmeleitung (Heizplatte – Topfboden)

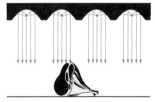

Abb. 3 Wärmestrahlung (Infrarotstrahler
mit parabolförmigen Reflektoren)

Abb. 4 Temperaturverlauf in einer
Außenwand bei einer Innentemperatur von 20 °C und Außentemperaturen von 30 °C (und Sonneneinstrahlung) bzw. −15 °C

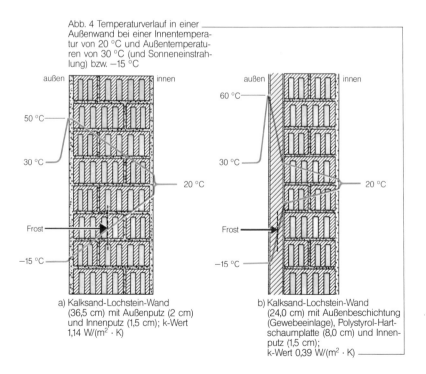

a) Kalksand-Lochstein-Wand
(36,5 cm) mit Außenputz (2 cm)
und Innenputz (1,5 cm); k-Wert
1,14 W/(m² · K)

b) Kalksand-Lochstein-Wand
(24,0 cm) mit Außenbeschichtung
(Gewebeeinlage), Polystyrol-Hart-
schaumplatte (8,0 cm) und Innenputz (1,5 cm);
k-Wert 0,39 W/(m² · K)

463

Hausheizung

Die Aufgabe der Hausheizung ist die Erzielung eines behaglichen Raumklimas, d. h., die auf die Raumnutzer einwirkende sogenannte empfundene Temperatur t_c (Mittelwert aus Raumlufttemperatur und mittlerer Temperatur der Raumumschließungsflächen) soll je nach körperlicher Aktivität und individuellen Ansprüchen entsprechend in einem Bereich von etwa 16 bis 24 °C liegen (Abb. 1). Weitere Anforderungen an die Hausheizung sind möglichst geringe Anschaffungs- und Brennstoffkosten sowie eine möglichst geringe Schadstoffemission. Diese Bedingungen werden durch gute Regelbarkeit des Heizsystems (bei entsprechendem Nutzerverhalten) und einen guten Wärmeschutz des Hauses erfüllt.

In Altbauten findet man noch vielfach *Einzelöfen,* die durch Verbrennen von Holz, Kohle, Gas und Heizöl oder durch elektrischen Strom die Wärme direkt im Raum erzeugen bzw. teilweise mit Verspätung an den Raum abgeben (Nachtspeicheröfen). Bei *Zentralheizungen* wird die von einem meist im Keller befindlichen Heizkessel (Abb. 2) erzeugte Wärme durch einen Wärmeträger (meist Wasser, seltener Dampf oder Luft) den zu beheizenden Räumen zugeführt. Sie wird dort über Heizkörper *(Radiatoren, Konvektoren)* und in jüngster Zeit häufig wieder über *Fußbodenheizungen* an den Raum abgegeben.

Der Umtrieb des Wassers im Wärmeverteilungssystem erfolgt heute fast ausschließlich mit Hilfe einer *Umwälzpumpe* im Zwangsumlauf (Pumpenwarmwasserheizung). Je nach Höhe der maximalen Vorlauftemperatur des vom Kessel kommenden, dort durch die heißen Rauchgase erwärmten Wassers unterscheidet man dabei zwischen *Niedertemperaturheizsystemen* (Temperaturen um 70 °C) und Normal- oder *Hochtemperaturheizsystemen* (Temperaturen bis 110 °C).

Herkömmliche Heizsysteme arbeiten, vom Verbrennungsprozeß her gesehen, wenig angepaßt an die Heizaufgabe: Verbrennungstemperaturen von 1 000 °C bis 2 100 °C stehen einem Wärmebedarf bei Temperaturen von etwa 20 °C gegenüber. Die neue Generation der *Niedertemperatur-Heizkessel* kann aufgrund konstruktiver Maßnahmen und korrosionsfester Materialien mit Kesselwassertemperaturen von 40 °C betrieben werden. Hocheffiziente Öl- und Gasheizungen mit *Gebläsebrennern* zum Erhitzen des Heizkessels erreichen Nutzungsgrade von über 80 %,

Brennwertkessel mit Gasfeuerung Nutzungsgrade von fast 100 %. Durch zusätzliche Wärmetauscher wird die latente Wärme des in dem Rauch enthaltenen Wasserdampfs durch Kondensation freigesetzt und die fühlbare Abwärme weitgehend zurückgewonnen. Die Abgastemperaturen im Kamin betragen dann nur noch 40–60 °C (statt wie früher 200 °C).

Eine andere, moderne Möglichkeit, Gebäude zu beheizen, besteht in der Nutzung der Umweltwärme. Dazu bedient man sich sogenannter *Wärmepumpen,* die die Umweltwärme (zur Zeit unter Einsatz hochwertiger Energieträger) auf ein für Nutzungszwecke geeignetes Temperaturniveau anheben (vgl. S. 474). Während der Nutzungsgrad elektrischer Systeme bei gut 100 % liegt, können Kompressions- und Absorptionswärmepumpen einen Nutzungsgrad von etwa 130 % erreichen. Ähnliche Nutzungsgrade erzielen auch *Solaranlagen,* die über Solarkollektoren Wärme aus der Sonnenstrahlung gewinnen. Eine angepaßte Wärmeerzeugung unter Einbeziehung dieser alternativen Heizsysteme ermöglicht beträchtliche Einsparungen an fossilen Brennstoffen und leistet zugleich einen wichtigen Beitrag zur Entlastung der Umwelt von Schadstoffen. Allerdings wirken sich die derzeit noch zu hohen Anschaffungskosten hemmend auf die Markteinführung der entsprechenden Technologien aus.

Für alle Heizsysteme ist die selbsttätige Regelung von zentraler Bedeutung. Sie soll die Leistung der Wärmeerzeuger und der Heizflächen den Nutzergewohnheiten weitgehend anpassen. Während *Thermostatventile* die Raumtemperaturen unabhängig von der Heizwassertemperatur konstant halten, erfolgt die Regelung der Kesseltemperatur in Abhängigkeit von der Raumtemperatur und/oder von der mit Außenfühlern gemessenen Außentemperatur. Die Regelung selbst geschieht durch Ausschaltung des Brenners oder über ein Mischventil. Ein Thermostat mit Schaltuhr ermöglicht auch eine automatische Nachtabsenkung der Temperatur.

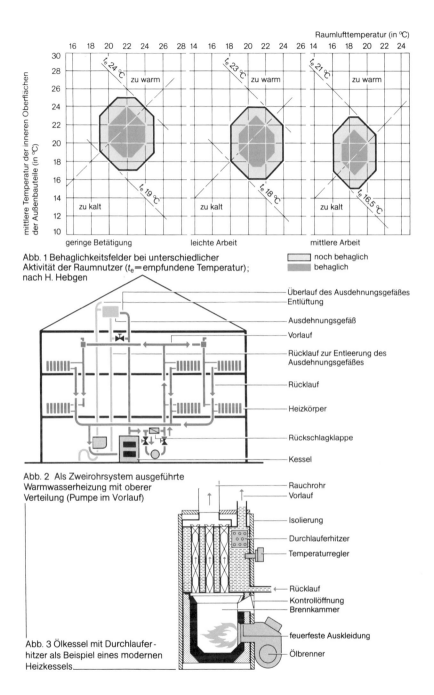

Raumlufttemperatur (in °C)

mittlere Temperatur der inneren Oberflächen der Außenbauteile (in °C)

geringe Betätigung | leichte Arbeit | mittlere Arbeit

Abb. 1 Behaglichkeitsfelder bei unterschiedlicher Aktivität der Raumnutzer (t_e=empfundene Temperatur); nach H. Hebgen

noch behaglich
behaglich

Überlauf des Ausdehnungsgefäßes
Entlüftung

Ausdehnungsgefäß

Vorlauf

Rücklauf zur Entleerung des Ausdehnungsgefäßes

Rücklauf

Heizkörper

Rückschlagklappe

Kessel

Abb. 2 Als Zweirohrsystem ausgeführte Warmwasserheizung mit oberer Verteilung (Pumpe im Vorlauf)

Rauchrohr
Vorlauf

Isolierung

Durchlauferhitzer

Temperaturregler

Rücklauf

Kontrollöffnung
Brennkammer

feuerfeste Auskleidung

Ölbrenner

Abb. 3 Ölkessel mit Durchlaufer- hitzer als Beispiel eines modernen Heizkessels

465

Solararchitektur

Die Solararchitektur als Teil des Gesamtkomplexes „klimagerechtes Bauen" versucht durch passive Maßnahmen das Makroklima (Sonnenstrahlung, Außentemperatur, Wind und Niederschläge) in die Planung einzubeziehen und den Einflüssen des Mikroklimas durch Standortwahl, Orientierung des Baukörpers zur Sonne hin und durch geeignete Bepflanzung Rechnung zu tragen. Dabei werden Techniken und Erkenntnisse unserer Vorfahren wiederentdeckt. Die *passive Nutzung der Sonnenenergie* als praktische Umsetzung der Solararchitektur steht der *aktiven Solarenergienutzung* gegenüber, die sich für die Sammlung, Speicherung und Verteilung der Sonnenenergie bestimmter Geräte wie Kollektoren, Pumpen, Speicher und Rohrleitungen bedient, die im Bereich des Baukörpers installiert werden.

Die *passiven Systeme* lassen sich in drei Gruppen unterteilen: Systeme mit direktem Gewinn, Systeme mit indirektem Gewinn, Systeme mit speziellen Einzelmaßnahmen:

Ein *direkter Gewinn* durch solare Strahlung ist nur durch die *Fenster* möglich, in unseren Breiten hauptsächlich durch die „Südfenster" (Abb. 1). Die eindringende *kurzwellige Strahlung* wird vom Boden, von den Wänden und von der Decke absorbiert und als *langwellige Wärmestrahlung* an den Raum abgegeben. Zur Reduzierung von Konvektions- und Abstrahlungsverlusten (vor allem in den Abend- und Nachtstunden) sind die Fenster mit zwei- bis dreifacher Verglasung versehen, oder sie werden nachts durch Klappläden oder sonstige Vorrichtungen verschlossen, damit keine Wärme verlorengeht. Die Systeme der direkten Nutzung haben den Vorteil der Einfachheit und relativ geringer Kosten. Ein Nachteil liegt in großen Temperaturschwankungen im Innenraum, im Einwirken von starkem direktem Tageslicht und in der schädlichen Wirkung ultravioletter Strahlung auf Hausmaterialien. Durch geeignete bauliche Maßnahmen (z. B. Dachvorsprünge, Anpflanzung von Laubbäumen) versucht man, bei hohem Sonnenstand im Sommer ein Eindringen der Strahlung in den Wohnraum zu verhindern. Im mitteleuropäischen Klima läßt sich der Heizwärmebedarf eines normalen Einfamilienhauses bei Vergrößerung der südlichen Fensterfläche pro m^2 um etwa 1 % reduzieren.

Beim *indirekten Gewinn* (Abb. 2) wird hinter der Südverglasung eine Wand aus Stein, Beton, Ziegeln oder Lehm angeordnet. Diese Wände werden nach ihrem Erfinder *Trombe-Wände* genannt. Die einfallende Strahlung erwärmt tagsüber die Wand, die die Wärme in einer Phasenverschiebung nachts wieder an den Raum abgibt. Hierdurch wird ein ausgeglichenes Raumklima erreicht. (Durch Öffnungen in der Wand, in der Glaswand sowie an der Nordseite des Hauses kann mit einer Trombe-Wand auch eine Kühlung erreicht werden.) Zur Wärmespeicherung kann auch ein Wasserspeicher verwendet werden. Wenn man eine örtliche Trennung zwischen Glas- und Speicherwand zuläßt, wird ein zusätzlicher Raum geschaffen (Glashaus, Grünhaus, Wintergarten; Abb. 3). Im Sommer vergrößert er effektvoll den Wohnraum und sorgt für einen Temperaturausgleich. Im Winter dient er als Puffer zwischen Wohnraum und Außentemperatur.

Zu den *speziellen Einzelmaßnahmen* zählt die Speicherung von Wärme in besonderen Bauteilen des Hauses (Abb. 4 und 5). Dies wird zum einen mit sogenannten *Thermosiphonsystemen* erreicht. Hierbei wird in einem Luftkollektor erwärmte Luft durch Schwerkraftzirkulation (eventuell unter Zuhilfenahme eines Ventilators) speziell konstruierten Wänden zugeführt. – Eine andere Möglichkeit ist die Erwärmung der Masse der Bauteile durch Wärmestrahlung von direkt bestrahlten Wohnflächen und durch Konvektion im Raum.

Auswirkungen einzelner passiver Komponenten, wie z. B. des Baukörpers auf den Gesamtenergiebedarf eines Hauses, sind schwer zu quantifizieren. In jedem Fall sind in Mitteleuropa jedoch reine Wärmedämmaßnahmen effektiver als solararchitektonische Maßnahmen. Überdies sind sie nachträglich leichter durchzuführen als passive Maßnahmen.

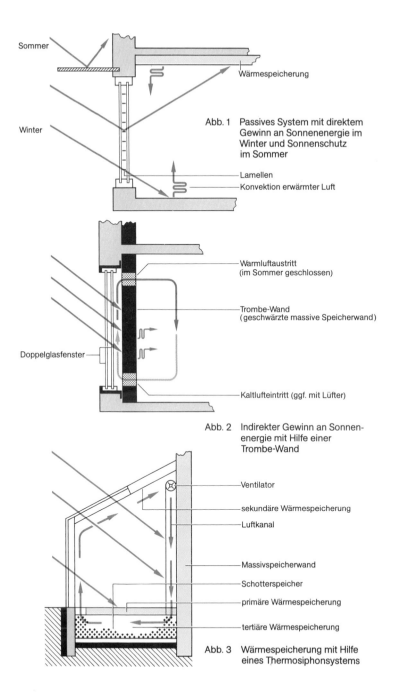

Sommer

Wärmespeicherung

Winter

Abb. 1 Passives System mit direktem
Gewinn an Sonnenenergie im
Winter und Sonnenschutz
im Sommer

Lamellen
Konvektion erwärmter Luft

Warmluftaustritt
(im Sommer geschlossen)

Trombe-Wand
(geschwärzte massive Speicherwand)

Doppelglasfenster

Kaltlufteintritt (ggf. mit Lüfter)

Abb. 2 Indirekter Gewinn an Sonnenenergie mit Hilfe einer
Trombe-Wand

Ventilator
sekundäre Wärmespeicherung
Luftkanal

Massivspeicherwand
Schotterspeicher
primäre Wärmespeicherung
tertiäre Wärmespeicherung

Abb. 3 Wärmespeicherung mit Hilfe
eines Thermosiphonsystems

Feuerungsanlagen

Feuerungsanlagen dienen üblicherweise der Erzeugung von Wärme, die direkt oder indirekt genutzt wird. Das einfachste Beispiel ist der *Zimmerofen,* der im wesentlichen aus einem Feuerraum besteht. Die Verbrennungswärme wird durch Konvektion und Wärmestrahlung direkt auf die Umgebung übertragen. – Eine Zentralheizung weist als zusätzliche Komponente den *Heizkessel* auf, in dem ein Trägermedium, meist Wasser, die Verbrennungswärme aufnimmt und an anderer Stelle wieder abgibt. Der Feuerraum ist hier in den Kessel integriert, was auch bei großen, in Kraftwerken eingebauten Anlagen der Fall ist. Die Bezeichnung *Kraftwerkskessel* ist eher historisch bedingt; denn es handelt sich hierbei um einen großen, umbauten Raum, in dem eine Vielzahl von Rohrschlangen mit dem Ziel verlegt ist, das durch sie strömende Wasser so stark zu erhitzen, daß der erzeugte Dampf Turbinen und angekoppelte, Strom erzeugende Generatoren antreiben kann.

Art und Auslegung der Feuerung richten sich nach dem eingesetzten Brennstoff, der stückig, körnig, staubförmig, flüssig oder gasförmig vorliegen kann. Stückige Brennstoffe wie Stückkohle, Koks, Briketts oder auch Müll werden in *Rostfeuerungen* verbrannt (Abb. 1). Dabei wird der Brennstoff in einer losen Schüttung auf einen *Feuerrost* aufgebracht. Die benötigte Verbrennungsluft wird mit niedriger Strömungsgeschwindigkeit von unten durch den Rost und die Schüttung geleitet.

Die entwicklungsmäßig noch junge *Wirbelschichtfeuerung* (Abb. 2) schließt verfahrenstechnisch an die Rostfeuerung an. Das Brenngut darf zwar nicht stückig sein, aber Korngrößen bis 6 mm sind zulässig. Auch bei dieser Technik wird der Brennstoff auf eine Schüttung im Feuerraum aufgebracht; dort jedoch wird er von der aus am Kesselboden installierten Düsen austretenden Verbrennungsluft mit hoher Strömungsgeschwindigkeit durchsetzt, wodurch jedes einzelne Korn aufgewirbelt wird. Dabei dehnt sich die als Bett bezeichnete Schüttung aus und zeigt ein flüssigkeitsähnliches Bewegungsverhalten. Besondere Merkmale dieser Technik sind die hohe Reaktivität als Folge der ständigen Kornbewegung und auch die hohen Wärmeübergangswerte wegen der Ähnlichkeit mit Flüssigkeiten. So wird die Verbrennungswärme nicht wie bei der Rostfeuerung hauptsächlich durch Konvektion und Wärmestrahlung der Rauchgase übertragen, sondern primär aus dem Inneren des Bettes abgeführt.

Bei der *Staubfeuerung* erfolgt die Verbrennung nicht mehr in einer Schüttung, sondern in einer Flugstaubwolke. Zu diesem Zweck wird mit speziellen Brennern der zu Pulver vermahlene Brennstoff mit Trägerluft in den Brennraum geblasen, wo er bei genügend hohen Temperaturen sofort zündet und verbrennt. Bei einem *Kohlenstaubbrenner* wird meist noch zusätzlich Öl zur Unterstützung der Verbrennung eingedüst.

Bei Einsatz flüssiger Brennstoffe ist man bestrebt, diese vor der Vermischung mit Verbrennungsluft durch Dampf, Preßluft, Fliehkräfte u.a. fein zu zerstäuben und zu verteilen, um einen möglichst vollständigen Ausbrand zu erzielen. Gasförmige Brennstoffe werden z.B. am Brennermund der eingeblasenen Luft beigemischt. – Abgesehen davon, daß eine Vielzahl von Brennerbauarten existiert, werden je nach Bedarf unterschiedliche Brenneranordnungen in die Feuerungsanlage eingebaut.

Beim Heizkessel als dem Teil der Feuerungsanlage, in dem die Verbrennungswärme auf ein Trägermedium übertragen wird, unterscheidet man grundsätzlich *Rauchrohrkessel,* bei denen die Rauchgase durch von Wasser umspülte Rohre strömen, und *Wasserrohrkessel,* bei denen das Wasser durch von Rauchgasen umspülte Rohre geleitet wird. Zu den bekanntesten Rauchrohrkesseln gehören die Lokomotiv- und Schiffskessel. In Kraftwerken werden üblicherweise Wasserrohrkessel der Bauart *Schrägrohr-* oder *Steilrohrkessel* mit verschiedenen Wasserumlaufsystemen benutzt. Wichtige Kesselaggregate sind: Verbrennungsluftvorwärmer (Luvo), Speisewasservorwärmer (Economiser) und Überhitzer (Abb. 3).

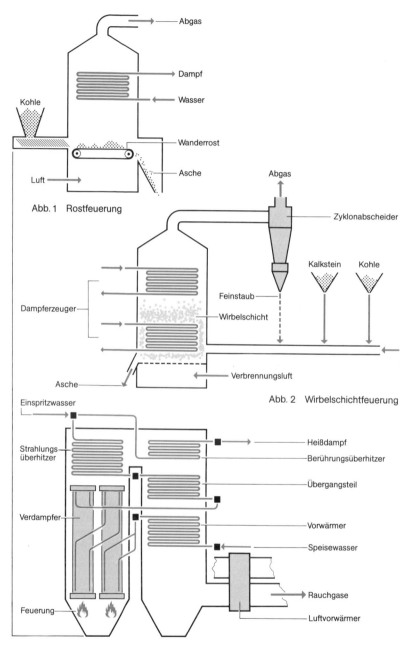

Abb. 1 Rostfeuerung

Abb. 2 Wirbelschichtfeuerung

Abb. 3 Schema eines Siemens-Benson-
Zwangsdurchlaufkessels

Rauchgasentschwefelung und -entstickung I

Als *Rauchgase* werden allgemein die beim Verbrennen von festen, flüssigen oder gasförmigen Brennstoffen (Stein- und Braunkohle, Erdöl, Erdgas) entstehenden Abgase bezeichnet, die bei technischen Verbrennungsanlagen die Verbrennungsräume durch Abgasleitungen (Kamin, Schornstein) verlassen. Sie bestehen im wesentlichen aus den Verbrennungsprodukten Kohlendioxid und Wasser bzw. Wasserdampf und enthalten daneben auch unverbrauchte Luft sowie (bei unvollständiger Verbrennung) u. a. Kohlenmonoxid und sind (im ungefilterten Rauch) meist durch Beimengungen fein verteilter, dunkler fester Substanzen (Ruß, Ascheteilchen) grau bis schwarz gefärbt. Da in den fossilen Brennstoffen Kohle, Erdöl und Erdgas stets auch geringe Mengen an Schwefelverbindungen vorliegen (in Steinkohle durchschnittlich etwa 1 %, in Braunkohle z. T. über 6 % Schwefel in meist anorganischen Verbindungen, in Erdöl 0,1 bis 7 % in meist organischen Schwefelverbindungen, in Erdgas durchschnittlich 1 % Schwefelwasserstoff), die beim Verbrennen sämtlich in Schwefeldioxid übergehen, enthalten die Rauchgase immer auch gewisse Mengen an Schwefeldioxid, SO_2. Ferner finden sich in den Rauchgasen auch Stickoxide, NO_x (vor allem Stickstoffmonoxid, NO, und Stickstoffdioxid, NO_2), die durch Oxidation von Luftstickstoff bei hohen Temperaturen entstehen.

Insbesondere das Schwefeldioxid gilt als eine der bedeutendsten luftverunreinigenden Substanzen, da es mit dem Wasserdampf der Atmosphäre zu schwefliger Säure, H_2SO_3, reagiert, die durch Oxidation in Schwefelsäure, H_2SO_4, übergeht, die Hauptursache des sauren Regens. In der Bundesrepublik Deutschland gelangen gegenwärtig pro Jahr rund 3,0 Millionen t Schwefeldioxid sowie 3,1 Millionen t Stickoxide durch Verbrennungsvorgänge in die Atmosphäre. Von diesen entfallen rund 2,6 Millionen t Schwefeldioxid und etwa 1,3 Millionen t Stickoxide auf Kraftwerke, Heizwerke und Industrie, der Rest auf Haushalte, Kleingewerbe und Verkehr. Da vor allem die Kraftwerke wegen ihres großen Umsatzes an Brennstoffen mit einem erheblichen Anteil an den Emissionen beteiligt sind, bestehen heute zahlreiche gesetzliche Vorschriften, die bei ihnen eine Entschwefelung der Rauchgase vorschreiben (u. a. die Großfeuerungsanlagen-Verordnung vom 22. Juni 1983; sie schreibt z. B. für Neuanlagen

und bestimmte Altanlagen einen Restschwefeldioxidgehalt im Abgas von höchstens 400 mg/m^3 vor).

Zur Verringerung des Ausstoßes an Schadstoffen liegt es zunächst nahe, die Schwefelverbindungen aus den Brennstoffen zu entfernen. Bei den in Kraftwerken verwendeten Stein- und Braunkohlen liegt jedoch der Schwefel sehr fein verteilt in organischer und in anorganischer Bindung vor, so daß bisher kein allgemein geeignetes Verfahren zu seiner Entfernung entwickelt werden konnte. Auch beim Entschwefeln von Heizölen ergeben sich erhebliche technische Schwierigkeiten. Als wichtigste Möglichkeit zur Verringerung der Schadstoffemission verbleibt daher die Entfernung des Schwefeldioxids und der Stickoxide aus den Abgasen *(Rauchgasentschwefelung bzw. -entstickung)*. Verfahrenstechnische Schwierigkeiten ergeben sich hierbei vor allem dadurch, daß die Schadstoffe in den Rauchgasen prozentual nur in sehr geringen Mengen vorliegen und sich durch einfaches Auswaschen, z. B. mit Wasser (aufgrund ihrer schlechten Löslichkeit), nicht entfernen lassen. Beim Einsatz von Kohle mit 1 % Schwefelgehalt enthalten die Rauchgase z. B. nur etwa 0,1 Volumen-% Schwefeldioxid; aufgrund des hohen Durchsatzes ist jedoch die absolute emittierte Schwefeldioxidmenge sehr hoch. In einem 600-MW-Kraftwerk z. B., das auf der Basis von Kohle mit 1 % Schwefelgehalt arbeitet, werden pro Stunde rund 2 000 000 m^3 Rauchgas mit etwa 4 t Schwefeldioxid emittiert.

Für die Rauchgasentschwefelung und -entstickung wurden in den letzten Jahren zahlreiche Verfahren entwickelt. Sie lassen sich allgemein in trockene und nasse Verfahren unterteilen.

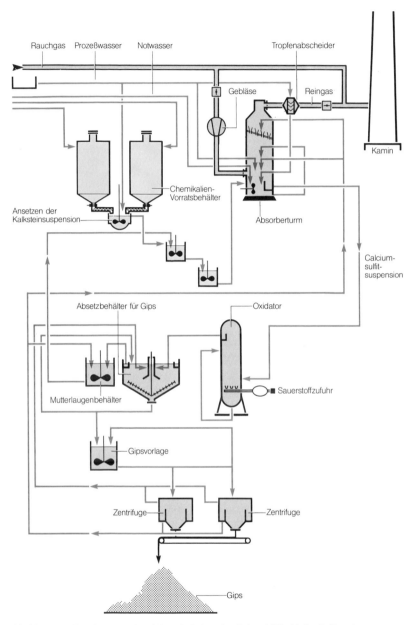

Verfahren zur Rauchgasentschwefelung, bei dem das Schwefeldioxid durch Umsetzen mit einer Kalksuspension (Calciumcarbonat) entfernt wird

Bei den *trockenen Verfahren* verwendet man meist geeignete, als Adsorptionsmittel wirkende Substanzen (u. a. Aktivkohle, Kieselgel, Aluminiumoxid, Zeolithe), an die das Schwefeldioxid vorübergehend gebunden und anschließend durch Erwärmen oder Auswaschen wieder freigesetzt wird. Bei einem mit Aktivkoks arbeitenden Verfahren z. B. gelingt es, das Schwefeldioxid aus den ungekühlten Rauchgasen (bei etwa 120 bis 150 °C) nahezu vollständig zu entfernen; das aus dem Aktivkoks ausgetriebene Schwefeldioxid wird anschließend zu reinem Schwefel (durch Umsetzen mit Schwefelwasserstoff gemäß $SO_2 + 2 H_2S \rightarrow 3 S + 2 H_2O$) oder zu Schwefelsäure verarbeitet. Durch katalytische Wirkung des Aktivkokses können bei diesem Verfahren bei Zugabe einer geringen Menge Ammoniak auch die Stickoxide zu (unschädlichem) Stickstoff und Wasser[dampf] umgesetzt werden: $NO + NO_2 + 2 NH_3 \rightarrow 2 N_2 + 3 H_2O$.
Bei einem weiteren Adsorptionsverfahren wird z. B. das Schwefeldioxid katalytisch zu Schwefeltrioxid, SO_3, oxidiert, das anschließend als Schwefelsäure ausgewaschen wird.
Bei den *nassen Verfahren* wird das Schwefeldioxid meist durch Auswaschen mit wässerigen Lösungen oder Suspensionen basisch reagierender Substanzen (u. a. Natriumsulfit, Calciumhydroxid, Calciumcarbonat, Magnesiumhydroxid, Natriumhydroxid, Natriumcarbonat) entfernt. Beim Auswaschen der Rauchgase z. B. mit einer Lösung von Natriumsulfit, Na_2SO_3, wird das Schwefeldioxid unter Bildung von Natriumhydrogensulfit gebunden: $Na_2SO_3 + SO_2 + H_2O \rightarrow 2 NaHSO_3$.
Dieses wird anschließend durch Erhitzen wieder zu Natriumsulfit und Schwefeldioxid zersetzt, wobei das gewonnene Schwefeldioxid-Reichgas zu Schwefel oder Schwefelsäure verarbeitet werden kann. – Besondere Bedeutung haben vor allem solche Verfahren erlangt, bei denen das Schwefeldioxid in Form von Calciumsulfat, $CaSO_4$ (bzw. als Gips, $CaSO_4 \cdot 2 H_2O$) gebunden wird, da dieses als unschädliche Substanz auf Deponien gelagert oder auch zur Herstellung von Baugips verwendet werden kann. Hierzu werden die Rauchgase allgemein in einem Absorber im Gegenstrom mit einer Suspension z. B. von fein gemahlenem Kalkstein, gebranntem Kalk, Kalk-Magnesiumoxid-Gemischen oder auch mit Lösungen alkalisch reagierender Calciumsalze besprüht. Bei der Umsetzung mit Calciumcarbonat (Kalkstein, $CaCO_3$) z. B. reagiert das Schwefeldioxid (über mehrere Reaktionsstufen) zu Calciumsulfit, $CaSO_3$, das durch Einblasen von Luft (Sauerstoff) im unteren Teil des Absorbers oder in einer anschließenden Reaktionsstufe im Oxidator zu Calciumsulfat (Gips) oxidiert wird (Abb. S. 471). Bei diesen Verfahren wird zum Teil ein Entschwefelungsgrad von über 90 % erreicht. Nachteilig ist, daß die Rauchgase vor der Umsetzung mit den Waschlösungen auf etwa 50 bis 80 °C abgekühlt und anschließend wieder aufgeheizt werden müssen, um eine gute Ausbreitung der gereinigten Abgase über dem Kamin zu erreichen. Diese Wiedererwärmung wird energiesparend dadurch erreicht, daß man die gereinigten Abgase über Wärmeaustauscher durch die noch heißen Rauchgase vor der Wäsche aufheizt.
Große Bedeutung erlangte ferner in den letzten Jahren ein Verfahren, bei dem das Schwefeldioxid durch Ammoniak gebunden wird. Dieses Verfahren zeichnet sich vor allem dadurch aus, daß als Nebenprodukt das wertvolle Stickstoffdüngemittel Ammoniumsulfat gewonnen wird und keine Abwässer entstehen. Bei diesem Verfahren wird das entstaubte Rauchgas zunächst mit etwas Ammoniakgas, NH_3, versetzt; dadurch wird vorhandenes Schwefeltrioxid gebunden und eine Korrosion durch Schwefelsäure in der Anlage verhindert. Nach nochmaliger Entstaubung werden die Rauchgase auf etwa 60 °C abgekühlt und in zwei hintereinandergeschalteten Waschtürmen durch Einsprühen von Ammoniakwasser gewaschen. Dabei reagiert das Ammoniakwasser mit dem Schwefeldioxid zu Ammoniumsulfit, $2 NH_3 + SO_2 + H_2O \rightarrow (NH_4)_2SO_3$, das im anschließenden Oxidator durch Einleiten von Luft (Sauerstoff) zu Ammoniumsulfat, $(NH_4)_2SO_4$, oxidiert wird. In einem Sprühtrockner fällt das Ammoniumsulfat als trockenes Pulver an; es wird anschließend granuliert und gelangt dann auf den Düngemittelmarkt. Auch bei diesem Verfahren müssen die gereinigten Abgase vor dem Einleiten in den Kamin wieder aufgeheizt werden, wofür man über Wärmetauscher die Abwärme des Rohgases verwendet. Durch Zwischenschalten eines zusätzlichen Waschturms unter Einsatz von Ozon können auch die im Rauchgas enthaltenen Stickoxide in Form von Ammoniumnitrat (Ammonsalpeter) entfernt werden; dieses wird in Form des Düngemittels Ammonsulfatsalpeter verwendet.

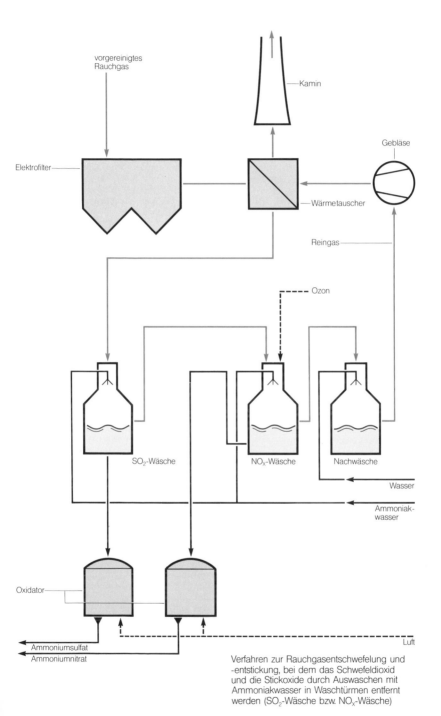

Verfahren zur Rauchgasentschwefelung und -entstickung, bei dem das Schwefeldioxid und die Stickoxide durch Auswaschen mit Ammoniakwasser in Waschtürmen entfernt werden (SO_2-Wäsche bzw. NO_x-Wäsche)

Wärmepumpe

Eine Wärmepumpe ist eine maschinelle Anlage, die unter Aufwendung mechanischer Antriebsenergie einem auf relativ niedriger Temperatur befindlichen Wärmereservoir Wärmeenergie entzieht und einem andern, bereits eine höhere Temperatur aufweisenden Wärmespeicher (bzw. einem Wärmeaustauscher) zuführt, der damit weiter erwärmt wird. Es läßt sich auf diese Weise ein für die Gebäudeheizung oder zur Warmwasserbereitung ausreichend hohes Temperaturniveau erreichen. Weiter können auch industrielle Prozesse, z. B. Trocknung, Eindampfung und Wärmerückgewinnung, durch Wärmepumpen unterstützt werden. Als natürliche Wärmereservoire bzw. -quellen bieten sich das Wasser stehender oder fließender Gewässer (z. B. Grundwasser), der Erdboden und die Außenluft (Nutzung gespeicherter Sonnenenergie) sowie – über Sonnenkollektoren eingefangen – die Sonnenstrahlung an. Im industriellen Bereich kann als künstliche Wärmequelle die Abwärme von Abgasen und Abwässern genutzt werden.

Wärmepumpen arbeiten nach den gleichen Prinzipien wie Kältemaschinen. Für Heizzwecke hat derzeit praktisch nur die *Kompressionswärmepumpe* Bedeutung. Ihre Hauptbestandteile (Abb. 1) sind Verdampfer, Kompressor (Verdichter), Kondensator und Expansionsventil sowie ein Verbrennungs- oder Elektromotor zum Antrieb des Kompressors. Der *Verdampfer* befindet sich mit dem niedrigtemperierten Wärmereservoir W_0, das eine (in Kelvin gemessene) absolute Temperatur T_0 besitzt, im Wärmeaustausch. In ihm wird das flüssige Arbeitsmedium der Wärmepumpe, ein bereits bei niedrigen Temperaturen siedendes Kältemittel (z. B. bestimmte Halogenkohlenwasserstoffe), bei dieser Temperatur T_0 verdampft, wobei die benötigte Verdampfungswärme vom Wärmereservoir W_0 aufgebracht, ihm also entzogen wird. Der Kältemitteldampf wird nun vom *Kompressor* angesaugt und verdichtet, wodurch der Dampf auf ein erheblich höheres Temperaturniveau (Temperatur T) gebracht wird. Der komprimierte Dampf wird anschließend im *Kondensator* durch Abkühlung wieder verflüssigt. Die dabei freiwerdende Wärmeenergie (Kondensationswärme) wird an den höhertemperierten Wärmespeicher W abgegeben (z. B. über einen Wärmetauscher an den Warmwasserkreislauf einer Zentralheizung). Das kondensierte Arbeitsmedium selbst strömt sodann durch das Ex-

pansionsventil, entspannt sich dabei unter Abkühlung auf Temperaturen unterhalb T_0 und beginnt im Verdampfer den Kreisprozeß von neuem.

Bei der Wärmepumpe wird also im Unterschied zur Kältemaschine die im Kondensator abgegebene Wärmemenge nutzbar gemacht, während die im Verdampfer erzeugte Kälte meist ungenutzt bleibt. Die *Nutzwärme* setzt sich aus der von T_0 auf T gehobenen Wärme und dem Wärmeäquivalent der dazu (v. a. zum Betrieb des Kompressors und von Umwälzpumpen) aufgewendeten Arbeit zusammen. Sie ist in einer verlustlos arbeitenden Wärmepumpe um den als *Carnot-Leistungszahl* bezeichneten Faktor $\varepsilon_C = T/(T - T_0)$ größer als dieses Wärmeäquivalent. Da aber beim Betreiben einer Wärmepumpe Energie- bzw. Wärmeverluste nicht zu vermeiden sind, wird die Güte einer Wärmepumpe durch die reale *Leistungszahl* $\varepsilon = \varepsilon_C \cdot \eta$ gegeben, wobei η das Produkt aus den Einzelwirkungsgrade der verschiedenen Anlagenteile ist. Sie besagt, wievielmal mehr Nutzwärme gewonnen werden kann, als bezahlte hochwertige Energie aufgewendet werden muß. Bei Beachtung aller Verluste ist die Leistungszahl einer elektromotorisch betriebenen Wärmepumpe $\varepsilon \approx 2,5$ bis 4, d. h., bei gleichem Stromverbrauch kann man mit einer solchen Wärmepumpe bis zu dreimal soviel Wärme ins Haus bringen wie mit einer Elektroheizung.

Die Leistungsfähigkeit der Wärmepumpe hängt stark von der Temperaturdifferenz zwischen Wärmequelle und Nutzwärmeniveau ab. Bei tiefen Außentemperaturen und entsprechend hohen Heiztemperaturen wird die Leistungszahl klein. Durch die Kopplung der Wärmepumpe mit einem zweiten Wärmeerzeugungssystem, z. B. einem Heizkessel, zu einer *bivalenten Wärmepumpenanlage* ist es möglich, die Wärmepumpe an den wenigen sehr kalten Tagen zu entlasten (Abb. 2). Außerdem kann man dann eine kleine und damit kostengünstigere Wärmepumpe einsetzen. Beim *Alternativbetrieb* deckt sie bis zu einer Außentemperatur von $+3\,°C$ den Wärmebedarf allein ab. Beim *Parallelbetrieb* bleibt sie auch unterhalb von $+3\,°C$ in Betrieb.

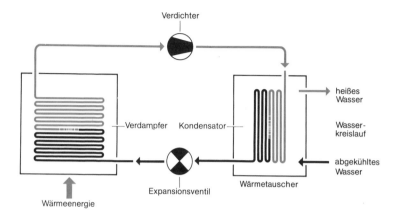

Abb. 1 Funktion der Wärmepumpe

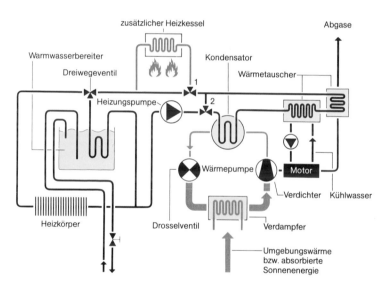

Abb. 2 Kreislaufschema einer bivalenten Wärmepumpenanlage; das Dreiwegeventil 1 ermöglicht Alternativbetrieb, das Ventil 2 Parallelbetrieb

Sonnenenergie

Die im Innern der Sonne durch thermonukleare Reaktionen erzeugte Energie (sekundliche Erzeugungsrate 0,19 W je Tonne Sonnenmasse) gelangt v. a. durch Strahlungstransport an die Sonnenoberfläche und wird dort abgestrahlt. Die je Sekunde abgestrahlte Energie beträgt insgesamt $3,9 \cdot 10^{26}$ J, d. h. 63 MJ pro m^2 Sonnenoberfläche. In der Energietechnik versucht man, mit Hilfe von Sonnenkollektoren, Solarzellen, Sonnenkraftanlagen (Solarkraftwerken) und Sonnenöfen die Strahlungsenergie der Sonneneinstrahlung technisch nutzbar zu machen. Die der Erde durchschnittlich zugestrahlte Energie beträgt insgesamt $1,5 \cdot 10^{18}$ kWh pro Jahr; das entspricht außerhalb der Erdatmosphäre einer Sonnenstrahlungsintensität von 1353 W/m^2. Davon erreichen jedoch jeden m^2 der Erdoberfläche im Mittel nur 340 W. In der Bundesrepublik Deutschland beträgt das jährliche Sonnenenergieangebot im Flachland 3600–4000 MJ (1000–1100 kWh) pro m^2.

Die *Solarzelle* ist ein Halbleiterphotoelement (z. B. aus einem dünnen Galliumarsenid- [GaAs] oder Siliciumeinkristall [Si] mit p- und n-leitenden Zonen), mit dem durch Ausnutzung des inneren Photoeffekts Strahlungsenergie der Sonne bei relativ hohem Wirkungsgrad (bis zu 18%; theoretische Grenze 25%) direkt in elektrische Energie umgewandelt wird. Um eine nennenswerte elektrische Leistung zu erzielen, muß man viele solcher Zellen leitend miteinander verbinden. Meist werden etwa 20 bis 40 Solarzellen zu sog. Solarzellenmodulen (Abb. 1) und diese wiederum zu Sonnenpaneelen (Fläche über 1 m^2) zusammengesetzt und mit einer gemeinsamen Schutzschicht aus Glas oder Kunststoff versehen. Damit der photoempfindliche Bereich des Halbleitermaterials 90% der einfallenden Sonnenstrahlung absorbiert, müssen die Si-Einkristalle mindestens 100 µm (0,1 mm) dick sein, während GaAs-Einkristalle bereits bei Schichtdicken von 2 µm hocheffizient arbeiten (dies auch bei höheren Temperaturen, so daß hier Linsen und Parabolspiegel zur Konzentrierung des Sonnenlichtes anwendbar sind).

Dünnschicht-Solarzellen, die aus polykristallinen, auf einen [metallischen] Träger aufgedampften Halbleiterschichten von etwa 10 bis 50 µm Stärke bestehen (Halbleitermaterialien v. a. Cadmiumsulfid, CdS, Cadmiumtellurid, CdTe, und Kupfersulfid, CuS_2), haben gegenüber den Si-Einkristall-Solarzellen zwar einen geringeren Wirkungsgrad (5–8%), jedoch ein beträchtlich kleineres Leistungsgewicht und sind wesentlich billiger herzustellen. Außerdem lassen sich flexible Trägermaterialien (z. B. aus Plastik) verwenden, so daß zusammenrollbare großflächige Sonnenbatterien hergestellt werden können (z. B. für den Betrieb an Satelliten). Durch Kombination mit thermischen Kollektoren in sogenannten Hybridsystemen kann [unter Einbeziehung von Wärmepumpen] außerdem die in Solarzellen entstehende Wärme genutzt werden.

Vorrichtungen, die Sonnenenergie absorbieren, so daß die entwickelte Wärme mit einem relativ günstigen Wirkungsgrad (30 bis 50%) zur Erwärmung (u. a. zur Warmwasserbereitung, Gebäudeheizung, mit Hilfe von Wärmepumpen auch zur Gebäudekühlung) sowie zur Stromerzeugung (Sonnenkraftanlagen) genutzt werden kann, nennt man *Sonnenkollektoren.* Nichtfokussierende Sonnenkollektoren (*Flachkollektoren;* Abb. 2) enthalten eine geschwärzte Absorberplatte, die möglichst viel direkte und diffuse Sonnenstrahlung absorbiert und als Wärme an ein darunterliegendes, von einem geeigneten Wärmeträger (bei Temperaturen bis 150 °C meist Wasser) durchflossenes Rohrsystem abgibt. Um die beträchtliche Temperaturstrahlung (Infrarotstrahlung) der sich erwärmenden Absorberplatte zu unterbinden, werden auf ihr meist lichtdurchlässige Abdeckungen aus geeignetem Glasmaterial oder andere transparente Oberflächenschichten (z. B. aus Indiumoxid) aufgebracht oder Absorbermaterialien verwendet, die in diesem Bereich nicht abstrahlen (z. B. Wolfram). Bei Temperaturen von über 150 °C können mit derartigen Sonnenkollektoren bei Verwendung von Isobutan als Wärmeübertragungsmedium auch Turbinen zur Stromerzeugung betrieben werden. Geeigneter zur Erzeugung höherer Temperaturen sind fokussierende Systeme, bei denen die Sonnenstrahlung durch Spiegel bzw. durch Sammel- oder Fresnel-Linsen, die z. T. auch der Sonnenbewegung nachgeführt werden, auf den Sonnenkollektor konzentriert wird (Abb. 3).

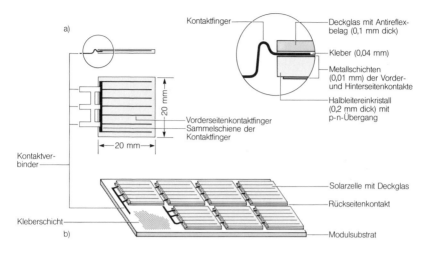

a)

Kontaktfinger
Deckglas mit Antireflex-belag (0,1 mm dick)
Kleber (0,04 mm)
Metallschichten (0,01 mm) der Vorder- und Hinterseitenkontakte
Halbleitereinkristall (0,2 mm dick) mit p-n-Übergang

20 mm

20 mm

Vorderseitenkontaktfinger
Sammelschiene der Kontaktfinger

Kontaktver-binder

Solarzelle mit Deckglas
Rückseitenkontakt
Kleberschicht
Modulsubstrat

b)

Abb. 1 Schematischer Aufbau einer kontaktintegrierten Solarzelle mit Deckglas (a; rechts vergrößerter Querschnitt) und eines Solarzellenmoduls (b)

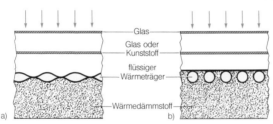

Glas
Glas oder Kunststoff
flüssiger Wärmeträger
Wärmedämmstoff

a)

b)

Abb. 2 Sonnenkollektor. Schnitt durch einen Flachkollektor mit Absorber aus doppeltem Aluminiumblech (a) und mit Absorberblech und daran angelöteten Kupferrohren (b)

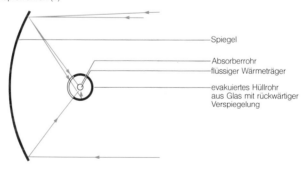

Spiegel
Absorberrohr
flüssiger Wärmeträger
evakuiertes Hüllrohr aus Glas mit rückwärtiger Verspiegelung

Abb. 3 Fokussierender Sonnenkollektor

Solarkraftwerke

Alle derzeitigen Typen von *Solar-* oder *Sonnenkraftwerken* zur Erzeugung von elektrischem Strom auf der Erde befinden sich noch im Forschungs-, Entwicklungs- oder Demonstrationsstadium. Ein kommerzieller Einsatz auf breiter Basis ist noch nicht möglich.

Bei den *solarthermischen Kraftwerken* wird die Sonnenenergie mit konzentrierenden Sonnenkollektoren „eingesammelt". Eine spezielle Art derartiger Kollektoren sind die sogenannten *Heliostaten,* großflächige, aus mehreren Segmenten zusammengesetzte Spiegel (Abb. 1), die auf einem stabilen und biegesteifen Träger montiert und um die waagrechte und die senkrechte Achse drehbar sind. Jede der beiden Drehachsen besitzt einen Elektromotor mit einem Getriebe. Die Nachführung entsprechend dem Sonnenstand wird von einem Kleincomputer für jeden Heliostaten separat besorgt.

Ein solarthermisches Kraftwerk besitzt eine Vielzahl solcher Heliostaten, die ein großflächiges Spiegelfeld bilden und mit einem Zentralrechner verbunden sind. Dieser führt übergeordnete Steuerungsaufgaben durch, wie z. B. das Wegklappen der Spiegel bei einem Störfall oder bei Unwetter. Die Heliostaten reflektieren das Sonnenlicht auf einen zentralen *Absorber (Receiver),* der sich an der Spitze eines hohen Turms befindet. Anlagen dieser Bauweise werden daher *Solarturmkraftwerke* genannt. Der Absorber besitzt an der Innenseite Wärmeübertragerrohre, in denen die eingespiegelte Sonnenwärme hindurchströmendes Wasser in hochgespannten Dampf umwandelt, der anschließend in eine Turbine strömt. Dort wird der Wärmeinhalt des Dampfs in mechanische Rotationsenergie umgewandelt. Ein angekoppelter Generator wandelt schließlich die mechanische Energie der Turbine in elektrische Energie um. Hinter der Turbine kondensiert der Dampf wieder zu Wasser, das dann zur erneuten Aufheizung in den Absorber gepumpt wird.

Die größte Solarturmanlage in Europa ist das 1-MW-Kraftwerk EURELIOS (Abb. 2), das mit finanzieller Unterstützung der Europäischen Gemeinschaft bei Adrano (Sizilien) errichtet wurde und 1982 den Probebetrieb aufgenommen hat. Die bisher größte Versuchsanlage mit 10 MW elektrischer Leistung wurde in den USA bei Barstow in Kalifornien gebaut. Einheiten von 20 MW bis 100 MW werden in Projektstudien von verschiedenen Ländern untersucht.

Je MW elektrischer Leistung sind an sonnenreichen Standorten 6 000 m^2 Spiegelfläche und 30 000 m^2 Landfläche notwendig. Solarthermische Kraftwerke benötigen also enorme Flächen. Bei einem großtechnischen Einsatz kommen daher als Standorte nur Wüstengebiete oder ähnliche landwirtschaftlich nicht nutzbare Flächen in Frage.

Werden in einem solarthermischen Kraftwerk statt Heliostaten als Kollektoren Parabolrinnen oder Paraboloide verwendet, spricht man von *Solarfarmanlagen* oder *-kraftwerken.* Im Gegensatz zu Solarturmanlagen mit zentralem Absorber hat bei Solarfarmanlagen jeder Kollektor seinen eigenen Absorber. Ein wesentliches Kennzeichen ist der Kollektorkühlkreislauf. Er hat die Aufgabe, die an jedem Absorber konzentrierte und absorbierte Sonnenwärme in einen zentralen Wärmespeicher zu transportieren. Dort wird die gespeicherte Wärme durch einen Zwischenkreislauf auf einen Verdampfer übertragen, in dem das im Arbeitskreislauf zirkulierende Wärmeträgerfluid (z. B. Toluol) die Wärme aufnimmt und verdampft wird, so daß es eine Turbine antreiben kann, bevor es in einem Kondensator wieder verflüssigt wird.

Eine direkte Stromerzeugung mit Solarzellen erfolgt in sogenannten *photovoltaischen Kraftwerken (Solarzellenkraftwerke).* Große Leistungen können hier durch eine großflächige Verschaltung sehr vieler Solarzellen erreicht werden. Wegen der noch sehr hohen Kosten haben die bisherigen photovoltaischen Demonstrationskraftwerke nur Leistungen bis einige 100 kW. Größere Anlagen im Megawattbereich sind jedoch bereits geplant.

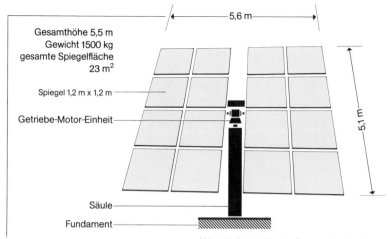

Gesamthöhe 5,5 m
Gewicht 1500 kg
gesamte Spiegelfläche
23 m²

Spiegel 1,2 m x 1,2 m

Getriebe-Motor-Einheit

5,6 m

5,1 m

Säule

Fundament

Abb. 1 Heliostat für das Sonnenturmkraftwerk
EURELIOS (nach MBB)

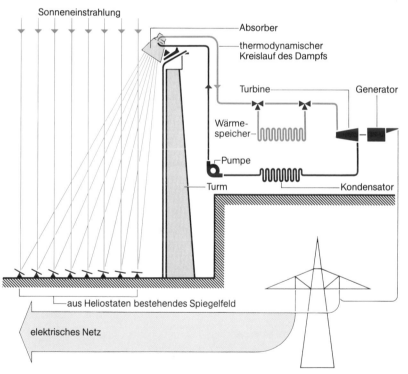

Sonneneinstrahlung

Absorber

thermodynamischer
Kreislauf des Dampfs

Turbine

Generator

Wärme-
speicher

Pumpe

Turm

Kondensator

aus Heliostaten bestehendes Spiegelfeld

elektrisches Netz

Abb. 2   Schema des in Sizilien errichteten Sonnenturmkraftweks EURELIOS
der Europäischen Gemeinschaft (elektrische Leistung 1 MW,
Spiegelfläche 6216 m², Turmhöhe 55 m)

Windkraftanlagen

Unter *Windkraftanlagen (Windenergie-konvertern)* versteht man Anlagen, die mit Hilfe geeignet geformter rotierender Vorrichtungen (sogenannter *Rotoren*) die Strömungsenergie des Windes in nutzbare Rotationsenergie umwandeln. Bereits im 17. Jahrhundert nutzten die Holländer eine große Zahl von meist vierflügeligen *Windmühlen* zum Wasserpumpen, um eingedeichtes Land zu entwässern. Ihre Flügel wurden durch Drehung der Mühle bzw. des Mühlenoberteils in den Wind gestellt. Die heute verwendeten Windkraftanlagen besitzen entweder Rotoren mit waagerechter Drehachse, die – wie die Windmühlen – stets in die richtige Lage zur jeweiligen Windrichtung gestellt werden müssen, oder aber solche mit senkrechter Drehachse, bei denen dies nicht nötig ist.

Bei Anlagen mit *Horizontalachsenrotoren* unterscheidet man Vielflügler und die (schneller rotierenden) Zwei- oder Dreiflügler. Die auch als *Windräder* bezeichneten *Vielflügler* (Abb. 1) haben meist 12 bis 24 relativ kurze Blätter (Flügel), die aus flachen oder leicht gebogenen Blechen hergestellt und schräg zur Drehachse starr befestigt sind. Durch die Schrägstellung verursacht der Winddruck eine Seitenkraft, die eine Drehung des Rotors bewirkt. Aufgrund der großen Windangriffsfläche der vielen Flügel kann die Anlage schon bei sehr niedrigen Windgeschwindigkeiten anlaufen. Wegen der starren Befestigung der Blätter ist aber die Leistungsabgabe nur dann optimal, wenn das Verhältnis der Umfangsgeschwindigkeit der Blattspitzen zur Windgeschwindigkeit (die *Schnellaufzahl*) etwa gleich eins ist. Da eine genaue Regelung der Drehzahl nicht möglich ist, werden Vielflügler hauptsächlich in der Landwirtschaft zum Antrieb von Wasserpumpen eingesetzt, weil hierbei keine geregelte Drehzahl erforderlich ist.

Windkraftanlagen zur Erzeugung elektrischer Energie sind meist *Zwei-* oder *Dreiflügler,* deren aerodynamisch günstig geformte Flügel an der Nabe um ihre Längsachse verdrehbar sind, um auch bei wechselnden Windgeschwindigkeiten durch automatische Anpassung ihrer Angriffsfläche eine konstante Drehzahl des Rotors einhalten zu können. Sie arbeiten mit 6- bis 8mal höheren Schnellaufzahlen als Vielflügler und können auch bei viel höheren Windgeschwindigkeiten betrieben werden; allerdings laufen sie auch erst bei höheren Windgeschwindigkeiten an. Die Verstellung des Rotors erfolgt häufig durch ein parallel zur Windrichtung ausgerichtetes kleines Windrad, das ein Verstellgetriebe betätigt.

Während kleine, drehzahlregelbare Windkraftanlagen mit Leistungen unter 100 kW sich zur Stromversorgung von Gehöften oder kleinen Siedlungen in abgelegenen Gegenden eignen, werden große Windkraftanlagen mit Leistungen bis zu einigen Megawatt (MW) zur Stromerzeugung im Netzverbund eingesetzt.

In der Bundesrepublik Deutschland wurde die Versuchsanlage *GROWIAN* (Abkürzung für *gro*ße *Wi*ndenergie*an*lage) mit einer Leistung von 3 MW errichtet. Sie besteht aus einem 96,6 m hohen Stahlturm von 3,5 m Durchmesser, auf dem sich in einer Gondel von 22 m Länge und 6 m Durchmesser das Maschinenhaus befindet (Abb. 3). In diesem steht der elektrische Generator, der mit der Rotorwelle durch ein die Rotordrehzahl von 18,5 Umdrehungen pro Minute (im Nennbetrieb) auf die Generatordrehzahl von 1 500 Umdrehungen pro Minute übersetzendes Getriebe verbunden ist. An der vorn auf der Rotorwelle sitzenden Nabe sind die beiden 50 m langen Rotorblätter verstellbar befestigt; sie bestehen aus einem tragenden Stahlholm, der von einer Außenschale aus glasfaserverstärktem Kunststoff umgeben ist. Die Windrichtungsnachführung erfolgt elektrisch. Bei einer Windgeschwindigkeit von 6,3 m/s beginnt der Rotor sich im Leerlauf zu drehen; bei einer Windgeschwindigkeit von 12 m/s (Windstärke 6) wird der Nennwert von 3 MW erreicht. Bei höheren Windgeschwindigkeiten wird die Anlage so geregelt, daß Drehzahl und Leistung konstant auf den Nennwerten bleiben. Bei Windgeschwindigkeiten über 24 m/s (Windstärke 10) werden die Rotorblätter auf Leerlauf oder Stillstand (Windfahnenposition) geschaltet.

Auch Windkraftanlagen mit *Vertikalachsenrotoren* sind im Einsatz bzw. in der Entwicklung. Sie sind als *Darrieus-Rotoren* und/oder als *Savonius-Rotoren* ausgeführt und haben den Vorteil, daß sie nicht in eine bestimmte Windrichtung ausgerichtet werden müssen. Beide Typen sind allerdings nicht regelbar. Darrieus-Rotoren haben außerdem den Nachteil, daß sie nicht von allein anlaufen können. Sie werden deshalb häufig mit den relativ leicht anlaufenden Savonius-Rotoren kombiniert (Abb. 2).

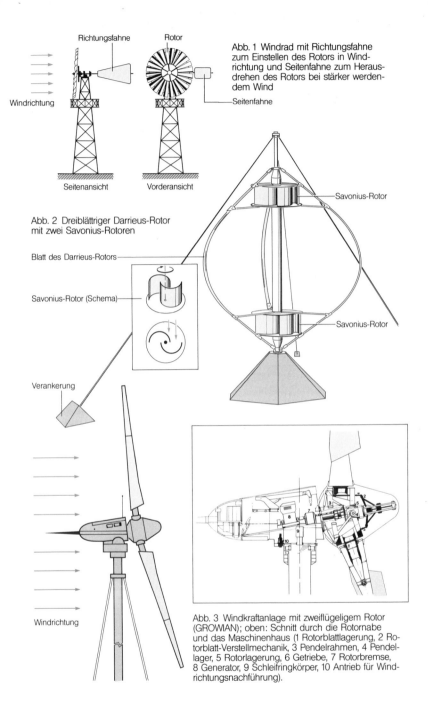

Richtungsfahne Rotor

Abb. 1 Windrad mit Richtungsfahne zum Einstellen des Rotors in Windrichtung und Seitenfahne zum Herausdrehen des Rotors bei stärker werdendem Wind

Windrichtung

Seitenfahne

Seitenansicht Vorderansicht

Savonius-Rotor

Abb. 2 Dreiblättriger Darrieus-Rotor mit zwei Savonius-Rotoren

Blatt des Darrieus-Rotors

Savonius-Rotor (Schema)

Savonius-Rotor

Verankerung

Windrichtung

Abb. 3 Windkraftanlage mit zweiflügeligem Rotor (GROWIAN); oben: Schnitt durch die Rotornabe und das Maschinenhaus (1 Rotorblattlagerung, 2 Rotorblatt-Verstellmechanik, 3 Pendelrahmen, 4 Pendellager, 5 Rotorlagerung, 6 Getriebe, 7 Rotorbremse, 8 Generator, 9 Schleifringkörper, 10 Antrieb für Windrichtungsnachführung).

Wasserkraftwerke

Die großtechnische Nutzung der Energie strömenden Wassers zur Stromerzeugung erfolgt in Wasserkraftwerken. In ihnen wird das Wasser durch große *Wasserturbinen* (s. S. 284 ff.) geleitet, die dadurch angetrieben werden und die ihrerseits angekoppelte *elektrische Generatoren* antreiben, die die elektrische Energie erzeugen (Abb. 1). Zur Erhöhung der Strömungsgeschwindigkeit wird das Wasser entweder unmittelbar vor einem Wasserkraftwerk aufgestaut oder in einem höher gelegenen Speicherbecken bzw. -see gesammelt, bevor es in Druckrohren oder Druckstollen quasi freifallend zur Turbine strömt. Der dort wirksame Wasserdruck hängt von der Stau- bzw. Fallhöhe des Wassers ab. Je größer die Stau- bzw. Fallhöhe und die Durchflußmenge des Wassers durch die Turbine sind, desto größer ist die gewinnbare elektrische Energie.

Je nach Stau- bzw. Fallhöhe des Wassers unterscheidet man Nieder-, Mittel- und Hochdruckanlagen: *Niederdruckkraftwerke* (Abb. 2) sind solche mit einer niedrigen Stau- bzw. Fallhöhe (bis 25 m). Unter diesen sind in erster Linie die *Laufwasserkraftwerke* zu nennen. Sie werden als Flußstaue (*Flußkraftwerke;* mit Aufstau des Wassers durch Wehre) oder als *Kanalstufen* gebaut, wobei das Wasser entsprechend dem natürlichen Zulauf zur Energiegewinnung genutzt wird, da aus umwelttechnischen und wirtschaftlichen Gründen ein größeres Aufstauen zur Erhöhung des Gefälles und des Speicherraums nicht möglich ist. Bei Laufwasserkraftwerken schwankt die Stromabgabe, da ihre Stromerzeugung von den jahreszeitlichen Witterungsbedingungen und damit vom Wasserangebot (Regen-, Trocken- und Schmelzwasserperioden) abhängig ist.

Im Gegensatz zu Niederdruckkraftwerken arbeiten *Speicherkraftwerke* in der Regel mit großen Stau- bzw. Fallhöhen; sie werden gewöhnlich in *Mitteldruckkraftwerke* (Fallhöhen bis 100 m) und *Hochdruckkraftwerke* (Fallhöhen bis 1 500 m) unterteilt. Speicherkraftwerke nutzen das gestaute Wasser eines natürlichen oder künstlichen Speicherbeckens. Sie werden in erster Linie als *Talsperrenkraftwerke* errichtet, bei denen ein hoher Damm (Staumauer) das Wasser eines Flusses in einem Tal zu einem großen See aufstaut (Talsperre) und Turbinen sich in Durchlässen am Fuße der Staumauer befinden.

In Gebirgen sind die Speicherbecken sehr hoch angelegt und durch Druckrohr-leitungen oder Druckstollen mit dem tief gelegenen Wasserkraftwerk verbunden (Abb. 3). Zur Stromerzeugung wird das Wasser aus dem Speicherbecken über die Druckrohre durch das Gebirge hindurch der Turbine zugeleitet.

Im Gegensatz zu den Laufwasserkraftwerken wird bei Speicherkraftwerken das zufließende Wasser nicht unmittelbar zur Stromerzeugung genutzt, sondern für Zeiten hohen Strombedarfs gespeichert. Beispielsweise kann ein Jahresspeicher das Schmelz- und Regenwasser des Frühjahrs und des Sommers für den hohen Strombedarf des kommenden Winters sammeln bzw. speichern.

Eine besondere Art der Speicherkraftwerke sind die *Pumpspeicherwerke*. In ihnen wird Überschußstrom, der z. B. nachts in Laufwasser- oder Wärmekraftwerken anfällt, zum Hochpumpen von Wasser aus einem Tiefbecken in ein hochgelegenes Speicherbecken genutzt. Die Energie des im Hochspeicher befindlichen Wassers läßt sich dann zu Zeiten erhöhten Elektrizitätsbedarfs nutzen, wenn man das Wasser durch Turbinen wieder in das Tiefbecken zurückströmen läßt. Pumpspeicherwerke sind in erster Linie Spitzenkraftwerke. Sie werden eingesetzt, um die zu Spitzenzeiten kurzfristig auftretenden hohen Stromnachfragen zu decken.

In der Bundesrepublik Deutschland tragen rund 640 größere Wasserkraftwerke (Leistungsvermögen größer als 1 000 kW) und rund 10 000 Klein- und Kleinstanlagen – hauptsächlich Laufwasserkraftwerke – zur Stromerzeugung bei; die Wasserkraft deckt dabei ungefähr 5 bis 6 % des bundesdeutschen Strombedarfs. Eine wesentliche Steigerung der Erzeugung elektrischer Energie aus Wasserkraft ist bei uns nicht zu erwarten, da die Ausbaumöglichkeiten nahezu erschöpft sind.

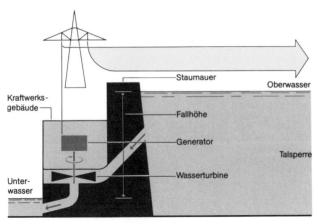

Abb.1 Prinzipskizze eines Wasserkraftwerks

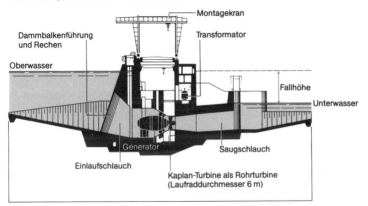

Abb.2 Schnitt durch ein Niederdruck-Wasserkraftwerk

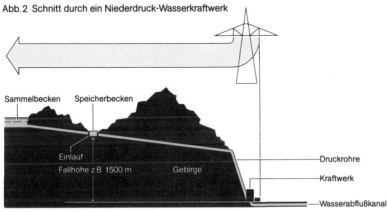

Abb.3 Hochdruckkraftwerk im Gebirge

Geothermische Energie

Geothermische Energie wird heute vorwiegend in Italien, den USA, Island, Japan, Neuseeland und der UdSSR genutzt. Die Nutzungsmöglichkeiten erstrecken sich von medizinischen Anwendungen in Thermalbädern über die Beheizung von Gebäuden und Gewächshäusern bis zur Stromerzeugung in *geothermischen Kraftwerken*. Derartige Kraftwerke nutzen geothermische Anomalien (Bereiche der Erdkruste, in denen wesentlich mehr Wärme aus dem Erdinnern an die Erdoberfläche fließt als anderswo) mit natürlichen Heißwasser- oder Dampfvorkommen.

Heiße Dampfquellen mit Temperaturen von 200–300 °C können relativ einfach zur Stromerzeugung herangezogen werden. Die Dampfquelle wird angebohrt, und der Dampf kann (häufig unmittelbar ein einem geothermischen Kraftwerk) zum Antrieb von stromliefernden Turbogeneratoren eingesetzt werden. Anschließend wird er in Kühltürmen verflüssigt. Aus dem Kondensat werden vielfach in chemischen Anlagen Borsäure, Ammoniak u. a. Chemikalien gewonnen. Ist eine Abscheidung der mitunter hochgiftigen Stoffe nicht möglich, so erfolgt aus Gründen des Umweltschutzes eine Reinjektion des Kondensats ins Erdreich. Hierzu wird ein zweites, meist zu einer bereits versiegten Quelle führendes Bohrloch benötigt.

Heißwasservorkommen können z. B. mit Hilfe niedrigsiedender Flüssigkeiten (bestimmte Halogenkohlenwasserstoffe, Isobutan u. ä.) in einem thermischen Kreisprozeß genutzt werden. In großflächigen Wärmeübertragern gibt das heiße Wasser seine Wärme an die als Arbeitsmittel verwendete Flüssigkeit ab. Dieses verdampft und treibt nun seinerseits Kraftwerksturbinen an. An einer natürlichen Kältequelle (Luft, Fließwasser o. ä.) wird der Arbeitsdampf wieder verflüssigt und steht dann für einen erneuten Durchlauf zur Verfügung.

Eine wirtschaftliche Stromerzeugung mit Hilfe der *Erdwärme* in geothermischen Kraftwerken setzt Temperaturen von mehr als 130 °C voraus. Bei niedrigeren Temperaturen kann die Erdwärme für Heizzwecke oder für Industriewärme bereitgestellt werden. In Island z. B. bezieht rund die Hälfte der Bevölkerung ihre Heizwärme aus geothermischen Quellen.

Geothermische Kraftwerke sind heute nur an wenigen Stellen der Erde in Betrieb. Sie werden in der Regel blockweise angelegt, so daß die Gesamtleistung bei Erschöpfung einzelner Quellen durch Erschließung neuer Quellen konstant gehalten oder sogar ausgebaut werden kann. Die drei z. Z. größten Anlagen befinden sich in der Toskana bei Larderello (bereits seit 1904 in Betrieb; elektrische Leistung heute 400 MW), in Nordkalifornien bei The Geysers (heute 700 MW) und auf Neuseeland bei Wairakei (300 MW). Im Vergleich zum vorhandenen Potential ist die weltweit genutzte geothermische Energie äußerst gering: Die Leistung aller geothermischen Heizwerke beträgt rund 4 500 MW, die der stromproduzierenden Kraftwerke rund 1 500 MW.

Mit dem sogenannten *Hot-dry-rock-Verfahren* (Abb.) lassen sich geothermische Anomalien auch dort nutzen, wo keine natürlichen Wärmeträger vorhanden sind, sondern nur heiße, trockene Gesteinsformationen. Eine solche Gesteinsformation wird angebohrt, und mit hydraulischen Krackverfahren wird in ihr eine große Rißfläche erzeugt, die dann als Wärmeübertrager dient: Kaltes Wasser, das durch das Bohrloch eingepreßt wird, nimmt über die Rißfläche die Gesteinswärme auf und wird als Heißwasser oder Dampf durch ein zweites Bohrloch zur Erdoberfläche geführt, wo es zur Wärmebereitstellung oder in einem Kraftwerk zur Stromerzeugung genutzt werden kann.

Die nur wenige Millimeter dicken Rißflächen ergeben bei einem Durchmesser von 250–300 m eine Übertragerfläche von etwa 30 000–70 000 m². Hiermit können thermische Leistungen von 10 bis 20 MW übertragen werden. Wirtschaftlich arbeitende Kraftwerke erfordern große Übertragerflächen bei wenigen Bohrlöchern. Dies wird möglich durch das *Ein-Bohrloch-System* (erprobt im Uracher Vulkangebiet), bei dem in einem Doppelrohr innenseitig das kalte Wasser eingepreßt und im äußeren Teil das heiße Wasser an die Oberfläche transportiert wird, oder durch das *Zwei-Bohrloch-System* mit mehreren parallel angeordneten Rißflächen.

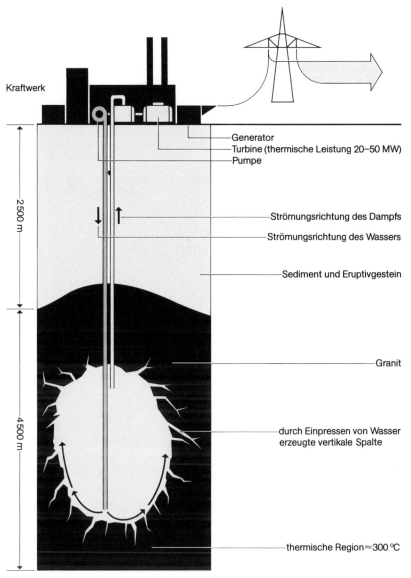

Kraftwerk

Generator
Turbine (thermische Leistung 20–50 MW)
Pumpe

2500 m

Strömungsrichtung des Dampfs
Strömungsrichtung des Wassers

Sediment und Eruptivgestein

Granit

4500 m

durch Einpressen von Wasser
erzeugte vertikale Spalte

thermische Region ≈ 300 °C

Abb. System zur Gewinnung von Energie aus einem trockenen geothermischen Reservoir (Schema); Quelle: Morton C. Smith, Los Alamos Scientific Laboratory

485

Kraft-Wärme-Kopplung und Fernwärme

Bei der thermischen Kraft- bzw. Stromerzeugung in einem Kraftwerk wird Wärmeenergie in kinetische bzw. elektrische Energie umgewandelt. Hierbei bleibt zwangsläufig ein nicht unbeträchtlicher Anteil der Wärmeenergie (auf niedrigem Temperaturniveau) ungenutzt, da Wärme auf niedrigem Temperaturniveau nur noch wenig Arbeitsfähigkeit (Exergie) besitzt.

Insbesondere geht beim *Dampfkraftprozeß* die bei der Kondensation des Dampfes freiwerdende Kondensationswärme verloren, die an den Kühlkreislauf des Kraftwerks abgegeben wird. Besteht nun ein Bedarf an Wärme zum Heizen, Trocknen oder dgl., d.h. ein Bedarf an Energie nicht im Sinne von mechanischer Arbeit, so kann man hierzu die Restwärme aus dem Dampfkraftprozeß mit heranziehen. Wird eine Anlage mit diesen beiden Produktionszielen, Abgabe von Arbeitsenergie und Wärmeenergie, betrieben, so spricht man von *Kraft-Wärme-Kopplung.* Entsprechend den Haupteinsatzbereichen unterscheidet man zwischen industrieller Kraft-Wärme-Kopplung und Kraft-Wärme-Kopplung bei der Fernwärmeversorgung.

Die Auskopplung von Wärme kann prinzipiell auf zwei Wegen geschehen: Im ersten Fall hebt man den Druck am Turbinenende über den Atmosphärendruck an und führt den dort austretenden Dampf dem Fernwärmenetz zu, an das die Wärmeverbraucher angeschlossen sind *(Gegendruckverfahren);* hier sind Wärme- und Stromproduktion proportional. Man wendet das Gegendruckverfahren hauptsächlich für die industrielle Kraft-Wärme-Kopplung an; denn hier fallen häufig Strombedarf und Wärmebedarf produktionsbedingt zeitgleich an. Im zweiten Fall entnimmt man der Turbine bei verschiedenen Druck- und Temperaturstufen Dampf zur Wärmeabgabe (*Entnahmekondensation;* Abb. 1). Hier ist eine teilweise Entkopplung von Strom- und Wärmeproduktion möglich.

In der *Fernwärmewirtschaft* wählt man meist den zweiten Weg, da hier im allgemeinen Wärme- und Strombedarf keinen zeitgleichen Verlauf haben. Da in beiden Fällen der entnommene Dampf noch Arbeitsfähigkeit besitzt, die von der Turbine nicht mehr genutzt werden kann, führt die Wärmeentnahme zu einer Verringerung der Stromproduktion (Stromeinbuße). Dem steht aber ein zusätzlicher Wärmegewinn gegenüber, da die sonst an die Umgebung abgegebene Kondensationswärme mitgenutzt wird. Der Wärmegewinn ist größer als die Stromeinbuße, so daß in etwa eine Verdopplung des Anlagenwirkungsgrades erzielt werden kann. So kann z.B. die Kraft-Wärme-Kopplung etwa 25% Energie einsparen im Vergleich zur dezentralen Wärmeversorgung und ungekoppelten Stromerzeugung (Abb. 2). Darüber hinaus trägt sie zur Umweltentlastung bei.

Da bei der Fernwärme eine Vielzahl räumlich voneinander getrennter Wärmeverbraucher von einer zentralen Einheit versorgt werden müssen, müssen zusätzlich zur Zentrale ein Verteilungsnetz (Rohrleitungsnetz für Heiß- bzw. Warmwasserhin- und Kaltwasserrücktransport) und Übergabeanlagen beim Verbraucher eingerichtet werden. Die Kostenintensität dieser Einrichtungen erlaubt die Realisierung der Fernwärmeversorgung nur bei hohen Verbraucherdichten. Neben dem hier geschilderten Dampfkraftprozeß eignen sich auch andere Kraftprozesse wie der der Gasturbine oder des Motorenkraftprozeß (Blockheizkraftwerke) für die Kraft-Wärme-Kopplung. Dort wird im allgemeinen die Abgaswärme genutzt. Zu beachten ist, daß die Kraft-Wärme-Kopplung beim Dampfkreisprozeß keine eigentliche „Abwärmenutzung" ist, da sie mit Verlust an Arbeitsfähigkeit verbunden ist. Abwärmenutzung ist andererseits auch ohne Kraft-Wärme-Kopplung möglich. So kann man z.B. versuchen, die bei der Koksproduktion beim Abkühlen des Kokses (Löschen) freiwerdende „arbeitsunfähige" Abwärme in ein Fernwärmenetz einzuspeisen.

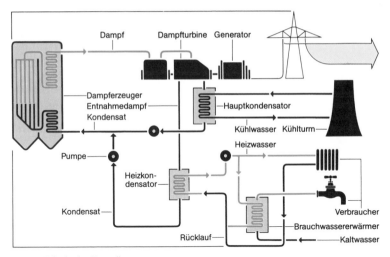

Abb. 1 Prinzip der Fernwärmeversorgung
bei Kraft-Wärme-Kopplung
(Heizkraftwerk mit Entnahmekondensation)

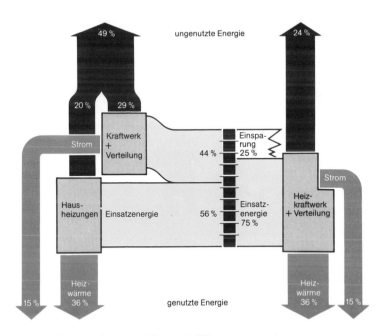

Abb. 2 Getrennte Strom- und dezentrale Wärmeversorgung im
energetischen Vergleich zur Kraft- Wärme-Kopplung

487

Gezeitenkraftwerke

Die Rotation der Erde und die Gravitationskräfte von Mond und Sonne bewirken die mit einer Periode von 12 Stunden und 24 Minuten wiederkehrenden Erscheinungen von *Ebbe* und *Flut* (Abb.). Die in diesen *Gezeiten* steckende kinetische bzw. potentielle Energie *(Gezeitenenergie)* ist nach menschlichem Zeitempfinden quasi unerschöpflich, auch wenn durch Reibungskräfte zwischen Flutwelle und Oberflächenwasser die Rotationsenergie der Erde und damit das Potential dieser Energie allmählich vermindert werden (ein Erdentag wird dadurch in 1 Million Jahren um 16 Sekunden länger).

Die Gezeitenenergie kann nun mit Hilfe von *Gezeitenkraftwerken (Flutkraftwerke)* in elektrische Energie umgewandelt werden. Ein solches hydroelektrisches Kraftwerk ist im Prinzip ein Damm, der eine Bucht oder eine Flußmündung vom Meer abtrennt und somit ein künstliches Wasserbecken schafft, das durch große Rohrdurchlässe im Damm bei Flut und Ebbe gezielt aufgefüllt bzw. entleert wird. Dabei wandelt sich die potentielle Energie der unterschiedlichen Wasserstände in kinetische Energie (Strömungsenergie) des ein- bzw. ausströmenden Wassers um. Die Fließbewegung des Wassers läßt die Läufer der in den Durchlässen befindlichen Turbinen rotieren; angekoppelte Generatoren wandeln diese Drehbewegung in elektrische Energie um. Die maximale Leistung eines Gezeitenkraftwerks ergibt sich aus den während der Flut gespeicherten Wassermassen, dem *Tidenhub* (Höhenunterschied zwischen Hoch- und Niedrigwasser) und der Gezeitenperiode. Der Wirkungsgrad der insgesamt stattfindenden Energieumwandlung liegt zwischen 20 und 25 %.

Man unterscheidet Gezeitenkraftwerke mit und ohne Speicherbecken. Solche *ohne Speicherbecken* haben zwar eine hohe Leistungsausbeute, unterliegen aber dem intermittierenden Energieangebot der Gezeiten. Ihre Errichtung ist nur dann sinnvoll, wenn der erzeugte Strom in ein großes Verbundnetz eingespeist werden kann. Ein kontinuierlicher Kraftwerksbetrieb ist nur in Verbindung *mit Speicherbecken* möglich. Hierbei reduzieren sich jedoch die zur Verfügung stehende Druck- bzw. Fallhöhe des Wassers und damit die Leistungsausbeute.

Voraussetzungen für einen technisch sinnvollen Einsatz von Gezeitenkraftwerken sind große Tidenhübe von mehr als 3 m und eine natürliche Meeresbucht oder eine geeignete Flußmündung. Besonders günstige Küstenformationen weisen *Gezeitenunterschiede* von 10 m und mehr auf. Nicht an allen Küsten sind daher diese Voraussetzungen für die Gezeitenenergienutzung gegeben. An der deutschen Nordseeküste z. B. beträgt der mittlere Tidenhub nur etwa 2,7 m.

Pionier im Bau von Gezeitenkraftwerken war Deutschland. Im Ersten Weltkrieg arbeitete ein Kleingezeitenkraftwerk in Husum, das den Ein- und Ausstrom der Flut in ein ehemaliges Austernzuchtbecken nutzte, um die Häuser der Umgebung mit elektrischem Strom zu versorgen. – Das erste große Gezeitenkraftwerk mit einer elektrischen Leistung von 240 MW ging 1966 in der La-Rance-Flußmündung in Frankreich in Betrieb. In einem 750 m langen Damm sind dort insgesamt 24 Turbinen angeordnet, die doppelt arbeiten: Sie nutzen die einströmende wie ausströmende Flut aus. Der Tidenhub beträgt dort rund 10 m, maximal 13 m. – In der UdSSR wurde 1968 eine kleine Anlage von 800 kW an der Kislaya-Mündung, 80 km nordöstlich von Murmansk, in Betrieb genommen. Eine größere Anlage von 320 MW ist für den Lombowska-Fluß an der Nordostküste der Halbinsel Kola vorgesehen, eine weitere an der Penschinabucht im Ochotskischen Meer. – Gezeitenkraftwerke sind auch in Großbritannien (am Solway Firth, in der Humber- und Severn-Mündung), in den USA und in Kanada (am Bay of Fundy) sowie in Argentinien und Australien geplant.

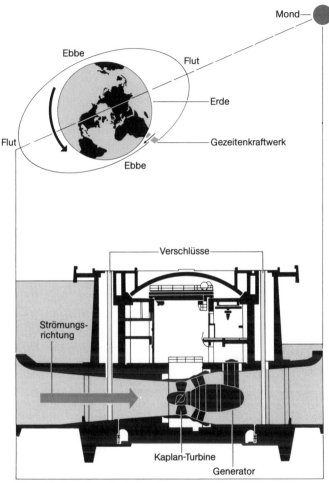

Mond

Ebbe

Flut

Erde

Flut

Gezeitenkraftwerk

Ebbe

Verschlüsse

Strömungs-
richtung

Kaplan-Turbine

Generator

Abb.   Arbeit des Gezeitenkraftwerks
        bei beginnender Ebbe

Energie aus Biomasse

Da *Biomasse* (die Substanz aller Pflanzen und Tiere sowie deren Abfall- und Reststoffe) in sehr unterschiedlicher Konsistenz, insbesondere mit mehr oder weniger hohem Wassergehalt und im allgemeinen in Form teiloxidierter Kohlenwasserstoffverbindungen, auftritt, ist ihre energetische Verwertung grundsätzlich aufwendiger und von geringerer Leistungsdichte als bei fossilen Brennstoffen (Kohle, Erdöl, Erdgas). Deshalb ist die *Biokonversion* (energetische Nutzung von Biomasse) nur dann wirtschaftlich, wenn die Biomasse sehr billig oder kostenlos zur Verfügung steht (z. B. als Abfall oder als Rückstand).

Die heute angewendeten Verfahren lassen sich in die Gruppen der thermochemischen und die der biologischen Umwandlungen einteilen. Auch die Nutzung von pflanzlichen Ölen und Kohlenwasserstoffen zählt zur Biokonversion. Während die Verbrennung nur Wärme liefert, erzeugen alle anderen Verfahren feste (z. B. Holzkohle), flüssige (z. B. Öle, Alkohole) oder gasförmige (z. B. Kohlenmonoxid-Wasserstoff-Gemische, Biogas) Energieträger, die ihrerseits wieder zu Wärme und Kraft umgesetzt oder gespeichert werden können, was vor allem flüssige Energieträger (Öl, Methanol, Äthanol) interessant macht (Abb. 1).

Die für die energetische Verwertung von Biomasse wichtigsten Methoden sind die chemischen Verfahren der Verbrennung, Vergasung und Pyrolyse sowie die biologischen Umwandlungen zu Methan oder Alkohol. Bei den *chemischen Verfahren* ist vor der Umwandlung in Energie oder in Energieträger (Gase, Öle) meist eine Vortrocknung notwendig, insbesondere vor der Verbrennung von Biomasse zur Wärmeerzeugung. Die bei der *Vergasung von Biomasse* eingesetzten Verfahren sind durch eine nur teilweise erfolgende Oxidation gekennzeichnet (reduzierter Luftzutritt), wobei brennbare Gase wie Kohlenmonoxid (CO) und Wasserstoff (H_2) entstehen. Ein bekanntes Beispiel ist der im und einige Zeit nach dem Zweiten Weltkrieg zum Fahrzeugantrieb verwendete *Holzgasgenerator,* in dem Holz vergast wurde. – Bei der *Pyrolyse* wird die Biomasse ganz unter Luftabschluß von außen bei Temperaturen zwischen 500 °C und 1 000 °C aufgeheizt. Infolge thermischer Zersetzung entstehen dabei feste, flüssige und gasförmige Brenn- bzw. Treibstoffe.

Die beiden auf mikrobieller Fermentation *(Gärung)* beruhenden biologischen Umwandlungen von Biomasse in Alkohol bzw. Methan (Biogas) sind anaerobe, d. h. unter Luftabschluß ablaufende Prozesse, bei denen die Biomasse einen sehr hohen Wassergehalt von deutlich über 80 % aufweisen muß. Bei der alkoholischen Gärung werden Zuckerarten (z. B. Traubenzucker) in wäßriger Lösung durch Hefebakterien zu Äthanol (Trinkalkohol) umgewandelt. Es kann auch stärke- und zellulosehaltige Biomasse eingesetzt werden; allerdings muß dann vorher die Stärke durch Enzyme und die Zellulose entweder ebenfalls durch Enzyme oder durch Behandlung unter Druck mit heißer Säure in Zucker gespalten werden.

Zur Verwendung als Motortreibstoff muß *Äthanol* noch bis zu einem Reinheitsgrad von 99,5 % destilliert werden, wenn es (bis zu 20 %) dem Benzin beigegeben werden soll. Brasilien hat ein großes Programm *(PROALCOOL)* zur Substitution von Benzin durch Äthanol aus Zuckerrohr in Angriff genommen.

Bei der *Methangärung* wird aus sehr feuchten organischen Substanzen in einem mehrstufigen Prozeß durch anaerobe Bakterien ein Gasgemisch *(Biogas)* aus 55 bis 70 % Methan (CH_4), 30–45 % Kohlendioxid (CO_2) und Restgasen gewonnen. Insbesondere eignen sich *Mist* und *nichtholzige Pflanzen* zur Vergärung, wobei neben dem Energiegewinn für Kochen, Heizen und Trocknen ein weitgehend steriler, geruchsfreier, wertvoller Dünger mit vollem Stickstoffgehalt entsteht. Deshalb entspricht dieses Verfahren einer ökologischen Kreislaufwirtschaft (Abb. 2). Die Biogastechnologie hat mit Einfachanlagen eine eigene Tradition in Indien und China (Abb. 3) und ist inzwischen auch für die europäische Landwirtschaft interessant geworden.

Biomasse für energetische Nutzung kann zukünftig auch durch Anbau von schnell wachsenden Pflanzen in sog. *Energieplantagen* oder aus *Algen-* und *Tangzuchten* im Meer erzeugt werden.

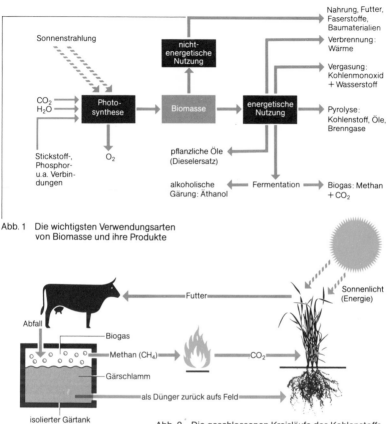

Abb. 1 Die wichtigsten Verwendungsarten
von Biomasse und ihre Produkte

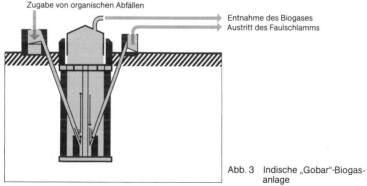

Abb. 2 Die geschlossenen Kreisläufe des Kohlenstoffs
und der anorganischen Nährstoffe bei der
Biogasproduktion

Abb. 3 Indische „Gobar"-Biogas-
anlage

491

Magnetohydrodynamische Energiewandler

Unter *Magnetohydrodynamik (MHD)* versteht man die Lehre von den physikalischen Phänomenen, die bei Strömung elektrisch leitfähiger Flüssigkeiten und Gase durch elektromagnetische Felder auftreten. Magnetohydrodynamische Generatoren *(MHD-Generatoren)* sind demnach Einrichtungen, in denen durch ein Magnetfeld strömende heiße, ionisierte (d. h. Ionen und Elektronen als Ladungsträger enthaltende) und dadurch elektrisch leitende Gase (Plasmen) elektrische Energie liefern.

Im Prinzip beruhen MHD-Generatoren wie die konventionellen stromerzeugenden Dynamos und Generatoren auf der Umwandlung von kinetischer Energie in elektrische Energie durch *elektrische Induktion:* Bewegt man einen elektrischen Leiter (z. B. einen Kupferdraht) quer zu den Feldlinien eines Magnetfeldes, so wird in ihm eine elektrische Spannung erzeugt. In einem geschlossenen Leitersystem fließt dann ein elektrischer Strom. Während aber in Dynamos und Generatoren die Kupferwicklungen des Ankers (Rotors) in einem Magnetfeld kreisen und in ihnen ein Strom bzw. eine Spannung induziert wird, haben MHD-Generatoren keine rotierenden mechanischen Teile. Anstelle eines festen Leiters treibt man sehr heiße, unter Druck stehende, durch Zusatz eines „Saatstoffs" (meist Kalium, dessen Atome thermisch leicht ionisierbar sind) elektrisch leitende Gase mit hoher Geschwindigkeit durch einen Kanal aus hochtemperaturbeständigen Isolatorwänden, in die parallel zu den Feldlinien eines starken Magnetfeldes (Flußdichte mindestens 4–5 Tesla) segmentierte Metallelektroden eingelassen sind. Die in einem solchen strömenden Gasplasma befindlichen Ladungsträger werden dann quer zur Magnetfeld- und zur Strömungsrichtung abgelenkt – die elektrisch negativ geladenen Elektronen nach der einen Seite, die positiv geladenen Ionen nach der anderen Seite – und zu den Elektroden getrieben. Es entsteht dadurch zwischen diesen Elektroden eine (im Leerlauf maximale) elektrische Spannung. Werden die Elektroden über einen äußeren Stromkreis geschlossen, so fließt ein elektrischer Strom quer durch das strömende Plasma und durch den im äußeren Stromkreis befindlichen Verbraucher (Abb. 1). Bei dieser *MHD-Umwandlung* von Wärme- bzw. Strömungsenergie in elektrische Energie kühlt sich die Gasströmung entsprechend ab, und es sinkt auch der Gasdruck.

Die seit etwa 1960 mit breiter internationaler Beteiligung betriebene Entwicklung von MHD-Generatoren hat sich nach 1970 in der UdSSR und in den USA schwerpunktmäßig auf die Entwicklung von *Verbrennungsgas-MHD-Generatoren* reduziert, denen dann ein konventionelles Dampfkraftwerk nachgeschaltet wird (Abb. 2). Dabei werden alternativ Kohle, Öl oder Gas mit bis zu 1 800 °C vorgewärmter Luft bzw. mit sauerstoffangereicherter Luft in einer Brennkammer bei Temperaturen bis zu 3 000 °C verbrannt. Die Flammengase verlassen die Kammer mit hoher Geschwindigkeit und werden in die MHD-Stufe des Verbrennungsgas-MHD-Kraftwerks geleitet, wo 20 bis 25 % der zugeführten Energie in elektrische Energie umgewandelt werden. Beim Austritt aus dem MHD-Teil ist das Gas immer noch so heiß, daß es – eventuell nach einem Vorwärmen der Verbrennungsluft – wie in einem normalen Wärmekraftwerk über Wärmetauscher Wasserdampf erzeugen kann, der wiederum Turbinen und Generatoren antreibt. Auf diese Weise werden im konventionellen zweiten Teil des Kraftwerkes noch einmal rund 30 % der zugeführten Energie in elektrischen Strom umgewandelt.

Der Wirkungsgrad eines Verbrennungs-MHD-Kraftwerks liegt dadurch bei über 50 %. Einerseits können damit die fossilen Brennstoffreserven gestreckt und das Abwärmeproblem reduziert werden, andererseits führt der Kaliumzusatz zum Flammengas zu einer einfachen Rauchgasentschwefelung durch Sulfatbildung.

Während in den USA keine kommerziellen kohlebefeuerten MHD-Großkraftwerke vor dem Jahr 2000 erwartet werden, sollen solche in der UdSSR ab 1990 gebaut werden. In beiden Ländern ist geplant, schon bald ölbefeuerte (USA) bzw. erdgasbefeuerte (UdSSR) MHD-Dampfkraftwerke mit 175 bis 200 MW bzw. 500 MW elektrischer Leistung in Betrieb zu nehmen.

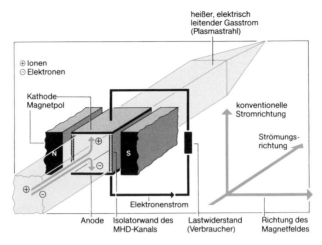

heißer, elektrisch
leitender Gasstrom
(Plasmastrahl)

⊕ Ionen
⊖ Elektronen

Kathode
Magnetpol

konventionelle
Stromrichtung

Strömungs-
richtung

N   S

Elektronenstrom

Anode   Isolatorwand des
MHD-Kanals

Lastwiderstand
(Verbraucher)

Richtung des
Magnetfeldes

Abb. 1   Prinzip eines MHD-Generators: Im Plasmastrahl wird durch das
Magnetfeld zwischen den beiden Magnetpolen (N und S) ein elektrischer Strom induziert, der über die Elektroden zum Verbraucher und
zurück fließt

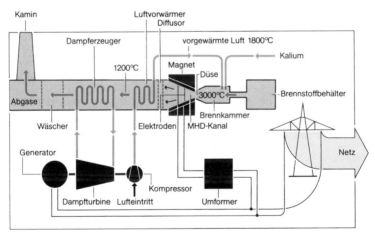

Kamin

Luftvorwärmer
Diffusor

Dampferzeuger

vorgewärmte Luft 1800°C

Kalium

1200°C

Magnet
Düse

Abgase

3000°C

Brennstoffbehälter

Wäscher

Elektroden

Brennkammer
MHD-Kanal

Generator

Netz

Dampfturbine   Lufteintritt

Kompressor

Umformer

Abb. 2   Schema der Kombination eines Verbrennungsgas-MHD-Generators
mit einem konventionellen Dampfkraftwerk

Lagerstättenerkundung

Planmäßige geologische Kartierung und Erkenntnisse zur Entstehung von Lagerstätten haben sich als wichtige Hilfsmittel bei der Suche nach nutzbaren Bodenschätzen erwiesen. Mit Beginn des 20. Jahrhunderts hat dann die angewandte Geophysik eine praktische Untergrundforschung ermöglicht. Man arbeitet seitdem mit folgenden Methoden: Gravimetrie, Magnetik, Sprengseismik und Geoelektrik.

Bei der *Gravimetrie* handelt es sich um eine Methode zur Messung der durch die Erdmassen, die Erdrotation und die Massen benachbarter Weltkörper erzeugten Schwerebeschleunigung (Schwerkraft) an einzelnen Stellen der Erde. Störungen der Schwerebeschleunigung an der Erdoberfläche ergeben sich zunächst aus der Massenverteilung im Erdinnern. So führen Einlagerungen und Aufwölbungen von Massen größerer Dichte zu positiver Abweichung der Normalschwere, während Senken und Einlagerungen von Massen geringerer Dichte eine negative Abweichung bedingen. Zur Messung werden zwei Gerätetypen verwendet: das Pendel und das auf dem Prinzip der Federwaage beruhende Gravimeter (Abb. a und b). Beim Pendel (Pendellänge *l*) werden die Schwingungszeit *T* und die Amplitude φ der Pendelbewegung gemessen und daraus die Schwerebeschleunigung *g* abgeleitet:

$$g = \frac{4\,\pi^2 l}{T^2}\left(1 + \frac{\varphi^2}{16} + ... \right).$$

Pendel gestatten absolute Schweremessungen, während mit Gravimetern nur Schweredifferenzen zwischen verschiedenen Punkten der Erde bestimmt werden können.

Die *Magnetik,* ein Verfahren zur Messung des erdmagnetischen Feldes, stellt die durch den verschieden starken Gehalt des Gesteins an magnetischen Bestandteilen verursachten Veränderungen des normalen erdmagnetischen Feldes fest. Ordnet man eine Magnetnadel so an, daß sie eine wohldefinierte Ruhelage und eine definierte Auslenkungskonstante hat, so kann man aus dem Winkel der Auslenkung auf die Richtung und die Stärke des auszumessenden Magnetfeldes schließen. Besonders starke Abweichungen erzeugen Magnetiterzkörper.

Häufigstes geophysikalisches Verfahren ist die *Seismik,* die vor allem in der Erdöl- und Erdgaserschließung angewandt wird. Auf Profilachsen im Gelände werden in geringtiefen Bohrlöchern Sprengladungen elektrisch gezündet. Die entstehenden „Erdbebenwellen" werden in der Tiefe an markanten Schichtgrenzen reflektiert *(Reflexionsseismik)* und gelangen, mit voneinander abweichenden Laufzeiten, an die Erdoberfläche zurück. Hier werden sie von sogenannten Geophonen (Vertikalseismographen) registriert, in elektrische Impulse umgewandelt und dann über Kabel an eine Aufnahmestation übermittelt (Abb. 2). In der Aufnahmestation werden sie verstärkt und analog oder digital auf Magnetband aufgezeichnet. Durch eine Kontrollaufzeichnung auf Photopapier kann die Aufnahmequalität kontrolliert werden. Die sich ergebenden Daten werden mit Hilfe von Computern ausgewertet, so daß sich ein Bild vom Streichen und Fallen der geologischen Schichten (Abb. 3) sowie von Verwerfungen und Aufwölbungen ergibt. Die Interpretation des Schichtverlaufs liefert wertvolle Hinweise auf mögliche Erdöllagerstätten. – Wenn das Gestein unterhalb einer Schichtgrenze eine höhere Schallgeschwindigkeit aufweist als die darüber liegende Schicht, so laufen die Wellen innerhalb dieser Schicht weiter und senden dabei ebenfalls an die Erdoberfläche zurückkehrende Wellen aus. Diese Wellen werden bei der sogenannten *Refraktionsseismik* mit geeignet aufgestellten Geophonen registriert und ähnlich wie bei der Reflexionsseismik aufgezeichnet und ausgewertet.

Geoelektrische Verfahren nutzen v. a. das Eigenpotential von Mineralverbindungen aus. Hierbei spielt die unterschiedliche Sauerstoff- und Metallionenkonzentration im Porenwasser des Gesteins (Oxidations- und Reduktionszone) die entscheidende Rolle. Infolge dieses Konzentrationsunterschiedes bilden sich an örtlich getrennten Stellen der Lagerstättenoberfläche verschieden große galvanische Kontaktpotentiale aus. Das Metallerzvorkommen wirkt wie eine Batterie, bei der das Elektrodenmaterial (die Lagerstätte) mehr oder weniger einheitlich und der Elektrolytflüssigkeit (das Porenwasser) in unterschiedlicher Konzentration auftritt (Abb. 4).

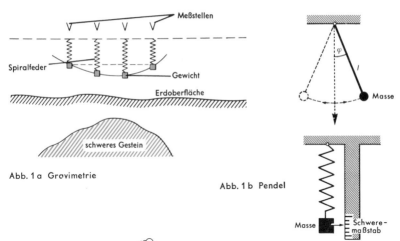

Abb. 1 a Grovimetrie

Abb. 1 b Pendel

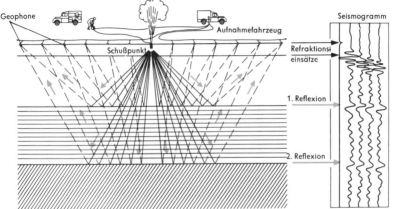

Abb. 2 Reflexionsseismik

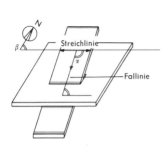

Abb. 3 Ermittlung von Streichen und Fallen

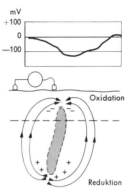

Abb. 4 Eigenpotentialverfahren

Tiefbohrtechnik

Tiefbohrungen dienen der Auffindung mineralischer Rohstoffe und, soweit diese flüssig oder gasförmig sind, auch ihrer Gewinnung. Die an diesen Zweig der Technik gestellten hohen Anforderungen (Erreichen großer Tiefen bei gleichzeitig raschem Bohrfortschritt) haben, unter Aufgeben des jahrhundertelang angewandten schlagenden Bohrens (mit Schwengel, Meißel am Seil oder starrem Gestänge und „Umsetzen" von Hand und ständigen Bohrunterbrechungen beim Hochfördern des Bohrschlamms) zum heute fast allein üblichen kontinuierlich drehenden Bohren geführt. Mit diesem sogenannten *Rotary-Verfahren* wurden Tiefen über 8 000 m erreicht. Ein mit einer Kronenlastaufnahme bis zu 600 t errichteter Turm in Stahlkonstruktion bis zu 60 m Höhe (für geringere Kronenlast vielfach als Klappmast auf einem Fahrgestell ausgebildet) hält über einen Flaschenzug das Bohrgestänge. Eine Vierkantstange, die in eine entsprechende Aussparung des maschinell angetriebenen Drehtisches eingepaßt ist, überträgt die Drehbewegung auf das Gestänge und den mit ihm verschraubten Meißel. Im harten Gebirge wird ein Rollenmeißel verwendet. Er besteht aus drei gegeneinander versetzten, kegelförmigen, gezahnten Stahlkörpern mit aufgeschweißten Hartmetallstücken (Wolframcarbide). Die Bohrstangen sind hohl; durch sie wird während des Bohrens mittels Pumpen eine Spültrübe herabgedrückt, die im Raum zwischen Gestänge und Bohrlochwandung wieder hochsteigt und im Kreislauf gehalten wird. Diese Umlauftrübe ist eine durch geeignete Zusätze auf höheres spezifisches Gewicht (Dichte 1,2 bis 1,4 g/cm³) gebrachte, wässerige Suspension (Dickspülung). Sie tritt am Meißel aus, kühlt zunächst dieses im Erdinneren heißlaufende Werkzeug und hält die Bohrlochsohle sauber. Danach transportiert sie das Bohrklein an die Erdoberfläche. Dort wird sie auf Vibrationssieben geklärt, wobei ihr Gesteinsproben entnommen werden. Schließlich sorgen Spülungszusätze für eine ständige Verleimung der Bohrlochwand und verhindern damit deren Zusammenfallen. Eine letzte Aufgabe der Spülung besteht darin, daß ihr hohes Gewicht unerwartet auftretendem Gas- oder Öldruck entgegenwirkt.

Beim Erbohren aufschlußreicher Gesteinspartien gestattet das Rotary-Verfahren das Ziehen von Kernen: Statt des gewöhnlichen Meißels wird ein Kernrohr mit ringförmiger Bohrkrone (ebenfalls mit Hartmetallstücken besetzt) benutzt, in welches das unverritzte Gebirge beim Bohrfortgang stalagmitenähnlich hineinwächst.

Eine andere Art drehenden Bohrens stellt die *Bohrturbine* dar. Sie erspart, durch Verlegung des Meißelantriebs auf die Bohrlochsohle, den langen Weg der Bewegungsübertragung über das Gestänge und erfordert daher nur etwa den zehnten Teil der am Drehtisch aufzubringenden Leistung. Die Axialturbine – mit bis zu mehreren 100 Stufen – wird über Leit- und Laufräder von der Umlaufspülung angetrieben. Letztere steht dabei unter Pumpdrücken bis zu 150 bar. Die Drehzahlen schwanken zwischen 400 und 900 Umdrehungen pro Minute. Als Bohrfortschritt sind, je nach Gebirgshärte, 10 bis 20 m pro Stunde erreicht worden.

Die Erschließung und Nutzbarmachung von Bodenschätzen (vorwiegend von Erdöl und Erdgas) im küstennahen Kontinentalsockel (Schelfbereich) hat in Binnenseen oder im Meer zu sogenannten *Off-shore-Bohrungen* geführt. Voraussetzung ist die Erstellung einer Standfläche für das Bohrgerät. Man kann drei Grundprinzipien unterscheiden: Sie können als Bohrschiff auf dem Wasser schwimmen oder sich als schwimmfähige Plattform bzw. als versenkbarer Leichter auf dem Meeresboden abstützen oder schließlich als feste Bohrplattform (Hubinsel) aus einzelnen Elementen auf dem Meeresboden aufgebaut werden. Submersible Hubinseln (halbgetauchte Schwimmplattformen) werden bis zu 300 m Wassertiefe über dem Bohrloch verankert; bei größeren Tiefen halten sie ihre Position ohne Verankerung (mit Peilsender).

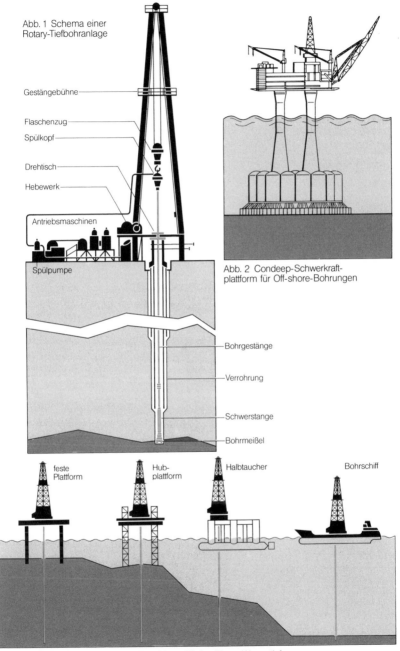

Abb. 1 Schema einer Rotary-Tiefbohranlage

Gestängebühne

Flaschenzug

Spülkopf

Drehtisch

Hebewerk

Antriebsmaschinen

Spülpumpe

Abb. 2 Condeep-Schwerkraft-plattform für Off-shore-Bohrungen

Bohrgestänge

Verrohrung

Schwerstange

Bohrmeißel

feste Plattform

Hub-plattform

Halbtaucher

Bohrschiff

Abb. 3 Tiefbohrungen im Off-shore-Bereich und bei größerer Wassertiefe

Mineralaufbereitung I

Von der Grube kommende Erze und Zuschläge sind selten direkt zu verhütten. Große Stücke machen Schwierigkeiten beim Beschicken der metallurgischen Einrichtungen. Feinerze erschweren die Gasdurchlässigkeit der Beschickung. Daher werden Erze und Zuschläge bereits auf der Grube oder auf dem Hüttenwerk durch Brechen, Sieben und Mischen vorbereitet. Das Brechen erfolgt je nach Erzart in Nockenwalzen-, Backen-, Kegel- und Symons-Brechern sowie in Prallmühlen (Abb. 1). Die Brecher sind durch Vorabscheidung des Feingutes zu entlasten. Im Anschluß an das Brechen wird das Erz abgesiebt: Für die Grobsiebung verwendet man Stangensieb-, Rollen- oder ähnliche Roste. Für feineres Gut werden Schwingsiebe (häufig als Doppeldeckersiebe ausgebildet) verwendet, die eine Trennung in mehrere Kornklassen ermöglichen. Bei sehr ungleichmäßigen von der Grube kommenden Erzen oder bei der Erzanfuhr von vielen kleineren Gruben werden die Erze häufig mit Hilfe von Erzbetten gemischt, um eine möglichst homogene Erzmischungen zu bekommen.

Erzaufbereitung: Häufig haben die Grubenerze nur geringe Metallgehalte (z. B. 0,8 % Kupfer oder etwa 5 % Blei), oder sie sind aus Mineralen verschiedener Metalle zusammengesetzt, deren hüttentechnische Aufarbeitung unterschiedliche Verfahrensgänge erforderlich macht, z. B. bei der Trennung bleisulfid- und zinksulfidhaltiger Erze. Deshalb werden die meisten Erze vorbereitenden Prozessen zur Abtrennung eines Teils des unhaltigen Materials (Gangart) bzw. zur Trennung der Minerale verschiedener Metalle, den Aufbereitungsverfahren, unterworfen. Die Aufbereitung bedient sich ausschließlich mechanisch-physikalischer Arbeitsweisen, indem sie die unterschiedlichen physikalischen Eigenschaften der Minerale ausnutzt. Die Aufbereitungsanlagen befinden sich zumeist bei den Bergwerken, um den Transport zur Hütte nicht mit den Frachtkosten für das taube Gestein zu belasten. Für die mechanische Zerlegung des Fördererzes ist es Voraussetzung, daß vor dem eigentlichen Aufbereiten die einzelnen zumeist fest miteinander verwachsenen Mineralbestandteile voneinander gelöst, d. h. „aufgeschlossen" werden. Für viele Verfahren ist eine Feinmahlung erforderlich, wobei Hammer-, Walzen-, Kugel- oder auch Stabmühlen (häufig als Naßmühlen) eingesetzt werden. Ein vollständiger Aufschluß der Roherze ist allerdings praktisch nicht möglich, da ein Teil der feinstverwachsenen Minerale unaufgeschlossen bleibt und die Körner des Brechgutes nicht immer genau entlang den Korngrenzen der miteinander verwachsenen Minerale aufgespalten werden. Man unterscheidet folgende wichtige Aufbereitungsverfahren:

1. *Läuterung:* Vornehmlich angewendet für weiche tonige Erze. In Rührwerktrögen wird vorzerkleinertes Gut durch gleichzeitige Einwirkung von Wasser und schneidenden und wälzenden Rührschwertern aufgeschlossen, so daß in nachgeschalteten Becherwerkstufen körniges Konzentrat von Schlämmen freigespült und dadurch weitgehend von Gangart getrennt werden kann.

Häufig zeigen die einzelnen Metallträger der Minerale solche Gewichtsunterschiede, daß eine Trennung nach dem spezifischen Gewicht möglich ist. Diese Trennungsvorgänge spielen sich im bewegten Wasserstrom ab, wobei die sich aus den jeweiligen spezifischen Gewichten ergebenden unterschiedlichen Fallgeschwindigkeiten und Fallwege die Trennung herbeiführen (Abb. 5 und 6). Die gröberen Körnungen von etwa 30 bis 0,5 mm Durchmesser werden in Setzmaschinen im rhythmisch auf- und niedergehenden, in horizontaler Richtung fließenden Wasserstrom „gesetzt" (Abb. 2). Die feinen Sande und Schlämme, etwa unter 0,3 bis 0,5 mm, werden auf „Herden", zumeist Stoß- und Schüttelherden (Abb. 4), verarbeitet.

2. *Flotation (Schwimmaufbereitung):* Die Mineralteilchen werden dadurch getrennt, daß aus der Trübe, die aus festem Aufgabegut und Wasser mit Zusatzflüssigkeiten ganz bestimmter Eigenschaften besteht und in die Luft eingeblasen wird, bestimmte Teilchen von anhaftenden Luftbläschen in den über die Trübe stehenden Schaum gehoben und mit diesem abgeführt werden. Voraussetzung ist eine sehr weitgehende Zerkleinerung auf Korngrößen unter 300 µm. Grundlage der Flotation sind die Oberflächeneigenschaften der Minerale.

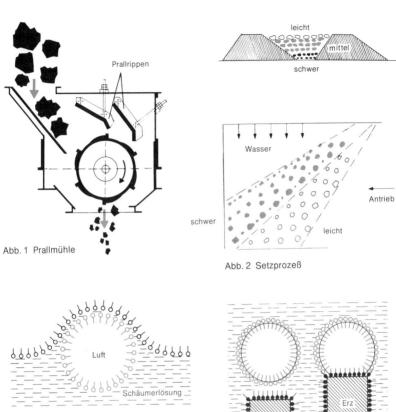

Prallrippen

Abb. 1 Prallmühle

leicht
mittel
schwer

Wasser

Antrieb

schwer

leicht

Abb. 2 Setzprozeß

Luft

Schäumerlösung

Schaumlamelle

Abb. 3 Prinzip der Flotation

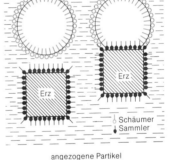

Erz

Erz

Schäumer
Sammler

angezogene Partikel

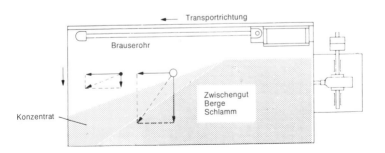

Transportrichtung

Brauserohr

Zwischengut
Berge
Schlamm

Konzentrat

Abb. 4 Schüttelherd

Mineralaufbereitung II

Die im feingemahlenen Erz vorliegenden Minerale sind teils benetzbar, teils wasserabstoßend (Abb. 3). Die wasserabstoßenden (hydrophoben) Teilchen haben eine deutliche Affinität zur Luft. In das Feststoff-Wasser-Gemisch, die Trübe, eingebrachte feinverteilte Luft hängt sich in Blasenform an diese Teilchen und bringt sie zum Aufschwimmen. Die auf diese Weise sich in einem Schaum an der Oberfläche sammelnden hydrophoben Erzbestandteile werden durch eine einfache Abstreichvorrichtung abgehoben (Abb. 7). Die stärkste Schwimmfähigkeit haben die Sulfide der Schwermetalle. Deshalb hat die Flotation die größte Bedeutung bei Kupfer-, Blei- und Zinkerzen erlangt. – Die Steuerung der Oberflächeneigenschaften der Minerale erfolgt durch geringfügige Zusätze von chemischen Stoffen, den Schwimmitteln.

Die Flotation ist heute das beherrschende Aufbereitungsverfahren und spielt für die Metallversorgung der Welt eine ausschlaggebende Rolle, weil sie die Verarbeitung armer, komplexer und feinverwachsener Erze gestattet, auf die infolge der Erschöpfung der reichen Lagerstätten immer mehr zurückgegriffen werden muß.

3. *Sink-Schwimm-Verfahren (Schwertrübeverfahren):* Grundlage für die Trennung stückiger Erzgemische von 2 bis 75 mm Korngröße nach diesem Verfahren sind ebenfalls die Unterschiede im spezifischen Gewicht der verschiedenen Komponenten. Die Dichte der Schwimmflüssigkeit wird durch Zusetzen feinstgemahlener oder flüssig versprühter Schwerstoffe (Korngröße etwa 200 μm) künstlich erhöht. Ferrosilicium und Magneteisenstein (starkmagnetische Schwerstoffe) sind die vornehmlich verwendeten Materialien. Das Schwertrübeverfahren arbeitet statisch und ist bezüglich des Trennungsvorganges strömungsabhängig. Im Trennkreislauf wird das spezifisch schwerere Sinkgut von dem spezifisch leichteren Schwimmgut getrennt. Durch Abbrausen werden sowohl Sink- als auch Schwimmgut von anhaftenden Schwerstoffen befreit und diese wiederum selbst mit Magnetscheidern gereinigt.

4. *Hydrozyklon:* Grundlage dieses Aufbereitungsverfahrens ist die Tatsache, daß auf einen tangential in einen Zylinder eingeführten Materialstrom starke Fliehkräfte wirksam werden, die das Gesamtmedium in eine Rotationsbewegung versetzen. Entlang der Innenwandung des nach unten sich verjüngenden Zyklongefäßes fließt eine angereicherte Trübe in spiraligen Bahnen zur Bodenöffnung, wo der Auslauf durch eine Gummiringdüse geregelt werden kann (Abb. 8). Das Wasser wird nach oben umgelenkt und tritt am Überlauf aus. Dieser Umlenkung können nur Teilchen geringer Masse folgen, wodurch die Trennung erfolgt.

5. *Magnetscheidung:* Bringt man aufgemahlenes und klassiertes Erz in den Bereich magnetischer Felder, so kann man die magnetischen Bestandteile herausziehen und von den nichtmagnetischen abtrennen. Naturgemäß spielt die Magnetscheidung die größte Rolle bei Eisen- und Manganerzen. Stark magnetische Eisenminerale wie Magnetit können im schwachen Magnetfeld geschieden werden, während die große Gruppe der schwachmagnetischen Minerale starke Magnetfelder (Starkfeldscheider) benötigt. Das Verfahren ist trocken und naß gebräuchlich. Der wichtigste Magnetscheider ist der *Trommelscheider,* dessen Wirkungsweise Abb. 9 veranschaulicht. Die größte Anwendung hat die Magnetscheidung bei der Aufbereitung der Takoniterze in den USA (Jahreserzeugung etwa 8 Mill. t) gefunden.

Auch für schwachmagnetische Eisenerze sind Verfahren entwickelt worden, die magnetischen Eigenschaften der Eisenminerale durch geeignete thermische Vorbehandlung wesentlich zu erhöhen. So wird beim Spateisenstein durch Austreibung der Kohlensäure im Schachtofen sowie durch geeignete Temperatur und Gasatmosphäre, die den Existenzbedingungen der Verbindung Fe_3O_4 entsprechen, aus dem Carbonat ein künstlicher Magneteisenstein erzeugt. Rot- und Brauneisenerze werden durch magnetisierende Röstung im Drehrohrofen in dieselbe starkmagnetische Verbindung Magnetit überführt und sodann magnetisch geschieden.

Nur in speziellen Fällen wird die *elektrostatische Aufbereitung* angewandt, bei der die Trennung eines Stoffgemisches aufgrund der unterschiedlichen Oberflächenleitfähigkeiten und Dielektrizitätskonstanten der Bestandteile des Gemisches im elektrischen Feld erfolgt.

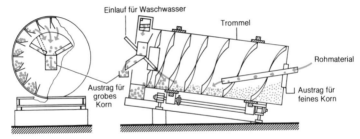

Abb. 5   Hardinge-Naßklassierer

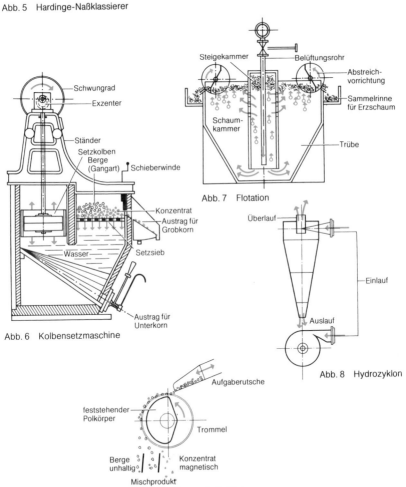

Abb. 6   Kolbensetzmaschine

Abb. 7   Flotation

Abb. 8   Hydrozyklon

Abb. 9   Elektromagnetischer Trommelscheider

Roheisenerzeugung I

Im Hochofen wird aus dem Möller (Erze, Sinter, Pellets, Zuschläge) und Koks Roheisen erschmolzen (Abb. 1). Der Hochofen (Abb. 2) ist ein Schachtofen mit kreisförmigem Querschnitt. Vom oberen Ende, der Gicht, erweitert sich der den größten Teil des Hochofens ausmachende, leicht kegelstumpfförmige Schacht bis zu dem zylindrischen Kohlensack. Daran schließt die sich nach unten verengende kegelstumpfförmige Rast an, die in das zylindrische Gestell übergeht und unten vom *Bodenstein (Gestellboden)* abgeschlossen ist. Der gesamte Hochofen ist mit einem Stahlpanzer versehen. Schacht und Rast sind mit feuerfestem Schamottemauerwerk von etwa 50 bis 120 cm Wandstärke, das Gestell und der Gestellboden mit Kohlenstoffsteinen ausgekleidet. Um die Haltbarkeit der Ausmauerung des Hochofens zu gewährleisten, werden der Schacht und die Rast mit waagerechten wasserdurchflossenen Kühlkästen oder panzerparallelen Plattenkühlern (Staves), das Gestell durch Wasserberieselung des Panzers gekühlt. Die Ofenhöhe (Ofensohle bis Gichtbühne) beträgt 25 bis 50 m.

Aus der Bunkeranlage werden die Hochofeneinsatzstoffe in einem Möllerwagen oder vollautomatisch auf Förderbändern abgezogen. Über eine Bandbegichtung oder einen Kippkübel, der über einen Schrägaufzug auf die Hochofengicht gezogen wird, gelangen Möller und Koks über einen Mehrglockenverschluß oder eine drehbare Verteilerschurre in den Hochofen.

Von Axialgebläsemaschinen angesaugter Kaltwind (Kaltluft der umgebenden Atmosphäre) wird mit einem Druck von maximal 4 bar wechselweise in drei bis vier Winderhitzern (Cowper; Abb. 4, S. 505) mit innen- oder außenliegendem Brennschacht auf Temperaturen bis zu 1 350 °C vorgewärmt.

Jeweils zwei Winderhitzer werden durch Verbrennung von gereinigtem Gichtgas oder Öl aufgeheizt, während bei dem dritten eingeblasene Kaltluft zur Vorwärmung durch das heiße Mauerwerk geleitet wird. Der vierte steht in Reserve.

Am oberen Rand des zylindrischen Gestells des Hochofens wird der Heißwind gemeinsam mit Hilfsbrennstoffen (Erdgas, Koksgas, Öl, Feinkohle, Teer) oder mit Sauerstoff durch Blasformen (je nach Ofengröße bis zu 42) in den Hochofen eingeblasen. Das vor den Blasformen entstehende Gas durchströmt die nach unten wandernde Beschickung, wird dabei chemischen Veränderungen unterworfen und an der Gicht des Hochofens als Gichtgas (Temperatur 100–250 °C) abgezogen. Um das Entweichen von Gichtgas zu vermeiden, wird der Hochofen an der Gicht durch mehrere kegelförmige Glocken (Gichtglocken) oder Pendelklappenschurren geschlossen.

Der Koks liefert das erforderliche Reduktionsgas, stützt die Möllersäule und lockert sie auf. In zunehmendem Maße wird die durch seine Verbrennung gelieferte Heizwärme durch über die Blasformen eingeblasenes Öl oder Erdgas sowie erhöhte Heißwindtemperaturen ersetzt. Mit reinem Sauerstoff angereicherter Heißwind trifft vor den Blasformen auf glühenden Koks, an dem das primär gebildete Kohlendioxid, CO_2, zu Kohlenmonoxid, CO, regeneriert wird:

$$CO_2 + C \rightarrow 2CO.$$

Der bei seinem Durchgang durch den Hochofen chemisch unverändert bleibende Stickstoff des eingeblasenen Windes gibt einen Teil seiner im Gestell aufgenommenen Wärme an die niedergehende Beschickung ab und dient daher als Wärmeüberträger. Erze, Zuschläge (v. a. Kalkstein) und Koks werden auf ihrem Weg durch den Hochofen erhitzt, wobei zunächst die anhaftende Feuchtigkeit verdampft; bei etwa 300 °C wird das Hydratwasser abgespalten:

$$Fe_2O_3 \cdot H_2O \rightarrow Fe_2O_3 + H_2O.$$

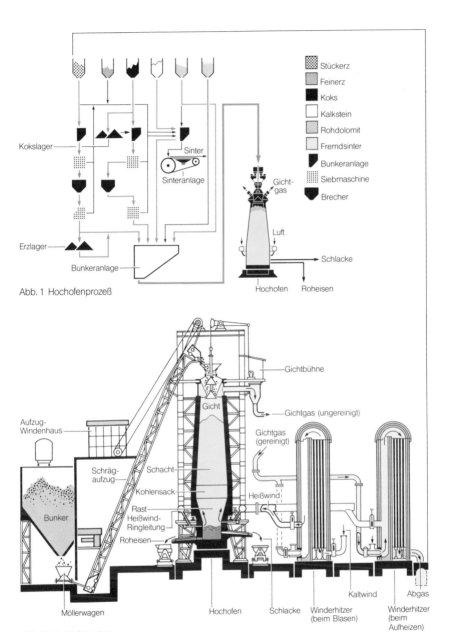

Stückerz
Feinerz
Koks
Kalkstein
Rohdolomit
Fremdsinter
Bunkeranlage
Siebmaschine
Brecher

Kokslager

Sinter

Sinteranlage

Gicht-gas

Luft

Erzlager

Schlacke

Bunkeranlage

Hochofen   Roheisen

Abb. 1 Hochofenprozeß

Gichtbühne

Gichtgas (ungereinigt)

Gicht

Aufzug-Windenhaus

Gichtgas (gereinigt)

Schräg-aufzug

Schacht

Kohlensack

Heißwind

Rast
Heißwind-Ringleitung

Roheisen

Bunker

Möllerwagen

Hochofen   Schlacke   Winderhitzer (beim Blasen)   Kaltwind   Abgas   Winderhitzer (beim Aufheizen)

Abb. 2 Hochofenanlage

503

Weiter unten im Hochofen im Temperaturbereich von 500 °C bis 900 °C findet die Carbonatzersetzung statt:

$$FeCO_3 \rightarrow FeO + CO_2;$$
$$CaCO_3 \rightarrow CaO + CO_2.$$

Außerdem läuft hier die wichtige indirekte Reduktion ab. Dabei reduziert das Kohlenmonoxid bei seinem Aufsteigen durch die Beschickungssäule die oxidischen Eisenminerale zu niederen Oxiden und schließlich teilweise auch zu metallischem Eisen, wobei sich Kohlendioxid bildet:

$$3\,Fe_2O_3 + CO \rightarrow 2\,Fe_3O_4 + CO_2;$$
$$Fe_3O_4 + CO \rightarrow 3\,FeO + CO_2;$$
$$FeO + CO \rightarrow Fe + CO_2.$$

Die indirekte Reduktion ist jedoch nicht vollständig, weil die Fähigkeit des CO, den Erzsauerstoff abzubauen, mit steigendem CO_2-Gehalt und fallender Temperatur abnimmt. Der nicht durch indirekte Reduktion entfernte Sauerstoff wird im unteren Teil des Hochofens im Bereich höherer Temperaturen (1 000 bis 1 200 °C) durch direkte Reduktion abgebaut. Sie geschieht mit festem Kohlenstoff unter Bildung von CO_2, das sofort mit dem Kokskohlenstoff zu CO reagiert. Sobald metallisches Eisen entstanden ist, wird es aufgekohlt, d.h., Kohlenstoff löst sich im Eisen. Der Schmelzpunkt des reinen Eisens wird dadurch von 1 536 °C auf 1 100 bis 1 200 °C erniedrigt.

Im heißesten Teil des Hochofens, in dem Temperaturen von 1 400 bis 1 600 °C herrschen, vollzieht sich das Schmelzen des aufgekohlten Eisens und die Bildung der Schlacke aus der Gangart der Erze, des Sinters, der Pellets, der Zuschläge und des Kokses. Nach der Art des zu erzeugenden Roheisens richtet sich das Verhältnis von basischen (CaO, MgO) zu sauren Bestandteilen (SiO_2, Al_2O_3) im Möller und damit auch in der Schlacke. Zusammensetzung und Temperatur der Schlacke bestimmen die Reduktion des Mangans, Siliciums, Phosphors und anderer Elemente aus deren Oxiden und damit deren prozentualen Gehalt im Roheisen. Insbesondere soll der vor allem vom Koks eingebrachte Schwefel von der Schlacke in Form von CaS aufgenommen werden, was einen erhöhten Anteil von CaO erforderlich macht (basische Schlacke). Bei eisenarmen Erzen mit einem hohen Gehalt an Kieselsäuren wäre jedoch ein zu hoher Kalksteinzuschlag erforderlich. In einem solchen (selten vorkommenden) Fall arbeitet man mit einer Schlacke mit einem höheren Anteil an Kieselsäure (saure Schlacke). Dabei ist die Roheisenentschwefelung ungenügend und muß außerhalb des Hochofens (meist nach dem Tauchlanzenverfahren durch Einblasen von CaC_2-CaO-Mischungen in das flüssige Roheisen) nachgeholt werden. Die Schlackenmenge schwankt zwischen 200 und 1 000 kg/t Roheisen.

Die Leistung eines Hochofens hängt in erster Linie von der Verbrennungsgeschwindigkeit des Kokskohlenstoffes vor den Blasformen und damit vom Koksdurchsatz ab, der von der Ofengröße, d. h. hauptsächlich vom Gestelldurchmesser, beeinflußt wird. In gleicher Weise bestimmen Ofengang, Eisengehalt des Möllers und Art der erschmolzenen Roheisens die Hochofenleistung.

Das erschmolzene Roheisen (Temperatur von 1 390 bis 1 500 °C) wird durch das Eisenstichloch (Eisenabstichöffnung, Abb. 5) in fahrbare Pfannen (Abb. 3) „abgestochen" und in flüssiger Form zur Weiterverarbeitung zu den Stahlwerken transportiert. Die Spezialroheisensorten, manganreiches Stahleisen, Spiegeleisen, Hämatitroheisen und Gießereiroheisen, vergießt man in den allermeisten Fällen über eine Gießmaschine zu Masseln.

Ferromangan und Ferrosilicium erstarren in Sandbetten zu großen Riegeln oder Barren. Hämatit- und Gießereiroheisen finden in Eisengießereien zur Herstellung von Gußstücken Verwendung. Ferromangan und Ferrosilicium dienen den Stahlwerken zur metallurgischen Veredelung von Stahl. Die Hochofenschlacke läuft ebenfalls in fahrbare Pfannen. Man läßt sie meistens in Schlackenbetten erstarren und verarbeitet sie zu Straßenbelag, Eisenbahnschotter, Mauersteinen, Pflastersteinen, Schlackenwolle, Hochofenzement u. a. Das Hochofengas (Gichtgas) gelangt von der Gicht des Hochofens nach Grobreinigung in Staubsäcken und Wirblern durch die Rohgasleitung zur Gichtgasreinigung. Dort wird es in Naßwäschern und Elektrofiltern vom Gichtstaub (feinste Teilchen des Möllers) befreit.

In einem mittelgroßen Hochofen werden heute durchschnittlich 3 000 bis 6 000 t Roheisen pro Tag erzeugt. Großhochöfen sind auf Kapazitäten zwischen 9 000 und 12 000 t Roheisen pro Tag ausgelegt.

Abb. 3 Pfannen für den Roheisentransport

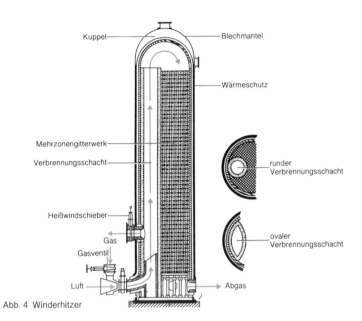

Kuppel

Blechmantel

Wärmeschutz

Mehrzonengitterwerk

Verbrennungsschacht

runder
Verbrennungsschacht

ovaler
Verbrennungsschacht

Heißwindschieber

Gas

Gasventil

Luft

Abgas

Abb. 4 Winderhitzer

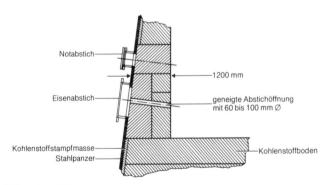

Notabstich

1200 mm

Eisenabstich

geneigte Abstichöffnung
mit 60 bis 100 mm ∅

Kohlenstoffstampfmasse

Stahlpanzer

Kohlenstoffboden

Abb. 5 Eisenabstichöffnung

Stahlherstellung I

Stahl unterscheidet sich von Roheisen durch seinen geringeren Gehalt an Kohlenstoff. Die Stahlherstellung ist daher nichts anderes als die Verbrennung des im Eisen enthaltenen Kohlenstoffs; dadurch wird das Gefüge elastischer, biegsamer und – was sehr wesentlich ist – das Metall wird schmiedbar. Stahl ist widerstandsfähiger und daher besser weiterzuverarbeiten als Eisen. Neben dem Kohlenstoff enthält Roheisen noch weitere Beimengungen, die seine Eigenschaften ungünstig beeinflussen, z. B. Schwefel und Phosphor. Alle diese Stoffe werden durch das sogenannte Frischen aus dem Roheisen entfernt.

Die bedeutendste verfahrenstechnische Entwicklung der letzten 40 Jahre war die Einführung des *LD-Verfahrens* (Linz-Donawitz-Verfahren; benannt nach den Stahlwerken in Linz und Donawitz), eines Sauerstoffaufblasverfahrens. Etwa 60 % des in der Welt hergestellten Rohstahls werden heute nach diesem Verfahren erzeugt.

Zum Frischen von einer Tonne Roheisen sind unabhängig vom Blasverfahren rund 60 m^3 Sauerstoff notwendig. Abb. 2 zeigt einen Querschnitt durch ein Sauerstoffaufblasstahlwerk. Als Schmelzgefäß dient ein feuerfest ausgekleidetes birnenförmiges Stahlgefäß mit einem Fassungsvermögen von 100 bis 350 t Stahl (Sauerstoffaufblaskonverter), das um die beiden seitlich angeordneten Zapfen drehbar und dessen Boden austauschbar ist (Abb. 3). Eine wassergekühlte Sauerstofflanze bläst mit hohem Druck reinen Sauerstoff durch eine am Lanzenende angebrachte Mehrlochdüse auf die Badoberfläche. Hierdurch werden die in der Schmelze enthaltenen Elemente Kohlenstoff, Silicium, Mangan und Phosphor oxidiert (gefrischt). Die Oxide entweichen gasförmig oder werden in der Schlacke gebunden. Der Oxidationsprozeß erzeugt Wärme, so daß die Schmelze während des Blasens durch entsprechende Zugabe von Erz, Kalk oder Eisenschwamm gekühlt werden muß. Koks kann zur Aufkohlung ebenfalls durch ein oberhalb der Konverteröffnung angeordnetes gekühltes Zuführungsrohr zugegeben werden. Das aus dem Konverter entweichende 1700 °C heiße Gasgemisch enthält noch brennbare Bestandteile. Die Wärme des Abgases wird in einem Abhitzekessel zur Dampferzeugung ausgenutzt, nachdem das Gas in einer Entstaubungsstufe vom größten Teil der mitgerissenen Staub- und Schlacke-

teilchen befreit wurde. Nach einer Frischzeit von 20–40 min je Schmelze wird zuerst der Stahl (Sauerstoffaufblas-Oxygenstahl) durch die dafür vorgesehene seitliche Konverteröffnung ausgeleert. Während die Schlacke in den Schlackeübergabewagen übernommen und zum Erkalten ins Schlackenbett gegossen wird, fährt die Stahlpfanne in den Spülstand, wo über eine Tauchlanze Argon in die Schmelze eingeblasen wird. Im Spülstand werden die gewünschten Legierungen in die Stahlschmelze eingespült und vermischt. Eine Vakuumentgasung kann sich anschließen.

Phosphorhaltiges Roheisen (Thomasroheisen) kann heute im Aufblaskonverter in der Weise verarbeitet werden, daß zur Verschlackung des im flüssigen Eisen gelösten Phosphors dem Sauerstoffstrom der Lanze Staubkalk zugesetzt wird *(LDAC- und OLP-Verfahren)*. Die Schlacke ist wegen ihres hohen Phosphor- und Kalkgehaltes ein beliebtes Düngemittel in der Landwirtschaft.

Bei dem an Bedeutung zunehmenden *OBM-Verfahren* (Oxygen-Bottom-Maximilianshütte-Verfahren; benannt nach der Eisenwerk-Gesellschaft Maximilianshütte mbH, Sulzbach-Rosenberg) wird reiner Sauerstoff durch das Bad hindurchgeblasen. Infolge der gegenüber dem Thomasverfahren um ein Drittel geringeren Abgasmenge wird der Staubauswurf verringert, wegen des Fehlens von Stickstoff fehlt allerdings dessen Kühlwirkung, so daß Wasserdampf zugesetzt wird. Bei diesem Sauerstoffdurchblasverfahren kann man gleichzeitig Kalkstaub einblasen, wodurch die Schmelze sehr gut entschwefelt werden kann.

Ein weiteres an Bedeutung stark zunehmendes Oxygenstahlverfahren ist das *AOD-Verfahren* (Argon-Oxygen-Decarburizing-Verfahren) zur Herstellung von rost- und säurebeständigen Stählen (Edelstähle). In einem birnenförmigen, feuerfest ausgekleideten Konverter wird durch seitliches Durchblasen mit einem Argon-Sauerstoff-Gemisch eine hoch chromhaltige Schmelze gefrischt, wobei durch eine Verminderung des Kohlenmonoxid-Partialdruckes im Gasgemisch während des Frischens eine Entkohlung bis auf „ELC"-Güten (Extra-Low-Carbon) möglich ist.

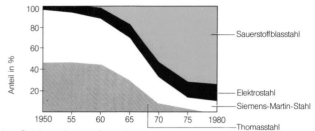

Abb. 1 Stahlherstellungsverfahren in der
Bundesrepublik Deutschland 1950–1980

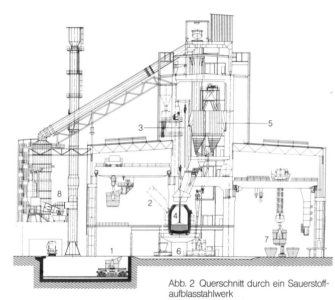

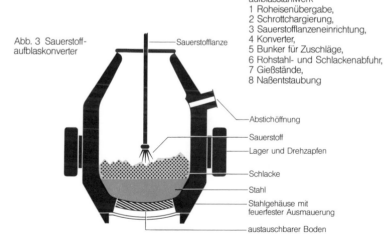

Abb. 3 Sauerstoff-
aufblaskonverter

Sauerstofflanze

Abstichöffnung

Sauerstoff

Lager und Drehzapfen

Schlacke

Stahl

Stahlgehäuse mit
feuerfester Ausmauerung

austauschbarer Boden

Abb. 2 Querschnitt durch ein Sauerstoffaufblasstahlwerk
1 Roheisenübergabe,
2 Schrottchargierung,
3 Sauerstofflanzeneinrichtung,
4 Konverter,
5 Bunker für Zuschläge,
6 Rohstahl- und Schlackenabfuhr,
7 Gießstände,
8 Naßentstaubung

Stahlherstellung II

Herstellung von Siemens-Martin-Stahl: Obwohl das Siemens-Martin-Verfahren an Bedeutung verliert (Abb. 1; Produktivität zu gering, Entstaubungsanlagen aus Umweltschutzgründen sehr kostenaufwendig), wird weltweit noch immer eine beträchtliche Menge Stahl nach diesem Verfahren erzeugt. Das Kernstück des Stahlwerkes, das diesen Stahl herstellt, ist der *Siemens-Martin-Ofen* (Abb. 4). In die Herdmulde werden das Roheisen und der zu verarbeitende Schrott in fester Form durch einen Kran eingebracht. Dann wird oberhalb dieser Mulde ein Gas-Luft-Gemisch entzündet; bei der Temperatur von etwa 1500 °C schmilzt das Eisen. Das zur Verbrennung verwendete Gas wird dabei durch eine *Regenerativfeuerung* vorgewärmt (Abb. 5). Dabei strömt das Gas zusammen mit der zur Verbrennung notwendigen Luft auf der einen Seite des Ofens ein und wird in der heißen Heizkammer vorgewärmt. Über der Herdmulde verbrennt dieses Gas-Luft-Gemisch; die heißen Abgase strömen durch Kanäle auf der anderen Seite des Ofens zum Schornstein. Einen großen Teil ihrer Wärme geben sie jedoch vorher an ausgemauerte, zunächst kalte Heizkammern ab. Die Ausmauerung besteht aus feuerfesten Steinen, die auf Rotglut erhitzt werden. Dann wird die Gaszufuhr umgesteuert (Regenerativfeuerung), d. h., der Eintritt erfolgt nun durch die jetzt heißen Kammern, die ihre Wärme an das einströmende Gas und die Luft abgeben und diese stark erwärmen. Dadurch kann man die Brenntemperatur der Flamme stark erhöhen. Der Sauerstoff, den man zum Frischen, also zur Oxidierung der unerwünschten Beimengungen des Roheisens braucht, wird der Verbrennungsluft entnommen. Wegen des Herdcharakters des Siemens-Martin-Ofens spricht man hierbei von *Herdfrischen.*

Die bei diesem Herdfrischverfahren entstehende Schlacke, die aus den Oxiden der Verunreinigungen und Beimengungen zusammengesetzt ist, schwimmt in flüssigem Zustand auf der Stahlschmelze. Die eisen- und manganreiche Stahlwerksschlacke wird nach dem Erkalten in Schlackenbetten wieder aufgenommen, gebrochen, klassiert und dem Hochofenmöller zugesetzt.

Herstellung von Elektrostahl: Ein weiteres Verfahren, bei dem Flußstahl von besonders großer Reinheit (Edelstahl) erschmolzen wird, ist das Elektrostahlverfahren. Eisenschrott ist normalerweise die Basis eines Elektrostahlwerkes. Früher hat man als Rohmaterial auch flüssigen Siemens-Martin-Stahl eingesetzt, der bei der Nachbehandlung im Elektro-Lichtbogenofen gereinigt wurde. Stahlschrott kann gemeinsam mit festem Roheisen, das in Form von Masseln zur Verfügung steht, über einen Schrottkorb bei weggeschwenktem Ofendeckel in das Ofengefäß, das feuerfest ausgekleidet ist, eingesetzt werden. Die Schmelzwärme im Ofen wird entwickelt durch den elektrischen Lichtbogen, der sich zwischen den Graphitelektroden und der Beschickung ausbildet.

Der Einsatz von gasförmigem Sauerstoff in den Lichtbogenofen hat zu erheblichen Leistungssteigerungen geführt. Bei einer Weiterentwicklung des Elektro-Lichtbogenofenverfahrens werden zur Unterstützung der Einschmelzarbeit zusätzlich Öl-Sauerstoff-Brenner in der in Abb. 6 gezeigten Anordnung eingebaut. Dadurch wird die Einschmelzdauer um rund 20 Minuten verkürzt und gleichzeitig der Wandverschleiß und der Elektrodenverbrauch verringert. Der Verbrauch von feuerfesten Stoffen wird durch Wasserkühlelemente in der Ofenwand, die z. T. austauschbar sind, erniedrigt.

Im Elektrostahlwerk setzt sich zunehmend die Zwei-Stufen-Erzeugung durch. Dabei wird dem Elektro-Lichtbogenofen im wesentlichen die Aufgabe eines Einschmelzaggregates zugewiesen. Darüber hinaus wird in diesem Ofen nur die Entphosphorung und die teilweise oder volle Frischarbeit durchgeführt. Desoxidation, Entschwefelung und Fertiglegierungen werden in eine zweite Prozeßstufe verlegt. Die zweite Verfahrensstufe wird in einer Gießpfanne ausgeführt. Dadurch sind Kapazitätssteigerungen von 30 bis 50 % infolge verkürzter Schmelzenfolgezeiten möglich.

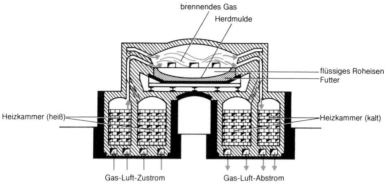

Abb. 4 Siemens-Martin-Ofen

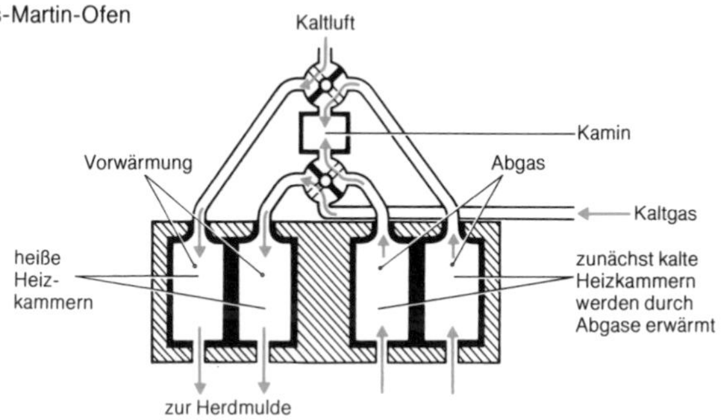

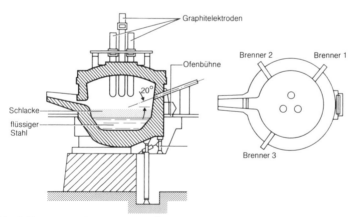

Abb. 5 Schema der Regenerativfeuerung

Abb. 6 Einsatz von Zusatzbrennern (Öl-Sauerstoff-Brennern) im Elektrolichtbogenofen

Rösten von Erzen

Die Erze bzw. Konzentrate der schweren Nutzmetalle Kupfer, Blei, Zink und Nickel (nicht aber von Eisen und Zinn) sind vorwiegend sulfidischer Natur. Um die Konzentrate mit Kohlenstoff reduzieren oder mit verdünnten Säuren in Lösung bringen zu können, muß der Schwefel ganz oder teilweise entfernt werden. Dies geschieht durch Rösten, eine Wärmebehandlung in oxidierender Atmosphäre, die allgemein nach der Formel

$$MS + \tfrac{3}{2}O_2 \rightarrow MO + SO_2$$

abläuft (wobei für M ein beliebiges zweiwertiges Metall eingesetzt werden kann). Die Röstung führt zu Metalloxid und Schwefeldioxidgas, das üblicherweise zu Schwefelsäure verarbeitet wird. Wenn der Röstvorgang durch Zünden einmal eingeleitet ist, läuft er unter Wärmeentwicklung ohne weitere Brennstoffzufuhr ab. Arsen und Antimon werden, falls vorhanden, beim Rösten ebenfalls beseitigt. Im weiteren Sinne versteht man unter Rösten auch die Abspaltung von Kohlensäure aus karbonatischen Erzen. Der Röstprozeß wird je nach der Weiterverarbeitung des Röstgutes so geführt, daß danach das gesamte Metall als Oxid vorliegt (totrösten) oder daß nur ein Teil des Metalls in die Oxidform übergeführt wird, während der Rest an Schwefel gebunden bleibt (partielles Rösten). Schließlich kann der Röstvorgang durch Veränderung der zugeführten Luftmenge und der Temperatur auch so beeinflußt werden, daß weitgehend das Sulfat des betreffenden Metalls oder durch Zugabe von Chloridsalzen oder Chlorgas das Chlorid gebildet wird (sulfatisierendes bzw. chlorierendes Rösten).

Die in Anwendung stehenden Röstverfahren sind mannigfaltig. Der Mehretagenröstofen (Typ Herreshoff-Wedge; Abb. 1) hat mehrere tellerförmige Herde übereinander mit darüberlaufenden, an einer zentralen Welle befestigten Krählarmen. Das abzuröstende feine Gut wird am äußeren Rand des obersten Tellers aufgegeben, von den Krählern zur Mitte geschoben, fällt dort auf den nächsttieferen Herd, wo es von den in umgekehrter Richtung arbeitenden Krählern wieder nach außen befördert wird und so fort. Dabei röstet der Schwefel ab.

Beim Schweberösten erfolgt das Abrösten von feingemahlenem schwefelreichem Konzentrat während des Herabfallens in einer hocherhitzten Verbrennungskammer. Das Konzentrat wird zusammen mit der vorgewärmten Verbrennungsluft oben in den Ofenschacht eingeblasen. Dieser Prozeß wird auch als Blitzröstung (Flash-roasting; Abb. 2) bezeichnet, weil sich die Abröstung in wenigen Sekunden vollzieht.

Bei der Wirbelschichtröstung (Fluosolidröstung; Abb. 3) wird das abzuröstende Gut durch Luft, die mit einer bestimmten Geschwindigkeit von unten durch einen Rost geblasen wird, in einem turbulenten Schwebezustand gehalten. Das dicht über dem Wirbelbett kontinuierlich eingetragene Gut wird sehr rasch gleichmäßig verteilt und abgeröstet. Ein Teil des fertigen Materials verläßt die Kammer durch einen Überlauf, ein anderer Teil als Flugstaub mit den Abgasen. Das Verfahren ist besonders leistungsfähig und wird in zunehmendem Maße angewendet.

Im Drehrohrofen, einem schwach geneigt liegenden, feuerfest ausgekleideten Rohr mit äußerem Drehantrieb (Abb. 4), wird das zu röstende Material durch die Drehbewegung des Ofens von dessen oberem zum unteren Ende befördert und dabei abgeröstet. Bei den genannten Röstverfahren fällt das abgeröstete Gut in Pulverform an, wie es für die Verarbeitung im Flammofen oder durch Laugung erforderlich ist. Zum Einsatz im Schachtofen benötigt man jedoch stückiges Material. Auf dem Sinterband (Abb. 5; nach Dwight-Lloyd) oder der runden Sintermaschine (von Schlippenbach) findet neben dem Rösten ein Zusammenbacken (Sintern) der oberflächlich geschmolzenen Teilchen statt, so daß ein fester poröser Sinter entsteht. Durch die auf einem Wanderrost befindliche Erz- bzw. Konzentratschicht wird Röstluft von oben nach unten hindurchgesaugt (Saugzugsinterung) oder von unten nach oben hindurchgepreßt (Drucksinterung). Nach der Aufgabe wird das Gut zur Einleitung des Röstprozesses unter einer Haube durch eine Gas-, Öl- oder Kohlenstaubflamme gezündet.

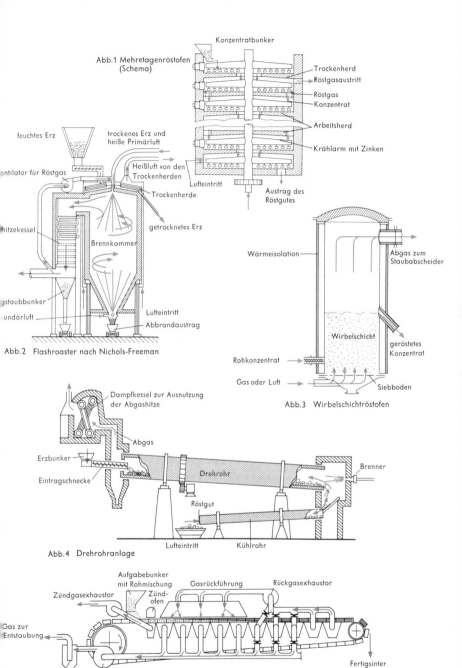

Abb.1 Mehretagenröstofen (Schema)

Konzentratbunker

Trockenherd
Röstgasaustritt
Röstgas
Konzentrat
Arbeitsherd
Krählarm mit Zinken
Lufteintritt
Austrag des Röstgutes

feuchtes Erz
trockenes Erz und heiße Primärluft
ntilator für Röstgas
Heißluft von den Trockenherden
Trockenherde
getrocknetes Erz
hitzekessel
Brennkammer
gstaubbunker
undärluft
Lufteintritt
Abbrandaustrag

Abb.2 Flashroaster nach Nichols-Freeman

Wärmeisolation
Abgas zum Staubabscheider
Wirbelschicht
geröstetes Konzentrat
Rohkonzentrat
Gas oder Luft
Siebboden

Abb.3 Wirbelschichtröstofen

Dampfkessel zur Ausnutzung der Abgashitze
Abgas
Erzbunker
Eintragschnecke
Drehrohr
Brenner
Röstgut
Lufteintritt
Kühlrohr

Abb.4 Drehrohranlage

Aufgabebunker mit Rohmischung
Gasrückführung
Rückgasexhaustor
Zündgasexhaustor
Zündofen
Gas zur Entstaubung
Wasserverschluß
Exhaustor
Fertigsinter

Abb.5 Bandsinteranlage mit Rückgas

511

Bleigewinnung

Blei liegt in den meisten Bleierzen an Schwefel gebunden als silberhaltiger Bleiglanz (PbS) vor. Die Erze enthalten gewöhnlich nur wenige Prozent Blei und sind mit Zinkblende, Kupfer- und Schwefelkies und anderen Mineralen vergesellschaftet. Deshalb werden sie zunächst durch Flotation (s. S. 498 ff.) angereichert, wobei eine weitgehende Trennung von Bleiglanz und Zinkblende erreicht wird. Das dabei erhaltene Bleikonzentrat kann bis zu 80 % Pb enthalten. Die Verarbeitung erfolgt überwiegend durch Rösten und anschließende Reduktion im Schachtofen (Abb. 1). Um die Bildung von Bleikupferstein, einem Gemisch von Schwefelverbindungen des Bleis, Kupfers und Eisens, im Schachtofen gering zu halten, muß das Konzentrat bis unter 1 % Schwefelgehalt abgeröstet oder totgeröstet werden. Dies erreicht man durch einen zweistufigen Röstprozeß oder durch eine einstufige Sinterröstung unter teilweiser Rückführung des bereits vorgerösteten Gutes. Der Röstprozeß muß mit einer Sinterung verbunden sein, weil im Schachtofen zur Erhaltung der Luftdurchlässigkeit nur stükkiges Material aufgegeben werden kann. Das gesinterte und entschwefelte Konzentrat, in dem das Blei nun als Bleioxid (PbO) vorliegt, wird im Schachtofen (Abb. 2), der einen runden oder rechteckigen Querschnitt haben kann, mit Koks als Reduktionsmittel und Brennstoff verschmolzen.

Unreines Blei *(Werkblei)* und Schlacke sammeln sich im unteren Teil des Ofens an; die spezifisch leichtere Schlacke fließt kontinuierlich in einen Vorherd, wo sich möglicherweise gebildeter Stein und mitgerissenes Werkblei absetzen. Das spezifisch schwerere Blei wird vom Ofenboden über einen Siphon fortlaufend in einen Kessel abgezogen.

Da das Werkblei noch eine Reihe von Verunreinigungen wie Kupfer, Antimon, Arsen, Zinn, Wismut und Edelmetalle, vor allem Silber, enthält, muß es zur Herstellung von technisch reinem Blei (Original-Hütten-Weichblei) raffiniert werden. Das im Werkblei enthaltene Kupfer scheidet sich bereits weitgehend bei der Abkühlung des Bleis im Kessel zusammen mit anderen Verunreinigungen, so Schwefel, Arsen und etwas Bleioxid, als Kupferschlicker ab. Durch Einrühren von Schwefel kann das restliche Kupfer entfernt werden.

Die Beseitigung von Antimon, Zinn und Arsen erfolgt durch selektive Oxidation dieser Verunreinigungen in einem Flammofen oder nach dem *Harris-Verfahren.* Hierbei werden mit Hilfe einer speziellen Apparatur Ätznatron, Kochsalz und Salpeter mit der Bleischmelze in Berührung gebracht, wobei sich salzartige Verbindungen von Antimon, Zinn und Arsen bilden, die getrennt aufgearbeitet werden.

Zur Entsilberung des vorraffinierten Werkbleis bedient man sich vorwiegend des *Parkes-Verfahrens.* In das im Kessel befindliche geschmolzene Blei wird bei etwa 450 °C metallisches Zink eingerührt. Dieses löst sich im Blei, und beim Abkühlen des Bades scheiden sich infolge abnehmender Löslichkeit Zink-Silber-Mischkristalle aus, die sich als spezifisch leichterer Schaum auf dem Bleibad absetzen und abgehoben werden. Das Blei wird nun durch Abdestillieren des Zinks im Vakuum oder andere Maßnahmen fertigraffiniert. Aus dem silberhaltigen Schaum wird durch Abdestillieren des Zinks und Oxidieren des Bleis im Treibeprozeß das Silber gewonnen (Abb. 3).

Wenn das raffinierte Blei das bei der Weiterverarbeitung störende Element Wismut enthält, muß dieses entweder durch Bildung einer intermetallischen Verbindung oder durch Elektrolyse entfernt werden. Beim *Kroll-Betterton-Verfahren* erzeugt man durch Zugabe von Calcium und Magnesium eine spezifisch leichtere Legierung aus Wismut, Calcium und Magnesium, die als Schaum abgezogen werden kann. Beim *Jollivet-Pennaroya-Prozeß* besteht diese Legierung aus Wismut, Kalium und Magnesium.

Die elektrolytische Raffination in kieselfluorwasserstoffsaurer Lösung ist nur bei Wismutgehalten über 0,5 % wirtschaftlich. Sie erbringt neben *Elektrolytblei* einen Anodenschlamm, der nach Vorbehandlung auf Elektrolytwismut verarbeitet werden kann.

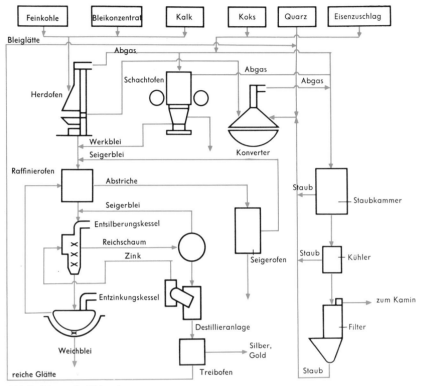

Abb.1 Schema der Bleigewinnung

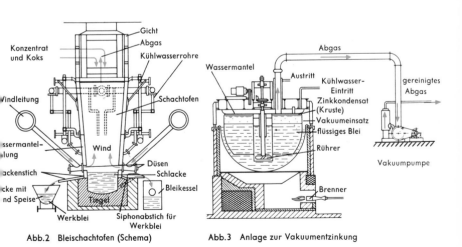

Abb.2 Bleischachtofen (Schema)

Abb.3 Anlage zur Vakuumentzinkung

Kupfergewinnung

Kupfer (Cu) wird überwiegend aus sulfidischen Erzen gewonnen, die nur 1 bis 2 %, häufig auch nur 0,7 % Cu enthalten. Durch Flotation (s. S. 498) lassen sich daraus Konzentrate mit 15 bis 35 % Cu herstellen. Aus wirtschaftlichen und technischen Gründen reichert man das Kupfer zunächst in einem sulfidischen Zwischenprodukt, dem sogenannten Kupferstein, weiter an. Dieses im wesentlichen aus Kupfer (35 bis 50 %), Eisen und Schwefel bestehende Zwischenprodukt erschmilzt man in großen Flammöfen *(pyrometallurgische Kupfergewinnung)*. Die Konzentrate werden vorher in Mehretagenöfen nur soweit abgeröstet, daß beim Steinschmelzen das gesamte Kupfer und ein Teil des Eisens an Schwefel gebunden werden können (Abb. 1). In manchen Fällen können die Konzentrate ohne Vorröstung in den Flammöfen gegeben werden, weil während des Einschmelzens genügend Schwefel verbrennt. Im naturgas-, öl- oder kohlenstaubbeheizten Flammofen (Abb. 2) entsteht neben dem spezifisch schwereren Kupferstein, der sich am Herdboden absetzt und von dort periodisch abgestochen wird, eine spezifisch leichtere Schlacke, vorwiegend aus Kieselsäure und den Oxiden des Eisens, Calciums, Magnesiums und Aluminiums bestehend, die oberhalb des Kupfersteins durch den Schlackenstich abfließt.

Der schmelzflüssige Kupferstein wird in einen Konverter gefüllt, in den zur Entfernung des Eisens und Schwefels durch seitlich angebrachte Düsen Preßluft eingeblasen wird (Abb. 3). Zunächst wird das Eisen oxidiert und bildet mit silicatischen Zuschlägen eine Schlacke, die abgegossen wird. Durch weiteres Verblasen verbrennt ein Teil des an Kupfer gebundenen Schwefels, so daß Kupferoxid und Kupfersulfid nebeneinander vorliegen. Durch die Röstreaktion

$$2\,Cu_2O + Cu_2S \longrightarrow 6\,Cu + SO_2$$

bilden sich metallisches Kupfer und Schwefeldioxid. Die schwefeldioxidreichen Abgase der Konverterarbeit werden in der Konverterhaube aufgefangen und der Schwefelsäurefabrik zugeführt. Nach neueren Verfahren erfolgen sowohl Steinarbeit wie Rohkupfererzeugung in einem Aufblaskonverter. Das im Konverter erblasene Rohkupfer, wegen seiner Farbe auch als Schwarzkupfer bezeichnet, wird in kleineren Flammöfen raffiniert, um metallische Verunreinigungen sowie Sauerstoff und restlichen Schwefel zu beseitigen. Durch Einblasen von Luft in die Schmelze werden die Verunreinigungen, die unedler als das Kupfer sind, verflüchtigt oder verschlackt. In die abgeschlackte Schmelze wird Reduktionsgas eingeleitet, wodurch das Metall entgast und somit zäh und verformbar wird.

Der Gehalt des Kupfers an Nickel und Edelmetallen erfordert gewöhnlich noch eine weitere Raffination durch Elektrolyse (Abb. 4). Gegossenen Anoden aus dem vorraffinierten Kupfer hängen im schwefelsauren Elektrolyten dünne Bleche aus reinem Kupfer als Kathoden gegenüber, an denen sich unter Einwirkung des elektrischen Stroms reines *Elektrolytkupfer* mit 99,97 % Cu abscheidet. Aus einem Teil des Elektrolyten, der zur Reinigung abgezweigt wird, gewinnt man Nickelsulfat. Im Anodenschlamm sammeln sich die Edelmetalle an und werden durch spezielle Verfahren aufbereitet. Das Elektrolytkupfer kommt in Form zerschnittener Kathoden oder eingeschmolzen zu Drahtbarren, Walzplatten und anderen Formaten in den Handel.

Aus geeigneten armen Erzen kann das Kupfer auch auf nassem Wege durch Laugen und Fällen abgetrennt werden. Oxidische Erze kann man unmittelbar laugen, sulfidischen Erzen muß eine sulfatisierende oder chlorierende Röstung vorausgehen, um das Kupfer in eine laugbare Verbindung zu bringen. Aus der (angereicherten) Lösung wird das Kupfer elektrolytisch abgeschieden. Bestimmte, insbesondere komplexe Kupfer-, Nickel-, Kobalterze werden neuerdings durch Laugung und Fällung unter Druck im Autoklaven aufgeschlossen.

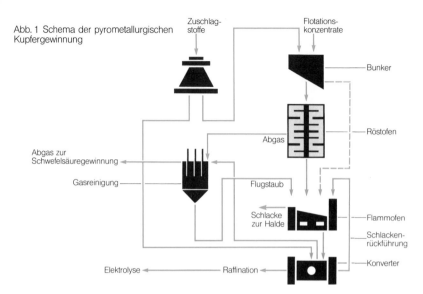

Abb. 1 Schema der pyrometallurgischen Kupfergewinnung

Zuschlagstoffe

Flotationskonzentrate

Bunker

Röstofen

Abgas

Abgas zur Schwefelsäuregewinnung

Gasreinigung

Flugstaub

Schlacke zur Halde

Flammofen

Schlackenrückführung

Elektrolyse

Raffination

Konverter

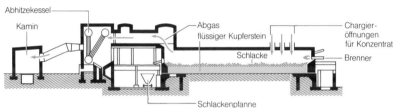

Abb. 2 Kupferflammofen

Abhitzekessel

Kamin

Abgas
flüssiger Kupferstein

Chargieröffnungen
für Konzentrat

Schlacke

Brenner

Schlackenpfanne

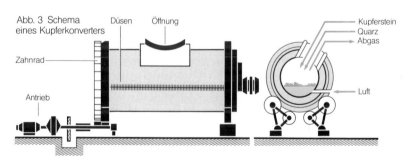

Abb. 3 Schema eines Kupferkonverters

Düsen   Öffnung

Kupferstein
Quarz
Abgas

Zahnrad

Antrieb

Luft

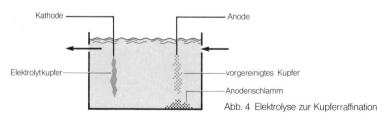

Kathode

Anode

Elektrolytkupfer

vorgereinigtes Kupfer

Anodenschlamm

Abb. 4 Elektrolyse zur Kupferraffination

Aluminiumgewinnung

Aluminiumoxid ist in Ton, Kaolin und anderen Gesteinen so weit verbreitet, daß der Rohstoff zur Aluminiumerzeugung praktisch unerschöpflich ist. Aus vorwiegend wirtschaftlichen Gründen geht man bisher fast ausschließlich von Bauxit aus, einem Verwitterungsgestein, das neben 55 bis 65 % Aluminiumoxid noch Eisenoxid, Kieselsäure und Titanoxid in wechselnden Beimengungen enthält. Die Aufarbeitung des Bauxits erfolgt zweistufig, wobei man zunächst reines Aluminiumoxid (Al_2O_3) herstellt, das dann durch Schmelzflußelektrolyse in Aluminium und Sauerstoff zerlegt wird.

Die wichtigste Art zur Herstellung von Aluminiumoxid ist das *Bayer-Verfahren* (Abb. 1). Der Bauxit wird getrocknet, feingemahlen und im Autoklaven mit Natronlauge aufgeschlossen. Dabei geht das Aluminium als Natriumaluminat ($NaAlO_2$) in Lösung, während Eisenoxid, Titanoxid und Kieselsäure ungelöst im sogenannten Rotschlamm verbleiben.

Nach dem Filtrieren wird durch Impfen mit Aluminiumhydroxid und Ausrühren das Aluminium als Aluminiumhydroxid ($Al[OH]_3$) gefällt. Es wird abfiltriert und durch Glühen in Drehöfen zu Aluminiumoxid, auch Tonerde genannt, kalziniert. Die Herstellung dieses reinen Oxids ist erforderlich, weil andernfalls Eisen, Titan und Silicium bei der anschließenden Schmelzflußelektrolyse im Aluminiummetall enthalten wären.

Die Zerlegung des Aluminiumoxids erfolgt in Schmelzflußelektrolyseöfen. Da das reine Aluminiumoxid einen sehr hohen Schmelzpunkt von $2045\,°C$ hat, erfolgt die Verarbeitung in Form einer Lösung in geschmolzenem Kryolith, in dem es bereits bei Temperaturen von 950 bis $970\,°C$ verarbeitet werden kann. Als Elektrolysierzellen (Abb. 2) dienen mit Kohlenstoffsteinen ausgekleidete Wannen, in die von oben blockförmige Anoden hineinragen. Der Kohleboden bildet die Kathode. Als Anoden werden zwei Typen von Kohleelektroden verwendet: vorgebrannte Anoden aus reinsten Ausgangsstoffen wie Pechkoks, Petrolkoks oder Reinstkoks, oder selbstbackende Elektroden (Söderberg-Anoden), bei denen die Kohlemasse in einem Aluminiummantel eingefüllt wird und während des Nachrutschens durch die Ofenhitze und den Stromdurchgang zu fester Anodenmasse zusammengebacken wird. Als schmelzflüssiger Elektrolyt befindet sich in der Zelle Kryolith, ein Natrium-Aluminium-Fluorid (Na_3AlF_6). In diese Schmelze wird Aluminiumoxid in regelmäßigen Abständen aufgegeben und unter Einwirkung des elektrischen Stromes in Aluminium und Sauerstoff zerlegt. Der Sauerstoff setzt sich mit der Anodenkohle zu CO und CO_2 um, die oben aus der Zelle entfernt werden. Auf dem Boden der Zelle sammelt sich das geschmolzene Aluminium und wird von Zeit zu Zeit abgestochen oder abgesaugt und vergossen. In regelmäßigen Abständen wird Aluminiumoxid nachgesetzt und so die Elektrolyse fortlaufend betrieben. Aus 4 t Bauxit erhält man rund 2 t Aluminiumoxid und daraus 1 t Metall mit 99,5 bis 99,9 % Aluminium. Für die meisten Anwendungsgebiete genügt dieser Reinheitsgrad, in einzelnen Fällen ist jedoch eine Raffination notwendig.

Das heute wichtigste *Raffinationsverfahren* ist die Dreischichtenelektrolyse (Abb. 3). Die hierfür verwendete Elektrolysierzelle hat einen Kohleboden und Magnesitwände. Der Kohleboden ist im Gegensatz zur Schmelzflußelektrolyse als Anode geschaltet. Als Kathode ragt eine Graphitelektrode von oben in die Zelle. Das zu reinigende Aluminium wird zur Erhöhung seines spezifischen Gewichtes mit Kupfer oder auch anderen Metallen legiert und geschmolzen in die Zelle eingesetzt. Darüber befindet sich eine Salzschmelze, die spezifisch leichter ist als diese Legierung, aber schwerer als reines Aluminium. Unter dem Einfluß des elektrischen Stromes geht nur das reine Aluminium von der Anode zur Kathode, d. h., es sammelt sich als oberste Schicht über der Salzschmelze an. Das 99,99 bis 99,999 % reine Metall wird von Zeit zu Zeit entfernt und zu handelsüblichen Formaten vergossen.

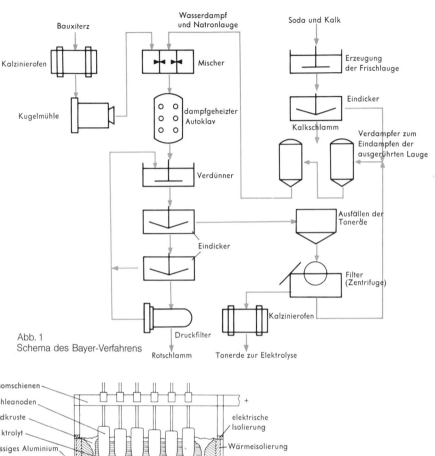

Bauxiterz — **Kalzinierofen** — **Kugelmühle**

Wasserdampf und Natronlauge — **Mischer**

dampfgeheizter Autoklav

Verdünner

Eindicker

Druckfilter

Abb. 1
Schema des Bayer-Verfahrens

Rotschlamm

Soda und Kalk — **Erzeugung der Frischlauge**

Eindicker — **Kalkschlamm**

Verdampfer zum Eindampfen der ausgerührten Lauge

Ausfällen der Tonerde

Filter (Zentrifuge)

Kalzinierofen

Tonerde zur Elektrolyse

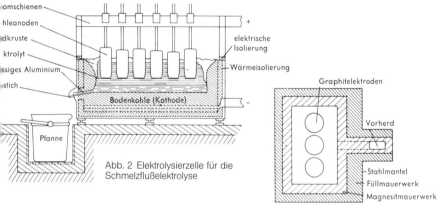

omschienen
hleanoden
dkruste
ktrolyt
ssiges Aluminium
stich

elektrische Isolierung
Wärmeisolierung
Bodenkohle (Kathode)
Pfanne

Abb. 2 Elektrolysierzelle für die Schmelzflußelektrolyse

Graphitelektroden
Vorherd
Stahlmantel
Füllmauerwerk
Magnesitmauerwerk

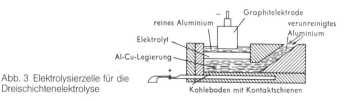

reines Aluminium
Elektrolyt
Al-Cu-Legierung

Graphitelektrode
verunreinigtes Aluminium

Abb. 3 Elektrolysierzelle für die Dreischichtenelektrolyse

Kohleboden mit Kontaktschienen

517

Kohleveredelung

Unter der Bezeichnung Kohleveredelung werden mechanische, thermische und chemische Verfahren, die zur Wertsteigerung der geförderten Kohle dienen, zusammengefaßt (Abb. 1).

Unter *Schwelung (Tief- oder Niedertemperaturentgasung)* versteht man das Erhitzen von Stein- oder Braunkohle unter Sauerstoffausschluß auf Temperaturen von 450 bis 600 °C. Dabei werden die flüchtigen und niedrigsiedenden Bestandteile (Kohlenwasserstoffe) unter Bildung von *Schwelgas, Schwelteer* und *Schwelwasser* aus der Kohle entfernt; als Rückstand verbleibt der feste *Schwelkoks*. Das Schwelgas enthält Methan (CH_4), Wasserstoff (H_2), Kohlenmonoxid (CO) und Kohlendioxid (CO_2) und wird als Heizgas verwendet (Heizwert etwa 7 bis 11 MJ/m^3). Der Braunkohlenschwelteer besteht v. a. aus Paraffinen und Olefinen, der Steinkohlenschwelteer aus Aromaten, insbes. Phenolen; auch das Schwelwasser enthält u. a. Phenole. Braunkohlenschwelkoks (Grudekoks) und Steinkohlenschwelkoks finden als Brennstoffe (Heizwert etwa 25 bis 30 MJ/kg) und zur Stromerzeugung Verwendung, z. T. auch als Reduktionsmittel bei der Erzverhüttung.

Die *Verkohlung (Hochtemperaturentgasung)* unterscheidet sich von der Schwelung durch die Anwendung höherer Temperaturen; dabei werden die aus den Kohlen ausgetriebenen flüchtigen Bestandteile z. T. thermisch gespalten und in neue Produkte umgewandelt. Die Verkokung wird in Kokereien (und Gaswerken) vorgenommen und dient heute v. a. zur Gewinnung von *Koks,* der als Reduktionsmittel bei der Erzverhüttung sowie als Brennstoff (Heizwert etwa 28,5 bis 30,5 MJ/kg) benötigt wird. Zur Verkokung wird die Kohle (v. a. Steinkohle) in Kammeröfen, die stets in größerer Anzahl zu „Koksofenbatterien" zusammengeschlossen sind, auf über 900 °C erhitzt (Abb. 2); dabei fällt neben dem Koks das *Kokereigas* (Rohgas) an, aus dem zunächst der *Teer* abgeschieden wird, aus dem man durch fraktionierte Destillation zahlreiche aromatische Verbindungen, v. a. Benzol, sowie als Rückstand Pech gewinnt. Danach wird das Gas durch Auswaschen mit Wasser von Ammoniak und organischen Basen, z. B. Pyridin, und durch Auswaschen mit Lösungsmitteln von restlichen aromatischen Verbindungen befreit. Das gereinigte und getrocknete Gas wird als Heizgas verwendet. Es besitzt einen Heizwert etwa 17 bis 19 MJ/m^3.

Als *Kohlehydrierung* oder *Kohleverflüssigung* bezeichnet man die Umsetzung von Stein- oder Braunkohle mit Wasserstoff zu flüssigen Kohlenwasserstoffen. Diese Reaktion diente in Deutschland zwischen 1927 und 1944 zur Gewinnung von Otto- und Dieselkraftstoffen aus Kohle; sie hat heute wegen der billigeren Gewinnung aus Erdöl kaum Bedeutung, bleibt aber im Hinblick auf die abnehmenden Erdölreserven interessant und wird in modernen Versuchsanlagen weiterentwickelt. Bei der Kohlehydrierung wird fein vermahlene, mit Schweröl oder Teer versetzte Kohle in Hochdrucköfen an Katalysatoren bei 410 bis 460 °C und 200 bis 700 bar mit Wasserstoff umgesetzt; durch fraktionierte Destillation und nochmalige Hydrierung bestimmter Fraktionen erhält man Benzin mit hoher Oktanzahl.

Als *Kohlevergasung* (Abb. 3) bezeichnet man die Umsetzung fester Brennstoffe (Kohle, Koks) mit einem Vergasungsmittel (Luft, Wasserdampf) zur Gewinnung von Heiz- oder Synthesegasen. Sie wird meist in einem schachtofenartigen Gaserzeuger (Generator) durchgeführt, in dem das Vergasungsmittel in den Brennstoff eingeblasen wird. Mit Luft bildet sich in den unteren Schichten zunächst unter Wärmeentwicklung Kohlendioxid, das von den darüberliegenden Schichten zu Kohlenmonoxid reduziert wird. Das erhaltene *Generatorgas* enthält 39 bis 53 % Stickstoff, 24 bis 29 % Kohlenmonoxid, 13 bis 15 % Wasserstoff, 6 bis 7 % Kohlendioxid und 0 bis 3 % Methan (Heizwert etwa 5 bis 6 MJ/m^3). Mit Wasserdampf entsteht unter Wärmeverbrauch das *Wassergas,* das aus 50 % Wasserstoff, 40 % Kohlenmonoxid, 5 % Stickstoff und 5 % Kohlendioxid besteht (Heizwert etwa 10 bis 12 MJ/m^3). Da die eine Reaktion unter Wärmeabgabe, die andere unter Wärmeverbrauch abläuft, werden beide Verfahren meist miteinander kombiniert; durch abwechselndes Einblasen von Luft *(Heißblasen)* und Wasserdampf *(Kaltblasen)* bzw. durch gleichzeitiges Einblasen von Luft und Wasserdampf wird dabei das sogenannte *Mischgas* erzeugt.

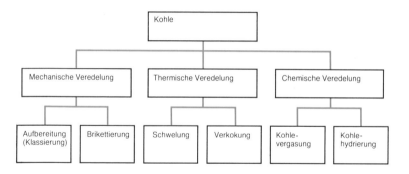

Abb. 1 Übersicht über Verfahren der Kohleveredelung

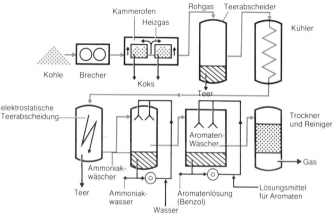

Abb. 2 Schema der Kohleverkokung

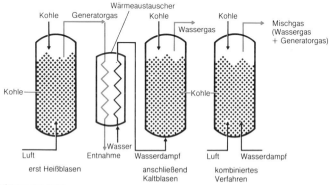

Abb. 3 Verfahren der Kohlevergasung

Erdölverarbeitung I

Erdöl ist ein hauptsächlich aus Kohlenwasserstoffen bestehendes, helles bis schwarzgrünes, dünn- bis dickflüssiges öliges Gemenge, das in unterirdischen Lagerstätten auftritt und unter dem in den Lagerstätten herrschenden Eigendruck oder mit Hilfe von Tiefpumpen bzw. durch Einpressen von Gasen über Steigrohre gefördert werden kann. Die Elementaranalyse verschiedener Erdölsorten ergibt als Hauptbestandteile etwa 80,4 bis 87% Kohlenstoff, 9,6 bis 13,8% Wasserstoff, 0 bis 3% Sauerstoff, 0 bis 5% Schwefel, 0 bis 2% Stickstoff sowie Spuren weiterer Elemente. Der Charakter der Erdöle wird v. a. durch die jeweils vorherrschende Kohlenwasserstoffgruppe bestimmt; als diese können *Paraffine* (gesättigte, geradkettige [n-Paraffine] oder verzweigte Kohlenwasserstoffe [Isoparaffine]), *Aromaten* (ungesättigte, cyclische Verbindungen) oder *Naphthene* (gesättigte, cyclische Verbindungen) auftreten. Die Verarbeitung des Erdöls dient der Gewinnung von Treibstoffen, Schmier- und Heizölen sowie auch in großem Umfang der Gewinnung von Rohstoffen für die chemische Industrie.

Die ersten Verarbeitungsschritte, denen das geförderte Erdöl unterworfen wird, sind Reinigungsprozesse wie das Abfiltrieren von Sand oder Schlamm, das Entfernen von gelösten Gasen (in sogenannten Gasabscheidern) und das Abtrennen von Wasser und gelösten Salzen (in sogenannten Naßöltanks). Danach gelangt das Rohöl zur Aufbereitung in die Raffinerie. Hier wird es allgemein zunächst einer *Destillation unter atmosphärischem Druck,* der sogenannten *Topdestillation,* unterworfen und dabei in Fraktionen unterschiedlicher Siedebereiche zerlegt (vgl. Abb. 1). Man erhitzt das Rohöl hierzu in Röhrenöfen auf etwa 370 °C und leitet die entstehenden Dämpfe in eine Destillationskolonne, aus der dann die Fraktionen unterschiedlicher Siedetemperatur in verschiedenen Höhen der Kolonne abgezogen werden. An der Spitze der Destillationskolonne entweichen die am leichtesten flüchtigen Erdölbestandteile als sogenannte *Topgase.* Danach folgt bei Temperaturen bis etwa 100 °C das *Leichtbenzin;* dieses enthält noch restliche gasförmige Bestandteile gelöst, von denen es in einer nachgeschalteten Stabilisierungskolonne befreit wird. Als weitere Fraktionen der atmosphärischen Destillation werden etwa zwischen 100 und 180 °C das *Schwerbenzin,* zwischen 180 und 250 °C das *Pe-*troleum und zwischen 250 und 350 °C das *Gasöl* gewonnen, die die höheren Kohlenwasserstoffe enthalten und ihrerseits wieder in zahlreiche Unterfraktionen zerlegt werden. Am Boden der Destillationskolonne sammeln sich diejenigen Bestandteile des Erdöls an, die erst oberhalb 350 °C sieden, sich jedoch bei diesen Temperaturen bereits zum Teil zersetzen. Dieser *Destillations-* oder *Toprückstand* wird entweder direkt als schweres Heizöl verwendet oder durch eine weitere *Destillation unter vermindertem Druck (Vakuumdestillation)* zu weiteren Produkten, insbesondere zu Schmierölen, verarbeitet. Der hierbei verbleibende Rückstand kann je nach dem eingesetzten Rohöl als Bitumen (für Straßenbeläge) oder als Zusatz zu schwerem Heizöl verwendet werden. Alle Destillate, einschließlich der Topgase, müssen vor der Abgabe an den Verbraucher oder vor der weiteren Verarbeitung einer Nachbehandlung (Raffination) unterworfen werden, um sie den Marktanforderungen hinsichtlich Lagerstabilität, Geruch und Farbe anzupassen, z. T. auch um korrosiv wirkende Komponenten und Katalysatorgifte (v. a. Schwefelverbindungen) zu entfernen.

Da der Bedarf an Treibstoffen, insbesondere hochwertigen Vergaserkraftstoffen (Motorenbenzinen) mit der immer stärker zunehmenden Motorisierung sprunghaft gestiegen ist und aus den bei der Topdestillation anfallenden Benzinfraktionen (den sogenannten *Straightrun-Benzinen*) nicht mehr ausreichend gedeckt werden kann, während gerade andere, insbesondere höhersiedende Erdölfraktionen in größerer Menge als benötigt anfallen, wurden mehrere Verfahren entwickelt, durch die die Ausbeute an qualitativ hochwertigen Motorenbenzinen gesteigert wird.

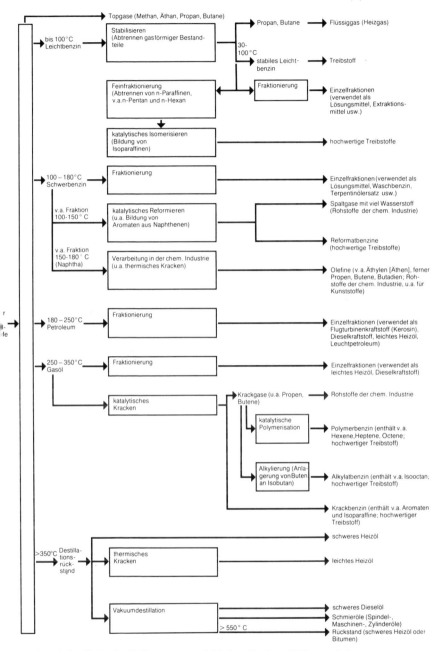

Abb. 1 Destillation des Erdöls unter atmosphärischem Druck und Weiterverarbeitung der erhaltenen Fraktionen

521

Erdölverarbeitung II

Eines dieser Verfahren ist das *Kracken*, d. h. das Spalten höhermolekularer Erdölbestandteile in niedrigermolekulare; dieses Verfahren läßt sich sowohl auf thermischem als auch auf katalytischem Wege durchführen. Als Ausgangsprodukte für die Krackprozesse eignen sich neben den höhersiedenden Erdölfraktionen (vor allem Gasöl) auch der Toprückstand der atmosphärischen Destillation sowie häufig auch unveränderte Rohöle. Das *thermische Kracken* hat für die Gewinnung von Benzin nur geringe Bedeutung erlangt, ist aber wichtig für die Verarbeitung von hochviskosen Erdölfraktionen (z. B. des Toprückstands), aus denen man auf diese Weise niederviskose, als leichte Heizöle geeignete Produkte erhält. Große Bedeutung für die Herstellung von Motorenbenzinen hat dagegen das *katalytische Kracken* gewonnen; es wird meist bei niedrigen Drücken (etwa 2 bar) und Temperaturen von etwa 550 °C in der Dampfphase durchgeführt; als Katalysatoren lassen sich aktivierte natürliche Tone, synthetische saure Aluminiumsilicate, Magnesium- und Molybdänsilicate verwenden. Die Reaktion wird meist im Wirbelschichtverfahren (Abb. 2) vorgenommen, wobei ein Teil des Katalysators ständig abgezogen und (durch Abbrennen des abgelagerten Kohlenstoffs) regeneriert wird. Das bei der Destillation der anfallenden Krackprodukte gewonnene Krackbenzin zeichnet sich durch eine hohe Oktanzahl aus; es enthält vor allem niedermolekulare aromatische Verbindungen und Isoparaffine, ferner Naphthene und in geringerem Maße auch Olefine.

Ein weiteres wichtiges Verfahren zur Gewinnung von hochwertigen Motorenbenzinen ist das *Reformieren*, bei dem wenig klopffeste Kohlenwasserstoffe (v. a. Paraffine und Naphthene) durch Isomerisierungs-, Cyclisierungs- und Aromatisierungsreaktionen in hochklopffeste Kohlenwasserstoffe (v. a. Isoparaffine, Aromaten und Olefine) umgewandelt werden. Durch dieses „Umformen" gelingt es z. B., aus Erdölen mit einem hohen Gehalt an Naphthenen und aus der als Motorenbenzin nicht verwendbaren Schwerbenzinfraktion aromatenreiche wertvolle Flug- und Motorenbenzine *(Reformate, Reformatbenzine)* mit Oktanzahlen zwischen 90 und 100 zu gewinnen. Als Nebenprodukte treten wasserstoffreiche, zu Synthesen geeignete Spaltgase auf. Das früher häufig angewandte *thermische Reformieren* spielt nur noch eine untergeordnete Rolle. Die meisten Verfahren verlaufen heute *katalytisch*, dabei lassen sich v. a. zwei Verfahren unterscheiden: Beim Reformieren nach dem Festbettverfahren (Abb. 3) wird ein feinkörniger, fest im Reaktionsgefäß auf einem Trägermaterial angebrachter Platinkatalysator verwendet *(Platforming)*, beim Reformieren nach dem Wirbelschichtverfahren besteht der Katalysator aus feinkörnigen Molybdän- und Aluminiumoxidteilchen oder Gemischen aus Kobalt-, Molybdän- und Aluminiumoxid, die von unten her vom Einsatzgut durchströmt werden *(Hydroforming, Hyperforming)*. Die Reaktion vollzieht sich bei Drücken zwischen 10 und 30 bar und Temperaturen von mehr als 500 °C. – Eine Variante des Reformierens ist das *katalytische Isomerisieren*, das v. a. dazu dient, die aus Leichtbenzin durch Feinfraktionierung isolierten *n*-Paraffine, die wegen ihrer niedrigen Oktanzahlen als Treibstoffe nicht geeignet sind, in Isoparaffine mit hoher Oktanzahl umzuwandeln.

Hochwertige Motorenbenzine können ferner aus den beim katalytischen Kracken als Nebenprodukte anfallenden olefinhaltigen Krackgasen durch katalytisch gesteuerte Polymerisation (Aufbau größerer Moleküle aus kleineren) zu sogenanntem *Polymerbenzin* bzw. durch Alkylierung (Einführung von Alkylgruppen, z. B. Methyl-, Äthyl-, Propylgruppen) zu sogenanntem *Alkylatbenzin* (enthält v. a. Isooctan) hergestellt werden.

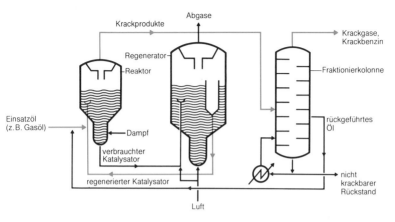

Abb. 2 Katalytisches Kracken höhersiedender
Erdölfraktionen in der Wirbelschicht

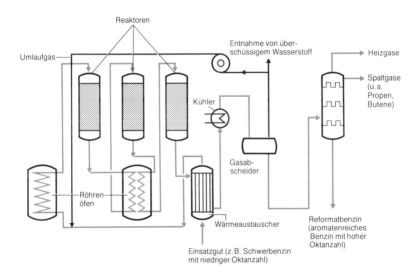

Abb. 3 Katalytisches Reformieren im Festbettverfahren

Erdgas

Erdgas ist ein vielfach mit Erdöl zusammen in der Erdrinde vorkommendes, jedoch auch allein in porösen Sanden enthaltenes Naturgas. Chemisch gesehen ist es ein Gasgemisch, das vor allem aus Methan (CH_4; 80–95%) besteht, daneben jedoch auch höhere gesättigte Kohlenwasserstoffe wie Äthan (C_2H_6), Propan (C_3H_8), Butan (C_4H_{10}) und Pentan (C_5H_{12}), ferner Kohlendioxid (CO_2), Stickstoff (N_2) und Schwefelwasserstoff (H_2S), z. T. auch beträchtliche Mengen an Edelgasen, insbesondere Helium (He), enthält. Man unterscheidet zwischen trockenem und nassem Erdgas. Von *trockenem Erdgas* spricht man bei Gas, das fast ausschließlich aus Methan besteht; sein Heizwert liegt zwischen 33 000 und 38 000 kJ/m³. *Nasse Erdgase* enthalten dagegen größere Mengen an höheren (kondensierbaren) Kohlenwasserstoffen. Trockene Erdgase fallen vor allem bei der Gewinnung aus reinen Gaslagerstätten aus nicht zu großen Tiefen an; sie erfordern vor der Weiterverwendung keine besonderen Reinigungsverfahren; lediglich der aus der Lagerstätte stammende Gehalt an Wasserdampf wird entfernt. Nasse Erdgase treten v. a. bei der Gewinnung von Erdgas aus Erdöllagerstätten in größeren Tiefen auf, bei denen die höheren Kohlenwasserstoffe unter dem dort herrschenden Druck in Erdöl gelöst vorliegen. Bei der Förderung des Erdöls und der Entspannung auf atmosphärischen Druck verdampfen diese Kohlenwasserstoffe wieder und gelangen ins Erdgas; sie werden vor der Verwendung des Erdgases entfernt und dienen v. a. zur Gewinnung von Flüssiggas. Will man eine vollständige Entfernung der höheren Kohlenwasserstoffe erzielen, so wird das geförderte Gas zunächst erneut komprimiert, gekühlt und anschließend entspannt. Die dabei auftretende zusätzliche Abkühlung bewirkt eine weitgehende Kondensation des Propans und der höheren Kohlenwasserstoffe und ermöglicht so die Abtrennung von den gasförmig bleibenden Bestandteilen Methan und Äthan. Weitere Trennungsmethoden arbeiten mit der Adsorption der höheren Kohlenwasserstoffe an Aktivkohle oder andere geeignete Adsorptionsmittel.

Enthält das geförderte Erdgas außer höheren Kohlenwasserstoffen noch weitere Bestandteile wie Schwefelwasserstoff, Kohlendioxid und Stickstoff, so muß es vor der Abgabe an den Verbraucher gereinigt werden; hierzu wird es durch Waschanlagen unterschiedlicher Bauart geleitet und dabei durch Behandeln mit Waschflüssigkeiten von den unerwünschten und schädlichen Nebenbestandteilen befreit. Durch anschließendes Erhitzen der Waschflüssigkeiten können die gelösten Bestandteile vielfach wieder ausgetrieben und die Lösungsmittel erneut in den Kreislauf gebracht werden. Ein größerer Gehalt an Schwefelwasserstoff läßt sich mit alkalischen Waschlösungen entfernen. Die Aufarbeitung dieser Lösungen liefert einen sehr reinen Schwefel, der sich gut verwerten läßt.

Neben der Gewinnung von Erdgas als Nebenprodukt bei der Erdölförderung besitzt heute die Gewinnung von Erdgas aus Erdgasquellen vielfach steigende Bedeutung. Um das gewonnene und notfalls bereits gereinigte Gas speichern zu können, werden ehemalige Gasfelder, deren Vorräte erschöpft sind, als unterirdische Erdgasspeicher verwendet. Das Fassungsvermögen dieser Speicher beträgt in einigen Fällen bis zu 1 Milliarde Kubikmeter.

Die heutige Erdgasförderung liefert einen entscheidenden Teil der Rohstoffe für die Energiegewinnung. Ein großer Teil des Erdgases wird über Fernleitungsnetze von den Förderstätten in die Industriezentren geleitet (oder auch gekühlt und komprimiert mit speziellen Tankschiffen transportiert) und für die Energieerzeugung sowie als Heizgas in Industrie und Haushalt verwendet. Steigende Bedeutung besitzt das Erdgas daneben auch als Rohstoff der chemischen Industrie. Hier wird es insbesondere durch partielle Verbrennung oder Umsetzen mit Wasserdampf in Kohlenoxid-Wasserstoff-Gemische (Synthesegase) übergeführt, die u. a. zur Herstellung von Methanol sowie zur Gewinnung von Wasserstoff dienen. Außerdem werden aus dem Methan des Erdgases zahlreiche als Zwischenprodukte der chemischen Industrie wichtige oder als Lösungs- bzw. Treibmittel verwendete Chemikalien hergestellt.

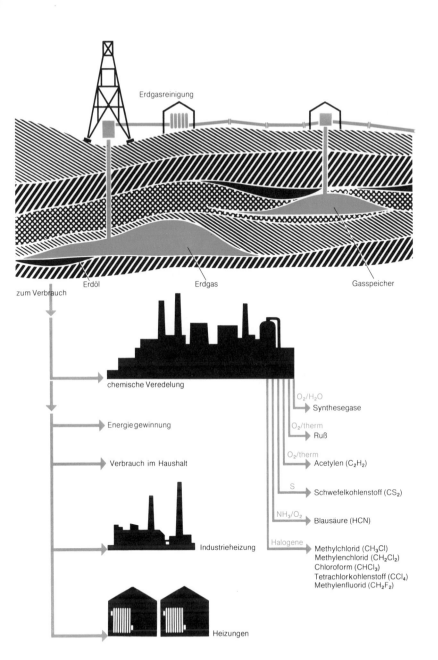

Erdgasreinigung

Erdöl
Erdgas
Gasspeicher

zum Verbrauch

chemische Veredelung

O_2/H_2O → Synthesegase

$O_2/therm$ → Ruß

$O_2/therm$ → Acetylen (C_2H_2)

Energiegewinnung

Verbrauch im Haushalt

S → Schwefelkohlenstoff (CS_2)

NH_3/O_2 → Blausäure (HCN)

Halogene → Methylchlorid (CH_3Cl)
Methylenchlorid (CH_2Cl_2)
Chloroform ($CHCl_3$)
Tetrachlorkohlenstoff (CCl_4)
Methylenfluorid (CH_2F_2)

Industrieheizung

Heizungen

Ammoniaksynthese

Ammoniak (NH_3) ist ein farbloses, stechend riechendes Gas, das sich leicht zu einer farblosen, stark lichtbrechenden Flüssigkeit mit einem Siedepunkt von etwa $-33\,°C$ verdichten läßt. Die hohe Verdampfungswärme von etwa 1370 kJ/kg (beim Siedepunkt) ermöglicht den Einsatz von Ammoniak in der Kälteindustrie. Besonders große Bedeutung hat Ammoniak als Ausgangsprodukt für die Herstellung von Stickstoffdüngemitteln (v. a. Ammoniumsalzen, Nitraten und Harnstoff) erlangt; daneben wird Ammoniak auch als wichtiger Grundstoff der chemischen Industrie für zahlreiche Umsetzungen benötigt.

Ammoniak wurde ursprünglich aus dem bei der Verkokung von Kohle (vgl. Kohleveredelung S. 518) als Nebenprodukt anfallenden Ammoniakwasser gewonnen. Heute wird es in großtechnischem Umfang vorzugsweise nach dem (erstmals 1913 in der BASF angewandten) *Haber-Bosch-Verfahren* hergestellt. Dabei erfolgt die Vereinigung der Elemente Stickstoff (N_2) und Wasserstoff (H_2) bei Drücken zwischen 150 und 350 bar und Temperaturen um $500\,°C$ in einer stark exothermen Reaktion ($\Delta H = -91,98$ kJ bei $0\,°C$ und 1 bar) gemäß der Gleichung

$$N_2 + 3\,H_2 \rightleftharpoons 2\,NH_3.$$

Als Katalysatoren werden mit Aluminium- und Kaliumoxid aktivierte Eisenkontakte verwendet. Neben dem Haber-Bosch-Verfahren kommen mehrere ähnliche Verfahren zur Anwendung, die sich in erster Linie in den verwendeten Druck- und Temperaturbereichen unterscheiden, z. B. das *Casale-Verfahren*, das bei Temperaturen von 450 bis $550\,°C$ und Drücken zwischen 700 und 800 bar arbeitet, und das *Claude-Verfahren*, das Temperaturen bis $600\,°C$ und Drücke bis 1000 bar einsetzt.

Als Synthesegas für die Ammoniaksynthese kann das durch Kohlevergasung (vgl. Kohleveredelung S. 518) im Generator gewonnene Mischgas verwendet werden, das v. a. Stickstoff und Wasserstoff, daneben jedoch auch Kohlenoxide sowie mehrere v. a. aus dem Koks stammende Nebenprodukte enthält. Bei der Aufarbeitung des Mischgases für die Ammoniaksynthese wird meist zunächst der als Katalysatorgift wirkende Schwefelwasserstoff durch Auswaschen mit geeigneten Lösungsmitteln, z. B. mit wäßrigen Lösungen von Alkalisalzen von Aminosäuren (Alkazidlauge), entfernt; danach wird das im verbleibenden Gasgemisch enthaltene Kohlenmonoxid durch Umsetzen mit Wasserdampf (sogenannte Konvertierung) an Eisenoxid-Chromoxid-Kontakten im Wasserstoffkontaktofen bei $500\,°C$ nach der Gleichung

$$CO + H_2O \rightleftharpoons CO_2 + H_2$$

in Kohlendioxid (Kohlensäure) überführt, das dann im Kohlensäurewäscher unter einem Druck von 25 bar mit Wasser ausgewaschen wird. Noch verbliebene Spuren an Kohlenmonoxid und Kohlendioxid werden zuletzt durch Auswaschen des Gases im Kohlenoxidwäscher mit ammoniakalischer Kupfer(I)-chloridlösung beseitigt. Heute verwendet man anstelle des aus der Kohlevergasung erhaltenen Synthesegases meist Wasserstoff, der aus gasförmigen Kohlenwasserstoffen (Erdgas, Krackgasen) durch katalytische Umsetzung mit Wasserdampf z. B. nach der Gleichung

$$CH_4 + 2\,H_2O \rightarrow CO_2 + 4\,H_2$$

(und Auswaschen des Kohlendioxids) erhalten wird, sowie durch Luftzerlegung gewonnenen Stickstoff. – Für die Synthesereaktion wird das gereinigte und auf das Mischungsverhältnis von $1\,N_2 : 3\,H_2$ eingestellte Synthesegas verdichtet und dem Kontaktofen zugeleitet. Dieser enthält in einem Druckrohr ein System von Wärmeaustauscherrohren und Kontaktrohren. An den Wärmeaustauschern nimmt das eintretende Gasgemisch zur Vorwärmung die Reaktionswärme des bereits umgesetzten Gases auf. Da die Reaktion unter Wärmeentwicklung abläuft, ist eine zusätzliche Heizung, wenn die Reaktion durch eine elektrische Heizvorrichtung in Gang gebracht worden ist, nicht mehr erforderlich. Unter den Reaktionsbedingungen werden 11% des eingesetzten Synthesegases zu Ammoniak umgesetzt. Das den Ofen verlassende Gasgemisch (Ammoniak und nicht umgesetztes Synthesegas) wird zunächst mit Wasser in einem Schlangenkühler abgekühlt und anschließend in einem Tiefkühler auf etwa $-30\,°C$ gekühlt, wobei sich das Ammoniak verflüssigt. Die Kälte im Tiefkühler wird durch Verdampfen von flüssigem Ammoniak erzeugt, das der Produktion entnommen wird. Das nicht umgesetzte Synthesegas wird mittels einer Umlaufpumpe wieder in den Kontaktofen zurückgeleitet.

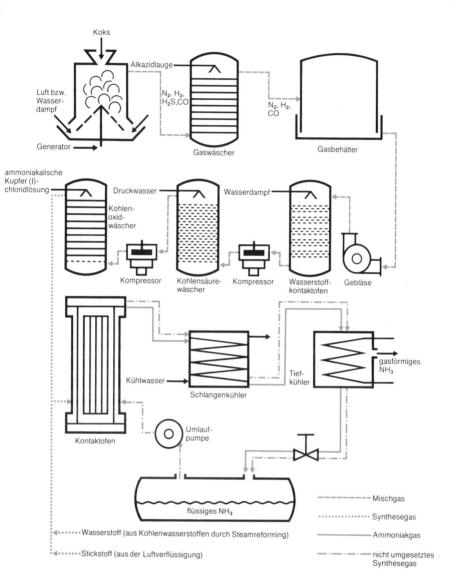

Koks

Alkazidlauge

Luft bzw. Wasserdampf

N_2, H_2, H_2S, CO

N_2, H_2, CO

Generator

Gaswäscher

Gasbehälter

ammoniakalische Kupfer (I)-chloridlösung

Druckwasser

Wasserdampf

Kohlenoxidwäscher

Kompressor

Kohlensäurewäscher

Kompressor

Wasserstoffkontaktofen

Gebläse

Kühlwasser

Schlangenkühler

Tiefkühler

gasförmiges NH_3

Kontaktofen

Umlaufpumpe

flüssiges NH_3

Wasserstoff (aus Kohlenwasserstoffen durch Steamreforming)

Stickstoff (aus der Luftverflüssigung)

Mischgas

Synthesegas

Ammoniakgas

nicht umgesetztes Synthesegas

Synthesegas und Methanolsynthese

Synthesegas: Gasgemische, die der großtechnischen Herstellung chemischer Verbindungen dienen, lassen sich allgemein als Synthesegase bezeichnen; im engeren Sinn versteht man jedoch unter Synthesegasen nur die vor allem aus Kohlenmonoxid und Wasserstoff (CO und H_2) bzw. aus Stickstoff und Wasserstoff (N_2 und H_2) bestehenden Gasgemische, die je nach ihrer mengenmäßigen Zusammensetzung und den bei ihrer Umsetzung angewandten Reaktionsbedingungen (z. B. unterschiedlicher Druck, Temperatur, Katalysator) zur Herstellung von Kohlenwasserstoffen, Alkoholen oder Aldehyden bzw. zur Ammoniaksynthese (s. S. 526) verwendet werden. Als Ausgangsstoffe zur Herstellung von Synthesegasen dienen kohlenstoff- bzw. kohlenwasserstoffhaltige Substanzen (Brennstoffe) wie Kohle, Koks, Erdöl und Erdgas, die bei erhöhter Temperatur durch katalytische Umsetzung mit Wasserdampf (mit oder ohne Zusatz von Sauerstoff) oder durch partielle Verbrennung mit Luft oder reinem Sauerstoff zu Gasen umgesetzt werden können; dabei laufen u. a. folgende Reaktionen ab:

$$C + H_2O \rightarrow CO + H_2$$
$$2C + O_2[+4N_2] \rightarrow 2CO[+4N_2]$$
$$CH_4 + H_2O \rightarrow CO + 3H_2$$
$$2CH_4 + O_2[+4N_2] \rightarrow 2CO + 4H_2$$
$$[+4N_2].$$

Neben Kohlenmonoxid, Wasserstoff und Stickstoff enthalten die rohen Synthesegase stets noch Verunreinigungen wie Ruß, nicht umgesetzte Kohlenwasserstoffe sowie, besonders bei der Vergasung von Kohle und Koks, Aschebestandteile, organische Verbindungen wie Naphthalin oder Phenol sowie v. a. Schwefelverbindungen, die bei der Weiterverarbeitung der Synthesegase meist stören und deshalb entfernt werden müssen. – Das nebenstehende Schema (Abb. 1) erläutert die Gewinnung von Synthesegas aus flüssigen und gasförmigen Kohlenwasserstoffen (zur Herstellung von Synthesegas durch Kohlevergasung, vgl. S. 518). Die Ausgangsprodukte wie Rohöl, Leichtbenzin, Flüssiggas oder Erdgas werden hier entweder flammenlos, z. B. an Platin-Nickel-Katalysatoren, oder durch partielle Verbrennung in einem Reaktor mit dem Sauerstoff bzw. dem Wasserdampf umgesetzt. Die dabei entstehenden Spaltgase werden zunächst durch einen Abhitzekessel geleitet und dienen dabei der Vorwärmung des Wasserdampfs. Anschließend wird in einer Druckwäsche der Ruß entfernt. Zu-

letzt wird das Synthesegas in einem Rieselkühler abgekühlt und in einer Nachbehandlung durch Reformieren von restlichen Kohlenwasserstoffen (z. B. nach $CH_4 + H_2O \rightarrow CO + 3H_2$) bzw. durch Konvertieren von Kohlenmonoxid (nach $CO + H_2O \rightarrow CO_2 + H_2$) befreit.

Methanolsynthese: Die Methanolsynthese ist eines der wichtigsten Beispiele für die Verwendung von Synthesegasen zur Herstellung technisch wichtiger Produkte. Methanol (CH_3OH), der einfachste Alkohol, ist eine farblose Flüssigkeit, er wird in der chemischen Industrie in großem Umfang als Ausgangsmaterial für viele Umsetzungen sowie als Lösungsmittel verwendet; ferner kann Methanol als Zusatz zu Treibstoffen sowie als Kältemittel gebraucht werden. Die Herstellung von Methanol aus Synthesegas erfolgt nach dem Schema $CO + 2H_2 \rightarrow CH_3OH$. Das im richtigen Mischungsverhältnis vorliegende Synthesegas wird in einem Reaktor mit durch Chromoxid aktivierten Kupfer- oder Zinkoxidkatalysatoren bei 250 bis 350 bar und etwa 320 bis 400 °C (Hochdruckverfahren) bzw. mit Kupfer-Zink-Chrom-Katalysatoren bei 50 bis 250 bar und 230 bis 280 °C (Niederdruckverfahren) umgesetzt. Das methanolhaltige Gas strömt zunächst durch einen Wärmeaustauscher, wo es von sogenanntem Restgas, d. h. nicht umgesetztem, zurückgeführtem Synthesegas, gekühlt wird. Anschließend wird das Methanol durch weiteres Kühlen mit Wasser kondensiert und in einem Abscheider vom nicht umgesetzten Restgas getrennt und zuletzt durch Destillation gereinigt.

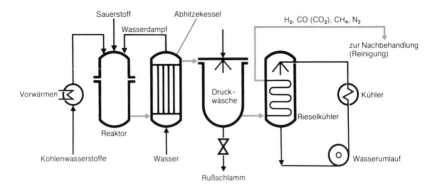

Abb. 1 Schema der Synthesegasgewinnung aus flüssigen oder gasförmigen
Kohlenwasserstoffen

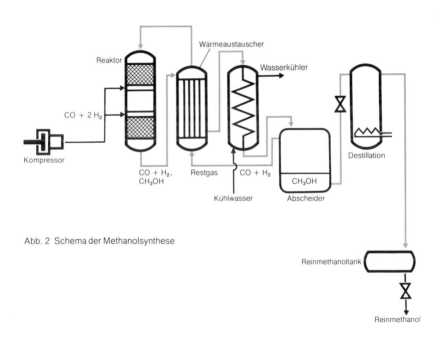

Abb. 2 Schema der Methanolsynthese

Kunststoffe I

Unter Kunststoffen versteht man allgemein aus makromolekularen organischen Verbindungen bestehende Werkstoffe, die durch Umwandlung von makromolekularen Naturprodukten oder durch Synthese aus niedermolekularen Substanzen hergestellt werden. Ihre Eigenschaften beruhen in erster Linie auf dem strukturellen Aufbau (lineare oder verzweigtkettige Gestalt, Größe) sowie dem Grad der Vernetzung ihrer Moleküle und erst in zweiter Linie auf der chemischen Zusammensetzung. Die Makromoleküle bestehen aus vielen, durch Atombindung zusammengehaltenen Grundmolekülen *(Monomeren)*, wobei die durchschnittliche Anzahl der in den Makromolekülen *(Polymeren)* enthaltenen Grundmoleküle als Polymerisationsgrad bezeichnet wird. Nach ihrem physikalischen Verhalten lassen sich die Kunststoffe in drei Gruppen einteilen: *Thermoplastische Kunststoffe (Thermoplaste, Plastomere)* erweichen beim Erwärmen und erhärten beim Abkühlen; sie können in plastischem Zustand verformt werden. *Duroplastische Kunststoffe (Duroplaste, Duromere)* sind durch eine Vernetzungsreaktion ausgehärtete Produkte, die sich bei Temperaturerhöhung nur wenig verändern. *Elastische Kunststoffe (Elaste, Elastomere)* sind elastisch stark verformbare Kunststoffe, die in bestimmten Temperaturbereichen thermoplastisch sind.

Bei der *Gewinnung* von Kunststoffen aus *makromolekularen Naturprodukten* spielen nur wenige Ausgangsmaterialien eine Rolle: Von den Polysacchariden hat lediglich die als Gerüstsubstanz der Pflanzen vorkommende *Zellulose* Bedeutung erlangt; sie kann z. B. durch Veresterung oder Verätherung ihrer freien Hydroxylgruppen (– OH) in Kunststoffe *(Zelluloseester, Zelluloseäther)* übergeführt werden, die sich zur Herstellung von Fasern und Folien bzw. von Klebstoffen und Textilhilfsmitteln eignen. Kunststoffe auf Basis von Proteinen können aus *Kasein,* einem Eiweißbestandteil der Milch, durch Umsetzen mit Formaldehyd hergestellt werden *(Kunsthorn).*

Aus Ausgangsmaterialien für die *Synthese* von Kunststoffen *aus niedermolekularen Verbindungen* kommen solche Substanzen in Frage, die eine oder mehrere funktionelle Gruppen, d. h. reaktionsfähige Gruppen wie Hydroxyl-, Carboxyl- oder Aminogruppen (– OH, – COOH, – NH_2) oder ungesättigte Bindungen (– CH = CH –) haben und die daher in der Lage sind, untereinander oder mit anderen Substanzen, die ebenfalls funktionelle Gruppen enthalten, unter Bildung von Makromolekülen zu reagieren. Bifunktionelle Monomere liefern bei der Umsetzung überwiegend fadenförmige, meist thermoplastische Makromoleküle; trifunktionelle Monomere bilden räumlich vernetzte Kunststoffe. Enge räumliche Vernetzungen liegen besonders bei den Duroplasten vor; beim Vulkanisieren von Elasten (Natur- und Synthesekautschuk) tritt eine lockere Vernetzung ein.

Bei der Synthese der Kunststoffe lassen sich drei Reaktionstypen unterscheiden: Bei der *Polykondensation* reagieren solche Moleküle, die mindestens zwei funktionelle Gruppen besitzen, unter Abspaltung von niedermolekularen Substanzen wie Wasser, Ammoniak oder Methanol (H_2O, NH_3, CH_3OH) zu hochmolekularen Verbindungen. Durch Polykondensation ergeben z. B. Diamine mit Dicarbonsäuren *Polyamide,* die unter anderem als Faserrohstoffe verwendet werden.

Analog entstehen aus mehrwertigen Alkoholen und Dicarbonsäuren *Polyester,* aus phenolischen Komponenten und Kohlensäureestern *Polycarbonate,* aus Phenolen und Formaldehyd *Phenoplaste,* aus Harnstoff und Formaldehyd *Aminoplaste* und aus siliciumorganischen Verbindungen, sogenannten Organosilanolen, R_nSi(OH)$_{4-n}$, *Silikone.*

Bei der *Polyaddition* werden die Makromoleküle dadurch gebildet, daß sich zwei bi- (oder poly)funktionelle Molekülarten unter Wanderung eines Wasserstoffatoms von der funktionellen Gruppe der einen Verbindung zur Doppelbindung der anderen Verbindung miteinander umsetzen. Eine besonders wichtige Polyadditionsreaktion ist die Umsetzung von Di-(oder Poly)alkoholen mit Di-(oder Poly)isocyanaten zu *Polyurethanen* (vgl. Schaumstoffe S. 540).

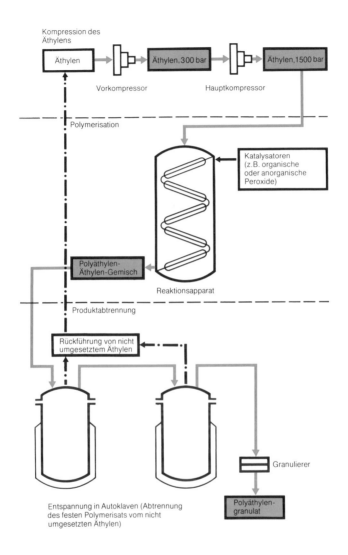

Abb. 1 Herstellung von Polyäthylen im Hochdruckverfahren

Die wichtigste Reaktion zur Herstellung von Kunststoffen ist die *Polymerisation,* bei der niedermolekulare, ungesättigte Kohlenstoffverbindungen oder auch cyclische Äther (wie Äthylenoxid) und Lactame (wie Caprolactam) durch vielfach wiederholte Aneinanderlagerung in makromolekulare gesättigte Verbindungen übergeführt werden:

$$n\,CR_2 = CR_2 \rightarrow (-CR_2 - CR_2 -)_n$$

(hierbei ist R Wasserstoff, organischer Rest oder Halogen).

Polymerisationsreaktionen sind Kettenreaktionen, die durch Licht, Wärme oder Katalysatoren ausgelöst werden können. Licht und Wärme bewirken dabei einen radikalischen, Katalysatoren je nach ihrem Charakter einen radikalischen (Peroxide), anionischen (Basen, metallorganische Verbindungen) oder kationischen (Säuren) Mechanismus. Bei einer Kettenreaktion unterscheidet man drei Reaktionsschritte: die *Startreaktion,* das *Kettenwachstum,* das durch die Reaktionsbedingungen (Druck, Temperatur) oder durch Regler zu beeinflussen ist, und den *Kettenabbruch,* der durch Stopper oder Radikalfänger bewirkt werden kann. Durch den Zeitpunkt des Kettenabbruchs wird die Größe der Makromoleküle bestimmt. Durch Polymerisation werden zum Beispiel aus

Äthylen (Äthen), $CH_2 = CH_2$,
Styrol, $C_6H_5 - CH = CH_2$,
Vinylchlorid, $CH_2 = CHCl$,
Methacrylsäureestern,
$CH_2 = C(CH_3) - COOR$,
Acrylnitril, $CH_2 = CH - CN$,

die Polymerisationsprodukte
Polyäthylen (zur Herstellung von Folien, Spritzgußteilen für Haushaltsgegenstände, Flaschen, Röhren, Kabelummantelungen),
Polystyrol (zur Herstellung von Haushaltsgegenständen, Kraftfahrzeugzubehörteilen, Spielwaren, Telefongehäusen u.a., verschäumt als Verpackungsmaterial und Wärmedämmstoff),
Polyvinylchlorid (zur Herstellung von Rohren, Profilen, Platten, Folien, Schläuchen, Kabelummantelungen u.a.),
Polymethacrylsäureester (zur Herstellung von Sicherheitsglas [Plexiglas ⓦ] u.a.),
Polyacrylnitril (als Faserrohstoff)
sowie zahlreiche weitere Polymerisate hergestellt. Neben den aus einheitlichen Monomeren erhaltenen *Homopolymerisaten* haben auch zahlreiche, aus Monomerge-

mischen hergestellte *Misch-* oder *Kopolymerisate* Bedeutung.

Technische Durchführung der Polymerisation: Polymerisationsreaktionen verlaufen meist unter starker Wärmeentwicklung, so daß das Reaktionsgemisch gekühlt werden muß. Nach der Art der Reaktionsführung lassen sich mehrere Polymerisationsmethoden unterscheiden: Bei der *Substanz-* oder *Massepolymerisation* wird das flüssige bzw. verflüssigte Monomere unverdünnt eingesetzt, das dann im Verlauf der Reaktion in das feste Polymere übergeht; dabei ist jedoch meist die Temperatur schlecht zu regulieren. Je nachdem, ob das Polymere im Monomeren löslich oder unlöslich ist, unterscheidet man die *Substanzblockpolymerisation* und die *Substanzpulverpolymerisation.* Die Polymerisation in Gegenwart eines indifferenten Lösungsmittels ist technisch meist leichter zu steuern; hier unterscheidet man nach der Löslichkeit des Polymeren im Lösungsmittel die *Lösungsmittelpolymerisation* und die *Fällungspolymerisation.* Weitere Methoden sind die *Suspensionspolymerisation,* bei der das Monomere in wäßriger Suspension zum Polymeren reagiert, und die *Emulsionspolymerisation,* bei der man das Monomere und das Polymere durch Emulgatoren oder Schutzkolloide in Dispersion hält.

Abb. 1 (S. 531) zeigt das Prinzip bei der Herstellung von Polyäthylen im Hochdruckverfahren (Substanzpulverpolymerisation), Abb. 2 das Prinzip bei der Herstellung von Polyäthylen im Niederdruckverfahren (Fällungspolymerisation).

Die meisten technisch wichtigen Polymerisate haben Molekülmassen zwischen 10^4 und 10^7.

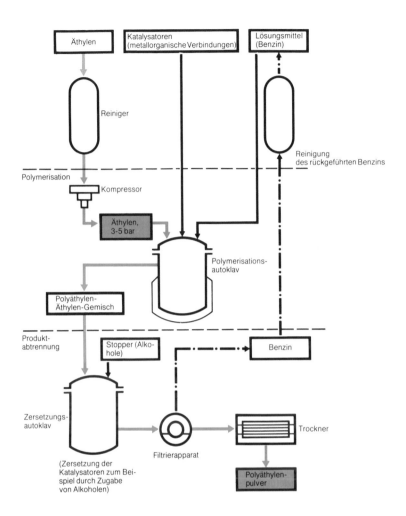

Abb. 2 Herstellung von Polyäthylen im Niederdruckverfahren

Recycling von Kunststoffen

Als Recycling (Rezyklierung) bezeichnet man in der Technik allgemein die Wiederverwendung von Abfällen, Nebenprodukten oder (verbrauchten) Endprodukten der Konsumgüterindustrie als Rohstoffe für die Herstellung neuer Produkte. Dieses Recycling ist auf manchen Gebieten als Methode der Rohstoffbeschaffung seit langem gebräuchlich (so z. B. bei der Wiedergewinnung von Edelmetallen aus Münzlegierungen oder bei der Gewinnung von Faserrohstoffen aus gebrauchten Textilien), es gewinnt aber im Zuge der Verknappung von Rohstoffen und unter den Aspekten des Umweltschutzes (schwindende Möglichkeiten für die Ablagerung von Müll, Belastung der Gewässer und des Bodens durch Abfallstoffe) auf zahlreichen weiteren Gebieten zunehmend an Bedeutung. Wichtige Beispiele für Recycling sind die Wiederverwendung von Metallen (neben Eisen insbesondere Aluminium, Blei, Kupfer, Zink, Zinn), die Verarbeitung von Altglas und Altpapier sowie die Wiederaufbereitung von Altöl und von Lösungsmitteln.

Zunehmendes Interesse findet in den letzten Jahren auch das *Recycling von Kunststoffen.* Hierbei ergeben sich jedoch besondere Schwierigkeiten, da es sich bei den Kunststoffen (im Gegensatz z. B. zu den Metallen) um eine umfangreiche Gruppe sehr unterschiedlicher und empfindlicher Werkstoffe handelt. Insgesamt werden heute über 50 Kunststoffarten hergestellt, zum überwiegenden Teil (etwa 90%) Polyäthylen, Polypropylen, Polystyrol und Polyvinylchlorid, ferner (etwa 10%) Polyamide, Polyester und Polyurethane, die sich in Aufbau und Struktur unterscheiden und zur Erzielung spezieller Eigenschaften meist Zusätze wie Weichmacher, Füllstoffe und Verarbeitungshilfsmittel, ferner UV-Absorber, Antioxidanzien, Farbstoffe usw. enthalten. Sie lassen sich allgemein nicht ohne Veränderung ihrer Eigenschaften miteinander verarbeiten. Grundsätzlich kommen für eine Wiederverwendung in erster Linie thermoplastische Kunststoffe in Frage, während sich duroplastische Kunststoffe und Elastomere (Synthesekautschuk) nicht eignen. Bei einer erneuten Verarbeitung der Kunststoffe ist zu berücksichtigen, daß es durch die erhöhte Temperatur oder durch chemische Reaktionen beim Schmelzen zu einem gewissen Abbau der Makromoleküle und dadurch zu einer Verschlechterung der Kunststoffeigenschaften kommen kann. Stark gealterte Kunststoffe, insbesondere solche, die lange der Witterung und Lichteinstrahlung ausgesetzt waren, kommen für eine Wiederverarbeitung nicht in Frage, da bei ihnen die qualitätsbestimmenden Eigenschaften bereits beträchtlich vermindert sind. Aus den genannten Gründen eignen sich für eine *direkte Wiederverwendung* nur Kunststoffe mit bekannter und einheitlicher Zusammensetzung, wie sie z. B. bei Fabrikationsabfällen und Ausschußwaren von thermoplastischen Polymerisaten (v. a. Polyäthylen, Polypropylen, Polystyrol, Polyvinylchlorid) vorliegen. Diese Materialien können nach Zerkleinerung und entsprechender Aufbereitung dem neuen Material zugemischt und direkt wieder verarbeitet werden.

Eine weitere Methode der Wiederverwertung bietet die *Hydrolyse,* d. h. die Spaltung der Kunststoffe mit Wasser bei erhöhter Temperatur und hohem Druck. Dieses Verfahren ist besonders zur Verarbeitung von Polyurethanen sowie auch von Polyamiden und Polyestern geeignet und führt zur Gewinnung von Spaltprodukten, die zur Neusynthese von Kunststoffen verwendet werden können. – Eine Verwertung aller Arten von Kunststoffen (einschließlich der Duroplaste und Elastomere) wird durch das Verfahren der *Pyrolyse,* d. h. durch thermische Zersetzung unter Luftausschluß bzw. unter verringerter Sauerstoffzufuhr, ermöglicht. Hierbei werden die Kunststoffe z. B. in einem Drehrohrofen oder in einem Wirbelschichtreaktor auf Temperaturen zwischen 400 und 1 000 °C erhitzt, wobei die Makromoleküle zu niedermolekularen (gasförmigen oder flüssigen) Substanzen sowie zu Koks bzw. Ruß gespalten werden. Das gewonnene Pyrolysegas dient meist zur Beheizung des Pyrolysereaktors; die flüssigen Spaltprodukte enthalten v. a. aliphatische und/oder aromatische Kohlenwasserstoffe, die in einer Destillationsanlage in bestimmte Fraktionen zerlegt und zum Teil als Chemierohstoffe wieder verwendet werden können. Besonders vorteilhaft ist es, daß sich die Pyrolyse auch zur Verarbeitung von Kunststoffgemischen sowie von verunreinigten Kunststoffen eignet. Zum Teil gelingt es, auch die im Hausmüll vorliegenden Kunststoffabfälle der Pyrolyse zuzuführen, jedoch sind hierzu gesonderte Müllsortieranlagen erforderlich. Insgesamt gelangen daher in der Bundesrepublik Deutschland immer noch etwa 1,7 Millionen t Kunststoffe pro Jahr als Abfälle in den Hausmüll.

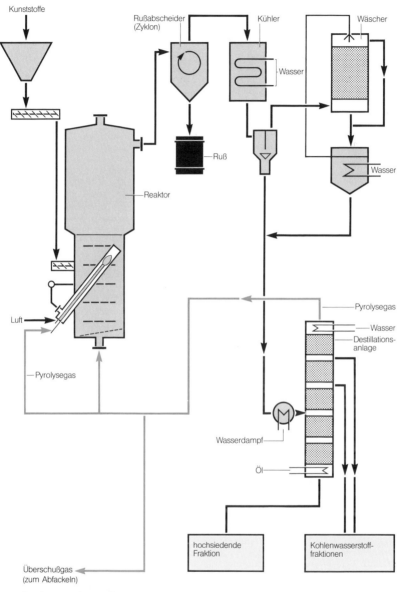

Kunststoffe

Rußabscheider
(Zyklon)

Kühler

Wäscher

Wasser

Ruß

Reaktor

Wasser

Luft

Pyrolysegas

Pyrolysegas

Wasser

Destillations-
anlage

Wasserdampf

Öl

hochsiedende
Fraktion

Kohlenwasserstoff-
fraktionen

Überschußgas
(zum Abfackeln)

Pyrolyse von Kunststoffen
(Verfahrensschema)

Naturkautschuk

Naturkautschuk ist in feinsten Tröpfchen im Milchsaft (Latex) des Parakautschukbaumes (Hevea brasiliensis) enthalten. Der durch Anzapfen der Kautschukbäume (Anschneiden der Rinde) gewonnene Milchsaft besteht aus einer wäßrigen Dispersion von Polyisopren, einem hochmolekularen, ungesättigten Kohlenwasserstoff (Abb. 1). Ein Kautschukbaum kann täglich etwa 7 g Naturkautschuk liefern. Das Polyisopren liegt in Form langer geknäuelter Molekülketten vor, die Teilchen mit Abmessungen bis zu 1/1 000 mm bilden.

Die Aufarbeitung zu Kautschuk erfolgt vor allem durch Gerinnen des auf Plantagen gewonnenen Milchsafts mit Ameisensäure, Essigsäure oder Natriumhexafluorsilicat und anschließendes Räuchern und Trocknen oder Zentrifugieren oder durch die *Zerstäubungstrocknung* (Abb. 2), bei der der Naturkautschuk fein verteilt anfällt und in Blöcke gepreßt wird.

Der rohe Naturkautschuk wird nur in geringem Umfang direkt zur Herstellung von Klebebändern und -lösungen, Knetgummi u. a. verwendet. Meist wird er durch Vulkanisation in *Gummi* überführt. Bei der Vulkanisation werden die Kettenmoleküle mit Hilfe geeigneter Chemikalien, meist Schwefel oder schwefelabgebende Substanzen wie Dischwefeldichlorid, vernetzt. Je nach Schwefelgehalt erhält man Weichgummi (mit bis zu 4 % Schwefel) oder Hartgummi (mit über 20 % Schwefel).

Das vulkanisierte Polyisoprenmolekül besitzt einen gewinkelten Bau und polare Gruppen. Wird nun an einem Gummifaden gezogen, so kann man die Winkel und die Lage der einzelnen ineinander verknäuelten Kautschukmoleküle verändern und sie auseinanderziehen. Läßt der Zug nach, dann lagern sich die Moleküle wieder in ihre ursprüngliche Form zurück. Da hierbei keine bleibenden mechanischen Veränderungen auftreten, kann man diesen Vorgang wiederholen, bis schließlich aus anderen Gründen – durch Alterung nach Sauerstoffeinwirkung und starker Lichtbestrahlung – der Gummi brüchig und rissig wird. Die gummiartige Eigenschaft erhält der Kautschuk aber erst, nachdem die Kautschukmoleküle beim Vulkanisieren über Schwefelbrücken geringfügig miteinander verknotet und verkettet worden sind. Unbehandelter Rohkautschuk ist außerdem stark wärmeempfindlich, aus ihm könnte man z. B. keine Autoreifen herstellen.

Wegen seiner außerordentlichen elastischen Eigenschaft ist Gummi Rohmaterial für fast 50 000 verschiedene Erzeugnisse. Gummi wird großtechnisch erst seit etwa 100 Jahren hergestellt (erster Luftreifen 1845), erst seit etwa 40 Jahren übersteht ein Autoreifen mehr als 10 000 km Fahrt – aber schon seit nahezu 1 000 Jahren konnten die Eingeborenen tropischer Gebiete den wolfsmilchartigen Saft des Kautschukbaumes zu gummiähnlichen Waren verarbeiten. Außerdem lassen sich aus Naturkautschuk durch chemische Umsetzung mehrerer Umwandlungsprodukte herstellen: Durch Chlorieren (Anlagerung von Chlor an die Doppelbindungen) entsteht z. B. *Chlorkautschuk,* der v. a. als Rohstoff für Schutzanstriche verwendet wird; durch Sulfonieren (Umsetzen mit organischen Sulfonsäuren oder Sulfochloriden unter Bildung cyclischer Zwischenglieder im Polyisoprenmolekül) erhält man *Cyclokautschuk* (Zyklokautschuk), der u. a. als Lackrohstoff und Klebstoff dient.

Heute werden hauptsächlich in Afrika, Südamerika und Südostasien jährlich fast 3 Millionen Tonnen Naturkautschuk erzeugt. Mehr und mehr erobert jedoch der Synthesekautschuk den Markt (s. S. 538).

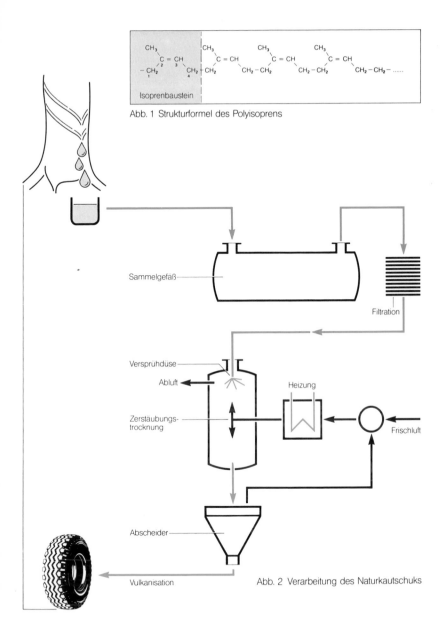

Abb. 1 Strukturformel des Polyisoprens

Isoprenbaustein

Sammelgefäß

Filtration

Versprühdüse

Abluft

Heizung

Zerstäubungs-
trocknung

Frischluft

Abscheider

Vulkanisation

Abb. 2 Verarbeitung des Naturkautschuks

Synthesekautschuk

Unter Synthesekautschuk (Kunstkautschuk) versteht man elastische Kunststoffprodukte, die in ihren physikalisch-chemischen Eigenschaften dem Naturkautschuk ähneln und sich wie dieser durch Vulkanisieren zu Gummi verarbeiten lassen (S. 536). Synthesekautschuk kann aus zahlreichen Ausgangsmaterialien, vor allem durch Polymerisation ungesättigter Verbindungen, daneben auch durch Polyaddition oder Polykondensation geeigneter Ausgangsprodukte hergestellt werden. Er zeichnet sich häufig durch spezielle günstige Eigenschaften, zum Beispiel durch höhere Abriebfestigkeit, Benzin-, Öl-, Sauerstoff-, Wärmebeständigkeit oder geringere Gasdurchlässigkeit, gegenüber dem Naturkautschuk aus.

Die größte Bedeutung unter den durch Polymerisation hergestellten Synthesekautschukarten haben der aus Butadien ($CH_2=CH-CH=CH_2$) gewonnene Butadienkautschuk und die Mischpolymerisate des Butadiens mit Styrol (Vinylbenzol, $C_6H_5-CH=CH_2$) oder Acrylnitril (Vinylcyanid, $CH_2=CH-CN$). Als Katalysator zur Herstellung von *Butadienkautschuk*, abgekürzt heute meist mit *BR* (englisch: butadiene rubber) bezeichnet, wurde zunächst fein verteiltes Natrium verwendet; die dabei erhaltenen Produkte wurden unter der Bezeichnung *Buna* Ⓦ bekannt. Heute benutzt man meist Redoxkatalysatoren, insbesondere Peroxide, oder vor allem metallorganische Verbindungen, die eine Herstellung von isotaktischem Butadienkautschuk ermöglichen, bei dem die Butadienmoleküle einheitlich in 1,4-Stellung verknüpft sind (cis-1,4-Polybutadien; Abb. 1). Dieser auch *Stereokautschuk* genannte Butadienkautschuk zeichnet sich gegenüber dem Naturkautschuk vor allem durch erhöhte Elastizität und Abriebfestigkeit aus; seine Herstellung durch Polymerisation von Butadien mit metallorganischen Katalysatoren in Gegenwart eines Lösungsmittels (Benzol) ist in Abb. 2 dargestellt.

Der heute meistproduzierte Synthesekautschuk ist mit etwa 70 % der gesamten Synthesekautschukproduktion der *Styrol-Butadien-Kautschuk*, früher *Buna S*, heute meist *SBR* (englisch: styrene-butadiene rubber) genannt: Er wird entweder durch Polymerisation in Emulsion mit Peroxiden als Katalysatoren bei erhöhter Temperatur oder mit Hilfe von mit Metallionen versetzten Peroxiden bei tiefen Temperaturen als *Cold Rubber (Tieftemperatur-kautschuk, Kaltkautschuk)* gewonnen; daneben wird SBR auch mit stereospezifisch wirkenden lithiumorganischen Verbindungen in Lösung hergestellt. Styrol-Butadien-Kautschuk hat eine etwas geringere Elastizität als Naturkautschuk, zeichnet sich aber unter anderem durch höhere Abriebfestigkeit und Wärmebeständigkeit aus; besonders vorteilhaft ist, daß er durch Zusatz von Weichmachern (meist aromatischen oder cyclischen Kohlenwasserstoffen) gestreckt werden kann, ohne daß sich seine technischen Eigenschaften wesentlich verschlechtern (sogenannter *öl-gestreckter Synthesekautschuk*). Der durch Mischpolymerisation von Butadien mit Acrylnitril erhaltene *Nitril-Butadien-Kautschuk (Nitrilkautschuk),* früher *Buna N,* heute meist *NBR* (englisch: nitrile-butadiene rubber) genannt, besitzt vor allem hohe Öl- und Benzinfestigkeit, jedoch verringerte Elastizität.

Weitere technisch wichtige, durch Polymerisation hergestellte Arten von Synthesekautschuk sind der aus Isopren (2-Methylbutadien, $CH_2=C(CH_3)-CH=CH_2$) mit metallorganischen Katalysatoren erhaltene isotaktische *Isoprenkautschuk (Polyisopren, IR),* der in seinen Eigenschaften weitgehend dem Naturkautschuk gleicht; der aus Chloropren (2-Chlorbutadien, $CH_2=CHCl-CH=CH_2$) gewonnene, besonders alterungs-, öl- und lösungsmittelbeständige *Chloroprenkautschuk (Polychloropren, CR)* und der aus Isobutylen ($CH_2=C(CH_3)_2$) und Isopren erhaltene, besonders gasundurchlässige sowie alterungs- und wärmebeständige *Butylkautschuk (IIR).*

Für spezielle Zwecke hergestellte, meist gegen heiße Öle und Schmierstoffe beständige und besonders verschleißfeste Synthesekautschukarten sind der aus Acrylsäureestern (z. T. unter Zusatz von Acrylnitril) hergestellte *Acrylatkautschuk,* der aus Äthylen und Vinylacetat hergestellte *Äthylen-Vinylacetat-Kautschuk* sowie das *chlorsulfonierte Polyäthylen.*

Durch Polyaddition hergestellte Synthesekautschukarten finden sich vor allem in der Reihe der *Polyurethane.* Ein durch Polykondensation gewonnener Synthesekautschuk ist zum Beispiel der *Silikonkautschuk.*

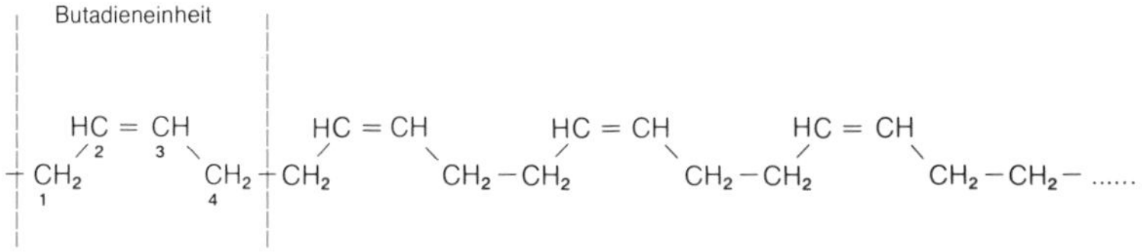

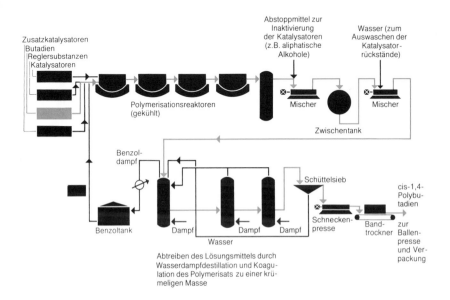

Butadieneinheit

$$HC = CH$$

Abb. 1 Butadienkautschuk (cis-1,4-Polybutadien)

Abb. 2 Polymerisation von Butadien und Aufarbeitung von cis-1,4-Polybutadien (als Katalysatoren werden v.a. metallorganische Verbindungen, als Zusatzkatalysatoren Kobaltsalze verwendet; als Reglersubstanzen dienen Olefine, z.B. Äthylen)

539

Schaumstoffe

Schaumstoffe sind Kunststoffprodukte, deren Gefüge durch die Einlagerung von Gasbläschen aufgelockert ist und die daher eine poröse, zellartige Struktur und ein sehr geringes spezifisches Gewicht (0,01 bis 0,3 g/cm³) haben. Sie zeichnen sich gegenüber den normalen Kunststoffen durch verminderte Wärmeleitfähigkeit, verbesserte Schallabsorption, leichte mechanische Verarbeitbarkeit sowie häufig auch hohe Elastizität aus. – Nach der strukturellen Ausbildung der gashaltigen Schaumzellen unterscheidet man *geschlossenzellige* („unechte") Schaumstoffe, bei denen die Gasbläschen vollständig vom Kunststoff umhüllt sind, *offenzellige* („echte") Schaumstoffe, bei denen die Zellen untereinander verbunden sind (Abb. 1), sowie *gemischtzellige* Schaumstoffe, bei denen beide Typen vorliegen. Schaumstoffe haben eine große Bedeutung als Wärme- und Schallisolierstoffe sowie als Polster- und Verpackungsmaterialien erlangt.

Schaumstoffe lassen sich praktisch aus allen Kunststoffen herstellen. Technisch ist dabei zwischen der Herstellung aus den (im fertigen Zustand nicht mehr verformbaren) Polykondensaten, insbesondere Harnstoff-Formaldehyd- oder auch Phenol-Formaldehyd-Kondensaten, und Polyaddukten, z. B. Polyurethanen, und der Herstellung aus den (thermoplastisch verformbaren) Polymerisaten, z. B. Polystyrol, Polyäthylen und Polyvinylchlorid, zu unterscheiden. – Schaumstoffe aus Harnstoff-Formaldehyd-Kondensaten werden im allgemeinen nach dem sogenannten *Schaumschlagverfahren* (Abb. 2) erzeugt; hierbei wird zunächst eine Vorkondensatlösung hergestellt, die dann mit einem getrennt angesetzten Gemisch von Reaktionsbeschleunigern, Füllmitteln und Emulgiermitteln unter Einblasen von Luft oder durch ein in der Lösung entwickeltes Treibgas in Schnellrührwerken zu Schaum gerührt („geschäumt") wird und anschließend in Formen aushärtet *(Formverschäumung)*. – Bei den Polyurethanen, die durch Polyaddition von Dialkoholen, $HO-(CR_2)_n-OH$, und Diisocyanaten, $OCN-(CR_2)_n-NCO$, entstehen (R Wasserstoff oder organischer Rest), wird eine Schaumbildung durch Zugabe von Wasser erzielt; dieses reagiert mit Diisocyanaten unter Entwicklung von Kohlendioxid, das dann als Treibgas fungiert *(Polyadditionsverfahren)*. Technisch kann die Herstellung von Polyurethanschaumstoffen in einem Ein- oder einem Zweistufenverfahren vorgenommen werden. Beim Zweistufenverfahren (Abb. 4) werden aus den Dialkoholen und den im Überschuß zugegebenen Diisocyanaten zunächst feinverteilte Polyurethanvorprodukte (Prepolymere) hergestellt, die dann nach Zusatz von Wasser, Katalysatoren und Schaumstabilisatoren unter intensiver Durchmischung geschäumt werden. Die Reaktionsmischung gelangt in ein Zwischensilo und wird dann in Formen gegossen und dort mit Wasserdampf ausgehärtet.

Zur Herstellung der Polymerisatschaumstoffe aus Polystyrol oder Polyäthylen werden die Polymerisate in plastischem Zustand durch Einpressen von inerten Gasen wie Stickstoff, Kohlendioxid oder Methylchlorid und anschließendes Entspannen bzw. durch Zugabe von thermisch instabilen festen Substanzen, die zu gasförmigen Substanzen zerfallen, geschäumt *(Treibgasverfahren);* daneben können auch noch im Polymerisat enthaltene Monomere oder v. a. leicht flüchtige Lösungsmittel beim Erwärmen des Kunststoffs als Treibmittel fungieren *(Lösungsmittelverfahren)*.

Bei der Verarbeitung von Polyvinylchlorid zu Schaumstoffen nach dem Treibgasverfahren (Abb. 3) stellt man zunächst unter Zugabe von Weichmachern und Füllstoffen eine Paste her, in die dann Kohlendioxid unter einem Druck von etwa 30 bis 35 bar eingepreßt wird; nach Abkühlen auf 0 bis $-5\,°C$ gelangt die gashaltige Masse in eine Heizzone, wo das gelöste Kohlendioxid bei etwa $150\,°C$ unter Aufschäumen des Kunststoffs entweicht. – Beim *Salzlöseverfahren* wird in die Paste Kochsalz eingearbeitet, das nach dem Erhärten wieder herausgelöst wird.

Abb. 1 Schaumstoffe

Kugel- Polyeder- Wabenstruktur
der gashaltigen Schaumzellen

Kugel- Polyeder- Wabenstruktur
der gashaltigen Schaumzellen

a) geschlossenzellige („unechte") b) offenzellige („echte")

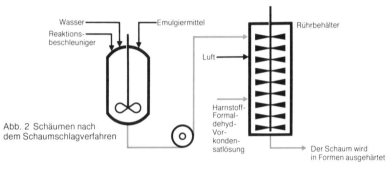

Wasser ——— Emulgiermittel
Reaktions-
beschleuniger

Luft ——→

Rührbehälter

Harnstoff-
Formal-
dehyd-
Vor-
konden-
satlösung

Abb. 2 Schäumen nach
dem Schaumschlagverfahren

Der Schaum wird
in Formen ausgehärtet

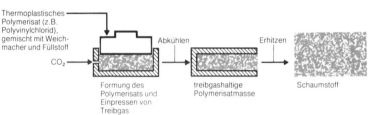

Thermoplastisches
Polymerisat (z.B.
Polyvinylchlorid),
gemischt mit Weich-
macher und Füllstoff

CO_2 ——→

Abkühlen Erhitzen

Formung des
Polymerisats und
Einpressen von
Treibgas

treibgashaltige
Polymerisatmasse

Schaumstoff

Abb. 3 Schäumen nach dem
Treibgasverfahren

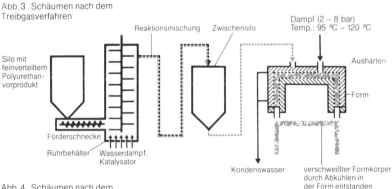

Reaktionsmischung Zwischensilo

Dampf (2 – 8 bar)
Temp.: 95 °C – 120 °C

Silo mit
feinverteiltem
Polyurethan-
vorprodukt

Aushärten

Form

Förderschnecke

Rührbehälter Wasserdampf,
Katalysator

Kondenswasser

verschweißter Formkörper
durch Abkühlen in
der Form entstanden

Abb. 4 Schäumen nach dem
Polyadditionsverfahren

Leder

Die Verarbeitung von tierischen Häuten bis zum fertigen Leder umfaßt zahlreiche Einzelschritte: Die Konservierung (für Transport und Lagerung) der frischen Tierhäute erfolgt unter Entzug der Gewebsflüssigkeit meist durch Einsalzen. In der *Wasserwerkstatt* werden die konservierten Häute in die *gerbfähigen Blößen* überführt. Zunächst werden die Häute durch Wässern (Weichen) in den Zustand der „grünen" Haut zurückversetzt. Dabei werden Verunreinigungen und Konservierungsmittel entfernt.

Danach erfolgt die *Haarlockerung* und *Haarentfernung*. Eine der ältesten und schonendsten Methoden ist dabei das *Schwitzen* in feuchtwarmer Atmosphäre (insbesondere beim Enthaaren von Schaffellen), um die noch anhängende Wolle zu gewinnen *(Schwitzwolle)*. Bei der *enzymatischen Enthaarung* werden ausgewählte Bakterien- oder Schimmelpilzproteinasen verwendet. Die häufigste Methode ist das *Kälken,* eine Haarlockerung mit einer natriumsulfidhaltigen Kalksuspension, dem *Äscher.* Eine weitere Methode der Haarentfernung (vor allem bei dünnen Häuten) ist das *Schwöden,* bei dem man einen mit Natriumsulfid vermischten Kalkbrei auf die Fleischseite der Häute aufträgt. Das eigentliche *Enthaaren* geschieht mit dem Haareisen, das *Entfleischen* (Entfernung der Unterhaut von der Lederhaut) mit dem Scherdegen. Enthaarungsmaschinen haben im allgemeinen stumpfe Spiralmesser (Schabeisen), Entfleischungsmaschinen scharfe Messer. Dicke Häute werden mit der Spaltmaschine in bis zu drei „Spalte" zerlegt: Narbenspalt (mit Narbenschicht; *Volleder*), Fleischspalt und Mittelspalt (ohne Narbenschicht; *Spaltleder*). – Beim *Entkälken* werden Kalkreste durch eine Säurebehandlung entfernt. – Unter dem *Beizen* versteht man eine Behandlung mit Enzymen, durch die eine weitere Auflockerung im Bindegewebe erzielt wird. – Beim anschließenden *Streichen* (Reinmachen) mit dem Streicheisen oder mit der Streichmaschine werden Haarreste u. a. entfernt.

Die Gerberei (vgl. nebenstehende Tabelle) umfaßt neben der eigentlichen Gerbung (d. h. Umwandlung der Blößen in Leder mit Hilfe von Gerbstoffen) auch die Färbung und Fettung sowie die Trocknung der Leder. Bei der *pflanzlichen Gerbung* wird häufig die Grubengerberei angewandt. Dabei überstreut man die Blößen mit zerkleinerten pflanzlichen Gerbmitteln (sog. Lohe) und füllt mit Wasser

auf *(Loh-* oder *Rotgerberei).* Die Gerbung dauert je nach Lederart 9 bis 12 Monate. Eine Weiterentwicklung ist die Gerbung in *Farbengängen,* bei der mehrere Gruben Gerbbrühen mit steigender Konzentration enthalten. Die Durchgerbung wird durch Temperaturerhöhung (bis zu 40 °C; *Hotpit-Gerbung*) beschleunigt. Eine Abkürzung der Gerbzeiten wird durch die *Faßgerbung* erzielt. Hier werden die Blößen in einer rotierenden Trommel mit Gerbflotten (bis 70 °C) behandelt. Bei den *mineralischen Gerbverfahren* sind v. a. die Chromgerbung (Gerbung mit Chrom(III)-Salzen oder -Verbindungen) sowie die Gerbung mit Alaun (Kaliumaluminiumsulfat) zu nennen. – Zur *Fettgerbung* werden als Gerbmittel ungesättigte Fette (Trane) verwendet.

Eine *Fettung* ist bei allen Ledern notwendig, um sie weich, geschmeidig und wasserabweisend zu machen. Für die *Färbung* wurden zahlreiche synthetische Farbstoffe entwickelt. Vor der *Trocknung* wird das Leder auf einer Walzenmaschine ausgereckt und vorentwässert. Durch Bügeln oder Pressen erhält man eine gleichmäßige, mattglänzende Oberfläche. Sohlleder wird durch Walzen oder Hämmern gehärtet. Unter *Stollen* versteht man eine Auflockerung der Lederstruktur durch Dehnung. Durch leichtes Schleifen lassen sich Narbenfehler beseitigen, durch stärkeres Schleifen mit rotierenden Schmirgelwalzen erhält man eine samtartige Schauseite *(Velourleder, Rauhleder, Samtleder).*

Besondere Bedeutung hat v. a. die Deckfarbenzurichtung (d. h. das Aufbringen von Appreturen und Pigmentemulsionen) erlangt, um damit aus dem Fleisch- und Mittelspalt der Haut Leder mit einheitlicher Oberfläche herzustellen. Zuletzt werden die Leder unter Erwärmen gepreßt und, sofern notwendig, mit einer künstlichen Narbenschicht versehen. – Für *Lackleder* verwendet man heute v. a. synthetische Reaktionslacke (z. B. auf der Basis von Polyestern und Isocyanaten).

Gerbereiverfahren

Lederart	Hautart	Bearbeitungsverfahren
Oberleder Schleifbox	Rind	Chromgerbung und Nachgerbung mit pflanzl. oder synthet. Harzgerbstoffen
Waterproof	Rind	wie Schleifbox, nur zusätzl. stark gefettet
Rindbox	Rind	überwiegend Chromgerbung mit geringfügiger Nachgerbung
Rindvelour (Hunting)	Rind (Hautspalt)	Chrom- oder Aluminiumgerbstoff, geschliffen
Boxcalf bzw. Mastbox	Kalb oder Mastkalb	rein chromgegerbt, anilingefärbt und glanzgestoßen am edelsten; häufig aber auch leicht geschliffen, abgedeckt in „Stoßbügelzurichtung"
Velour	Kalb, Schwein, Ziege	Chrom- und Aluminiumgerbung, auf Fleischseite geschliffen
Nubukleder	Kalb, Rind	wie Velour, nur auf der Narbenseite geschliffen
Chevreaux	Ziege	Chromgerbung (nach Zweibadverfahren), Anilinfärbung, Stoßzurichtung
Chevreauxlin (Chevreauximitation)	Schaf	Arbeitsweise ähnlich Chevreaux
Schrumpfleder	Rind, Kalb, Ziege, Schwein	meist pflanzl. oder synthet. mit Spezialgerbstoffen angegerbt; Ausgerbung mit Chromgerbstoffen
Futterleder	Schafe, Ziegen, Kälber, minderer Qualität: Rind (Spalt)	chrom- oder pflanzl. gegerbt, wenig gefettet, leicht gefärbt, etwas abgedeckt
Unterleder	Rind	in pflanzl. Gerbung häufig mit Anteilen synthet. Gerbstoffe in moderner Brühen-Faßgerbung; nur für Reparatur- und Militärzwecke in Altgrubengerbung mit Eichenlohe hergestellt
Flexibelspalte	Rind (Spalt)	in moderner pflanzl.-synthet. Gerbung für den Boden von leichtem Schuhwerk hergestellt; besonders biegsam
Brandsohlenleder	Seiten und Hälse von Rindshäuten	pflanzl. Gerbung mit Anteilen von synthet. Gerbstoffen
Deckbrandsohlen	Schaf	pflanzl. Gerbung oder chromgegerbt; abgedeckt
Bekleidungsleder	Rind (Narbenspalt), Ziege, Schaf	chromgegerbt, glatt als Narbenleder (abgedeckt) oder rauh als Velourleder zugerichtet
Glacéleder (Handschuhe)	Zickel- und Lammfelle	mit Alaun, Eigelb und Mehl, heute zusätzlich mit Chromgerbstoffen
Nappaleder (Handschuhe)	Ziege, Schaf	in reiner Chromgerbung
Möbelvachetten (ähnlich für Koffer)	Narbenspalte großflächiger Bullenhäute	pflanzl. Gerbung, gelegentlich anteilig Chromgerbung; mit sehr widerstandsfähiger Deckschicht
Taschen- oder Blankleder	Rindshäute, oft Seiten und Hälse	pflanzl. Gerbung mit natürl., meist aber künstl. (gepreßtem) Narben
ASA-Leder (Arbeiterschutzartikel)	Rind (Spalt)	chromgegerbt, rauh oder gedeckt, oft nicht gefärbt

Keramik I

Als Keramik bezeichnete man früher die Werkstoffe der Tonwarenindustrie, die man traditionell in Grob- und Feinkeramik einteilte. Heutzutage zählen zur Keramik auch eine Vielzahl nichtsilicatischer Werkstoffe, z. B. Korundsteine, Schleifscheiben, Filter („Sonderkeramik"). Hier werden die tonkeramischen Verfahren beschrieben.

Grobkeramik

Grobsteinzeug ist durch einen glasierten oder unglasierten, dichten, im allgemeinen farbigen Scherben charakterisiert. Dieser garantiert hohe mechanische Festigkeit, geringe Wasseraufnahme und Säurebeständigkeit. Neben Kanalisationsteilen werden aus Steinzeug landwirtschaftliche Gefäße und insbesondere chemisch-technische Geräte hergestellt. Als Rohstoffe dienen Steinzeugtone, Quarzsand und flußmittelhaltige Rohstoffe wie Feldspäte oder feldspathaltige Gesteine. Die Formgebung kann ähnlich wie in der Ziegelindustrie sowohl bildsam als auch trocken erfolgen. Zunächst müssen die Rohstoffe Sand, Feldspat (oder feldspathaltige Gesteine) fein zerkleinert werden. Die Mischung mit den tonmineralhaltigen Rohstoffen erfolgt für die bildsamen Massen als Suspension unter Verwendung von entsprechenden Mischaggregaten, für die trocken zu verwendenden Massen in Trockenmischern. Nach der Formgebung und einem sorgfältigen Trockenvorgang werden die Grobsteinerzeugnisse in Kammer- oder Tunnelöfen gebrannt; die Temperatur liegt je nach der Art des Erzeugnisses zwischen 1 100 und 1 400 °C. Sofern die Erzeugnisse glasiert werden, werden sie vor dem Brennen meist durch Tauchen oder Spritzen mit einer feldspatreichen Glasur überzogen.

Feuerfeste Erzeugnisse: Feuerfeste *Baustoffe* werden verwendet, wo im Dauerbetrieb Temperaturen über 1 000 °C auftreten. Wichtige Typen: Silikasteine (93 % SiO_2), Tonerdesilikasteine (Quarzschamottesteine, Schamottesteine, 70 bis 50 % SiO_2, 12 bis 44 % Al_2O_3), tonerdereiche Steine (Schamottesteine mit Korundzusatz, Mullitsteine, Sillimanitsteine, Korundsteine, 44 bis 100 % Al_2O_3, 50 bis 0 % SiO_2). Die Herstellung der feuerfesten Steine erfolgt durch Formen, Gießen, Pressen oder Stampfen. Die Brenntemperatur liegt in Abhängigkeit von der Steinqualität zwischen 1 300 °C und 1 700 °C. Verwendet werden kohle-, öl- und gasbeheizte Einzelöfen, Ringöfen, Kammerringöfen und Tunnelöfen. *Silikasteine* werden aus Quarzit hergestellt. Für das Brennen sind Temperaturen bis 1 450 °C notwendig.

Feinkeramik

Feinsteingut ist ein feinkeramisches Erzeugnis mit einem weißen, porösen und beim Anschlagen klingenden Scherben, der nicht transparent ist und im allgemeinen eine durchsichtige Glasur trägt. Als Rohstoffe werden in unterschiedlichen Mengenverhältnissen Tone und Kaoline, Quarz, Feldspat, Erdalkalicarbonate und wasserhaltige Magnesiumsilicate (Talk) eingesetzt. Charakteristisch für Steingutmassen ist die überwiegende Verwendung von weißbrennendem Ton; Kaoline werden sowohl im geschlämmten Zustand als auch als Rohkaoline nach Mahlung in Trommelnaßmühlen als Rohstoff verwendet. Quarz dient als Magerungsmittel und wird in Form von gemahlenem Quarzsand zugesetzt. Als Flußmittel werden Feldspäte, v. a. Feldspatsande und Pegmatite, mit weißer Brennfarbe eingesetzt. Als Erdalkalicarbonate sind vor allem Calciumcarbonat in Form von Kreide, Kalkspat und Marmor sowie Dolomit und Magnesit zu nennen. Aufgrund der unterschiedlichen Massezusammensetzung kann zwischen Hartsteingut (Feldspatsteingut), Weichsteingut (Kalksteingut) und Gemischtsteingut unterschieden werden. Der Rohbrand von Hartsteingut erfolgt u. a. im Tunnelofen (Abb. 2) als sogenannter Biskuitbrand bei 1 260 bis 1 330 °C.

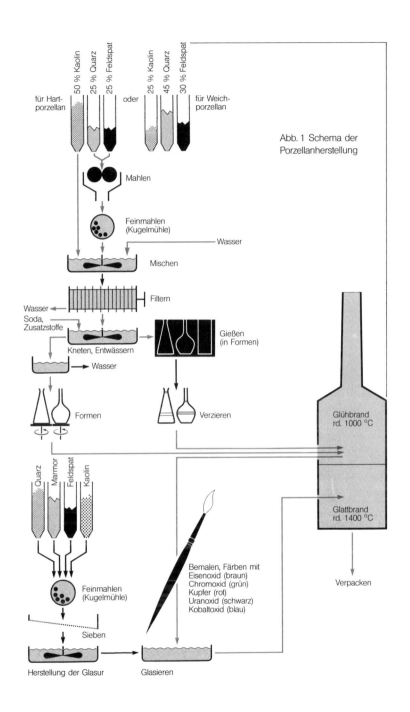

für Hartporzellan   50 % Kaolin   25 % Quarz   25 % Feldspat   oder   25 % Kaolin   45 % Quarz   30 % Feldspat   für Weichporzellan

Abb. 1 Schema der Porzellanherstellung

Mahlen

Feinmahlen (Kugelmühle)

Wasser

Mischen

Filtern

Wasser
Soda, Zusatzstoffe

Kneten, Entwässern

Gießen (in Formen)

Wasser

Formen

Verzieren

Quarz   Marmor   Feldspat   Kaolin

Glühbrand rd. 1000 °C

Glattbrand rd. 1400 °C

Feinmahlen (Kugelmühle)

Sieben

Bemalen, Färben mit
Eisenoxid (braun)
Chromoxid (grün)
Kupfer (rot)
Uranoxid (schwarz)
Kobaltoxid (blau)

Verpacken

Herstellung der Glasur   Glasieren

Keramik II

Zur Herstellung von Steingutgeschirrmassen werden die Tone nach mechanischer Vorzerkleinerung (Tonwolf, Tonschnitzler) in Rührquirlen oder Schraubenquirlen aufgeschlämmt; anschließend werden sie abgesiebt, um Verunreinigungen zurückzuhalten, und einem Mischbottich mit Rührwerk zugeführt. Die nicht bildsamen Rohstoffe (z. B. Quarzsand, Feldspatsand, Biskuitscherben) werden vorzerkleinert und in Trommelnaßmühlen vermahlen. Dann werden sie ebenfalls dem Mischbottich zugesetzt. Die aufgeschlämmte Fertigmasse wird homogenisiert, abgesiebt und auf Filterpressen bis auf einen Feuchtigkeitsgehalt von 20 bis 23 % abgepreßt. Bei der Herstellung von Wandfliesen werden die Filterkuchen getrocknet, auf Siebkollergängen zerkleinert (2 bis 4 mm), durch Wasserzugabe auf Preßfeuchte gebracht und einem Vorratsbunker als Granulat zugeführt. Das Granulat kann auch in Sprühtürmen hergestellt werden, wobei Schlicker in Heißluft verdüst wird. Die Wandfliesen werden in Stahlmatrizen auf hydraulisch oder mechanisch betriebenen Pressen hergestellt.

Als *Porzellan* bezeichnet man feinkeramische Erzeugnisse mit und ohne Glasurüberzug, die einen dichten, transparenten sowie im allgemeinen weißen Scherben aufweisen. Hartporzellan ist gegenüber dem Weichporzellan flußmittelärmer sowie tonerdereicher, es verlangt deshalb eine höhere Garbrenntemperatur, damit ein dichter und transparenter Scherben entsteht. Die Bezeichnung Weichporzellan bezieht sich auf die niedrigere Brenntemperatur bei höherem Feldspatgehalt (bereits ab 1 000 °C reagieren Feldspäte mit anderen Rohstoffen, schmelzen ab etwa 1 200 °C und wirken somit als Flußmittel).

Die Porzellanmasse wird aus geschlämmten Kaolinen, aus Quarz in Form von Quarzmehl oder als Quarzanteil in hochwertigen Pegmatiten oder Kaolinen und aus Kalifeldspat zusammengesetzt. Alle Rohstoffe müssen eine weiße Brennfarbe besitzen und frei von Eisen sein. Die Hartmaterialien (Quarz, Feldspat) werden auf Korngrößen unter 60 μm in Naßtrommelmühlen zerkleinert. Darauf erfolgt das Mischen in einem Rührquirl. Setzt man hierbei Elektrolyte (etwa 0,5 % Soda oder Wasserglas) zu, so gelingt es, bei Wassergehalten von 26 bis 35 % einen noch gießbaren Schlicker zu erhalten, der in Gipsformen (Abb. 3) zu vielgestaltigen Teilen vergossen werden kann (wobei die Gipsform dem Schlicker einen Teil des Wassers entzieht). Zur Bereitung von bildsamen Massen (20 bis 30 % Wasser) wird die Rohstoffsuspension auf Filterpressen entwässert; die gewonnenen Filterkuchen werden zum Mauken gegeben. Für das Verarbeiten durch Eindrehen in Gipsformen werden die Filterkuchen mit Hilfe einer Masseschlagmaschine oder einer Vakuumpresse homogenisiert und entlüftet. Die Formgebung geschieht durch Eindrehen (Abb. 4) in Gipsformen (mit einer Stahlschablone, z. B. für Tassen) oder Überdrehen (Abb. 5) auf eine Gipsform (bei Flachware, z. B. Tellern). Nach einem kurzen Trockenvorgang kann der lederharte Rohling der Gipsform entnommen werden, woran sich weitere Arbeitsgänge, wie Entgraten, Verputzen oder Angarnieren von Henkeln, anschließen. Für Trockenpressen in Stahlmatrizen (4 bis 8 % Wasser) oder Feuchtpressen in Stahlformen (10 bis 14 % Wasser) müssen die Filterkuchen getrocknet, gekollert und wieder auf die Verarbeitungsfeuchtigkeit gebracht werden. Diese Massen sind dabei rieselfähig und können auch auf vollautomatischen Pressen zur Herstellung von Massenartikeln (z. B. Sicherungspatronen, Schalterteile, Niederspannungsisolatoren, Flaschenverschlüsse, Isolierperlen u. a.) verarbeitet werden. Die Rohlinge werden vor dem Brand getrocknet. Für Hartporzellan ist das zweimalige Brennen charakteristisch. Einem Glühbrand im Rundofen (Abb. 6) bei rund 1 000 °C folgt das Glasieren durch Tauchen oder Spritzen des noch gut saugenden Scherbens; erst im zweiten Brand, dem Glattbrand bei 1 380 bis 1 445 °C, sintert der Scherben dicht, die Glasur fließt zu einer durchsichtigen Glasschicht aus.

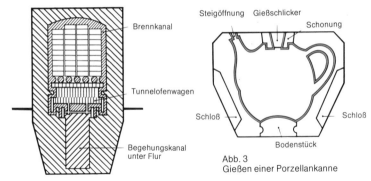

Brennkanal

Steigöffnung Gießschlicker Schonung

Tunnelofenwagen

Schloß

Schloß

Begehungskanal
unter Flur

Bodenstück

Abb. 3
Gießen einer Porzellankanne

Abb. 2
Tunnelofen zum Brennen von Steingut

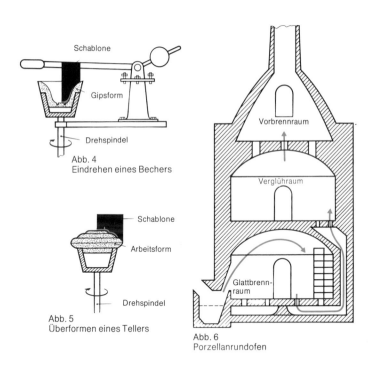

Schablone

Gipsform

Drehspindel

Abb. 4
Eindrehen eines Bechers

Vorbrennraum

Verglühraum

Schablone

Arbeitsform

Drehspindel

Glattbrenn-
raum

Abb. 5
Überformen eines Tellers

Abb. 6
Porzellanrundofen

Glas

Glas ist in seiner überwiegenden Masse ein nichtkristalliner, spröder, anorganischer, vorwiegend oxidischer Werkstoff. Er kann farblos oder gefärbt, klar oder durch Anwesenheit von Fremdteilchen getrübt sein. Glas entsteht durch Unterkühlung einer Schmelze ohne Kristallisation. Strukturell gesehen besteht Glas aus einem unregelmäßig räumlich verketteten Netzwerk bestimmter atomarer Bausteine (z. B. SiO_4-Tetraeder), in das große Kationen eingelagert sind.

Die Verarbeitung und Formgebung des Glases erfolgt aus einer zähflüssigen Schmelze heraus, wobei die Zähigkeit, die Oberflächenspannung und die Neigung zur Kristallisation (Entglasung) von erheblicher Bedeutung sind; ein an die Formgebung anschließender Kühlprozeß soll thermische Restspannungen ausgleichen. Rohstoffe zur Glasherstellung sind Quarzsand, Soda, Natriumsulfat, Kalkstein, Dolomit, Feldspat, Pottasche, Borax, Salpeter, alkalihaltige Gesteine, Mennige, Baryt, Zinkoxid, Arsenik und Natriumchlorid. In modernen Großanlagen werden die Rohstoffe über Becherwerke und Transportbänder oder pneumatisch in Bunker gefördert, aus diesen über automatische Waagen und Hängebahnen oder Transportbänder zum Mischer, der als rotierender Trommel- oder Tellermischer ausgebildet ist, und dann z. B. mit Transportbändern zum Ofen geleitet. Anfallende Scherben werden als Schmelzhilfe entweder im gebrochenen Zustand dem Gemenge zugemischt oder gesondert in den Ofen eingelegt. Die gesamte Anlage ist staubdicht abgeschlossen. Die sich im Ofen im Gemenge abspielenden Vorgänge laufen über mehrere Reaktionsstufen ab. Zunächst sintert das Gemenge, wobei sich Alkali- und Erdalkalisilicate sowie Doppelcarbonate bilden, die anschließend aufschmelzen und unter lebhafter Gasabgabe aus den reagierenden Rohstoffen den restlichen Quarzsand lösen. Hierzu sind Temperaturen um 1400 °C notwendig. Am Ende dieser *Rauhschmelze* liegt eine inhomogene, stark schlierige und blasenreiche Schmelze vor. Im Verlauf des anschließenden Läutervorganges, der *Blankschmelze,* wird die Schmelze von allen sichtbaren Einschlüssen, insbesondere den Gasblasen, befreit. Dies geschieht durch Zugabe z. B. von Läuterungsmitteln. Die Läuterungsmittel entwickeln große Dampf- und Gasblasen, die die kleinen Blasen in sich aufnehmen und sie beim Aufsteigen aus der Schmelze austragen.

Die aufsteigenden Blasen üben zugleich eine mechanische Mischwirkung auf die bis dahin inhomogene, schlierenreiche Schmelze aus. Gegen Ende des Schmelzprozesses steht die Schmelze ab und wird von 1400 °C auf etwa 1100 °C abgekühlt. Hierbei erhöht sich die Zähigkeit so weit, daß eine Verarbeitung bzw. Formgebung möglich ist.

Tafelglas wird als *Dünnglas* (Dicke 0,9 mm, 1,1 mm, 1,3 mm und 1,6 mm), *Bauglas* (*Fensterglas;* Dicke 1,8 mm, 2,8 mm, 3,8 mm) und *Dickglas* (4,5 mm, 5,5 mm und 6,5 mm Dicke) durch Ziehen aus der Schmelze (Libbey-Owens-, Fourcault-, Pittsburgh-Prozeß) erzeugt und hat feuerblanke Oberflächen, ist also weder poliert noch geschliffen.

Spiegelglas wird durch Gießen und Walzen sowie anschließendes Planschleifen und Polieren oder im Float-Verfahren durch Aufgießen auf ein Metallbad (geschmolzenes Zinn; auch die Oberseite wird durch den Einfluß der Oberflächenspannung völlig plan) hergestellt (Abb. 1). Normale Dicken sind 3 bis 10 mm, unter Umständen bis 50 mm.

Guß-, Draht- und *Ornamentglas* wird durch Gießen und Auswalzen hergestellt und ist entweder auf beiden Seiten glatt oder ein- oder beidseitig ornamentiert bzw. mit einer Drahteinlage versehen.

Sicherheitsglas umfaßt *Einscheiben-* und *Verbundsicherheitsglas.* Das Einscheibensicherheitsglas wird durch Vorspannen (gesteuerte äußere Abschreckung) bei der Kühlung des Glases erzeugt, wobei eine höhere Festigkeit erreicht wird. Außerdem wird dadurch die Entstehung scharfkantiger Splitter verhindert. Verbundglas besteht aus zwei Flachglasscheiben mit zwischengeklebter Kunststoffschicht.

Hohlgläser (Flaschen, Glasgefäße u. a.) werden als Massenware im maschinellen Blasverfahren (Abb. 2) oder durch Pressen der zähflüssigen Glasmasse in Formen (Preßglas) hergestellt, hochwertige Hohlglaserzeugnisse und kompliziert geformte Glasteile (z. B. für Laboratorien) im traditionellen Mundblasverfahren mit der sogenannten Glasmacherpfeife.

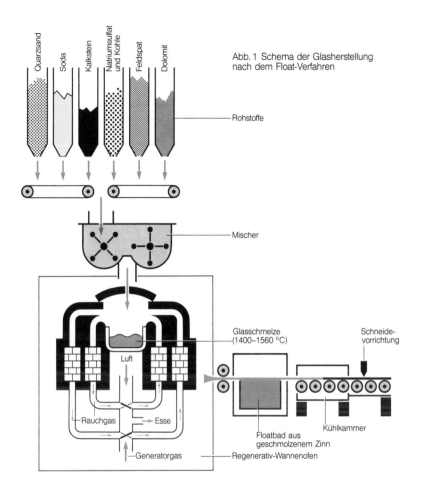

Quarzsand

Soda

Kalkstein

Natriumsulfat und Kohle

Feldspat

Dolomit

Abb. 1 Schema der Glasherstellung nach dem Float-Verfahren

Rohstoffe

Mischer

Glasschmelze (1400–1560 °C)

Schneidevorrichtung

Luft

Rauchgas

Esse

Floatbad aus geschmolzenem Zinn

Kühlkammer

Generatorgas

Regenerativ-Wannenofen

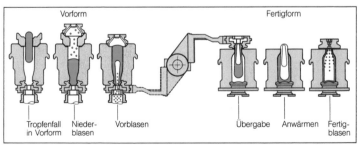

Vorform

Fertigform

Tropfenfall in Vorform

Niederblasen

Vorblasen

Übergabe

Anwärmen

Fertigblasen

Abb. 2 Maschinelle Herstellung einer Flasche

Papier

Papier ist ein aus Fasern, vornehmlich Pflanzenfasern, durch Verfilzen, Verleimen und Pressen hergestellter blattartiger Werkstoff, dessen Rohstoffe Holz (mechanisch zu Holzschliff oder chemisch zu Zellstoff aufgeschlossen), Hadern (Leinen-, Baumwollumpen) sowie weitere Fasern (Hanf, Schlackenwolle, Glasfasern, Chemiefasern u.a.) sind. Synthetisches Papier wird aus Chemiefasern hergestellt.

Vorprodukte der *Papierherstellung* sind Holzschliff, Zellstoff, Hadern, Altpapier. Dazu kommen Füllstoffe wie Kaolin, Bariumsulfat, Gips, Talkum, Calcium- und Magnesiumcarbonat, Titanoxid u.a., mit denen eine geschlossene Oberfläche erzielt und der Weißgehalt verbessert wird. Durch Zugabe von Leimen und Wachsen wird das Auslaufen und Durchschlagen von Tinte verhindert. Zur Herstellung naßfester Verpackungspapiere werden Harnstoff- und Melaminharzleime zugesetzt. Die Aufbereitung der Rohstoffe und ihre Mischung mit den Füllstoffen erfolgt in speziellen Mahlmaschinen (Holländer, Kegel- oder Scheibenmühlen). Nach Erreichen des erforderlichen Mahlungsgrades wird die Mischung in Stoffbütten gespeichert, durch ständiges Rühren in gleichmäßiger Konzentration gehalten und über einen Sandfang bzw. Wirbelsichter der *Papiermaschine* zugeführt. Die Blattbildung erfolgt vornehmlich auf Langsiebmaschinen: Der dünne Faserbrei fließt in der Siebpartie der Maschine auf ein feines, endloses Metallgewebe, dessen rüttelnde Bewegung eine gute Verfilzung des Faservlieses gewährleistet. Am Ende des Siebteiles wird die Entwässerung durch Vakuumsauger und durch Gautschwalzen (mit wasseraufsaugendem Filz bespannte, rotierende Walzen) unterstützt. Die weitere Entwässerung der *Papierbahn* erfolgt auf der Pressenpartie der Maschine (bis zu 5 Naßpressen). Das restliche vorhandene Wasser wird dann in der Trockenpresse (bis zu 48 beheizte Trockenwalzen) entzogen. Durch Kühlwalze, Glättwalze und Längsschneider gelangt das Papier schließlich zum Rollapparat.

Die *Papierausrüstung* umfaßt alle Maßnahmen, die dazu dienen, das von der Papier-, Karton- bzw. Pappenmaschine kommende Endlosbahnmaterial verkaufsfertig zu machen, z.B. Vor- und Umrollen, Abrißbeseitigung durch Klebestellen, Unterteilung der Bahn durch Rollen und Querschneiden (Formatschneiden), Glätten, Satinieren auf Kalandern, Linieren, Sortieren, Verpacken, Klimatisieren bei 18 bis 25 °C und 55 bis 70 % relativer Luftfeuchtigkeit, um Flachlage und gute Verarbeitungsfähigkeit zu erreichen.

Die Einteilung der *Papiersorten* kann nach mehreren Merkmalen erfolgen, am gebräuchlichsten ist diejenige nach den Verwendungszwecken:
1. Druck-, Schreib- und Zeichenpapiere, deren Kennzeichen hoher Weißgrad, gute Qualität, abgestimmte Oberflächenveredelung (Kunstdruck- oder maschinengestrichenes Papier) sind;
2. Pack- und Hüllpapiere mit hohen Festigkeitseigenschaften und häufig auch Sperrschichteigenschaften nach Beschichtung oder Kaschieren, wie Lebensmittelverpackungspapier, Kraftpapier, Seidenpapier, Zigarettenpapier u.a.;
3. sanitäre Papiere (weich, voluminös, saugfähig, hohe Dehnung, abgestimmte Naßfestigkeit);
4. technische und Spezialpapiere, an die vom Verwendungszweck her sehr hohe Güteanforderungen gestellt werden, z.B. Papiere der Photographie (Photorohpapier, Lichtpauspapier), des elektrotechnischen Sektors (Kondensatorpapier, Preßspan) u.a.

Bei den *Papierformaten* wird in der Haupttreihe A von der Bogengröße 1 m² mit dem Seitenverhältnis $1 : \sqrt{2}$ ausgegangen. Durch Halbieren der Fläche entsteht jeweils das nächstkleinere Format (in cm)

DIN A 0	84,1/118,9	DIN A 5	14,8/21,0
DIN A 1	59,4/84,1	DIN A 6	10,5/14,8
DIN A 2	42,0/59,4	DIN A 7	7,4/10,5
DIN A 3	29,7/42,0	DIN A 8	5,2/7,4
DIN A 4	21,0/29,7	DIN A 9	3,7/5,2

DIN A 4 ist das Briefbogen-Normformat, DIN A 6 das Postkarten-Normformat. Daneben sind auch DIN-B-, DIN-C- und DIN-D-Reihen gebräuchlich. Die Grundformate sind (in cm) DIN B 0 100/141,4, DIN C 0 91,7/129,7, DIN D 0 77,1/109.

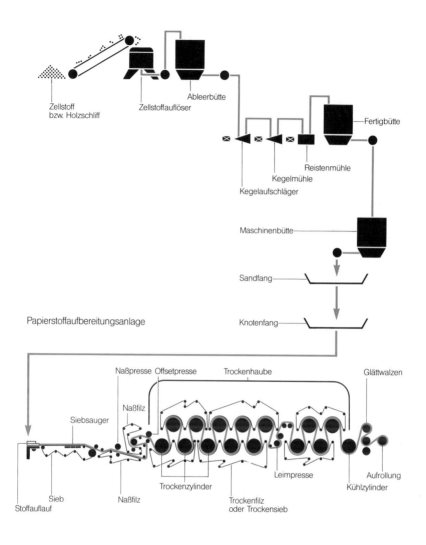

Zellstoff bzw. Holzschliff

Zellstoffauflöser

Ableerbütte

Fertigbütte

Reistenmühle

Kegelmühle

Kegelaufschläger

Maschinenbütte

Sandfang

Papierstoffaufbereitungsanlage

Knotenfang

Naßpresse Offsetpresse Trockenhaube

Glättwalzen

Naßfilz

Siebsauger

Aufrollung

Kühlzylinder

Leimpresse

Trockenzylinder

Sieb

Naßfilz

Trockenfilz oder Trockensieb

Stoffauflauf

Papiermaschine

Schweißen I

Metallschweißen ist ein Vereinigen metallischer Werkstoffe unter Anwendung von Wärme, Druck oder von beidem, und zwar mit oder ohne Zusetzen von Zusatzwerkstoff mit gleichem oder nahezu gleichem Schmelzbereich.

Preßschweißverfahren: Beim sog. Preßschweißen wird das Werkstück zunächst örtlich an der Verbindungsstelle erhitzt und nachfolgend im plastischen Zustand unter Druck zusammengefügt. Zusatzwerkstoff wird dabei im allgemeinen nicht verwendet. Beim *Kaltpreßschweißen* erfolgt die Vereinigung unter sehr hohem Druck ohne Wärmeeinwirkung und Zusatzwerkstoff. Zu dem letztgenannten Verfahren gehören auch das Ultraschallschweißen (US-Schweißen) und das Explosionsschweißen. – Das älteste der Verfahren, welches heute fast nur noch im Kunstschmiede- und Schlosserhandwerk Verwendung findet, ist das *Feuerschweißen,* wobei die Werkstückteile im Schmiedefeuer oder Ofen erhitzt und durch Hämmern *(Hammerschweißen)* oder durch Pressen und Walzen miteinander verbunden werden.

Beim *Gaspreßschweißen* (Abb. 1) werden die Teile durch eine Brenngas-Luftoder Brenngas-Sauerstoff-Flamme erwärmt und durch Stauchen zusammengefügt. Dieses Verfahren findet beispielsweise bei der Herstellung von Rohren kleineren Durchmessers aus Stahlbändern Anwendung *(Fretz-Moon-Verfahren).* Die Bänder werden durch einen Ziehtrichter und Profilwalzen zu einem Schlitzrohr geformt, örtlich durch Gasbrenner im Durchlaufofen auf Schweißtemperatur erhitzt und die Kanten mit Druckrollen aufeinander gepreßt und verschweißt.

Beim *Lichtbogenpreßschweißen* und den daraus abgeleiteten Spezialverfahren wird die benötigte Wärme durch einen kurzzeitig zwischen den Teilen brennenden Lichtbogen erzeugt und die Verbindung durch nachfolgendes Stauchen hergestellt.

Beim *Widerstandspreßschweißen* (vgl. Abb. 2) erzielt man die Erwärmung sich berührender Werkstückteile mit einem hindurchfließenden elektrischen Strom durch den elektrischen Widerstand des Werkstoffes, insbesondere durch den hohen Widerstand an der Berührungsstelle der Werkstückteile, die nach Erreichung der Schweißhitze unter Druck vereinigt werden. Der Strom wird direkt über entsprechende Elektroden oder induktiv zugeführt. Auf der elektrodischen Zuführung basiert das *Widerstandsstumpfschwei-*ßen (Abb. 2a), bei dem die Werkstückteile fest aneinanderstoßend in Spannbacken aus Kupfer eingeklemmt sind, über die der elektrische Strom zugeführt wird.

Ähnlich arbeitet das *Punktschweißen* (Abb. 2b), das zur punktweisen Verbindung von Blechen und zur Herstellung von Schweißteilen aus Blechen und Drähten dient. Der Strom wird dabei über entsprechend geformte Druckelektroden zugeführt. Das *Nahtschweißen* (Abb. 2c) verwendet scheibenförmige Elektrodenrollen zur Herstellung einer nahtförmigen Verbindung von Blechen.

Beim *Induktionsschweißen* wird die induktive Erwärmung durch ein Wechselfeld bewirkt. Beim *Thermitpreßschweißen* dient die bei der chemischen Umsetzung von Eisenoxid und Aluminium zu Aluminiumoxid und Eisen freiwerdende Wärme zur Erhitzung der Schweißstelle. Beim *Gießpreßschweißen* wird die Erwärmung durch flüssiges Metall bewirkt, das an der Schweißstelle entlangrinnt.

Das *Reibschweißen* wird zum Verbinden rotationssymmetrischer Stirnflächen von Profilen verwendet. Die Teile werden dabei an den Schweißflächen aneinanderstoßend in eine drehmaschinenartige Vorrichtung eingespannt, und ein Verbindungsteil wird in Rotation versetzt (Abb. 3). Ist durch die entstehende Reibungswärme die erforderliche Schweißtemperatur erreicht, wird das rotierende Teil abgebremst, der Stauchdruck erhöht und die Verschweißung vorgenommen.

Beim *Diffusionsschweißen* setzt man die zu verbindenden Teile in einem Vakuumoder Schutzgasofen über längere Zeit (z. B. 120 Minuten) einem hohen Stauchdruck aus. Die Verbindung erfolgt durch Diffusion und durch Kriechen der Materialien. Dieses Verfahren gewinnt zunehmend an Bedeutung in der Luft- und Raumfahrt, beim Turbinenbau sowie in der Reaktortechnik.

Abb. 1 Gaspreßschweißen

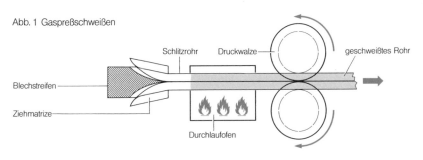

Blechstreifen

Ziehmatrize

Schlitzrohr   Druckwalze   geschweißtes Rohr

Durchlaufofen

Abb. 2 Widerstands-
preßschweißverfahren

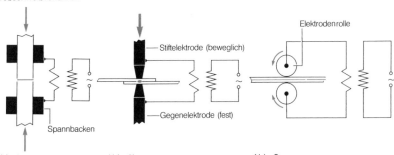

Elektrodenrolle

Stiftelektrode (beweglich)

Gegenelektrode (fest)

Spannbacken

Abb. 2a
Stumpfschweißen

Abb. 2b
Punktschweißen

Abb. 2c
Nahtschweißen

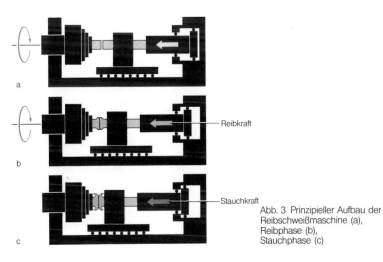

a

b   Reibkraft

c   Stauchkraft

Abb. 3 Prinzipieller Aufbau der
Reibschweißmaschine (a),
Reibphase (b),
Stauchphase (c)

553

Schweißen II

Beim *Schmelzschweißen* werden die Werkstückteile durch Aufschmelzen im Bereich der Verbindungsstelle miteinander verbunden. Meist wird mit einem Zusatzwerkstoff gearbeitet, der in Stab- oder Drahtform *(Schweißstäbe, Schweißdrähte)* zugeführt wird und der Füllung der Schweißfuge dient. Als Wärmequellen dienen z. B. heiße Gase, elektrischer Strom oder chemische Umsetzungen. Die Autogen- oder Gasschweißverfahren arbeiten zur Verflüssigung des Werkstoffs im Bereich der Schweißstelle mit Brenngas-Sauerstoff- oder Brenngas-Luft-Flammen, die mit Hilfe von *Schweißbrennern* erzeugt werden. Das automatisierte *Elektroschlackeschweißen* (Abb. 4) nutzt die Widerstandserwärmung, wobei die Aufschmelzung im Bereich der Schweißstelle durch ein elektrisch leitendes Schlackebad erzielt wird, dessen Temperatur über der Schmelztemperatur des Metalls liegt.

Beim *Lichtbogenschweißen* dient ein Lichtbogen zum Aufschmelzen des Grund- und des Zusatzwerkstoffs, der dabei als Elektrode geschaltet oder stromlos zugeführt wird. Wenn die Verbindung durch nachfolgendes, schlagartiges Zusammenstauchen hergestellt wird, spricht man von *Abbrennstumpfschweißen*.

Beim *Lichtbogenschweißverfahren nach Slavjanow* (Abb. 5) brennt der Lichtbogen zwischen einer abschmelzenden Metallelektrode aus dem Zusatzwerkstoff und dem Werkstück.

Mit verdecktem Lichtbogen arbeitet das *Unterschienenschweißen (Elin-Hafergut-Verfahren)*, bei dem eine über die Fuge gelegte ummantelte Elektrode von einem Ende her unter einer abdeckenden Kupferschiene abschmilzt. Ein automatisches Verfahren dieser Art ist das *Fusarcverfahren*, das u. a. im Schiffbau angewandt wird.

Beim *Unterpulverschweißen (Ellira-Schweißen;* Abb. 7) brennt der Lichtbogen ebenfalls verdeckt zwischen einer endlosen Elektrode (Rollendraht) und dem Werkstück, wobei die abdeckende Pulverschicht die Rolle der Elektrodenumhüllung übernimmt. Das Pulver schmilzt unter der Wärmeentwicklung des Lichtbogens z. T. auf und bildet eine schützende und feste Schlackenschicht auf der Naht.

Beim *Lichtbogenschweißen unter Schutzgas* werden im Bereich der Schmelze Reaktionen mit der Außenatmosphäre durch Zuführen eines Edelgases *(Edelgas-Lichtbogenschweißen),* z. B. Helium *(Heliarcverfahren),* Argon *(Argonarcverfahren)* oder

von Kohlendioxid *(Cycarcverfahren)* verhindert. Während bei diesen Verfahren das Schutzgas nur zur Abschirmung gegen die Außenatmosphäre dient, wird das Gas beim *atomaren Lichtbogenschweißen* auch an der Energieumsetzung im Bereich der Schweißstelle beteiligt *(Metall-Aktivgas-Verfahren, MAG-Verfahren;* Abb. 6). Beim *Arcatomschweißverfahren* brennt der Lichtbogen zwischen zwei Wolframelektroden, die von Wasserstoff umspült werden, wobei dieser unter Energieaufnahme bei gleichzeitiger Elektrodenkühlung in seine Atome zerfällt und sich am Rande des Lichtbogens, d. h. im Bereich der eigentlichen Schweißstelle, unter Wärmeabgabe wieder zu Wasserstoffmolekülen vereinigt. Entsprechend arbeitet das *Plasmaschweißen* mit einem besonderen Plasmabrenner. Weitere Schutzgasschweißverfahren sind z. B. das *Wolfram-Inertgas-Verfahren (WIG-Verfahren;* Abb. 8) mit Wolframelektrode und Zusatzwerkstoff und das *Metall-Inertgas-Verfahren,* das mit abschmelzender Metallelektrode arbeitet.

Beim *Thermitschmelzschweißen (aluminothermisches Schweißen)* wird das Verschweißen durch die unter starker Wärmeentwicklung erfolgende Umsetzung von Aluminiumpulver und Metalloxid zu Aluminiumoxid und flüssigem Metall erzielt.

Beim *Gießschweißen,* das v. a. zur Reparatur fehlerhafter oder beschädigter Gußstücke Verwendung findet, wird das Werkstück im Bereich der Schweißstelle in Sand eingeformt. Der geschmolzene Zusatzwerkstoff bewirkt durch Auf- oder Durchgießen die Erwärmung des Werkstücks bis zum Eintreten der Verschweißung.

Ein neueres Verfahren ist das *Elektronenstrahlschweißen,* bei dem Elektronenstrahlen hoher Energiedichte, die durch elektrische oder magnetische Felder gesteuert und scharf gebündelt werden, als Wärmequelle dienen. Dieses Verfahren erfolgt vorwiegend im Vakuum oder auch unter Heliumgas in speziellen, dem Werkstück aufgesetzten Kammern. Damit lassen sich auch Werkstoffe mit sehr hohem Schmelzpunkt (z. B. Wolfram, Molybdän, Tantal) miteinander verbinden. – Ebenfalls neu ist das Schweißen mit *Laser-* oder *Maserstrahlen,* wodurch Spezialschweißungen, insbesondere an hochschmelzenden Werkstoffen, möglich sind.

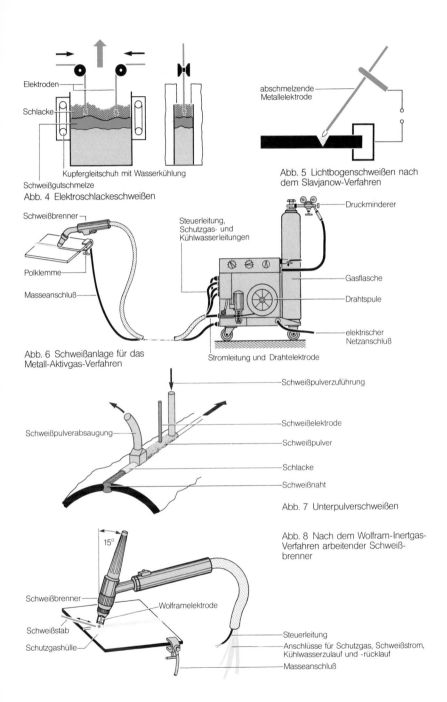

Elektroden

Schlacke

Kupfergleitschuh mit Wasserkühlung

Schweißgutschmelze

Abb. 4 Elektroschlackeschweißen

abschmelzende Metallelektrode

Abb. 5 Lichtbogenschweißen nach dem Slavjanow-Verfahren

Schweißbrenner

Steuerleitung, Schutzgas- und Kühlwasserleitungen

Druckminderer

Polklemme

Masseanschluß

Gasflasche

Drahtspule

elektrischer Netzanschluß

Abb. 6 Schweißanlage für das Metall-Aktivgas-Verfahren

Stromleitung und Drahtelektrode

Schweißpulverzuführung

Schweißpulverabsaugung

Schweißelektrode

Schweißpulver

Schlacke

Schweißnaht

Abb. 7 Unterpulverschweißen

Abb. 8 Nach dem Wolfram-Inertgas-Verfahren arbeitender Schweißbrenner

15°

Schweißbrenner

Wolframelektrode

Schweißstab

Schutzgashülle

Steuerleitung

Anschlüsse für Schutzgas, Schweißstrom, Kühlwasserzulauf und -rücklauf

Masseanschluß

555

Löten

Löten ist ein Verfahren zum Verbinden metallischer Werkstoffteile mit Hilfe eines geschmolzenen Zusatzmetalles *(Lot)*, dessen Schmelztemperatur unterhalb derjenigen der Grundwerkstoffe liegt. Die Grundwerkstoffe werden benetzt, ohne geschmolzen zu werden. Im Gegensatz zum Schweißen ermöglichen die Lötverfahren die Verbindung verschiedener, nicht artgleicher metallischer Werkstoffe zu einer Konstruktion. Die Benennung der Lötverfahren richtet sich im wesentlichen nach der Arbeitstemperatur, dem Anwendungszweck und der Wärmequelle. *Weichlöten* (Abb. 1) erfolgt bei Temperaturen unter 450 °C, *Hartlöten* (Abb. 2) bei Temperaturen von 450 °C bis über 900 °C. Nach dem Anwendungszweck unterscheidet man z. B. Verbindungslöten oder Auftragslöten, das beispielsweise der Erzielung glatter Oberflächen oder der Reparatur von Gußstücken dient, nach der Art der Wärmequelle z. B. *Kolbenlöten* und *Flammenlöten*.

Weitere Einteilung erfolgt nach der Form der Lötstelle. Beim *Spaltlöten* haben die zu verbindenden Teile gleichbleibenden parallelen Abstand unter 0,5 mm, beim Fugenlöten Abstände über 0,5 mm oder eine v- oder x-förmige Lötfuge.

Bei der Benennung nach der Art der Lotzuführung ist zu unterscheiden zwischen dem Löten mit angesetztem Lot, wobei das Lot nach Erhitzen des Werkstükkes auf Löttemperatur durch Berührung mit dem Werkstück oder der Wärmequelle geschmolzen wird; dem Löten mit eingelegtem Lot, wobei die abgemessene Lotmenge möglichst dicht am Lötspalt angebracht und dann gemeinsam mit dem Werkstück erhitzt wird, und dem *Tauchlöten* (Abb. 3), das durch Eintauchen der zusammengespannten Werkstückteile in das geschmolzene Lot oder (v. a. beim Anlöten der Kontakte elektronischer Bauteile an die Leiterbahnen) durch Hineinhalten in einen „Schwall" (Welle) des ständig umgepumpten flüssigen Lots *(Schwallöten)* bewirkt wird.

Das Lot wird in Form von Stäben, Drähten, Blechen, Körnern, Pulver oder auch als Paste verwendet. Zum Weichlöten werden vorwiegend niedrigschmelzende Legierungen auf Blei-, Antimon- und Zinnbasis verwendet, zum Hartlöten unlegiertes Kupfer, Messing- und Silberlote und für Leichtmetalle Hartlote auf der Basis von Aluminium, Silicium, Zinn und Cadmium. Teilweise wird unter Zusatz von Flußmitteln gearbeitet, die die Werkstückoberfläche reinigen, die Benetzbarkeit und den Lötfluß verbessern und die Bildung von Oberflächenfilmen verhindern sollen. Um Lot und Werkstück beim Aufheizen und während der Lötung vor Oxidation zu schützen oder eventuelle Oxidbeläge von Lot und Werkstück zu Metall zu reduzieren, wird die Lötung auch teilweise unter Schutzgas vorgenommen.

Für die Weichlötung von Hand wird der durch elektrischen Strom oder indirekt in einer anderen Wärmequelle, z. B. einer Gasflamme, erhitzte Kupferlötkolben oder die mit Benzin oder Gas (Butan, Propan) arbeitende Lötlampe verwendet. Für die Hartlötung werden Gasbrenner, Gebläsebrenner oder auch Schweißbrenner eingesetzt. Zum Weich- und Hartlöten in der Serien- und Massenfabrikation ist die bereits genannte Tauchlötung gebräuchlich oder auch die Lötung des vorher mit Lot versehenen Werkstückes im Salz- oder Ölbad (Abb. 5) entsprechender Arbeitstemperatur. Beim *Durchgießlöten* (Abb. 4) läuft das Lot durch die überhitzte Lötfuge, bis die Verbindung eintritt. Bei der elektrischen *Widerstandslötung* (Abb. 6) werden Lot, Flußmittel und Werkstück zwischen Elektroden aus Kupfer oder Wolfram erhitzt und miteinander verbunden, beim *Induktionslöten* (Abb. 7) erfolgt die Lötung dagegen unter Einwirkung des Feldes hochfrequenten Wechselstromes. Ein neueres Verfahren, das v. a. in der Elektronik angewandt wird, ist das *Löten mit Laserstrahlen*, bei dem das Lot auf der Werkstoffoberfläche mit dem fokussierten Strahl eines Festkörper- oder CO_2-Lasers geschmolzen wird.

Das *Hochtemperaturlöten* erfolgt überwiegend in Öfen *(Ofenlöten)*, die diese hohen Temperaturen in einer lötgerechten Umgebung sicherstellen. Die Oxidation an der Lötstelle wird durch eine Schutzgasatmosphäre oder durch Vakuum, z. T. auch durch Flußmittel verhindert.

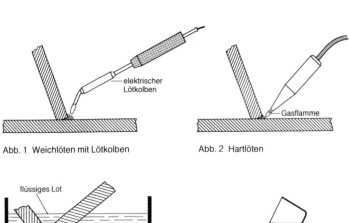

Abb. 1 Weichlöten mit Lötkolben

Abb. 2 Hartlöten

flüssiges Lot

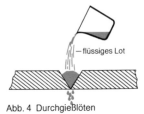

Abb. 3 Tauchlöten

—flüssiges Lot

Abb. 4 Durchgießlöten

Salzbad

Kupferelektrofen

Abb. 5 Löten im Salzbad

Abb. 6 Widerstandslöten

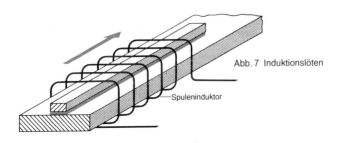

Abb. 7 Induktionslöten

Spuleninduktor

Verzinken

Unter den metallischen Überzügen zum Rostschutz auf Eisen und Stahl spielen Zinküberzüge eine sehr bedeutende Rolle. Das gebräuchlichste Verzinkungsverfahren ist die *Feuerverzinkung (Tauchverzinkung)*, wobei der Zinküberzug durch Eintauchen der Gegenstände in eine Zinkschmelze erzeugt wird. Das Zink reagiert dabei mit dem Eisen unter Bildung von Eisen-Zink-Mischkristallen, und es entsteht ein Überzug guter Haftfestigkeit und Korrosionsbeständigkeit (Abb. 1). Weniger häufig eingesetzt werden die galvanische Verzinkung, die *Spritzverzinkung* (ein Flammspritzverfahren) und das *Sherardisieren (Diffusionsverzinken)*.

Zur Erzielung eines einwandfreien Überzuges ist es erforderlich, daß die Gegenstände eine reine Oberfläche aufweisen, die frei ist von Öl, Fett oder Farbe, aber auch von Zunder, Schmutz und Korrosionsprodukten. Die Vorbehandlung umfaßt die Arbeitsgänge (Entfettung), Beizen, (Spülen), Flußmittelbehandlung (und Trocknung), wobei die Klammern andeuten, daß diese Arbeitsgänge teilweise wegfallen.

Ist eine Entfettung notwendig, so richtet sich die Art des Lösungsmittels und des Verfahrens nach dem Grad der Verschmutzung und der Natur der Fette.

Die Entfernung der Oxidschichten erfolgt durch Beizen mit verhältnismäßig starken, wäßrigen Lösungen von Salzsäure oder Schwefelsäure. Bei Salzsäure wird der Zunder in erster Linie chemisch gelöst und der Untergrund wenig angegriffen, während bei Schwefelsäure mit dem Eisen reagiert und der Zunder durch die dabei auftretende Wasserstoffentwicklung zum Abplatzen gebracht wird. Gußteile, denen noch Sand anhaftet, werden vor dem Beizen durch mechanische Behandlung in Trommeln oder durch Sandstrahlen vorgesäubert, durch Zusatz von Flußsäure wird der restliche Sand bei dem Beizprozeß abgelöst.

Dem Beizen folgt eventuell das Spülen in Wasser und dann die Flußmittelbehandlung. Das Flußmittel, meist eine Mischung von Chlorzink und Ammoniumchlorid, hat die letzten Reste von Verunreinigungen zu beseitigen und die Benetzbarkeit der Oberfläche zu erhöhen. Bei der *Naßverzinkung* (Abb. 3) wird das Flußmittel auf das Zinkbad aufgeschmolzen und der betreffende Gegenstand durch die Flußmittelschicht in das Zinkbad gebracht. Bei der *Trockenverzinkung* (Abb. 2) werden die Teile in eine wäßrige Flußmit-

tellösung getaucht und danach getrocknet. Dabei entsteht ein dünner Film, der im Zinkbad schmilzt, die notwendige Reinigung übernimmt und dann abkocht. Die eigentliche Verzinkung erfolgt im flüssigen Zink bei etwa 450 bis 470 °C in einem beheizten Kessel aus Stahlblech oder in Sonderfällen aus keramischen Stoffen. Da das Zink die eisernen Kesselwände angreift, ist es wichtig, daß die Beheizung der Kessel möglichst gleichmäßig ist, was durch Kesselkonstruktion und entsprechende Führung und Regulierung der Heizung zu erreichen ist.

Das *Sherardisieren* beruht darauf, daß die Gegenstände in Zinkstaub eingebettet und bei etwa 400 °C unter Luftabschluß in speziellen Trommeln geglüht werden, wobei durch Diffusionsvorgänge eine Eisen-Zink-Legierungsschicht entsteht. Verwendung findet das Verfahren vor allem für kleine Massenartikel, wie beispielsweise Nägel, Stifte, Schrauben, Muttern, Ketten und Ventilteile.

Zur Verzinkung von Bändern kommt das *Sendzimir-Verfahren* (Abb. 4) zur Anwendung. Hierbei rollt das Band von einer Spule (1) der Oxidation der Öl- und Fettreste bei erhöhter Temperatur zu (2). Nach dem Weichglühen und der Reduktion der Oxide in Ammoniak (3) erfolgt die Abkühlung auf 500 °C und das Eintauchen in das Zinkbad unter Luftabschluß (4). Die eigentliche Verzinkung geschieht nun bei etwa 450 °C, wobei das Zink durch die Temperatur des Bandes flüssiggehalten wird (5). Nach dem Austreten des Bandes aus dem Zinkbad wird es zu Blechen geschnitten (6) oder aufgerollt (7).

Beim *Galvanoverzinken* werden die zu verzinkenden Werkstücke als Kathode geschaltet und in ein galvanisches Bad aus einer sauren oder alkalischen Zinksalzlösung getaucht; die Anode besteht aus Zink.

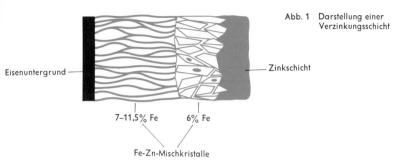

Abb. 1 Darstellung einer Verzinkungsschicht

Eisenuntergrund

Zinkschicht

7–11,5% Fe   6% Fe

Fe-Zn-Mischkristalle

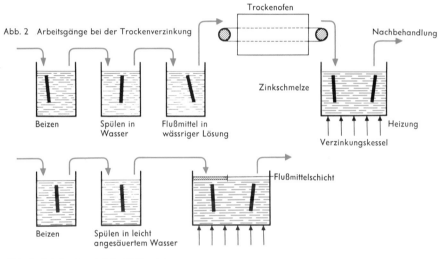

Trockenofen

Abb. 2 Arbeitsgänge bei der Trockenverzinkung

Nachbehandlung

Zinkschmelze

Beizen   Spülen in Wasser   Flußmittel in wässriger Lösung

Verzinkungskessel   Heizung

Flußmittelschicht

Beizen   Spülen in leicht angesäuertem Wasser

Abb. 3 Arbeitsgänge bei der Naßverzinkung

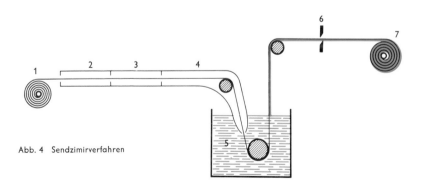

Abb. 4 Sendzimirverfahren

Galvanisieren

Unter den verschiedenen Verfahren zur Herstellung von Überzügen auf Metallen spielen die galvanischen eine sehr wesentliche Rolle. Die galvanischen Überzüge dienen dabei als reiner Korrosionsschutz (z. B. Verzinkung und Verzinnung von Eisen), zu dekorativen Zwecken (z. B. Vergoldung und Versilberung) oder übernehmen beide Funktionen gleichzeitig (z. B. Verchromung). Das Prinzip der galvanischen Verfahren beruht darauf, daß das Deckmetall sich mit Hilfe elektrischen Stromes aus seiner wäßrigen, sauren oder alkalischen Elektrolytlösung auf dem Grundmetall niederschlägt (Abb. 1). Das mit dem Überzug zu versehenen Werkstück wird dabei als Kathode (Minuspol) geschaltet, als Anode (Pluspol) dient im allgemeinen eine Platte aus dem abzuscheidenden Metall, die sich während des Elektrolysevorgangs langsam auflöst. Als Stromart wird Niederspannungsgleichstrom konstanter Stärke eingesetzt. Ein Sonderverfahren ist die Metallabscheidung mit Umpolung, das besonders für cyanidische Kupferbäder Anwendung findet. Durch die Stromumpolung in bestimmten Zeitabständen wird dabei immer wieder ein Teil des abgeschiedenen Metalls aufgelöst, wodurch der Überzug besonderen Glanz erhält. Glänzende Oberflächen lassen sich aber auch durch Zusatz von speziellen Glanzbildnern erzielen. Sehr häufig werden die Gegenstände mit zwei oder mehreren Schichten aus verschiedenen Metallen versehen. So erfordert beispielsweise die Aufbringung einer Glanzchromschicht auf Zinkspritzguß eine Vorverkupferung sowie eine Kupferund eine Nickelzwischenschicht vor dem Abscheiden der abdeckenden Chromschicht.

Zur Erzeugung von einwandfreien Überzügen guter Haftfestigkeit ist es notwendig, die Gegenstände vorher einer gründlichen Reinigung zu unterziehen. Die Vorbehandlung erfolgt durch mechanische Verfahren, wie beispielsweise Sandstrahlen, Schleifen, Bürsten und Kratzen, physikalische Verfahren, wie Entfernung der Öle und Fette mit organischen Lösungsmitteln, oder auch durch chemische Verfahren. Zu letzteren gehören das Beizen mit Säure, die alkalische Entfettung (Verseifung) und die oft gebräuchliche elektrolytische Entfettung in alkalischen oder cyankalischen Bädern, unter Umständen noch mit Zusatz von Benetzungsmitteln oder Emulgatoren. Für die Aufbringung der Schichten werden Elektrolysebäder der verschiedensten Größe, Form und Auskleidung verwendet, wie beispielsweise Ring- und Wanderbäder für große Teile, Glocken- und Trommelapparate für die Massenbearbeitung von Kleinteilen. Während bei den beiden erstgenannten die Teile in entsprechende Halterungen eingespannt und über diese kathodisch geschaltet werden, wird die Stromzuführung bei den Massenteilen auf anderem Wege erreicht. Bei den Glockenapparaten wird eine punktförmige Kathode in das Kleinteilknäuel hineingeführt, während bei den Trommeln der Strom durch Kontaktleisten, -bänder oder durch Spiralkontakte im Innern der Trommel zugeführt wird. Für die Verzinnung und Verzinkung von Bändern aus Eisenwerkstoffen wurden spezielle Bandanlagen entwickelt, die weitgehend automatisch und mit hohen Geschwindigkeiten arbeiten (Abb. 2). Die im Schema dargestellte Ferrostananlage (Abb. 3) zum Verzinnen von Stahlblech (Weißblechherstellung) arbeitet mit einem Zinnsulfat enthaltenden Elektrolyten auf phenol- oder kresolsulfonsaurer Basis. Bei der Vorbehandlung in dieser Anlage erfolgen Entfettung und Beizung elektrolytisch. Die Durchsatzgeschwindigkeit beträgt etwa 25 m pro Minute. Mit der abgebildeten einfachen elektrolytischen Verzinkungsanlage (Abb. 4) können Bänder von 0,1–3 mm Stärke und 100–800 mm Breite verzinkt werden, wobei die Bandgeschwindigkeit je nach gewünschter Auflagestärke bei 15–20 m pro Minute liegt.

Zunehmend werden auch Kunststoffteile durch galvanische Metallabscheidung „metallisiert". Hierzu muß die Oberfläche zunächst aufgerauht, gereinigt und dann mit einer elektrisch leitfähigen Schicht versehen werden, um das betreffende Teil als Kathode schalten zu können. Das Herstellen der dünnen Leitschicht kann durch Aufbringen eines metallpulverhaltigen Lackes erfolgen, durch Bedampfung mit einem Metalldampf im Hochvakuum oder durch sogenannte Reduktionsversilberung (Einbringen in eine Mischung aus Silbersalzlösung und reduzierender Lösung).

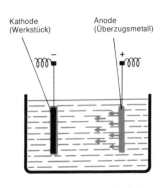

Kathode (Werkstück) Anode (Überzugsmetall)

Abb. 1 Galvanische Abscheidung

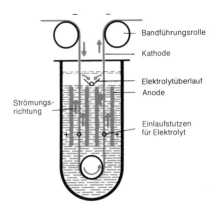

Bandführungsrolle
Kathode
Elektrolytüberlauf
Anode
Einlaufstutzen für Elektrolyt
Strömungsrichtung

Abb. 2 Elektrolytzelle zur Bandverzinkung

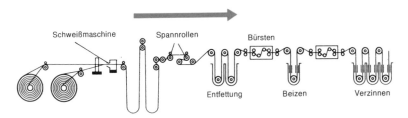

Schweißmaschine   Spannrollen   Bürsten
Entfettung   Beizen   Verzinnen

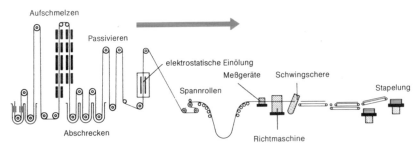

Aufschmelzen
Passivieren
elektrostatische Einölung
Meßgeräte   Schwingschere
Spannrollen
Stapelung
Abschrecken
Richtmaschine

Abb. 3 Ferrostananlage

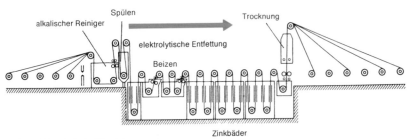

Spülen   Trocknung
alkalischer Reiniger
elektrolytische Entfettung
Beizen
Zinkbäder

Abb. 4 Elektrolytische Verzinkungsanlage

Walzwerk

Im Walzwerk werden Blöcke (Stahlstükke mit quadratischem Querschnitt) und Brammen (Stahlstücke mit rechteckigem Querschnitt) ausgewalzt, d. h., ihre Länge wird auf Kosten ihrer Dicke vergrößert. Die glühenden Stahlblöcke werden zwischen zwei sich drehende Walzen aus Gußeisen oder Stahlguß geschoben, deren kleinster Abstand voneinander kleiner ist als die Dicke des Blocks. Im Walzgerüst werden Ober- und Unterwalze gesondert angetrieben. Dies geschieht oft von *einem* Elektromotor aus, jedoch teilt sich der Antrieb der einzelnen Walzen in einem vorgeschalteten Zahnradgetriebe. Durch Verstellen der oberen Walze wird die Stärke des gewalzten Stückes bestimmt. Die über Rollen herangeführten Blöcke oder Brammen werden von dem Walzenpaar erfaßt. Die dabei entstehende Reibung zwängt sie zwischen Ober- und Unterwalze hindurch, wobei sie unter gleichzeitiger Streckung auf das gewünschte Maß gebracht werden. Die Walzen können sehr verschiedenartig ausgebildet sein (zur Herstellung von Blechen z. B. sind sie glatt). Die zur Blechherstellung verwendeten Brammen (in kleineren Abmessungen heißen sie auch Platinen) werden breitgewalzt. Natürlich kann man aus einer großen Bramme nicht durch einmaliges Walzen ein Blech von 2 mm Dicke herstellen. Dazu werden mehrere hintereinandergeschaltete Arbeitsgänge benötigt, d. h., man muß entweder das Werkstück immer wieder durch die gleichen Walzen schicken, deren Abstand voneinander dann jedesmal geändert wird, oder man baut sehr viele solcher Walzenpaare hintereinander und erhält dann eine *Walzenstraße.* Dabei wird ein langes Werkstück auch gleichzeitig von zwei oder drei Walzenpaaren bearbeitet. Für die Herstellung von Profileisen werden die Blöcke, nachdem sie vorgewalzt sind, von Kalibrierwalzen bearbeitet (Abb. 1 und 2). Bei ihnen läßt die Form der Ober- und Unterwalze schon das Profil des zu walzenden Stückes erkennen.

Walzwerke spielen auch eine wichtige Rolle bei der *Rohrherstellung.* Das bekannteste Verfahren zur Herstellung nahtloser Rohre ist das *Schrägwalz-Pilgerschritt-Verfahren* (Mannesmann-Verfahren; Abb. 3). Hierbei wird ein auf 1 200 bis 1 300 °C erwärmter Rundblock in das Walzwerk gestoßen, vom konischen Einlaufteil der Schrägwalzen erfaßt und in schraubenförmiger Bewegung über einem Lochdorn zu einem dickwandigen Hohlkörper geformt (Abb. 3 a bis 3 c). Dieser Hohlblock wird anschließend im sogenannten Pilgergerüst bei gleicher Temperatur zum fertigen Rohr ausgewalzt (Pilgerwalzen). Die im Pilgergerüst verwendeten Walzen haben einen speziellen, nahezu nierenförmigen Querschnitt und sind an ihrem Umfang konisch kalibriert (halbkreisförmige, schmaler werdende Rille). Die Pilgerwalzen erfassen den über einen zylindrischen Dorn geschobenen Hohlblock und drücken zunächst von außen eine kleine „Welle" des Werkstoffs ab (Abb. 3 d), die dann vom glättenden Teil der Walze auf dem Pilgerdorn zu der gewünschten Wanddicke ausgewalzt wird (Abb. 3 e). Entsprechend der Drehrichtung der Walzen wird der Hohlblock mit dem Pilgerdorn gegen die Walzrichtung bewegt (Abb. 3 f), bis die Walzen (aufgrund ihrer speziellen Form) das Walzgut freigeben (Abb. 3 g). Während dieser Phase werden Pilgerdorn und Hohlblock in die Ausgangsposition zurückgeschoben („Pilgerschritt"), um 90° gedreht und erneut überwalzt. Dieser Vorgang wiederholt sich bei weiterem Vorschub des Walzgutes periodisch. Das so geformte Rohr wird anschließend in einem Maßwalzwerk auf genaue Außendurchmesser und auf Rundheit ausgewalzt, in einem Reduzierwalzwerk kann auch der Außendurchmesser des Rohres weiter reduziert werden.

Ein anderes Verfahren zur Herstellung nahtloser Rohre ist z. B. das *Stopfwalzenverfahren,* das im ersten Verfahrensschritt mit doppelkonisch kalibrierten Schrägwalzen, in einem zweiten Schritt mit zylindrischen Walzen mit halbkreisförmigen Kalibereinschnitten arbeitet und den Hohlblock über einen speziellen Walzstopfen (an der Spitze einer dünneren Stopfenstange) auswalzt. Bei angehobenen Arbeitswalzen wird das Rohr mit Hilfe von Rückholwalzen zurückgezogen und anschließend über einen 1 bis 3 mm größeren Walzenstopfen zu einem Rohr mit dünnerer Wanddicke ausgewalzt.

Abb. 1 Kalibrierwalzen für unterschiedliche T-Eisen

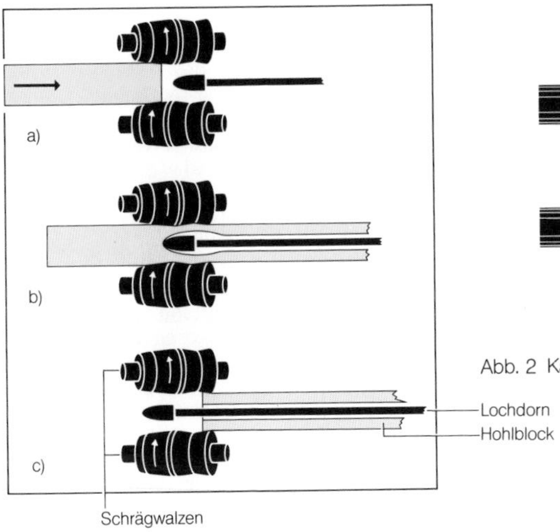

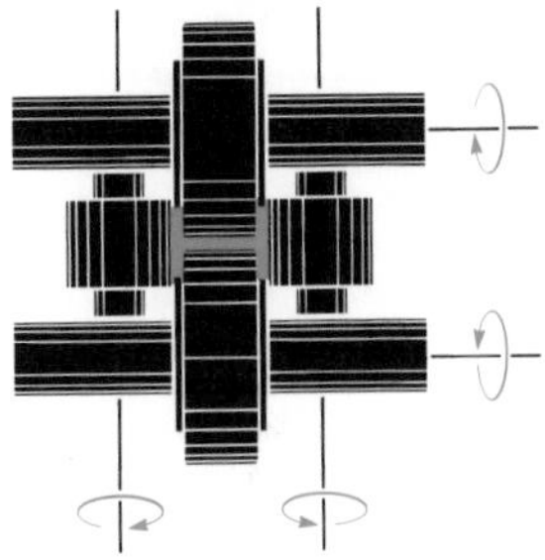

Abb. 2 Kalibrierwalzen für I-Eisen

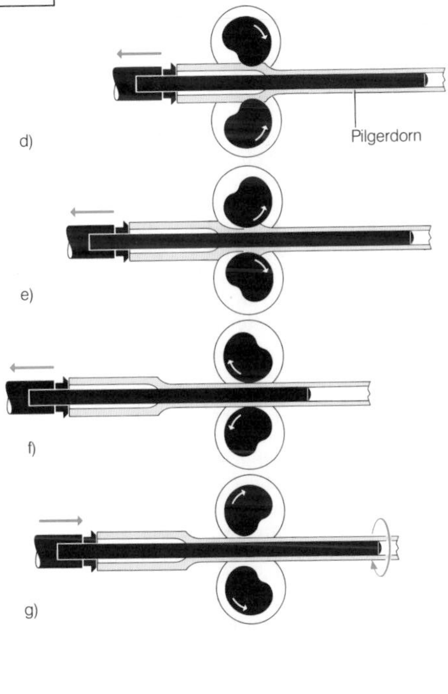

Lochdorn

Hohlblock

Schrägwalzen

Pilgerdorn

Abb. 3 Herstellung nahtloser Rohre nach dem Schrägwalz-Pilgerschrittverfahren
Oben: Schrägwalzvorgang (a bis c),
rechts: Pilgerwalzen (d bis g)

563

Kunststoffverarbeitung I

Kunststoffe lassen sich verarbeiten als Flüssigkeiten (Lösungen, Emulsionen) oder Pasten, als Kunststoffmassen in Form von Pulvern, Granulaten, plastischen Massen in reiner Form oder als fertige Mischungen mit den erforderlichen Zusätzen (Compounds).

Durch *Mischen* wird, wenn es sich nicht um Compounds handelt, das Polymerisat mit Zusätzen wie Weichmachern, Stabilisatoren, Farbstoffen und Füllstoffen zu verarbeitungsfähigem Material homogenisiert. Dies geschieht in Mischtrommeln und Kugelmühlen, bei plastizierbarem Material auch durch Kneten und Walzen (Abb. 1).

Durch *Gießen* werden Formteile aus lösungsmittelfreien Gießharzen (PVC-Plastisolen, Styrol, Methacrylsäureester) hergestellt; große Hohlkörper (Behälter, Bottiche, Rohre) entstehen mit Hilfe des Rotations- bzw. Schleudergusses. Dabei wird der Kunststoff flüssig oder als Pulver (Thermoplast) in die Form gegeben, die erhitzt und in Drehung versetzt wird. Filme werden durch Gießen von Lösungen oder Schmelzen (Nitrozellulose, Zelluloseester, Polycarbonat, Polyamide) aus Breitschlitzdüsen auf polierte Trommeln oder endlose, heizbare Metallbänder hergestellt. Glasfaserverstärkte Kunststoffe werden ebenfalls durch Gießen mit Gießharzen erzeugt.

Durch *Tauchen* der kalten Positivtauchform aus Keramik oder Metall in Lösungen oder Dispersionen oder in Schmelzen werden einseitig offene Hohlkörper hergestellt (Schutzstiefel, Handschuhe). Das Überziehen eines Trägermaterials (Textilgewebe, Pappe, Mauerwerk, Metall) geschieht durch *Streichen* (Beschichten). Der Kunststoff wird in Form von Lösungen, Dispersionen oder Pasten aufgetragen: die Egalisierung erfolgt mit einer Rakel (Streichmesser) oder Luftbürste (Abb. 2), anschließend wird die bestrichene Bahn durch Trockenkammern oder über geheizte Trommeln geführt.

Das Auftragen bereits vorgefertigter Folien auf die Unterlage (Kaschieren) geschieht mit Walzen. Aufschmelzen von Kunststoffen unmittelbar auf die Metallfläche erfolgt durch *Wirbelsintern:* in ein mit Preßluft oder Stickstoff aufgewirbeltes Kunststoffpulver wird ein über dessen Schmelztemperatur vorgewärmtes Metallteil kurzzeitig eingetaucht: dabei sintert der Kunststoff auf. Dieses Verfahren findet vor allem im chemischen Apparatebau Anwendung.

Beim *Flammspritzen* wird Kunststoffpulver mit Druckluft durch eine Flammspritzpistole gepreßt, dabei aufgeschmolzen und auf eine vorgewärmte Metallfläche aufgetragen (Anwendung bei großen Apparaten).

Diskontinuierliches Herstellen von Formen geschieht durch *Pressen* (Abb. 3): Das Material wird entweder vorgewärmt oder in einer heizbaren Form mit einem Stempel unter hohem Druck in die gewünschte Form gebracht (beim sog. *Drucksackverfahren* wird anstelle eines festen Stempels ein durch Druckluft oder Druckflüssigkeit aufgeweiteter Gummisack verwendet).

Beim *Spritzpressen* wird die vorgewärmte und plastifizierte Masse durch Kanäle unter Druck in das beheizte Werkzeug gepreßt. Flächenartige Produkte werden in Etagenpressen hergestellt. Verarbeitet werden warmhärtbare Kunststoffe, die im heißen Zustand gestaltfest sind und ohne Kühlung ausgestoßen werden können. Diese Preßmassen werden in Form von Schnitzeln, Granulat, Pulver, häufig aber auch als vorgeformte Tabletten eingesetzt. Stoffe geringer Thermoplastizität (z. B. Polytetrafluoräthylen) werden als Pulver in Formen gepreßt; die Form wird oberhalb des Erweichungspunktes gesintert (Preßsintern).

Thermoplastische Formmassen werden hauptsächlich zur Herstellung großer Serien nach dem *Spritzgießverfahren* verarbeitet: In Kolbenspritzgußmaschinen (Abb. 6) wird das Material aufgeheizt und, von Kolben vorplastifiziert, durch Kanäle oder durch Düsen in eine gekühlte Form gepreßt. Schneckenspritzgußmaschinen (Abb. 7) liefern einwandfreies Material durch gleichmäßige Plastifizierung und Temperaturverteilung aufgrund der Bewegung der Schnecke, die, als Kolben wirkend, das Werkzeug füllt. Für stark schwindendes Material (Polyäthylen, Polypropylen) sowie zur Herstellung dickwandiger Formteile wurde das *Fließgußverfahren (Förderguß-, Intrusionsverfahren)* entwickelt, das mit einer die Arbeitsprinzipien der Schneckenspritzgußmaschine und des Extruders vereinigenden Fließgußmaschine arbeitet.

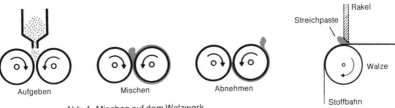

Aufgeben   Mischen   Abnehmen

Abb. 1 Mischen auf dem Walzwerk

Rakel

Streichpaste

Walze

Stoffbahn

Abb. 2 Beschichten

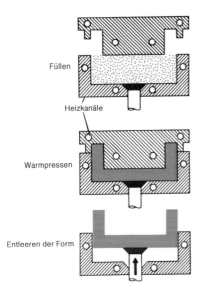

Füllen

Heizkanäle

Warmpressen

Entleeren der Form

Abb. 3 Pressen

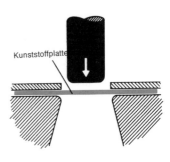

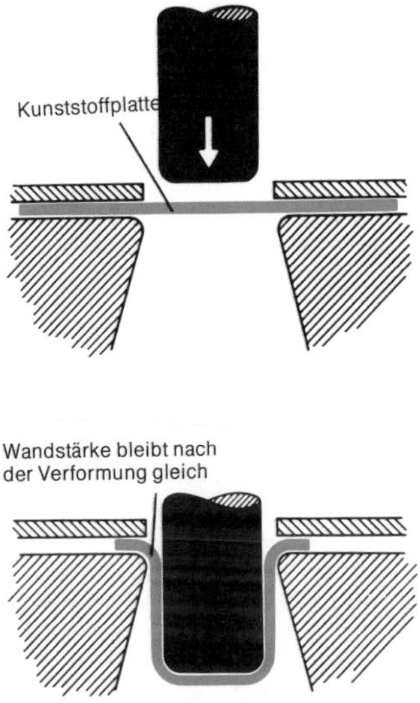

Kunststoffplatte

Wandstärke bleibt nach der Verformung gleich

Abb. 4 Tiefziehen

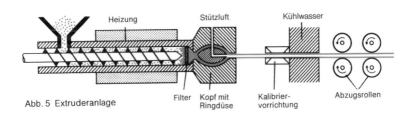

Heizung   Stützluft   Kühlwasser

Abb. 5 Extruderanlage

Filter   Kopf mit Ringdüse   Kalibriervorrichtung   Abzugsrollen

Kunststoffverarbeitung II

Duroplaste mit kurzfaserigen Füllstoffen sowie Elastomere lassen sich ebenfalls durch Spritzgießen verarbeiten; die Form wird jedoch geheizt, so daß Härtung und Vulkanisation erfolgen können.

Die kontinuierliche Herstellung von Profilen, Rohren, Schläuchen, Folien, Kabelummantelungen mit thermoplastischem Material erfolgt durch *Strangpressen* oder *Extrudieren* (Abb. 5).

Beim *Folienblasverfahren* wird in das Innere der Ringdüse Luft eingeblasen, der entstehende Folienschlauch kann zu Säcken und Beuteln konfektioniert werden. Hohlkörper (Flaschen, Tuben, Kanister) werden aus extrudierten Schläuchen durch Abschneiden und Aufblasen in eine Form hergestellt; beim Schließen der Form wird die eine Seite zugeschweißt, durch die andere wird die Luft eingeblasen. Auch die Faserherstellung mit Spinndüsen stellt eine Art Extrusion dar; verwendet werden jedoch anstelle der Schnecken Spinnpumpen.

Das *Kalandrieren* dient zum Ziehen von Folien oder Platten, zum Glätten oder Prägen von Folien wie auch zum Beschichten von Unterlagen mit Folien. Der Kalander hat drei, bei der Herstellung dünner Folien vier Walzen unterschiedlicher Anordnung (Abb. 8). Für die Verarbeitung von Thermoplasten sind die Kalander heizbar, zur Verarbeitung von Elasten kühlbar. An die Folienziehkalander werden Reckvorrichtungen angeschlossen, durch Recken wird die Festigkeit der Folie erhöht.

Die Verarbeitung von Halbzeug erfolgt durch *Umformen* (spanlose Verformung) oder durch *spangebende Bearbeitung.* Während sich duroplastische Kunststoffe nur spanabhebend durch Fräsen, Drehen, Schneiden, Bohren bearbeiten lassen, können thermoplastische Kunststoffe auch warm verformt werden. Beim *Ziehen* (Streckziehen, Tiefziehen) werden ebene Platten zu einfachen räumlichen Formkörpern umgewandelt. Das Halbzeug wird eingespannt, erwärmt, geformt, der Formteil abgekühlt und ausgespannt.

Umformen kann auch durch *Vakuumverfahren* zur Herstellung beliebig geformter Hohlkörper erfolgen. Beim Negativverfahren (Abb. 9) wird die aufgeheizte Kunststoffplatte auf eine konkave Form gelegt. Bohrungen in dieser Form ermöglichen das Absaugen von Luft, wodurch die Platte in die Form gezogen wird. Für kompliziertere Teile wird die Platte mechanisch vorgeformt. Die Positivverformung (Abb. 10) geschieht mit einem konvexen

Modell. – Weitere wichtige Verfahren der Kunststoffverarbeitung sind das Schweißen, das Kleben und das Schäumen (s. Schaumstoffe, S. 540).

Zur Herstellung von Teilen aus *glasfaserverstärktem Kunststoff* werden Glasfäden-, -gewebe oder -matten und -stränge (sogenannte *Rovings*) aus alkaliarmem Grundmaterial in geeignete Kunststoffe eingebettet. Bevorzugt werden hierfür Polyester-, Epoxid-, Silicon-, Urethan-, Melaminharze u. a. verwendet. Neben der manuellen Verarbeitung, bei der die Materialien in oder über Formen zu Einzelstücken verarbeitet werden, erfolgt die maschinelle Verarbeitung in Pressen unter Vakuum oder Druck bei meist gleichzeitiger thermischer Aushärtung zu Halbzeugen (Platten, Profilen, Rohren usw.) oder Serienformteilen. Ein weiteres Verfahren ist die *Wickeltechnik*. Hierbei werden die Glasfasern oder Rovings in axialer, radialer Richtung und/oder in Richtung geodätischer Linien unter gleichzeitiger Synthetharzauftragung auf rotierende Formkörper aufgebracht und anschließend thermisch ausgehärtet. Die entstehenden Produkte sind bei hoher Festigkeit (z. T. auch hoher Elastizität) von geringem Gewicht, hoher chemischer Beständigkeit und zeigen wenig Materialermüdungserscheinungen.

Neben glasfaserverstärkten Kunststoffen finden zunehmend auch *kohlefaserverstärkte Kunststoffe (carbonfaserverstärkte Kunststoffe),* meist als KFK oder CFK abgekürzt, Verwendung. Zu ihrer Herstellung werden z. B. durch Verkohlung von Acrylfasern hergestellte Kohlenstoffasern in Kunststoffe (v. a. Epoxidharze) eingebettet. Da mit dieser Technologie Gewichtseinsparungen bis zu 30 % möglich sind, liegt die Bedeutung der KFK-Technologie v. a. in ihrer Anwendung in der Luft- und Raumfahrt.

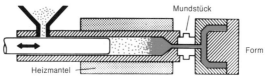

Abb. 6 Spritzgießen mit Kolben

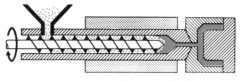

Abb. 7 Spritzgießen mit Schnecke

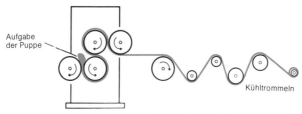

Abb. 8 Folienziehkalander

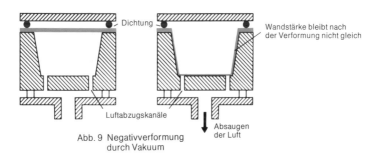

Abb. 9 Negativverformung durch Vakuum

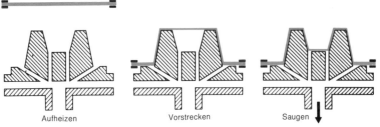

Abb. 10 Positivverformung durch Vakuum

Absperrorgane

Absperrorgane sind handbediente oder ferngesteuerte Vorrichtungen zum Absperren oder zur Freigabe strömender Flüssigkeiten, Gase oder Dämpfe, aber auch zum Regeln der Durchflußmenge oder zum Konstanthalten eines Druckes. Sie werden nach der Schließrichtung des Dichtkörpers unterschieden: Ventile und Klappen schließen entgegen der Strömung; Schieber besitzen quer zur Strömung in geradlinigen Führungen bewegte Abschlußkörper. Hähne werden durch Drehen des Hahnkükens um seine quer zur Strömungsrichtung liegende Achse betätigt.

Ventile werden besonders für kleine Durchmesser verwendet. Das strömende Medium tritt von einer Seite in das im Gegensatz zum Hahn meist kugelförmig verdickte Gehäuse ein, wird etwas umgelenkt, fließt durch eine Öffnung, den sogenannten *Ventilsitz*, und verläßt das *Ventilgehäuse* fast immer auf der dem Eintritt gegenüberliegenden Seite (deshalb muß der in Abb. 1 abgebildete *Wasserhahn* technisch gesehen zu den Ventilen gerechnet werden). Der Ventilsitz kann durch Drehen an einem Hahnrad oder Drehgriff über eine Spindel vom *Ventilteller* (der den Dichtungsring oder die Dichtungsscheibe trägt) oder vom *Ventilkegel* verschlossen werden.

Beim *Nadelventil* (für kleinste Durchmesser) dichtet die Spindelspitze selbst. Beim *Kugelventil* arbeitet eine Kugel oder eine kugelig gewölbte Tellerfläche mit einer kegeligen Sitzfläche im Gehäuse zusammen. Ventile besitzen einen verhältnismäßig hohen Durchflußwiderstand. Beim *Schrägsitz-, Stromlinien- oder Freiflußventil* (Abb. 2) ist dieser durch die Schräglage von Spindel und Sitz geringer, da die Strömung weniger umgelenkt wird als beim Normalventil. Beim *Sicherheitsventil oder Überdruckventil* (Abb. 3) wird der Ventilkegel durch eine Feder (oder ein Gewicht) auf den Sitz gedrückt. Bei zu großem Druck unter dem Ventilkegel öffnet dieser entgegen der Feder- oder Gewichtsbelastung. Der Öffnungsdruck ist einstellbar durch Verändern der Federspannung oder der Größe des Gewichts bzw. dessen Hebelarm. Das *Druckminderventil* (Abb. 6) mindert den statischen Druck in der sich anschließenden Leitung (in der Abb. auf der rechten Seite). Solange Wasser durch das Ventil strömen kann, hält die Feder das Ventil geöffnet (Ventilkörper angehoben). Beim Schließen eines Ventils in der anschließenden Leitung baut sich rechts ein Druck auf, der über die Spiralnut auf die Membran wirkt, die Feder zusammendrückt, den Ventilkörper absenkt und damit das Ventil schließt. Durch Änderung der Federvorspannung wird der Maximaldruck in der sich anschließenden Leitung eingestellt.

Schieber sind wegen ihres geringeren Druckverlusts zum Absperren mittlerer und größerer Rohrleitungen geeignet. Hier verschiebt die Spindel den Schieber quer zur Strömungsrichtung, was ihn für beide Durchflußrichtungen geeignet macht, aber einen größeren Bewegungswiderstand als beim Ventil hervorruft. Nach Lage der Dichtplatten werden *Parallel-* oder *Keilschieber* (Abb. 4) unterschieden. Beim Parallelschieber wird beim Anheben der Dichtplatten an die Stelle der Rohrunterbrechung häufig ein *Leitrohr* zur Verringerung des Druckverlusts geschoben.

Hähne (im technischen Sinne), auch als *Konus-* oder *Kükenhähne* bezeichnet, erlauben das schnelle Öffnen und Schließen von Rohrleitungen durch Drehen des konusförmigen oder zylindrischen *Hahnkükens* um jeweils 90°, wodurch dessen quer zu seiner Drehachse liegende Bohrung entweder die Verbindung zwischen Ein- und Austritt herstellt oder unterbricht. Das *Küken* eines *Dreiwegehahns* besitzt drei T-förmig miteinander verbundene, um 90° versetzte Bohrungen. Da im Gehäuse drei ebenfalls um 90° versetzte Zugänge vorhanden sind, erlauben die vier möglichen, um 90° versetzten Stellungen des Kükens jede beliebige Kombination zwischen je zwei Zugängen sowie die Verbindung aller drei Zugänge miteinander.

Da Konus- oder Kükenhähne beim Schließen einen plötzlichen Druckanstieg zur Folge haben (sogenannter Wasserschlag), dürfen sie in Verbrauchsleitungen der Hausinstallation nicht eingebaut werden.

568

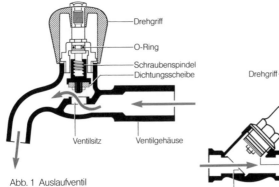

Drehgriff

O-Ring

Schraubenspindel
Dichtungsscheibe

Ventilsitz   Ventilgehäuse

Abb. 1 Auslaufventil
(Wasserhahn)

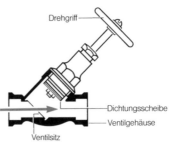

Drehgriff

Dichtungsscheibe
Ventilgehäuse

Ventilsitz

Abb. 2 Schrägsitzventil
(Freiflußventil)

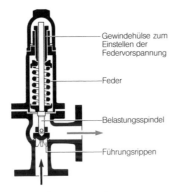

Gewindehülse zum
Einstellen der
Federvorspannung

Feder

Belastungsspindel

Führungsrippen

Abb. 3 Sicherheitsventil
(Überdruckventil)

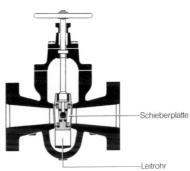

Schieberplatte

Leitrohr

Abb. 4 Parallelschieber

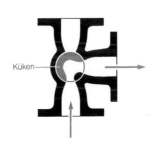

Küken

Abb. 5 Dreiwegehahn

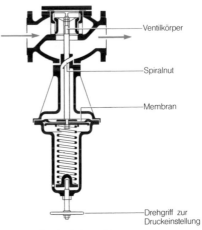

Ventilkörper

Spiralnut

Membran

Drehgriff zur
Druckeinstellung

Abb. 6 Druckminderventil

569

Wasserspülung

Die Wasserspülung der Toilette arbeitet entweder mit einem Spülkasten, oder sie ist als Druckspülung konstruiert. Man unterscheidet hochhängende und tiefhängende *Spülkästen,* die sich nicht nur in der Anbringungshöhe, sondern auch in ihrer Arbeitsweise unterscheiden.

Hochhängende Spülkästen sind gewöhnlich mit einer *Saugheberglocke* ausgerüstet (Abb. 1). Zieht man an der Kette des Spülkastens, so wird die Saugheberglocke mit Hilfe des Glockenhebels angehoben, das Bodenventil wird geöffnet, und das Wasser kann aus dem Spülkasten über das Spülrohr abfließen. Das ausströmende Wasser erzeugt im Standrohr und (über die oberen Ansaugöffnungen) im Hohlraum der Saugheberglocke einen Unterdruck, so daß infolge des größeren äußeren Luftdrucks der Wasserstand im Glockenhohlraum steigt und durch die oberen Ansaugöffnungen und das Standrohr zum Spülrohr abfließt: Die Glocke wird zum Saugheber. Diese Konstruktion ist erforderlich, da die Zugkette des Spülkastens im allgemeinen nur kurz betätigt wird. Nach dem Loslassen der Kette fällt die Glocke wieder auf das Bodenventil und verschließt es, die Saugheberwirkung hält jedoch so lange an, bis der Wasserstand im Spülkasten bis auf die Höhe des Ansaugrandes der Glocke abgesunken ist. In diesem Augenblick gelangt Luft in die Glocke, die Wassersäule reißt ab und der Spülvorgang ist beendet.

Mit dem Absinken des Wasserspiegels im Spülkasten hat sich auch der Schwimmer gesenkt, der über eine Hebelstange mit dem Zulaufventil verbunden ist. Dadurch wird dieses Ventil geöffnet, so daß erneut Wasser in den Spülkasten fließen kann. Mit steigendem Wasserstand steigt auch der Schwimmer und verschließt wiederum das Zulaufventil.

Hochhängende Spülkästen sollen mindestens 6 Liter Wasser liefern und mit ihrer Unterkante mindestens 1,50 m über der Beckenoberkante angebracht sein. Wegen des unbefriedigenden Aussehens und des verhältnismäßig lauten Spülgeräusches werden sie zunehmend durch tiefhängende Spülkästen verdrängt.

Tiefhängende Spülkästen arbeiten nach einem anderen Prinzip (Abb. 2): Das Spülwasser fließt durch ein weites Spülrohr ohne Saugwirkung aus und bewirkt eine geräuscharme Spülung. Durch Betätigen einer Zugstange oder eines Druckhebels wird das Standrohr angehoben und damit das Bodenventil geöffnet. Damit es nach

Betätigung der Zugstange bzw. des Druckhebels nicht sogleich wieder absinkt und das Ventil verschließt, wird es durch einen besonderen Schwimmer (im sogenannten Bremsbehälter) getragen. Ist das Wasser des Spülkastens durch das geöffnete Bodenventil in das Spülrohr abgeflossen, entleert sich auch der Bremsbehälter, Schwimmer und Standrohr sinken ab und das Bodenventil wird so wieder verschlossen. Den Zulauf neuen Wassers regelt (wie beim hochhängenden Spülkasten) ein Schwimmer, der das Zulaufventil je nach Wasserstand öffnet oder schließt.

Druckspüler nutzen den Wasserdruck des Wasserversorgungsnetzes. Von den im einzelnen recht unterschiedlichen Konstruktionen zeigen die Abb. 3 und 4 zwei Beispiele. Drückt man den Hebel in der Abb. 3 gezeigten Hebelspülers, so wird die mit dem Hebel verbundene Hülse mit dem Hubstift gegen die Federkraft verschoben. Dadurch öffnet sich der Entlastungskegel, und das unter Leitungsdruck stehende Wasser im oberen Zylinderteil fließt durch die Kolbenmitte zum Spülrohr ab. Wenn der Gegendruck im oberen Teil des Spülers abgesunken ist, kann der Kolben über den Hubstift angehoben werden. Dieser Vorgang wird durch den Wasserdruck im Zulaufstutzen unterstützt. Das Wasser kann nun durch Abgangsdüse und Abgangsstutzen in das Spülrohr abströmen. Gleichzeitig wird durch die Druckausgleichsdüse der Druck im oberen Zylinderraum wieder aufgebaut, so daß der Schließvorgang eingeleitet und auch beendet wird. Ist diese Druckausgleichsdüse stark verkalkt oder durch (aus der Zuleitung abgelöste Kalkkörnchen) verstopft, so kann der Schließvorgang nur unzureichend oder gar nicht erfolgen. Druckspüler sollen daher stets eine Vorabsperrung erhalten, die in einem solchen Falle geschlossen werden kann.

Bei dem in Abb. 4 dargestellten Druckknopfspüler wird dem im oberen Teil des Spülers unter Druck stehenden Wasser durch Betätigen des Druckknopfes der Weg über das Entlastungsventil in den Abgangsstutzen freigegeben. Das Wasser im Leitungsnetz kann nun den Kolben anheben und in den Abgangsstutzen abfließen.

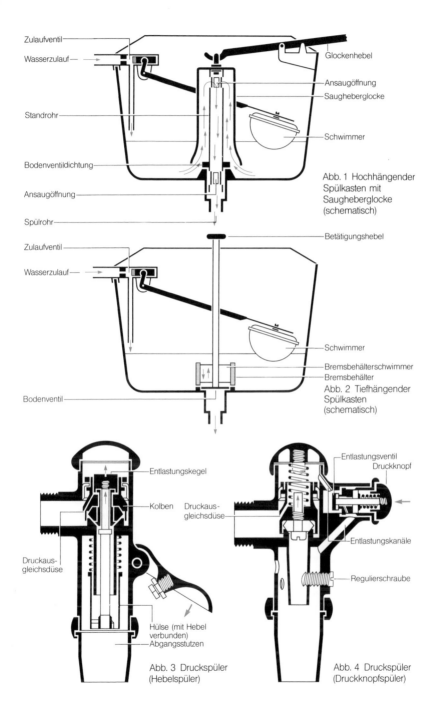

Zulaufventil
Wasserzulauf
Glockenhebel
Ansaugöffnung
Saugheberglocke
Standrohr
Schwimmer
Bodenventildichtung
Ansaugöffnung
Spülrohr

Abb. 1 Hochhängender
Spülkasten mit
Saugheberglocke
(schematisch)

Zulaufventil
Wasserzulauf
Betätigungshebel

Schwimmer
Bremsbehälterschwimmer
Bremsbehälter
Bodenventil

Abb. 2 Tiefhängender
Spülkasten
(schematisch)

Entlastungskegel
Kolben
Druckausgleichsdüse
Druckausgleichsdüse
Hülse (mit Hebel verbunden)
Abgangsstutzen

Abb. 3 Druckspüler
(Hebelspüler)

Entlastungsventil
Druckknopf
Entlastungskanäle
Regulierschraube

Abb. 4 Druckspüler
(Druckknopfspüler)

Elektrizitätszähler

Zur Messung der elektrischen Arbeit, die wir für Industrie- und Haushaltszwecke von Kraftwerken beziehen, benötigt man zur genauen Rechnungslegung Elektrizitätszähler. Die Arbeit bei Gleichstrom ist $A = U \cdot I \cdot t$, bei Einphasenwechselstrom $A = U \cdot I \cdot t \cdot \cos\varphi$, wobei U die elektrische Spannung, I den elektrischen Strom, $\cos\varphi$ den Leistungsfaktor bei Wechselstrom und t die Zeit bedeuten. Bei Gleichstrom kann die Arbeit durch Ermittlung des Wertes $I \cdot t$, d. h. mittels eines Amperestundenzählers bestimmt werden, sofern die Spannung U im Netz konstant gehalten wird. In Wechsel- und Drehstromnetzen werden jedoch nur Wattstundenzähler verwendet.

In Gleichstromnetzen verwendet man einen *Amperestunden-Motorzähler,* der einen kleinen Gleichstrommotor darstellt. Der scheibenförmige Aluminiumanker, der im magnetischen Feld eines Permanentmagneten liegt, enthält drei Spulen, die ihren Strom von einem dreiteiligen Kollektor erhalten. Dieser Kollektor stellt die Stromrichtung so ein, daß eine fortlaufende Drehung des Ankers zustande kommt. Der den Spulen zugeführte Strom ist, da er von einem Reihenwiderstand im Verbraucherkreis abgezweigt wird, dem Verbraucherstrom proportional. Da die Feldstärke des Permanentmagneten konstant ist, ist die Drehzahl des Ankers der Stromstärke proportional. Das an der Ankerwelle befindliche Zählwerk registriert die Umdrehungen, die dem Produkt $I \cdot t$ entsprechen. Bringt man statt des Permanentmagneten eine Spule an, die das Magnetfeld erzeugt, und legt man an diese Spule die Verbraucherspannung U (oder durch Vorschalten eines Widerstandes eine Spannung, die U proportional ist), so ist die Drehzahl des Zählers sowohl U als auch I und damit dem Produkt $U \cdot I$ proportional. Das Zählwerk registriert dann direkt die Arbeit $U \cdot I \cdot t$. Aus dem Amperestundenzähler ist ein echter *Wattstundenzähler* geworden.

Bei Wechselstrom finden heute allgemein sog. *Induktionszähler* Verwendung, die keinerlei Kollektor benötigen (Abb. 1). Sie besitzen zwei Elektromagnete. Die Spule des einen wird vom Verbraucherstrom durchflossen (Stromspule), an der Spule des anderen liegt die Verbraucherspannung (Spannungsspule). Im ersteren wird also durch den Verbraucher*strom,* im letzteren durch die Verbraucher*spannung* ein Kraftfluß erzeugt. Liegen beim Verbraucher Strom und Spannung in Phase,

so wird der Strom der Spannungsspule und damit das Feld des Spannungseisenkerns um eine Viertelperiode (90°) hinter dem Strom der Stromspule und damit Feld des Stromkerns nacheilen. Dadurch wird ein wanderndes Magnetfeld erzeugt, das in der drehbaren metallenen Läuferscheibe Wirbelströme induziert, die die Scheibe in der Bewegungsrichtung des Wanderfeldes zu drehen suchen. Die Drehzahl der Scheibe ist den Feldstärken beider Felder, also Strom und Spannung, proportional. Sie hängt aber auch von der Phasenverschiebung beider (und damit vom Leistungsfaktor $\cos\varphi$) ab. Dies wird verständlich, wenn man sich den Fall vorstellt, daß der Verbraucher 90° Phasenverschiebung zwischen U und I ($\cos\varphi = 0$) bewirkt; dann kommen beide Magnetfelder in Phase, so daß keine Drehung der Läuferscheibe mehr zustande kommen kann. Der Bremsmagnet erzeugt in der Scheibe dauernd Wirbelströme, die die Scheibenbewegung dämpfen und den sofortigen Stillstand bei Wegfall des Verbraucherstroms sichern. Ein von der Läuferachse angetriebenes Zählwerk registriert die Läuferumdrehungen; das Übersetzungsgetriebe ist so ausgelegt, daß der Stromverbrauch unmittelbar in Kilowattstunden (kWh) angezeigt wird. Im Gegensatz zum Wechselstromzähler (Abb. 2) hat der Drehstromzähler (Abb. 3) zwei Läuferscheiben auf einer gemeinsamen Achse und drei Spannungs- und drei Stromspulen.

Bei Bezug von verbilligtem Nachtstrom (z. B. für Nachtstrom-Speicherheizungen) wird ein sogenannter *Zweitarifzähler* installiert. Dieser enthält zwei zu einer Einheit kombinierte Zählwerke, durch die der Strom- oder Energieverbrauch nach der Tageszeit getrennt erfaßt wird. Eine Tarifschaltuhr oder ein Rundsteuerempfänger schaltet das entsprechende Zählwerk ein bzw. aus.

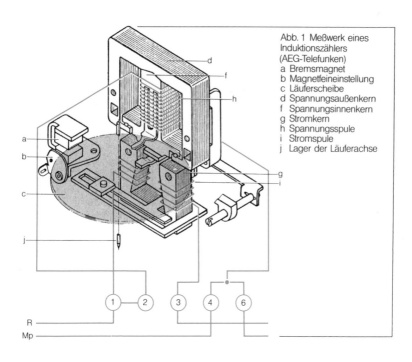

Abb. 1 Meßwerk eines
Induktionszählers
(AEG-Telefunken)
a Bremsmagnet
b Magnetfeineinstellung
c Läuferscheibe
d Spannungsaußenkern
f Spannungsinnenkern
g Stromkern
h Spannungsspule
i Stromspule
j Lager der Läuferachse

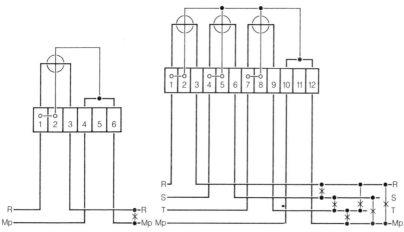

Abb. 2 Schaltplan eines
Wechselstromzählers

Abb. 3 Schaltplan eines Drehstromzählers
für Vierleiteranlagen

573

Leuchtstofflampe und Leuchtröhre

Leuchtstofflampen, auch L-Lampen genannt, zählen zu den Niederdruck-Entladungslampen mit Quecksilber, die meist mit 220 Volt Wechselspannung betrieben werden. Ihr Spektrum enthält zunächst einen besonders hohen Anteil an für das menschliche Auge unsichtbarer Ultraviolettstrahlung (UV-Strahlung), die innerhalb der Beschichtung aus geeigneten Leuchtstoffen auf der Röhreninnenseite in sichtbares Licht umgewandelt und abgestrahlt wird. (Abb. 1).

Die Leuchtstofflampe besteht aus einem Glasrohr in Stab-, Ring- oder U-Form in standardisierten Größen. An den Enden befinden sich innen als Elektroden Drahtwendeln aus Wolfram; als Anschluß dienen genormte Zweistiftsockel. Die Innenseite der Glasröhre ist mit einer Leuchtstoffschicht versehen, deren chemische Zusammensetzung das Spektrum des Lichts bzw. den Farbton bestimmt (Abb. 3): Tageslicht („Daylight"), Warmton („Warm White") u. a. Die Röhre enthält neben einer Edelgasfüllung aus Argon eine geringe Menge Quecksilber bzw. Quecksilberdampf, der, unter Betriebsbedingungen zum Leuchten angeregt, die sogenannte Hg-Resonanzlinie bei einer Wellenlänge von 253,7 nm im Ultraviolettbereich emittiert.

Zum Zünden bzw. zum Betrieb einer Leuchtstofflampe dienen eine Drosselspule und ein Glimmzünder, der sog. Starter. Der *Starter* enthält neben einem Entstörkondensator eine Glimmlampe mit einer festen Elektrode und einer aus einem Bimetallstreifen bestehenden Elektrode, die sich bei Erwärmung durch die Glimmentladung so stark verformt, bis sie die Gegenelektrode berührt und die Glimmentladung zum Erlöschen kommt. Der Starter erfüllt somit auch die Funktion eines Schalters.

Eine typische Schaltung einer Leuchtstofflampe zeigt die Abb. 2. Nach dem Einschalten brennt zunächst eine Glimmentladung im Glimmzünder, wobei im Stromkreis ein relativ geringer Strom fließt. Sobald und nur solange der Starter durch die Bimetallelektrode kurzgeschlossen ist, fließt ein erhöhter Strom, der die beiden Wendeln der Lampe glühen läßt; damit verbunden ist eine Emission von Elektronen, die Gasfüllung der Lampe wird elektrisch leitend. Der nach dem Erlöschen der Glimmentladung sich abkühlende Bimetallkontakt im Starter öffnet sich wieder; dieser Schaltvorgang erzeugt in der Drosselspule einen Spannungsstoß

von 300 bis 450 Volt, der die Lampe zündet. Auf Grund ihres induktiven Widerstands begrenzt die Drosselspule die Spannung bzw. den Spannungsabfall längs der Gasstrecke in der Röhre auf die Brenn- oder Betriebsspannung. Da diese unter der Zündspannung des Glimmzünders liegt, ist der Starter funktionslos, solange die Lampe brennt. Wenn keine Zündung erfolgt, wird der Zündvorgang wiederholt.

Neuere Entwicklungen sind besonders kompakte Leuchtstofflampen mit fest eingebauter Drosselspule (Vorschaltgerät) und Starter (Abb. 4); mit ihrem Schraubsockel (E 27) passen sie in die Lampenfassungen für gewöhnliche Glühlampen.

Minileuchtstofflampen mit Spezialsockel und integrierter Startvorrichtung sind besonders kompakt; sie werden mit einem Vorschaltgerät betrieben. – *UV-A-Leuchtstofflampen* weisen eine spezielle Innenbeschichtung auf, die die kurzwellige UV-Strahlung der Quecksilber-Niederdruckentladung in die UV-A-Strahlung mit etwas größerer Wellenlänge umwandelt. Dieser Lampentyp wird in Solarien und „Sonnenliegen" verwendet. – *Dreibandenlampen* strahlen durch eine spezielle Innenbeschichtung besonders intensiv in den Spektralbereichen Rot, Grün und Blau; im Auge entsteht daraus der Eindruck „Weiß". Ihre Lichtausbeute beträgt mehr als das Sechsfache der Lichtausbeute leistungsgleicher Glühlampen.

Allen Leuchtstofflampen gemeinsam ist eine im Vergleich zu Glühlampen um einen Faktor 3 bis 6 höhere Lichtausbeute bzw. Wirtschaftlichkeit.

Ebenfalls zu den Niederdruckentladungslampen zählen die *Leuchtröhren*. Die Lichtfarbe hängt von der Gasfüllung ab: Neon ergibt z. B. rotes Licht, Neon mit Quecksilber blaues Licht. Eine weitere Möglichkeit zur Farbgestaltung bei gleichzeitig gesteigerter Lichtausbeute bietet eine Leuchtstoffschicht auf der Innenseite der Glasröhre *(Leuchtstoffröhre)*.

Leuchtröhren und Leuchtstoffröhren werden v. a. als Lichtreklame verwendet. Sie werden bei kalter Kathode mit Hochspannung über Spezialtransformatoren betrieben; die Betriebsspannung liegt zwischen 300 und 1 000 Volt je Meter Rohrlänge.

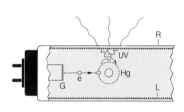

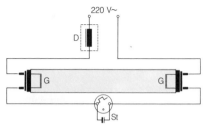

Abb. 1 Lichterzeugung in einer Leucht-
stofflampe. G Glühwendel, e Elektron,
Hg Quecksilberatom, UV unsichtbare
UV-Strahlung, L Leuchtstoff, R Glasrohr

Abb. 2 Schaltung einer Leuchstofflampe
St Starter mit Glimmlampe und Entstörkondensator,
G Glühwendel, D Drosselspule

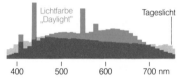

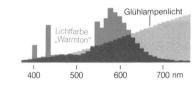

Abb. 3 Spektrale Strahlungsverteilung von Leuchtstofflampen im Vergleich mit Tageslicht
und Glühlampenlicht

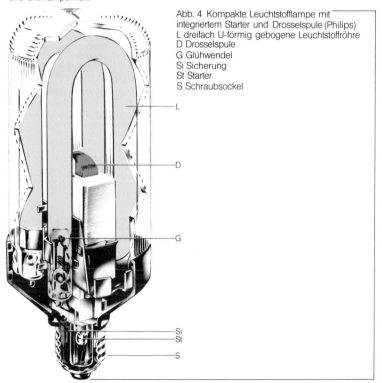

Abb. 4 Kompakte Leuchtstofflampe mit
integriertem Starter und Drosselspule (Philips)
L dreifach U-förmig gebogene Leuchtstoffröhre
D Drosselspule
G Glühwendel
Si Sicherung
St Starter
S Schraubsockel

Füllhalter

Beim *Kolbenfüllhalter* ist eine Spindel mit dem Füllgriff verbunden und in die Kolbenstange eingeführt. In die Kolbenstange sind Spindelgänge gearbeitet, in denen sich die Spindel drehend bewegt. Am vorderen Ende der Kolbenstange ist der Kolbenkopf aufgesetzt, der den Tintenraum nach hinten tinten- und luftdicht abschließt. Die Kolbenstange wird durch einen Führungssteg in der Kolbenführung, die fest in den Schaft eingepreßt ist, geleitet, so daß die Drehbewegung von Füllgriff und Spindel in eine Vor- und Rückwärtsbewegung der Kolbenstange gewandelt wird (Abb. 1 a). Der Kolben ist durch Linksdrehen (Abb. 1 b) des Füllgriffs vorgeschraubt. Eine Abflachung im Gewinde der Kolbenführung ermöglicht den Eintritt von Luft in die Mechanik hinter den Kolben, um eine Sogbildung zu vermeiden. Beim Zurückführen des Kolbens entweicht die Luft auf dem gleichen Wege. Der Kolben wird durch Rechtsdrehen (Abb. 1 c) des Füllgriffs zurückgeschraubt. Es entsteht eine Sogwirkung vor dem Kolben im Tintenbehälter und in den Tintenleitwegen des Zuführers bis zur Höhe des Luftlochs in der Feder. Die Feder muß beim Füllen bis über das Luftloch in die Tinte getaucht werden, damit der Füllhalter gefüllt werden kann.

Die Tinte wird beim Schreiben aus dem Tintenbehälter durch Kapillarrillen im Zuführer bis zur Federunterseite weitergeführt und von dort im Federschlitz zur Federspitze geleitet. Beim Schreibdruck spreizen sich die elastischen Federschenkel, der Federschlitz wird breiter und nimmt entsprechend mehr Tinte auf, so daß auch mehr Tinte an das Papier abgegeben wird. – Im gleichen Maße, in dem Tinte verbraucht wird, muß Luft in den Tintenbehälter einströmen. In den Zuführer ist dazu ein Luftweg eingefräst, der die Luft in kleinsten Bläschen zum Tintenraum leitet (Abb. 1 d).

Die Tintenpatrone des *Patronenfüllhalters* (Abb. 2) ist aus flexiblem Kunststoff gefertigt und mit einer Glaskugel verschlossen. Der Patroneninhalt beträgt 1 cm^3. Beim Einsetzen in den Füllhalter wird die Kugel von einem Dorn in die Patrone zurückgestoßen; sie verbleibt dort, ohne den Tintenfluß zu beeinträchtigen. Aufgabe des Zuführers ist es, die Tinte von der Patrone bis zur Feder zu leiten (Abb. 2 b). Am Ende des Zuführers befindet sich eine geschliffene Zunge, die die Tinte aus der Patrone herauszieht. Außerdem ist der Zuführer so gearbeitet, daß

Luft in die Patrone eintreten kann. Eine Dichtungsglocke schirmt die Patronenmündung nach den Seiten ab, um ein unbeabsichtigtes Zurückfließen der Tinte in den Schaft zu verhindern.

Moderne Füllhalter sind mit einer Regeleinrichtung versehen, die thermische Einflüsse und Druckänderungen ausgleicht. Sie besteht aus zwei ineinandergesteckten Hülsen, die im Zuführer liegen. Die Zwischenräume sind so berechnet, daß sich die Tinte durch Kapillarkraft an den Hülsenwänden hält. Die hier auftretenden Kapillarkräfte werden stets an der Grenze fester und flüssiger Stoffe wirksam. Auf die Moleküle der Flüssigkeit, die sich an der Grenzfläche befinden, wirken sowohl Anziehungskräfte der Moleküle aus dem Innern der Flüssigkeit als auch Anziehungskräfte der Moleküle der festen Wand. Bei der Tinte überwiegen die Kräfte zwischen Flüssigkeit und Wand, die Tinte „haftet" so an den Wänden der Kapillaren (d. h. hinreichend dünne Röhrchen) und kann sich daher selbst gegen die Schwerkraft halten. Zweck dieses Systems ist es, die überschüssige Tinte aufzunehmen, die durch Erwärmung oder geringen Außenluftdruck (Ausdehnung der Luft in der Patrone) zur Feder drückt und zum Klecksen führen würde. Die Ausgleichskammern (Zwischenräume) bieten durch die volle Wirksamkeit der Kapillarkraft und durch ihre große Aufnahmefähigkeit größtmögliche Klecks- und Höhensicherheit.

Abb. 1 Kolbenfüllhalter

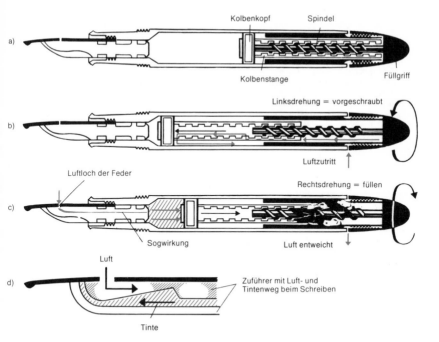

a) Kolbenkopf Spindel
Kolbenstange Füllgriff

b) Linksdrehung = vorgeschraubt
Luftzutritt

c) Luftloch der Feder
Rechtsdrehung = füllen
Sogwirkung Luft entweicht

d) Luft
Zuführer mit Luft- und Tintenweg beim Schreiben
Tinte

Abb. 2 Patronenfüllhalter

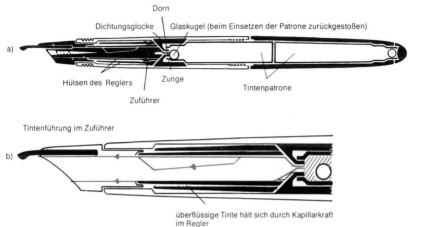

a) Dorn
Dichtungsglocke Glaskugel (beim Einsetzen der Patrone zurückgestoßen)
Hülsen des Reglers Zunge
Zuführer Tintenpatrone

Tintenführung im Zuführer

b) überflüssige Tinte hält sich durch Kapillarkraft im Regler

Kugelschreiber

Ein Kugelschreiber ist ein Schreibgerät, bei dem eine kleine rollende Kugel in der Minenspitze eine Farbmasse auf das Schreibpapier überträgt. Die Kugel wird durch die Farbmasse geschmiert, die sich in der Mine hauptsächlich durch Einwirkungen der Schwerkraft bewegt. Die stillstehende Kugel verschließt, wenn sie genau sitzt, die Farbmine und verhindert dadurch deren Austrocknen. Die Farbmasse besteht im allgemeinen aus an Olein gebundenen Fettfarbstoffen (Farbanteil rund 10–20%). Neben den einfachen Kugelschreibern mit nicht versenkbarer Mine gibt es Druckkugelschreiber, bei denen die Mine durch mechanische Vorrichtungen in die Schreibstellung bzw. zurück in den Kugelschreiber geführt werden kann. Für die Minenbetätigung gibt es zahlreiche Varianten. Bei einem Druckkugelschreiber mit *Securit*Ⓦ-*Mechanik* (Abb. 1) wird mit dem von Hand betätigten Druckknopf das Druckrohr mit der darin sitzenden Mine vorgeschoben. Die Führungen des Druckrohres sind dabei vollständig in die im Schaftoberteil feststehenden Steuerschlitze eingeführt (Abb. 2 a). Bei der Entlastung des Druckknopfes geht die Mine durch die Wirkung der großen Feder wieder zurück. Dabei rasten die Führungen des mit der Mine verbundenen Druckrohres in die kleinen Verzahnungen der Schalthülse ein. Die Mine befindet sich dann in Schreibstellung (Abb. 2 b). Die Lösung der Schreibstellung erfolgt wieder durch Niederdrücken des Druckknopfes. Dabei tauchen die Führungen des Druckrohres in die feststehenden Steuerschlitze ein (Abb. 2 c). Die durch eine kleine Feder belegte Schalthülse setzt sich auf die Schrägspitzen der feststehenden Steuerschlitze, wobei sich die Schalthülse um einen Zahn weiterdreht.

Beim Zurückgehen des Druckrohres wird zunächst die Schalthülse angehoben und dabei gedreht. Danach können die Führungen des Druckrohres in die großen Zahnöffnungen der Schalthülse eintauchen, wodurch die Mine in das Schreibgerät zurückgeführt ist (Abb. 2 d). Das Steuerglied ist dabei wiederum die Schalthülse, die bei jeder Betätigung des Druckknopfes eine kleine Drehbewegung ausführt.

Druckkugelschreiber mit *Kugelmechanik* sind gegenüber dem oben beschriebenen System viel einfacher gebaut, zudem ist die Kugelmechanik praktisch verschleißfest, da sie weniger Einzelteile und weder Schaltzähne noch Nocken hat. Sie wird durch den verlängerten Druckknopf, durch Schaftober- und -unterteil sowie durch eine kleine Stahlkugel gebildet (Abb. 3 und 4 a). Beim Betätigen des Druckknopfes rollt die Stahlkugel im Uhrzeigersinn in einer herzförmigen Aussparung des verlängerten Druckknopfes (Abb. 4 b). Sie wird dabei nach außen durch das Schaftoberteil, nach unten durch das eingeschraubte Unterteil und nach oben durch einen Ansatz im Oberteil in gleicher Höhe gehalten. Durch ihre Lage innerhalb der herzförmigen Leitkurve wird der Stand der Mine bestimmt (Abb. 4 c). Nach dem Druck auf den Knopf befindet sich die Kugel im oberen Rastpunkt der Herzkurve. Hier wird sie durch den Druck der Mechanikfeder gehalten; die Mine ist in Schreibstellung. Nach nochmaligem Druck auf den Knopf liegt die Kugel im unteren Rastpunkt, die Mine gleitet in den Kugelschreiber zurück.

Abb. 1 Druckkugelschreiber mit Securit (W₂)-Mechanik

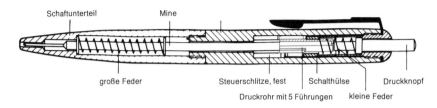

Schaftunterteil   Mine

große Feder   Steuerschlitze, fest   Schalthülse   Druckknopf
Druckrohr mit 5 Führungen   kleine Feder

Abb. 2 Funktionsweise der Securit (W₂)-Mechanik

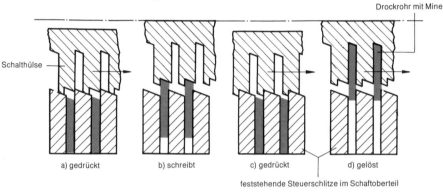

Drockrohr mit Mine

Schalthülse

a) gedrückt   b) schreibt   c) gedrückt   d) gelöst

feststehende Steuerschlitze im Schaftoberteil

Abb. 3 Druckkugelschreiber mit Kugelmechanik

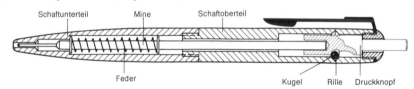

Schaftunterteil   Mine   Schaftoberteil

Feder   Kugel   Rille   Druckknopf

Abb. 4 Funktionsweise der Kugelmechanik

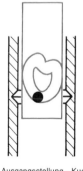 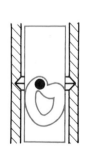 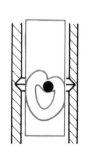

a) Ausgangsstellung – Kugel   b) Druckknopf gedrückt – Kugel   c) Lage der Kugel bestimmt
im unteren Rastpunkt   in Aussparung   Minenstand

Bügeleisen und Bügelmaschine

Textile Gewebe sind nach dem Waschen infolge aufgenommener Feuchtigkeit weich, unelastisch, leicht gequollen und oft geschrumpft. Durch Anwendung von Wärme, Feuchtigkeit und Druck können Kleidungs- oder Wäschestücke wieder geglättet bzw. in ihre ursprüngliche Form gebracht werden.

Moderne *Haushaltsbügeleisen* haben eine elektrisch beheizte, vorn spitz auslaufende Metallsohle aus Aluminium oder Stahlblech. Die Sohle ist zur Verbesserung der Gleiteigenschaft geschliffen und poliert oder kunststoffbeschichtet. Ihre Fläche ist etwa 200 cm^2, was bei einem elektrischen Anschlußwert von 1 000 bis 1 200 Watt einer Heizleistung von 5 bis 6 Watt pro cm^2 entspricht. Das Gewicht eines Bügeleisens liegt zwischen 800 und 1 200 Gramm; Reisebügeleisen sind etwas leichter. Um den unterschiedlichen Bügeltemperaturen verschiedener Gewebe Rechnung zu tragen, sind moderne Bügeleisen mit einem Temperaturregler ausgestattet. Durch Drehen einer Wählscheibe wird entsprechend den zu bügelnden Textilien bzw. den internationalen Pflegekennzeichen auf den Wäschestücken die Temperaturobergrenze vorgegeben. Die Symbole, bestehend aus einem, zwei oder drei Punkten, bedeuten 100, 150 oder 200 °C. Nach dem Erreichen der Solltemperatur schaltet der Thermostat das Bügeleisen aus. Bedingt durch Wärmeabgabe v. a. an das Bügelgut sinkt die Temperatur der Bügelsohle; der Thermostat schaltet – meist an einer Kontrollampe sichtbar – wieder ein.

Als Heizelement werden Heizwendeln aus Widerstandsdraht verwendet, die in eine Isoliermasse eingebettet sind, oder aufgelötete oder in eine Nut in der Sohle eingegossene Rohrheizkörper.

Das beim Bügeln z. B. von Wolle benötigte feuchte Tuch zwischen Bügeleisen und Bügelgut erübrigt sich bei der Verwendung eines *Dampfbügeleisens* (Abb. 1). Es enthält im Griff einen Wasserbehälter mit bis zu 250 cm^3 Inhalt. Auf Knopfdruck fließt eine kleine Wassermenge in eine Dampfkammer in der heißen Sohle, verdampft, strömt durch Dampfkanäle und tritt durch Düsen auf der Unterseite der Bügelsohle aus. Beim Betätigen der Dampfautomatik entströmt dem Bügeleisen ständig Dampf, und zwar bis zu 5 g pro Minute. Durch eine weitere Düse im vorderen Griffteil kann auf Knopfdruck ein feiner Wasserstrahl auf die Wäsche gespritzt werden.

Größere Wäschemengen werden zeitsparend mit einer *Bügelmaschine* bewältigt. Bügelmaschinen werden für Haushaltszwecke als Stand-, Tisch- und Klappmodell gebaut. Der Bügeleffekt kommt dadurch zustande, daß die Wäsche, von einer rotierenden Bügelwalze transportiert, auf einer beheizten Bügelmulde gleitet. Die in der Form der zylinderförmigen Bügelwalze angepaßte Bügelmulde wird elektrisch beheizt. Die Bügeltemperatur wird an einem Thermostaten eingestellt. Die Bügelmulde ist kippbar gelagert und wird in Arbeitsstellung an die rotierende Walze gedrückt. Bei einer spezifischen Heizleistung von 2,5 W/cm^2 beträgt die Heizleistung 2 500 Watt bei einer Muldenfläche von 1 000 cm^2. Die Bügelwalze kann beidseitig gelagert sein oder einseitig, d. h. mit freiem Walzenende. Sie wird von einem Elektromotor angetrieben. Die Bewicklung der Walze (Abb. 3) ist so weich, daß Knöpfe usw. nicht beschädigt werden. Die Leistungsfähigkeit einer Bügelmaschine hängt allgemein ab von Heizleistung, Bügeldruck, Gewebeart und Restfeuchtigkeit, des weiteren von Walzenbreite und Walzengeschwindigkeit. Durch die Gewebeart ist die Obergrenze der Bügeltemperatur vorgegeben; die in den bügelfeuchten Wäschestücken vorhandene Restfeuchte erfordert eine entsprechend angepaßte Walzengeschwindigkeit. Bügelmaschinen mit feuchtigkeitsabhängiger Walzengeschwindigkeit erfassen die Restfeuchte im Bügelgut zwischen Walze und Mulde. Der Restfeuchte proportionale Übergangswiderstand zwischen Mulde und einer elektrisch leitfähigen Zwischenschicht der Walzenbewicklung liefert auf elektronischem Weg das Steuersignal für die Phasenanschnittsteuerung des Walzenmotors. Bei Bügelmaschinen mit von Hand einstellbarer Walzengeschwindigkeit wird ebenfalls mit Hilfe einer Phasenanschnittsteuerung der Walzenmotor stufenlos geregelt; das Bügeltempo kann damit „individuell" angepaßt werden.

Bei Bügelmaschinen mit Wäschebefeuchter läuft die Bügelwäsche zunächst über eine sich drehende, unterseits in eine Wasserwanne tauchende Walze, dadurch erübrigt sich das Besprengen der nicht mehr bügelfeuchten Wäsche. *Dampfbügelmaschinen* (Abb. 2) haben einen beheizten Wasserbehälter; der dort erzeugte Dampf steigt über ein Rohr zu einem Bedampfungsraum und befeuchtet die Bügelwäsche unmittelbar vor der Bügelmulde.

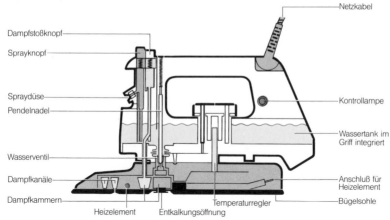

Dampfstoßknopf

Sprayknopf

Spraydüse

Pendelnadel

Wasserventil

Dampfkanäle

Dampfkammern

Heizelement

Entkalkungsöffnung

Temperaturregler

Netzkabel

Kontrollampe

Wassertank im Griff integriert

Anschluß für Heizelement

Bügelsohle

Abb. 1 Dampfbügeleisen (AEG)

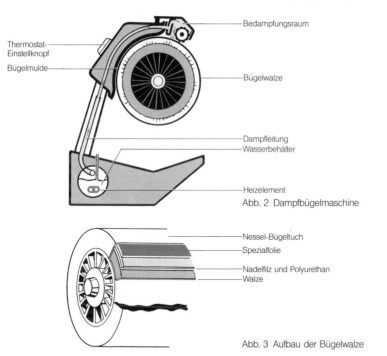

Thermostat-Einstellknopf

Bügelmulde

Bedampfungsraum

Bügelwalze

Dampfleitung
Wasserbehälter

Heizelement

Abb. 2 Dampfbügelmaschine

Nessel-Bügeltuch

Spezialfolie

Nadelfilz und Polyurethan
Walze

Abb. 3 Aufbau der Bügelwalze

Waschmaschine und Wäschetrockner

Waschmaschinen sind Haushaltsgeräte zur Reinigung verschmutzter Wäsche und Kleidung in erwärmtem Wasser unter Zugabe von Waschmitteln. Bei der heute allgemein verwendeten *Trommelwaschmaschine* befindet sich die Wäsche in einer gelochten, innen mit Mitnehmerrippen versehenen Edelstahltrommel, die im Laugenbehälter abwechselnd nach beiden Seiten gedreht wird. Bei *Frontladern* wird die Trommel von vorn beschickt, bei *Topladern* von oben.

In *Waschautomaten* wird die Wäsche gewaschen und gespült, jedoch nicht geschleudert. Ist im Waschmaschinengehäuse eine separate Schleuder vorhanden, so spricht man von einer Waschkombination. Beim *Waschvollautomat* wird der gesamte Arbeitsablauf, bestehend aus Waschen, Spülen und Schleudern, ebenso die Zugabe aller Waschmittel automatisch gesteuert.

Aufbau und Funktion eines Waschvollautomaten zeigt die Abb. 1. Im Gehäuse befindet sich der Laugenbehälter mit der Trommel. Frontlader haben eine runde Gerätetür mit Schauglas zur Trommel. In einen meist schubladenförmigen Behälter mit mehreren sog. Einspülkammern werden Waschmittel für Vor- und Hauptwaschgang und Weichspüler eingefüllt und beim Betätigen entsprechender Magnetventile automatisch mit Wasser in den Laugenbehälter gespült. Die unterschiedlichen Wasserstände zum Waschen und Spülen werden über *Druckwächter* gesteuert, die über ein Steigrohr mit dem Laugenbehälter in Verbindung stehen. Beim Wassereinlauf steigt die Waschlauge im Steigrohr und komprimiert die eingeschlossene Luft, bis der zunehmende Druck den Membranschalter betätigt (Abb. 2); der Wasserzulauf wird unterbrochen, die Heizung kann eingeschaltet werden. Die stabförmigen Heizkörper befinden sich im unteren Teil des Laugenbehälters. Die Wassertemperatur wird über Flüssigkeitsausdehnungsregler oder einen NTC-Widerstand (Heißleiter) gesteuert.

Die Trommel wird von einem Elektromotor angetrieben. Verschiedene Trommeldrehzahlen werden entweder mit polumschaltbaren oder mit zwei verschiedenen Motoren erreicht. Typische Drehzahlen pro Minute sind: 25 im Schongang, 50 beim Waschen oder Spülen, 300 bis 1 200 beim Schleudern. Die Laugenpumpe am Boden der Maschine fördert 30 bis 50 Liter pro Minute. Ein Flusensieb schützt sie vor Fremdkörpern in der Waschlauge.

Der gesamte Waschvorgang wird durch das *Programmsteuergerät* gesteuert. Es besteht aus Wahlschalter, Programmteil und Steuerteil. Über verschiedene Drehknöpfe oder Tasten können Temperatur, Wasserstand und Waschprogramme entsprechend den Textilarten eingestellt werden. Bei elektronisch gesteuerten Waschmaschinen schaltet und überwacht ein Mikrocomputer alle Funktionen des Programmablaufs. Über ein Sensortastenfeld werden z. B. Füllmenge, Wäscheart, Verschmutzungsgrad u. a. eingegeben.

Dem Waschvorgang folgt das Schleudern der Wäsche und das Trocknen. Die Trockenzeit beträgt nach dem Schleudern im Vollautomaten $4\frac{1}{2}$ Stunden, nach dem Schleudern in der Wäscheschleuder etwa $3\frac{1}{2}$ Stunden. Trockenzeiten von 1 bis 2 Stunden erreicht man mit *Wäschetrocknern*. Bei *Ablufttrocknern* wird Umgebungsluft angesaugt und über eine Heizung in die Trommel geblasen. Die in der Wäsche enthaltene Feuchtigkeit verdampft und wird über das Flusensieb in den Raum oder ins Freie geleitet. Bei *Kondensationstrocknern* zirkuliert die Luft in einem Kreislauf und gibt die Feuchtigkeit an einen Wärmetauscher ab. Bei luftgekühlten Wärmetauschern wird das Kondenswasser in einem Behälter aufgefangen. Trockner mit wassergekühltem Wärmetauscher benötigen einen Wasseranschluß; Kühlwasser und Kondensat werden zusammen abgepumpt. Während des Trockenvorgangs wird die Wäsche in der rotierenden Trommel durch Mitnehmerrippen bewegt und aufgelockert. Die Dauer des Trockenvorgangs richtet sich danach, ob die Wäsche mangelfeucht, bügelfeucht oder schranktrocken gewünscht wird. Dazu ist die Erfassung feuchtigkeitsabhängiger Meßgrößen erforderlich. Der Temperaturabfall der bis zu 85 °C heißen Luft in der Trommel wird um so geringer, je trockener die Wäsche bereits ist. Die Temperaturdifferenz wird über zwei Sensoren erfaßt. Der von der Feuchtigkeit abhängige elektrische Leitwert der Wäsche kann über Feuchtigkeitsfühler gemessen werden; mit diesen Verfahren kann Wäsche bügelfertig getrocknet werden. Für schranktrockene Wäsche wird die elektrostatische Aufladung der Wäschestücke in der Trommel über Elektroden gemessen.

Wäschetrockner mit zeitabhängiger Steuerung arbeiten mit einem mechanischen oder elektrischen Zeitschalter. Die Trockendauer wird aufgrund praktischer Erfahrungswerte eingestellt.

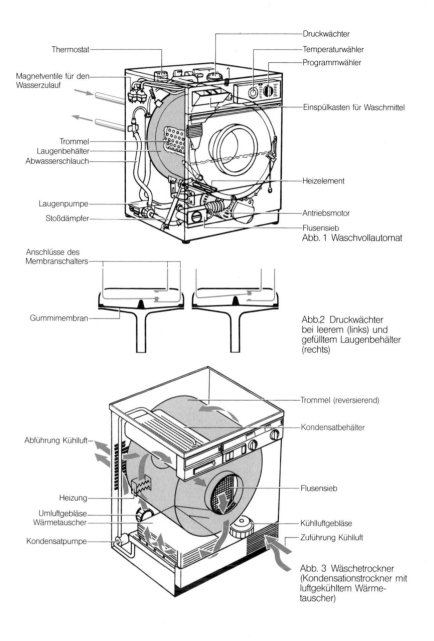

Thermostat

Magnetventile für den Wasserzulauf

Trommel
Laugenbehälter
Abwasserschlauch

Laugenpumpe
Stoßdämpfer

Druckwächter
Temperaturwähler
Programmwähler

Einspülkasten für Waschmittel

Heizelement

Antriebsmotor
Flusensieb

Abb. 1 Waschvollautomat

Anschlüsse des Membranschalters

Gummimembran

Abb.2 Druckwächter bei leerem (links) und gefülltem Laugenbehälter (rechts)

Abführung Kühlluft

Heizung
Umluftgebläse
Wärmetauscher
Kondensatpumpe

Trommel (reversierend)

Kondensatbehälter

Flusensieb

Kühlluftgebläse
Zuführung Kühlluft

Abb. 3 Wäschetrockner (Kondensationstrockner mit luftgekühltem Wärmetauscher)

Geschirrspülmaschine

Beim Spülen von Hand werden Speisereste v. a. mit Wasser unter Zuhilfenahme einer Bürste mechanisch entfernt. Im Gegensatz dazu arbeitet eine Haushaltsspülmaschine mit der mechanischen Wirkung von Wasserstrahlen, die jede Stelle auf der Geschirroberfläche erreichen, die Speisereste ablösen und fortspülen. Dazu sind in der Spülmaschine zwei oder drei Sprüharme mit zahlreichen gerichteten Düsen vorhanden, aus denen fächerförmig Wasserstrahlen austreten und gleichzeitig die Sprüharme in Drehung versetzen (Abb. 1). In zwei herausziehbare Geschirrkörbe werden die Geschirrteile hineingestellt: Töpfe, Kannen usw. umgekehrt (damit kein Wasser zurückbleiben kann), Besteckteile in spezielle, herausnehmbare Besteckkörbchen.

Moderne Geschirrspüler arbeiten mit 6–8 Liter Wasser, das von einer Umwälzpumpe innerhalb weniger Sekunden umgepumpt wird. Die abgespülten Speisereste werden zum Schutz der feinen Düsen von einem Sieb am Boden zurückgehalten oder in ein trichterförmiges Sieb vor der Ablaufpumpe gespült. Weiches, weitgehend kalkfreies Wasser ist eine wesentliche Voraussetzung für „glänzende" Spülergebnisse; hartes Wasser hinterläßt schleierähnliche Rückstände. Spülmaschinen sind daher mit einem Ionenaustauscher ausgerüstet, der das einlaufende Wasser enthärtet. Die Austauschermasse ist in der Lage, die im Leitungswasser vorhandenen Härtebildner (Calcium- und Magnesiumionen) zu binden. Der Ionenaustauscher hat nur eine beschränkte Kapazität; danach muß er regeneriert werden. Das geschieht jeweils am Ende eines Spülprogramms, indem die Austauschermasse mit 1–2 Liter konzentrierter Lösung von Regeneriersalz gespült wird. Der Austauscher gibt die angelagerten Calcium- und Magnesiumionen wieder ab und nimmt Natriumionen auf. Die Spüllösung wird anschließend abgepumpt.

Jeder Spülprozeß läuft nach einem bestimmten, wählbaren Programm ab, bei dem in aufeinanderfolgenden Arbeitsgängen das Geschirr gereinigt und getrocknet wird. Für die Steuerung des automatischen Programmablaufs gibt es zwei Möglichkeiten: das elektromechanische Programmschaltwerk und die elektronische Steuerung über Mikrocomputer.

Das Schaltwerk besteht aus mehreren Nockenscheiben auf einer gemeinsamen Achse, die von einem Motor langsam gedreht wird. Die Nocken auf den einzelnen Scheiben betätigen je einen Schalter, der seinerseits ein bestimmtes Peripheriegerät (z. B. Magnetventil, Heizung, Umwälzpumpe) ein- und nach einer bestimmten Zeit wieder ausschaltet.

Die elektronische Steuerung arbeitet nach vorprogrammierten Spülprogrammen, die z. B. über Sensortasten auf einem Eingabefeld auf der Spülmaschine abgerufen werden. Das Programm läuft immer erst dann weiter, wenn die Ist-Werte, z. B. für Temperatur oder Wasserstand, den Soll-Werten entsprechen. Die Peripheriegeräte werden indirekt über Relais geschaltet. Zu den Peripheriegeräten zählen Magnetventile, Umwälz- und Ablaufpumpe, Heizstäbe, Niveau- oder Wasserstandsregler, Temperaturregler, Einspülwanne für Reinigungsmittel und Dosiervorrichtung für Klarspülmittel. Mit dem Magnetventil (Abb. 2) wird der Kaltwassereinlauf durch den Ionenaustauscher hindurch in den Spülbehälter gesteuert.

Die Umwälzpumpe unterhalb des Spülbehälters ist eine Kreiselpumpe, der das vom Geschirr abtropfende Wasser durch ein großflächiges Sieb zufließt. Die Ablaufpumpe – auch Laugenpumpe genannt – fördert mit einer Leistung von 10 bis 30 Litern pro Minute das Spülwasser in den Abfluß. Am wannenförmigen Boden des Spülbehälters sitzt die elektrische Heizung, meist eine Rohrheizung (Anschlußwert 2–3 Kilowatt). Der Wasserstand wird wie bei einer Waschmaschine mit Hilfe eines Druckwächters eingestellt (vgl. S. 583). Die Wassertemperatur beim Spülprozeß liegt – abhängig vom Programm – zwischen 40 und 70 °C und wird thermostatgesteuert. Auf der Innenseite der Gerätetür befindet sich die Einspülwanne mit wasserdicht schließendem Deckel. Der Deckel wird programmgesteuert geöffnet und gibt den Inhalt (Reinigungsmittel in Granulatform) frei. In der Tür befindet sich ebenfalls ein Vorratsbehälter für das Klarspülmittel. Eine elektromagnetisch betätigte Dosiereinrichtung (Abb. 3) gibt beim letzten Spülgang eine einstellbare Menge an Klarspüler in den Spülbehälter. Der Klarspüler hat die Aufgabe, die Oberflächenspannung des Wassers herabzusetzen und Tropfenbildung zu verhindern. Zurück bleibt ein hauchdünner Wasserfilm, der rasch verdunsten kann.

Moderne Geschirrspülmaschinen benötigen für ein Spülprogramm etwa 25 bis 30 Liter Wasser und verbrauchen etwa 2 bis 3 Kilowattstunden an elektrischer Energie.

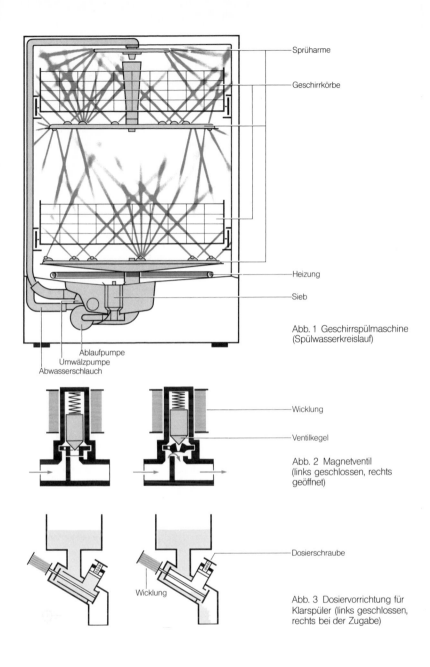

Sprüharme

Geschirrkörbe

Heizung

Sieb

Ablaufpumpe
Umwälzpumpe
Abwasserschlauch

Abb. 1 Geschirrspülmaschine
(Spülwasserkreislauf)

Wicklung

Ventilkegel

Abb. 2 Magnetventil
(links geschlossen, rechts
geöffnet)

Dosierschraube

Wicklung

Abb. 3 Dosiervorrichtung für
Klarspüler (links geschlossen,
rechts bei der Zugabe)

585

Kühlschrank

Kühlschränke haben die Aufgabe, ihrem Inhalt Wärme zu entziehen und so die im Innenraum herrschende Temperatur herabzusetzen. Dazu nutzt man zwei physikalische Gesetzmäßigkeiten aus: 1. Der Siedepunkt einer Flüssigkeit, d. h. die Temperatur, bei der sich eine Flüssigkeit im Dampf umwandelt, ist vom Umgebungsdruck abhängig. So wandelt sich Wasser bei normalem Atmosphärendruck (1013 Hektopascal [hPa]) in Dampf um, bei Verringerung des Druckes auf $^1/_{10}$ (d. h. 101,3 hPa) jedoch schon bei 46 °C. Dies bedeutet aber auch, daß man Wasserdampf von z. B. 50 °C und rund 100 hPa durch Druckerhöhung auf normalen Atmosphärendruck ohne weiteres verflüssigen, d. h. wieder in Wasser umwandeln kann. 2. Jede Flüssigkeit nimmt beim Übergang vom flüssigen zum dampfförmigen Zustand Wärme auf und gibt dieselbe Wärme beim Übergang vom dampfförmigen in den flüssigen Zustand wieder ab. Wählt man nun eine Flüssigkeit, deren Siedepunkt bei normalem Druck unter der zu erzeugenden Temperatur liegt, so wird diese Flüssigkeit schon bei diesen niedrigen Temperaturen verdampfen und dabei Wärme aufnehmen, die sie der Umgebung entzieht. Bringt man den entstehenden Dampf auf hohen Druck, so wird er, da ja dann sein Siedepunkt höher liegt, schon bei Abkühlung auf Raumtemperatur flüssig werden und dabei Wärme als Kondensationswärme abgeben. Entspannt man die Flüssigkeit auf normalen Druck, so kann das Spiel von neuem beginnen. Um den gewünschten Effekt zu erzielen, benutzt man sogenannte Kältemittel (bei niedrigen Temperaturen siedende Flüssigkeiten oder verflüssigte Gase, z. B. Ammoniak, bestimmte Halogenkohlenwasserstoffe). Abb. 1 zeigt den entstehenden Kreislauf: Die zum Verdampfen notwendige Wärme wird dem abzukühlenden Raum entnommen, der Wärme verliert, wobei seine Temperatur sinkt. Das Kältemittel wird anschließend unter Wärmeabgabe wieder verflüssigt und dann wieder zum Verdampfen gebracht. Die beschriebenen Gesetzmäßigkeiten kommen bei beiden üblichen Kühlschranktypen, dem Kompressor- und dem Absorberkühlschrank, zur Anwendung.

Kompressorkühlschrank (Abb. 2 und 4): Das Kältemittel, das unter geringem Druck steht, wird im Kältemittelbehälter (Verdampfer) verdampft. Der Verdampfer ist eine Rohrschlange, die im Gefrierfach untergebracht ist. Durch die Verdampfung wird die Temperatur im Kühlraum herabgesetzt. Den Dampf saugt nun ein kleiner Kompressor an und verdichtet ihn auf einen höheren Druck. In einem nachgeschalteten Verflüssiger (Kondensator) gibt der Dampf seine Wärme nach außen ab. Durch das Zusammenwirken von erhöhtem Druck und Wärmeabgabe wird das Kältemittel verflüssigt. Als letzte Phase wird das flüssige Kältemittel auf den kleineren Druck entspannt und gelangt wieder in den Verdampfer. Die Innentemperatur des Kühlschranks regelt ein Thermostat (s. S. 78), der über ein Relais den Motor des Kompressors ein- oder ausschaltet.

Absorberkühlschrank (Abb. 3): Der Absorberkühlschrank (meist ein Kleingerät, z. B. ein Campingkühlmöbel) arbeitet ohne Kompressor. Die Druckerzeugung erfolgt in einem meist elektrisch- oder gasbeheizten Kocher oder Austreiber, der mit stark ammoniakhaltigem Wasser angefüllt ist. Erwärmt man diese Lösung, so dampft das Ammoniak aus und das Wasser bleibt zurück. Da die Ausdampfung ständig weitergeht, steigt der Druck so lange an, bis er groß genug ist, um den Ammoniakdampf im Verflüssiger zu kondensieren. Wie beim Kompressorkühlschrank wird die Flüssigkeit nun in einer Drossel entspannt und verdampft anschließend wieder unter Aufnahme von Wärme (im Inneren des Schrankes). Das schwach ammoniakhaltige Wasser aus dem Kocher, das noch sehr warm ist, läuft über einen Wärmetauscher, wo es einen Teil seiner Wärme abgibt, in den Absorber. Hier nimmt es den reinen Ammoniakdampf, der aus dem Verdampfer strömt, wieder auf und sättigt sich ab. Ein kleine Umwälzpumpe fördert die entstandene Ammoniaklösung über den Wärmetauscher, wo sie die Wärme des aus dem Kocher fließenden Wassers aufnimmt, zurück in den Kocher, wo der Vorgang von neuem beginnt.

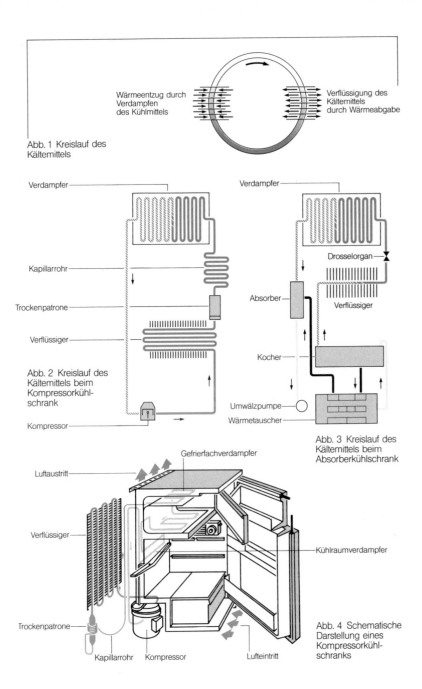

Wärmeentzug durch
Verdampfen
des Kühlmittels

Verflüssigung des
Kältemittels
durch Wärmeabgabe

Abb. 1 Kreislauf des
Kältemittels

Verdampfer

Kapillarrohr

Trockenpatrone

Verflüssiger

Abb. 2 Kreislauf des
Kältemittels beim
Kompressorkühl-
schrank

Kompressor

Verdampfer

Drosselorgan

Absorber

Verflüssiger

Kocher

Umwälzpumpe

Wärmetauscher

Abb. 3 Kreislauf des
Kältemittels beim
Absorberkühlschrank

Gefrierfachverdampfer

Luftaustritt

Verflüssiger

Kühlraumverdampfer

Trockenpatrone

Kapillarrohr   Kompressor   Lufteintritt

Abb. 4 Schematische
Darstellung eines
Kompressorkühl-
schranks

Sicherheitsschloß

Das Kernstück des Sicherheitsschlosses ist ein Zylinder (es wird daher auch als *Zylinderschloß* bezeichnet). Er ist drehbar im Gehäuse gelagert. In geschlossenem Zustand (Abb. 1) drücken kleine Schraubenfedern mehrere (z. T. über 20) in achsensenkrechten Gehäuse- und Zylinderbohrungen angeordnete, nach Maßgabe der Schlüsselzähnung unterschiedlich in Unter- und Oberstifte unterteilte Stifte nach oben, wobei die Unterstifte die Trennlinie zwischen Zylinder und Gehäuse sperren, so daß der Zylinder nicht gedreht werden kann. Wenn der richtige Schlüssel in den Zylinder gebracht wird, werden die Stifte so weit heruntergedrückt, daß ihre Trennlinie gerade mit der Trennlinie zwischen Zylinder und Gehäuse übereinstimmt. Entsprechendes gilt für Zylinderschlösser mit durch Federn nach unten gedrückten Oberstiften. Der Zylinder, der mit dem Riegel in Verbindung steht, kann nun gedreht, das Schloß damit also geöffnet bzw. geschlossen werden. Ein falscher Schlüssel senkt bzw. hebt keine oder nur einen Teil der Sperrstifte auf die richtige Höhe an, so daß die restlichen Stifte immer noch ein Öffnen verhindern.

Eine Abwandlung des Zylinderschlosses ist ein Schloß, dessen Schlüssel (sogenannter *Wendeschlüssel*) mit Mulden versehen ist und der waagerecht ins Schlüsselloch gesteckt wird. Die Stifte werden hierbei durch die Mulden in die richtige Stellung gebracht, so daß das Schloß betätigt werden kann (Abb. 2). Wendeschlüssel können zusätzlich mit seitlichen Mulden für Profilkontrollstifte versehen sein.

Bei Hauptschlüssel- und Zentralschloßanlagen sind die Unter- bzw. Oberstifte weiter unterteilt (sog. Aufbaustifte), wodurch mehrere Trennebenen entstehen. Bei einer *Hauptschlüsselanlage* lassen sich mit einem „übergeordneten" Schlüssel (z. B. für den Hausmeister) mehrere unterschiedliche Zylinderschlösser betätigen, während bei einer *Zentralschloßanlage* mehrere unterschiedliche Einzelschlüssel (z. B. Wohnungstürschlüssel) auch bestimmte andere Zylinderschlösser (z. B. das Haustürschloß) öffnen und schließen können.

Eine Neuentwicklung stellen *Magnetschloßsysteme* dar, bei denen Schloß und Schlüssel mit einer magnetischen Codierung versehen sind. Eine Decodiereinheit am Schloß erteilt einer elektronischen Schaltung bei passendem Schlüssel den Befehl, die Öffnungsmechanik freizugeben. Dabei gibt es je Schlüsselprofil zum Teil über 4 Milliarden Variationsmöglichkeiten.

Sicherheitsschlösser sind im allgemeinen mit speziellen Vorrichtungen gegen Aufbohren des Zylinderschlosses geschützt. Neben der Verwendung von Zuhaltungsstiftpaaren aus gehärtetem Stahl werden v. a. gehärtete Stahlstifte verwendet, die die Zuhaltungsreihe eng flankieren. Bei Schlössern für Wendeschlüssel mit zwei Reihen hintereinander versetzt angeordneter Zuhaltungsstifte kann darüber hinaus ein vorgelagerter gehärteter Stahlstift angebracht sein, der für die Sicherung einer ganzen Zuhaltungsreihe ausreicht. Gepanzerte Sicherheitsschlösser weisen mehrere radial in den Schloßzylinder eingelassene Kernschutz-Stahlstifte und parallel zu den Zuhaltungsstiften angebrachte Gehäuseschutz-Stahlstifte auf.

Die Mikroelektronik ermöglichte die Entwicklung von *Zugangskontroll- und Überwachungssystemen.* Dabei wird für jede zu kontrollierende Tür ein Sensor benötigt, der mit einer programmierbaren Zentraleinheit verbunden ist. In der Zentraleinheit befindet sich ein Hochfrequenzgenerator, der Frequenzen im unteren MHz-Band erzeugt, die zum Sensor übertragen werden. Die Frequenzen werden von dem als Dipol ausgelegten Sensor mit einer Leistung von einigen Nanowatt (nW) abgestrahlt. Wird nun eine Sensorkarte, die als Codierung mehrere parasitäre Resonanzkreise enthält, in den Arbeitsbereich des Sensors gebracht, entsteht durch Interferenz eine stehende Welle. In der Zentraleinheit oder einem sogenannten *Front-End-Prozessor* werden die Resonanzfrequenzen verglichen; bei Gleichheit wird die Sperrvorrichtung geöffnet. Sind die Frequenzen verschieden, so wird das Öffnen unterbunden.

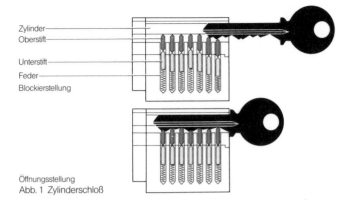

Zylinder

Oberstift

Unterstift

Feder

Blockierstellung

Öffnungsstellung
Abb. 1 Zylinderschloß

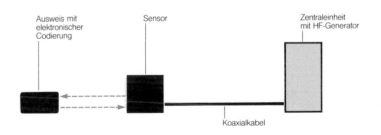

Profilkontrollstifte

Wendeschlüssel
(Seitenansicht)

Anbohrschutzstifte

Abb. 2 Sicherheitsschloß
für Wendeschlüssel

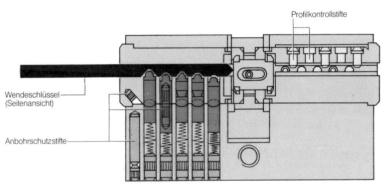

Ausweis mit
elektronischer
Codierung

Sensor

Zentraleinheit
mit HF-Generator

Koaxialkabel

Abb. 3 Funktionsschema eines
elektronischen Zutrittskontrollsystems

Register

Kursive Seitenzahlen kennzeichnen die jeweilige Haupttextstelle (Themenstichwort)

591

607